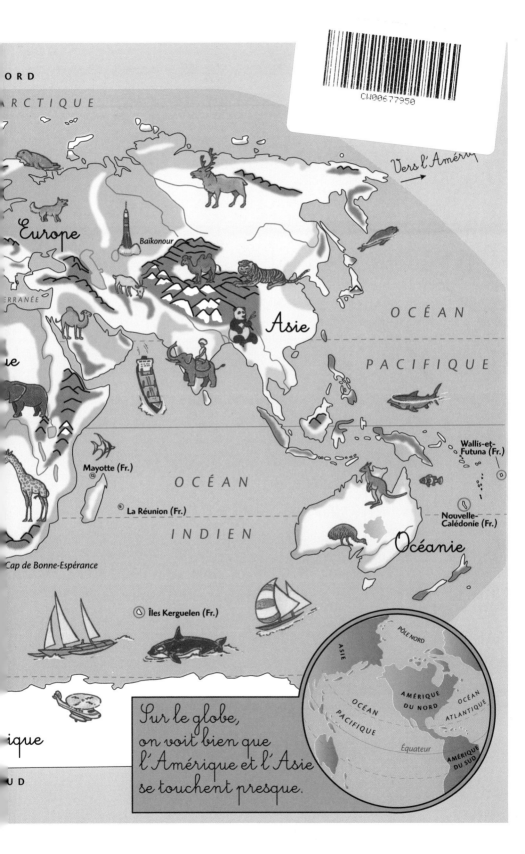

ORD

ARCTIQUE

Europe

Baïkonour

ERRANÉE

Asie

OCÉAN

PACIFIQUE

Wallis-et-
Futuna (Fr.)

Mayotte (Fr.)

OCÉAN

La Réunion (Fr.)

Nouvelle-
Calédonie (Fr.)

INDIEN

Océanie

Cap de Bonne-Espérance

Îles Kerguelen (Fr.)

Vers l'Amériq

Sur le globe,
on voit bien que
l'Amérique et l'Asie
se touchent presque.

ique

UD

PÔLE NORD

ASIE

AMÉRIQUE
DU NORD

OCÉAN
ATLANTIQUE

OCÉAN
PACIFIQUE

Équateur

AMÉRIQUE
DU SUD

# LAROUSSE
## des *débutants*

LAROUSSE

21 RUE DU MONTPARNASSE 75283 PARIS CEDEX 06

POUR LA PRÉSENTE ÉDITION

DIRECTION DU DÉPARTEMENT
DICTIONNAIRES ET ENCYCLOPÉDIES : Carine Girac-Marinier
DIRECTION ÉDITORIALE : Claude Nimmo
DIRECTION ÉDITORIALE ADJOINTE : Stéphanie Auvergnat
ÉDITION : Anne-Françoise Robinson
RESPONSABLE DE LA RÉDACTION : Nicole Rein-Nikolaev
LECTURE-CORRECTION : Chantal Pagès ; Madeleine Biaujeaud, Henri Goldszal, Joëlle Narjollet, Édith Zha
INFORMATIQUE ÉDITORIALE : Marion Pépin ; Dalila Abdelkader
DIRECTION ARTISTIQUE : Ulrike Meindl
CONCEPTION DE LA MAQUETTE : Ulrike Meindl ; Marie-Christine Carini
MISE EN PAGE : Sylvie Fécamp ; Abigail Nunes (planches)
COUVERTURE : Ulrike Meindl
DESSINS : Jacqueline Pajouès ; Catherine Adam, Laurent Blondel, Alain Boyer, Monique Gaudriault, Denis Horvath, Annie-Claude Martin, Danièle Schulthess, Archives Larousse
FABRICATION : Marlène Delbeken

Les pages 11 à 22 du *Mémento de français* ont été réalisées avec la collaboration de Valérie Herman, professeure des écoles.

REMERCIEMENTS : *L'Éditeur remercie pour leur aide ou leurs conseils :* Emmanuelle Bauquis, Valérie Herman, Camille Ledoux, Thierry Olivaux, Anne-Charlotte Sangam, Anne Thomas-Belli, ainsi que tous les professeurs des écoles qui ont apporté leur savoir-faire.

POUR LES PRÉCÉDENTES ÉDITIONS

RESPONSABLE ÉDITORIALE : Catherine Boulègue ; Noëlle Degoud
RÉDACTION : Nicole Rein-Nikolaev ; Patricia Maire, Raphaëlle Mourey
LECTURE-CORRECTION : Monique Bagaïni, Chantal Pagès
INFORMATIQUE ÉDITORIALE : Marion Pépin ; Serge Boucher, *avec la collaboration de Marianne Nicaud*
ILLUSTRATIONS : Jacqueline Pajouès ; Laurent Blondel, Marie-Marthe Colin, Jean-Louis Henriot, Noëlle Le Guillouzic, Françoise Naudinat, Danièle Schulthess

Le texte qui figure sur l'illustration du mot « réciter » est extrait de *Innocentines*, de René de Obaldia, © Grasset, 1967.

## © Larousse 2016/Paris, France

ISBN : 978-2-03-592826-9

# Sommaire

**Comment utiliser le *Larousse des débutants*** pages 4 et 5

**Mémento de français** pages 7 à 30

## Le dictionnaire de A à Z
pages 31 à 703

**Atlas des pays du monde** pages 704 à 737

**Frise historique** pages 738 à 745

**Mes mots d'anglais** pages 746 à 766

### Planches illustrées

# Comment utiliser le *Larousse des débutants*

le mot-repère à gauche

après un rond rouge :
un mot de la même famille

le mot que tu cherches

après une loupe :
le pluriel des mots
difficiles

le féminin
d'un adjectif

la lettre-repère
de l'alphabet

ces numéros
en rouge
indiquent des mots
qui s'écrivent
de la même façon
mais qui n'ont
pas le même sens

**manteau**

A
B
C
D
E
F
G
H
I
J
K
L
M
N
O
P
Q

❸ **Manquer**, c'est être absent de l'école, de son lieu de travail. *Ma sœur était malade, elle a manqué la classe.*

❹ **Manquer** quelque chose, c'est arriver trop tard. *Jérémy a manqué son train.* **Synonyme : rater.**

❺ **Manquer** à quelqu'un, c'est créer un vide par son absence. *Clara me manque.*

● Mot de la même famille : manque.

**manteau** nom masculin
Un **manteau** est un vêtement à manches longues que l'on porte pour se protéger du froid.

🔍 Au pluriel, on écrit *des manteaux.*

**1. manuel, manuelle** adjectif
Le travail **manuel** est le travail que l'on fait avec ses mains. *La poterie, la menuiserie, la couture sont des activités manuelles.*

**2. manuel** nom masculin
Un **manuel** est un livre de classe. *Ma sœur lit son manuel d'histoire.*

On **maquille** Hugo en clown.

**maquette** nom féminin
Une **maquette** est un modèle réduit. *Romain a fait une maquette d'avion.*

**maquillage** nom masculin
Des produits de **maquillage** sont des produits que l'on utilise pour se maquiller ou pour transformer son visage. *Pour la fête, maman m'a fait un maquillage de clown.*

se **maquiller** verbe
Se **maquiller**, c'est se mettre des produits de beauté sur le visage. *Ma sœur se maquille pour sortir.*

● Mot de la même famille : maquillage.

**marâtre** nom féminin
❶ Une **marâtre** est une mauvaise mère.
❷ Autrefois, une **marâtre** était la deuxième épouse d'un homme qui avait déjà des enfants. *Dans les contes, la marâtre est souvent méchante avec les enfants de son mari.*

🔍 Le deuxième a prend un accent circonflexe.

**marbre** nom masculin
Le **marbre** est une pierre très dure. *On fait des statues en marbre.*

un **marcassin**

**marcassin** nom masculin
Un **marcassin** est un jeune sanglier.

430

après une loupe :
une remarque d'orthographe,
de prononciation, ou des mots
qu'il ne faut pas confondre

**la nature du mot**

**le mot-repère à droite**

**marchand** nom masculin
**marchande** nom féminin

Un **marchand**, une **marchande** sont des personnes qui vendent des marchandises. *On m'a acheté des baskets chez le **marchand** de chaussures.*
● Mot de la même famille : **marchandise**.
→ Cherche **commerçant** et **vendeur**.

**un renvoi vers d'autres mots**

**marchandise** nom féminin

Une **marchandise** est un produit fabriqué qui se vend et qui s'achète. *Au marché, on peut acheter toutes sortes de marchandises.*

**marche** nom féminin

❶ La **marche**, c'est l'action de marcher. *La **marche** est un bon exercice. Nous avons fait une longue **marche**.*

❷ Mettre un appareil **en marche**, c'est le faire fonctionner. *Paul a mis l'ordinateur **en marche**.*

❸ Une **marche** d'escalier ou d'escabeau est un endroit plat où l'on pose le pied. *L'escalier du donjon a deux cents marches.*
● Mot de la même famille : **marcher**.

**marché** nom masculin

Un **marché** est un lieu public où les marchands s'installent pour vendre leurs marchandises. *Coralie va au **marché** tous les dimanches.*

**marcher** verbe

❶ **Marcher**, c'est se déplacer en mettant un pied devant l'autre. *Nous avons marché toute la journée.*

❷ **Marcher**, c'est être en état de marche. *Mon jouet ne **marche** plus.*
Synonyme : **fonctionner**.

Elle fait ses courses au **marché**.

**une légende**

**mardi** nom masculin

Le **mardi** est le deuxième jour de la semaine. Il vient après le lundi et avant le mercredi. *Léa va au cours de danse tous les **mardis** après l'école.*
☞ Va voir « le calendrier », page 111.

**ces numéros**
indiquent les différents sens d'un mot

**un renvoi vers une illustration**

**mare** nom féminin

Une **mare** est une petite étendue d'eau immobile et peu profonde. *Les canards barbotent dans la **mare**.*
▶ Une mare est plus petite qu'un étang.

**après un triangle vert :**
des informations supplémentaires

**marécage** nom masculin

Un **marécage** est un terrain couvert d'eau peu profonde, et envahi de plantes. *On chasse les canards dans les marécages.*

**marée** nom féminin

La **marée** est le mouvement des eaux de la mer, qui montent et qui descendent deux fois par jour et deux fois dans la nuit.

**la définition**
est en écriture droite

**l'exemple**
est en écriture penchée

**marelle** nom féminin

La **marelle** est un jeu où l'on fait avancer une boîte plate ou un caillou dans des cases dessinées sur le sol, en sautant sur un pied. *Zohra joue à la marelle.*

**un article**

a b c d e f g h i j k l m n o p q r s t u v w x y z

**le numéro de la page**

# Avant-propos

Conçu pour les enfants qui sont en cours d'apprentissage de la lecture, le **_Larousse des débutants_** est un outil de découverte de la langue française conforme aux programmes scolaires. Cette nouvelle édition tient compte des besoins exprimés par des enseignants expérimentés, que nous remercions pour leurs conseils.

Premier vrai dictionnaire, le **_Larousse des débutants_** contribue à l'acquisition et au développement des notions indispensables au « savoir lire et écrire », principal objectif du cycle des apprentissages fondamentaux. Il permet à l'enfant d'opérer le passage de l'oral à l'écrit, des sons à leur équivalent graphique, de se familiariser avec l'orthographe des mots courants, puis de repérer les sens d'un mot, ses synonymes, ses contraires et ses homonymes.

Le choix des mots définis (vocabulaire courant, mots-outils, mais aussi mots plus rares issus de contes), la rédaction et la présentation, claire et aérée, ont été soigneusement étudiés pour répondre aux besoins du jeune lecteur :

● l'**alphabet** présent sur chaque page facilite le repérage

● les **entrées en couleur** suivies de la catégorie grammaticale rendent la recherche plus aisée

● les **définitions** sont rigoureuses mais écrites dans un langage simple ; les différents **sens des mots** sont bien mis en valeur et illustrés d'**exemples** montrant l'utilisation du mot dans une phrase

● les nombreux **synonymes** et **contraires**, les **renvois analogiques**, le rappel des **mots de la même famille** apportent des compléments indispensables de vocabulaire

● les **remarques** en fin d'article (précédées d'une loupe) mettent l'accent sur une difficulté d'orthographe ou de prononciation, sur des mots à ne pas confondre.

Véritable guide d'apprentissage de la langue, le **_Larousse des débutants_** est aussi un dictionnaire suscitant chez l'enfant le plaisir de la découverte. Il y trouvera ainsi :

● des **remarques de nature encyclopédique** (précédées d'un triangle vert) pour préciser, par exemple, le nom de la femelle et du petit d'un animal

● de nombreuses **illustrations** venant à l'appui des mots définis au fil du texte

● un **mémento de français,** montrant de quelle façon le dictionnaire éclaire sur les mots, leur orthographe, leur nature, leur fonction dans la phrase et leur emploi correct

● un **cahier de planches thématiques** (regroupées au milieu de l'ouvrage) offrant le plaisir de découvrir et de commenter des images. Assorties d'un système de légendage sous forme de pastilles numérotées et de listes de mots liés au thème, ces planches constituent un support pédagogique de l'expression orale ou écrite

● un « **cahier découverte du monde** » réunissant un **atlas illustré**, la liste de tous les **pays**, avec leur drapeau, la capitale et le nom des habitants, et une **frise historique**, également illustrée, présentant les principales dates de l'histoire de la France et du monde

● et, pour finir, un **cahier de planches de vocabulaire anglais**.

Avec le **_Larousse des débutants_** l'enfant pourra s'initier peu à peu au fonctionnement du dictionnaire et le consulter ensuite de façon autonome.

L'ÉDITEUR

# Mémento de français

# Les lettres et les sons

Pour écrire les mots, on utilise les lettres de l'alphabet et pour écrire les sons, on utilise un autre alphabet, l'*alphabet phonétique*.

Ce tableau t'aidera à trouver dans le dictionnaire des mots que tu entends mais que tu ne sais pas écrire.

## Le premier son est une voyelle

**Si tu entends un mot qui commence par** [a]
☞ cherche à la lettre **a** : **a**beille, **a**rbre.
☞ tu peux aussi chercher à la lettre **h** : **ha**bit, **ha**mster.
Parfois le son [a] s'écrit **à** : déj**à**, ou **â** : **â**ne, g**â**teau.

**Si tu entends un mot qui commence par** [e]
☞ cherche à la lettre **e** : **e**ffacer, **é**pée.
☞ tu peux aussi chercher à la lettre **h** : **hé**risson, **hé**ros.
Parfois le son [e] s'écrit **ée** : ann**ée**, ou **er** : jou**er**, ou **ez** : ch**ez**, ou **ed** : pi**ed**, ou **ë** : cano**ë**.

**Si tu entends un mot qui commence par** [ɛ]
☞ cherche à la lettre **e** : **e**lle, **e**spoir.
☞ tu peux aussi chercher à la lettre **h** : **he**rbe, ou à la lettre **a** : **a**ile.
Parfois le son [ɛ] s'écrit **è** : m**è**re, ou **ê** : ar**ê**te, ou **ei** : ab**ei**lle, ou **es** : l**es**, ou **et** : obj**et**, ou **ai** : bal**ai**, ou **aî** : **aî**né, ou **ey** : pon**ey**.

**Si tu entends un mot qui commence par** [i]
☞ cherche à la lettre **i** : **i**l, **i**ci.
☞ tu peux aussi chercher à la lettre **h** : **hi**bou, **hi**stoire.
Parfois le son [i] s'écrit **î** : **î**le, ou **ï** : ma**ï**s, ou **y** : c**y**lindre.

**Si tu entends un mot qui commence par** [ɔ]
☞ cherche à la lettre **o** : **o**bjet, **o**reille.
☞ tu peux aussi chercher à la lettre **h** : **ho**chet, **ho**tte.

**Si tu entends un mot qui commence par** [o]
☞ cherche à la lettre **o** : **o**h !, **ô**ter.
☞ tu peux aussi chercher à la lettre **h** : **hau**teur, **hô**tel, ou à la lettre **a** : **au**tre.
Parfois le son [o] s'écrit **eau** : **eau**, ou **ô** : dr**ô**le.

**Si tu entends un mot qui commence par** [œ]
☞ cherche à **œ** : **œ**il, **œ**uf
☞ tu peux aussi chercher à la lettre **h** : **heu**re.
Parfois le son [œ] s'écrit **ue** : acc**ue**il.

**Si tu entends un mot qui commence par** [ø]
☞ cherche à la lettre **e** : **eu**ro, **eu**x.
☞ tu peux aussi chercher à la lettre **h** : **heu** !, **heu**reux.
Parfois le son [ø] s'écrit **œu** : **œu**fs, v**œu**.

# Les lettres et les sons

**Si tu entends un mot qui commence par** [y]
☞ cherche à la lettre **u** : **u**ne, **u**sine.
☞ tu peux aussi chercher à la lettre **h** : **hu**main, **hu**tte.
Parfois le son [y] s'écrit **û** : b**û**che, ou **eu** : j'ai **eu**.

**Si tu entends un mot qui commence par** [u]
☞ cherche à la lettre **o** : **ou**f !, **ou**rs.
☞ tu peux aussi chercher à la lettre **h** : **hou**sse, **hou**x.
Parfois le son [u] s'écrit **où** : **où** vas-tu ?, ou **oû** : g**oû**t, ou **oo** : igl**oo**.

**Si tu entends un mot qui commence par** [ã]
☞ cherche à la lettre **a** : **an**cre, **am**poule, ou à la lettre **e** : **en**cre, **em**ploi.
☞ tu peux aussi chercher à la lettre **h** : **han**che, **han**té.
Parfois le son [ã] s'écrit **aon** : p**aon**.

**Si tu entends un mot qui commence par** [ɛ̃]
☞ cherche à la lettre **i** : **im**primer, **in**firmière.
☞ tu peux aussi chercher à la lettre **u** : **un**.
Parfois le son [ɛ̃] s'écrit **ein** : r**ein**, ou **en** : chi**en**, ou **aim** : f**aim**, ou **ain** : **ain**si, ou **um** : parf**um**.

**Si tu entends un mot qui commence par** [ɔ̃]
☞ cherche à la lettre **o** : **on**ze, **om**bre.
☞ tu peux aussi chercher à la lettre **h** : **hon**te.

## Le premier son est une consonne

**Si tu entends un mot qui commence par** [f]
☞ cherche à la lettre **f** : **f**aire, **f**ille.
☞ tu peux aussi chercher à **ph** : **ph**are, **ph**oto.

**Si tu entends un mot qui commence par** [g]
☞ cherche à la lettre **g** : **g**ai, **g**omme, ou à **gu** : **gu**érir, **gu**itare.
Parfois le son [g] s'écrit **c** : se**c**ond.

**Si tu entends un mot qui commence par** [ʒ]
☞ cherche à la lettre **g** : **g**enou, **g**irouette, ou à la lettre **j** : **j**ardin, **j**oue.

**Si tu entends un mot qui commence par** [k]
☞ cherche à la lettre **c** : **c**anard, **c**ueillir, ou à la lettre **q** : **qu**and, **qu**ille
☞ tu peux aussi chercher à la lettre **k** : **k**iwi, **k**oala.
Parfois le son [k] s'écrit **ch** : é**ch**o, or**ch**estre, ou **ck** : ti**ck**et.

**Si tu entends un mot qui commence par** [s]
☞ cherche à la lettre **s** : **s**el, **s**cène, **s**oif, ou à la lettre **c** : **c**erise, **ç**a.
Parfois le son [s] s'écrit **ss** : a**ss**ez, ou **t** : na**t**ion, ou **x** : di**x**.

# Les lettres et les sons

**Si tu entends un mot qui commence par** [z]
☞ cherche à la lettre **z** : **z**èbre, **z**éro.
Parfois le son [z] s'écrit **s** : ru**s**e, ou **x** : deu**x**ième.

**Si tu entends un mot qui commence par** [ʃ]
☞ cherche à **ch** : **ch**at, **ch**emin.
☞ tu peux aussi chercher à la lettre **s** : **sch**éma, **sh**ort.

**Si tu entends un mot qui commence par** [j]
☞ cherche à la lettre **y** : **y**aourt.
Parfois le son [j] s'écrit **il** : œ**il**, ou **ill** : nou**ill**e.

**Si tu entends un mot qui commence par** [v]
☞ cherche à la lettre **v** : **v**ache, **v**ie.
☞ tu peux aussi chercher à la lettre **w** : **w**agon.

**Si tu entends un mot qui commence par** [ɥ]
☞ cherche à la lettre **h** : **h**ui**t**.

**Si tu entends un mot qui commence par** [w]
☞ cherche à la lettre **w** : **w**estern, ou à la lettre **o** : **o**iseau.

**Si tu entends un mot qui commence par** [ks] ou [gz]
☞ cherche à la lettre **x** : **x**ylophone.

## Les accents

**Les accents sont les petits signes
que l'on place sur certaines voyelles.**

L'**accent aigu** se met sur le **e** :                  le pr**é**, l'**é**criture.

L'**accent grave** se met sur le **e**, sur le **a** et sur le **u** :

pr**è**s de, **à** midi, o**ù** es-tu ?

L'**accent circonflexe** se met sur le **e**, sur le **a**, sur le **i**, sur le **o** et sur le **u** :

il est pr**ê**t, des p**â**tes, une **î**le,
un c**ô**ne, une b**û**che.

Le **tréma** se met sur le **e** et sur le **i** :                  No**ë**l, du ma**ï**s.

# Pourquoi utiliser le dictionnaire ?

Le *Larousse des débutants* est un dictionnaire. Il te permet de trouver de nombreuses informations :

▶ le **sens** d'un mot

▶ l'**orthographe** d'un mot

▶ la **nature** d'un mot (nom commun, adjectif, verbe…)

▶ le **pluriel** ou le **féminin** d'un mot

▶ des mots de la même **famille**

▶ des **illustrations** accompagnées de **légendes**.

la forme au féminin

**malin,** **maligne** adjectif
Être **malin**, être **maligne**, c'est avoir l'esprit vif, savoir se débrouiller, trouver des idées pour résoudre des choses difficiles. *Elle est maligne, elle a compris qu'il y avait un piège.* Synonymes : **astucieux, débrouillard, dégourdi.**

Le petit Paul est très **malin**.

la remarque d'orthographe

**bibliothèque** nom féminin
❶ Une **bibliothèque** est un lieu, une pièce où sont classés des livres que l'on peut emprunter.
❷ Une **bibliothèque** est un meuble à étagères pour ranger les livres. *Dans le salon, il y a une bibliothèque.*
🔍 Ce mot s'écrit avec *th.*
⬤ Mot de la même famille : bibliothécaire.
☞ Va voir la planche illustrée ⑪

Zoé prend un livre dans la **bibliothèque**.

le renvoi à une planche

les mots de
la même famille

la légende de
l'illustration

l'illustration

**marche** nom féminin
❶ La **marche**, c'est l'action de marcher. *La marche est un bon exercice. Nous avons fait une longue marche.*
❷ Mettre un appareil **en marche**, c'est le faire fonctionner. *Paul a mis l'ordinateur en marche.*
❸ Une **marche** d'escalier ou d'escabeau est un endroit plat où l'on pose le pied. *L'escalier du donjon a deux cents marches.*
⬤ Mot de la même famille : marcher.

les différents sens

# Pourquoi utiliser le dictionnaire ?

**Apprends bien ton alphabet et pense à utiliser les mots-repères.**

● Dans le dictionnaire, les mots sont rangés par **ordre alphabétique**.

▶ Par exemple : **pantalon** vient avant **voiture**, **p** est avant **v**.

● Quand deux mots commencent par la même lettre, ils sont classés en fonction des lettres qui suivent.

▶ Par exemple : **plaisir**, **planche**, **planeur**, **plastique**…

● Les **lettres de l'alphabet**, sur le côté, et les **mots-repères** qui se trouvent en haut de la page vont t'aider à te repérer et à trouver le mot que tu cherches plus rapidement.

⚠ **ATTENTION**

● Les **noms** et les **adjectifs** sont écrits au **masculin singulier**.

▶ Pour trouver **belle** cherche à **beau**, pour trouver **animaux** cherche à **animal**.

---

**1. beau, belle** adjectif

❶ Ce qui est **beau** est agréable à regarder ou à écouter. *Tu as fait un beau dessin.* Synonyme : joli. Contraire : laid. *Ton père est un bel homme. Julie a une belle voix.*

❷ Une **belle journée** est une journée claire et ensoleillée.

❸ Un **beau jour**, c'est un certain jour.

---

Tom **voit** bien avec ses lunettes.

---

**voir** verbe

❶ Quand on **voit** quelque chose ou quelqu'un, il se présente à notre regard, à nos yeux. *J'ai vu une biche. Nous avons déjà vu ce dessin animé. Lucas m'a fait voir son nouveau jeu.* Synonyme : montrer.

❷ Aller **voir** quelqu'un, c'est lui rendre visite. *Je vais voir mamie tous les mercredis.*

---

● Les **verbes** sont à l'infinitif.

Regarde l'article **voir**.

C'est un verbe. Il est à l'infinitif. Dans les exemples, tu trouves des formes conjuguées du verbe.

▶ **J'ai vu** est le verbe **voir** conjugué à la première personne du singulier au passé composé.

# Qu'est-ce qu'un mot ?

Tu as besoin des mots pour parler, pour écrire. Ton dictionnaire va t'aider à bien les connaître et à les utiliser dans une phrase.

## Une ou plusieurs syllabes

● Une **syllabe** est la partie d'un mot que l'on prononce en une seule fois. Un mot peut avoir une ou plusieurs syllabes.

▶ Le mot *dent* a **une seule syllabe**.

▶ Le mot *maman* a **deux syllabes** : *ma-man*.

▶ Le mot *éléphant* a **trois syllabes** : *é-lé-phant*.

> Un mot est un ensemble de lettres qui a une signification, qui veut dire quelque chose.

## L'écriture des mots

*Comment s'écrit le mot* ????

● Quand tu écris, tu dois respecter **l'orthographe** pour que l'on te comprenne bien. Le *Larousse des débutants* t'aide à vérifier la façon dont s'écrivent les mots.

● **Les sons peuvent s'écrire de différentes façons**.

▶ Par exemple, le son [f] peut s'écrire avec la lettre **f**, mais aussi avec les lettres **ph** : *un fantôme*, *un phoque*.

⚠ **ATTENTION**

● Quand tu cherches dans ton dictionnaire, si tu ne trouves pas un mot, **pense à d'autres façons de l'écrire**.

☞ VA VOIR **Les lettres et les sons**, pages *8* à *10*.

● Lorsque l'orthographe du mot est difficile, une **remarque** attire ton attention sur la manière de l'écrire. Regarde l'article **cahier**.

> **cahier** nom masculin
>
> Un **cahier** est un ensemble de feuilles attachées et protégées par une couverture. *En classe, nous écrivons sur un cahier de brouillon.*
>
> 🔎 Il y a un *h* après le *a*.

● Il y a aussi des **mots qui se ressemblent**. Ils se prononcent de la même façon, mais ne s'écrivent pas pareil et ne veulent pas dire la même chose.

▶ Par exemple : un *ver* (de terre), un *verre* (pour boire), le *vert* (la couleur).

☞ VA VOIR page 591 : tu trouveras d'autres exemples de ces **mots pièges** !

# Le sens des mots

**Quand tu lis un livre, quand tu apprends une poésie, tu rencontres souvent des mots nouveaux et tu te demandes ce qu'ils veulent dire.**

### Que veut dire ce mot ?

> Que veut dire « mammifère » ?

● À l'aide d'une phrase simple – **la définition** – suivie d'un **exemple** et parfois d'un **dessin**, le dictionnaire te permet de comprendre **le sens** des mots.

Regarde l'article **mammifère**.

Tu trouves d'abord la **définition** puis un **exemple** qui te montre le mot utilisé dans une phrase.

> **mammifère** nom masculin
> Un mammifère est un animal qui a la peau généralement couverte de poils. La femelle a des mamelles. *Les chats, les chauves-souris, les dauphins, les baleines sont des mammifères.*
>
> 🔍 Il y a deux *m* au milieu du mot.

⚠ **ATTENTION**
Certains mots peuvent avoir **plusieurs sens**.
Chaque sens a un **numéro**, une définition et un exemple.
☞ **VA VOIR** le mot **phare**. Connais-tu les deux sens ?

### Les synonymes, les contraires

● En cherchant des mots, tu en rencontres beaucoup d'autres, comme des **synonymes** (ce sont des mots qui ont des sens voisins) et des **contraires**.
Regarde l'article **difficile**.

▶ Tu peux remplacer ce mot par **compliqué** ou **dur** qui veulent dire la même chose.

▶ On te propose aussi des mots de sens contraire : **facile, simple**.

> **difficile** adjectif
> Une chose **difficile** ne se fait pas facilement ou ne se comprend pas facilement. *Ce problème est difficile.*
> Synonymes : compliqué, dur.
> Contraires : facile, simple.
> ● Mot de la même famille : difficulté.

### Les mots de la même famille

● Tu trouves aussi des **mots de la même famille**.
Regarde à nouveau l'article **difficile**.

▶ On t'indique un mot de la même famille : **difficulté.**

▶ Quand tu sais à quelle famille un mot appartient, cela t'aide à te souvenir de son orthographe : **difficile** et **difficulté** s'écrivent tous les deux avec deux **f**.

# Qu'est-ce que la nature des mots ?

Le dictionnaire indique la nature de chaque mot : il te dit si c'est un verbe, un nom, un adjectif, un adverbe… Pour les noms, il précise s'il est masculin ou féminin.

● Ainsi, tu sais comment utiliser chaque mot à l'intérieur d'une phrase : s'il doit s'accorder, se conjuguer, ou s'il est invariable…

---

**lent, lente** adjectif

Une personne, un animal, un véhicule **lents** ne se déplacent pas vite. *Sur l'autoroute, les véhicules lents roulent sur la voie de droite.* Contraire : rapide. Avoir l'esprit **lent**, c'est ne pas comprendre vite. Contraire : : vif.
● Mots de la même famille : lentement, lenteur.

---

**lentement** adverbe

Lentement signifie : avec lenteur. *Mon arrière-grand-mère marche lentement.* Contraires : rapidement, vite.

---

**lenteur** nom féminin

Quand on fait quelque chose avec **lenteur**, on le fait sans aller vite. *Maman me dit souvent de me dépêcher, elle se plaint de ma lenteur.* Contraire : rapidité.

---

## Les classes de mots

● Comme dans le jeu des familles, on classe les mots qui ont la même nature dans des **groupes**, appelés **classes de mots**.

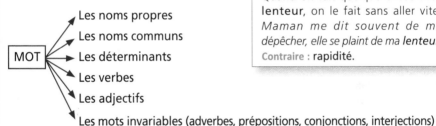

MOT
- Les noms propres
- Les noms communs
- Les déterminants
- Les verbes
- Les adjectifs
- Les mots invariables (adverbes, prépositions, conjonctions, interjections)

# Les noms

## Les noms propres

● **Les noms propres commencent toujours par une majuscule** : il s'agit d'un prénom, d'un nom de famille, d'un nom de pays, etc.

## Les noms communs

● Les noms communs permettent de nommer :

- des **personnes** : *un bébé, une fée…*

- des **choses** : *une table, un livre…*

- des **animaux** : *un chat, une girafe…*

*une fée*

# Le masculin et le féminin

**Les noms communs ont chacun un genre : ils sont soit du genre masculin, soit du genre féminin.**

*Un ou une scarabée ?*

● Devant un nom **masculin**, on met **un** ou **le** ; devant un nom féminin, on met **une** ou **la**.

☞ **VA VOIR** page suivante : **Les déterminants**.

● **Pour former le féminin**, le plus souvent **on ajoute** un **e** au nom masculin :

▶ *le marié, la marié**e***       *un cousin, une cousin**e***

● Certains mots s'écrivent de la même façon au masculin et au féminin :

▶ *un acrobate, une acrobate*

● Mais parfois **la fin du mot** (la terminaison) **change**.

☞ **VA VOIR** **maître** et **moniteur**. Au féminin, on dit **maîtresse** et **monitrice**.

# Le singulier et le pluriel

*Un journal, des ?????*

● Quand on parle d'**une seule** personne, ou d'une seule chose, on dit **le** ou **la**, **un** ou **une**. Le nom est au **singulier**.

● Quand on parle de **plusieurs** personnes ou de plusieurs choses, on dit **les** ou **des**. Le nom est au **pluriel**. Le singulier et le pluriel, c'est ce qu'on appelle le **nombre** du nom.

● Au **pluriel**, les mots s'écrivent le plus souvent avec un **s** à la fin.

▶ *un élève, des élève**s*** 
*une fleur, des fleur**s***

● Mais parfois la fin du mot change :

▶ *un cheval, des chev**aux*** 
*un journal, des journ**aux***

● Les mots qui se terminent par **s**, **x** ou **z** ne changent pas :

▶ *un ne**z**, des ne**z***

> Le plus souvent, le nom commun change au féminin et au pluriel.

---

**journal** nom masculin

❶ Un **journal** est un ensemble de feuilles imprimées qui donnent des informations sur les événements du jour.

❷ Le **journal télévisé** est l'émission qui donne les informations à la télévision.

🔍 Au pluriel, on écrit *des journaux*.

---

**nez** nom masculin

❶ Le **nez** se trouve au milieu du visage, entre les deux joues. Il sert à respirer et à sentir.

🔍 Ce mot se termine par un *z*. Il ne change pas au pluriel : on écrit *des nez*.

# Les déterminants

**Le petit mot que tu écris presque tout le temps devant le nom commun s'appelle un déterminant.**

● Le déterminant indique si le mot est :

▶ **féminin** et **singulier**

**la** brebis

**une** ferme

**sa** maison

**cette** prairie

▶ **masculin** et **singulier**

**le** sapin

**un** chalet

**son** bonnet

**ce** skieur

▶ au **pluriel**

**les** élèves

**des** écoles

**leurs** jeux

**ces** classes

**une** fille et **son** chien

**des** jumelles

Regarde l'article **chien**.

Dans ces phrases, chaque nom commun est précédé d'un **déterminant**.

⚠ **ATTENTION**

**Le** ou **la** deviennent **l'** devant un nom qui commence par une voyelle ou un **h** muet :

▶ **l'**arbre, **l'**hirondelle...

**chien** nom masculin

Un **chien** est un animal domestique. Il a un bon flair. *Les caniches, les cockers, les dalmatiens sont des chiens.*

▶ Les chiens sont des animaux carnivores. Le bout de leur museau est appelé « une truffe ». La femelle est la **chienne**. Le petit est le **chiot**. Quand le chien crie, on dit qu'il aboie et son cri est l'**aboiement**.

**l'**ananas

**une** fourmi

**des** fourmis

# Les adjectifs qualificatifs

Les adjectifs sont des mots qui donnent des précisions sur les noms communs.

● Les adjectifs permettent de décrire la chose ou la personne dont on parle.

Regarde l'article **minuscule**.
C'est un **adjectif**.
▶ *Minuscule* décrit la souris.
Quel adjectif utiliserais-tu pour décrire l'éléphant ? (Regarde les contraires.)

⚠ **ATTENTION**
Dans le dictionnaire, **l'adjectif est écrit au masculin singulier**.
▶ Si tu cherches l'adjectif **bonne**, tu dois chercher au masculin **bon**.

● **L'adjectif** qualificatif accompagne le nom et le précise. **Il s'accorde** en **genre** (masculin ou féminin) et en **nombre** (singulier ou pluriel) avec le nom auquel il se rapporte.

● Le plus souvent, **on ajoute** un **e** au **masculin** pour former le **féminin**, et un **s** au **singulier** pour former le **pluriel**.

▶ Masculin singulier    *un grand garçon*

▶ Féminin singulier     *un**e** grand**e** fille*

▶ Masculin pluriel      *des grand**s** garçon**s***

▶ Féminin pluriel       *des grand**es** fille**s***

☞ **VA VOIR** les **planches illustrées** pages 390 à 421. Sous chaque planche se trouve une liste de noms (ce sont les objets, les personnages ou les animaux représentés sur l'image). Il y a aussi des adjectifs. Tu peux t'amuser à les utiliser pour décrire ce que tu vois.

**1. minuscule** adjectif
Une chose ou un être **minuscules** sont très petits. *Les fourmis sont des insectes minuscules.* Contraires : énorme, géant, gigantesque, immense.

La souris est **minuscule** par rapport à l'éléphant.

*Raphaël est plus **grand** que Julie.*

L'adjectif qualificatif est placé avant ou après le nom. Il s'accorde en genre et en nombre avec le nom auquel il se rapporte.

# Les verbes

**Le verbe est un mot qui indique ce qu'on fait ou comment on est.**

● **Chanter**, **apprendre**, **sortir**, **être**, **rester**… sont des verbes à **l'infinitif**.

⚠ **ATTENTION** : dans le dictionnaire, les verbes sont présentés à l'infinitif.

### Les conjugaisons

● Le verbe se **conjugue** : il prend une forme différente selon le **temps** et selon les **personnes**. Dans le dictionnaire, les **exemples** te montrent comment se conjugue le verbe à des temps et des personnes différents.

● La forme du verbe change selon **le temps**.

▶ Le **présent** : *Aujourd'hui, la cigale chant**e**.*

▶ Le **passé** : *L'été dernier, la cigale chant**ait**.*

▶ Le **futur** : *L'hiver prochain, la cigale ne chant**era** plus.*

● Quand on conjugue un verbe, on place devant les pronoms personnels : **je**, **tu**, **il** ou **elle**, **on**, **nous**, **vous**, **ils** ou **elles**.

☞ **VA VOIR** les pages **25** à **30** : tu y trouveras la conjugaison des principaux verbes.

● Lorsque le verbe est conjugué, la **terminaison** change.

▶ *ranger* : *je range, tu ranges, il range, nous rangeons, vous rangez, ils rangent*

Pour certains verbes, le **radical** change aussi.

▶ *aller* : *je vais, tu vas, il va, nous allons, vous allez, ils vont.*

*Qui est-ce qui mélange les couleurs ?*

*C'est Hugo qui mélange les couleurs.*

### Le verbe et son sujet

● **Le verbe s'accorde avec le sujet**.
Pour trouver le sujet, on pose la question : *Qui est-ce qui ?* ou *Qu'est-ce qui ?*

▶ Le sujet peut être un nom, un pronom ou un groupe du nom.

☞ **VA VOIR** les **planches illustrées** pages 390 à 421. Des verbes sont proposés. Tu peux les utiliser pour décrire les actions.

**mélanger** verbe
❶ Mélanger, c'est mettre des choses ou des personnes ensemble pour faire un tout. *Pour faire un gâteau, nous mélangeons du sucre, des œufs et de la farine.*
❷ Mélanger des choses, c'est les mettre en désordre. *Quelqu'un a mélangé mes jouets.*
● Mot de la même famille : **mélange**.

Hugo **mélange** les couleurs.

# Les mots invariables

**Certains mots s'écrivent toujours de la même façon. On dit qu'ils sont invariables.**

● Ces mots sont souvent utilisés. Il faut bien les connaître. Ce sont :

▶ des prépositions : *avec, pour, à, de, contre, derrière*…

▶ des adverbes : *alors, après, hier, jamais, tout à coup, peu, moins*…

▶ des conjonctions : *mais, ou, et, car*…

▶ des interjections : *ouf ! oh !*

Léa met **peu** de beurre, mais Léo en met beaucoup.

## Les adverbes

● Les adverbes modifient ou précisent un **verbe**.
▶ *Léa met **peu** de beurre, mais Léo en met **beaucoup**.*

● Ils peuvent aussi préciser ou modifier un **adjectif**.
▶ *Chloé est **très** souple.*

● Beaucoup d'adverbes se terminent en *ment* : **gentiment**, **méchamment**, **rarement**…
▶ *Lola parle **gentiment** à ses poupées.*
*La sorcière parle **méchamment** à la princesse.*

## Les prépositions

● Les prépositions sont placées devant un mot.
▶ *Rémi s'est caché **derrière** l'arbre.*

⚠ **ATTENTION** :
▶ On dit : *je vais **chez** le coiffeur, **chez** le dentiste, **chez** le médecin*
mais : *je vais **à** la pharmacie, **à** la bibliothèque, **à** l'école.*

▶ On dit : *le cartable **de** mon frère, le sac **de** ma sœur.*

*Où est caché le chat ?*

---

**peu** adverbe
❶ Peu signifie : en petite quantité, en petit nombre. *Je mange **peu** à midi.* Contraires : beaucoup, énormément. *Dans notre classe, il y a **peu** d'élèves.* Contraires : beaucoup, plein. *Je prends un **peu** de sel.*
❷ Peu à peu signifie : un peu chaque jour. *Je fais des progrès **peu** à **peu**.* Synonyme : petit à petit.

---

**1. derrière** préposition
Derrière une chose, c'est dans la partie opposée au devant. *Le jardin se trouve **derrière** la maison.* Contraire : devant.
**2. derrière** adverbe
Derrière signifie : à l'arrière. *En voiture, les enfants doivent monter **derrière**.* Contraire : devant.

Le chat s'est caché **derrière** la porte.

---

**de** préposition
De est un petit mot que l'on emploie pour donner différentes indications. *Le livre **de** Julien. Il vient **de** Bruxelles. Je meurs **de** froid. Un tas **de** sable. Elle fait un signe **de** la main.*

🔍 De s'écrit d' devant une voyelle ou un « h » muet : *le livre d'Anaïs.* On ne dit pas « de le » ni « de les » mais du et des : *le livre du professeur, des élèves.*

# Du mot à la phrase

**Pour expliquer les mots, le dictionnaire te propose une définition et des exemples. Ce sont des phrases.**

● Pour qu'une phrase soit claire, il faut que les mots soient dans **le bon ordre**. Quand tu écris, pense à te relire pour voir si ta phrase est bien **compréhensible**.

▶ *Aujourd'hui, le soleil brille.* Il y a **4 mots** dans cette phrase.
    1     2  3    4

▶ *Aujourd'hui, le soleil ne brille pas.* il y a **6 mots** dans cette phrase.
    1     2  3  4  5    6

● Les mots **ne** et **pas** transforment la phrase affirmative en phrase négative. On peut aussi utiliser **ne**... **plus**, **ne**... **jamais.**

▶ *Aujourd'hui, le soleil brille.* = **phrase affirmative.**

▶ *Aujourd'hui, le soleil **ne** brille **pas**.* = **phrase négative**.

● Il existe aussi :
- des **phrases exclamatives**,
quand on est étonné ou content :

▶ *Chouette, aujourd'hui le soleil brille !*
Elles se terminent par **un point d'exclamation**.

- des **phrases interrogatives**,
quand on se pose une question :

▶ *Est-ce que le soleil brille aujourd'hui ?*
Elles se terminent par **un point d'interrogation**.

Regarde **les signes de ponctuation**.

> Une phrase est un ensemble de mots qui a un sens. Une phrase commence par une majuscule et se termine par un point.

| | |
|---|---|
| **.** | point |
| **!** | point d'exclamation |
| **?** | point d'interrogation |
| **...** | points de suspension |
| **:** | deux-points |
| **,** | virgule |
| **;** | point-virgule |

*les signes de **ponctuation***

# Écrire des phrases

**Quand tu écris un texte, pense à bien te relire et à vérifier l'orthographe des mots grâce à ton dictionnaire.**

▶ Lis ton texte à voix haute et vérifie qu'on peut facilement le comprendre.

▶ Regarde si tes phrases commencent bien par une majuscule et se terminent par un point.

▶ Vérifie l'accord du sujet avec le verbe.

▶ Vérifie l'accord des noms et des adjectifs.

▶ Quand tu as un doute, cherche dans ton dictionnaire la nature, le sens ou l'orthographe du mot.

### Les groupes dans la phrase

● Quand tu relis une phrase, essaie de séparer le **groupe du nom** (ou **groupe nominal**) et le **groupe du verbe** (ou **groupe verbal**).

> _L'oiseau_          _couve ses œufs dans le nid._
> groupe du nom        groupe du verbe

● On peut séparer les groupes de mots dans la phrase en posant différentes questions :

▶ _Qui fait l'action ?_ _l'oiseau_
Le nom _l'oiseau_ est le **sujet**.

▶ _Que fait l'oiseau ?_ _il couve_
Le verbe _couver_, c'est l'action.

▶ _L'oiseau couve quoi ?_ _ses œufs_
_ses œufs_ est le **complément d'objet** du verbe.

▶ _Où les couve-t-il ?_ _dans le nid_
_dans le nid_, c'est le **lieu** où se passe l'action ; c'est un **complément de lieu**.

> **couver** verbe
> Pour un oiseau, **couver**, c'est se coucher sur ses œufs jusqu'à leur éclosion. _La poule **couve**._

La poule **couve** ses œufs.

● On peut enrichir aussi le groupe du nom en ajoutant un **adverbe** et des **adjectifs** ; et le groupe du verbe avec un **complément de temps** :

> Le _**très bel**_ oiseau **noir**     _couve ses œufs dans le nid **toute la journée**._
> groupe du nom           groupe du verbe

# Expressions figurées

Les mots que tu utilises tous les jours peuvent être employés dans un autre sens que leur sens concret. On dit que ce sens est « figuré ». Voici quelques expressions figurées qui comportent des noms d'animaux, des mots du corps humain et des mots relatifs aux couleurs. Elles sont toutes accompagnées d'une courte explication qui éclaire leur sens.

## LES ANIMAUX

**Être doux comme un agneau :**
être très doux, très affectueux.

**Un froid de canard :** (familier)
un froid très vif.

**Avoir un chat dans la gorge :**
être enroué.

**Faire devenir quelqu'un chèvre :**
le faire enrager.

**Un caractère de cochon :** (familier)
un très mauvais caractère.

**Être comme un coq en pâte :**
être choyé, dorloté.

**Verser des larmes de crocodile :**
verser des larmes hypocrites pour émouvoir ou tromper.

**Dormir comme un loir :**
dormir longtemps et profondément.

**Avoir une faim de loup :**
une très grande faim.

**Avoir des yeux de lynx :**
avoir la vue très perçante ; être très perspicace.

**Être gai comme un pinson :**
être très gai.

**Être comme un poisson dans l'eau :**
être parfaitement à l'aise dans la situation où l'on se trouve.

**Chercher des poux à quelqu'un :** (familier)
lui chercher querelle à tout propos.

**Être malin comme un singe :**
être très malin, très astucieux.

**Prendre le taureau par les cornes :**
affronter courageusement une difficulté.

## LE CORPS HUMAIN

**Faire la fine bouche :**
faire le difficile.

**Se creuser la cervelle :** (familier)
réfléchir beaucoup pour trouver quelque chose.

**Prendre ses jambes à son cou :**
partir en courant, s'enfuir.

# Expressions figurées

**Être tiré par les cheveux :**
se dit d'un raisonnement, d'une explication qui manquent de logique.

**Se faire des cheveux ou se faire des cheveux blancs :**
se faire du souci.

**Avoir le cœur sur la main :**
être très généreux.

**Avoir un cœur de pierre :**
avoir un caractère dur, insensible.

**Avoir l'estomac dans les talons :**
être très affamé.

**Avoir un cheveu sur la langue :**
zozoter légèrement.

**Donner sa langue au chat :**
renoncer à trouver la solution d'une devinette, d'une énigme.

**Avoir la main verte :**
être habile dans la culture des plantes.

**Se casser le nez :** (familier)
ne pas trouver chez elle la personne que l'on vient voir.

**Faire la sourde oreille :**
faire semblant de ne pas entendre ou de ne pas comprendre.

**Faire des pieds et des mains :**
employer tous les moyens pour obtenir ce que l'on souhaite.

**Avoir un poil dans la main :** (familier)
être paresseux.

**Manger sur le pouce :**
manger très rapidement, sans s'asseoir.

**Avoir la tête sur les épaules :**
être raisonnable et plein de bon sens.

**Ne pas avoir froid aux yeux :**
être audacieux.

**Avoir les yeux plus gros que le ventre :**
prendre plus qu'on ne peut manger.

## LES COULEURS

**Être blanc comme neige :**
être innocent.

**Passer une nuit blanche :**
ne pas dormir de la nuit.

**Une peur bleue, une colère bleue :**
une très grande peur, une colère violente.

**Rire jaune :**
rire de manière forcée, gênée.

**Broyer du noir :**
être déprimé, avoir des idées tristes.

**Regarder quelqu'un d'un œil noir :**
le regarder avec irritation, colère.

**Voir la vie en rose :**
voir les choses du bon côté, avec optimisme.

**Donner le feu vert :**
permettre à quelqu'un d'agir.

24

# Les conjugaisons

## avoir

Aucun autre verbe ne se conjugue sur ce modèle.
Il sert à construire le passé composé de très nombreux verbes : « *J'ai bien dormi* ».

INDICATIF

| **présent** (*maintenant*) | | **futur** (*après*) | | **imparfait** (*avant, pendant un long moment*) | | **passé composé** (*avant, pendant un court moment*) | | |
|---|---|---|---|---|---|---|---|---|
| j' | ai | j' | aurai | j' | avais | j' | ai | eu |
| tu | as | tu | auras | tu | avais | tu | as | eu |
| il | a | il | aura | il | avait | il | a | eu |
| elle | a | elle | aura | elle | avait | elle | a | eu |
| nous | avons | nous | aurons | nous | avions | nous | avons | eu |
| vous | avez | vous | aurez | vous | aviez | vous | avez | eu |
| ils | ont | ils | auront | ils | avaient | ils | ont | eu |
| elles | ont | elles | auront | elles | avaient | elles | ont | eu |

| IMPÉRATIF | PARTICIPE **passé** | PARTICIPE **présent** |
|---|---|---|
| aie | eu (eue, | |
| ayons | eus, eues) | ayant |
| ayez | | |

## être

Aucun autre verbe ne se conjugue sur ce modèle. Il sert à construire le passé composé des verbes comme *s'amuser* et *se promener* ou *partir* et *venir*.

INDICATIF

| **présent** (*maintenant*) | | **futur** (*après*) | | **imparfait** (*avant, pendant un long moment*) | | **passé composé** (*avant, pendant un court moment*) | | |
|---|---|---|---|---|---|---|---|---|
| je | suis | je | serai | j' | étais | j' | ai | été |
| tu | es | tu | seras | tu | étais | tu | as | été |
| il | est | il | sera | il | était | il | a | été |
| elle | est | elle | sera | elle | était | elle | a | été |
| nous | sommes | nous | serons | nous | étions | nous | avons | été |
| vous | êtes | vous | serez | vous | étiez | vous | avez | été |
| ils | sont | ils | seront | ils | étaient | ils | ont | été |
| elles | sont | elles | seront | elles | étaient | elles | ont | été |

| IMPÉRATIF | PARTICIPE **passé** | PARTICIPE **présent** |
|---|---|---|
| sois | été | étant |
| soyons | | |
| soyez | | |

# Mémento de français

# Les conjugaisons

## aller

Aucun autre verbe ne se conjugue sur ce modèle.
Il sert souvent à exprimer le futur proche : « *Je vais jouer* ».

**INDICATIF**

| **présent** (*maintenant*) | **futur** (*après*) | **imparfait** (*avant, pendant un long moment*) | **passé composé** (*avant, pendant un court moment*) |
|---|---|---|---|
| je vais | j' irai | j' allais | je suis allé (allée) |
| tu vas | tu iras | tu allais | tu es allé (allée) |
| il va | il ira | il allait | il est allé |
| elle va | elle ira | elle allait | elle est allée |
| nous allons | nous irons | nous allions | nous sommes allés (allées) |
| vous allez | vous irez | vous alliez | vous êtes allés (allées) |
| ils vont | ils iront | ils allaient | ils sont allés |
| elles vont | elles iront | elles allaient | elles sont allées |

**IMPÉRATIF**

va
(ou *vas* dans *vas-y*)
allons
allez

**PARTICIPE passé**

allé (allée, allés, allées)

**PARTICIPE présent**

allant

## aimer

Tu conjugues sur ce modèle beaucoup de verbes comme *chanter, détester, embrasser, glisser* ou *vider*.

**INDICATIF**

| **présent** (*maintenant*) | **futur** (*après*) | **imparfait** (*avant, pendant un long moment*) | **passé composé** (*avant, pendant un court moment*) |
|---|---|---|---|
| j' aime | j' aimerai | j' aimais | j' ai aimé |
| tu aimes | tu aimeras | tu aimais | tu as aimé |
| il aime | il aimera | il aimait | il a aimé |
| elle aime | elle aimera | elle aimait | elle a aimé |
| nous aimons | nous aimerons | nous aimions | nous avons aimé |
| vous aimez | vous aimerez | vous aimiez | vous avez aimé |
| ils aiment | ils aimeront | ils aimaient | ils ont aimé |
| elles aiment | elles aimeront | elles aimaient | elles ont aimé |

**IMPÉRATIF**

aime
aimons
aimez

**PARTICIPE passé**

aimé (aimée, aimés, aimées)

**PARTICIPE présent**

aimant

# Les conjugaisons

### finir

Tu conjugues sur ce modèle les verbes comme *applaudir, définir, maigrir, punir, rougir* ou *trahir*.

INDICATIF

| **présent**<br>(*maintenant*) | **futur**<br>(*après*) | **imparfait**<br>(*avant, pendant un long moment*) | **passé composé**<br>(*avant, pendant un court moment*) |
|---|---|---|---|
| je finis | je finirai | je finissais | j' ai fini |
| tu finis | tu finiras | tu finissais | tu as fini |
| il finit | il finira | il finissait | il a fini |
| elle finit | elle finira | elle finissait | elle a fini |
| nous finissons | nous finirons | nous finissions | nous avons fini |
| vous finissez | vous finirez | vous finissiez | vous avez fini |
| ils finissent | ils finiront | ils finissaient | ils ont fini |
| elles finissent | elles finiront | elles finissaient | elles ont fini |

| IMPÉRATIF | PARTICIPE<br>**passé** | PARTICIPE<br>**présent** |
|---|---|---|
| finis<br>finissons<br>finissez | fini (finie,<br>finis, finies) | finissant |

### faire

Tu conjugues sur ce modèle les verbes comme *défaire* ou *refaire*.

INDICATIF

| **présent**<br>(*maintenant*) | **futur**<br>(*après*) | **imparfait**<br>(*avant, pendant un long moment*) | **passé composé**<br>(*avant, pendant un court moment*) |
|---|---|---|---|
| je fais | je ferai | je faisais | j' ai fait |
| tu fais | tu feras | tu faisais | tu as fait |
| il fait | il fera | il faisait | il a fait |
| elle fait | elle fera | elle faisait | elle a fait |
| nous faisons | nous ferons | nous faisions | nous avons fait |
| vous faites | vous ferez | vous faisiez | vous avez fait |
| ils font | ils feront | ils faisaient | ils ont fait |
| elles font | elles feront | elles faisaient | elles ont fait |

| IMPÉRATIF | PARTICIPE<br>**passé** | PARTICIPE<br>**présent** |
|---|---|---|
| fais<br>faisons<br>faites | fait (faite,<br>faits, faites) | faisant |

# Les conjugaisons

**prendre**

Tu conjugues sur ce modèle les verbes comme *apprendre*, *comprendre*, *surprendre* ou *reprendre*.

INDICATIF

| **présent** (*maintenant*) | **futur** (*après*) | **imparfait** (*avant, pendant un long moment*) | **passé composé** (*avant, pendant un court moment*) |
|---|---|---|---|
| je prends | je prendrai | je prenais | j' ai pris |
| tu prends | tu prendras | tu prenais | tu as pris |
| il prend | il prendra | il prenait | il a pris |
| elle prend | elle prendra | elle prenait | elle a pris |
| nous prenons | nous prendrons | nous prenions | nous avons pris |
| vous prenez | vous prendrez | vous preniez | vous avez pris |
| ils prennent | ils prendront | ils prenaient | ils ont pris |
| elles prennent | elles prendront | elles prenaient | elles ont pris |

| IMPÉRATIF | PARTICIPE **passé** | PARTICIPE **présent** |
|---|---|---|
| prends | pris (prise, | prenant |
| prenons | pris, prises) | |
| prenez | | |

**dire**

Tu conjugues sur ce modèle le verbe *redire*.

INDICATIF

| **présent** (*maintenant*) | **futur** (*après*) | **imparfait** (*avant, pendant un long moment*) | **passé composé** (*avant, pendant un court moment*) |
|---|---|---|---|
| je dis | je dirai | je disais | j' ai dit |
| tu dis | tu diras | tu disais | tu as dit |
| il dit | il dira | il disait | il a dit |
| elle dit | elle dira | elle disait | elle a dit |
| nous disons | nous dirons | nous disions | nous avons dit |
| vous dites | vous direz | vous disiez | vous avez dit |
| ils disent | ils diront | ils disaient | ils ont dit |
| elles disent | elles diront | elles disaient | elles ont dit |

| IMPÉRATIF | PARTICIPE **passé** | PARTICIPE **présent** |
|---|---|---|
| dis | dit (dite, | disant |
| disons | dits, dites) | |
| dites | | |

# Les conjugaisons

### venir

Tu conjugues sur ce modèle les verbes comme *devenir, intervenir, provenir* ou *revenir.*

INDICATIF

| **présent** (*maintenant*) | **futur** (*après*) | **imparfait** (*avant, pendant un long moment*) | **passé composé** (*avant, pendant un court moment*) |
|---|---|---|---|
| je viens | je viendrai | je venais | je suis venu (venue) |
| tu viens | tu viendras | tu venais | tu es venu (venue) |
| il vient | il viendra | il venait | il est venu |
| elle vient | elle viendra | elle venait | elle est venue |
| nous venons | nous viendrons | nous venions | nous sommes venus (venues) |
| vous venez | vous viendrez | vous veniez | vous êtes venus (venues) |
| ils viennent | ils viendront | ils venaient | ils sont venus |
| elles viennent | elles viendront | elles venaient | elles sont venues |

| IMPÉRATIF | PARTICIPE **passé** | PARTICIPE **présent** |
|---|---|---|
| viens | venu (venue, | venant |
| venons | venus, venues) | |
| venez | | |

### voir

Tu conjugues sur ce modèle le verbe *revoir.*

INDICATIF

| **présent** (*maintenant*) | **futur** (*après*) | **imparfait** (*avant, pendant un long moment*) | **passé composé** (*avant, pendant un court moment*) |
|---|---|---|---|
| je vois | je verrai | je voyais | j' ai vu |
| tu vois | tu verras | tu voyais | tu as vu |
| il voit | il verra | il voyait | il a vu |
| elle voit | elle verra | elle voyait | elle a vu |
| nous voyons | nous verrons | nous voyions | nous avons vu |
| vous voyez | vous verrez | vous voyiez | vous avez vu |
| ils voient | ils verront | ils voyaient | ils ont vu |
| elles voient | elles verront | elles voyaient | elles ont vu |

| IMPÉRATIF | PARTICIPE **passé** | PARTICIPE **présent** |
|---|---|---|
| vois | vu (vue, | voyant |
| voyons | vus, vues) | |
| voyez | | |

# Les conjugaisons

## pouvoir

Aucun autre verbe ne se conjugue sur ce modèle.

INDICATIF

| **présent** (*maintenant*) | | **futur** (*après*) | | **imparfait** (*avant, pendant un long moment*) | | **passé composé** (*avant, pendant un court moment*) | |
|---|---|---|---|---|---|---|---|
| je | peux | je | pourrai | je | pouvais | j' | ai pu |
| tu | peux | tu | pourras | tu | pouvais | tu | as pu |
| il | peut | il | pourra | il | pouvait | il | a pu |
| elle | peut | elle | pourra | elle | pouvait | elle | a pu |
| nous | pouvons | nous | pourrons | nous | pouvions | nous | avons pu |
| vous | pouvez | vous | pourrez | vous | pouviez | vous | avez pu |
| ils | peuvent | ils | pourront | ils | pouvaient | ils | ont pu |
| elles | peuvent | elles | pourront | elles | pouvaient | elles | ont pu |

| IMPÉRATIF | PARTICIPE **passé** | PARTICIPE **présent** |
|---|---|---|
| Ce verbe n'a pas d'impératif. | pu | pouvant |

## savoir

Aucun autre verbe ne se conjugue sur ce modèle.

INDICATIF

| **présent** (*maintenant*) | | **futur** (*après*) | | **imparfait** (*avant, pendant un long moment*) | | **passé composé** (*avant, pendant un court moment*) | |
|---|---|---|---|---|---|---|---|
| je | sais | je | saurai | je | savais | j' | ai su |
| tu | sais | tu | sauras | tu | savais | tu | as su |
| il | sait | il | saura | il | savait | il | a su |
| elle | sait | elle | saura | elle | savait | elle | a su |
| nous | savons | nous | saurons | nous | savions | nous | avons su |
| vous | savez | vous | saurez | vous | saviez | vous | avez su |
| ils | savent | ils | sauront | ils | savaient | ils | ont su |
| elles | savent | elles | sauront | elles | savaient | elles | ont su |

| IMPÉRATIF | PARTICIPE **passé** | PARTICIPE **présent** |
|---|---|---|
| sache sachons sachez | su (sue, sus, sues) | sachant |

**à** préposition

À est un petit mot que l'on emploie pour donner différentes indications. *Nous allons à Nice. Nous arriverons à dix heures. Ce stylo est à moi. J'ai écrit à mon cousin. Une glace à deux euros.*

🔎 À s'écrit avec un accent grave. On ne dit pas « à le » ni « à les » mais *au* et *aux : je joue au ballon, aux billes.*

**abandonner** verbe

❶ Abandonner une personne ou un animal, c'est les laisser tout seuls et ne plus s'occuper d'eux. *Le Petit Poucet a été abandonné par ses parents.*

❷ Abandonner une course, c'est ne pas continuer à courir. *Un coureur a abandonné à cent mètres de l'arrivée.*

**abat-jour** nom masculin

Un **abat-jour** est un objet que l'on a posé ou fixé sur une lampe pour rendre la lumière plus douce.

🔎 Ce mot s'écrit avec un trait d'union. Il n'y a pas de *s* au pluriel : on écrit *des abat-jour.*

**abattre** verbe

Abattre un arbre, c'est le faire tomber. *Le vent a abattu un arbre.*
Synonyme : renverser.
➜ Cherche **bûcheron.**

**abeille** nom féminin

Une **abeille** est un insecte volant brun doré que l'on élève dans une ruche. *Les abeilles produisent du miel et de la cire.*

▶ Dans une ruche, il n'y a qu'une seule abeille qui pond des œufs : c'est la reine.
➜ Cherche **apiculteur** et **butiner.**

**abîmer** verbe

Abîmer un objet, c'est le mettre en mauvais état, ne pas en prendre soin. *Mon petit frère n'est pas soigneux, il abîme tous ses jouets.*

🔎 Le *i* prend un accent circonflexe.

**abonnement** nom masculin

Un **abonnement** est un paiement que l'on fait à l'avance pour recevoir régulièrement un journal, un magazine. *Ma sœur n'achète pas son journal chez le marchand car elle a pris un abonnement.*

● Mot de la même famille : s'abonner.

**s'abonner** verbe

S'abonner à un journal, à un magazine, c'est payer d'avance pour les recevoir régulièrement. *Ma sœur s'est abonnée à un magazine de cinéma.*

### d'**abord** adverbe

D'**abord** signifie : pour commencer. *Dans un repas, on sert d'abord les hors-d'œuvre.* Synonyme : au début. Contraires : après, ensuite.

### **aboyer** verbe

Pour un chien, **aboyer**, c'est pousser son cri. *Les chiens aboient après les passants.*

🔎 On prononce [abwaje].

### **abreuvoir** nom masculin

Un **abreuvoir** est un grand récipient où le bétail vient boire.

→ Cherche **mangeoire**.

### **abréviation** nom féminin

Une **abréviation** est un mot plus court. *Le mot « bus » est l'abréviation de « autobus ».*

### **abri** nom masculin

Un **abri** est un endroit où l'on peut se protéger. *L'orage va bientôt éclater, il faut trouver un abri dans une grange.* Synonyme : refuge.

● Mot de la même famille : s'**abriter**.

### **abricot** nom masculin

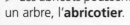

Un **abricot** est un fruit jaune foncé qui a un noyau. ▶ Les abricots poussent sur un arbre, l'**abricotier**.

Le chien **aboie**.

### s'**abriter** verbe

S'**abriter**, c'est se mettre à l'abri pour se protéger. *On peut s'abriter du soleil sous un parasol.*

### **abrutir** verbe

**Abrutir** une personne, c'est la fatiguer et la rendre incapable de réfléchir. *La chaleur nous a complètement abrutis.*

### **absence** nom féminin

L'**absence**, c'est le fait de ne pas être là. *La maîtresse a constaté l'absence de Rémi.* Contraire : présence.

### 1. **absent, absente** adjectif

Être **absent**, c'est ne pas être là. *Zoé est absente parce qu'elle est malade.* Contraire : présent.

● Mot de la même famille : absence.

Ils se sont mis à l'**abri**.

### 2. **absent** nom masculin
### **absente** nom féminin

Un **absent**, une **absente** sont des personnes qui ne sont pas là. *Il ne faut pas dire du mal des absents car ils ne peuvent pas se défendre.* Contraire : présent.

● Mot de la même famille : absence.

## absolument adverbe

**Absolument** signifie : complètement, tout à fait. *Il est absolument interdit de faire du feu dans la forêt.*

## absorber verbe

❶ Quand une éponge **absorbe** de l'eau, elle laisse l'eau pénétrer et la retient. Synonyme : **boire.**

❷ Quand une personne **absorbe** un aliment ou une boisson, elle l'avale. *Sarah est malade, elle ne peut rien absorber.* Synonymes : **boire, manger.**

## abus nom masculin

L'**abus** d'une chose, c'est l'usage trop fréquent de cette chose. *L'abus du sucre est mauvais pour les dents.* Synonyme : **excès.**

🔎 Ce mot se termine par un *s*.

● Mot de la même famille : **abuser.**

## abuser verbe

**Abuser** d'une chose, c'est en consommer trop. *Léo abuse des caramels.*

## acarien nom masculin

Un **acarien** est un petit animal de la famille des araignées, invisible à l'œil nu, qui vit dans la poussière et dans les endroits humides et chauds. *Pour se débarrasser des acariens, il faut bien aérer son lit et sa chambre.*

## accélérateur nom masculin

L'**accélérateur** d'un véhicule est la pédale qui permet d'aller plus vite quand on appuie dessus.

## accélérer verbe

**Accélérer**, c'est rouler plus vite. *Dans la ligne droite, le conducteur accélère.* Contraires : **freiner, ralentir.**

● Mot de la même famille : **accélérateur.**

La première voiture **a accéléré** pour doubler.

## accent nom masculin

❶ Les **accents** sont des signes que l'on place sur les voyelles et qui peuvent changer le sens des mots. *« Pré » s'écrit avec un accent aigu ; « près de » s'écrit avec un accent grave ; « prêt à » s'écrit avec un accent circonflexe.*

❷ Un **accent** est une manière de prononcer. *John a un accent anglais quand il parle français.*

## accepter verbe

**Accepter**, c'est bien vouloir. *Ma grande sœur accepte de nous accompagner au zoo.* Contraire : **refuser.**

## accès nom masculin

❶ L'**accès** est l'entrée d'un lieu. *L'accès de l'usine est interdit au public.*

❷ L'**accès** est la possibilité d'atteindre un lieu. *Le sommet de la montagne est d'un accès difficile.*

🔎 Ce mot se termine par un *s*.

a b c d e f g h i j k l m n o p q r s t u v w x y z

A
B
C
D
E
F
G
H
I
J
K
L
M
N
O
P
Q
R

### accident nom masculin

Un **accident,** c'est quelque chose de grave qui arrive quand on ne s'y attendait pas. *Nous avons été témoins d'un accident de la circulation. Ma grand-mère a été victime d'un accident du travail.*

### accompagner verbe

Accompagner une personne, c'est aller avec elle quelque part. *Mon frère a accompagné grand-mère à la gare.* **Synonyme : emmener.**

### accord nom masculin

❶ Être d'accord ou donner son accord, c'est accepter. *Je voulais faire du judo et ma mère a donné son accord.*

❷ Faire un accord sur un instrument de musique, c'est jouer plusieurs notes ensemble.

### accordéon nom masculin

Un **accordéon** est un instrument de musique à touches ou à boutons. On le porte à l'aide de bretelles.

▶ Un joueur, une joueuse d'accordéon sont des **accordéonistes.**

☞ Va voir « les instruments de musique », page 355.

### accorder verbe

❶ Accorder quelque chose, c'est accepter de le donner. *Je vous accorde encore trois minutes avant d'éteindre la lumière.*

❷ Accorder un instrument de musique, c'est le régler pour qu'il joue juste. *Le guitariste accorde sa guitare.*

❸ Quand on **accorde** un verbe, on lui donne la même forme que le sujet : on le met au singulier ou au pluriel. *Quand je dis « l'oiseau chante », « les oiseaux chantent », j'accorde le verbe avec le sujet.*

● Mot de la même famille : **accord.**

### accoucher verbe

❶ Accoucher, c'est mettre un enfant au monde. *Madame Arlot a accouché hier.*

❷ Accoucher une femme, c'est l'aider à mettre un enfant au monde.

### s'accouder verbe

S'accouder, c'est s'appuyer sur les coudes.

### s'accoupler verbe

S'accoupler, en parlant des animaux, c'est s'unir pour se reproduire. *Le mâle et la femelle s'accouplent.*

### accourir verbe

Accourir, c'est venir en courant. *Les gens accourent pour voir le chanteur.* **Synonyme : se précipiter.**

### accrocher verbe

Accrocher un objet, c'est le fixer au mur ou le suspendre. *Le maître a accroché nos dessins.* **Contraire : décrocher.**

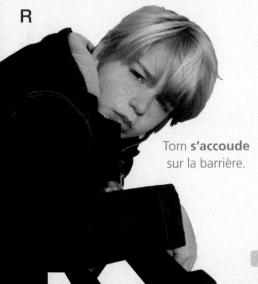

Tom **s'accoude** sur la barrière.

## s'**accroupir** verbe

S'accroupir, c'est se baisser et s'asseoir sur les talons. *Grand-père s'accroupit pour jouer avec nous.*

## **accueil** nom masculin

❶ L'accueil est la façon d'accueillir, de recevoir quelqu'un. *Kien nous a fait bon accueil.*

❷ L'accueil est l'endroit où l'on donne des informations. *Renseigne-toi auprès de l'hôtesse, à l'accueil.*

🔍 Il y a un *u* après les deux c.

## **accueillir** verbe

Accueillir un visiteur, c'est le recevoir et s'occuper de lui. *Nous avons été bien accueillis chez Kien.*

🔍 Il y a un *u* après les deux c.

● Mot de la même famille : **accueil**.

## **accuser** verbe

Accuser une personne, c'est dire qu'elle est coupable. *Il y a eu un vol et on a accusé Romain.*

## **achat** nom masculin

Faire des achats, c'est acheter des choses, des marchandises. Synonyme : **course**.

## **acheter** verbe

Acheter quelque chose, c'est payer pour l'avoir. *J'ai acheté un kilo de pommes.* Contraire : **vendre**.

● Mot de la même famille : **achat**.

## **achever** verbe

Achever quelque chose, c'est le terminer. *J'ai achevé mon dessin.* Synonyme : **finir**. Contraire : **commencer**.

## **acide** adjectif

Le goût acide est un goût un peu piquant. *J'aime les pommes acides.*

→ Cherche **amer**, **salé** et **sucré**.

## **acier** nom masculin

L'acier est un métal blanc qui contient du fer. *Les rails sont en acier.*

## **acrobate** nom masculin et nom féminin

Les acrobates sont des artistes de cirque qui font des numéros de gymnastique et d'équilibre.

● Mot de la même famille : **acrobatie**.

Ils font des numéros d'**acrobates**.

## **acrobatie** nom féminin

Une **acrobatie** est un exercice de gymnastique comme en font les acrobates. *Mon cousin est très souple, il sait faire des acrobaties.*

🔍 On écrit *tie* mais on prononce [si].

## **acte** nom masculin

Un **acte**, c'est ce que l'on fait. *Mon frère est imprudent : il n'imagine pas toujours les conséquences de ses actes.* Synonyme : **action**.

A
B
C
D
E
F
G
H
I
J
K
L
M
N
O
P
Q
R
S
T
U
V
W
X
Y
Z

**acteur** nom masculin
**actrice** nom féminin

Les **acteurs** sont des artistes qui jouent dans une pièce de théâtre ou dans un film. C'est un nom de métier.

→ Cherche **comédien**.

**actif, active** adjectif

Être **actif**, c'est faire beaucoup de choses, avoir de nombreuses activités. *Ma sœur est très active, elle fait du judo, de la danse et de la natation.* Synonymes : **dynamique, énergique**.

● Mot de la même famille : **activité**.

**action** nom féminin

❶ Une **action**, c'est ce que l'on fait. *Nos paroles sont moins importantes que nos actions.* Synonyme : **acte**.

❷ Un **film d'action** est un film très animé, où il se passe beaucoup de choses.

**activité** nom féminin

Une **activité** est une occupation. *Le mercredi, Romain a deux activités : le dessin et le judo.*

☞ Va voir « les activités de la journée », page 37.

**actualité** nom féminin

L'**actualité** est l'ensemble des événements qui ont lieu en ce moment dans le monde. *Mes parents suivent l'actualité.*

**actuel, actuelle** adjectif

L'époque **actuelle** est l'époque où nous vivons. *On ne voyage plus en carrosse à l'époque actuelle.*

● Mots de la même famille : **actualité, actuellement**.

**actuellement** adverbe

❶ **Actuellement** signifie : en ce moment. *Chloé est actuellement en vacances.*

❷ **Actuellement** signifie : à notre époque. *Il existe actuellement des moyens de voyager dans l'espace.* Synonymes : **aujourd'hui, maintenant**. Contraires : **autrefois, jadis**.

s'**adapter** verbe

S'adapter, c'est s'habituer à un nouveau lieu, à une nouvelle situation. *Adrien s'est bien adapté à sa nouvelle école.*

**addition** nom féminin

L'**addition** est l'opération qui permet d'ajouter des nombres à d'autres nombres. *On utilise le signe plus (+) pour faire une addition.* Contraire : **soustraction**.

● Mot de la même famille : **additionner**.

Paul fait une **addition**.

**additionner** verbe

**Additionner** des nombres, c'est faire la somme de ces nombres. Contraire : **soustraire**.

🔍 Il y a deux *d* et deux *n*.

**adhésif, adhésive** adjectif

Un ruban **adhésif** est un ruban qui colle. *J'ai collé mon dessin au mur avec du ruban adhésif.*

🔍 Il y a un *h* après le *d*.

# Les activités de la journée

**La matinée**

**le réveil**

la lampe de chevet

un oreiller

le radioréveil

7:15

**le petit déjeuner**

**l'arrivée à l'école**

une horloge

**en classe**

**L'après-midi**

**le déjeuner**

un plateau

la cantine

**le goûter**

la cour de récréation

**La soirée**

**le dîner**

une pendule

**La nuit**

**le sommeil**

une couette

21:30

la table de nuit

A
B
C
D
E
F
G
H
I
J
K
L
M
N
O
P
Q
R
S
T
U
V
W
X
Y
Z

**adieu** nom masculin

On fait ses **adieux** à quelqu'un lorsqu'on le quitte pour très longtemps. *Je viens vous faire mes **adieux** car je pars demain matin.*

🔍 Au pluriel, on écrit *des adieux*.

→ Cherche **au revoir**.

**adjectif** nom masculin

Un **adjectif** est un mot qui donne des précisions sur un nom. *Dans la phrase « La souris a un museau pointu et une longue queue », « pointu » et « longue » sont des **adjectifs**.*

**admettre** verbe

❶ **Admettre** quelque chose, c'est l'accepter. *Grand-mère n'**admet** pas que je regarde la télévision le soir.* Synonyme : **permettre**.

❷ **Admettre** quelqu'un dans une classe, à un examen, c'est le recevoir, l'accepter. *Mon frère **est admis** dans la classe supérieure.*

**admiration** nom féminin

Avoir de l'**admiration** pour une personne, c'est l'admirer, lui trouver de grandes qualités.

**admirer** verbe

❶ **Admirer** une chose, c'est la regarder et la trouver très belle. *Au sommet de la montagne, nous **avons admiré** le paysage.*

❷ **Admirer** une personne, c'est lui trouver de grandes qualités. *Simon **admire** son frère pour son courage.*

● Mot de la même famille : **admiration**.

**adolescent** nom masculin
**adolescente** nom féminin

Les **adolescents** sont des personnes qui ont entre douze ans et dix-huit ans. *Les **adolescents** ne sont plus des enfants*

*mais ne sont pas encore des adultes.* Synonyme : **jeune**.

🔍 Il y a un *c* après le *s*.

**adopter** verbe

**Adopter** un enfant, c'est l'accueillir dans sa famille et le considérer comme son enfant. *Ma tante et mon oncle **ont adopté** un enfant.*

● Mot de la même famille : **adoptif**.

**adoptif, adoptive** adjectif

Une mère **adoptive** est une mère qui a adopté un enfant. Un enfant **adoptif** est un enfant qui a été adopté.

**adorable** adjectif

Une personne **adorable** est une personne très agréable et très gentille. *Ma petite cousine Laura est **adorable**.* Contraire : **infernal**.

**adorer** verbe

**Adorer** une personne, c'est l'aimer beaucoup. *Léa **adore** son petit frère.* Contraires : **détester, haïr**.

● Mot de la même famille : **adorable**.

**adresse** nom féminin

L'**adresse** d'une personne est l'endroit exact où elle habite. *Lorsqu'on donne*

J'ai écrit l'**adresse** de Sophie.

son *adresse*, on donne le nom et le numéro de sa rue, le nom et le code postal de sa commune et le nom de son pays.

● Mot de la même famille : **adresser**.

### adresser verbe

❶ **Adresser** une lettre à une personne, c'est la lui envoyer. Synonyme : **expédier**.

❷ **Adresser** la parole à une personne, c'est lui parler.

### adroit, adroite adjectif

Être **adroit**, c'est bien savoir se servir de ses mains. Synonyme : **habile**. Contraire : **maladroit**.

### adulte nom masculin et nom féminin

Un **adulte**, une **adulte** sont des grandes personnes.

### adverbe nom masculin

Un **adverbe** est un mot invariable que l'on place à côté d'un adjectif, d'un verbe ou d'un autre adverbe pour changer leur sens . *Dans la phrase « J'ai été malade, mais maintenant je vais bien », « maintenant » et « bien » sont des adverbes.*

### adversaire nom masculin et nom féminin

Un **adversaire** est une personne du camp opposé. *Nos adversaires ont gagné la partie.* Contraire : **partenaire**.

### aérer verbe

**Aérer** une pièce, c'est ouvrir la fenêtre pour faire entrer l'air. *Pendant la récréation, la maîtresse aère la classe.*

### aérien, aérienne adjectif

Les transports **aériens** se font dans les airs, par avion.

### aéroport nom masculin

Un **aéroport** est un endroit où se trouvent les pistes et les bâtiments pour le transport des voyageurs et des marchandises par avion.

☞ Va voir la planche illustrée ❼

Les avions sont sur la piste de l'**aéroport**.

### s'affaiblir verbe

**S'affaiblir**, c'est devenir faible. *La vue de mamie s'est affaiblie.* Synonyme : **baisser**.

### affaire nom féminin

❶ Les **affaires** d'une personne sont les vêtements et les objets qui lui appartiennent. *J'ai rangé mes affaires dans mon cartable.*

❷ Faire une bonne **affaire**, c'est faire un achat de bonne qualité qui ne coûte pas très cher.

### affamé, affamée adjectif

Être **affamé**, c'est avoir une grande faim. *À quatre heures, je suis toujours affamé.*

→ Cherche **assoiffé**.

### affection nom féminin

Avoir de l'**affection** pour une personne, c'est l'aimer bien. Synonymes : **amitié**, **tendresse**.

● Mot de la même famille : **affectueux**.

### affectueux, affectueuse adjectif

Être **affectueux**, c'est donner des marques d'affection, de tendresse.

a b c d e f g h i j k l m n o p q r s t u v w x y z

Mon petit frère est très **affectueux**, il fait des câlins à tout le monde. Synonyme : tendre.

### affiche nom féminin

Une **affiche** est une grande feuille imprimée avec du texte et des images, que l'on met dans les lieux publics. *Le mur est couvert d'affiches.*

### afficher verbe

Afficher quelque chose, c'est l'écrire sur une affiche ou sur un papier collé au mur. *Nous avons affiché les résultats du match.*

● Mot de la même famille : affiche.

### affirmatif, affirmative adjectif

Faire une réponse **affirmative**, c'est répondre oui, accepter ce qu'une personne a demandé. Contraire : négatif.

### affirmer verbe

Affirmer, c'est donner ce que l'on dit comme sûr. *J'affirme que cette histoire est vraie.* Synonymes : assurer, soutenir.

● Mot de la même famille : affirmatif.

### affligé, affligée adjectif

Une personne **affligée** éprouve un profond chagrin parce qu'elle a eu un grand malheur. *Dans le conte « la Belle*

un petit singe **affectueux**

et la Bête », la Belle était bien **affligée** de la ruine de sa famille.

### affluence nom féminin

Les heures d'**affluence**, ce sont les heures où il y a le plus de monde dans un endroit. *Aux heures d'affluence, il faut attendre longtemps à la caisse du supermarché.*

### affluent nom masculin

L'**affluent** d'un fleuve ou d'une rivière est le cours d'eau qui se jette dans ce fleuve ou cette rivière.

### s'affoler verbe

S'affoler, c'est avoir très peur et faire n'importe quoi comme si on devenait fou. *Ma petite sœur s'affole quand elle voit une araignée.*

### affreux, affreuse adjectif

Une personne ou une chose **affreuse** est très laide. *La sorcière est affreuse.* Synonymes : hideux, horrible. Contraires : magnifique, splendide, superbe.

### affronter verbe

Affronter un adversaire, c'est ne pas avoir peur de lutter contre lui. *La chèvre de monsieur Seguin a affronté le loup.*

### afin de préposition

Afin de veut dire : pour. *Je me dépêche afin d'être à l'heure.*

### agacer verbe

Agacer quelqu'un, c'est l'énerver et le mettre un peu en colère. *Ton petit frère m'agace : il n'arrête pas de crier.* Synonyme : irriter.

### âge nom masculin

L'**âge** d'une personne est le nombre d'années qui ont passé depuis sa naissance. *Rémi et Léa ont le même âge.*

🔍 Le a prend un accent circonflexe.

● Mot de la même famille : **âgé.**

### âgé, âgée adjectif

❶ Être **âgé** de, c'est avoir tel âge. *Paul est âgé de huit ans.*

❷ Une personne **âgée** est une vieille personne. *Mon arrière-grand-mère est une personne âgée.* Contraire : **jeune.**

🔍 Le a prend un accent circonflexe.

### s'agenouiller verbe

S'agenouiller, c'est se mettre à genoux. *Le jardinier s'agenouille pour arracher les mauvaises herbes.*

Luc **s'agenouille**
pour faire du jardinage.

### agent nom masculin

Un **agent** de police est une personne en uniforme qui règle la circulation dans une ville. *L'agent arrête les voitures pour nous faire traverser.* Synonyme : **policier.**

### s'aggraver verbe

S'aggraver, c'est devenir plus grave. *Si tu sors avec les cheveux mouillés, ton mal de gorge va s'aggraver.*

🔍 Ce mot a deux g.

### agile adjectif

Être **agile**, c'est avoir des gestes adroits, des mouvements souples et vifs. *Les écureuils sont très agiles : ils sautent de branche en branche.*

### agir verbe

Agir, c'est faire quelque chose. *Tu as bien agi en appelant le médecin.*

### agitation nom féminin

Quand il y a de l'**agitation**, il y a des mouvements dans tous les sens. *La sonnerie a provoqué une grande agitation dans la classe.* Contraire : **calme.**

### agiter verbe

❶ **Agiter** une chose, c'est la faire bouger ou la remuer. *Le vent agite les branches.*

❷ **S'agiter**, c'est remuer dans tous les sens. *Les petits commencent à s'agiter.*

● Mot de la même famille : **agitation.**

### agneau nom masculin

Un **agneau** est un jeune mouton. *Les agneaux bêlent.*

▶ L'agneau est le petit de la brebis et du bélier.

🔍 Au pluriel, on écrit *des agneaux.*

un **agneau**

a
b
c
d
e
f
g
h
i
j
k
l
m
n
o
p
q
r
s
t
u
v
w
x
y
z

## agrafe nom féminin

❶ Une **agrafe** est un petit crochet qui sert à fermer un vêtement.

❷ Une **agrafe** est un petit fil métallique qui se replie aux deux bouts pour attacher des feuilles de papier les unes aux autres.

● Mots de la même famille : **agrafer, agrafeuse**.

## agrafer verbe

❶ **Agrafer** un vêtement, c'est le fermer avec des agrafes. *Aide-moi à agrafer ma robe, s'il te plaît.*

❷ **Agrafer** des feuilles de papier, c'est les attacher avec une agrafe. *Agrafe ces deux feuilles !*

## agrafeuse nom féminin

Une **agrafeuse** est un petit appareil qui sert à agrafer des feuilles de papier.

## agrandir verbe

**Agrandir** une chose, c'est la rendre plus grande. *La niche du chien est trop petite, il faudrait l'agrandir.*

## agréable adjectif

❶ Une chose **agréable** est une chose qui plaît. *L'odeur du muguet est très agréable.* Contraire : **désagréable**.

❷ Une personne **agréable** est une personne gentille, qu'on a du plaisir à voir. Synonymes : **aimable, charmant**. Contraires : **désagréable, odieux**.

## agressif, agressive adjectif

Une personne **agressive** attaque les autres par des gestes ou des paroles. Contraire : **doux**.

## agricole adjectif

Une machine **agricole** est une machine qui sert à l'agriculture. *Les tracteurs sont des machines agricoles.*

## agriculteur nom masculin
## agricultrice nom féminin

Un **agriculteur**, une **agricultrice** sont des personnes qui cultivent la terre et élèvent des animaux pour leur viande ou leur lait. C'est un nom de métier.

## agriculture nom féminin

L'**agriculture** est la culture de la terre et l'élevage des animaux. *Les produits de l'agriculture servent à nourrir les humains et les animaux.*

● Mots de la même famille : **agricole, agriculteur**.

## agripper verbe

**Agripper** une chose, c'est l'attraper en s'accrochant. *Mamie a agrippé mon bras pour ne pas tomber.*

## ah ! interjection

Ah s'emploie quand on est content, quand on est surpris ou quand on est déçu. *Ah ! quelle joie d'être en vacances ! Ah ! comme c'est dommage !*

## aide nom féminin

❶ L'**aide**, c'est le fait d'aider quelqu'un. *Mamie compte sur mon aide.*

❷ Faire quelque chose **à l'aide** d'un objet, c'est le faire en se servant de cet objet. *Elle s'est cassé la jambe et marche à l'aide de béquilles.* Synonyme : **grâce à**.

## aider verbe

**Aider** une personne, c'est faire quelque chose avec elle ou lui donner des conseils quand elle a des difficultés. *Mon frère m'aide à faire un puzzle.*

● Mot de la même famille : **aide**.

## aigle nom masculin

Un **aigle** est un grand oiseau de proie qui est actif le jour.

▶ C'est un rapace. Le petit est l'**aiglon**.

un **aigle**

## aigu, aiguë adjectif

❶ Une voix **aiguë** est une voix très haute. *Les petites filles ont souvent des voix aiguës.* Contraire : grave.

❷ Un accent **aigu** est un accent qu'on met sur le « e » pour prononcer le son [e]. *Dans « pré », il y a un accent aigu.*

🔍 Au féminin, il y a un tréma sur le e : *une voix aiguë, des voix aiguës.*

## aiguille nom féminin

❶ Une **aiguille** à coudre est une petite tige métallique qui a un bout pointu et un autre bout percé d'un trou pour passer un fil. Une **aiguille** à tricoter est une longue tige qui a un bout pointu et un autre bout terminé par une petite boule.

❷ Les **aiguilles** d'une montre (d'une horloge ou d'une pendule) sont les petites tiges qui indiquent l'heure sur le cadran. *La grande aiguille indique les minutes, la petite aiguille indique les heures.*

❸ Une **aiguille** est une feuille d'arbre pointue, très fine et très dure. *Le pin et le sapin ont des aiguilles.*

## aiguiser verbe

**Aiguiser** un couteau ou des ciseaux, c'est rendre la lame plus tranchante. *Le boucher aiguise ses couteaux.*

🔍 On prononce [egize].

## ail nom masculin

L'**ail** est une plante qui a une odeur forte et un goût piquant et qui sert à assaisonner certains aliments. *As-tu mis de l'ail dans la salade ?*

🔍 On prononce [aj], comme dans « paille ».

## aile nom féminin

❶ Les **ailes** d'un oiseau, d'un insecte, d'une chauve-souris sont les deux parties du corps qui leur permettent de voler.

❷ Les **ailes** d'un avion sont les deux parties longues et plates qui lui permettent de se soutenir dans l'air.

## ailleurs adverbe

**Ailleurs** signifie : dans un autre endroit. *Ne restez pas dans la cuisine, allez jouer ailleurs !* Synonyme : autre part. Contraire : ici.

## aimable adjectif

Une personne **aimable** est agréable, elle parle aux autres avec gentillesse et cherche à leur faire plaisir. Synonyme : gentil.

## aimant nom masculin

Un **aimant** est un morceau de métal spécial qui attire les objets en fer.

L'**aimant** attire les trombones.

**aimer** verbe

❶ **Aimer** une personne, c'est avoir de l'amour, de l'affection pour elle, être heureux de vivre avec elle. Contraires : **détester, haïr.**

❷ **Aimer** une chose, **aimer** faire quelque chose, c'est avoir du plaisir à les faire. *J'aime le football et tu aimes faire du vélo.* Contraire : **détester.**

**1. aîné, aînée** adjectif

Le fils **aîné**, la fille **aînée** sont les plus âgés des enfants d'une famille. *Raphaëlle est la fille aînée de la famille Mourey.*

🔎 Le *i* prend un accent circonflexe.

**2. aîné** nom masculin
 **aînée** nom féminin

L'**aîné** d'une famille est celui qui est né avant ses frères et ses sœurs. *Dans notre famille, c'est Adrien l'aîné.* Contraires : **benjamin, cadet.**

🔎 Le *i* prend un accent circonflexe.

**ainsi** adverbe

Ainsi veut dire : de cette façon. *Pourquoi me regardez-vous ainsi ?* Synonyme : **comme cela.**

**air** nom masculin

❶ L'**air** est un gaz qui contient de l'oxygène. *L'air n'a pas d'odeur et il est invisible.*

❷ En plein **air**, c'est dehors. *La fête a lieu en plein air.* Contraire : **à l'intérieur.**

❸ Regarder en l'**air**, c'est regarder vers le haut.

❹ Avoir l'**air**, c'est avoir une apparence particulière. *Pierre a l'air fatigué.* Synonymes : **paraître, sembler.**

❺ L'**air** d'une chanson, c'est sa musique, sa mélodie. *Je ne me rappelle plus l'air de « Le lion est mort ce soir ».*

**aise** nom féminin

Être à l'**aise**, c'est se sentir bien dans quelque chose ou dans un endroit. *Je suis à l'aise dans mes chaussures neuves.* Contraire : **mal à l'aise.**

**ajouter** verbe

Ajouter, c'est mettre en plus. *J'écris six et j'ajoute cinq.* Contraires : **ôter, retrancher.**

**alarme** nom féminin

L'**alarme** est le signal qui prévient d'un danger. *Un incendie vient d'éclater : la sirène donne l'alarme.* Synonyme : **alerte.**

**album** nom masculin

❶ Un **album** de photos, un **album** de timbres sont des cahiers cartonnés ou des classeurs pour ranger des photos, des timbres.

❷ Un **album** est un livre illustré. *J'ai trois albums de bandes dessinées.*

🔎 On écrit *um* mais on prononce [ɔm], comme « homme ».

Marie classe les photos dans l'**album**.

**alcool** nom masculin

❶ L'**alcool** est un liquide fort que l'on obtient à partir de plantes et qui peut rendre ivre. *Le vin, la bière, le cidre contiennent de l'alcool.*

❷ L'**alcool** est un liquide transparent qui détruit les microbes. *L'infirmière nettoie ses instruments avec de l'alcool à 90 degrés.*

🔎 Ce mot s'écrit avec deux o.

### alerte nom féminin

L'**alerte** est le signal qui prévient d'un danger. *Un nageur était en train de se noyer, quelqu'un a donné l'alerte.* Synonyme : **alarme.**

● Mot de la même famille : **alerter.**

### alerter verbe

**Alerter,** c'est signaler un danger. *Mon frère a alerté les pompiers car la cave était inondée.* Synonyme : **avertir.**

### algue nom féminin

Les **algues** sont des plantes sans feuilles, sans fleurs et sans racines qui poussent dans l'eau de mer ou dans l'eau douce.

### aligner verbe

**Aligner** des choses, c'est les ranger en ligne droite. *Pour le spectacle, on a aligné les chaises.*

### aliment nom masculin

Un **aliment** est un produit qui sert à nourrir les êtres vivants. *La viande, le poisson, les fruits, le lait, les graines sont des aliments.*

● Mot de la même famille : **alimentation.**

### alimentation nom féminin

❶ L'**alimentation** est la manière de se nourrir. *Pour être en bonne santé, il faut varier son alimentation.* Synonyme : **nourriture.**

❷ Un **magasin d'alimentation** est un magasin où l'on trouve de la nourriture, des aliments. *Les épiceries,* les boucheries, les boulangeries sont des *magasins d'alimentation.*

### allaiter verbe

**Allaiter** un bébé ou un petit animal, c'est le nourrir avec le lait des seins ou des mamelles de la mère.

🔎 Ce mot a deux l.

La vache **allaite** son petit veau.

### allée nom féminin

Les **allées** d'un parc sont les larges chemins bordés d'arbres et de haies qui le traversent.

### 1. aller verbe

❶ **Aller** quelque part, c'est se diriger vers un endroit. *Je vais à l'école.* Synonyme : **se rendre.**

❷ **S'en aller,** c'est quitter l'endroit où l'on est. *Au revoir, je m'en vais.* Synonyme : **partir.**

❸ **Aller bien** ou **aller mal,** c'est être en bonne santé ou en mauvaise santé. *Mes parents vont bien.* Synonyme : **se porter (bien, mal).**

❹ Une chose qui **va,** c'est une chose qui convient. *Ta robe rouge te va bien. Cet adjectif ne va pas dans ta phrase.*

❺ Quand on **va** faire quelque chose, on se prépare à le faire. *Nous allons partir en voyage.*

A
B
C
D
E
F
G
H
I
J
K
L
M
N
O
P
Q
R
S
T
U
V
W
X
Y
Z

## 2. aller nom masculin

Un **aller** est un trajet pour se rendre à un endroit. *Nous avons mis deux heures à l'aller.* Contraire : retour.

## alliance nom féminin

Une **alliance** est un anneau qu'on porte quand on est marié. *Ma grand-mère a une alliance en or à l'annulaire gauche.*

## allô ! interjection

**Allô** s'emploie au début d'une conversation téléphonique. *Allô ! qui est à l'appareil ?*

## allonger verbe

❶ **Allonger** un vêtement, c'est le rendre plus long. *Ton pantalon est trop court, je vais l'allonger.* Synonyme : rallonger. Contraire : raccourcir.

❷ **Allonger** ses bras ou ses jambes, c'est les tendre. *Allongez les bras devant vous.*

❸ **S'allonger** sur un lit, c'est se mettre dessus pour se reposer. Synonyme : s'étendre.

## allumer verbe

❶ **Allumer**, c'est faire brûler, mettre le feu. *Allumer une bougie. Il est interdit d'allumer des feux dans la forêt.* Contraire : éteindre.

❷ **Allumer**, c'est donner de la lumière en appuyant sur un interrupteur. *Allume ta lampe de chevet.* Contraire : éteindre.

● Mot de la même famille : allumette.

## allumette nom féminin

Une **allumette** est une petite tige de bois ou de carton que l'on frotte pour qu'elle s'enflamme. *Je sais qu'il ne faut pas jouer avec les allumettes.*

## allure nom féminin

❶ L'**allure** d'une personne est sa façon de marcher et de s'habiller, son apparence. *Adrien a une drôle d'allure avec son chapeau.* Synonyme : aspect.

❷ L'**allure** d'un véhicule, c'est sa vitesse. *La moto roule à toute allure.*

## alors adverbe

**Alors** signifie : dans ce cas, dans ces conditions. *Tu n'as rien à faire ? alors viens jouer !*

## alouette nom féminin

Une **alouette** est un petit oiseau des champs.

## alphabet nom masculin

L'**alphabet** d'une langue est l'ensemble des lettres qui servent à l'écrire. L'**alphabet** français a 26 lettres qui sont toujours classées dans le même ordre.

🔍 Ce mot s'écrit avec *ph*.

● Mot de la même famille : alphabétique.

## alphabétique adjectif

L'ordre **alphabétique** est l'ordre des lettres de l'alphabet. *La directrice a fait la liste des élèves par ordre alphabétique.*

🔍 Ce mot s'écrit avec *ph*.

## alpiniste nom masculin et nom féminin

Un **alpiniste**, une **alpiniste** sont des personnes qui escaladent de hautes montagnes comme il y en a dans les Alpes.

## altitude nom féminin

L'**altitude** d'une montagne ou d'un avion est sa hauteur par rapport au niveau de la mer.

🔍 Ne confonds pas « altitude » et « l'attitude » d'une personne.

### amande nom féminin

Une **amande** est un petit fruit vert pâle qui a un noyau dur et une forme ovale. C'est aussi la graine qui est enfermée dans ce noyau et que l'on mange.

▶ Les amandes poussent sur un arbre, l'**amandier**.

🔍 Ne confonds pas « amande » et « une amende », une contravention.

### amateur nom masculin

❶ Un **amateur** est une personne qui aime une chose, une activité. *Mon frère est un amateur de bandes dessinées.*

❷ Un **amateur** est une personne qui fait une activité, sans en faire sa profession. *Ma sœur est une cycliste amateur.* Contraire : professionnel.

### ambiance nom féminin

❶ L'**ambiance** d'un lieu, c'est ce que l'on ressent lorsqu'on est dans ce lieu. *Il y a une bonne ambiance à l'école.*

❷ Quand il y a de l'**ambiance**, il y a de l'animation, de la gaieté.

🔍 Le son [ã] s'écrit *am* devant un *b*.

L' **alpiniste** escalade la montagne.

### ambulance nom féminin

Une **ambulance** est une voiture que l'on utilise pour le transport des malades et des blessés.

🔍 Le son [ã] s'écrit *am* devant un *b*.

L'**ambulance** a la priorité.

### s'**améliorer** verbe

S'améliorer, c'est devenir meilleur ou faire mieux. *Le temps s'améliore. Je peux m'améliorer en français.* Synonyme : progresser.

### amende nom féminin

Une **amende** est une somme d'argent qu'on doit payer si l'on a fait une chose interdite. *Lorsqu'on stationne à un endroit interdit, on risque de payer une amende.* Synonyme : contravention.

🔍 Ne confonds pas « amende » et « l'amande », le fruit.

### amener verbe

**Amener** une personne quelque part, c'est la faire venir avec soi. *J'ai amené un camarade à la maison.* Synonyme : emmener.

🔍 On dit « j'ai amené un camarade » mais « j'ai apporté un livre ».

### amer, amère adjectif

Un aliment **amer** n'a pas un goût doux et sucré. *Le chocolat noir est amer.*

a b c d e f g h i j k l m n o p q r s t u v w x y z

🔍 « Amer » se prononce [amɛr].

→ Cherche **acide, salé** et **sucré**.

## ami nom masculin
## amie nom féminin

Des **amis** sont des personnes que l'on aime bien, que l'on a du plaisir à voir. *Rachid est mon **ami**.* Contraire : **ennemi**.

● Mot de la même famille : **amitié**.

→ Cherche **camarade** et **copain**.

## amitié nom féminin

Avoir de l'**amitié** pour une personne, c'est la considérer comme une amie et se sentir bien avec elle. Synonymes : **affection, tendresse**.

## amont nom masculin

L'**amont** d'un fleuve ou d'une rivière est la partie qui est du côté de la source, vers le haut. Contraire : **aval**.

## amour nom masculin

L'**amour** est un sentiment très fort qui attire une personne vers une autre. *Ma grande sœur éprouve de l'**amour** pour son fiancé.* Contraire : **haine**.

● Mot de la même famille : **amoureux**.

## 1. amoureux, amoureuse adjectif

Être **amoureux**, c'est éprouver de l'amour pour une personne, être heureux de vivre avec elle. *Ma grande sœur est **amoureuse** de son fiancé.*

## 2. amoureux nom masculin
## amoureuse nom féminin

Des **amoureux** sont deux personnes qui s'aiment, qui éprouvent de l'amour l'une pour l'autre. *Les **amoureux** s'embrassent.*

## amphibie adjectif

❶ Un animal **amphibie** est un animal qui peut vivre dans l'air et dans l'eau. *L'hippopotame est **amphibie**.*

❷ Un véhicule **amphibie** est un véhicule qui peut se déplacer sur la terre et sur l'eau.

🔍 Le son [ɑ̃] s'écrit *am* devant *ph*.

## ampoule nom féminin

❶ Une **ampoule** électrique est un globe de verre qui éclaire. *Changer une **ampoule**.*

❷ Une **ampoule** est une petite cloque. *J'ai trop marché et j'ai une **ampoule** au pied.*

🔍 Le son [ɑ̃] s'écrit *am* devant un *p*.

## amusant, amusante adjectif

Une chose **amusante** est une chose qui amuse, qui fait rire. *Nicolas nous a raconté une histoire **amusante**.* Synonymes : **comique, drôle**.

## amuser verbe

**Amuser** une personne, c'est la distraire agréablement. *J'ai inventé un jeu qui **amuse** beaucoup ma petite sœur.* Contraire : **ennuyer**. *Nous **nous amusons** dans la cour.* Synonyme : **jouer**.

● Mot de la même famille : **amusant**.

## an nom masculin

❶ Un **an** est une période de douze mois. *Pierre est parti l'**an** dernier.* Synonyme : **année**.

❷ Le jour de l'**An** est le premier jour de l'année. *La famille se réunit pour le **jour de l'An**.*

## analyse nom féminin

L'**analyse** du sang est la recherche des différentes parties du sang. *Pour faire une **analyse** de sang, l'infirmière* prend un peu de sang au bras à l'aide d'une seringue.

🔍 Ce mot s'écrit avec un y.

● Mot de la même famille : **analyser**.

**analyser** verbe

Analyser une chose, c'est faire son analyse, l'étudier en détail pour pouvoir l'expliquer. *Analyser l'eau de mer.*

🔍 Ce mot s'écrit avec un y.

**ananas** nom masculin

Un **ananas** est un gros fruit des pays chauds à la chair jaune et sucrée. Il est recouvert d'une peau très épaisse qui forme des écailles.

**ancêtre** nom masculin et nom féminin

Les **ancêtres** d'une personne sont les membres de sa famille qui ont vécu avant ses grands-parents. *L'une de nos ancêtres a émigré en Amérique du Nord.*

🔍 Le premier e prend un accent circonflexe.

**ancien, ancienne** adjectif

❶ Un objet **ancien** est un objet qui existe depuis longtemps. *Ma tante a des meubles anciens.* Synonyme : **vieux**. Contraires : **moderne, récent**.

❷ Un **ancien** élève a été un élève dans le passé mais il ne l'est plus. Contraire : **nouveau**.

**ancre** nom féminin

Une **ancre** est un objet lourd en métal que l'on accroche au fond de l'eau pour retenir un bateau. *Le pêcheur a jeté l'ancre.*

🔍 Ne confonds pas « ancre » et « l'encre » pour écrire.

Le bateau est retenu par son **ancre**.

**âne** nom masculin

Un **âne** est un animal domestique à longues oreilles qui ressemble à un petit cheval. C'est un mammifère au pelage généralement gris.

▶ La femelle est l'**ânesse**, le petit est l'**ânon**. Quand l'âne crie, on dit qu'il brait.

🔍 Le a prend un accent circonflexe.

**anesthésie** nom féminin

Faire une **anesthésie**, c'est endormir un malade avec un médicament spécial pour qu'il ne sente pas la douleur. *On a fait une anesthésie à Julie avant son opération de l'appendicite.*

🔍 Ce mot s'écrit avec th.

un **âne**

a
b
c
d
e
f
g
h
i
j
k
l
m
n
o
p
q
r
s
t
u
v
w
x
y
z

A
B
C
D
E
F
G
H
I
J
K
L
M
N
O
P
Q
R
S
T
U
V
W
X
Y
Z

### ange nom masculin

❶ Un **ange** est un être que l'on représente au paradis avec deux ailes dans le dos.

❷ On dit qu'une personne est un **ange** quand elle est très douce et très patiente. Contraire : **diable**.

### angine nom féminin

Une **angine** est une maladie de la gorge.

### anglais nom masculin

L'**anglais** est la langue qui est parlée en Angleterre et dans de nombreux autres pays.

### angle nom masculin

❶ Un **angle** est un dessin formé par deux lignes droites qui se coupent. Il a deux côtés et un sommet.

❷ L'**angle** d'une pièce est l'endroit où deux murs se rejoignent. Synonyme : **coin**.

Un triangle a trois **angles**.

### anguille nom féminin

Une **anguille** est un poisson qui ressemble à un serpent. *Les anguilles vivent dans l'eau douce et se reproduisent dans la mer.*

🔎 On prononce [ɑ̃gij].

☞ Va voir « les poissons », page 530.

### animal nom masculin

Les **animaux** sont des êtres vivants qui ne sont ni des êtres humains ni des plantes. *Les animaux respirent, se déplacent, se nourrissent, souffrent quand on leur fait mal et se reproduisent.* Synonyme : **bête**.

🔎 Au pluriel, on écrit *des animaux*.

→ Cherche **insecte**, **mammifère**, **oiseau**, **poisson** et **reptile**.

☞ Va voir les planches illustrées ⑬, ⑭ et ⑮

### animation nom féminin

Quand il y a de l'**animation**, il y a du mouvement, de l'activité. *Le 14 Juillet, il y a de l'animation partout en France.* Synonyme : **ambiance**.

### animé, animée adjectif

❶ Une soirée **animée** est une soirée pleine d'animation, de mouvement.

❷ Un **dessin animé** est un film qui est fait à partir de dessins. *As-tu vu le dessin animé « Shrek » ?*

### anneau nom masculin

Un **anneau** est un objet qui a la forme d'un cercle. *Le jongleur lance ses anneaux. Marie porte un anneau au doigt.*

🔎 Au pluriel, on écrit *des anneaux*.

→ Cherche **alliance**.

### année nom féminin

❶ L'**année** est la période de douze mois qui commence le 1er janvier et qui finit le 31 décembre. *J'ai été malade l'année dernière.* Synonyme : **an**.

❷ L'**année scolaire** est la période qui commence à la rentrée de septembre et qui finit aux grandes vacances.

### anniversaire nom masculin

L'anniversaire d'une personne, c'est la date qui rappelle le jour de sa naissance. *Le 31 décembre, c'est l'anniversaire de mon frère.*

🔍 « Anniversaire » est un nom masculin qui se termine par un *e*.

C'est l'**anniversaire** de Julien.

### annonce nom féminin

Une **petite annonce** est un papier qui donne une information. *Nous avons perdu notre chat et nous avons mis une petite annonce chez les commerçants.*

### annoncer verbe

Annoncer quelque chose, c'est le faire savoir. *La maîtresse nous a annoncé qu'elle attendait un bébé.* Synonymes : apprendre, informer.

● Mot de la même famille : **annonce**.

### annuaire nom masculin

L'annuaire du téléphone est un livre qui donne chaque année les noms, les adresses et les numéros de téléphone des personnes qui ont le téléphone.

🔍 « Annuaire » est un nom masculin qui se termine par un *e*.

### annuel, annuelle adjectif

Un événement **annuel** est un événement qui revient chaque année. *Nous préparons la fête annuelle de l'école.*

### annulaire nom masculin

L'annulaire est le doigt de la main qui est situé à côté du petit doigt. *Les personnes mariées portent souvent un anneau à l'annulaire.*

☞ Va voir « les doigts », page 217.

### annuler verbe

Annuler une chose, c'est la déclarer nulle, sans valeur ou ne pas la faire. *On a annulé les élections. La réunion a été annulée.*

### ânonner verbe

Ânonner, c'est lire avec difficulté, en hésitant à chaque mot.

🔍 Le *a* prend un accent circonflexe.

### anonyme adjectif

Une lettre **anonyme** est une lettre envoyée par une personne qui n'a pas indiqué son nom, qui n'a pas signé.

🔍 Ce mot s'écrit avec un *y*.

### anorak nom masculin

Un **anorak** est une veste imperméable et chaude qui a une capuche.

### anormal, anormale adjectif

Une chose **anormale** est une chose que l'on ne voit pas ou que l'on n'entend pas d'habitude. *Le moteur fait un bruit anormal.* Synonyme : bizarre. Contraire : normal.

🔍 Au pluriel, on écrit *anormaux*, *anormales*.

### anse nom féminin

L'anse d'un panier, d'une tasse est la partie qui sert à les tenir.

a b c d e f g h i j k l m n o p q r s t u v w x y z

A
B
C
D
E
F
G
H
I
J
K
L
M
N
O

## antenne nom féminin

❶ Les **antennes** des insectes et des crustacés sont les fines cornes qu'ils ont sur la tête pour sentir, pour toucher et parfois pour voir. *Les sauterelles et les langoustes ont des antennes.*

❷ Une **antenne** de télévision est un objet métallique fixé sur le toit d'une maison ou posé sur un téléviseur et qui permet de recevoir les émissions.

## antibiotique nom masculin

Un **antibiotique** est un médicament qui guérit les infections dues à certains microbes.

## antilope nom féminin

Une **antilope** est un mammifère des pays chauds qui a de longues cornes creuses. *Les antilopes peuvent courir à 90 kilomètres à l'heure.*

▶ C'est un ruminant.

→ Cherche **gazelle**.

## antipathique adjectif

Une personne **antipathique** est une personne désagréable que l'on n'aimerait pas avoir pour amie. Contraire : **sympathique**.

🔎 Le deuxième son [t] s'écrit *th*.

## août nom masculin

Août est le huitième mois de l'année. Il vient après juillet et avant septembre. *En août, nous irons camper à la montagne.*

🔎 On ne prononce pas le *a*. Le *u* prend un accent circonflexe.

☛ Va voir « le calendrier », page 111.

## apercevoir verbe

❶ Apercevoir, c'est voir de loin ou voir soudain. *On aperçoit des phares dans le brouillard. J'ai aperçu Camille à la sortie du cinéma.*

❷ S'apercevoir de quelque chose, c'est s'en rendre compte. *Quand Paul est arrivé, il s'est aperçu qu'il avait oublié son short.* Synonymes : **constater, remarquer.**

## apéritif nom masculin

Un **apéritif** est une boisson qui contient de l'alcool et que les adultes prennent parfois avant les repas.

## api nom masculin

Une pomme d'**api** est une pomme rouge d'un côté et grise de l'autre. *Je connais la comptine « Pomme de reinette et pomme d'api, petit api rouge. Pomme de reinette et pomme d'api, petit api gris ».*

une **antilope**

**apiculteur** nom masculin
**apicultrice** nom féminin
Un **apiculteur**, une **apicultrice** sont des personnes qui élèvent des abeilles, s'occupent des ruches et vendent le miel et la cire. C'est un nom de métier.

**aplatir** verbe
Aplatir une chose, c'est la rendre plate. *J'aplatis la pâte avec un rouleau à pâtisserie.*

**apostrophe** nom féminin
Une **apostrophe** est un signe d'écriture qui indique que l'on a supprimé une voyelle. *«L'avion», «l'herbe», «s'asseoir» s'écrivent avec une apostrophe.*

🔍 Ce mot s'écrit avec *ph*.

**apparaître** verbe
Apparaître, c'est se montrer tout à coup. *À ce moment-là, le magicien est apparu.* Synonyme : surgir. Contraire : disparaître.

🔍 Le *i* prend un accent circonflexe devant un *t*.

● Mots de la même famille : apparence, apparition.

**appareil** nom masculin
Un **appareil** est un objet fait de plusieurs parties et qui a une utilisation précise. *Une machine à laver est un appareil*

L'**apiculteur** récolte le miel.

ménager, *un appareil dentaire sert à redresser les dents, un appareil photo sert à prendre des photos.*

**apparence** nom féminin
L'**apparence** d'une chose ou d'un être, c'est sa forme, son extérieur. *La maison que nous avons visitée a une belle apparence.* Synonymes : allure, aspect. *Son père est sévère en apparence, mais en réalité il est très gentil.*

**apparition** nom féminin
L'**apparition**, c'est le fait d'apparaître. *Nous sommes restés dehors jusqu'à l'apparition des étoiles.* Contraire : disparition.

**appartement** nom masculin
Un **appartement** est un logement situé dans un immeuble. *Dans notre immeuble, il y a deux appartements par étage.*

**appartenir** verbe
❶ Appartenir à quelqu'un, c'est être à lui, être sa propriété. *La voiture bleue appartient à mon grand-père.*
❷ Appartenir à un groupe, c'est faire partie de ce groupe. *Les chats, les lions et les tigres appartiennent à la famille des félins.*

**appât** nom masculin
Un **appât**, c'est de la nourriture que l'on utilise pour attirer des animaux comme les poissons ou les rongeurs. *Le pêcheur a mis un asticot comme appât.*

🔍 Le deuxième *a* prend un accent circonflexe.

**appel** nom masculin
❶ Un **appel** est le cri d'une personne qui appelle. *J'ai entendu des appels au secours.*
❷ Faire l'appel, c'est appeler des personnes par leur nom pour savoir

a b c d e f g h i j k l m n o p q r s t u v w x y z

qui est présent et qui est absent. *La maîtresse **fait l'appel**.*

❸ Un **appel** téléphonique est un coup de téléphone. *Ma sœur a reçu deux **appels** téléphoniques.*

## appeler verbe

❶ **Appeler** un être ou une chose, c'est lui donner un nom. *Comment **appelle**-t-on un livre qui donne la définition des mots ? Elle **a appelé** son chien Sam.* **Synonyme** : **nommer**. **S'appeler**, c'est avoir tel nom. *Le chat de Léo **s'appelle** Roméo.* **Synonyme** : **se nommer**.

❷ **Appeler** une personne, c'est lui demander de venir. *Le maître nous **appelle**.*

❸ **Appeler** une personne, c'est lui téléphoner. *Mamie m'**a appelé** d'une cabine téléphonique.*

● Mot de la même famille : **appel**.

## appendicite nom féminin

L'**appendicite** est une infection d'un bout de l'intestin. *Laura a une crise d'**appendicite**.*

🔎 On écrit *pen* mais on prononce [pɛ̃], comme « pin ».

## appétissant, appétissante adjectif

Un plat **appétissant** est un plat qui a l'air bon et qui donne envie de manger.

Cette glace est **appétissante** !

## appétit nom masculin

L'**appétit**, c'est l'envie de manger. *Une promenade avant le repas donne de l'**appétit**. Son histoire de rats nous a coupé l'**appétit**.*

● Mot de la même famille : **appétissant**.

## applaudir verbe

**Applaudir**, c'est frapper dans ses mains pour montrer qu'on est content ou qu'on est d'accord. *Les spectateurs **applaudissent** les acrobates.*

● Mot de la même famille : **applaudissements**.

## applaudissements nom masculin pluriel

Des **applaudissements** sont des battements de mains que l'on fait pour applaudir. *De la rue, on entend les **applaudissements** du public.*

## s'appliquer verbe

**S'appliquer**, c'est mettre toute son attention sur une chose, sur un travail. *Les élèves **s'appliquent**.*

## apporter verbe

**Apporter** un objet, c'est venir avec cet objet. *Le facteur **a apporté** une lettre.*

🔎 On dit « il apporte une lettre » mais « il amène un ami ».

## appréciation nom féminin

Une **appréciation**, c'est une remarque pour dire ce que l'on pense. *La maîtresse a écrit ses **appréciations** en haut du devoir.*

## apprécier verbe

**Apprécier**, c'est aimer, trouver agréable, intéressant. *Léo **apprécie** son cousin. Mes parents **ont apprécié** mon histoire.*

● Mot de la même famille : **appréciation**.

## apprendre verbe

❶ **Apprendre**, c'est étudier une chose pour la connaître. *Notre voisine Fatima* *apprend le français.* **Apprendre,** c'est transmettre des connaissances à quelqu'un. *Le maître nous apprend l'histoire.* Synonyme : **enseigner.**

❷ **Apprendre,** c'est faire savoir, informer. *Ma cousine nous a appris son mariage.* Synonyme : **annoncer.**

### apprivoiser verbe

**Apprivoiser** un animal, c'est l'habituer à vivre avec les humains. *Chloé a essayé d'apprivoiser un écureuil.*

### approcher verbe

**Approcher** un objet, c'est le mettre plus près. *Approche ta chaise de la table.* Synonymes : **avancer, rapprocher.** **S'approcher,** c'est se mettre plus près. *Léo s'est approché du bord.* Contraires : **s'écarter, s'éloigner.**

### approuver verbe

**Approuver** une personne, c'est être de son avis, lui donner raison. *Je vous approuve de ne pas céder aux caprices de ma fille.* Contraires : **critiquer, reprocher.**

### appuyer verbe

❶ **Appuyer** sur une chose, c'est mettre le doigt dessus et pousser. *Appuie sur le bouton de l'ascenseur.*

❷ **S'appuyer** sur une chose ou sur une personne, c'est poser son bras dessus pour se soutenir. *Appuyez-vous sur moi pour marcher.*

### 1. après préposition

❶ **Après** signifie : plus loin ou plus tard. *La gare est après le carrefour. Que fais-tu après le déjeuner ?* Contraire : **avant.**

❷ **Après** signifie : à la poursuite de. *Le chat court après la souris.*

### 2. après adverbe

**Après** signifie : ensuite, plus tard. *Finis ton repas, et après tu pourras aller jouer.* Contraire : **avant.**

### après-demain adverbe

**Après-demain** est le jour qui suit demain. *Aujourd'hui, c'est lundi, et après-demain, ce sera mercredi.*

🔍 Ce mot s'écrit avec un trait d'union.
➜ Cherche **avant-hier.**

### après-midi nom masculin ou nom féminin

L'**après-midi** est la partie de la journée qui va de midi au soir. *J'ai lu tout l'après-midi.*

🔍 Ce mot s'écrit avec un trait d'union. Au pluriel, il n'y a pas de s à « midi » : on écrit *des après-midi.*

### après-ski nom masculin

Des **après-skis** sont de grosses chaussures fourrées que l'on met après avoir skié.

🔍 Ce mot s'écrit avec un trait d'union. Au pluriel, on écrit *des après-skis.*

### aquarium nom masculin

Un **aquarium** est un récipient en verre que l'on a rempli d'eau pour y faire vivre des poissons. *J'ai changé l'eau de l'aquarium.*

🔍 On écrit *um* mais on prononce [ɔm], comme « homme ».

Un poisson rouge dans son **aquarium**.

a b c d e f g h i j k l m n o p q r s t u v w x y z

# araignée

**araignée nom féminin**

Une **araignée** est un petit animal qui a huit pattes, qui fabrique une fine toile et qui produit un venin pour capturer ses proies. Elle se nourrit d'insectes.

▶ Les araignées ne sont pas des insectes, mais des **arachnides**, comme les acariens. Certaines espèces des pays chauds sont dangereuses pour les humains.

→ Cherche **mygale** et **tarentule**.

**arbitre nom masculin et nom féminin**

Un **arbitre**, une **arbitre** sont des personnes qui font appliquer les règles du jeu dans un match ou dans une compétition. C'est un nom de métier. *L'arbitre a sifflé la mi-temps.*

**arbre nom masculin**

❶ Un **arbre** est une plante de grande taille qui a un tronc et des branches. *Certains arbres restent verts toute l'année, d'autres perdent leurs feuilles en automne.*

❷ Un **arbre généalogique** est un dessin en forme d'arbre qui représente les membres d'une famille.

● Mot de la même famille : **arbuste**.

→ Cherche **conifère** et **feuillu**.

**arbuste nom masculin**

Un **arbuste** est un petit arbre. *Le lilas est un arbuste.*

**arc nom masculin**

Un **arc** est une arme qui est faite d'une corde tendue entre les deux extrémités d'une tige courbe. Il sert à lancer des flèches. *Nous avons fait un concours de tir à l'arc.*

● Mot de la même famille : **arc-en-ciel**.

**arc-en-ciel nom masculin**

Un **arc-en-ciel** est une bande lumineuse multicolore en forme d'arc. *Après*

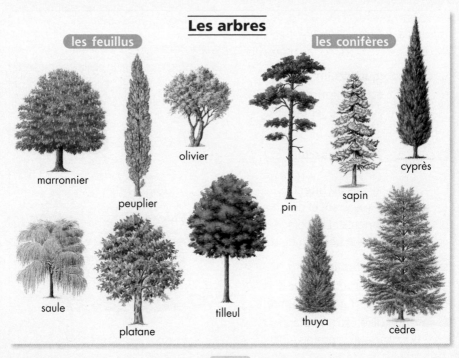

**Les arbres**

les feuillus — marronnier, peuplier, olivier, saule, platane, tilleul

les conifères — pin, sapin, cyprès, thuya, cèdre

l'orage, il y a eu du soleil et un **arc-en-ciel** est apparu.

▶ Les arcs-en-ciel ont sept couleurs : violet, indigo, bleu, vert, jaune, orange et rouge.

🔎 Ce mot s'écrit avec deux traits d'union. Au pluriel, il n'y a pas de *s* à « ciel » : on écrit *des arcs-en-ciel*.

On voit bien les sept couleurs de l'**arc-en-ciel**.

### archet nom masculin

Un **archet** est une longue baguette que l'on utilise pour jouer du violon ou du violoncelle.

### architecte nom masculin et nom féminin

Un **architecte**, une **architecte** sont des personnes qui imaginent et dessinent les plans des bâtiments et qui dirigent leur construction. C'est un nom de métier.

### ardoise nom féminin

❶ Une **ardoise** est une plaque de pierre gris foncé qui sert à couvrir un toit.

❷ Une **ardoise** est une plaque noire pour écrire qui était autrefois en ardoise.

Au restaurant, le menu était écrit à la craie sur une **ardoise**.

### arène nom féminin

Une **arène** est une piste ronde recouverte de sable et entourée de gradins où se déroulent les courses de taureaux.

### arête nom féminin

Les **arêtes** sont les os fins et pointus du squelette des poissons.

🔎 Le premier e prend un accent circonflexe.

### argent nom masculin

❶ L'**argent** est un métal précieux blanc et brillant. *Solène a un bracelet en argent.*

❷ L'**argent** est l'ensemble des billets et des pièces que l'on utilise pour payer. *Grand-père m'a donné un peu d'argent.*

### arme nom féminin

Une **arme** est un instrument qui sert à combattre ou à chasser. *Un arc, une épée, un pistolet, une carabine sont des armes.*

● Mot de la même famille : **armé**.

### armé, armée adjectif

Être **armé**, c'est porter une arme. *Des hommes armés sont entrés dans la bijouterie.*

### armée nom féminin

L'**armée** d'un pays est l'ensemble des soldats de ce pays.

### armoire nom féminin

Une **armoire** est un meuble assez haut fermé par une ou deux portes et qui sert à ranger différents objets.

a b c d e f g h i j k l m n o p q r s t u v w x y z

## armure nom féminin

Une **armure** est un vêtement métallique très lourd, que l'on portait autrefois pour combattre.

Le chevalier porte une **armure**.

## arôme nom masculin

Un **arôme**, c'est une odeur agréable. *Le matin, on sent dans la maison l'arôme du chocolat.* Synonyme : parfum.

🔍 Le o prend un accent circonflexe.

## arracher verbe

Arracher, c'est enlever en tirant avec force. *Le jardinier arrache les mauvaises herbes.*

## arranger verbe

❶ **Arranger** un objet, un appareil, c'est le remettre en bon état. *Mon frère et moi, nous arrangeons mon jouet cassé.* Synonyme : réparer.

❷ **S'arranger**, c'est se débrouiller pour obtenir ou faire quelque chose. *Léa s'est arrangée pour être à côté de Léo.*

## arrêt nom masculin

❶ L'**arrêt**, c'est le moment où un véhicule, un moteur s'arrête. *Il ne faut surtout pas descendre avant l'arrêt complet du train.*

❷ Un **arrêt** d'autobus, c'est l'endroit où l'autobus s'arrête. Synonyme : station.

❸ Sans **arrêt** signifie : tout le temps. *Mon petit frère parle sans arrêt.*

## arrêter verbe

❶ **Arrêter**, c'est empêcher d'avancer ou de continuer. *L'agent arrête les voitures. L'arbitre arrête le combat de boxe.* Synonyme : interrompre. **S'arrêter**, c'est ne plus avancer ou ne pas continuer. *Le cycliste s'est arrêté au feu rouge. La pluie s'est arrêtée.* Synonyme : cesser.

❷ **Arrêter** quelqu'un, c'est l'attraper et le mettre en prison. *Les policiers ont arrêté un voleur.*

● Mot de la même famille : **arrêt**.

## 1. en arrière adverbe

En **arrière** signifie : dans le sens contraire de la marche, vers l'arrière. *Faites un pas en arrière !* Contraire : en avant.

## 2. arrière nom masculin

L'**arrière**, c'est la partie qui est derrière. *Asseyez-vous à l'arrière du bateau.* Contraire : avant.

## arrivée nom féminin

L'**arrivée**, c'est l'action d'arriver, le moment où l'on arrive quelque part. *On attend l'arrivée de mon oncle.* Contraire : départ.

## arriver verbe

❶ **Arriver** quelque part, c'est atteindre sa destination. *Mon frère est arrivé à la maison à 18 heures.* Contraire : partir.

❷ **Arriver** à faire quelque chose, c'est réussir à le faire. *Léa est arrivée à convaincre Lucas.*

**❸ Arriver**, c'est avoir lieu. *Les accidents de la route arrivent souvent le week-end.* Synonyme : **se produire**.

● Mot de la même famille : **arrivée**.

Les enfants **arrivent** à l'école.

### arrondir verbe

**Arrondir** une chose, c'est la rendre ronde. *J'ai bien arrondi mon bloc de pâte à modeler.*

### arrondissement nom masculin

Un **arrondissement** est une partie d'une grande ville. *Paris a vingt arrondissements, Marseille en a seize et Lyon en a neuf.*

### arrosage nom masculin

Un tuyau d'**arrosage** est un tuyau qui sert à arroser.

Laura **arrose** les fleurs du jardin.

### arroser verbe

**Arroser**, c'est répandre de l'eau sur quelque chose. *En fin d'après-midi, nous arroserons le jardin.*

● Mots de la même famille : **arrosage**, **arrosoir**.

### arrosoir nom masculin

Un **arrosoir** est un récipient que l'on remplit d'eau et que l'on tient par une anse pour arroser les plantes.

### art nom masculin

Un **art** est une activité qui a pour but de créer des œuvres particulièrement belles. *La sculpture, la peinture, la musique, le théâtre, le cinéma sont des arts.*

● Mots de la même famille : **artiste**, **artistique**.

### artichaut nom masculin

Un **artichaut** est un légume vert et rond composé de feuilles. On le mange cuit ou cru.

### article nom masculin

❶ Un **article** est un texte écrit dans un journal ou dans un magazine.
❷ Un **article** est un objet mis en vente.
❸ En grammaire, un **article** est un déterminant. *« Le », « un », « des » sont des articles.*

### articuler verbe

**Articuler**, c'est prononcer les mots en détachant bien les syllabes. *Quand on joue une pièce de théâtre, il faut bien articuler.*

### artificiel, artificielle adjectif

Des fleurs **artificielles** sont des fleurs en papier, en tissu, en plastique qui ont été fabriquées par des personnes. Contraire : **naturel**.

A
B
C
D
E
F
G
H
I
J
K
L
M
N
O
P
Q
R
S
T
U
V
W
X
Y
Z

**artiste** nom masculin et nom féminin

Les **artistes** sont des personnes qui créent des œuvres d'art ou qui jouent une œuvre. *Un peintre, un sculpteur, un compositeur sont des **artistes**.*

**artistique** adjectif

L'éducation **artistique** se rapporte à l'art.

**as** nom masculin

Dans un jeu de cartes, l'**as** est la carte qui porte un seul signe. *À certains jeux, l'**as** est la carte la plus forte.*

🔍 Ce mot se termine par un *s* qu'on prononce.

**ascenseur** nom masculin

Un **ascenseur** est un appareil électrique qui transporte les personnes d'un étage à un autre dans un immeuble.

🔍 Il y a un *c* après le premier *s*.

**ascension** nom féminin

Faire une **ascension**, c'est monter à pied en haut d'une montagne. *Deux alpinistes ont fait l'**ascension** du mont Blanc.* Synonyme : **escalade**.

🔍 Il y a un *c* après le premier *s*.

**aspect** nom masculin

L'**aspect** d'une personne ou d'une chose est leur forme générale. *Ta maison a un bel **aspect**.* Synonymes : **allure**, **apparence**.

🔍 Ce mot se termine par *ct*.

**asperge** nom féminin

Une **asperge** est un légume blanc et long que l'on mange cuit.

**asperger** verbe

Asperger, c'est mouiller en projetant un liquide. Synonyme : **éclabousser**.

**aspirateur** nom masculin

Un **aspirateur** est un appareil ménager qui aspire la poussière. *Passer l'**aspirateur**.*

**aspirer** verbe

❶ Aspirer l'air, un liquide ou de la fumée, c'est les attirer avec la bouche. *Aspirez à fond !* Contraire : **souffler**.

❷ Quand un aspirateur **aspire** la poussière, il l'attire et la garde.

● Mot de la même famille : **aspirateur**.

→ Cherche **respirer**.

**assaisonner** verbe

Assaisonner un plat, c'est ajouter du sel, de l'ail, de la vinaigrette ou des épices pour lui donner plus de goût. *On **assaisonne** la salade avec de l'huile et du vinaigre.*

**assassin** nom masculin

Un **assassin** est une personne qui tue volontairement un être humain. Synonymes : **criminel**, **meurtrier**.

● Mot de la même famille : **assassiner**.

**assassiner** verbe

Assassiner une personne, c'est la tuer volontairement.

**assemblage** nom masculin

Faire un **assemblage**, c'est assembler des éléments, les réunir dans un certain ordre.

Arrête de m'**asperger** !

## assembler verbe

**Assembler** des choses, c'est les mettre ensemble, les réunir dans un certain ordre. *Nous **assemblons** les pièces du puzzle.* Contraires : disperser, éparpiller.

● Mot de la même famille : **assemblage**.

Julien **assemble** les pièces de son jeu.

## s'**asseoir** verbe

**S'asseoir**, c'est poser ses fesses sur quelque chose. *Clément **s'assoit** par terre. Ma sœur **est assise** sur son lit.*

🔍 L'infinitif « s'asseoir » s'écrit avec un e. On peut dire « il s'assoit » ou « il s'assied ».

## assez adverbe

❶ **Assez** signifie : en quantité suffisante. *J'ai **assez** mangé.* Synonyme : suffisamment.

❷ En avoir **assez** d'une chose, c'est se lasser de la faire, de la voir ou de l'entendre. *J'**en ai assez** d'attendre l'ouverture du magasin.*

## assiette nom féminin

Une **assiette** est un récipient rond qui peut être plat ou creux et dans lequel on met les aliments, à table, pour chaque personne.

## assis, assise → s'**asseoir**

## assister verbe

**Assister** à quelque chose, c'est être présent, être témoin. *Nous **avons assisté** à un cours de danse.*

## association nom féminin

Une **association** est un groupe de personnes qui font une activité ensemble. *Mes parents font partie d'une **association** sportive.* Synonyme : **club**.

## associer verbe

**Associer**, c'est mettre ensemble, réunir. ***Associez** les dessins aux mots qu'ils illustrent. Mon grand-père et mon oncle **se sont associés** pour créer une entreprise.*

● Mot de la même famille : **association**.

## assoiffé, assoiffée adjectif

Être **assoiffé**, c'est avoir une grande soif. *À la fin du match, nous étions **assoiffés**.*

🔍 Il y a deux s et deux f.

→ Cherche **affamé**.

## assommer verbe

**Assommer** une personne, c'est la frapper très fort à la tête et lui faire perdre connaissance. *Mickey **a assommé** le bandit d'un coup de matraque.*

## assorti, assortie adjectif

Des objets **assortis** ont la même couleur ou des couleurs qui vont bien ensemble. *Julie a une écharpe et des gants **assortis**.*

## assurance nom féminin

Payer une **assurance**, c'est donner de l'argent à une entreprise qui remboursera les frais en cas d'accident, d'incendie ou de vol. *Chaque année, maman paie l'**assurance** de la voiture.*

A
B
C
D
E
F
G
H
I
J
K
L
M
N
O
P
Q
R
S
T
U
V
W
X
Y
Z

**assurer** verbe

❶ Assurer, c'est soutenir que ce que l'on dit est certain. *Je t'assure que cette histoire est vraie.* Synonyme : **affirmer**.

❷ Assurer une personne, une maison, un véhicule, c'est donner de l'argent à une entreprise appelée « compagnie d'assurances » qui remboursera les frais en cas d'accident, d'incendie ou de vol.

● Mot de la même famille : **assurance**.

**asthme** nom masculin

L'**asthme** est une maladie qui empêche de bien respirer. *Zoé a eu une crise d'asthme.*

🔍 On ne prononce pas le *th* : [asm].

**asticot** nom masculin

Un **asticot** est un petit ver blanc. On l'utilise souvent comme appât pour pêcher.

**astre** nom masculin

Les **astres** sont les étoiles, les planètes, le Soleil et la Lune. *Le Soleil et les étoiles sont des astres lumineux.*

● Mots de la même famille : **astronaute**, **astronome**.

☞ Va voir la planche illustrée ⓰

**astronaute** nom masculin et nom féminin

Un **astronaute**, une **astronaute** sont des personnes qui voyagent dans l'espace à bord d'une fusée ou d'un vaisseau spatial. C'est un nom de métier. Synonyme : **cosmonaute**.

🔍 Ne confonds pas « astronaute » et « astronome ».

**astronome** nom masculin et nom féminin

Un **astronome**, une **astronome** sont des personnes qui observent le ciel, qui étudient les astres à l'aide d'instruments spéciaux comme les télescopes. C'est

un nom de métier. *Les astronomes découvrent parfois de nouvelles étoiles.*

🔍 Ne confonds pas « astronome » et « astronaute ».

**astuce** nom féminin

Une **astuce** est un moyen habile de faire quelque chose. *J'ai trouvé une astuce pour résoudre ce problème.*

● Mot de la même famille : **astucieux**.

**astucieux, astucieuse** adjectif

Une personne **astucieuse** trouve des astuces, imagine des moyens habiles pour résoudre des choses difficiles. Synonymes : **débrouillard**, **dégourdi**, **malin**.

**atelier** nom masculin

Un **atelier** est un local de travail où se trouvent les outils d'un ouvrier, les instruments d'un peintre, d'un sculpteur.

**athlète** nom masculin et nom féminin

Les **athlètes** sont des sportifs qui font de l'athlétisme. *Les coureurs à pied sont des athlètes.*

🔍 Ce mot s'écrit avec *th*.

● Mot de la même famille : **athlétisme**.

L'**astronaute** pilote le vaisseau spatial.

**athlétisme** nom masculin

L'**athlétisme** est l'ensemble des sports que font les athlètes : la course, le saut, le lancer du poids, le lancer du disque et le lancer du marteau.

🔍 Ce mot s'écrit avec *th*.

Le menuisier travaille dans son **atelier**.

## atlas nom masculin

Des **atlas** sont des livres qui contiennent des cartes de géographie.

🔍 Ce mot se termine par un *s* qu'on prononce.

## atmosphère nom féminin

L'**atmosphère** est la couche d'air qui enveloppe la Terre et certaines planètes.

🔍 Ce mot s'écrit avec *ph*.

## atome nom masculin

Un **atome** est une partie microscopique de la matière. Il est invisible à l'œil nu. *En faisant exploser les **atomes**, on produit de l'énergie atomique.*

● Mot de la même famille : **atomique**.

## atomique adjectif

Une bombe **atomique** est une bombe très puissante qui utilise l'énergie des atomes.

→ Cherche **nucléaire**.

## atroce adjectif

Un crime **atroce** est un crime très cruel.
**Synonymes** : épouvantable, horrible.

## attacher verbe

❶ **Attacher**, c'est retenir avec un lien. *Marie **attache** ses cheveux avec un ruban.* **Synonyme** : lier. *En voiture, j'**attache** ma ceinture de sécurité.* **Contraire** : détacher.

❷ **S'attacher**, être attaché à quelqu'un, c'est avoir beaucoup d'affection pour lui. *Léo **est** très **attaché** à son grand frère.*

## attaquant nom masculin

Un **attaquant** est un soldat qui attaque. *Les **attaquants** sont entrés dans le château.*

## attaque nom féminin

L'**attaque**, c'est l'action d'attaquer, le début d'un combat. *Les soldats se préparent à l'**attaque**. Ils ont repoussé l'**attaque** de leurs ennemis.*

## attaquer verbe

**Attaquer** une personne (ou **s'attaquer** à une personne), c'est se jeter sur elle et la frapper. *Ton frère n'est pas courageux, il **s'attaque** aux petits.*

● Mots de la même famille : **attaquant**, **attaque**.

## atteindre verbe

**Atteindre** un objet, c'est réussir à le toucher. *Pauline peut **atteindre** la branche du pommier.*

La flèche **a atteint** la cible.

A
B
C
D
E
F
G
H
I
J
K
L
M
N
O
P
Q
R
S
T
U
V
W
X
Y
Z

### attelage nom masculin

Un **attelage** est un véhicule tiré par un animal ou un groupe d'animaux.

### atteler verbe

**Atteler** un animal, c'est l'attacher à un véhicule pour qu'il le tire.

● Mot de la même famille : **attelage**.

### attendre verbe

❶ **Attendre,** c'est rester au même endroit jusqu'à l'arrivée de quelqu'un ou de quelque chose. *Je t'ai attendu pendant dix minutes.*

❷ **Attendre un enfant**, c'est avoir un bébé dans le ventre, être enceinte. *Madame Arlot attend un enfant pour le mois de mars.*

● Mot de la même famille : **attente**.

### attentat nom masculin

Un **attentat** est une action violente faite contre une personne pour des raisons politiques. *Le président de la République a échappé à un attentat.*

### attente nom féminin

❶ L'**attente**, c'est le temps passé à attendre. *Nous avons une demi-heure d'attente avant le début du film.*

❷ Une **file d'attente**, c'est un groupe de personnes qui attendent les unes derrière les autres. *Devant le cinéma, il y a une longue file d'attente.*
**Synonyme : queue.**

### attentif, attentive adjectif

Une personne **attentive** fait attention à ce qu'elle fait ou à ce qu'on lui dit. **Contraire : distrait.**

### attention nom féminin

❶ L'**attention**, c'est l'attitude d'une personne qui fixe son esprit sur quelque chose et ne se laisse pas distraire. *Les enfants écoutent l'histoire avec beaucoup d'attention.*

❷ **Faire attention**, c'est bien écouter quand une personne parle ou bien regarder quand on fait quelque chose. *Faites attention quand vous roulez à vélo.*

● Mots de la même famille : **attentif, attentivement.**

Elles font très **attention** en traversant.

### attentivement adverbe

**Attentivement** signifie : avec attention. *Lisez attentivement les instructions de l'exercice.*

### atterrir verbe

Quand un avion **atterrit**, il se pose à terre. *L'avion a atterri sur la piste de l'aéroport.* **Contraire : décoller.**

🔎 Il y a deux *t* et deux *r*.

● Mot de la même famille : **atterrissage**.

### atterrissage nom masculin

L'**atterrissage** est le moment où un avion atterrit, où ses roues touchent le sol. **Contraire : décollage.**

🔎 Il y a deux *t*, deux *r* et deux *s*.

**attirer** verbe

Attirer une chose, c'est la faire venir à soi. *Le clocher de l'église a attiré la foudre.* Contraires : éloigner, repousser.

**attitude** nom féminin

L'attitude d'une personne est sa manière de se tenir ou de se conduire. *Aujourd'hui, Chloé n'a pas une attitude naturelle.* Synonymes : comportement, conduite.

🔎 Ne confonds pas « attitude » et « l'altitude » d'une montagne.

**attraction** nom féminin

Les **attractions** sont les jeux et les manèges d'une fête foraine. *La pêche à la ligne, le tir, les autos tamponneuses, la loterie sont des attractions.*

**attraper** verbe

❶ Attraper, c'est réussir à prendre. *J'ai attrapé le ballon au vol.* Synonyme : saisir. Contraire : lâcher.

❷ Attraper une maladie, c'est l'avoir. *Marion a attrapé la grippe.*

🔎 Il y a deux *t* et un seul *p*.

**au** ➔ à

**aube** nom féminin

L'aube est le lever du jour, quand le ciel est blanc. *Nous nous sommes levés à l'aube.*

L'avion **atterrit**.

➔ Cherche aurore.

**auberge** nom féminin

Une **auberge** est un hôtel ou un restaurant à la campagne.

**aubergine** nom féminin

Une **aubergine** est un légume long et violet que l'on mange cuit.

**aucun, aucune** adjectif singulier

Aucun, aucune, c'est pas un, pas une. *Il n'y a a aucun élève dans la cour.*

**audace** nom féminin

Avoir de l'**audace**, c'est oser faire une action dangereuse ou difficile.

● Mot de la même famille : audacieux.

**audacieux, audacieuse** adjectif

Une personne **audacieuse** a de l'audace, prend des risques. *Lisa est une skieuse audacieuse.*

**au-delà** adverbe

Au-delà signifie : plus loin que la limite. *N'avancez pas au-delà de la ligne.*

🔎 Ce mot s'écrit avec un trait d'union. Le deuxième *a* prend un accent grave.

**au-dessous** adverbe

Au-dessous signifie : en bas, plus bas. *Donne-moi le livre qui est au-dessous.* Contraire : au-dessus.

🔎 Ce mot s'écrit avec un trait d'union.
➔ Cherche dessous.

**au-dessus** adverbe

Au-dessus signifie : en haut, plus haut. *J'entends quelqu'un qui marche au-dessus.* Contraire : au-dessous.

🔎 Ce mot s'écrit avec un trait d'union.
➔ Cherche dessus.

**auditeur** nom masculin
**auditrice** nom féminin

Des **auditeurs** sont des personnes qui écoutent une émission de radio, un concert. *Une auditrice a téléphoné pour donner une réponse au jeu.*

### auge nom féminin

Une **auge** est un grand récipient où l'on met de la nourriture pour le bétail.

### augmentation nom féminin

L'**augmentation**, c'est le fait d'augmenter, de devenir plus important ou d'une valeur plus élevée. *Il va y avoir une augmentation des prix. Ma grande sœur a eu une augmentation de salaire.* Synonyme : **hausse.** Contraires : **baisse, diminution.**

### augmenter verbe

**Augmenter** une chose, c'est la rendre plus importante ou d'un prix plus élevé. *Les commerçants ont augmenté leurs prix.* Contraires : **baisser, diminuer.**

● Mot de la même famille : **augmentation.**

### aujourd'hui adverbe

❶ **Aujourd'hui**, c'est le jour où nous sommes. *Aujourd'hui dimanche, je me lève plus tard.*

❷ **Aujourd'hui**, c'est l'époque où nous vivons. *Il existe aujourd'hui des moyens de voyager dans l'espace.* Synonymes : **actuellement, maintenant.** Contraires : **autrefois, jadis.**

🔎 Il y a une apostrophe entre le *d* et le *h*.

### auprès de préposition

**Auprès de** signifie : à côté de. *Je reste auprès de ma grand-mère qui est malade.* Synonyme : **près de.**

### auriculaire nom masculin

L'**auriculaire** est le petit doigt de la main.

☛ Va voir « les doigts », page 217.

### aurore nom féminin

L'**aurore** est le lever du soleil, quand le ciel est rose. *Je me suis levé à l'aurore.*

➡ Cherche **aube.**

### ausculter verbe

**Ausculter**, c'est écouter les bruits de la respiration et du cœur. *Hier, le médecin a ausculté tous les élèves.*

La pédiatre **ausculte** Clara.

### aussi adverbe

❶ **Aussi** signifie : de la même façon. *Je suis aussi grand que toi. Mathieu rit et nous aussi.* Synonyme : **également.**

❷ **Aussi** signifie : en plus. *Lola sait lire, écrire et aussi compter.* Synonyme : **également.**

### aussitôt adverbe

**Aussitôt** signifie : au moment même, sans attendre. *Le spectacle commence : les spectateurs se taisent aussitôt.* Synonymes : **immédiatement, tout de suite.**

### autant adverbe

**Autant** signifie : en même quantité. *Tu as trois DVD, j'en ai autant. Mon grand frère travaille autant que mon père.*

**auteur** nom masculin

❶ Un **auteur** est une personne qui imagine des histoires et qui écrit des livres. *Charles Perrault et la comtesse de Ségur sont des auteurs français.* Synonyme : écrivain.

❷ L'**auteur** d'une action, c'est le responsable de cette action. *On a arrêté l'auteur de l'attentat.*

**auto** nom féminin

Une **auto** est une voiture. *Papa gare son auto.*

🔍 C'est l'abréviation de « automobile ».

**autobus** nom masculin

Un **autobus** est un grand véhicule qui transporte de nombreuses personnes à l'intérieur des villes. *Marine prend l'autobus pour aller au lycée.*

🔍 Ce mot se termine par un *s* qu'on prononce. L'abréviation courante de « autobus » est « bus ».

**autocar** nom masculin

Un **autocar** est un grand véhicule qui transporte de nombreuses personnes sur les routes ou pour visiter une ville. *Nous avons fait une excursion en autocar.*

🔍 L'abréviation courante de « autocar » est « car ».

**1. autocollant, autocollante** adjectif

Un timbre **autocollant** est un timbre qui se colle de lui-même, sans qu'on le mouille.

**2. autocollant** nom masculin

Un **autocollant** est une image qui se colle toute seule quand on a enlevé le papier de protection. *Zoé a mis des autocollants sur son cartable.*

**autocorrection** nom féminin

Faire une **autocorrection**, c'est corriger soi-même ses fautes dans une dictée, ou ses erreurs dans un exercice.

→ Cherche **correction**.

**autographe** nom masculin

Un **autographe** est une signature ou un texte écrits par une personne célèbre. *Le chanteur nous a signé un autographe.*

🔍 Ce mot s'écrit avec *ph*.

Pouvez-vous nous signer un **autographe,** s'il vous plaît ?

**automate** nom masculin

Un **automate** est une machine qui est mise en mouvement par un mécanisme et qui imite les mouvements d'une personne ou d'un animal. *À Noël, nous regardons les automates dans les vitrines.*

● Mots de la même famille : automatique, automatiquement.

→ Cherche **robot**.

**automatique** adjectif

Ce qui est **automatique** se fait grâce à un mécanisme, sans être dirigé par une

A
B
C
D
E
F
G
H
I
J
K
L
M
N
O
P
Q
R
S
T
U
V
W
X
Y
Z

personne. *Attention à la fermeture automatique des portes !*

**automatiquement** adverbe
Automatiquement signifie : d'une manière automatique, grâce à un mécanisme. *La cassette est éjectée automatiquement.*

**automne** nom masculin
L'**automne** est la saison de l'année qui vient après l'été et avant l'hiver. Il commence le 22 ou le 23 septembre et finit le 21 ou le 22 décembre.

🔎 Ce mot s'écrit avec un *m* avant le *n*.

☛ Va voir « les saisons », page 607.

**automobile** nom féminin
Une **automobile** est un véhicule à quatre roues et à moteur, qui sert à transporter des personnes. *Les automobiles électriques ne font pas de pollution.* Synonyme : **voiture.**

🔎 L'abréviation courante de « automobile » est « auto » .

● Mot de la même famille : automobiliste.

**automobiliste** nom masculin et nom féminin
Un **automobiliste**, une **automobiliste** sont des personnes qui conduisent une automobile. Synonyme : **conducteur.**

**autoradio** nom masculin
Un **autoradio** est un poste de radio qui est installé dans une automobile.

**autorisation** nom féminin
Une **autorisation** est une permission. *Paul a l'autorisation de sortir.* Contraires : **défense, interdiction.**

**autoriser** verbe
Autoriser une personne à faire quelque chose, c'est lui donner le droit, la permission de le faire. *Mardi soir, on m'a autorisé à regarder la télévision.* Synonyme : **permettre.** Contraires : **défendre, interdire.**

● Mot de la même famille : autorisation.

**autoritaire** adjectif
Une personne **autoritaire** montre avec force son autorité et donne des ordres.

**autorité** nom féminin
Avoir de l'**autorité**, c'est savoir commander et se faire obéir.

● Mot de la même famille : **autoritaire.**

**autoroute** nom féminin
Une **autoroute** est une grande route qui est divisée en deux parties, une pour les véhicules qui vont dans un sens et une pour les véhicules qui vont dans l'autre sens. *Les autoroutes sont interdites aux piétons et aux vélos.*

☛ Va voir la planche illustrée ❺

une **autoroute**

**autour** adverbe
Autour signifie : dans l'espace qui entoure. *Nous avons une maison avec un jardin autour.*

**1. autre** adjectif
❶ Une **autre** personne, une **autre** chose, c'est une personne ou une

chose différente. *Je vais vous raconter une autre histoire.* Contraire : **même**.

**❷** Une **autre** chose, c'est une chose en plus. *Veux-tu une autre part de gâteau ?*

### 2. autre pronom

Les **autres**, ce sont les autres personnes. *Tom pense souvent aux autres.*

### autrefois adverbe

**Autrefois** signifie : il y a long-temps. *Autrefois, on roulait en diligence.* Synonyme : **jadis**. Contraires : **actuellement, aujourd'hui, maintenant**.

### autrement adverbe

**❶** **Autrement** signifie : d'une autre façon. *Je n'arrive pas à réparer mon jouet de cette façon, je vais m'y prendre autrement.*

**❷** **Autrement** signifie : sinon. *Mets ta capuche, autrement tu seras mouillé.*

### autre part adverbe

**Autre part** signifie : dans un autre endroit. *Vous faites trop de bruit, allez jouer autre part !* Synonyme : **ailleurs**. Contraire : **ici**.

### autruche nom féminin

Une **autruche** est un très grand oiseau d'Afrique qui court vite mais qui ne vole pas.

une **autruche**

▶ L'autruche est le plus grand de tous les oiseaux. Elle est omnivore mais mange surtout des végétaux. Le petit est l'**autruchon**.

### aux → à

### aval nom masculin

L'**aval** d'un fleuve ou d'une rivière est la partie qui est du côté de l'embouchure, c'est-à-dire loin de la source et vers le bas. Contraire : **amont**.

### avalanche nom féminin

Une **avalanche** est une énorme masse de neige qui se détache de la montagne et qui dévale la pente, en entraînant des pierres et de la boue. *Des skieurs ont été pris dans une avalanche.*

### avaler verbe

**Avaler** un aliment ou une boisson, c'est les faire descendre dans la gorge. *Je n'arrive pas à avaler mon médicament. Sarah est malade, elle n'a rien avalé depuis hier.* Synonymes : **absorber, boire, manger**.

On nous attend au quart, on est **en avance** de dix minutes.

### avance nom féminin

**En avance**, c'est avant l'heure prévue. *Aujourd'hui, je suis arrivée en avance.* Contraire : **en retard**.

*a b c d e f g h i j k l m n o p q r s t u v w x y z*

A
B
C
D
E
F
G
H
I
J
K
L
M
N
O
P
Q
R
S
T
U
V
W
X
Y
Z

**avancer** verbe

❶ Avancer, c'est aller vers l'avant ou déplacer une chose vers l'avant. *Avance ta chaise !* Synonyme : approcher. Contraire : reculer.

❷ Quand une montre **avance** de cinq minutes, elle indique cinq minutes de plus que l'heure exacte. Contraire : retarder.

● Mot de la même famille : avance.

**1. avant** préposition

Avant signifie : plus près ou plus tôt. *L'école est située avant la mairie. Tu es arrivée avant moi.* Contraire : après.

**2. avant** adverbe

❶ Avant signifie : d'abord. *Tu pourras aller jouer, mais finis ton repas avant.* Contraire : après.

❷ En avant signifie : dans le sens de la marche, vers l'avant. *Ils ont tous fait un pas en avant.* Contraire : en arrière.

**3. avant** nom masculin

L'avant est la partie qui est devant. *Ma mère est assise à l'avant de la voiture.* Contraire : arrière.

**avantage** nom masculin

Un **avantage**, c'est ce qui est mieux, plus utile quand on le compare à une autre chose. *L'avantage du vélo, c'est qu'il ne fait pas de pollution.* Contraire : inconvénient.

**avant-bras** nom masculin

L'avant-bras est la partie du bras qui va du poignet au coude.

🔍 Ce mot s'écrit avec un trait d'union. Au pluriel, il n'y a pas de s à « avant ».

**avant-dernier, avant-dernière** adjectif

Être **avant-dernier**, c'est être juste avant le dernier. *Maxime est avant-dernier.*

🔍 Ce mot s'écrit avec un trait d'union. Au pluriel, il n'y a pas de s à « avant ».

**avant-hier** adverbe

Avant-hier est le jour qui a précédé hier. *Hier, c'était jeudi, donc avant-hier, c'était mercredi.*

🔍 Ce mot s'écrit avec un trait d'union.

➜ Cherche après-demain.

**avare** adjectif

Une personne **avare** ne veut pas dépenser son argent. *Ces gens sont trop avares pour donner de l'argent aux sans-abri.* Contraire : généreux.

**avec** préposition

**Avec** quelqu'un, **avec** quelque chose signifie : en étant accompagné de quelqu'un, en prenant quelque chose. *Pierre est venu avec sa sœur. On fait de la confiture avec des fruits.* Contraire : sans.

**avenir** nom masculin

L'**avenir**, c'est ce qui va arriver, le temps qui viendra après le temps présent. *Je pense souvent à l'avenir.* Synonyme : futur. Contraire : passé.

**aventure** nom féminin

Une **aventure**, c'est une activité qui comporte des risques. *Les explorateurs aiment les aventures.*

● Mot de la même famille : s'aventurer.

L'explorateur part à l'**aventure**.

## s'**aventurer** verbe

S'aventurer dans un endroit, c'est prendre le risque d'y aller. *Il existe encore des régions où personne ne s'est jamais aventuré.*

## **avenue** nom féminin

Une avenue est une large rue avec des arbres de chaque côté.

→ Cherche **boulevard**.

## **averse** nom féminin

Une averse est une pluie qui se met à tomber tout à coup et qui ne dure pas longtemps.

## **avertir** verbe

Avertir, c'est dire quelque chose à l'avance pour qu'on fasse attention. *Maman m'a averti du danger.* Synonymes : alerter, prévenir.

● Mot de la même famille : avertissement.

## **avertissement** nom masculin

Un avertissement, c'est ce que l'on dit pour avertir quelqu'un, pour le mettre en garde. *J'ai écouté les avertissements de maman.*

## **aveu** nom masculin

Un aveu, c'est le fait d'avouer, de reconnaître ses fautes, ses actes. *L'inspecteur de police a noté les aveux du criminel.*

🔎 Au pluriel, on écrit *des aveux*.

## **aveuglant, aveuglante** adjectif

Une lumière aveuglante est une lumière très forte qui éblouit et empêche de voir pendant un instant. Synonyme : éblouissant.

## **aveugle** nom masculin et nom féminin

Les aveugles sont des personnes qui ne peuvent pas voir. *Les aveugles ont un système de lecture et d'écriture avec les doigts.*

● Mots de la même famille : aveuglant, à l'aveuglette.

## à l'**aveuglette** adverbe

À l'aveuglette signifie : sans voir où l'on va. *Nous avançons à l'aveuglette dans la nuit.* Synonyme : à tâtons.

## **aviateur** nom masculin
## **aviatrice** nom féminin

Un aviateur, une aviatrice sont des personnes qui pilotent des avions. C'est un nom de métier. Synonyme : pilote.

## **aviation** nom féminin

L'aviation est l'ensemble des activités qui ont un rapport avec les avions. *L'aviation militaire est parfois appelée « armée de l'air ».*

Elle marche **à l'aveuglette** dans le noir.

a
b
c
d
e
f
g
h
i
j
k
l
m
n
o
p
q
r
s
t
u
v
w
x
y
z

A B C D E F G H I J K L M N O P Q R S T U V W X Y Z

**avion** nom masculin

Un **avion** est un appareil volant qui a deux ailes et un ou plusieurs moteurs. *Je n'ai jamais pris l'avion. Pierre va à Marseille en avion.*

● Mots de la même famille : **aviateur, aviation.**

**aviron** nom masculin

❶ Un **aviron** est une rame.

❷ L'**aviron** est un sport que l'on fait dans un bateau léger et long, en se servant d'avirons.

**avis** nom masculin

Un **avis**, c'est ce que l'on pense de quelque chose. *Lola m'a donné son avis sur le film.* Synonyme : **opinion.**

🔎 Ce mot se termine par un *s*.

**avisé, avisée** adjectif

Une personne **avisée** est une personne prudente et intelligente qui réfléchit avant d'agir. *Dans « les Contes du chat perché », le canard est avisé et il agit avec beaucoup de sérieux.*

**1. avocat** nom masculin
   **avocate** nom féminin

Un **avocat**, une **avocate** défendent des personnes lorsqu'elles sont accusées et qu'on leur fait un procès. C'est un nom de métier.

**2. avocat** nom masculin

Un **avocat** est un fruit en forme de poire, à la peau vert foncé, qui contient un gros noyau.

▶ Les avocats poussent sur un arbre, l'**avocatier.**

**avoine** nom féminin

L'**avoine** est une céréale que l'on donne à manger aux chevaux et un aliment que l'on consomme sous forme de flocons.

**avoir** verbe

❶ **Avoir**, c'est posséder. *J'ai un stylo noir.*

❷ **Avoir** telle dimension, c'est mesurer. *La table a soixante centimètres de large.*

❸ **Avoir faim, froid, mal**, c'est ressentir la faim, le froid, la douleur. *David a froid aux pieds.*

❹ **Avoir** quelque chose **à** faire, c'est devoir le faire. *Nous avons un travail à terminer.*

**avouer** verbe

**Avouer**, c'est reconnaître ce qu'on a fait de mal. *Hugo a avoué qu'il avait cassé un carreau.* Contraire : **nier.**

● Mot de la même famille : **aveu.**

**avril** nom masculin

**Avril** est le quatrième mois de l'année. Il vient après mars et avant mai. *En avril, n'ôte pas un fil, dit le proverbe.*

☛ Va voir « le calendrier », page 111.

**axe** nom masculin

L'**axe** d'une roue est la tige qui est au centre. La roue tourne autour de cette tige.

**azur** nom masculin

En poésie, l'**azur** est la couleur bleue du ciel. *Clara a des yeux d'azur.*

**babines** nom féminin pluriel
Les **babines** d'un chien (ou d'un loup) sont ses lèvres. *Quand un chien est inquiet, il retrousse ses babines.*

**bâbord** nom masculin
À **bâbord**, dans un bateau, c'est du côté gauche quand on regarde vers l'avant. *On aperçoit une île à bâbord.* Contraire : à tribord.
🔍 Le a prend un accent circonflexe.

**bac** nom masculin
Un **bac** est un bateau qui transporte des personnes et des véhicules d'une rive à l'autre d'un fleuve ou d'une côte à une île.

**bâcler** verbe
**Bâcler** un travail, c'est le faire trop vite pour s'en débarrasser. *Il a bâclé sa lecture pour aller jouer.* Contraire : soigner.
🔍 Le a prend un accent circonflexe.

**badminton** nom masculin
Le **badminton** est un sport qui se joue avec une raquette et un objet en plastique que l'on appelle un « volant ».

**bafouiller** verbe
**Bafouiller**, c'est parler d'une manière maladroite, en hésitant et en se trompant. *Julien était ému, il a bafouillé quelques mots de remerciement.*

**bagages** nom masculin pluriel
Les **bagages** sont les valises, les sacs et les paquets que l'on emporte en voyage.

**bagarre** nom féminin
Une **bagarre** est une lutte entre des personnes qui se battent. *Notre instituteur a interdit les bagarres.* Synonyme : bataille.
🔍 Il y a deux r.
● Mots de la même famille : se bagarrer, bagarreur.

se **bagarrer** verbe
Se bagarrer, c'est se donner des coups. *Léo et Paul se sont encore bagarrés dans la cour.* Synonyme : se battre.

**bagarreur, bagarreuse** adjectif
Une personne **bagarreuse** aime la bagarre, cherche toujours à se battre. *Léo et Solène sont des enfants bagarreurs.*

**bague** nom féminin
Une **bague** est un bijou que l'on porte au doigt.
→ Cherche **alliance** et **anneau**.

**baguette** nom féminin
❶ Une **baguette** est un bâton mince et assez long. *On joue du tambour à l'aide de baguettes. Le chef d'orchestre dirige les musiciens avec sa baguette.*

73

**❷** Une **baguette** est un pain long et mince qui pèse environ 250 grammes.

**baignade** nom féminin
La **baignade**, c'est l'action de se baigner à plusieurs dans la mer, dans une rivière ou dans un lac. *Quand il y a trop de vent, la baignade est interdite.*

se **baigner** verbe
Se **baigner**, c'est se mettre dans l'eau pour nager ou pour s'amuser. *Nous nous sommes baignés dans la rivière.*

● Mots de la même famille : **baignade, baignoire, bain.**

Les enfants **se baignent**.

**baignoire** nom féminin
Une **baignoire** est une sorte de bassin qui se trouve dans une salle de bains et que l'on utilise pour prendre un bain.

**bâiller** verbe
Bâiller, c'est ouvrir la bouche toute grande sans le faire exprès, quand on a sommeil ou quand on s'ennuie. *On met sa main devant sa bouche quand on bâille.*

🔍 Le *a* prend un accent circonflexe.

**bâillon** nom masculin
Un **bâillon** est un morceau de tissu qu'on met sur la bouche d'une personne pour l'empêcher de parler.

🔍 Le *a* prend un accent circonflexe.

**bain** nom masculin
Un **bain** est l'eau où l'on se baigne. *On prend un bain chaud pour se détendre et se laver. Les enfants aiment les bains de mer.*

**baiser** nom masculin
Donner un **baiser** à une personne, c'est poser ses lèvres sur la joue ou sur les lèvres de cette personne.

➔ Cherche **bise** et **bisou**.

**baisse** nom féminin
La **baisse**, c'est le fait de baisser, de devenir moins important ou d'une valeur moins élevée. *Les clients profitent de la baisse des prix.* Synonyme : **diminution.** Contraires : **augmentation, hausse.**

**baisser** verbe
❶ Baisser, c'est mettre plus bas. *Baisse un peu le store !* Contraires : **lever, relever.** *Baisse-toi pour ramasser ton crayon.* Synonyme : **se pencher.**
❷ Baisser le son, c'est le rendre moins fort. *Peux-tu baisser le son de la télévision ?* Contraire : **monter.**
❸ Baisser, c'est diminuer. *Ma grand-mère a la vue qui baisse.* Synonyme : **s'affaiblir.** *Les prix baissent.* Contraire : **augmenter.** *Le niveau de la rivière a baissé.* Contraire : **monter.**

● Mot de la même famille : **baisse.**

**bal** nom masculin
Un **bal** est une fête où l'on danse au son d'un orchestre. *Le 14 Juillet, en France, il y a des bals dans les rues.*

🔍 Ne confonds pas « un bal » et « une balle ».

une **baleine**

### balade nom féminin

Une **balade** est une promenade. *Nous allons faire une* **balade** *dans la forêt.*

🔍 C'est un mot familier.

● Mots de la même famille : se balader, baladeur.

### se balader verbe

**Se balader**, c'est se promener. *J'aime bien* **me balader** *dans la forêt.*

🔍 C'est un mot familier.

### baladeur nom masculin

Un **baladeur** est un petit lecteur portable de cassettes ou de CD qui a deux écouteurs. *Solène écoute une cassette sur son* **baladeur**.

### balai nom masculin

Un **balai** est une sorte de brosse qui a un long manche et qui sert à enlever la poussière et les saletés. *Papa donne un coup de* **balai** *dans la cuisine.*

🔍 Ne confonds pas « balai » et « un ballet de danseurs ».

● Mot de la même famille : balayer.

### balance nom féminin

Une **balance** est un appareil qui sert à peser des objets, des aliments ou des personnes. *Au supermarché, on pèse les fruits et les légumes sur la* **balance**.

● Mots de la même famille : balancer, balançoire.

### se balancer verbe

**Se balancer**, c'est bouger régulièrement d'avant en arrière. *Les enfants* **se balançaient** *sur leurs chaises.*

### balançoire nom féminin

Une **balançoire** est un siège suspendu que l'on utilise comme jeu pour se balancer.

🔍 Le c prend une cédille.

### balayer verbe

**Balayer**, c'est enlever la poussière et les saletés avec un balai. *Le gardien* **balaie** *l'escalier.*

### balcon nom masculin

Un **balcon** est une partie qui dépasse de la façade d'une maison ou d'un immeuble. *On peut se mettre sur le* **balcon** *quand il fait beau.*

### baleine nom féminin

Une **baleine** est un mammifère marin. *La* **baleine** *bleue et la* **baleine** *à bosse risquent de disparaître si l'on continue à les chasser.*

▶ Les baleines sont les plus gros de tous les mammifères. Elles peuvent peser 150 tonnes et mesurer plus de 25 mètres. Elles n'ont pas de dents mais des **fanons** qui leur permettent de filtrer l'eau et de retenir la nourriture. Le petit est le **baleineau**.

→ Cherche cachalot.

### balle nom féminin

❶ Une **balle** est un petit objet rond qui rebondit et que l'on utilise pour jouer ou dans certains sports. *Une* **balle** *de ping-pong est plus petite qu'une* **balle** *de tennis.*

a b c d e f g h i j k l m n o p q r s t u v w x y z

❷ Une **balle** de fusil (ou de pistolet) est un petit morceau de métal qui peut blesser ou tuer.

🔍 Ne confonds pas « une balle » et « un bal ».

● Mot de la même famille : **ballon**.

### **ballet** nom masculin

Un **ballet** est un spectacle de danse.

🔍 Ne confonds pas « ballet » et « un balai» pour balayer.

### **ballon** nom masculin

❶ Un **ballon** est une grosse balle. *Les ballons de rugby sont ovales.*

❷ Un **ballon** est une sphère de caoutchouc gonflée de gaz. *Ne lâche pas ton ballon !*

❸ Un **ballon** est un appareil qui permet de s'élever dans l'air.

→ Cherche **montgolfière**.

### **bambou** nom masculin

Le **bambou** est une plante des pays chauds.

🔍 Le son [ɑ̃] s'écrit *am* devant un *b*. Au pluriel, on écrit *des bambous*.

→ Cherche **roseau**. .

### **banal, banale** adjectif

Une chose **banale** est courante, ordinaire. *Ton histoire est vraiment*

Le panda mange des **bambous**

*banale.* **Contraires :** extraordinaire, original.

🔍 Au pluriel, on écrit *banals, banales*.

### **banane** nom féminin

Une **banane** est un fruit long à peau jaune et épaisse.

▶ Les bananes poussent sur un arbre des pays chauds, le **bananier**, en formant de grosses grappes appelées **régimes**.

### **banc** nom masculin

Un **banc** est un siège étroit et long pour plusieurs personnes. *Dans les parcs, on peut s'asseoir sur des bancs.*

🔍 Ce mot se termine par un c qu'on ne prononce pas.

### **bancal, bancale** adjectif

Un meuble **bancal** a un pied plus court que les autres. *Ces deux fauteuils sont bancals.* **Contraire :** stable.

🔍 Au pluriel, on écrit *bancals, bancales*.

### **bande** nom féminin

❶ Une **bande** est un long morceau de tissu (ou de papier). *Solène a une bande autour du poignet.*

❷ Une **bande** est un groupe de personnes ou d'animaux qui vont ensemble. *Une bande d'enfants jouent dans le jardin. Les corbeaux vivent en bandes.*

❸ Une **bande dessinée** est une suite de dessins qui racontent une histoire avec très peu de texte.

🔍 L'abréviation courante de « bande dessinée » est « B.D. ».

● Mots de la même famille : **bandeau**, **bander**.

### **bandeau** nom masculin

Un **bandeau** est une bande de tissu. *Marion a un bandeau dans les* cheveux. *Le pirate a un bandeau sur l'œil.*

🔍 Au pluriel, on écrit *des bandeaux.*

**bander** verbe
Bander une partie du corps, c'est la couvrir d'une bande ou d'un bandeau. *Le médecin a bandé le poignet de Solène. David a les yeux bandés.*

**bandit** nom masculin
Un **bandit** est une personne malhonnête qui attaque les gens pour les voler.
Synonymes : brigand, gangster.

**banjo** nom masculin
Un **banjo** est un instrument de musique à cordes qui ressemble à une guitare, mais qui est rond. *Dans les westerns, les cow-boys jouent parfois du banjo.*

🔍 On prononce [bɑ̃dʒo].

**banlieue** nom féminin
La **banlieue** d'une grande ville est l'ensemble des petites villes qui sont autour. *Mes grands-parents habitent en banlieue.*

**banque** nom féminin
Une **banque** est un établissement où l'on peut déposer et retirer de l'argent.

**banquette** nom féminin
Une **banquette** est un long siège rembourré à plusieurs places. *Les enfants sont assis sur la banquette arrière de la voiture.*

**banquise** nom féminin
La **banquise** est l'épaisse couche de glace qui flotte dans les mers polaires et qui est formée par de l'eau de mer gelée.

**baptême** nom masculin
Le **baptême** est une cérémonie de la religion chrétienne. *Le jour de son*

baptême, *l'enfant ou l'adulte devient chrétien et il a un parrain et une marraine.*

🔍 On ne prononce pas le *p*. Le premier *e* prend un accent circonflexe.

**baptiser** verbe
Baptiser, c'est rendre chrétien par le baptême. *Le prêtre a baptisé un bébé en lui versant un peu d'eau sur le front.*

🔍 On ne prononce pas le *p*.

● Mot de la même famille : baptême.

**bar** nom masculin
❶ Un **bar** est un petit café.
❷ Le **bar** est le comptoir d'un café où l'on sert les boissons. *Des personnes sont installées au bar.*

🔍 Ne confonds pas « un bar » et « une barre ».

Le navire est prisonnier de la **banquise**.

**baraque** nom féminin
Une **baraque** est une petite cabane en bois qui sert d'abri. *À la fête, la pêche à la ligne et le tir sont installés dans des baraques.*

A
**B**
C
D
E
F
G
H
I
J
K
L
M
N
O
P
Q
R
S
T
U
V
W
X
Y
Z

## barbant, barbante adjectif

Une chose ou une personne **barbante** est ennuyeuse. *Ce film est barbant.* Contraires : distrayant, intéressant, passionnant.

🔍 C'est un mot familier.

## barbe nom féminin

La **barbe**, c'est l'ensemble des poils qui poussent sur le menton et les joues des hommes. *Mon grand frère se laisse pousser la barbe.*

● Mots de la même famille : barbant, barbichette, barbu.

## barbecue nom masculin

Un **barbecue** est un petit appareil de cuisson que l'on installe en plein air. *Nous avons fait griller des saucisses sur le barbecue.*

Ils font griller des brochettes sur le **barbecue**.

## barbelé adjectif masculin

Un fil de fer **barbelé** est un fil de fer qui a des pointes. *Un fil de fer barbelé entoure le pré pour empêcher le bétail de s'échapper.*

## barbichette nom féminin

Une **barbichette** est une petite touffe de barbe au menton. *Je connais cette comptine : « Je te tiens, tu me tiens par la barbichette. Le premier de nous deux qui rira aura une tapette. »*

## barboter verbe

Barboter, c'est s'agiter dans une eau peu profonde. *Les canards barbotent dans la mare.*

## barbouiller verbe

Barbouiller, c'est salir avec quelque chose de coloré. *Mon petit frère a barbouillé son visage de chocolat.* Contraire : débarbouiller.

## barbu, barbue adjectif

Un homme **barbu** est un homme qui a une barbe.

## bariolé, bariolée adjectif

Un tissu **bariolé** a beaucoup de couleurs vives. *Julien a une chemise bariolée.* Contraire : uni.

## baromètre nom masculin

Un **baromètre** est un instrument qui mesure les changements dans l'état de l'atmosphère. *L'aiguille du baromètre est sur « beau temps ».*

## barque nom féminin

Une **barque** est un petit bateau que l'on fait avancer avec des rames ou avec un moteur. *Nous avons fait une promenade en barque sur le lac.*

→ Cherche **canoë**, **canot** et **kayak**.

**barrage** nom masculin

❶ Un **barrage** est un grand mur en béton qui barre un fleuve ou une rivière et qui retient l'eau. *On a construit un barrage sur le fleuve.*

❷ Un **barrage** est un obstacle installé pour barrer le passage. *Les policiers ont installé un barrage sur la route.*

On a construit un **barrage** pour fabriquer de l'électricité.

**barre** nom féminin

❶ Une **barre** est un morceau de bois ou de métal long et étroit. *Les danseuses font des exercices à la barre.*

❷ La **barre** d'une lettre de l'alphabet est un petit trait droit et horizontal. *La barre de ton « t » est mal faite.*

🔍 Ne confonds pas « une barre » et « un bar ».

● Mots de la même famille : **barreau, barrette, barrière.**

**barreau** nom masculin

❶ Un **barreau** est une petite barre. *Le prisonnier a voulu scier les barreaux de sa fenêtre.*

❷ Un **barreau de chaise** est une petite barre de bois qui fait partie du dossier ou qui relie les pieds.

🔍 Au pluriel, on écrit *des barreaux.*

**barrer** verbe

❶ **Barrer** un lieu, c'est empêcher le passage. *Les policiers ont barré la route.* Synonyme : bloquer.

❷ **Barrer** un mot, c'est faire un trait dessus pour indiquer qu'on le supprime. Synonyme : rayer.

● Mot de la même famille : **barrage.**

**barrette** nom féminin

Une **barrette** est une pince allongée qui sert à attacher les cheveux.

**barrière** nom féminin

Une **barrière** est un ensemble de barres qui ferme un jardin, un champ, une route. *La barrière du passage à niveau était fermée.*

**1. bas, basse** adjectif

Ce qui est **bas** a une petite hauteur ou un petit niveau. *Le plafond est bas.* Contraire : haut. *La température est basse.* Contraire : élevé. *Nous parlons à voix basse.* Contraire : haut.

**2. bas** adverbe

❶ **Bas** signifie : à une hauteur ou à un niveau bas. *Vous êtes assis trop bas. L'avion vole bas.* Contraire : haut. Parler **bas**, c'est parler à voix basse. Contraire : fort.

❷ **En bas** signifie : au-dessous, à l'étage du dessous. *Julie est en bas.* Contraire : en haut.

A
**B**
C
D
E
F
G
H
I
J
K
L
M
N
O
P
Q
R
S
T
U
V
W
X
Y
Z

### 3. bas nom masculin

❶ Le **bas**, c'est la partie inférieure d'une chose, d'un lieu. *Mes jouets sont dans le bas du placard.* Contraire : haut.

❷ Des **bas** sont des sous-vêtements de femme faits dans une matière souple et qui couvrent le pied et la jambe.

### bascule nom féminin

Une **bascule** est une planche mobile qui permet de se balancer. *Ma petite sœur a un cheval à bascule.*

● Mot de la même famille : basculer.

Julie est sur son cheval à **bascule**.

### basculer verbe

**Basculer**, c'est tomber en perdant l'équilibre. *Si tu te balances sur ta chaise, tu risques de basculer en arrière.* Synonyme : se renverser.

### base nom féminin

❶ La **base** est la partie qui est en bas d'un objet. *La base du rocher est creusée par l'eau.* Contraire : sommet.

❷ La **base** d'un triangle est le côté opposé au sommet.

### 1. basket nom féminin

Une **basket** est une chaussure de sport qui monte jusqu'à la cheville.

### 2. basket-ball nom masculin

Le **basket-ball** est un sport d'équipe. Les cinq joueurs d'une équipe doivent envoyer un ballon dans le panier de l'autre équipe.

▶ Un joueur de basket-ball est un **basketteur**, une joueuse, une **basketteuse**.

🔎 L'abréviation courante de « basket-ball » est « basket ».

Un match de **basket-ball**.

### basse-cour nom féminin

La **basse-cour** est la partie d'une ferme où l'on élève la volaille.

🔎 Ce mot s'écrit avec un trait d'union. Au pluriel, on écrit *des basses-cours*.

### bassin nom masculin

Un **bassin** est une construction que l'on a remplie d'eau. *Nous faisons naviguer nos bateaux sur le bassin.*

**bassine** nom féminin
Une **bassine** est un grand récipient rond. *Mamie fait des confitures dans une bassine en cuivre.*

**bataille** nom féminin
Une **bataille** est un combat entre des personnes ou des armées. *La dispute entre Julien et David s'est terminée en bataille.* Synonyme : **bagarre.**

**bateau** nom masculin
Un **bateau** est un moyen de transport qui navigue sur l'eau. *Une barque, un voilier, une péniche sont des bateaux.*

🔍 Au pluriel, on écrit *des bateaux.*

→ Cherche **navire** et **paquebot.**

**bâtiment** nom masculin
Un **bâtiment** est une grande construction. *Un immeuble, une usine, une école sont des bâtiments.* Synonyme : **édifice.**

🔍 Le *a* prend un accent circonflexe.

**bâtir** verbe
Bâtir, c'est construire en assemblant des matériaux. *Les maçons ont bâti la maison en un an.*

🔍 Le *a* prend un accent circonflexe.

● Mots de la même famille : **bâtiment, bâtisse.**

**bâtisse** nom féminin
Une **bâtisse** est un grand bâtiment.

🔍 Le *a* prend un accent circonflexe.

**bâton** nom masculin
Un **bâton** est un long morceau de bois rond. *Nous avons fabriqué des échasses avec des bâtons.*

🔍 Le *a* prend un accent circonflexe.

**battement** nom masculin
Des **battements** sont une suite de coups ou de mouvements rapides et réguliers. *Le médecin écoute les battements du cœur.*

**batterie** nom féminin
Une **batterie** est un ensemble d'instruments que l'on frappe avec des baguettes ou avec les mains.

☞ Va voir « les instruments de musique », page 355.

Chloé joue de la **batterie.**

**battre** verbe
❶ **Battre**, c'est donner des coups. *J'ai vu un homme qui battait son chien.* Synonymes : **frapper, taper.** *David et Julien se battent souvent.* Synonyme : **se bagarrer.**
❷ **Battre** un adversaire, c'est remporter une victoire sur lui. *Nous avons battu l'autre équipe.* Synonyme : **vaincre.**
❸ Quand le cœur **bat**, il a des mouvements réguliers.

● Mots de la même famille : **battement, batterie.**

**1. bavard, bavarde** adjectif
Être **bavard**, c'est parler beaucoup.

● Mots de la même famille : **bavardage, bavarder.**

## 2. bavard nom masculin
## bavarde nom féminin

Un **bavard**, une **bavarde** sont des personnes qui bavardent, qui parlent tout le temps. *Les **bavards** m'empêchent de lire.*

Tom lit une **B.D.**

## bavardage nom masculin
Le **bavardage**, c'est l'action de bavarder. *Arrête ton **bavardage** !*

## bavarder verbe
Bavarder, c'est parler beaucoup. *La bouchère aime bien **bavarder** avec ses clients.*

## bave nom féminin
La **bave** est la salive qui coule de la bouche des personnes ou de la gueule des animaux. *Le bébé a de la **bave** sur le menton.*

● Mots de la même famille : **baver, bavoir.**

## baver verbe
Baver, c'est laisser couler de la bave, de la salive sur soi. *Les bébés **bavent**.*

## bavoir nom masculin
Un **bavoir** est une petite serviette que l'on attache autour du cou d'un bébé qui bave.

## B.D. nom féminin
Une **B.D.** est une bande dessinée. *J'ai plusieurs albums de **B.D.***

🔎 « B.D. » est une abréviation.

→ Cherche **bande.**

## 1. beau, belle adjectif
❶ Ce qui est **beau** est agréable à regarder ou à écouter. *Tu as fait un **beau** dessin.* Synonyme : joli. Contraire : laid. *Ton père est un **bel** homme. Julie a une **belle** voix.*
❷ Une **belle journée** est une journée claire et ensoleillée.
❸ Un **beau jour**, c'est un certain jour.

🔎 On dit « un *bel* arbre », « un *bel* homme » parce que ces noms commencent par une voyelle ou un « h » muet. Au pluriel, on écrit *beaux, belles.*

● Mot de la même famille : **beauté.**

## 2. beau adverbe
Quand il fait **beau**, le temps est clair et ensoleillé.

## beaucoup adverbe
Beaucoup signifie : en grande quantité, en grand nombre ou énormément. *J'ai **beaucoup** d'amis. Paul mange **beaucoup**.* Contraire : peu. *J'aime **beaucoup** ce livre.*

## beauté nom féminin
La **beauté** est la qualité de ce qui est beau. *Ce paysage est d'une grande **beauté**.* Contraire : laideur.

## bébé nom masculin
Un **bébé** est un tout petit enfant qui a moins de deux ans.

## Les becs d'oiseaux

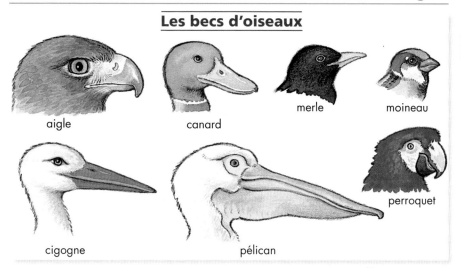

aigle

canard

merle

moineau

perroquet

cigogne

pélican

**bec nom masculin**
Le **bec** d'un oiseau est la partie pointue qui lui sert de bouche. Il est fait de deux mâchoires dures sans dents.

● Mots de la même famille : becquée, becqueter.

**bêche nom féminin**
Une **bêche** est une pelle plate.

🔎 Le premier e prend un accent circonflexe.

**becquée nom féminin**
La **becquée** est la nourriture qu'un oiseau a dans son bec pour nourrir ses petits. *L'hirondelle donne la becquée à ses oisillons.*

**becqueter verbe**
Pour un oiseau, **becqueter**, c'est piquer un aliment avec le bec pour le manger. *Les merles becquettent les cerises.*

🔎 On écrit aussi « béqueter ».

**bégayer verbe**
**Bégayer**, c'est parler avec difficulté, en répétant des syllabes. *Mon frère bégaie quand il est intimidé.*

🔎 On prononce [begeje].

**beige adjectif**
La couleur **beige** est une couleur marron très clair. *Le pelage des dromadaires est beige.*

**beignet nom masculin**
Un **beignet** est un gâteau fait avec de la pâte que l'on fait frire dans l'huile bouillante. *J'aime beaucoup les beignets aux pommes et les beignets aux crevettes.*

L'oiseau donne la **becquée**
à ses petits.

**bêler** verbe

Pour un mouton, une chèvre, **bêler**, c'est pousser son cri.

🔍 Le premier e prend un accent circonflexe.

**bélier** nom masculin

Un **bélier** est un mouton mâle qui a deux grosses cornes courbes.

▶ C'est un ruminant. La femelle est la brebis. Le petit est l'agneau. Quand le bélier crie, on dit qu'il bêle ou qu'il **blatère**.

**belle** → **beau**

**bénéfice** nom masculin

Faire un **bénéfice** (ou du **bénéfice**), c'est gagner une certaine somme d'argent en revendant quelque chose. *Si on achète une marchandise 6 euros et si on la revend 10 euros, on fait un bénéfice de 4 euros.*

**benjamin** nom masculin
**benjamine** nom féminin

Le **benjamin**, la **benjamine** sont les enfants les plus jeunes d'un groupe. *Lucas est le benjamin de la famille.* Synonyme : cadet. Contraire : aîné.

🔍 On écrit ben mais on prononce [bɛ̃], comme « bain ».

un **bélier**

Luc **berce** le bébé dans son berceau.

**benne** nom féminin

La **benne** d'un camion est la partie arrière, qui sert à transporter un chargement. *Le camionneur fait basculer la benne pour décharger la terre.*

🔍 Il y a deux n.

**béquille** nom féminin

Une **béquille** est une canne avec une poignée. On s'appuie dessus quand on ne peut pas marcher normalement. *Romain s'est cassé la jambe, il marche avec des béquilles.*

**berceau** nom masculin

Un **berceau** est un petit lit de bébé, qui sert à le bercer. *La maman berce son enfant dans son berceau en lui chantant une berceuse.*

🔍 Au pluriel, on écrit des berceaux.

**bercer** verbe

Bercer un enfant, c'est le balancer doucement pour l'endormir.

● Mots de la même famille : berceau, berceuse.

**berceuse** nom féminin
Une **berceuse** est une chanson douce que l'on chante aux enfants pour les calmer et les endormir.

**béret** nom masculin
Un **béret** est un petit chapeau mou, rond et plat. *Les marins portent des bérets.*

**berge** nom féminin
La **berge** est le bord d'un cours d'eau. *Les pêcheurs sont installés sur la berge.* Synonyme : rive.

**berger** nom masculin
**bergère** nom féminin
Un **berger**, une **bergère** sont des personnes qui gardent des moutons ou des chèvres et qui les soignent. C'est un nom de métier.
● Mot de la même famille : **bergerie**.

**bergerie** nom féminin
Une **bergerie** est un bâtiment qui sert d'abri aux moutons et aux chèvres.

**bermuda** nom masculin
Un **bermuda** est un short qui descend jusqu'aux genoux.

Mathis porte
un **bermuda** à fleurs.

**besoin** nom masculin
❶ Un **besoin**, c'est ce qui est nécessaire ou ce qui manque. *Grand-mère a besoin de repos.*
❷ Faire ses **besoins**, c'est rejeter par le corps la partie non utilisée des aliments. *Les chiens font leurs besoins dans le caniveau.*

**bestiole** nom féminin
Une **bestiole** est une petite bête, un insecte. *Le rosier est envahi par des bestioles.*

**bétail** nom masculin
Le **bétail** est l'ensemble des gros animaux de la ferme. *Les bœufs, les moutons, les porcs font partie du bétail.*

**1. bête** nom féminin
Une **bête** est un animal. *Les vaches sont des bêtes à cornes.*
🔍 Le premier *e* prend un accent circonflexe.

**2. bête** adjectif
Être **bête**, c'est n'être pas capable de réfléchir et de comprendre. *Qui t'a dit que tu étais bête ?* Synonymes : idiot, sot, stupide. Contraire : intelligent.
🔍 Le premier *e* prend un accent circonflexe.
● Mot de la même famille : **bêtise**.

**bêtise** nom féminin
❶ La **bêtise**, c'est le manque d'intelligence, de réflexion. *Elle est connue pour sa bêtise.* Synonymes : sottise, stupidité. Contraire : intelligence.
❷ Une **bêtise**, c'est une parole ou une action bête. *Ne faites pas de bêtises pendant mon absence !* Synonyme : sottise.
🔍 Le premier *e* prend un accent circonflexe.

a
b
c
d
e
f
g
h
i
j
k
l
m
n
o
p
q
r
s
t
u
v
w
x
y
z

A
B
C
D
E
F
G
H
I
J
K
L
M
N
O
P
Q
R
S
T
U
V
W
X
Y
Z

**béton nom masculin**

Le **béton** est un mélange de ciment, de gravier, de sable et d'eau. *On utilise le* **béton** *pour construire des immeubles.*

**betterave nom féminin**

La **betterave** est une plante qui a une grosse racine rouge ou blanche. L'espèce à racine rouge sert à l'alimentation des personnes.

**beugler verbe**

Pour un bœuf, une vache, un taureau, **beugler**, c'est pousser son cri.
Synonyme : **meugler**.

**beurre nom masculin**

Le **beurre** est la matière grasse et jaune que l'on obtient en agitant la crème du lait.

🔍 Il y a deux *r*.

● Mot de la même famille : **beurrer**.

**beurrer verbe**

**Beurrer** une tartine, c'est la recouvrir de beurre.

🔍 Il y a deux *r*.

**biberon nom masculin**

Un **biberon** est une petite bouteille qui a une tétine. Il sert à nourrir les bébés.

**bibliothécaire nom masculin et nom féminin**

Un **bibliothécaire**, une **bibliothécaire** sont des personnes qui classent et prêtent les livres d'une bibliothèque. C'est un nom de métier.

🔍 Ce mot s'écrit avec *th*.

**bibliothèque nom féminin**

❶ Une **bibliothèque** est un lieu, une pièce où sont classés des livres que l'on peut emprunter.

❷ Une **bibliothèque** est un meuble à étagères pour ranger les livres. *Dans le salon, il y a une* **bibliothèque**.

🔍 Ce mot s'écrit avec *th*.

● Mot de la même famille : bibliothécaire.

☛ Va voir la planche illustrée ⓫

**biceps nom masculin**

Le **biceps** est le plus gros muscle du bras. *Julien plie les bras pour faire gonfler ses* **biceps**.

🔍 Ce mot se termine par un *s* qu'on prononce.

**biche nom féminin**

Une **biche** est un mammifère qui vit dans les forêts.

▶ C'est un ruminant. La biche est la femelle du cerf. Le petit est le faon. Quand la biche crie, on dit qu'elle **brame**.

**bicyclette nom féminin**

Une **bicyclette** est un véhicule qui a deux roues, un guidon et des pédales.
Synonyme : **vélo**.

🔍 Le deuxième son [i] s'écrit *y*.

Zoé prend un livre dans la **bibliothèque**.

une **biche**

### bidon nom masculin

Un **bidon** est un récipient fermé par un bouchon, que l'on utilise pour transporter des liquides. *Le garagiste vend des bidons d'huile.*

### bidule nom masculin

Un **bidule** est un objet qu'on ne sait pas nommer. *À quoi sert ce bidule ?* Synonyme : chose.

🔍 C'est un mot familier.

### 1. bien adverbe

❶ **Bien** signifie : d'une façon qui convient. *Julie travaille bien.* Contraire : mal.

❷ **Bien** signifie : très, beaucoup. *Je suis bien contente. J'aime bien les animaux.*

### 2. bien nom masculin

❶ Le **bien**, c'est ce qui respecte la morale et la vie. *À sept ans, on sait faire la différence entre le bien et le mal.* Contraire : mal.

❷ Faire du **bien**, c'est être agréable. *Cette tasse de tisane m'a fait du bien.* Contraire : mal.

### bien que conjonction

Bien que signifie : malgré tel événement. *Ils ont décidé de sortir bien qu'il neige.* Synonyme : quoique.

### bien sûr adverbe

Bien sûr signifie : de façon certaine. *Est-ce que tu viendras dimanche ? — Bien sûr !* Synonymes : évidemment, sûrement.

### bientôt adverbe

Bientôt signifie : dans peu de temps. *J'aurai bientôt sept ans.*

### bienvenue nom féminin

Souhaiter la **bienvenue** à quelqu'un, c'est l'accueillir avec des paroles aimables. *Mamie souhaite la bienvenue à ses invités.*

### bière nom féminin

La **bière** est une boisson amère qui contient de l'alcool et qui peut rendre ivre. Elle est faite avec de l'orge.

### bifteck nom masculin

Un **bifteck** est une tranche de bœuf ou de cheval. *Le bifteck est souvent servi avec des frites.* Synonyme : steak.

🔍 Il y a un c devant le k.

### bifurquer verbe

Quand une route **bifurque**, elle se divise en deux branches, comme une fourche.

🔍 Les deux routes qui bifurquent sont des **bifurcations**.

À cet endroit, la route **bifurque**.

A
B
C
D
E
F
G
H
I
J
K
L
M
N
O
P
Q
R
S
T
U
V
W
X
Y
Z

**bijou** nom masculin

Un **bijou** est un objet que l'on porte comme ornement. *Une bague, un collier, un bracelet sont des bijoux.*

🔍 Au pluriel, on écrit *des bijoux*.

● Mots de la même famille : bijouterie, bijoutier.

→ Cherche joyau.

**bijouterie** nom féminin

Une **bijouterie** est un magasin où le bijoutier vend des bijoux.

**bijoutier** nom masculin
**bijoutière** nom féminin

Un **bijoutier**, une **bijoutière** sont des personnes qui vendent ou qui fabriquent des bijoux. C'est un nom de métier.

**bilan** nom masculin

Faire le **bilan** d'une situation, c'est l'examiner sous tous ses aspects. *À la fin du trimestre, le maître fait le bilan de nos connaissances en mathématiques.*

**bille** nom féminin

Une **bille** est une petite boule que les enfants utilisent pour jouer.

Lucas, Chloé et Mathis jouent aux **billes**.

**billet** nom masculin

❶ Un **billet** (ou un **billet de banque**) est un rectangle de papier qui vaut une certaine somme d'argent. *Mamie m'a donné un billet de 20 euros.*

❷ Un **billet** est un papier ou un carton qui prouve que l'on a payé une place, une entrée. *Le contrôleur du train m'a demandé mon billet.* Synonyme : ticket. *Ma sœur a acheté deux billets pour le théâtre.*

**bis !** interjection

Bis s'emploie pour demander à un artiste de faire son numéro une deuxième fois. *Les spectateurs étaient si contents qu'ils criaient « bis ! ».*

🔍 Ce mot se termine par un *s* qu'on prononce.

**biscotte** nom féminin

Une **biscotte** est une tranche de pain de mie que l'on a séchée au four. *Maman tartine sa biscotte avec de la confiture.*

**biscuit** nom masculin

Un **biscuit** est un petit gâteau sec. *J'ai acheté un paquet de biscuits au chocolat.*

**1. bise** nom féminin

La **bise** est un vent froid qui souffle du nord.

→ Cherche brise.

**2. bise** nom féminin

Une **bise** est un petit baiser. *Marie nous a fait une bise.*

● Mot de la même famille : bisou.

**bison** nom masculin

Un **bison** est un grand bœuf sauvage d'Amérique du Nord qui a une bosse sur le cou et une épaisse crinière.

**bisou** nom masculin

Un **bisou** est un petit baiser. *Fais-moi un bisou !*

🔍 Au pluriel, on écrit *des bisous.*

**bissextile** adjectif féminin

Une année **bissextile** est une année qui a 366 jours, c'est-à-dire un jour de plus que les années ordinaires. Le mois de février a alors 29 jours. *Tous les quatre ans, l'année est bissextile.*

▶ 2004, 2008, 2012 sont des années bissextiles.

**bizarre** adjectif

Un être ou une chose **bizarres** surprennent par leur aspect. *Nous avons aperçu un animal très bizarre dans la forêt.* Synonymes : curieux, étonnant. *Pierre a eu une idée bizarre.* Synonyme : étrange.

🔍 Il y a un *z* et deux *r*.

**blague** nom féminin

Une **blague** est une chose drôle que l'on dit ou que l'on fait pour amuser les autres. Synonyme : plaisanterie.

→ Cherche farce.

**1. blanc, blanche** adjectif

La couleur **blanche** est la couleur de la neige et du lait.

● Mots de la même famille : **blancheur, blanchir.**

**2. blanc** nom masculin

❶ Le **blanc** est la couleur blanche. *Pour éclaircir mon dessin, je mets un peu de blanc.*

❷ Le **blanc d'œuf** est la partie blanche qui entoure le jaune.

☛ Va voir « les couleurs et les formes », page 171.

**blancheur** nom féminin

La **blancheur** est la qualité de ce qui est blanc. *La blancheur de la neige est éblouissante.*

**blanchir** verbe

❶ **Blanchir** une surface, c'est la recouvrir de peinture blanche. *Le peintre blanchit la façade de la maison.*

❷ **Blanchir**, c'est devenir blanc. *Quand on vieillit, les cheveux blanchissent.*

Les cheveux de grand-père
**ont blanchi**.

**blé** nom masculin

Le **blé** est une céréale que l'on transforme en farine pour faire du pain et des pâtes. *En été, les épis de blé sont dorés.*

un **bison**

A
**B**
C
D
E
F
G
H
I
J
K
L
M
N
O
P
Q
R
S
T
U
V
W
X
Y
Z

**blessé** nom masculin
**blessée** nom féminin

Un **blessé**, une **blessée** sont des personnes qui ont des plaies, des fractures ou des brûlures. *L'ambulance transporte des blessés à l'hôpital.*

**blesser** verbe

Blesser une personne ou un animal, c'est leur donner un coup qui laisse une marque profonde sur le corps. *La voiture a blessé un chat. Ne joue pas avec ce couteau : tu vas te blesser.*

● Mots de la même famille : **blessé**, blessure.

**blessure** nom féminin

Une **blessure** est une marque sur le corps que l'on a reçue au cours d'un accident ou d'une bagarre, ou que l'on s'est faite. *Une plaie, une fracture sont des blessures.*

Rémi a une **blessure** au genou.

**1. bleu, bleue** adjectif

La couleur **bleue** est la couleur du ciel sans nuages, de l'azur.

🔍 Au pluriel, on écrit *bleus, bleues.*
● Mot de la même famille : **bleuet.**

**2. bleu** nom masculin

❶ Le **bleu** est la couleur bleue. *J'ai peint le mur en bleu.*

❷ Un **bleu** est une marque bleue qui apparaît sur la peau après un choc. *Léo s'est cogné et il a des bleus sur les bras.*

☛ Va voir « les couleurs et les formes », page 171.

**bleuet** nom masculin

Un **bleuet** est une petite fleur bleue qui pousse dans les champs.

**bloc** nom masculin

❶ Un **bloc** est un gros morceau de matière dure. *La grue déplace des blocs de béton.*

❷ Un **bloc de papier** est un ensemble de feuilles attachées par le haut.

**blond, blonde** adjectif

Des cheveux **blonds** sont d'une couleur claire, d'un jaune doré.

→ Cherche **brun**, **châtain** et **roux**.

**bloquer** verbe

❶ **Bloquer** un lieu, c'est mettre un obstacle qui empêche de passer. *Les policiers ont bloqué le passage.* Synonyme : **barrer.** Contraires : débloquer, dégager.

❷ **Bloquer** une chose, c'est l'empêcher de bouger ou l'arrêter. *Les freins sont bloqués. Le gardien de but a bloqué le ballon.*

**se blottir** verbe

Se blottir, c'est se faire tout petit et se mettre contre quelqu'un pour se protéger. *Léo a peur et se blottit dans les bras de sa mère.*

Le chat **se blottit** contre le chien.

### blouse nom féminin

Une **blouse** est un long vêtement de travail que l'on porte pour protéger ses habits ou par hygiène. *Les infirmières et les chirurgiens portent une blouse.*

### blouson nom masculin

Un **blouson** est une veste courte serrée à la taille.

### boa nom masculin

Un **boa** est un gros serpent d'Amérique du Sud qui étouffe ses proies avant de les manger. *Les boas ne sont pas venimeux.*

☞ Va voir « les reptiles », page 587.

### bobine nom féminin

Une **bobine** est un petit cylindre fabriqué spécialement pour enrouler du fil, du ruban ou une pellicule de photo.

● Mot de la même famille : bobinette.

### bobinette nom féminin

Une **bobinette** est un petit morceau de bois en forme de bobine qui servait autrefois à fermer les portes.

### bocal nom masculin

❶ Un **bocal** est un récipient en verre fermé par un couvercle, que l'on utilise pour conserver les aliments. *On vend la confiture dans des bocaux.*

❷ Un **bocal** est un petit aquarium en forme de globe.

🔎 Au pluriel, on écrit *des bocaux*.

### bœuf nom masculin

Un **bœuf** est un gros mammifère qui fait partie du bétail de la ferme.

▶ C'est un ruminant de la même espèce que la vache. Quand le bœuf crie, on dit qu'il beugle ou qu'il meugle.

🔎 Au pluriel, on écrit *des bœufs* et on ne prononce pas le *f*.

→ Cherche taureau.

### boire verbe

❶ Boire, c'est avaler un liquide. *Hier, j'ai bu du café au lait.*

❷ Quand une matière **boit** un liquide, elle le laisse pénétrer et le retient. *Le coton boit l'eau.* Synonyme : absorber.

● Mot de la même famille : boisson.

### bois nom masculin

❶ Un **bois** est un endroit où poussent beaucoup d'arbres. *Les bois sont plus petits que les forêts.*

❷ Le **bois** est la matière dure qui forme le tronc et les branches d'un arbre. *J'ai ramassé du bois pour faire un feu.*

### boisson nom féminin

Une **boisson** est un liquide que l'on boit. *La limonade, les jus de fruits, le café sont des boissons.*

### boîte nom féminin

Une **boîte** est un objet avec un couvercle qui sert à mettre toutes sortes de choses, comme des outils, des bijoux, etc.

🔎 Le *i* prend un accent circonflexe.

a b c d e f g h i j k l m n o p q r s t u v w x y z

### boiter verbe

Boiter, c'est marcher en penchant d'un côté plus que de l'autre. *Je me suis tordu la cheville, je boite.*

### bol nom masculin

Un **bol** est un petit récipient rond sans anse que l'on utilise pour boire. *Je bois mon chocolat dans un bol.*

→ Cherche **tasse**.

### bolide nom masculin

Un **bolide** est un véhicule qui roule très vite.

### bombarder verbe

Bombarder un endroit, c'est lancer des bombes pour le détruire. *Les avions ont bombardé un pont.*

🔍 Le son [ɔ̃] s'écrit *om* devant un *b*.

### bombe nom féminin

Une **bombe** est un engin de guerre qui détruit tout quand il explose.

🔍 Le son [ɔ̃] s'écrit *om* devant un *b*.

● Mot de la même famille : **bombarder**.

### 1. bon, bonne adjectif

❶ Une personne **bonne** aime faire du bien, est gentille et généreuse. *Grand-mère est très bonne.* Contraire : **méchant**.

❷ Être **bon** en quelque chose, c'est bien réussir. *Kien est bon en gymnastique.* Synonyme : **fort**. Contraire : **mauvais**.

❸ Une chose **bonne** est agréable, de qualité, convient bien. *Nous avons mangé un bon gâteau. Quelle bonne nouvelle ! Papi a de bons outils. Elle a trouvé la bonne réponse.* Synonymes : **exact**, **satisfaisant**. Contraire : **mauvais**.

● Mots de la même famille : **bonbon**, **bonhomme**, **bonjour**, **bonté**.

### 2. bon adverbe

❶ Quand il fait **bon**, le temps est doux.

❷ Sentir **bon**, c'est avoir une odeur agréable. *Les roses sentent bon.* Contraire : **mauvais**.

### 3. bon ! interjection

Bon s'emploie quand on prend une décision ou quand on est surpris. *Bon ! Je viens avec vous. Ah bon ! je ne savais pas que grand-père venait.*

### bonbon nom masculin

Un **bonbon** est une petite confiserie que l'on croque ou que l'on suce. *J'ai un paquet de bonbons aux fruits.*

### bond nom masculin

Un **bond** est un saut très haut. *Les kangourous se déplacent par bonds.*

● Mot de la même famille : **bondir**.

### bondir verbe

Bondir, c'est s'élancer en faisant un bond, un grand saut. *Le lion a bondi sur la gazelle.* Synonyme : **se jeter**.

Zoé **bondit** sur le trampoline.

**bonheur** nom masculin

Souhaiter du **bonheur** à quelqu'un, c'est lui souhaiter d'être heureux, d'avoir de grandes joies. *On a souhaité beaucoup de bonheur aux mariés.* Contraire : malheur.

🔍 Il y a un *h* après le *n*.

**bonhomme** nom masculin

Un **bonhomme** est un personnage qui représente un homme. *Dessine-moi un bonhomme ! Nous avons fait un bonhomme de neige.*

🔍 Au pluriel, on écrit *des bonshommes.*

Les enfants finissent leur **bonhomme** de neige.

**bonjour** nom masculin

Bonjour est un mot que l'on emploie pour saluer une personne dans la journée. *Léo dit bonjour à ses voisins de palier.*

**bonnet** nom masculin

❶ Un **bonnet** est un chapeau souple et sans bords, généralement en laine ou en coton. *En hiver, à la montagne, je mets un bonnet et des gants.*
❷ Un **bonnet de bain** protège les cheveux et les oreilles d'un nageur.

**bonsoir** nom masculin

Bonsoir est un mot que l'on emploie pour saluer une personne le soir. *Simon a dit bonsoir aux invités.*

**bonté** nom féminin

La **bonté** est la qualité d'une personne bonne. *Grand-mère est d'une grande bonté.* Synonymes : générosité, gentillesse. Contraire : méchanceté.

**bord** nom masculin

❶ Le **bord** d'un objet, d'une surface est la partie qui forme le tour ou la limite. *Le bord de l'assiette est cassé. Ne t'approche pas du bord de la falaise !*
❷ Le **bord de la mer**, c'est la région qui est située le long de la mer. *Nous passons nos vacances au bord de la mer.*
❸ **Monter à bord**, c'est embarquer sur un bateau ou sur un avion. Contraire : débarquer.
● Mots de la même famille : **border, bordure.**

**border** verbe

❶ **Border** un lieu, c'est l'entourer, marquer la limite. *L'allée du parc est bordée d'arbres.*
❷ **Border** un lit, c'est rentrer la couverture et le drap sous le matelas le long du lit.

**bordure** nom féminin

Une **bordure**, c'est ce qui borde une chose pour l'orner. *Mon col a une bordure en satin.*

**borne** nom féminin

Une **borne** est une grosse pierre ou un bloc de ciment qui marque chaque kilomètre sur une route.

a b c d e f g h i j k l m n o p q r s t u v w x y z

A
**B**
C
D
E
F
G
H
I
J
K
L
M
N
O
P

**bosse** nom féminin

❶ Une **bosse** est une grosseur que certains animaux ont sur le dos ou sur le cou. *Les chameaux ont deux bosses sur le dos, les bisons ont une bosse sur le cou.*

❷ Une **bosse** est une grosseur anormale dans le dos ou sur le devant du corps. *Polichinelle a deux bosses.*

❸ Une **bosse** est une boule qui se forme sous la peau quand on se cogne.

● Mot de la même famille : bossu.

**bossu, bossue** adjectif

Être **bossu**, c'est avoir une bosse dans le dos. *Dans les contes, les sorcières sont souvent bossues.*

**botanique** adjectif

Un jardin **botanique** est un jardin où l'on cultive de nombreuses espèces de plantes.

**botte** nom féminin

Une **botte** est une chaussure qui couvre une partie de la jambe.

Adrien s'est fait une **bosse** au front.

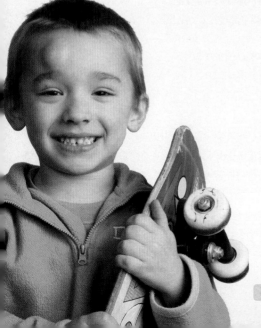

**bouc** nom masculin

Un **bouc** est un mammifère qui a de grosses cornes courbes et une barbe. *Les boucs sentent très mauvais.*

▶ C'est un ruminant. Le bouc est le mâle de la chèvre. Le petit est le **chevreau**. Quand le bouc crie, on dit qu'il bêle.

**bouche** nom féminin

La **bouche** est l'ouverture située dans le bas du visage. *Dans la bouche se trouvent les mâchoires, la langue et le palais.*

● Mot de la même famille : bouchée.

**bouchée** nom féminin

Une **bouchée** est une petite quantité d'aliments que l'on met dans la bouche. *Tu n'as plus qu'une bouchée à avaler.*

**1. boucher** verbe

❶ **Boucher** une bouteille, c'est la fermer. Contraire : déboucher.

❷ **Boucher** un trou, c'est le remplir d'une matière. *J'ai bouché le trou avec de la terre.*

● Mot de la même famille : bouchon.

**2. boucher** nom masculin
**bouchère** nom féminin

Un **boucher**, une **bouchère** sont des personnes qui vendent de la viande. C'est un nom de métier. *J'ai acheté trois biftecks chez le boucher.*

● Mot de la même famille : boucherie.

**boucherie** nom féminin

Une **boucherie** est un magasin où le boucher vend de la viande.

La **bouchère** travaille dans la boucherie.

## bouchon nom masculin

❶ Un **bouchon** est un petit objet en liège, en métal ou en matière plastique qui sert à fermer une bouteille ou un tube. *Mon frère a fait sauter le bouchon du champagne.*

❷ Un **bouchon** est une file de voitures qui n'avancent pas sur la route. Synonymes : embouteillage, encombrement.

## boucle nom féminin

❶ Une **boucle** est un objet en métal qui sert à fermer une ceinture ou une courroie.

❷ Une **boucle** est un objet qui a la forme d'un anneau. *Marion aime les boucles d'oreilles. Coralie a de belles boucles de cheveux.*

● Mot de la même famille : bouclé.

## bouclé, bouclée adjectif

Des cheveux **bouclés** sont des cheveux qui forment des boucles, qui s'enroulent sur eux-mêmes. Synonyme : frisé. Contraire : raide.

## bouclier nom masculin

Un **bouclier** est une plaque qui servait à se protéger pendant les combats.

La lance s'est cassée sur le **bouclier**.

## 1. bouddhiste adjectif

La religion **bouddhiste** apprend à se détacher du monde. *Loan est bouddhiste, elle va à la pagode.*
▶ Les moines bouddhistes sont appelés **bonzes**.

🔍 Il y a deux *d* et un *h*.

## 2. bouddhiste nom masculin et nom féminin

Les **bouddhistes** sont des personnes qui respectent ce qu'a enseigné un sage appelé « Bouddha ». Les bouddhistes sont très nombreux en Asie.

🔍 Il y a deux *d* et un *h*.
→ Cherche **catholique, israélite, musulman** et **protestant**.

## bouder verbe

**Bouder**, c'est montrer de la mauvaise humeur, faire la tête. *Mon frère refuse de me parler, il boude.*

● Mot de la même famille : boudeur.

## boudeur, boudeuse adjectif

Être **boudeur**, c'est bouder souvent, montrer sa mauvaise humeur en silence.

a b c d e f g h i j k l m n o p q r s t u v w x y z

**boudin** nom masculin

Le **boudin** noir est un morceau de charcuterie qui a la forme d'un rouleau. Il est fait avec du sang et de la graisse de porc.

**boue** nom féminin

La **boue** est de la terre mouillée et molle. *Les canards pataugent dans la boue.*

🔎 Ne confonds pas « la boue » et « le bout ».

**bouée** nom féminin

Une **bouée** est un gros anneau en plastique qui est gonflé pour pouvoir flotter sur l'eau.

Chloé nage avec sa **bouée**.

**bougeoir** nom masculin

Un **bougeoir** est un objet qui sert à faire tenir une bougie.

🔎 Il y a un e après le g.

➜ Cherche **chandelier**.

**bouger** verbe

Bouger, c'est faire des mouvements. *Ne bougeons plus, Anne va prendre une photo !* Synonyme : remuer.

**bougie** nom féminin

Une **bougie** est un rouleau de cire avec une mèche que l'on allume. *Romain a* soufflé les sept **bougies** de son gâteau d'anniversaire.

● Mot de la même famille : bougeoir.

➜ Cherche **chandelle**.

**bougon, bougonne** adjectif

Être **bougon**, c'est être de mauvaise humeur et se plaindre sans arrêt. Synonyme : grincheux.

**bougonner** verbe

Bougonner, c'est grogner et se plaindre sans arrêt. Synonyme : grommeler.

● Mot de la même famille : bougon.

➜ Cherche **ronchonner**.

**bouillant, bouillante** adjectif

Un liquide **bouillant** est un liquide qui bout, qui est brûlant. *Pour faire des beignets, on verse de la pâte dans de l'huile **bouillante**.*

**bouillir** verbe

Faire **bouillir** un liquide, c'est le faire chauffer jusqu'au moment où il fait de grosses bulles. *L'eau **bout** à 100 degrés.*

● Mots de la même famille : bouillant, bouilloire.

**bouilloire** nom féminin

Une **bouilloire** est un récipient qui sert à faire bouillir de l'eau.

**boulanger** nom masculin
**boulangère** nom féminin

Un **boulanger**, une **boulangère** sont des personnes qui fabriquent du pain et des gâteaux et qui les vendent. C'est un nom de métier. *J'ai acheté deux pains et deux croissants chez la boulangère.*

● Mot de la même famille : boulangerie.

**boulangerie** nom féminin

Une **boulangerie** est un magasin où le boulanger fait du pain et le vend.

Théo achète un gâteau et un pain à la **boulangerie**.

**boule** nom féminin

Une **boule** est un objet tout rond. *Nous jouons aux **boules** sur un terrain plat.*

● Mots de la même famille : **boulet**, **boulette**.

**boulet** nom masculin

Un **boulet** est une grosse boule en métal qui servait de projectile. *Les canons lançaient des **boulets**.*

**boulette** nom féminin

Une **boulette** est une petite boule. *On s'amuse à lancer des **boulettes** de papier.*

**boulevard** nom masculin

Un **boulevard** est une rue très large.

→ Cherche **avenue**.

**bouleverser** verbe

**Bouleverser** une personne, c'est lui causer une forte émotion et une grande tristesse. *Maman **est bouleversée***

*d'apprendre que son frère a eu un accident.*

**bouquet** nom masculin

Un **bouquet** est un ensemble de fleurs. *Romain a offert un **bouquet** de roses à sa mère.*

**bourdon** nom masculin

Un **bourdon** est un insecte qui ressemble à une grosse abeille. Le bourdon ne fait pas de miel.

● Mot de la même famille : **bourdonner**.

**bourdonner** verbe

Quand une abeille, un bourdon ou une mouche **bourdonnent**, ils font du bruit avec leurs ailes en volant. *Les abeilles **bourdonnent** dans les arbres en fleurs.*

**bourgeon** nom masculin

Un **bourgeon** est une petite pousse qui va s'ouvrir et devenir une feuille ou une fleur. *Au printemps, on voit des **bourgeons** sur les tiges.*

🔍 Il y a un e après le *g*.

Le **bourgeon** se transforme en feuilles.

a b c d e f g h i j k l m n o p q r s t u v w x y z

A
B
C
D
E
F
G
H
I
J
K
L
M
N
O
P
Q
R
S
T
U
V
W
X
Y
Z

**bourreau** nom masculin

Un **bourreau** est un homme qui tue les personnes condamnées à mort. C'était un métier avant que l'on supprime la peine de mort, en France.

🔍 Au pluriel, on écrit *des bourreaux*.

**bourrer** verbe

Bourrer un objet, c'est le remplir jusqu'au bord. *Nous avons bourré le coffre de la voiture.*

🔍 Il y a deux *r*.

**bousculer** verbe

Bousculer une personne, c'est la pousser brutalement. *Il bouscule ses camarades pour passer le premier.*

**boussole** nom féminin

Une **boussole** est un instrument qui indique les quatre points cardinaux  pour aider à se diriger. Elle a un cadran et une aiguille qui marque le nord.

**bout** nom masculin

❶ Le **bout** d'un objet long, c'est le commencement ou la fin de cet objet. *Léo s'est assis au bout du banc.*
Synonyme : extrémité.
❷ Un **bout** de matière, c'est un petit morceau de cette matière. *Donne-moi un bout de tissu.*

🔍 Ne confonds pas « le bout » et « la boue ».

**bouteille** nom féminin

Une **bouteille** est un récipient en verre ou en plastique, qui a un goulot et qui contient un liquide. *Mon père a débouché la bouteille.*

**boutique** nom féminin

Une **boutique** est un local où un commerçant vend des marchandises.

*La librairie est la boutique du libraire. L'épicerie est la boutique de l'épicier.*
Synonyme : magasin.

**bouton** nom masculin

❶ Un **bouton** est un petit objet rond qui sert à fermer un vêtement.
❷ Un **bouton** est un petit objet qui fait fonctionner un appareil. *Appuie sur le bouton de l'ascenseur !*
❸ Un **bouton** est une petite grosseur qui apparaît parfois sur la peau. *Quand on a la rougeole, on est couvert de boutons.*
❹ Un **bouton** est une petite pousse qui donne naissance à une fleur. *Les roses sont encore en boutons.*

● Mots de la même famille : **boutonner, boutonnière**.

**boutonner** verbe

Boutonner un vêtement, c'est le fermer avec des boutons.
Contraire : déboutonner.

**boutonnière** nom féminin

Une **boutonnière** est une petite ouverture faite à un vêtement pour passer un bouton.

**boxe** nom féminin

La **boxe** est un sport de combat où deux adversaires se battent avec leurs poings. *On fait de la boxe avec de gros gants.*

▶ Les sportifs qui font de la boxe sont les **boxeurs** et les **boxeuses**, et la piste, entourée de cordes, est le **ring**.

**bracelet** nom masculin

Un **bracelet** est un bijou que l'on porte autour du poignet. *Zohra fait des bracelets en perles.*

**braguette** nom féminin

Une **braguette** est une ouverture faite sur le devant d'un pantalon.

un combat de **boxe**

### brailler verbe

Brailler, c'est crier, chanter ou pleurer très fort. *Les bébés braillent à la crèche.* Synonyme : hurler.

🔍 C'est un mot familier.

### braire verbe

Pour un âne, **braire**, c'est pousser son cri.

### braise nom féminin

Une **braise** est un morceau de bois ou de charbon qui brûle sans faire de flammes. *Le feu n'est pas éteint, il reste encore des braises.*

### brancard nom masculin

Un **brancard** est une sorte de lit qui a deux longues tiges de chaque côté. *On a transporté le blessé sur un brancard.* Synonyme : civière.

### branche nom féminin

❶ Une **branche** est la partie d'un arbre ou d'un arbuste qui part du tronc. *Les feuilles, les fleurs et les fruits poussent sur les branches.*
❷ Les **branches** de lunettes sont les tiges qui reposent sur les oreilles.

### brancher verbe

Brancher un appareil électrique, c'est mettre la prise de l'appareil dans la prise du mur pour que le courant passe. *Il ne faut pas toucher un appareil qui est branché avec les mains mouillées.* Contraire : débrancher.

La lampe n'**est** pas **branchée**.

### bras nom masculin

❶ Le **bras** est la partie du corps qui va de l'épaule à la main. *Les bras sont les membres supérieurs du corps.*
❷ Le **bras** d'un fauteuil est la partie où l'on pose le bras.

### brave adjectif

❶ Une **brave** personne est bonne et honnête. *Notre voisine est une brave femme.*
❷ Une personne **brave** ne craint pas le danger. *Les pompiers sont braves.* Contraires : lâche, peureux.

### bravo ! interjection

Bravo s'emploie pour féliciter une personne. *Les spectateurs criaient « bravo ! ».*

### brebis nom féminin

Une **brebis** est un mouton femelle. *On élève les brebis pour leur lait qui sert à fabriquer du fromage, et pour leur laine.*
▶ C'est un ruminant. Le mâle est le bélier. Le petit est l'agneau. Quand la brebis crie, on dit qu'elle bêle et son cri est le **bêlement**.

🔍 Ce mot se termine par un s.

**bretelle** nom féminin

❶ Les **bretelles** sont les bandes de tissu qui passent sur les épaules et qui servent à tenir un pantalon ou une jupe.

❷ Les **bretelles** sont les bandes qui servent à porter un objet sur les épaules. *Les* **bretelles** *de mon sac à dos sont usées.*

**bricolage** nom masculin

Le **bricolage** est l'activité qui consiste à bricoler, à faire des petits travaux ou des petites réparations.

Bastien fait du **bricolage**.

**bricoler** verbe

Bricoler, c'est faire des petits travaux ou des petites réparations.

● Mots de la même famille : bricolage, bricoleur.

**bricoleur, bricoleuse** adjectif

Une personne **bricoleuse** sait faire des petits travaux et des réparations. *Ma sœur est très* **bricoleuse**, *elle sait réparer les prises électriques.*

**brigand** nom masculin

Un **brigand** est un homme qui attaquait autrefois les voyageurs sur les routes ou dans la forêt. Synonyme : bandit.

**brillant, brillante** adjectif

Une chose **brillante** a de l'éclat. *L'or est un métal* **brillant**. Contraire : terne.

**briller** verbe

❶ Briller, c'est répandre de la lumière avec éclat. *Le soleil* **brille**.

❷ **Briller**, c'est renvoyer la lumière. *Les diamants* **brillent**. Synonyme : scintiller.

● Mot de la même famille : brillant.

**brin** nom masculin

Un **brin** est une tige fine. *J'ai cueilli des* **brins** *de muguet.*

● Mot de la même famille : brindille.

**brindille** nom féminin

Une **brindille** est une branche très fine. *On a allumé le feu avec des* **brindilles**.

**brioche** nom féminin

Une **brioche** est une pâtisserie faite de deux boules.

**brique** nom féminin

Une **brique** est un bloc de terre cuite. *Le maçon construit un mur de* **briques**.

**briquet** nom masculin

Un **briquet** est un petit appareil qui produit du feu.

**brise** nom féminin

La **brise** est un vent léger. *Le souffle de la* **brise** *nous rafraîchit.*

→ Cherche bise.

**brisé, brisée** adjectif

Une ligne **brisée** est une ligne qui fait des zigzags.

→ Cherche courbe et droit.

☛ Va voir « les couleurs et les formes », page 171.

**briser** verbe

Briser un objet, c'est le casser. *Ils ont* **brisé** *une vitre.*

● Mot de la même famille : brisé.

**broche** nom féminin

Une **broche** est un bijou qui se fixe à un vêtement avec une épingle.

**brochette** nom féminin

❶ Une **brochette** est une tige en métal ou en bois que l'on utilise pour faire griller ou pour présenter des morceaux d'aliments.

❷ Une **brochette** est un ensemble de morceaux d'aliments que l'on a enfilés sur une brochette.

Ils préparent des **brochettes** de fruits.

**broderie** nom féminin

Une **broderie** est un motif fait sur du tissu avec du fil et une aiguille.

**bronzer** verbe

Bronzer, c'est avoir la peau qui devient brune au soleil. *Marie bronze vite.*

**brosse** nom féminin

Une **brosse** est un objet fait de poils fixés sur une plaque. Elle sert à nettoyer et à frotter. *On se sert d'une brosse à dents pour se brosser les dents.*

● Mot de la même famille : brosser.

**brosser** verbe

Brosser, c'est nettoyer, frotter ou démêler avec une brosse. *Maman brosse sa jupe. Zoé se brosse les dents.*

**brouette** nom féminin

Une **brouette** est un petit chariot qui a une roue et deux manches. On l'utilise pour transporter des matériaux. *Le jardinier pousse sa brouette.*

**brouhaha** nom masculin

Le **brouhaha** est le bruit que fait un groupe de personnes. *À la cantine, on entend le brouhaha des conversations.*

**brouillard** nom masculin

Le **brouillard** est de la vapeur d'eau qui reste près du sol. *Il est dangereux de conduire dans le brouillard.*

→ Cherche **brume**.

Dans le **brouillard,** on allume ses phares.

**se brouiller** verbe

❶ Quand la vue **se brouille**, elle devient trouble. *Quand on pleure, la vue se brouille.*

❷ Quand deux personnes **se brouillent**, elles se fâchent et ne se parlent plus. *Léa et Zoé se sont brouillées pour une bêtise.* Contraire : se réconcilier.

● Mot de la même famille : brouillon.

a b c d e f g h i j k l m n o p q r s t u v w x y z

A
B
C
D
E
F
G
H
I
J
K
L
M
N
O
P
Q
R
S
T
U
V
W
X
Y
Z

**brouillon** nom masculin
Un **brouillon** est un texte que l'on corrige et que l'on recopie. *En classe, nous avons un cahier de* **brouillon**.

**broussailles** nom féminin pluriel
Les **broussailles** sont des touffes d'herbe et de ronces. *Personne ne s'est occupé du jardin, il est envahi de* **broussailles**.

**brousse** nom féminin
La **brousse** est une étendue où il ne pousse que de l'herbe, des arbustes et des buissons. On la trouve dans les pays chauds. *En Afrique, il y a parfois des feux de* **brousse**.
→ Cherche **savane**.

**brouter** verbe
Pour un ruminant, **brouter**, c'est arracher l'herbe pour la manger. *Les vaches et les moutons* **broutent** *dans les champs.* Synonyme : **paître**.

**broyer** verbe
**Broyer** une matière, c'est l'écraser pour faire de la poudre. *On* **broie** *le blé pour faire de la farine.* Synonyme : **moudre**.
🔍 On prononce [brwaje].

**bruine** nom féminin
La **bruine** est une pluie très fine.

**bruit** nom masculin
Le **bruit**, c'est un ensemble de sons. *J'entends du* **bruit** *dans la pièce d'à côté.* Contraire : **silence**.
● Mot de la même famille : bruyant.

**brûlant, brûlante** adjectif
Un objet, un liquide, un aliment **brûlants** sont très chauds. *Le thé est* **brûlant**. Synonyme : **bouillant**. Contraire : **glacé**. *L'eau de la douche est* **brûlante**. Contraire : **glacial**.

🔍 Le *u* prend un accent circonflexe.

**brûler** verbe
❶ **Brûler**, c'est être en feu ou détruire par le feu. *La forêt* **brûle**. *La voiture a* **brûlé** *dans l'accident.* Synonyme : **flamber**. *Grand-père a* **brûlé** *le tapis avec sa cigarette.*
❷ **Se brûler**, c'est se faire mal en touchant quelque chose de très chaud. *Je* **me suis brûlé** *avec une casserole.*

🔍 Le *u* prend un accent circonflexe.
● Mots de la même famille : brûlant, brûlure.

Le bois **brûle** dans la cheminée.

**brûlure** nom féminin
Une **brûlure** est une plaie causée par le feu ou un objet brûlant. *J'ai touché le fer à repasser et je me suis fait une* **brûlure** *à la main.*

🔍 Le premier *u* prend un accent circonflexe.

**brume** nom féminin
La **brume** est un brouillard léger. *La* **brume** *a disparu aux premiers rayons de soleil.*

**brun, brune** adjectif
Des cheveux **bruns** sont d'une couleur foncée, entre le marron et le noir.

→ Cherche **blond**, **châtain** et **roux**.

### brusque adjectif

Un geste **brusque** manque de douceur, est un peu violent. Contraire : **doux**.

● Mot de la même famille : **brusquement**.

### brusquement adverbe

**Brusquement** signifie : tout à coup. *Le train s'est arrêté* **brusquement**. Synonymes : **soudain**, **subitement**.

### brutal, brutale adjectif

❶ Une personne **brutale** est violente et dure avec les autres. Contraire : **doux**.

❷ Une action **brutale** se fait brusquement, au moment où l'on ne s'y attend pas. *Le train a fait un arrêt* **brutal**.

🔎 Au pluriel, on écrit *brutaux, brutales*.

● Mot de la même famille : **brutalement**.

### brutalement adverbe

**Brutalement** signifie : d'une manière brutale, sans douceur. *Mathis a fermé la porte* **brutalement**. Contraire : **doucement**.

### brute nom féminin

Une **brute** est une personne brutale et violente.

### bruyant, bruyante adjectif

❶ Une personne **bruyante** fait beaucoup de bruit. *Les spectateurs sont* **bruyants**. Contraire : **silencieux**.

❷ Dans un endroit bruyant, il y a beaucoup de bruit . *Notre rue est* **bruyante**. Contraires : **calme**, **tranquille**.

La rue est trop **bruyante**!

### bruyère nom féminin

La **bruyère** est une plante sauvage à petites fleurs roses ou violettes. *La bruyère pousse sur un terrain appelé « la lande ».*

### bu → boire

### bûche nom féminin

Une **bûche** est un gros morceau de bois coupé. *J'ai mis une* **bûche** *dans le feu.*

🔎 Le *u* prend un accent circonflexe.

● Mots de la même famille : **bûcher**, **bûcheron**.

### bûcher nom masculin

Un **bûcher** est un grand tas de bois que l'on enflamme. *Au Moyen Âge, on brûlait les personnes condamnées à mort sur un* **bûcher**.

🔎 Le *u* prend un accent circonflexe.

### bûcheron nom masculin
### bûcheronne nom féminin

Un **bûcheron**, une **bûcheronne** sont des personnes qui abattent les arbres et qui les scient. C'est un nom de métier.

🔎 Le *u* prend un accent circonflexe.

a b c d e f g h i j k l m n o p q r s t u v w x y z

Le **bûcheron** travaille dans la forêt.

### buée nom féminin

La **buée** est une couche de gouttelettes d'eau qui se dépose sur une surface froide. *Quand il fait très froid dehors, il y a de la buée sur les vitres.*

### buffet nom masculin

Un **buffet** est un meuble où l'on range la vaisselle et le linge de table.

### buffle nom masculin

Un **buffle** est un gros bœuf qui a deux grandes cornes et qui vit dans les pays chauds.

▶ C'est un ruminant. La femelle est la **bufflonne** ou la **bufflesse**, le petit, le **bufflon**.

### buisson nom masculin

Un **buisson** est un groupe d'arbustes très serrés. Synonyme : fourré.

### bulldozer nom masculin

Un **bulldozer** est un engin que l'on utilise sur les chantiers pour creuser le sol et ramasser la terre.

### bulle nom féminin

❶ Une **bulle** est une petite boule remplie d'air ou de gaz. *Je fais des bulles de savon. Le champagne fait des bulles.*

❷ Les **bulles** d'une bande dessinée sont les espaces qui contiennent les paroles des personnages. *La pointe de la bulle désigne le personnage qui parle.*

### bulletin nom masculin

Un **bulletin** scolaire est une feuille ou un carnet où sont inscrites les notes des élèves et les appréciations des professeurs.

### bureau nom masculin

❶ Un **bureau** est une table pour écrire qui a souvent des tiroirs. *J'ai rangé mon bureau.*

❷ Un **bureau** est une pièce où l'on travaille. *Le directeur est dans son bureau.*

🔍 Au pluriel, on écrit *des bureaux.*

### bus nom masculin

Un **bus** est un grand véhicule qui transporte un grand nombre de personnes à l'intérieur des villes. *Ma sœur prend le bus pour aller au lycée.*

un **buffle**

🔍 Ce mot se termine par un *s* qu'on prononce. « Bus » est l'abréviation de « autobus ».

**buste** nom masculin

Le **buste** est la partie du corps qui va du cou à la taille. Synonymes : torse, tronc.

**but** nom masculin

❶ Le **but**, c'est l'endroit que l'on veut atteindre. *Nous avons atteint notre but, le sommet de la colline.*

❷ Le **but** d'une personne, c'est ce qu'elle cherche à obtenir ou à devenir. *Mon frère a un but dans la vie : être musicien.*

❸ Dans certains sports, le **but** (ou les **buts**) est l'espace entre des poteaux que doit franchir le ballon.

❹ Un **but** est un point marqué par une équipe. *Notre équipe a marqué trois buts.*

**buté, butée** adjectif

Une personne **butée** ne veut pas changer d'avis. Synonyme : têtu.

**buter** verbe

❶ **Buter** contre une chose, c'est la heurter assez fort avec le pied. *J'ai buté contre un rocher et j'ai failli tomber.* Synonyme : trébucher sur.

❷ **Buter** sur quelque chose, c'est être arrêté par une difficulté. *Quand on apprend à lire, on bute sur certains mots.*

**butin** nom masculin

Un **butin**, c'est ce que prend un voleur. *Les voleurs ont caché leur butin.*

**butiner** verbe

Quand une abeille **butine**, elle récolte le pollen des fleurs pour se nourrir.

L'abeille **butine**.

**butte** nom féminin

Une **butte** est une petite colline.

🔍 Il y a deux *t*.

**buvard** nom masculin

Un **buvard** est un papier spécial, assez épais, que l'on utilise pour sécher l'encre.

*a*
*b*
*c*
*d*
*e*
*f*
*g*
*h*
*i*
*j*
*k*
*l*
*m*
*n*
*o*
*p*
*q*
*r*
*s*
*t*
*u*
*v*
*w*
*x*
*y*
*z*

**ça pronom**

Ça, c'est la chose que je montre, que je vois ou que j'entends. *Peux-tu me donner ça ? Je ne peux pas répéter ça.* Synonyme : **cela.**

🔍 Le c prend une cédille.

**cabane nom féminin**

Une **cabane** est une petite maison en bois. *Nous avons construit une cabane dans la forêt.* Synonyme : **baraque.**

**cabine nom féminin**

Une **cabine** est une petite pièce qui a différentes utilisations. *On peut téléphoner dans une cabine téléphonique. À la piscine, on se déshabille dans une cabine. Sur un paquebot, on dort dans une cabine.*

**cabinet nom masculin**

❶ Aller aux **cabinets**, c'est aller dans la petite pièce où l'on fait ses besoins. Synonymes : **toilettes, waters.**

❷ Le **cabinet** d'un médecin est la pièce où il travaille et où il reçoit les malades.

**câble nom masculin**

❶ Un **câble** est un gros fil en métal. *L'électricité passe dans des câbles.*

❷ Le **câble** est un système qui permet de recevoir les émissions de télévision par des câbles souterrains.

🔍 Le a prend un accent circonflexe.

**cabossé, cabossée adjectif**

Un objet **cabossé** est déformé par des bosses et des creux. *Mes petites voitures sont cabossées.*

**se cabrer verbe**

Quand un cheval **se cabre**, il se dresse sur ses pattes arrière. *Quand ils ont peur, les chevaux se cabrent.*

**cabriole nom féminin**

Une **cabriole** est un petit saut, un petit bond. *Au zoo, les singes font des cabrioles.*

**cacahouète nom féminin**

Les **cacahouètes** sont des graines enfermées dans une coquille assez fine. On les mange séchées ou grillées.

🔍 On écrit aussi « cacahuète ».

**cacao nom masculin**

❶ Le **cacao** est une graine qui sert à fabriquer le chocolat.

❷ Le **cacao** est une boisson faite avec de la poudre de cacao. *J'ai bu*

*une tasse de **cacao** à quatre heures.*
Synonyme : chocolat.

▶ La graine pousse sur un arbre des pays chauds, le **cacaoyer**.

### cachalot nom masculin

Un **cachalot** est un grand mammifère marin. Il a une énorme tête et des dents sur la mâchoire inférieure.

▶ Le cachalot appartient à la famille des baleines.

### cache-cache nom masculin

Jouer à **cache-cache**, c'est jouer à un jeu où l'un des joueurs doit trouver ceux qui se sont cachés.

🔎 Ce mot s'écrit avec un trait d'union.

### cacher verbe

Cacher, c'est mettre dans un endroit secret. *Simon **a caché** mes clés. Mon petit frère **s'est caché** sous la table.*

● Mots de la même famille : cache-cache, cachette.

### cachet nom masculin

Un **cachet** est un médicament qui a la forme d'une pastille.
Synonyme : comprimé.

### cachette nom féminin

Une **cachette** est un endroit où l'on est caché ou un endroit secret où l'on garde quelque chose. *Les enfants ont trouvé la **cachette** des œufs en chocolat.*

### cactus nom masculin

Un **cactus** est une plante des pays chauds qui a des piquants.

🔎 Ce mot se termine par un *s* qu'on prononce.

### cadavre nom masculin

Un **cadavre** est le corps d'une personne morte ou d'un animal mort.

### cadeau nom masculin

Un **cadeau** est un objet que l'on donne à une personne pour lui faire plaisir. *On m'a offert deux **cadeaux** pour mon anniversaire.*

🔎 Au pluriel, on écrit *des cadeaux*.

### cadenas nom masculin

Un **cadenas** est une petite serrure mobile. *La chaîne est fermée par un cadenas.*

🔎 Ce mot se termine par un *s*.

### 1. cadet, cadette adjectif

Un frère **cadet**, une sœur **cadette** sont plus jeunes que l'aîné d'une famille.
Contraire : aîné.

un **cactus**

## 2. cadet nom masculin
### cadette nom féminin

Le **cadet**, la **cadette** sont les plus jeunes enfants d'un groupe. *Lucas est le cadet de la famille.* Synonyme : benjamin. Contraire : aîné.

## cadran nom masculin

Le **cadran** d'une montre, d'une pendule est la partie plate où sont inscrites les heures. Le **cadran** d'une boussole indique les points cardinaux.

Il est dix heures et quart
au **cadran** de l'horloge.

## cadre nom masculin

Un **cadre** est une bordure qui entoure un tableau, une photo, un poster. *J'ai mis ma photo de classe dans un cadre.*

## cafard nom masculin

Les **cafards** sont de petits insectes bruns qui vivent dans les endroits humides et sombres.

## café nom masculin

❶ Le **café** est une graine qui est grillée et moulue pour faire une boisson appelée aussi « café ». *J'ai acheté un paquet de café. Les adultes boivent souvent du café après le repas.*

❷ Un **café** est un endroit où l'on peut boire du café et d'autres boissons. *Nous avons bu des jus de fruits dans un café.*

▶ Les graines de café poussent sur un arbuste des pays chauds, le **caféier.**
● Mot de la même famille : cafetière.

## cafetière nom féminin

Une **cafetière** est un appareil ménager qui sert à faire le café. *Aujourd'hui, on utilise des cafetières électriques.*

## cage nom féminin

Une **cage** est un espace fermé par des barreaux ou du grillage où l'on enferme des animaux. *Au zoo, les lions vivent en cage.*

## cageot nom masculin

Un **cageot** est une petite caisse qui sert à transporter des fruits ou des légumes.

🔍 Il y a un *e* après le *g.*

## cagoule nom féminin

Une **cagoule** est une sorte de capuche qui couvre la tête, le cou et une grande partie du visage. *En hiver, à la montagne, je porte une cagoule.*

## cahier nom masculin

Un **cahier** est un ensemble de feuilles attachées et protégées par une couverture. *En classe, nous écrivons sur un cahier de brouillon.*

🔍 Il y a un *h* après le *a.*

## caillou nom masculin

Un **caillou** est une petite pierre. *Le Petit Poucet a fait tomber des cailloux blancs pour retrouver son chemin.*

🔍 Au pluriel, on écrit *des cailloux.*

**caisse** nom féminin

❶ Une **caisse** est une grande boîte en bois, en fer ou en matière plastique qui sert à transporter des marchandises ou à ranger des objets. *Le livreur apporte des caisses de jus de fruits. Paul a une caisse à outils.*

❷ Une **caisse** est un tiroir ou une boîte où un commerçant met de l'argent. *La boulangère a fermé sa caisse.*

❸ La **caisse** est l'endroit où les clients paient leurs achats. *Au supermarché, nous faisons la queue à la caisse.*

● Mot de la même famille : **caissier**.

**caissier** nom masculin
**caissière** nom féminin

Un **caissier**, une **caissière** sont des personnes qui reçoivent l'argent des clients, dans un magasin, un musée, un cinéma. C'est un nom de métier.

**cajoler** verbe

**Cajoler** une personne, c'est lui faire des câlins et lui dire des mots tendres. *Grand-mère cajole ses petits-enfants.*
Synonyme : **dorloter**.

**calcul** nom masculin

Le **calcul** est l'action de calculer, de résoudre un problème en faisant des opérations. *Marie est bonne en calcul. Trouver combien font 5 + 2 est un calcul facile.*

● Mots de la même famille : **calculer**, **calculette**.

**calculer** verbe

**Calculer**, c'est faire des calculs, des opérations pour trouver un résultat. *Dans un exercice, on devait calculer le nombre de carreaux d'un quadrillage.*

**calculette** nom féminin

Une **calculette** est une petite machine portable qui fait des calculs automatiquement. *On peut vérifier ses calculs sur une calculette.*

🔍 On dit aussi « calculatrice ».

**calèche** nom féminin

Une **calèche** est une voiture tirée par des chevaux que l'on utilisait autrefois. Elle avait une capote et un siège élevé pour le cocher.

→ Cherche **carrosse**.

**calendrier** nom masculin

Un **calendrier** est un tableau qui présente la suite des jours, des semaines et des mois pendant une année.

☞ Va voir « le calendrier », page 111.

**caler** verbe

Quand un moteur **cale**, il s'arrête tout d'un coup. *Le moteur de la voiture a calé dans la côte.*

La maman singe **cajole** son petit.

a
b
c
d
e
f
g
h
i
j
k
l
m
n
o
p
q
r
s

**à califourchon** adverbe

Être assis **à califourchon**, c'est être dans la position d'une personne à cheval.

**câlin** nom masculin

Un **câlin** est un geste tendre. *Mon petit frère aime faire des* **câlins**.

🔍 Le a prend un accent circonflexe.

**1. calme** adjectif

❶ Un endroit **calme** est un endroit où il n'y a pas de bruit. *Nous habitons dans un quartier* **calme**. *Une personne* **calme** *est une personne qui ne fait pas beaucoup de bruit. Marion est une enfant* **calme**, *elle ne s'énerve pas souvent.* Synonymes : silencieux, tranquille. Contraires : bruyant, nerveux.

❷ Quand la mer est **calme**, il n'y a pas beaucoup de vagues. Contraire : agité.

● Mots de la même famille : calmement, calmer.

**2. calme** nom masculin

Le **calme**, c'est l'absence de bruit, d'agitation. *Quel* **calme** *quand mon petit frère dort !* Synonymes : paix, tranquillité. *Les sauveteurs gardent leur* **calme**. Synonyme : sang-froid.

*Léa est assise* **à califourchon** *sur la branche.*

**calmement** adverbe

**Calmement** signifie : avec calme, sans s'agiter, sans s'énerver. *Mamie parle toujours* **calmement**.

**calmer** verbe

**Calmer** une personne, c'est la rendre calme, moins agitée. *Mon petit frère était en colère, mais j'ai réussi à le* **calmer**. Contraire : énerver.

**camarade** nom masculin et nom féminin

Un **camarade** est une personne avec qui l'on s'entend bien. *Nous avons joué avec notre nouvelle* **camarade** *de classe.*

→ Cherche **ami** et **copain**.

**cambriolage** nom masculin

Un **cambriolage** est un vol qui a lieu dans une maison, un appartement ou un magasin.

**cambrioler** verbe

**Cambrioler**, c'est entrer dans une maison, un appartement ou un magasin pour voler des objets. *Des voleurs ont* **cambriolé** *l'appartement du dessus.*

● Mots de la même famille : cambriolage, cambrioleur.

**cambrioleur** nom masculin
**cambrioleuse** nom féminin

Un **cambrioleur**, une **cambrioleuse** sont des voleurs. *La police a arrêté les* **cambrioleurs** *de la bijouterie.*

**caméléon** nom masculin

Un **caméléon** est un animal qui ressemble à un lézard. Il est vert mais change de couleur selon l'endroit où il se trouve pour qu'on ne le voie pas.

▶ C'est un petit reptile qui vit dans les arbres des pays chauds et qui mange des insectes.

# Le calendrier

Lundi : écrire à tante Brigitte

Mardi : dentiste 5h30

Mercredi : Judo

Jeudi : rendre les livre

Vendredi : piscine (prendre le maillot)

Samedi : fête d'Arthur

Dimanche : chez Mamie

**Les douze mois de l'année**

janvier = 31 jours

février = 28 ou 29 jours

mars = 31 jours

avril = 30 jours

mai = 31 jours

juin = 30 jours

juillet = 31 jours

août = 31 jours

septembre = 30 jours

octobre = 31 jours

novembre = 30 jours

décembre = 31 jours

**Une année a 365 ou 366 jours.**

A
B
C
D
E
F
G
H
I
J
K
L
M
N
O
P
Q
R
S
T
U
V
W
X
Y
Z

**camembert** nom masculin
Le **camembert** est un fromage rond, à pâte molle, fait avec du lait de vache.

🔎 Le son [ã] s'écrit *em* devant un *b*.

**caméra** nom féminin
Une **caméra** est un appareil qui permet de faire des films.

➔ Cherche **Caméscope**.

**Caméscope** nom masculin
Un **Caméscope** est une petite caméra qui fonctionne avec une cassette vidéo.

🔎 Ce mot s'écrit avec une majuscule parce que c'est un nom de marque.

**camion** nom masculin
Un **camion** est un grand véhicule qui sert à transporter des marchandises ou du matériel. *Sur le camion des pompiers, il y a des tuyaux enroulés et une grande échelle.*

● Mots de la même famille : camionnette, camionneur.

**camionnette** nom féminin
Une **camionnette** est un petit camion. *Les commerçants transportent leurs marchandises dans des camionnettes.*

🔎 Il y a deux *n* et deux *t*.

**camionneur** nom masculin
Un **camionneur** est un conducteur de camion. Synonyme : routier.

🔎 Il y a deux *n*.

**camp** nom masculin
❶ Un **camp** est un terrain où un groupe de personnes habite dans des tentes. *Nous avons passé l'été dans un camp de vacances.*

❷ Un **camp** est un terrain défendu par une équipe. *Pour la partie de ballon, nous avons divisé la classe en deux camps.*

🔎 Le son [ã] s'écrit *am* devant un *p*.
● Mots de la même famille : camper, campeur, camping.

**campagne** nom féminin
La **campagne** est la partie d'un pays qui est couverte de champs, de bois, de prés et de fermes. *Paul aimerait vivre à la campagne.* Contraire : ville.

🔎 Le son [ã] s'écrit *am* devant un *p*.
☞ Va voir la planche illustrée ❶

**camper** verbe
**Camper**, c'est vivre dans un camp, dormir sous la tente ou dans une caravane. *Cet été, nous irons camper à la montagne.*

🔎 Le son [ã] s'écrit *am* devant un *p*.

Meddy **campe** dans la forêt.

**campeur** nom masculin
**campeuse** nom féminin
Un **campeur**, une **campeuse** sont des personnes qui campent, qui dorment sous une tente ou dans une caravane. *Les campeurs ont installé leur tente dans le terrain de camping.*

🔎 Le son [ã] s'écrit *am* devant un *p*.

**camping** nom masculin
❶ Faire du **camping**, c'est camper, dormir sous une tente ou dans une caravane.
❷ Un terrain de **camping** est un endroit réservé aux campeurs.

**canal** nom masculin

Un **canal** est un cours d'eau qui a été fabriqué par des personnes. Il sert à la navigation . *Les péniches naviguent sur les canaux.*

🔎 Au pluriel, on écrit *des canaux.*

**canapé** nom masculin

Un **canapé** est un large fauteuil à plusieurs places. *Léo, Zohra et Kien sont assis sur le canapé du salon.*

**canard** nom masculin

❶ Le **canard** est un oiseau qui a un large bec et des pattes palmées.

❷ Un **froid de canard**, c'est un très grand froid.

▶ On élève les canards domestiques dans une basse-cour. La femelle est la cane. Le petit est le **caneton**. Quand le canard crie, on dit qu'il **cancane**.

un **canard**

**canari** nom masculin

Un **canari** est un serin qui vient des îles Canaries.

**cancer** nom masculin

Le **cancer** est une maladie très grave qui se produit lorsque des cellules se développent et forment une grosseur, appelée « tumeur ». *Aujourd'hui, on guérit certains cancers.*

**candidat** nom masculin
**candidate** nom féminin

Un **candidat**, une **candidate** sont des personnes qui se présentent à un examen, à un emploi ou à une élection. *Le directeur a reçu cinq candidats pour un poste d'informaticien.*

**cane** nom féminin

La **cane** est la femelle du canard. *Le plumage de la cane est moins coloré que celui du canard.*

▶ Le petit est le **caneton**.

🔎 Ne confonds pas avec « une canne » pour marcher.

**caniche** nom masculin

Un **caniche** est un petit chien à poils frisés.

**canicule** nom féminin

La **canicule** est une très forte chaleur pendant l'été.

**canif** nom masculin

Un **canif** est un petit couteau. Sa lame se replie dans le manche.

**canine** nom féminin

Les **canines** sont les dents pointues qui sont situées entre les incisives et les molaires.

→ Cherche **croc**.

**caniveau** nom masculin

Le **caniveau** est la partie de la rue située le long du trottoir, où s'écoule l'eau de pluie. *Un chien bien dressé fait ses besoins dans le caniveau.*

🔎 Au pluriel, on écrit *des caniveaux.*

**canne** nom féminin

❶ Une **canne** est un bâton avec une partie courbe. On s'appuie dessus quand on a du mal à marcher.

❷ Une **canne à pêche** est une longue tige qui se termine par un fil et un hameçon.

🔎 Ne confonds pas avec « la cane », la femelle du canard.

*a b c d e f g h i j k l m n o p q r s t u v w x y z*

**cannibale** nom masculin et nom féminin

Un **cannibale** est une personne qui mange de la chair humaine. Aujourd'hui, il n'existe presque plus de cannibales dans le monde.

**canoë** nom masculin

Un **canoë** est une sorte de barque très légère que l'on fait avancer avec une pagaie. *As-tu déjà descendu une rivière en* **canoë** *?*

🔍 On prononce [kanɔe]. Il y a un tréma sur le e.

**canon** nom masculin

❶ Un **canon** est une arme qui a la forme d'un gros tube et qui est installée sur des roues. Il servait autrefois à envoyer des boulets.

❷ Le **canon** d'un pistolet ou d'un fusil est la partie allongée par où sortent les balles.

Les soldats tirent des coups de **canon**.

**canot** nom masculin

Un **canot** de sauvetage est un petit bateau qui ressemble à une barque. *Les passagers ont quitté le paquebot qui coulait dans des* **canots** *de sauvetage.*

**cantine** nom féminin

Une **cantine** est un endroit installé comme un restaurant où l'on peut prendre ses repas, à l'école, au bureau ou à l'usine. *Koffi déjeune à la* **cantine**. Synonyme : **réfectoire**.

**caoutchouc** nom masculin

Le **caoutchouc** est une matière résistante, élastique et imperméable. *Les pneus des voitures sont en* **caoutchouc**.

▶ Le caoutchouc est tiré de la sève de certains arbres des pays chauds. Il est aussi fabriqué à partir du pétrole.

🔍 Ce mot se termine par un c qu'on ne prononce pas.

**capable** adjectif

Être **capable** de faire quelque chose, c'est pouvoir le faire. *Ne porte pas Julie, elle est* **capable** *de marcher.* Contraire : **incapable**.

● Mot de la même famille : **capacité**.

**capacité** nom féminin

❶ Avoir des **capacités** dans un sport, dans un art, c'est être capable de le faire. *Léo a de grandes* **capacités** *en dessin.*

❷ La **capacité** est la quantité que peut contenir un récipient. *La* **capacité** *de cette bouteille est de un litre.*

☞ Va voir « les mesures », page 443.

**cape** nom féminin

Une **cape** est une sorte de large manteau sans manches.

Le mousquetaire porte une **cape**.

**capitaine** nom masculin
❶ Le **capitaine** est la personne qui commande un bateau. *L'équipage obéit aux ordres du **capitaine**.*
❷ Le **capitaine** d'une équipe de sport est le chef de l'équipe.

**capitale** nom féminin
La **capitale** d'un pays est la ville où se trouve le gouvernement. *Paris est la capitale de la France.*

**capot** nom masculin
Le **capot** est la partie d'un véhicule qui recouvre le moteur. *Le garagiste a ouvert le **capot** pour trouver la panne.*

**capote** nom féminin
Une **capote** est un toit pliant en toile imperméable qui couvre un landau ou une voiture décapotable.

**caprice** nom masculin
Un **caprice** est une petite colère pour essayer d'obtenir ce que l'on veut. *Ma mère ne cède jamais quand Nicolas fait des **caprices**.*
● Mot de la même famille : **capricieux**.

**capricieux, capricieuse** adjectif
Être **capricieux**, c'est faire des caprices, de petites colères.

**capsule** nom féminin
Une **capsule** est un bouchon plat en métal ou en plastique.

**capturer** verbe
**Capturer** un animal ou une personne, c'est les attraper. *Les chasseurs ont capturé un lion.*

**capuche** nom féminin
Une **capuche** est la partie d'un vêtement attachée au col et qui peut se rabattre sur la tête. *Quand il fait froid, je mets mon blouson à **capuche**.*
Synonyme : capuchon.

**capuchon** nom masculin
❶ Un **capuchon** est une capuche.
❷ Le **capuchon** d'un stylo ou d'un feutre est la partie qui protège la pointe et qui empêche l'encre de sécher.

**1. car** conjonction
**Car** signifie : parce que. *Nous pouvons aller nous baigner **car** il fait beau.*

**2. car** nom masculin
Un **car** est un grand véhicule qui transporte un grand nombre de personnes sur les routes. *Les enfants des villages vont à l'école en **car**.*
🔍 « Car » est l'abréviation de « autocar ».

**carabine** nom féminin
Une **carabine** est un fusil léger. *À la fête foraine, il y a des stands de tir à la carabine.*

Le cow-boy essaie de **capturer** un jeune taureau.

### caractère nom masculin

Le **caractère** d'une personne est sa manière d'être, de se comporter. *Zoé est toujours de bonne humeur, elle a bon caractère.*

### carafe nom féminin

Une **carafe** est une sorte de bouteille qui a une base très large.

### caramel nom masculin

Un **caramel** est un bonbon marron fait avec du sucre et du lait cuits et parfumé au café, au chocolat ou à la vanille. *Les caramels mous contiennent du beurre.*

### carapace nom féminin

Une **carapace** est l'enveloppe dure qui protège le corps de certains animaux. *En cas de danger, la tortue rentre sa tête sous sa carapace.*

### caravane nom féminin

❶ Une **caravane** est une petite maison sur roues, tirée par une voiture. *Cet été, nous allons camper dans une caravane.*
❷ Une **caravane** est un groupe de personnes qui traverse le désert avec des chameaux ou des dromadaires.
→ Cherche **roulotte**.

### carcasse nom féminin

Une **carcasse** est le squelette d'un animal mort. *Nous avons mangé du poulet, il ne reste plus que la carcasse.*

### caresse nom féminin

Une **caresse** est un geste tendre de la main. *Les chats ronronnent quand on leur fait des caresses.*

● Mot de la même famille : **caresser**.

### caresser verbe

**Caresser**, c'est faire des caresses, des gestes tendres. *Lisa me caresse la joue.*

### cargaison nom féminin

La **cargaison** d'un avion, d'un bateau, d'un camion est l'ensemble des marchandises et des paquets qu'ils transportent. *Le navire a déchargé sa cargaison sur le quai.*
Synonyme : **chargement**.

### caricature nom féminin

Une **caricature** est un dessin qui exagère les défauts du visage pour faire rire. *Zoé a dessiné une caricature de son frère.*

### carie nom féminin

Une **carie** est un trou dans une dent. *Brosse-toi bien les dents après chaque repas pour ne pas avoir de caries.*

### carnaval nom masculin

Le **carnaval** est une grande fête où tout le monde est déguisé, où l'on organise des défilés de chars. *Le carnaval dure parfois plusieurs jours.*

### carnet nom masculin

❶ Un **carnet** est un petit cahier. *Ma mère note ses rendez-vous dans un carnet.*
❷ Un **carnet** de tickets ou de timbres est une série de tickets ou de timbres vendus ensemble. *Franck a acheté un carnet de timbres à la poste.*
→ Cherche **répertoire**.

Jessie **caresse** le cheval.

Tout le monde s'est déguisé pour le **carnaval**.

## carnivore adjectif

Les animaux **carnivores** sont les animaux qui se nourrissent de viande. *Les tigres, les requins, les chiens sont carnivores.*

→ Cherche **herbivore** et **omnivore**.

## carotte nom féminin

Une **carotte** est un légume qui a une longue racine orange. On la mange cuite ou crue.

## carpe nom féminin

Une **carpe** est un poisson d'eau douce. *Une carpe peut peser quinze kilos et vivre cinquante ans.*

## 1. carré nom masculin

Un **carré** est une forme géométrique qui a quatre côtés égaux et quatre angles droits.

● Mot de la même famille : **carreau**.

☞ Va voir « les couleurs et les formes », page 171.

## 2. carré, carrée adjectif

Un objet **carré** a la forme d'un carré. *La cour est carrée.*

## carreau nom masculin

❶ Un **carreau** est un petit carré. *Le clown porte une veste à carreaux.*

❷ Un **carreau** est une petite dalle qui recouvre les murs d'une cuisine, d'une salle de bains. *Papi a posé des carreaux au-dessus de l'évier.*

❸ Un **carreau** est une vitre. *En jouant au ballon, nous avons cassé un carreau.*

🔎 Au pluriel, on écrit *des carreaux*.

● Mot de la même famille : **carrelage**.

## carrefour nom masculin

Un **carrefour** est un endroit où des rues, des routes se croisent. *Regarde bien les feux avant de traverser le carrefour.* Synonymes : croisement, intersection.

Les voitures ralentissent au **carrefour**.

## carrelage nom masculin

Le **carrelage** est l'ensemble des carreaux qui recouvrent un sol ou un mur. *Le carrelage de la cuisine est bleu et blanc.*

a b c d e f g h i j k l m n o p q r s t u v w x y z

A
B
C
D
E
F
G
H
I
J
K
L
M
N
O
P
Q
R
S
T
U
V
W
X
Y
Z

**carrière** nom féminin

Une **carrière** est un terrain qui contient des pierres ou du sable que l'on retire pour construire des bâtiments. *Une carrière que l'on a beaucoup creusée forme un énorme trou.*

→ Cherche **mine**.

**carrosse** nom masculin

Un **carrosse** est une riche voiture tirée par des chevaux. *Autrefois, les rois et les reines se déplaçaient en carrosse.*

→ Cherche **calèche** et **diligence**.

**carrosserie** nom féminin

La **carrosserie** d'une automobile est la partie extérieure faite en métal. Elle comprend le capot, le toit, les ailes et les portes.

**cartable** nom masculin

Un **cartable** est un sac qui sert à mettre les affaires d'école. *Je porte mon cartable sur le dos.*

**carte** nom féminin

❶ Une **carte** de géographie est un dessin qui représente un pays avec ses villes, ses fleuves, ses montagnes. *J'ai trouvé la ville où j'habite sur une carte de France.*

❷ Une **carte** d'identité est un papier qui comporte le nom, l'adresse, la date et le lieu de naissance ainsi que la photo d'une personne.

❸ Les **cartes** à jouer sont des petits rectangles de carton qui portent des dessins et des nombres. *Nous avons fait une partie de cartes chez Camille.*

❹ Une **carte** postale est un rectangle de carton avec un côté illustré et un côté pour écrire.

**carton** nom masculin

❶ Le **carton** est du papier très épais et très dur. *La couverture de mon livre est en carton.*

❷ Un **carton** est une boîte faite avec du carton. *Quand on déménage, on range les affaires dans des cartons.*

● Mot de la même famille : **cartonné**.

**cartonné, cartonnée** adjectif

Un objet **cartonné** est un objet en carton. *La couverture cartonnée d'un livre.*

**cartouche** nom féminin

❶ Une **cartouche** est un petit tube rempli de poudre que l'on met dans un fusil pour tirer.

❷ Une **cartouche** d'encre est un petit tube rempli d'encre que l'on met dans un stylo pour écrire.

**cas** nom masculin

❶ En **cas** de signifie : si telle chose se produit. *En cas d'incendie, il faut alerter les pompiers.*

❷ En tout **cas** signifie : de toute façon. *J'ignore qui a cassé un carreau, en tout cas ce n'est pas moi.*

**cascade** nom féminin

Une **cascade** est une chute d'eau qui tombe à pic le long d'une montagne.

La **cascade** dévale la montagne.

### cascadeur nom masculin
### cascadeuse nom féminin

Un **cascadeur**, une **cascadeuse** sont des personnes qui remplacent les acteurs d'un film dans les scènes dangereuses. C'est un nom de métier.

### case nom féminin

❶ Une **case** est un carré sur une grille de mots croisés ou sur le plateau d'un jeu. *Les cases d'un damier sont noires et blanches.*

❷ Une **case** est une partie d'un meuble que l'on utilise comme une boîte. *Je range mes livres dans la case de mon bureau.*

❸ Une **case** est une petite maison très simple faite de paille, de branches, de terre. *Dans certains pays, les habitants vivent dans des cases.* Synonyme : **hutte**.

● Mot de la même famille : **casier**.

### caserne nom féminin

Une **caserne** est un grand bâtiment où vivent des pompiers, des soldats ou des gendarmes.

### casier nom masculin

Un **casier** est un meuble à cases. *Papi range le vin dans un casier à bouteilles.*

### casque nom masculin

❶ Un **casque** est un chapeau dur et résistant qui protège la tête en cas de choc. *Les motards, les cyclistes, les ouvriers, les pompiers portent un casque.*

❷ Un **casque** est un appareil qui a des écouteurs et que l'on met sur les oreilles.

● Mot de la même famille : **casquette**.

Les enfants portent des **casques**.

### casquette nom féminin

Une **casquette** est un chapeau à visière. *Mon grand frère porte sa casquette la visière en arrière.*

### casser verbe

❶ **Casser** un objet, c'est le mettre en morceaux. *Zoé a fait tomber un verre et elle l'a cassé.* Synonyme : **briser**. Se **casser** un membre, s'est se briser un os, se faire une fracture. *Lucas s'est cassé le bras en faisant du ski.*

❷ Quand un mécanisme **est cassé**, il ne fonctionne plus, il est hors d'usage. *Ma montre est cassée.*

### casserole nom féminin

Une **casserole** est un récipient profond qui sert à faire cuire les aliments. *On tient une casserole par le manche.*

### cassette nom féminin

Une **cassette** est une petite boîte plate qui contient une bande pour enregistrer des sons ou des images. *Léa écoute une cassette sur son baladeur. Paul regarde une cassette vidéo sur l'écran de télévision grâce à un magnétoscope.*

A
B
C
D
E
F
H
I
J
K
L
M
N
O
P
Q
R
S
T
U
V
W
X
Y
Z

**castor** nom masculin
Un **castor** est un petit rongeur des pays froids qui a les pattes palmées et une grande queue plate.
▶ Les castors construisent des barrages en bois dans les rivières pour s'abriter.

un **castor**

**catalogue**
nom masculin
Un **catalogue** est une sorte de magazine où l'on trouve des objets à acheter, des livres à emprunter, des tableaux à regarder. *Ma mère regarde un **catalogue** de vente par correspondance.*

**catastrophe** nom féminin
Une **catastrophe** est un accident très grave qui touche beaucoup de personnes. *Les inondations sont une **catastrophe** pour la région.* Synonyme : désastre.
🔎 Ce mot s'écrit avec *ph*.
● Mot de la même famille : catastrophique.

**catastrophique** adjectif
Un événement **catastrophique** est très grave. *La sécheresse a eu des conséquences **catastrophiques** sur l'agriculture.* Synonymes : terrible, tragique.
🔎 Ce mot s'écrit avec *ph*.

**catéchisme** nom masculin
Le **catéchisme** est un cours de religion chrétienne.

**catégorie** nom féminin
Une **catégorie** est un ensemble de personnes ou de choses du même genre. *Dans un magasin, les produits sont rangés par **catégories**.* Synonyme : groupe.

**cathédrale** nom féminin
Une **cathédrale** est l'église principale d'une ville. *Cette **cathédrale** a de magnifiques vitraux.*

**1. catholique** adjectif
La religion **catholique** reconnaît le pape comme chef. *Jean est **catholique**, il va à la messe le dimanche.*

**2. catholique** nom masculin et nom féminin
Les **catholiques** sont des personnes qui croient en Dieu. Ils sont baptisés et vont prier à l'église.
→ Cherche **bouddhiste**, **israélite**, **musulman** et protestant.

**cauchemar** nom masculin
Un **cauchemar** est un mauvais rêve qui fait peur.

Simon fait un **cauchemar**.

**cause** nom féminin

La **cause** d'un événement, c'est ce qui l'a provoqué. *La police ne connaît pas encore la* **cause** *de l'accident.* Contraire : conséquence. *On ne connaît pas la* **cause** *de son départ.* Synonymes : motif, raison.

● Mot de la même famille : causer.

**causer** verbe

**Causer** quelque chose, c'est en être la cause. *Un conducteur qui roulait trop vite* **a causé** *l'accident.* Synonyme : provoquer.

**cavalcade** nom féminin

❶ Une **cavalcade** est un défilé de cavaliers.

❷ Une **cavalcade** est une course désordonnée et bruyante d'un groupe de personnes. *L'instituteur ne veut pas de* **cavalcade** *dans les escaliers.*

**cavalier** nom masculin
**cavalière** nom féminin

Un **cavalier**, une **cavalière** sont des personnes qui montent à cheval. *Le cavalier a lancé son cheval au galop.*

🔍 Ne confonds pas avec « un chevalier ».

**cave** nom féminin

La **cave** est le local qui est situé sous une maison. *On range le vin à la cave.*

**caverne** nom féminin

Une **caverne** est un grand creux dans un rocher qui peut servir d'abri ou d'habitation. *Ali Baba a découvert la* **caverne** *des quarante voleurs.* Synonyme : grotte.

**cavité** nom féminin

Une **cavité** est un gros trou. *La mer a creusé des* **cavités** *dans la falaise.* Synonyme : creux.

Le lion est couché dans la **caverne**.

**CD** nom masculin

Un **CD** est un petit disque de douze centimètres. *Chloé écoute des* **CD** *de chansons.*

🔍 Au pluriel, il n'y a pas de *s* : on écrit *des CD.*

**ce, cette** adjectif

**Ce** et **cette** sont des déterminants qui désignent une personne ou une chose : *ce bébé, cette maison.*

🔍 Quand un nom masculin commence par une voyelle ou un « h » muet, on dit *cet* : *cet enfant, cet harmonica.* Au pluriel, on dit *ces.* Ne confonds pas « ce » et le pronom « se ».

**céder** verbe

**Céder**, c'est finir par accepter. *Ma sœur pleurait pour regarder la télévision mais papa n'a pas* **cédé**.

**cédille** nom féminin

Une **cédille** est un petit signe que l'on écrit sous la lettre « c » devant « a », « o » et « u » pour indiquer que le **c** se prononce [s]. *Il y a une* **cédille** *dans le mot « reçu ».*

**ceinture** nom féminin

❶ Une **ceinture** est une bande de cuir ou de tissu que l'on attache autour de la taille. *Léo porte une ceinture sur son jean.*

❷ Une **ceinture de sécurité** est une bande de tissu très solide qui sert à maintenir sur son siège le passager d'un avion ou d'une voiture en cas de choc.

**cela** pronom

**Cela**, c'est la chose que je montre, que je vois ou que j'entends. *Peux-tu donner cela à ton frère ?* Synonyme : **ça.**

**célèbre** adjectif

Une personne **célèbre** est une personne que tout le monde connaît. *Astérix est un personnage célèbre de bandes dessinées.* Synonyme : connu. Contraire : inconnu.

● Mot de la même famille : célébrité.

**célébrité** nom féminin

La **célébrité**, c'est le fait d'être célèbre. Synonyme : : gloire.

Loan a attaché sa **ceinture de sécurité**.

**céleri** nom masculin

Le **céleri** est un légume que l'on mange cru ou cuit. On mange ses tiges et sa racine.

**1. célibataire** adjectif

Une personne **célibataire** n'est pas mariée.

**2. célibataire** nom masculin et nom féminin

Un **célibataire**, une **célibataire** sont des personnes qui ne sont pas mariées.

**celle → celui**

**cellule** nom féminin

❶ Une **cellule** est une petite pièce fermée à clé. *Le prisonnier est enfermé dans une cellule.*

❷ Les **cellules** sont les plus petits éléments d'un être vivant. *Les animaux et les plantes sont formés de milliards de cellules.*

**celui, celle** pronom

**Celui** et **celle** représentent la personne ou la chose que l'on montre ou dont on parle. *Ma sœur est blonde, celle de Léo est brune. Mon stylo est bleu, celui de Lisa est noir.*

🔍 Au pluriel, on dit *ceux, celles.*

**cendre** nom féminin

La **cendre** est la poudre grise qui reste d'une chose brûlée.

● Mot de la même famille : cendrier.

**cendrier** nom masculin

Un **cendrier** est un récipient qui sert à déposer les cendres de tabac.

**centaine** nom féminin

❶ Une **centaine** est un groupe de cent unités. *Dans 425, le chiffre des centaines est 4.*

❷ Une **centaine** est un groupe d'environ cent. *Au mariage de Claire, il y avait une* **centaine** *d'invités.*

## centime nom masculin
Il faut cent **centimes** pour faire un euro.

## centimètre nom masculin
Il faut cent **centimètres** pour faire un mètre. *Ma règle mesure vingt centimètres.*

cinq **centimètres**

## centre nom masculin
❶ Le **centre** d'un objet est le milieu. *On a placé un vase au* **centre** *de la table.*
❷ Un **centre commercial** est un endroit où sont regroupés de nombreux magasins. *Le samedi, nous faisons nos courses dans un* **centre commercial.**

## cependant adverbe
**Cependant** signifie : malgré cela. *Aziz est un bon footballeur,* **cependant** *il doit continuer à s'entraîner régulièrement.*
Synonymes : mais, pourtant.

## céramique nom féminin
La **céramique** est de la terre cuite couverte d'un vernis. *Le potier fabrique des objets en* **céramique.**

## cerceau nom masculin
Un **cerceau** est un cercle de bois léger ou de plastique. *La gymnaste lance son* **cerceau** *et le rattrape.*

## cercle nom masculin
Un **cercle** est une forme géométrique ronde. *Sais-tu tracer un* **cercle** *avec un compas ?* Synonyme : rond.

☞ Va voir « les couleurs et les formes », page 171.

Lisa va faire tourner son **cerceau**.

## cercueil nom masculin
Un **cercueil** est une longue caisse en bois où l'on met le corps d'une personne morte.

🔍 Il y a un *u* après le deuxième *c*.

## céréale nom féminin
❶ Une **céréale** est une plante. Ses graines servent de nourriture aux hommes et aux animaux.
❷ Les **céréales** sont des flocons d'avoine, de maïs ou de riz. *Au petit déjeuner, Clara mange des* **céréales** *avec du lait.*

Ces **céréales** sont le maïs, le riz, le blé, le seigle et l'avoine.

a b c d e f g h i j k l m n o p q r s t u v w x y z

**cérémonie** nom féminin

Une **cérémonie** est une réunion que l'on organise à l'occasion d'un événement important. *La cérémonie du mariage aura lieu samedi.*

**cerf** nom masculin

Un **cerf** est un mammifère de haute taille qui vit dans les forêts. Il a de grandes cornes qu'on appelle des « bois ». *Les bois du cerf tombent tous les ans et repoussent avec une branche de plus.*

▶ C'est un ruminant. La femelle est la biche, le petit, le faon. Quand le cerf crie, on dit qu'il **brame.**

▶ Les bois du cerf tombent en automne et repoussent au printemps.

🔎 Ce mot se termine par un *f* qu'on ne prononce pas : [sɛr].

**cerf-volant** nom masculin

Un **cerf-volant** est un objet en papier ou en tissu que l'on fait voler dans le vent au bout d'un long fil. *Sur la plage, petits et grands font voler des cerfs-volants.*

🔎 Le *f* ne se prononce pas : [sɛr]. Ce mot s'écrit avec un trait d'union. Au pluriel, on écrit *des cerfs-volants.*

**cerise** nom féminin

Une **cerise** est un fruit rouge qui a un noyau.

▶ Les cerises poussent sur un arbre, le **cerisier**.

**cerne** nom masculin

Un **cerne** est une marque légèrement bleue que l'on a sous les yeux quand on est fatigué.

**certain, certaine** adjectif

❶ Être **certain** de quelque chose, c'est en être sûr, ne pas avoir de doute. *Marion est certaine que Pierre viendra.* Synonyme : : convaincu.

❷ **Certaines** personnes, **certains** objets, ce sont quelques personnes, quelques objets. *Certains élèves n'ont pas compris l'exercice.*

● Mots de la même famille : certainement, certains.

**certainement** adverbe

**Certainement** signifie : de façon certaine, sans aucun doute. *Le ciel est tout noir, il va certainement pleuvoir.* Synonymes : probablement, sûrement. Contraire : peut-être.

**certains, certaines** pronom pluriel

**Certains, certaines**, ce sont quelques personnes. *Certains préfèrent aller à la piscine, d'autres au match de football.* Synonymes : quelques-uns, quelques-unes.

un **cerf**

## cerveau nom masculin

Le **cerveau** est l'organe qui se trouve à l'intérieur du crâne. Il sert à penser, à sentir, à bouger, à voir, à entendre, à parler.

🔎 Au pluriel, on écrit *des cerveaux*.

● Mot de la même famille : **cervelle**.

## cervelle nom féminin

❶ La **cervelle** est la matière qui forme le cerveau. **Se creuser la cervelle** est une expression familière pour dire « se creuser la tête, réfléchir ».

❷ La **cervelle** est le cerveau d'un animal de boucherie. *Nous avons mangé de la cervelle d'agneau.*

## ces → ce

## cesser verbe

Cesser, c'est arrêter. *Cesse d'énerver ta petite sœur.* Contraire : **continuer**.

## cet, cette → ce

## ceux → celui

## chacal nom masculin

Un **chacal** est un mammifère sauvage des pays chauds qui ressemble à un chien. *Les chacals se nourrissent d'animaux morts.*

## chacun, chacune pronom

Chacun, chacune, c'est chaque personne. *Les enfants auront un cadeau chacun.*

un **chacal**

## chagrin nom masculin

Avoir du **chagrin**, c'est être très triste. *Lucas a eu beaucoup de chagrin quand son hamster est mort.* Synonyme : **peine**.

## chahuter verbe

Chahuter, c'est faire beaucoup de bruit, s'agiter et s'énerver. *J'aime bien chahuter avec mes frères.*

🔎 Il y a un *h* avant le *u*.

## chaîne nom féminin

❶ Une **chaîne** est un objet fait d'une série d'anneaux en métal accrochés les uns aux autres. *Les chiens de ferme sont parfois attachés avec une chaîne.*

❷ Une **chaîne** de montagnes est un ensemble de montagnes. *La chaîne des Pyrénées sépare la France de l'Espagne.*

❸ Une **chaîne** de télévision est un ensemble de programmes. *Mes parents regardent un film sur la cinquième chaîne.*

❹ Une **chaîne** (ou une **chaîne hi-fi**) est un appareil qui permet d'écouter des disques et des cassettes. Elle comprend un lecteur de disques, un lecteur de cassettes, un magnétophone et une radio.

🔎 Le *i* prend un accent circonflexe. Ne confonds pas « une chaîne » et « un chêne ».

## chair nom féminin

❶ La **chair** est la partie du corps des humains et des animaux qui se trouve sous la peau et qui couvre les os. *Une fois cuite, la chair du poulet est blanche.*

❷ La **chair** d'un fruit est la partie tendre qui est sous la peau. *Les pêches ont une chair parfumée.*

## chaise nom féminin

Une **chaise** est un siège à dossier et sans bras.

→ Cherche **fauteuil** et **tabouret**.

*a b c d e f g h i j k l m n o p q r s t u v w x y z*

A
B
C
D
E
F
G
H
I
J
K
L
M
N
O
P
Q
R
S
T
U
V
W
X
Y
Z

### chalet nom masculin

Un **chalet** est une maison en bois, construite dans la montagne. *En classe de neige, nous logeons dans un chalet.*

des **chalets** à la montagne

### chaleur nom féminin

La **chaleur** est la température élevée d'un lieu. *En août, la chaleur est très forte dans cette ville.* **Contraire :** froid.

### chambre nom féminin

Une **chambre** est une pièce où l'on couche.

🔍 Le son [ã] s'écrit *am* devant un *b*.

### chameau nom masculin

Un **chameau** est un grand mammifère du désert au pelage beige et qui a deux bosses sur le dos. *Les chameaux peuvent rester longtemps sans boire et sans manger.*

▶ C'est un ruminant. La femelle est la **chamelle**, le petit, le **chamelon**. Quand le chameau crie, on dit qu'il **blatère**.

🔍 Au pluriel, on écrit *des chameaux*.

➔ Cherche **dromadaire**.

### chamois nom masculin

Un **chamois** est un mammifère de montagne qui est très agile. Il a des cornes lisses et recourbées vers l'arrière.

▶ C'est un ruminant.

### champ nom masculin

Un **champ** est un terrain cultivé. On peut y planter des céréales, des légumes ou des fleurs. *L'agriculteur laboure le champ avant de semer des graines.*

🔍 Le son [ã] s'écrit *am* devant un *p*. Ne confonds pas « champ » et « le chant » que l'on chante.

### champagne nom masculin

Le **champagne** est un vin blanc qui pétille et qui est fabriqué dans une région de France, la Champagne. *Maman a débouché la bouteille de champagne.*

🔍 Le son [ã] s'écrit *am* devant un *p*.

### champignon nom masculin

Un **champignon** est une plante sans feuilles ni fleurs qui pousse dans les endroits humides. Il est formé d'un pied et d'un chapeau.

un **chameau**

▶ Il existe des champignons comestibles, mais d'autres sont vénéneux et parfois mortels.

🔍 Le son [ã] s'écrit *am* devant un *p.*

## champion nom masculin
## championne nom féminin

Le champion, la championne sont les vainqueurs d'une compétition sportive ou d'un jeu. *La championne d'Allemagne de tennis a encore remporté un match.*

🔍 Le son [ã] s'écrit *am* devant un *p.*

● Mot de la même famille : championnat.

## championnat nom masculin

Un championnat est une compétition. Le vainqueur obtient le titre de champion. *Papi a participé à un championnat d'échecs.*

🔍 Le son [ã] s'écrit *am* devant un *p.*

## chance nom féminin

❶ La chance est un hasard heureux. *Julien a encore gagné à la tombola, il a de la chance.*

❷ Une chance est une possibilité que quelque chose se produise. *S'il fait beau, il y a des chances que Paul vienne demain.*

## chandail nom masculin

Un chandail est un pull.

## chandelier nom masculin

Un chandelier est un grand bougeoir à pied.

## chandelle nom féminin

Une chandelle est une sorte de bougie que l'on utilisait autrefois pour s'éclairer.

● Mot de la même famille : chandelier.

## Les champignons

**Champignons comestibles**

chapeau

pleurote

champignon de couche

girolle

bolet bai

pied-de-mouton

morille

**Champignons mortels**

● cortinaire montagnard

● amanite vireuse

● amanite phalloïde

a b c d e f g h i j k l m n o p q r s t u v w x y z

A B C D E F G H I J K L M N O P Q R S T U V W X Y Z

**changement** nom masculin

Un **changement**, c'est le fait de changer, de devenir différent. *La météo annonce un changement de temps.*

**changer** verbe

❶ Changer, c'est devenir différent. *Théo a beaucoup changé en grandissant.*
❷ Changer une personne ou une chose, c'est les rendre différentes. *La sorcière a changé la princesse en statue.* Synonyme : transformer.
❸ Changer de vêtement, c'est en mettre un autre. *Thomas s'est sali, il va changer de pantalon.*
● Mot de la même famille : changement.

**chanson** nom féminin

Une **chanson** est un texte que l'on chante sur une musique. *Une chanson comprend en général un refrain et plusieurs couplets.*

**chant** nom masculin

❶ Le **chant**, c'est l'art de chanter. *Ma grande sœur prend des cours de chant.* Un **chant**, c'est un type de chansons. *Nous avons appris des chants de Noël.*
❷ Le **chant** d'un oiseau ou d'un insecte, c'est la suite de sons mélodieux qu'il fait. *Romain aime écouter le chant du merle.*
🔍 Ne confonds pas « chant » et « un champ » de blé.
● Mots de la même famille : chanter, chanteur, chantonner.

**chanter** verbe

❶ Chanter, c'est faire des sons mélodieux avec la voix. *Anne chante une berceuse à son petit frère.* Chanter juste, c'est bien suivre la musique. Contraire : chanter faux.

❷ Quand un oiseau **chante**, il fait des sons qui ressemblent à de la musique. *À la tombée du jour, j'ai entendu un rossignol chanter.*

**chanteur** nom masculin
**chanteuse** nom féminin

Un **chanteur**, une **chanteuse** sont des personnes qui chantent. C'est un nom de métier. *Nous écoutons une chanteuse de jazz et un chanteur d'opéra.*

**chantier** nom masculin

Un **chantier** est un endroit où l'on construit un bâtiment, un pont, une autoroute. *Les ouvriers portent un casque sur le chantier.*

Les ouvriers travaillent sur le **chantier**.

**chantonner** verbe

Chantonner, c'est chanter doucement. *Papi chantonne pour endormir le bébé.* Synonyme : fredonner.

**chapeau** nom masculin

❶ Un **chapeau** est un vêtement qui protège la tête du froid, du soleil ou de la pluie. *Un bonnet, une casquette sont des chapeaux.*

**②** Le **chapeau** d'un champignon est sa partie supérieure.

🔍 Au pluriel, on écrit *des chapeaux*.

**chapelle** nom féminin
Une **chapelle** est une petite église ou une partie d'une église.

**chaperon** nom masculin
Un **chaperon** est une sorte de petit capuchon que l'on portait autrefois. *Le Petit Chaperon rouge est appelé ainsi car elle porte un chaperon rouge.*

**chapiteau** nom masculin
Le **chapiteau** d'un cirque est la grande tente qui sert de salle de spectacle pour un cirque.

🔍 Au pluriel, on écrit *des chapiteaux*.

On installe le **chapiteau** du cirque.

**chapitre** nom masculin
Un **chapitre** est une partie d'un livre. *J'ai lu mon livre jusqu'au chapitre 4.*

**chaque** adjectif singulier
**①** **Chaque** est un déterminant qui désigne les personnes ou les choses une par une. *Chaque enfant a eu un jouet.*
**②** **Chaque** est un déterminant qui indique la répétition. *Chaque été, nous allons camper.* Synonyme : **tous les.**

🔍 « Chaque » n'a jamais de *s*.

**char** nom masculin
**①** Au temps des anciens Romains, un **char** était une voiture à deux roues tirée par des chevaux.
**②** Un **char** est une grande voiture que l'on décore pour les carnavals ou les défilés.
**③** Un **char d'assaut** est un véhicule militaire. Synonyme : **tank.**
● Mots de la même famille : **chariot, charrette.**

**charade** nom féminin
Une **charade** est une devinette sur les mots. *Voici une charade : Mon premier miaule, mon second est un récipient, et mon tout se porte sur la tête. (réponse : chapeau).*

**charbon** nom masculin
Le **charbon** est une matière noire et solide que l'on trouve dans le sol. On le brûle pour se chauffer ou pour produire de l'énergie. *Autrefois, les locomotives fonctionnaient au charbon.*

**charcuterie** nom féminin
**①** La **charcuterie** est un aliment fait avec de la viande de porc, comme le jambon ou le saucisson.
**②** Une **charcuterie** est un magasin où le charcutier fabrique et vend de la charcuterie.

**charcutier** nom masculin
**charcutière** nom féminin
Un **charcutier**, une **charcutière** sont des personnes qui fabriquent et qui vendent des aliments faits avec de la viande de porc. C'est un nom de métier. *J'ai acheté du jambon chez le charcutier.*
● Mot de la même famille : **charcuterie.**

A
B
C
D
E
F
G
H
I
J
K
L
M
N
O
P
Q
R
S
T
U
V
W
X
Y
Z

**chardon** nom masculin

Un **chardon** est une fleur qui a des feuilles piquantes. *Les ânes mangent des chardons.*

des **chardons**

**chargement** nom masculin

Le **chargement** d'un véhicule, c'est l'ensemble du matériel et des marchandises qu'il transporte. Synonyme : cargaison.

**charger** verbe

❶ **Charger**, c'est mettre des objets à transporter sur un animal, dans un véhicule, ou les faire porter par une personne. *Nous avons chargé le coffre de la voiture.* Contraire : décharger.

❷ **Charger** une personne de faire quelque chose, c'est lui demander de le faire, lui donner une mission. *Ma tante m'a chargé de surveiller son bébé.*

❸ **Charger** une arme, c'est mettre dedans des balles ou de la poudre. *Attention, le pistolet est chargé, le coup peut partir !*

● Mot de la même famille : chargement.

**chariot** nom masculin

Un **chariot** est une petite voiture qui sert à transporter des objets. *À l'aéroport, nous avons mis nos valises et nos sacs sur un chariot à bagages.*

**charivari** nom masculin

Un **charivari** est un bruit fort et désagréable. *Dans le conte « les Musiciens de la ville de Brême », les animaux font un terrible charivari.* Synonymes : tapage, vacarme.

**charmant, charmante** adjectif

Une personne ou une chose **charmante** plaît, est agréable. *Notre voisine est charmante.* Contraires : antipathique, désagréable.

**charpente** nom féminin

La **charpente** d'une maison est l'ensemble des poutres qui soutiennent le toit.

● Mot de la même famille : charpentier.

**charpentier** nom masculin

Un **charpentier** est une personne qui fabrique et qui pose des charpentes. C'est un nom de métier.

**charrette** nom féminin

Une **charrette** est une voiture légère à deux roues tirée en général par un cheval. *Autrefois, on transportait le foin dans une charrette.*

🔍 « Charrette » a deux *r* et deux *t*.

**charrue** nom féminin

Une **charrue** est une machine à labourer la terre. *Autrefois, les charrues étaient tirées par des bœufs ou par des chevaux ; aujourd'hui elles sont tirées par des tracteurs.*

🔍 Il y a deux *r*.

**chasse** nom féminin

➊ La **chasse** est l'action de chasser, de poursuivre des animaux sauvages. *Monsieur Bertin va à la chasse au canard.*

➋ Une **chasse d'eau** est un appareil qui nettoie la cuvette des cabinets en envoyant un jet d'eau très fort.

**chasse-neige** nom masculin

Un **chasse-neige** est un engin qui sert à enlever la neige de la route en la poussant sur les côtés. *Les chasse-neige passent tôt le matin.*

🔎 Ce mot s'écrit avec un trait d'union. Il n'y a pas de *s* au pluriel : on écrit *des chasse-neige.*

**chasser** verbe

➊ **Chasser** un animal sauvage, c'est le poursuivre pour le capturer ou le tuer. *Monsieur Bertin prend son fusil pour aller chasser.*

➋ **Chasser** quelque chose ou quelqu'un, c'est les faire partir, les faire disparaître. *Le vent a chassé les nuages.*

● Mots de la même famille : **chasse, chasse-neige, chasseur.**

**chasseur** nom masculin
**chasseuse** nom féminin

Un **chasseur**, une **chasseuse** sont des personnes qui chassent, qui capturent des animaux. *Les chasseurs ont rapporté du gibier.*

**chat** nom masculin

Un **chat** est un animal domestique qui a un corps souple et des griffes qu'il peut rentrer et sortir. *Quand un chat est content, il ronronne.*

▶ C'est un félin. La femelle est la **chatte**. Le petit est le **chaton**. Quand le chat crie, on dit qu'il miaule et son cri est le **miaulement**.

**châtaigne** nom féminin

Une **châtaigne** est un fruit recouvert d'une peau dure marron clair et que l'on mange grillé ou bouilli.
Synonyme : **marron.**

▶ Les châtaignes poussent sur un arbre, le **châtaignier.**

🔎 Le premier *a* prend un accent circonflexe.

● Mot de la même famille : **châtain.**

**châtain** adjectif

Des cheveux **châtains** sont brun clair, de la couleur des châtaignes.

🔎 Le premier *a* prend un accent circonflexe.

→ Cherche **blond, brun** et **roux.**

**château** nom masculin

➊ Un **château** est une grande et riche habitation située au milieu d'un grand parc. *Les rois vivaient dans des châteaux.* Synonyme : **palais.**

➋ Un **château fort** est un grand bâtiment entouré de remparts et de fossés, appelés « douves ». *Au Moyen Âge, les seigneurs vivaient dans des châteaux forts.*

🔎 Le premier *a* prend un accent circonflexe. Au pluriel, on écrit *des châteaux.*

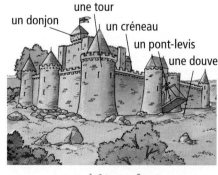

une tour
un donjon
un créneau
un pont-levis
une douve

un **château fort**

a b c d e f g h i j k l m n o p q r s t u v w x y z

### chatouiller verbe

**Chatouiller** une personne, c'est la toucher doucement sous les pieds, sous les bras ou dans le cou. *David chatouille sa sœur avec un pinceau.*

● Mot de la même famille : chatouilleux.

### chatouilleux, chatouilleuse adjectif

Une personne **chatouilleuse** ne peut s'empêcher de rire quand on la chatouille.

### 1. chaud, chaude adjectif

❶ Ce qui est **chaud** a une température élevée et produit une sensation de chaleur. *Attention, la soupe est très chaude ! Veux-tu une boisson chaude ?* Contraire : froid.

❷ Un vêtement **chaud** garde bien la chaleur. *Pour aller skier, je mets des vêtements chauds.*

● Mot de la même famille : chaudement.

### 2. chaud nom masculin

Être au **chaud**, c'est être là où il y a de la chaleur. *Reste au chaud si tu es malade.* Contraire : froid. Avoir chaud, c'est éprouver une sensation de chaleur. Contraire : avoir froid.

### chaudement adverbe

S'habiller **chaudement**, c'est s'habiller de façon à avoir chaud. *Il neige, habille-toi chaudement !*

### chaudron nom masculin

Un **chaudron** est un grand récipient en cuivre ou en fonte que l'on suspendait autrefois dans les cheminées pour faire chauffer l'eau ou les aliments.

### chauffage nom masculin

Le **chauffage** est l'ensemble des appareils qui chauffent une maison. *Le chauffage est en panne.*

Un **chaudron**

### chauffer verbe

**Chauffer**, c'est rendre chaud, donner de la chaleur. *Le radiateur chauffe bien la pièce.* **Chauffer**, c'est devenir chaud. *L'eau est en train de chauffer.*

● Mot de la même famille : chauffage.

### chauffeur nom masculin

Un **chauffeur** est une personne qui conduit un camion, une automobile ou un taxi. C'est un nom de métier.

### chaumière nom féminin

Une **chaumière** est une petite maison qui a un toit recouvert de paille.

une **chaumière** à la campagne

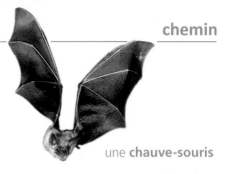
une **chauve-souris**

### chaussée nom féminin
La **chaussée** est la partie de la route où les véhicules circulent. *Ne marche pas sur la chaussée mais sur le trottoir.*

### chausser verbe
❶ **Chausser** telle pointure, c'est porter des chaussures de cette pointure, de cette taille. *Maman chausse du 38.*
❷ **Se chausser**, c'est mettre ses chaussures. *Romain se chausse pour aller dehors.*
● Mots de la même famille : **chaussette, chausson, chaussure.**

### chaussette nom féminin
Une **chaussette** est un vêtement qui couvre le pied et le bas de la jambe.

### chausson nom masculin
Un **chausson** est une chaussure souple, légère et confortable pour la maison. Synonyme : **pantoufle.**

### chaussure nom féminin
Une **chaussure** recouvre et protège le pied. *Les bottes, les baskets, les sandales et les tennis sont des chaussures.* Synonyme : **soulier.**

### chauve adjectif
Une personne **chauve** n'a plus de cheveux.

### chauve-souris nom féminin
Une **chauve-souris** est un petit mammifère qui a un corps de souris et de grandes ailes sans plumes. *Les chauves-souris sont actives la nuit.*
🔍 Ce mot s'écrit avec un trait d'union. Au pluriel, on écrit *des chauves-souris.*

### chavirer verbe
Quand un bateau **chavire**, il se renverse, la coque en l'air.

### chef nom masculin
Un **chef** est une personne qui commande, qui dirige. *Un chef d'orchestre dirige les musiciens d'un orchestre.*

### chef-d'œuvre nom masculin
Un **chef-d'œuvre** est une œuvre remarquable que tout le monde admire. *Dans les musées du monde, on peut voir de nombreux chefs-d'œuvre.*
🔍 Le *f* ne se prononce pas. Au pluriel, il n'y a pas de *s* à « œuvre » : on écrit *des chefs-d'œuvre.*
➜ Cherche œuvre.

### chemin nom masculin
❶ Un **chemin** est un passage en terre ou en cailloux. *Prenons le chemin qui traverse la forêt.*
❷ Le **chemin** est la direction à suivre. *Un agent nous a indiqué le chemin pour aller à la piscine.* Synonymes : **itinéraire, route.**
● Mot de la même famille : **chemin de fer.**
➜ Cherche allée et sentier.

Elle trace le **chemin** de la piscine.

A B C D E F G H I J K L M N O P Q R S T U V W X Y Z

## chemin de fer nom masculin
Le **chemin de fer** est le train. *La S.N.C.F. est la Société nationale des chemins de fer français.*

## cheminée nom féminin
❶ La **cheminée** est l'endroit d'une habitation où l'on peut faire du feu. *Les bûches brûlent dans la cheminée.*
❷ Une **cheminée** est un tuyau par où sort la fumée, sur le toit des maisons, des usines et des paquebots.

## chemise nom féminin
❶ Une **chemise** est un vêtement en tissu qui est boutonné devant et qui couvre le haut du corps et les bras.
❷ Une **chemise de nuit** est un vêtement de nuit en forme de robe.

## chêne nom masculin
Un **chêne** est un grand arbre au bois très résistant. *Un chêne peut vivre six cents ans.*
▶ Le fruit du chêne est le gland.
🔍 Le premier e prend un accent circonflexe. Ne confonds pas « un chêne » et « une chaîne ».

## chenille nom féminin
Une **chenille** est un petit animal qui ressemble un peu à un ver mais qui a le corps couvert de poils. C'est la larve du papillon. *Les chenilles se nourrissent de feuilles.*
➜ Cherche **papillon**.

une **chenille**

## chèque nom masculin
Un **chèque** est un papier fabriqué par les banques. On inscrit dessus la somme à payer, le nom du destinataire et on le signe. *Mon père a payé par chèque au supermarché.*

## cher, chère adjectif
❶ Une personne **chère** est une personne que l'on aime. *Au début de sa lettre, Clara a écrit : « chère mamie ».*
❷ Un article **cher**, une marchandise **chère** coûtent beaucoup d'argent. *Cet ordinateur est cher.* Synonyme : **coûteux**.
🔍 « Cher » se prononce [ʃɛr].
● Mot de la même famille : **chéri**.

## chercher verbe
❶ **Chercher**, c'est essayer de trouver ou de découvrir. *Julien cherche son stylo. Les savants cherchent un nouveau vaccin.*
❷ **Chercher à** faire quelque chose, c'est tout faire pour trouver une solution. *Chloé cherche à convaincre son frère de l'accompagner au cinéma.*

## chéri, chérie adjectif
Une personne **chérie** est une personne que l'on aime beaucoup. *Mes enfants chéris.*

## cheval nom masculin
❶ Un **cheval** est un grand mammifère qui a une crinière, une longue queue et des sabots.
❷ **Faire du cheval**, c'est monter sur un cheval, faire de l'équitation.
❸ **Être à cheval**, c'est être assis sur quelque chose avec une jambe de chaque côté. *David est à cheval sur une chaise.* Synonyme : **à califourchon**.
▶ La femelle est la jument. Le petit est le poulain. Quand le cheval crie, on dit qu'il hennit et son cri est le **hennissement**.

Au pluriel, on écrit *des chevaux*.

● Mot de la même famille : chevalier.

### chevalier nom masculin

Un **chevalier** est un seigneur du Moyen Âge qui combattait à cheval et portait une armure.

Ne confonds pas avec « un cavalier ».

### chevelure nom féminin

La **chevelure** est l'ensemble des cheveux. *Laura a une longue chevelure blonde.*

### cheveu nom masculin

Les **cheveux** sont les poils qui poussent sur la tête des humains. *Élise a de beaux cheveux roux.*

Au pluriel, on écrit *des cheveux*.

● Mot de la même famille : chevelure.

### cheville nom féminin

La **cheville** est la partie du corps située entre le pied et la jambe. *Julien s'est tordu la cheville en sautant.*

### chevillette nom féminin

Une **chevillette** est une petite tige de bois qui servait autrefois à fermer les portes.

→ Cherche **bobinette**.

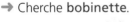

un **cheval**

### chèvre nom féminin

Une **chèvre** est un mammifère domestique qui a une touffe de barbe au menton, deux cornes courbées vers l'arrière et un pelage épais. *On fabrique du fromage avec le lait des chèvres.*

▶ C'est un ruminant. Le mâle est le bouc, le petit est le **chevreau.** Quand la chèvre crie, on dit qu'elle bêle ou qu'elle **chevrote**.

### chevreuil nom masculin

Un **chevreuil** est un mammifère sauvage de la même famille que le cerf, mais plus petit. Il vit dans les forêts.

▶ C'est un ruminant. La femelle est la **chevrette**. Le petit est le faon.

### chewing-gum nom masculin

Le **chewing-gum** est une pâte sucrée et parfumée qui se mâche, mais qui ne s'avale pas.

On écrit *gum* mais on prononce [gɔm], comme dans « gomme ». Au pluriel, on écrit *des chewing-gums*.

### chez préposition

**Chez** désigne l'endroit où habite une personne, ou le local où elle travaille : *chez moi ; chez le coiffeur.*

### chiche ! interjection

**Chiche** s'emploie pour dire que l'on est capable de faire quelque chose de difficile. *Chiche que je saute du grand plongeoir !*

### chien nom masculin

Un **chien** est un animal domestique. Il a un bon flair. *Les caniches, les cockers, les dalmatiens sont des chiens.*

▶ Les chiens sont des animaux carnivores. Le bout de leur museau est appelé « une truffe ». La femelle est la **chienne**. Le petit est le **chiot**. Quand le chien crie, on dit qu'il aboie et son cri est l'**aboiement**.

*a b c d e f g h i j k l m n o p q r s t u v w x y z*

A
B
C
D
E
F
G
H
I
J
K
L
M
N
O
P
Q
R
S
T
U
V
W
X
Y
Z

un **chimpanzé**

**chiffon** nom masculin

Un **chiffon** est un vieux morceau de tissu. *Papi fait briller ses chaussures avec un chiffon.*

🔍 Il y a deux *f*.

● Mot de la même famille : **chiffonné**.

**chiffonné, chiffonnée** adjectif

Un vêtement **chiffonné** est un vêtement que l'on a froissé et qui a l'air d'un chiffon. *Jean s'est assis sur sa veste et elle est toute chiffonnée.*
Synonymes : **fripé, froissé**.

🔍 Il y a deux *f* et deux *n*.

**chiffre** nom masculin

Un **chiffre** est un signe qui sert à écrire un nombre. *Dans 424, le chiffre des dizaines est le 2.*

**chimpanzé** nom masculin

Un **chimpanzé** est un singe qui vit dans les forêts d'Afrique. *Les chimpanzés s'apprivoisent assez facilement.*

🔍 Le son [ɛ̃] s'écrit *im* devant un *p*.

**chipie** nom féminin

Une **chipie** est une fille ou une femme insupportable, toujours prête à jouer un mauvais tour.

**chips** nom féminin

Une **chips** est une fine rondelle de pomme de terre frite, séchée et salée. *Pour le pique-nique, j'ai apporté des paquets de chips.*

🔍 Ce mot se termine par un *s* qu'on prononce.

**chirurgien** nom masculin
**chirurgienne** nom féminin

Un **chirurgien**, une **chirurgienne** sont des médecins qui opèrent les malades et les blessés. C'est un nom de métier.

**chlorophylle** nom féminin

La **chlorophylle** est la matière qui donne aux plantes leur couleur verte. Elle se forme à la lumière.

**choc** nom masculin

Un **choc** est un coup très fort produit par deux choses ou deux personnes qui se cognent. *Le bateau a heurté un rocher et l'avant a été très abîmé par le choc.*

Le **choc** a été violent.

**chocolat** nom masculin

❶ Le **chocolat** est un mélange de cacao et de sucre, de couleur brun foncé.

❷ Le **chocolat** est une boisson faite avec de la poudre de chocolat délayée dans du lait ou de l'eau. *Veux-tu une tasse de chocolat ?* Synonyme : **cacao**.

## chœur nom masculin

❶ Un **chœur** est un groupe de personnes qui chantent. Synonyme : **chorale**.

❷ Chanter **en chœur**, c'est chanter ensemble. *La maîtresse nous a fait chanter en chœur.*

🔍 On écrit *ch* mais on prononce [k]. Ne confonds pas « chœur » et « le cœur » qui bat.

## choir verbe

**Choir** se disait autrefois pour « tomber ». *Quand le Loup dit au Petit Chaperon rouge : « Tire la chevillette ; la bobinette cherra », cela signifie « elle tombera ».*

## choisir verbe

**Choisir**, c'est prendre une chose de préférence à une autre. *Sélim a choisi les baskets rouges.*

● Mot de la même famille : **choix**.

## choix nom masculin

Le **choix**, c'est la possibilité de choisir. *Tu peux venir avec nous ou rester ici, tu as le choix. Le choix, c'est ce qui a été choisi. Vous avez fait un bon choix.*

🔍 Ce mot se termine par un *x*.

## chômage nom masculin

Être au **chômage**, c'est manquer de travail, être sans emploi.

▶ Les personnes qui sont au chômage sont des **chômeurs** et des **chômeuses**.

🔍 Le *o* prend un accent circonflexe.

## chorale nom féminin

Une **chorale** est un groupe de personnes qui chantent ensemble. *Raphaëlle fait partie d'une chorale.* Synonyme : **chœur**.

🔍 On écrit *ch* mais on prononce [k].

## chose nom féminin

Une **chose** est un objet, un fait ou un événement. *Quelle est cette chose qui traîne par terre ? Après les vacances, nous aurons beaucoup de choses à nous raconter.*

## chou nom masculin

Un **chou** est un légume qui a la forme d'une grosse boule composée de feuilles. *Les choux rouges et les choux de Bruxelles sont des espèces différentes de choux.*

🔍 Au pluriel, on écrit *des choux*.

## choucroute nom féminin

La **choucroute** est un plat fait de chou coupé et cuit que l'on sert avec de la charcuterie.

## 1. chouette nom féminin

Une **chouette** est un oiseau de proie qui est actif la nuit. Elle a une grosse tête et des yeux tout ronds. *La chouette n'a pas de plumes dressées sur la tête, contrairement au hibou.*

▶ C'est un rapace. Quand la chouette crie, on dit qu'elle **hulule** ou qu'elle **chuinte**.

## 2. chouette ! interjection

**Chouette** s'emploie quand on est content. *Chouette ! on va au cinéma !*

une **chouette**

**chou-fleur** nom masculin
Un **chou-fleur** est une sorte de chou. On mange ses fleurs en forme de petites boules blanches.
🔍 Ce mot s'écrit avec un trait d'union. Au pluriel, on écrit *des choux-fleurs*.

**chrétien** nom masculin
**chrétienne** nom féminin
Les **chrétiens** sont des personnes qui croient en Jésus-Christ. *Les catholiques et les protestants sont des **chrétiens**.*
🔍 On écrit *ch* mais on prononce [k].

**chronomètre** nom masculin
Un **chronomètre** est une sorte de montre très précise. Il sert à mesurer le temps en minutes, en secondes et en parties de seconde.
🔍 On écrit *ch* mais on prononce [k].

**chuchoter** verbe
Chuchoter, c'est parler à voix basse. *David m'a **chuchoté** quelques mots à l'oreille.* Synonyme : murmurer.

**chut !** interjection
Chut s'emploie pour demander le silence. *Chut ! j'essaie de dormir !*
🔍 On prononce le *t*.

**chute** nom féminin
❶ Une **chute**, c'est le fait de tomber. *Natacha a fait une **chute** dans l'escalier. On prévoit des **chutes** de neige en montagne.*
❷ Une **chute** d'eau est une cascade.

**cible** nom féminin
Une **cible** est un objet que l'on vise et que l'on essaie d'atteindre avec les balles d'une carabine ou avec des flèches, des fléchettes.

**cicatrice** nom féminin
Une **cicatrice** est une marque qui reste sur la peau après une blessure ou une opération. *Depuis son accident, Mathis a une **cicatrice** au genou.*

**cidre** nom masculin
Le **cidre** est une boisson qui pétille et qui est faite avec du jus de pomme. Il contient de l'alcool.

**ciel** nom masculin
Le **ciel** est l'espace que l'on voit dehors au-dessus de nos têtes. *Quand il fait beau, le **ciel** est bleu.*

**cigale** nom féminin
Une **cigale** est un insecte des régions chaudes qui vit dans les arbres. *Les **cigales** chantent l'été.*
▶ Le mâle fait entendre un bruit aigu pour attirer les femelles. Quand la cigale chante, on dit aussi qu'elle **stridule** ou qu'elle **craquette**.
→ Cherche **grillon**.

**cigare** nom masculin
Un **cigare** est un petit rouleau de feuilles de tabac que l'on fume.
▶ Les cigares contiennent des produits dangereux pour la santé.
● Mot de la même famille : **cigarette**.

**cigarette** nom féminin
Une **cigarette** est faite de tabac haché roulé dans du papier.
▶ Les cigarettes contiennent des produits dangereux pour la santé.

**cigogne** nom féminin
Une **cigogne** est un grand oiseau migrateur blanc qui a le bout des ailes noir, un long bec et de hautes pattes. *En Alsace, au printemps, on peut voir des nids de **cigogne** sur les cheminées des maisons.*
▶ Le petit est le **cigogneau**. Quand la cigogne crie, on dit qu'elle **claquette** ou qu'elle **craquette**.

**cil** nom masculin

Les **cils** sont les petits poils qui poussent au bord des paupières.

→ Cherche **sourcil**.

**cime** nom féminin

La **cime** est le haut d'un arbre ou d'une montagne. *La cime du mont Blanc est enneigée.* Synonyme : **sommet**.

**ciment** nom masculin

Le **ciment** est une poudre gris clair que l'on mélange avec de l'eau et qui durcit quand elle sèche. *Pour construire un mur, le maçon met du ciment entre les briques.*

Le maçon met du **ciment** sur le mur.

**cimetière** nom masculin

Un **cimetière** est un lieu où l'on enterre les morts.

une **cigogne**

**cinéma** nom masculin

❶ Le **cinéma**, c'est l'art de tourner des films. *Mon frère veut faire du cinéma.*

❷ Un **cinéma** (ou une **salle de cinéma**) est une salle où l'on projette des films sur un grand écran. *Nous avons vu « le Roi et l'Oiseau » au cinéma.*

**cintre** nom masculin

Un **cintre** est un objet en forme d'arc avec un crochet sur le dessus. Il sert à suspendre les vêtements.

**cirage** nom masculin

Le **cirage** est un produit qui sert à nettoyer et à faire briller le cuir. *Mon frère passe du cirage sur ses chaussures.*

**circonflexe** adjectif

Un accent **circonflexe** est un accent qu'on met sur les voyelles de certains mots. *« Pâte », « prêt », « abîmer », « rôti », « sûr » s'écrivent avec un accent circonflexe.*

**circuit** nom masculin

Un **circuit** est un parcours qui ramène au point de départ. *Nous avons fait un circuit en car.*

**circulation** nom féminin

La **circulation** est le mouvement de ce qui circule. *La circulation des véhicules dans les rues. La circulation du sang dans le corps.*

**circuler** verbe

❶ Circuler, c'est se déplacer, aller et venir. *Les voitures circulent lentement quand il pleut.* Synonyme : **rouler**.

❷ Circuler, c'est se déplacer selon un circuit. *Le sang circule dans le corps.*

● Mot de la même famille : **circulation**.

A
B
C
D
E
F
G
H
I
J
K
L
M
N
O
P
Q
R
S
T
U
V
W
X
Y
Z

**cire** nom féminin

❶ La **cire** est une matière jaune produite par les abeilles. Elles l'utilisent pour construire les rayons de la ruche. *Certaines bougies sont en cire.*

❷ La **cire** est un produit qui nettoie et fait briller les meubles en bois et les parquets.

● Mots de la même famille : **cirage, cirer.**

**cirer** verbe

❶ **Cirer** un meuble, c'est le frotter avec de la cire.

❷ **Cirer** des chaussures, c'est les faire briller avec du cirage.

**cirque** nom masculin

Un **cirque** est un lieu où l'on présente des spectacles faits par des acrobates, des jongleurs, des clowns, des magiciens et des dompteurs avec leurs animaux sauvages qui ont été dressés. *Le cirque a installé son chapiteau.*

Monsieur Loyal présente les numéros du **cirque**.

**ciseaux** nom masculin pluriel

Une paire de **ciseaux** est un instrument formé de deux lames, qui sert à découper du papier, du tissu ou à couper du fil. *Léo se sert de ciseaux à bouts ronds.*

**cité** nom féminin

❶ Une **cité** est une ville importante. *Londres et Paris sont de grandes cités.*

❷ Une **cité** est un groupe d'immeubles. *Paul et Sabri habitent dans la même cité.*

**citer** verbe

**Citer,** c'est donner le nom d'une personne ou d'une chose. *Peux-tu citer trois villes de France ?* Synonyme : **nommer.**

**citoyen** nom masculin
**citoyenne** nom féminin

Un **citoyen,** une **citoyenne** sont les personnes qui font partie d'un pays, d'une nation. *Les citoyens ont des droits mais aussi des devoirs.*

**citron** nom masculin

Un **citron** est un fruit jaune ou vert au goût acide et qui a du jus et des pépins.

▶ Les **citrons** poussent sur un arbre, le **citronnier**.

**citrouille** nom féminin

Une **citrouille** est un gros fruit de couleur verte ou orange. *Dans « Cendrillon », la citrouille est changée en carrosse.*

**civière** nom féminin

Une **civière** est une sorte de lit qui sert à transporter les blessés. Synonyme : **brancard.**

**1. civil, civile** adjectif

❶ Le mariage **civil** est le mariage qui a lieu à la mairie.

❷ Une guerre **civile** est une guerre qui oppose les habitants d'un même pays.

🔍 Ne confonds pas avec « civique ».

## 2. civil nom masculin

❶ Un **civil** est une personne qui n'est pas un soldat. *Les guerres du 20ᵉ siècle ont provoqué la mort de nombreux civils.*

❷ Être **en civil**, c'est être habillé comme n'importe quelle personne, ne pas porter l'uniforme. *Le policier se promène en civil.*

## civique adjectif

Un cours d'éducation **civique** est un cours où l'on apprend les droits et les devoirs de chaque citoyen.

🔍 Ne confonds pas avec « civil ».

## clair, claire adjectif

❶ Un endroit **clair** reçoit beaucoup de lumière. *Avec ses grandes fenêtres, notre classe est très claire.* Synonyme : **lumineux**. Contraires : **obscur, sombre**.

❷ Une couleur **claire** est une couleur proche du blanc. *En été, on porte souvent des vêtements clairs.* Contraire : **foncé**.

❸ Une eau **claire** est transparente. *L'eau de la rivière est claire.* Synonyme : **limpide**. Contraire : **trouble**.

❹ Une idée, une explication **claire** se comprend facilement. *La maîtresse nous a donné des explications claires.*

● Mots de la même famille : **clairière, clarté**.

## clair de lune nom masculin

Le **clair de lune** est la lumière que la lune répand la nuit.

## clairière nom féminin

Une **clairière** est un endroit sans arbres dans une forêt. *Nous avons pique-niqué dans une clairière.*

## clandestin, clandestine adjectif

Un passager **clandestin** est une personne qui voyage sans billet, en se cachant. *Les marins ont découvert un passager clandestin.*

## claque nom féminin

Une **claque** est un coup donné sur la joue avec la main ouverte. *Pierre a reçu une paire de claques.* Synonyme : **gifle**.

## claquer verbe

**Claquer**, c'est faire un bruit sec. *Les volets claquent à cause du vent.*

● Mot de la même famille : **claque**.

## clarinette nom féminin

Une **clarinette** est un instrument de musique en bois qui a la forme d'un tube. *On souffle dans une clarinette.*

☛ Va voir « les instruments de musique », page 355.

## clarté nom féminin

❶ La **clarté** est la lumière qui rend les choses visibles. *En été, je suis réveillé par la clarté du jour.*

❷ La **clarté** est la qualité d'une parole, d'une pensée claire, facile à comprendre. *Le maître nous a expliqué l'exercice avec clarté.*

Un bel endroit pour pique-niquer dans la **clairière**.

a b c d e f g h i j k l m n o p q r s t u v w x y z

A
B
C
D
E
F
G
H
I
J
K
L
M
N
O
P
Q
R
S
T
U
V
W
X
Y
Z

**classe** nom féminin

❶ Une **classe** est un ensemble d'élèves qui suivent les mêmes cours pendant une année.

❷ Une **classe** est une salle d'école, de collège ou de lycée.

❸ Une **classe verte**, une **classe de neige**, une **classe de mer** sont des séjours que des élèves font à la campagne, à la montagne ou à la mer avec leur instituteur. *En classe verte, nous découvrons la nature tout en continuant les cours.*

● Mots de la même famille : classement, classer, classeur.

**classement** nom masculin

Le **classement**, c'est l'action de classer des personnes, de ranger des objets dans un certain ordre. *Ma sœur fait du classement dans ses papiers. Antonin est premier au classement.*

**classer** verbe

Classer, c'est ranger dans un certain ordre. *Je **classe** les fiches par couleurs. Luna **a été classée** deuxième au championnat de ski des écoles.*

Lucas **classe** ses crayons du plus petit au plus grand.

**classeur** nom masculin

Un **classeur** est un objet en carton ou en plastique avec des anneaux à l'intérieur, qui sert à classer des feuilles de papier.

**clavier** nom masculin

Un **clavier** est l'ensemble des touches de certains appareils et de certains instruments de musique. *On appuie sur les touches du **clavier** pour faire fonctionner un ordinateur, un téléphone ou pour jouer du piano.*

**clé** nom féminin

❶ Une **clé** est un objet en métal que l'on tourne dans une serrure pour l'ouvrir ou pour la fermer.

❷ En musique, une **clé** est un signe placé au début de la portée. *Au piano, on joue de la main droite ce qui est écrit en **clé** de « sol ».*

🔎 On écrit aussi « clef ».

**clémentine** nom féminin

Une **clémentine** est un fruit orange qui peut avoir des pépins et qui ressemble à une petite mandarine.

▶ Les clémentines poussent sur un arbre, le **clémentinier**.

**client** nom masculin
**cliente** nom féminin

Un **client**, une **cliente** sont des personnes qui font des achats dans un magasin. *Le samedi, les magasins sont pleins de clients.*

● Mot de la même famille : clientèle.

**clientèle** nom féminin

La **clientèle** d'un commerçant est l'ensemble de ses clients.

**clignotant** nom masculin

Le **clignotant** d'un véhicule est le signal lumineux qu'un conducteur fait fonctionner pour avertir qu'il va changer de direction. *Avant de tourner ou de doubler, on met toujours son clignotant.*

### clignoter verbe

Quand la lumière **clignote**, elle s'allume et s'éteint rapidement, plusieurs fois de suite. *La lumière de l'ambulance clignote.*

● Mot de la même famille : **clignotant**.

La lumière de l'ambulance **clignote**.

### climat nom masculin

Le **climat** est le temps qu'il fait généralement dans une région, dans un pays. *Le climat de la Bretagne est doux et humide ; celui de l'Alsace est froid et sec.*

### clin d'œil nom masculin

Un **clin d'œil** est un signe que l'on fait discrètement à quelqu'un en fermant et en ouvrant très rapidement un œil. *Marion m'a fait des clins d'œil pour me prévenir qu'elle plaisantait.*

🔎 Au pluriel, on écrit *des clins d'œil*.

### clinique nom féminin

Une **clinique** est un établissement privé où l'on soigne les malades et les blessés et où les femmes peuvent accoucher. *Eva a été opérée dans une clinique.*

→ Cherche **hôpital**.

### clochard nom masculin
### clocharde nom féminin

Les **clochards** sont des personnes très pauvres qui vivent dans la rue et qui n'ont pas d'habitation ni de travail.

### cloche nom féminin

Une **cloche** est un objet creux en métal qui résonne quand on l'agite ou quand on le frappe. *La cloche de l'église sonne toutes les heures.*

● Mots de la même famille : **clocher**, **clochette**.

### à cloche-pied adverbe

À **cloche-pied** signifie : en sautant sur un pied. *Quand on joue à la marelle, on saute à cloche-pied.*

🔎 Ce mot s'écrit avec un trait d'union.

Paul saute à **cloche-pied**.

### clocher nom masculin

Le **clocher** est la tour d'une église où se trouvent les cloches.

### clochette nom féminin

❶ Une **clochette** est une petite cloche. *Les chèvres ont parfois une clochette au cou.*

❷ Une **clochette** est une fleur en forme de petite cloche. *Le muguet a des clochettes.*

a b c d e f g h i j k l m n o p q r s t u v w x y z

**cloison** nom féminin

Une **cloison** est un mur intérieur. *Les pièces d'une maison sont séparées par des cloisons.*

**cloque** nom féminin

Une **cloque** est une petite bulle de liquide qui se forme sur la peau. *Anaïs s'est brûlée la main : elle a une cloque.* Synonyme : ampoule.

**clôture** nom féminin

Une **clôture** est une barrière, un grillage ou un mur qui entoure un terrain.

🔍 Le *o* prend un accent circonflexe.

**clou** nom masculin

Un **clou** est une petite tige pointue, en fer ou en acier. Il sert à suspendre ou à fixer un objet. *Audrey a planté un clou dans le mur.*

🔍 Au pluriel, on écrit *des clous*.

● Mot de la même famille : **clouer**.

**clouer** verbe

Clouer, c'est fixer avec des clous. *On a cloué un écriteau sur la porte.*

**clown** nom masculin

Un **clown** est un artiste de cirque qui fait rire par des farces et des grimaces. *Le clown très maquillé qui porte un costume de toutes les couleurs, de grandes chaussures et un faux nez rouge est l'auguste ; l'autre est le clown blanc.*

🔍 Ce mot vient de l'anglais : on prononce [klun].

**club** nom masculin

Un **club** est un groupe de personnes qui se réunissent régulièrement pour faire la même activité. *Solène est inscrite à un club de gymnastique.* Synonyme : association.

Les **clowns** font leur numéro.

🔍 Ce mot vient de l'anglais : on prononce [klœb].

**coasser** verbe

Pour un crapaud, une grenouille, **coasser**, c'est pousser son cri.

🔍 Ne confonds pas « coasser » et « croasser ».

**cobaye** nom masculin

Un **cobaye** est un petit rongeur sans queue que l'on utilise parfois pour faire des expériences scientifiques. Synonyme : cochon d'Inde.

**cobra** nom masculin

Un **cobra** est un grand serpent venimeux d'Asie ou d'Afrique. Le cobra d'Asie est appelé « serpent à lunettes » à cause du dessin en forme de lunettes qu'il a sur le haut du corps.

☞ Va voir « les reptiles », page 587.

**coccinelle** nom féminin

Une **coccinelle** est un insecte au dos rouge avec des points noirs que l'on appelle aussi « bête à bon Dieu » ou « ogre des jardins ». *Les coccinelles* *sont très utiles car elles mangent une grande quantité de pucerons.*

🔍 Ce mot s'écrit avec deux c.

### 1. cocher nom masculin

Un **cocher** est un homme qui conduisait une voiture à cheval pour transporter des passagers.

### 2. cocher verbe

**Cocher**, c'est marquer d'un signe écrit. *Dans ce jeu, vous devez* **cocher** *la bonne réponse.*

### cochon nom masculin

❶ Un **cochon** est un mammifère qui a la peau rose ou grise et la queue en tire-bouchon. Synonyme : **porc**.

❷ Un **cochon d'Inde** est un cobaye. *Jérémy élève un couple de* **cochons** *d'Inde.*

### cocker nom masculin

Un **cocker** est un chien roux ou noir qui a de longs poils et des oreilles qui pendent.

### coco nom masculin

Une **noix de coco** est un gros fruit marron à chair blanche.

▶ Les noix de coco poussent sur un arbre des pays chauds, le **cocotier**.

### cocon nom masculin

Un **cocon** est une enveloppe formée d'un fil de soie que les chenilles produisent pour se transformer en papillons.

### cocotte nom féminin

❶ Une **cocotte** est un récipient avec un couvercle et deux poignées qui ressemble à une marmite.

❷ Une **cocotte en papier** est un papier plié qui rappelle la forme d'une poule.

### code nom masculin

❶ Un **code** est un ensemble de règles. *Les automobilistes doivent respecter le* **Code** *de la route.*

❷ Un **code** est un ensemble de chiffres et de lettres que l'on doit garder secret. *Pour entrer dans l'immeuble, il faut connaître le* **code**.

❸ En France, le **code postal** d'une ville est l'ensemble des cinq chiffres qui précèdent le nom de la ville.

### cœur nom masculin

❶ Le **cœur** est un muscle qui se trouve dans la poitrine. Il envoie le sang dans tout le corps.

❷ **Avoir bon cœur**, c'est donner aux autres, être généreux.

❸ **Avoir mal au cœur**, c'est avoir mal à l'estomac et avoir envie de vomir. *Rémi a mangé trop de chocolat : il* **a mal au cœur**.

❹ Savoir quelque chose **par cœur**, c'est pouvoir le réciter de mémoire sans oublier un seul mot. *Luna sait sa poésie* **par cœur**.

🔍 Ne confonds pas « cœur » et chanter « en chœur ».

### coffre nom masculin

❶ Un **coffre** est une grande caisse avec un couvercle. *Aurélie range ses poupées dans son* **coffre** *à jouets.*

❷ Le **coffre** d'une voiture est la partie située à l'arrière, où l'on range les bagages.

● Mot de la même famille : **coffre-fort**.

une **coccinelle**

A
B
C
D
E
F
G
H
I
J
K
L
M
N
O
P
Q
R
S
T
U
V
W
X
Y
Z

## coffre-fort nom masculin

Un **coffre-fort** est une armoire en métal où l'on enferme de l'argent et des objets précieux. *Dans une banque, on contrôle l'accès aux coffres-forts.*

🔎 Ce mot s'écrit avec un trait d'union. Au pluriel, on écrit *des coffres-forts.*

## se **cogner** verbe

Se cogner, c'est heurter une chose. *Alice s'est cognée à l'armoire.*

## coiffer verbe

Coiffer une personne, c'est arranger ses cheveux avec une brosse ou un peigne. *Marion coiffe sa petite sœur.* Synonyme : peigner. *Avant de sortir, Solène se coiffe.* Synonyme : se peigner.

● Mots de la même famille : coiffeur, coiffure.

La coiffeuse **coiffe** Manon.

## coiffeur nom masculin
## coiffeuse nom féminin

Un **coiffeur**, une **coiffeuse** sont des personnes qui coiffent, qui coupent les cheveux. C'est un nom de métier.

## coiffure nom féminin

La **coiffure** d'une personne, c'est la manière dont ses cheveux sont coupés ou peignés. *Ma sœur change très souvent de coiffure.*

## coin nom masculin

❶ Un **coin**, c'est l'angle formé par deux côtés, deux murs, deux rues. *Nous avons mis la table dans un coin de la cuisine.*
❷ Un **coin** est un endroit. *Nous passons nos vacances dans un coin agréable.*

## coincer verbe

Quand un objet **est coincé**, il ne peut plus bouger. *La porte est coincée par l'humidité.* Synonyme : bloquer.

## coïncidence nom féminin

Une **coïncidence**, c'est le fait que deux événements se produisent au même moment. *Je pensais à mon frère et à cet instant il a téléphoné. Quelle coïncidence !*

🔎 Il y a un tréma sur le premier *i.*

## col nom masculin

❶ Le **col** d'un vêtement est la partie qui entoure le cou. *Le col de ta chemise est taché.*
❷ À la montagne, un **col** est un passage entre deux sommets. *Les cyclistes ont franchi le col.*

● Mot de la même famille : collier.

## colère nom féminin

La **colère** est la réaction violente d'une personne qui crie fort parce qu'elle est très fâchée. *Mon père se met en colère quand je désobéis.*

● Mot de la même famille : coléreux.

## coléreux, coléreuse adjectif

Une personne **coléreuse** se met facilement en colère.

**colibri** nom masculin
Le **colibri** est un tout petit oiseau d'Amérique très coloré que l'on appelle aussi « oiseau-mouche ».

**colimaçon** nom masculin
Un **colimaçon** est un escargot. Un escalier **en colimaçon** est un escalier qui tourne sur lui-même. Synonyme : en spirale.

🔍 Le deuxième c prend une cédille.

**colin-maillard** nom masculin
Colin-maillard est un jeu où l'un des joueurs a les yeux bandés et essaie d'attraper un autre joueur et de deviner qui il est en le touchant.

🔍 Ce mot s'écrit avec un trait d'union.

**colis** nom masculin
Un **colis** est un paquet que l'on envoie par la poste. *Le facteur a déposé deux colis.*

🔍 Ce mot se termine par un s.

**collage** nom masculin
Faire un **collage**, c'est réaliser un tableau en collant des images découpées.

Sébastien est **en colère**.

Ils jouent à **colin-maillard**.

**1. collant, collante** adjectif
❶ Du papier **collant**, c'est un papier spécial qui colle. *Lucas a réparé la couverture du livre avec du papier collant.* Synonyme : adhésif.
❷ Une chose **collante** fait le même effet que la colle quand on la touche. *Clément a renversé du sirop : la table est toute collante.* Synonyme : gluant.

**2. collant** nom masculin
Un **collant** est un sous-vêtement qui couvre le bas du corps des pieds à la taille. *En hiver, je mets un collant sous mon pantalon.*

**colle** nom féminin
La **colle** est une matière gluante qui sert à faire tenir deux choses ensemble.
● Mots de la même famille : collage, collant, coller.

**collectif, collective** adjectif
Un travail **collectif** est fait par un groupe de personnes. *Le spectacle de fin d'année est le résultat d'un travail collectif.* Un sport **collectif** se joue en équipe. Contraire : individuel.

A
B
C
D
E
F
G
H
I
J
K
L
M
N
O
P
Q
R
S
T
U
V
W
X
Y
Z

**collection** nom féminin

Une **collection** est un ensemble d'objets que l'on recherche, que l'on réunit et que l'on garde pour son plaisir. *Rachid a une collection de petites voitures.*

● Mots de la même famille : collectionner, collectionneur.

**collectionner** verbe

**Collectionner** des objets, c'est les rechercher, les réunir, les garder pour son plaisir et les échanger avec d'autres collectionneurs. *Lucas collectionne les billes de verre.*

**collectionneur** nom masculin
**collectionneuse** nom féminin

Un **collectionneur**, une **collectionneuse** sont des personnes qui collectionnent des objets. *Marion est une collectionneuse de cartes postales.*

**collège** nom masculin

Un **collège** est un établissement scolaire où vont les élèves après l'école élémentaire. *Au collège, il y a quatre classes : la sixième, la cinquième, la quatrième et la troisième.*

→ Cherche lycée.

**collègue** nom masculin et nom féminin

Des **collègues** sont des personnes qui travaillent ensemble, dans un bureau ou dans un magasin. *Madame Legal est en réunion avec ses collègues de bureau.*

**coller** verbe

**Coller**, c'est fixer avec de la colle. *Élise colle des images sur son cahier.* Contraire : décoller.

**collier** nom masculin

❶ Un **collier** est un bijou qui se porte autour du cou. *Marion a fabriqué un collier de perles.*

❷ Un **collier** est une bande de cuir ou de plastique que l'on met autour du cou d'un animal. *On a attaché la laisse au collier du chien.*

**colline** nom féminin

Une **colline** est une petite montagne qui a un sommet arrondi.

**colombe** nom féminin

Une **colombe** est un pigeon blanc. *On représente l'idée de la paix par une colombe.*

▶ Quand la colombe crie, on dit qu'elle roucoule.

🔎 Le son [ɔ̃] s'écrit *om* devant un *b*.

**colonie** nom féminin

Une **colonie de vacances** est un groupe d'enfants qui passent leurs vacances avec des moniteurs. *Julien a fait du cheval, cet été, en colonie de vacances.*

**colonne** nom féminin

❶ Une **colonne** est un grand pilier rond qui soutient un bâtiment en pierre.

❷ Une **colonne** est une suite de lettres, de mots ou de chiffres écrits les uns sous les autres. *Nous faisons des additions en colonnes.*

❸ Une **colonne** est un groupe de personnes ou de véhicules qui avancent les uns derrière les autres. *Les musiciens de la fanfare défilent en colonne.*

❹ La **colonne vertébrale** est la partie du squelette qui se trouve dans le dos.

une **colombe**

Elle est formée par les vertèbres et soutient le haut du corps.

🔍 Il y a un *l* et deux *n*.

## colorer verbe

**Colorer**, c'est donner une couleur, des couleurs à une chose ou à une personne. *Le feu d'artifice colore le ciel. Le vent glacé nous colorait les joues.* **Se colorer**, c'est prendre une certaine couleur. *En mûrissant, les cerises commencent à se colorer en rouge.*

🔍 Ne confonds pas avec « colorier ».

## coloriage nom masculin

Le **coloriage**, c'est le fait de colorier. Un album de **coloriages** est un album de dessins à colorier.

Marie et Anne font des **coloriages**.

## colorier verbe

**Colorier**, c'est mettre des couleurs sur un dessin. *Julie colorie la maison en rouge et les arbres en vert avec son pinceau.*

🔍 Ne confonds pas avec « colorer ».

● Mot de la même famille : **coloriage**.

## combat nom masculin

❶ Un **combat** est une bataille ou une guerre. *Le combat armé a fait de nombreuses victimes.* Synonyme : **lutte**.

❷ Un **combat** de boxe est une lutte sportive entre deux adversaires. Synonyme : **match**.

## combattre verbe

❶ **Combattre**, c'est participer à un combat. *Ils ont combattu à l'épée.*

❷ **Combattre** un mal, une maladie, c'est chercher des moyens de les supprimer, de les guérir. *Les médecins combattent le cancer.* Synonyme : **lutter contre**.

● Mot de la même famille : **combat**.

## combien adverbe

**Combien** signifie : quel nombre, quel prix, quel poids. *Sais-tu combien d'élèves il y a dans ta classe ? Combien coûte ce pull ? Combien pèses-tu ?*

**Combien** de billes y a-t-il ?

## combinaison nom féminin

❶ Une **combinaison**, c'est le fait d'assembler et d'organiser des éléments d'une certaine façon. *Dans un exercice, on devait faire des combinaisons avec des voiles et des coques.*

❷ Une **combinaison** est un vêtement d'une seule pièce qui couvre tout le corps. *Pour skier, Laura porte une combinaison de ski. Les plongeurs ont des combinaisons de plongée.*

A
B
C
D
E
F
G
H
I
J
K
L
M
N
O
P
Q
R
S
T
U
V
W
X
Y
Z

**comédie** nom féminin

❶ Une **comédie** est une pièce de théâtre ou un film gais. *Ma sœur joue dans une comédie de Molière.*

❷ La **comédie**, c'est un comportement qui n'est pas sincère. *Pauline dit qu'elle a mal au ventre mais c'est de la comédie.*

● Mot de la même famille : comédien.

**comédien** nom masculin
**comédienne** nom féminin

Les **comédiens** sont des artistes qui jouent dans des pièces de théâtre. C'est un nom de métier.

→ Cherche acteur.

**comestible** adjectif

Un aliment **comestible** peut être mangé sans risque pour la santé. *Es-tu sûr que ce champignon est comestible ?* Contraire : vénéneux.

☞ Va voir « les champignons », page 127.

**comique** adjectif

Une personne ou une chose **comique** fait rire. *Les clowns sont comiques.* Synonymes : amusant, drôle. Contraire : triste.

Julien est **comique**.

**commandant** nom masculin

❶ Un **commandant** est un militaire qui commande une troupe de soldats ou des marins.

❷ Le **commandant de bord** est la personne qui pilote un gros avion ou un vaisseau spatial.

**commande** nom féminin

❶ Faire une **commande**, passer une **commande**, c'est demander des marchandises à l'avance. *Maman a passé une commande de gâteaux au pâtissier.*

❷ Les **commandes** d'un avion sont les appareils qui permettent à l'avion de voler. *Le pilote est aux commandes.*

**commander** verbe

❶ **Commander**, c'est donner des ordres. *Un général commande une armée.*

❷ **Commander** des marchandises, c'est les demander à l'avance. *Notre institutrice a commandé des livres.*

● Mots de la même famille : commandant, commande.

**comme** conjonction

❶ **Comme** signifie : autant que, de même que. *Mon frère est curieux comme un chat.*

❷ **Comme** signifie : étant donné que. *Comme il fait froid, nous resterons à la maison.* Synonyme : puisque.

**commencement** nom masculin

Le **commencement** est le moment où quelque chose commence. *Nous sommes au commencement du 21e siècle.* Synonyme : début. Contraire : fin.

**commencer** verbe

❶ **Commencer** quelque chose, c'est se mettre à le faire. *Sébastien a commencé son exercice.* Contraires : achever, finir, terminer.

**②** Quand une chose **commence**, elle en est à son début. *Le film va bientôt commencer.* Synonyme : débuter. Contraire : s'achever, finir, se terminer.
● Mot de la même famille : commencement.

### comment adverbe
**①** **Comment** signifie : de quelle manière. *Je ne sais pas encore comment je vais me déguiser.*
**②** **Comment ?** s'emploie pour demander à quelqu'un de répéter quelque chose. Synonyme : pardon?

### commerçant nom masculin
### commerçante nom féminin
Les **commerçants** sont des personnes qui achètent des marchandises et les revendent ensuite dans leur boutique, leur magasin. *Les boulangers, les épiciers, les fleuristes sont des commerçants.*
🔎 Le deuxième c prend une cédille.
➡ Cherche **marchand** et **vendeur**.

### commerce nom masculin
Faire du **commerce**, c'est acheter et revendre des marchandises.
● Mots de la même famille : commerçant, commercial.

### commercial, commerciale adjectif
Un local **commercial**, une activité **commerciale** se rapportent au commerce.
🔎 Au pluriel, on écrit *commerciaux, commerciales.*

### commettre verbe
**Commettre** une mauvaise action, c'est la faire. *Un vol a été commis chez nos voisins.*

### commissaire nom masculin et nom féminin
Un **commissaire**, une **commissaire** sont des personnes qui dirigent les inspecteurs et les agents de police. *La commissaire et son équipe enquêtent sur un meurtre.*
● Mot de la même famille : commissariat.

### commissariat nom masculin
Le **commissariat** est le bâtiment où se trouve le bureau du commissaire. *Le voleur a été conduit au commissariat.*

### commission nom féminin
**①** Une **commission** est un message que l'on doit transmettre de la part de quelqu'un. *L'institutrice m'a chargé d'une commission pour ma mère.*
**②** Les **commissions** sont les achats pour la maison. *Ma sœur va faire les commissions.* Synonyme : courses.

### 1. commode adjectif
**①** Un objet **commode** est facile à utiliser. *Cette table pliante est très commode.* Synonyme : pratique.
**②** Une personne qui n'est pas **commode** a un caractère difficile.

### 2. commode nom féminin
Une **commode** est un meuble bas avec des tiroirs.

La **commode** est en désordre.

A
B
C
D
E
F
G
H
I
J
K
L
M
N
O
P
Q
R
S
T
U
V
W
X
Y
Z

**commun, commune** adjectif

❶ Un local **commun**, une pièce **commune** sont partagés par plusieurs personnes. *Le préau est commun à tous les élèves.*

❷ En commun, c'est tous ensemble. *Les élèves préparent un spectacle en commun.*

**commune** nom féminin

Une **commune** est une ville ou un village. Elle est dirigée par un maire. *Un département est divisé en communes.*

**communication** nom féminin

Une **communication** est un échange de paroles, de textes, de sons, d'images. *La communication téléphonique a été coupée. Internet est un moyen de communication.*

**communiquer** verbe

Communiquer, c'est échanger des idées ou des informations avec une personne ou avec un groupe. *Aujourd'hui, on peut communiquer avec les habitants de toute la Terre par le téléphone ou par Internet.*

● Mot de la même famille : communication.

**compagnie** nom féminin

La **compagnie** d'un être, c'est sa présence auprès d'une autre personne. *Mathis apprécie la compagnie de Laura. David est parti en compagnie de ses amis. Romain tient compagnie à sa grand-mère.*

**compagnon** nom masculin
**compagne** nom féminin

Un **compagnon**, une **compagne** vivent avec quelqu'un ou ont les mêmes activités qu'une autre personne. *Le chien est un fidèle compagnon. C'est*

bientôt les vacances : Zohra a hâte de retrouver ses **compagnes** de jeu.

**comparaison** nom féminin

La **comparaison**, c'est l'action de comparer. *Notre instituteur nous a demandé de faire la comparaison entre une chouette et un hibou.*

**comparer** verbe

Comparer, c'est regarder attentivement deux choses ou deux personnes pour trouver leurs ressemblances et leurs différences. *Nous avons comparé un cerf et un renne.*

● Mot de la même famille : comparaison.

**compartiment** nom masculin

Un **compartiment** est une partie d'une voiture de chemin de fer. *Toutes les places du compartiment sont réservées.*

**compas** nom masculin

Un **compas** est un instrument qui sert à tracer des cercles.

🔍 Ce mot se termine par un *s.*

**compétition** nom féminin

Une **compétition** est un concours sportif. *Coralie va participer à une compétition de natation.* Synonyme : championnat.

**complément** nom masculin

Le **complément**, c'est ce qui complète quelque chose. *Le vélo coûtait cher, ma mère a versé la plus grosse partie de la somme et ma grand-mère a donné le complément. Dans la phrase « Il mange du pain », « du pain » est le complément du verbe « manger ».*

**complet, complète** adjectif

❶ Quand un ensemble est **complet**, il ne lui manque aucun élément. *Le jeu de cartes est complet.* Synonyme : entier. Contraire : incomplet.

**❷** Quand un transport en commun est **complet**, il n'y a plus une seule place. *L'autobus était* **complet**.

Synonyme : **plein.** Contraire : **vide.**

● Mots de la même famille : complètement, compléter.

**complètement** adverbe

**Complètement** signifie : tout à fait, entièrement. *Ce que tu dis est* **complètement** *faux*.

Synonymes : **absolument, totalement.**

**compléter** verbe

**Compléter**, c'est rendre complet en ajoutant ce qui manque. *Dans un exercice, nous devions* **compléter** *un tableau de chiffres*.

Ce coquillage **complète** ma collection.

**complice** nom masculin et nom féminin

Un **complice**, une **complice** sont des personnes qui participent à une mauvaise action avec une autre. *Le voleur avait trois* **complices**.

**compliment** nom masculin

Un **compliment** est une parole agréable que l'on adresse à quelqu'un pour le féliciter. *Zohra a eu une bonne note : l'institutrice lui a fait des* **compliments**.

Synonyme : **félicitations.**

Contraires : **critique, reproche.**

**compliqué, compliquée** adjectif

Une chose **compliquée** est difficile à comprendre ou à faire. *Ce problème est trop* **compliqué** *pour moi*.

Synonyme : **dur.** Contraires : **facile, simple.**

**complot** nom masculin

Un **complot** est un projet secret mis au point par plusieurs personnes, contre une personne ou contre un groupe. *On a découvert un* **complot** *contre le président*.

● Mot de la même famille : comploter.

**comploter** verbe

**Comploter**, c'est préparer un complot.

**comportement** nom masculin

Le **comportement** d'une personne est sa manière de se tenir et d'agir. *Son* **comportement** *avec ses parents a beaucoup changé*.

Synonymes : **attitude, conduite.**

**comporter** verbe

**❶** **Comporter**, c'est avoir, contenir. *L'appartement* **comporte** *trois pièces*. Synonymes : **se composer de, comprendre.**

**❷** **Se comporter**, c'est agir d'une certaine manière. *Mon petit frère s'est bien* **comporté** *pendant la cérémonie*. Synonyme : **se conduire.**

● Mot de la même famille : comportement.

**composé, composée** adjectif

**❶** Un **mot composé** est un mot formé de plusieurs mots. « *Chef-d'œuvre* », « *compte rendu* », « *pomme de terre* » sont des **mots composés**.

**❷** Le **passé composé** d'un verbe est un temps du passé. « *J'ai mangé* », « *je suis parti* » sont au **passé composé**.

a b c d e f g h i j k l m n o p q r s t u v w x y z

A
B
C
D
E
F
G
H
I
J
K
L
M
N
O
P
Q
R
S
T
U
V
W
X
Y
Z

## composer verbe

❶ **Composer**, c'est inventer et écrire de la musique, une chanson. *Le chanteur a composé de nombreuses mélodies.*

❷ **Composer** un numéro de téléphone, c'est appuyer sur les touches du clavier.

❸ **Se composer de**, c'est être formé de telles choses, de telles personnes. *Un marteau se compose d'une tête et d'un manche. Une équipe de football se compose de onze joueurs.* Synonymes : avoir, comporter, comprendre.

● Mots de la même famille : composé, compositeur.

## compositeur nom masculin
## compositrice nom féminin

Un **compositeur**, une **compositrice** sont des personnes qui composent de la musique. *Mozart est un grand compositeur.*

## composter verbe

**Composter** un billet, c'est le glisser dans un appareil pour le rendre valable. *Il ne faut pas oublier de composter son billet avant de prendre le train.*

Alice **composte** son billet.

## compote nom féminin

Une **compote** est faite de fruits cuits dans du sucre et de l'eau. *Au dessert, nous avons mangé de la compote de pommes.*

## compréhensible adjectif

Une chose **compréhensible** se comprend. *Tes explications sont parfaitement compréhensibles.* Contraire : incompréhensible.

🔎 Ne confonds pas avec « compréhensif ».

## compréhensif, compréhensive
adjectif

Une personne **compréhensive** essaie de comprendre les autres. *Les parents de Natacha ne se fâchent pas souvent, ils sont compréhensifs.* Synonyme : indulgent.

🔎 Ne confonds pas avec « compréhensible ».

## comprendre verbe

❶ **Comprendre**, c'est savoir ce que les choses veulent dire. *Pauline a compris mes explications.*

❷ **Comprendre** quelqu'un, c'est l'écouter et se montrer indulgent avec lui. *Valentin a une famille qui le comprend.*

❸ **Comprendre**, c'est avoir, contenir. *Une semaine comprend sept jours.* Synonymes : comporter, se composer de.

🔎 Le son [ɔ̃] s'écrit *om* devant un *p*.

● Mots de la même famille : compréhensible, compréhensif.

## compresse nom féminin

Une **compresse** est un morceau de tissu fin que l'on utilise comme pansement ou pour faire des soins.

## comprimé nom masculin

Un **comprimé** est un médicament qui a la forme d'une pastille et que l'on avale.

*Il a pris un comprimé contre le mal de tête.* Synonyme : cachet.

**compte** nom masculin

❶ Un **compte**, c'est le calcul d'un nombre. *Fatou fait le compte des amis qu'elle va inviter à son anniversaire.*

❷ **Faire ses comptes**, c'est calculer l'argent qu'on a reçu et l'argent qu'on a dépensé.

❸ **Se rendre compte** de quelque chose, c'est le constater. *Julie s'est rendu compte qu'elle avait perdu son stylo.* Synonymes : s'apercevoir, remarquer.

🔍 Le son [ɔ̃] s'écrit *om* devant un *p*. On ne prononce pas le *p*. Ne confonds pas « compte » et « un conte », une histoire.

**compter** verbe

❶ **Compter**, c'est dire les nombres dans l'ordre. *Jonathan sait compter jusqu'à cent.*

❷ **Compter**, c'est faire une somme, un calcul. *Romain compte son argent.*

❸ **Compter sur** quelqu'un, c'est lui faire confiance pour qu'il fasse quelque chose. *Ma mère compte sur moi pour garder mon petit frère.*

L'infirmière met une **compresse**.

❹ **Compter**, c'est avoir de l'importance. *Gagner le match, c'est ce qui compte le plus pour mon frère.*

🔍 Le son [ɔ̃] s'écrit *om* devant un *p*. On ne prononce pas le *p*.

● Mots de la même famille : compte, compte rendu, compteur, comptine, comptoir.

**compte rendu** nom masculin

Un **compte rendu** est le récit d'un événement, d'un livre ou d'une réunion.

🔍 Le son [ɔ̃] s'écrit *om* devant un *p*. Au pluriel, on écrit *des comptes rendus*. On écrit aussi « compte-rendu », avec un trait d'union.

**compteur** nom masculin

Un **compteur** est un appareil qui sert à compter, à mesurer. *Le compteur de vitesse de la voiture indique 90.*

🔍 Ne confonds pas « compteur » et « un conteur » qui raconte.

**comptine** nom féminin

Une **comptine** est une petite chanson que les enfants récitent en se comptant, pour tirer l'un d'eux au sort. *« Une oie, deux oies, trois oies, quatre oies, cinq oies, six oies, c'est toi »* est une **comptine**.

🔍 Le son [ɔ̃] s'écrit *om* devant un *p*. On ne prononce pas le *p*.

**comptoir** nom masculin

Le **comptoir** d'un café est la table haute et étroite où sont servies les boissons. Synonyme : bar.

🔍 Le son [ɔ̃] s'écrit *om* devant un *p*. On ne prononce pas le *p*.

**concert** nom masculin

Un **concert** est un spectacle où l'on écoute de la musique.

*a b c d e f g h i j k l m n o p q r s t u v w x y z*

**concierge** nom masculin et nom féminin

Un **concierge**, une **concierge** sont des personnes qui gardent un immeuble. C'est un nom de métier. Synonyme : gardien.

**conciliabule** nom masculin

Un **conciliabule** est une conversation secrète, à voix basse. *Dans « les Contes du chat perché », les parents de Delphine et Marinette tiennent de longs conciliabules.*

**conclure** verbe

**Conclure** un texte, un discours, c'est le terminer. *La maîtresse a conclu son discours en nous souhaitant de bonnes vacances.*

● Mot de la même famille : conclusion.

**conclusion** nom féminin

La **conclusion** d'un texte, d'un discours, c'est la partie qui le termine. *Nous avons applaudi la conclusion du discours.* Synonyme : fin.

**concombre** nom masculin

Un **concombre** est un légume allongé qui a la peau verte. On le mange cru.

🔍 Le son [ɔ̃] s'écrit *om* devant un *p*.

**concours** nom masculin

Un **concours** est une sorte d'examen où les candidats sont classés d'après leurs résultats. *Ma sœur passe un concours pour devenir ingénieur.*

Les **concurrents** ont pris le départ.

🔍 Ce mot se termine par un *s*.

● Mot de la même famille : concurrent.

**concurrent** nom masculin
**concurrente** nom féminin

Des **concurrents** sont des personnes qui participent à un concours ou à une compétition. *Les concurrents sont sur la ligne de départ de la course.*

**condamner** verbe

**Condamner** une personne, c'est déclarer qu'elle est coupable et la punir. *Le juge a condamné le voleur à six mois de prison.*

🔍 On ne prononce pas le *m* : [kɔ̃dane].

**condition** nom féminin

Une **condition** est ce qui est absolument nécessaire pour qu'une chose arrive. *J'irai chez Paul à condition que Lisa vienne aussi.*

**conducteur** nom masculin
**conductrice** nom féminin

Un **conducteur**, une **conductrice** sont des personnes qui conduisent un véhicule. *Les conducteurs doivent être prudents.* Synonyme : chauffeur.

**conduire** verbe

❶ **Conduire** un véhicule, c'est le diriger, le faire rouler. *Mon frère apprend à conduire.*

❷ **Conduire** une personne, c'est l'emmener quelque part. *Un taxi nous conduit à la gare.*

❸ Quand une route **conduit** à un endroit, elle permet d'y aller. *Cette route conduit à la maison.* Synonyme : mener.

❹ Se **conduire**, c'est agir d'une certaine manière. *Tu risques d'être puni si tu te conduis mal.* Synonyme : se comporter.

● Mots de la même famille : conducteur, conduite.

### conduite nom féminin
La **conduite** d'une personne, c'est sa manière de se conduire, de se comporter. *L'institutrice a félicité les élèves pour leur bonne conduite.* Synonymes : attitude, comportement.

### cône nom masculin
Un **cône** est une forme géométrique qui a une base ronde et un sommet pointu.

🔍 Le o prend un accent circonflexe.
☞ Va voir « les couleurs et les formes », page 171.

### confetti nom masculin
Un **confetti** est une petite rondelle de papier de couleur. *Pendant le carnaval, on se lance des confettis.*

### confiance nom féminin
Avoir **confiance** en quelqu'un, c'est pouvoir compter sur lui. *Maman a confiance en nous.*

### confidence nom féminin
Une **confidence** est un secret que l'on dit sur soi-même. *Alexis a fait des confidences à Clara.*

Alexis fait des **confidences**.

### confier verbe
❶ **Confier** un objet, c'est le laisser à une personne en qui l'on a confiance.

*Nous avons confié nos clés au gardien de l'immeuble.*
❷ **Confier** quelque chose, c'est dire un secret, faire une confidence à quelqu'un. *Ma sœur m'a confié qu'elle était amoureuse de Kien.*
● Mot de la même famille : confidence.

### confiserie nom féminin
❶ Une **confiserie** est un aliment fabriqué avec du sucre. *Les bonbons, les caramels, les sucettes sont des confiseries.* Synonyme : friandise.
❷ Une **confiserie** est un magasin où l'on achète des bonbons et d'autres friandises.

Un étalage de **confiseries**.

### confisquer verbe
**Confisquer** un objet, c'est le prendre à quelqu'un et le garder un certain temps. *Le professeur a confisqué mon baladeur jusqu'à ce soir.*

### confiture nom féminin
La **confiture** est un mélange de fruits cuits et de sucre. *Julien s'est fait une tartine de confiture.*

### confondre verbe
**Confondre** deux choses ou deux personnes, c'est prendre l'une pour l'autre. *Lucas et Paul sont jumeaux et Camille les confond souvent.*

A B C D E F G H I J K L M N O P Q R S T U V W X Y Z

## confort nom masculin

Le **confort** d'un logement, c'est ce qui rend la vie plus facile et plus agréable. *Leur maison de campagne a le chauffage, une salle de bains et tout le confort.*

● Mot de la même famille : confortable.

## confortable adjectif

Un meuble, un logement **confortable** offre du confort. *On est bien dans ce canapé, il est très confortable.*

## congé nom masculin

Être en **congé**, c'est ne pas travailler. *Monsieur Bertin est en congé pour trois semaines.* Synonyme : vacances.

## congélateur nom masculin

Un **congélateur** est un appareil ménager qui sert à geler de la nourriture pour la conserver plusieurs mois.

## conifère nom masculin

Un **conifère** est un arbre qui a des feuilles en forme d'aiguilles. *Les pins et les sapins sont des conifères.*

→ Cherche **arbre** et **feuillu**.

## conjonction nom féminin

Une **conjonction** est un mot invariable. Elle sert à relier des mots ou des phrases. *« Mais », « ou », « et » sont des conjonctions.*

## conjugaison nom féminin

La **conjugaison** est l'ensemble des formes que peut prendre un verbe.

## conjuguer verbe

**Conjuguer** un verbe, c'est donner ses formes à toutes les personnes. *Peux-tu conjuguer le verbe « aimer » au futur ?*

● Mot de la même famille : conjugaison.

### Les conifères

mélèze

pin parasol

sapin

épicéa

pin sylvestre

cèdre

séquoia

## connaissance nom féminin

① Avoir des **connaissances**, c'est avoir appris des choses. *Romain a quelques connaissances en anglais.*

② **Faire la connaissance** de quelqu'un (ou **faire connaissance** avec quelqu'un), c'est le rencontrer pour la première fois. *Nous avons fait la connaissance de notre nouveau voisin.*

③ **Perdre connaissance**, c'est s'évanouir. *Le choc lui a fait perdre connaissance.*

## connaître verbe

① **Connaître** quelque chose, c'est le savoir, en être informé. *Connais-tu la dernière nouvelle ?* Contraire : ignorer. **Connaître** une science, une technique, c'est avoir appris beaucoup de choses sur ce sujet. *Mon frère connaît bien la mécanique.*

② **Connaître** une personne, c'est savoir qui elle est. *Audrey connaît le frère de Zohra.*

🔍 Le *i* prend un accent circonflexe devant un *t*.

● Mots de la même famille : connaissance, connu.

## connu, connue adjectif

Quand une personne est **connue**, tout le monde sait qui elle est. *Picasso est un peintre connu.* Synonyme : célèbre. Contraire : inconnu.

## conquérir verbe

**Conquérir** un pays, c'est s'en emparer par la force. *Napoléon a conquis plusieurs pays d'Europe.*

## consciencieux, consciencieuse adjectif

Être **consciencieux**, c'est faire son travail de son mieux. *Aurélie est une élève consciencieuse.*

## conseil nom masculin

Un **conseil** est un avis que l'on donne à quelqu'un sur ce qu'il doit faire. *Grand-père me donne toujours de bons conseils.*

● Mot de la même famille : conseiller.

## conseiller verbe

**Conseiller** une personne, c'est lui donner un conseil, l'aider à prendre une décision. *Pourquoi n'as-tu pas fait ce que je t'avais conseillé ?*

## conséquence nom féminin

La **conséquence** est le résultat d'une action ou d'un événement. *Les arbres cassés sont la conséquence de la tempête.* Contraire : cause.

## conserve nom féminin

Une **conserve** est un aliment vendu dans une boîte métallique ou dans un bocal. *Maman achète des conserves de légumes.*

## conserver verbe

① **Conserver** un aliment, c'est le garder en bon état. *Dans un réfrigérateur, on peut conserver les aliments plusieurs jours.*

② **Conserver** un objet, c'est le garder avec soin. *Grand-père a conservé ses jouets d'enfant.* Contraires : se débarrasser de, jeter.

● Mot de la même famille : conserve.

## consigne nom féminin

① Une **consigne**, c'est un ordre que l'on doit respecter. *Les consignes de sécurité sont affichées dans le couloir de l'immeuble.* Synonyme : instruction.

② Dans une gare ou un aéroport, la **consigne** est l'endroit où l'on peut déposer ses bagages.

A
B
C
D
E
F
G
H
I
J
K
L
M
N
O
P
Q
R
S
T
U
V
W
X
Y
Z

**console** nom féminin

Une **console** de jeux est un appareil électronique que l'on utilise pour jouer à des jeux vidéo.

**consoler** verbe

Consoler une personne, c'est calmer son chagrin. *Pierre pleurait et sa sœur l'a consolé.*

Les enfants **consolent** Lucas.

**consommer** verbe

❶ Consommer, c'est manger un aliment ou boire une boisson. *À la maison, nous consommons beaucoup de riz et de thé.*

❷ Quand un véhicule **consomme** de l'essence, il l'utilise pour fonctionner.

**consonne** nom féminin

Une **consonne** est l'une des vingt-six lettres de l'alphabet. *Le mot « lecture » contient quatre consonnes : « l », « c », « t » et « r ».*

➜ Cherche **voyelle**.

**constater** verbe

Constater, c'est remarquer une chose, s'en rendre compte. *L'instituteur a constaté que Léo était absent.*

Synonyme : **s'apercevoir**.

**consterner** verbe

Consterner quelqu'un, c'est le rendre très triste. *Monsieur Seguin était consterné de voir que sa chèvre voulait le quitter.*

**constipé, constipée** adjectif

Être **constipé**, c'est avoir du mal à vider son intestin.

➜ Cherche **diarrhée**.

**construction** nom féminin

❶ La **construction**, c'est l'action de construire, de bâtir. *La construction du pont a duré un an.* Contraires : **démolition**, **destruction**.

❷ Une **construction** est un bâtiment. *Notre école est une construction en béton.*

**construire** verbe

❶ Construire une maison, c'est monter les murs et poser le toit. Synonyme : **bâtir**. Contraires : **démolir**, **détruire**.

❷ Construire une phrase, c'est mettre les mots dans le bon ordre.

● Mot de la même famille : **construction**.

Ils **construisent** une cabane.

**consulter** verbe

❶ Consulter un livre, c'est le lire pour trouver un renseignement. *J'ai consulté*

mon dictionnaire pour trouver *le sens du mot « tintinnabuler »*.
❷ **Consulter** un médecin, c'est le voir pour se faire examiner. *Quand on est malade, on consulte un médecin.*

**contact** nom masculin
❶ Le **contact**, c'est le fait de toucher un objet. *Lisa s'est brûlée au contact du four.*
❷ Mettre le **contact** dans un véhicule, c'est tourner la clé pour faire passer le courant et faire démarrer le véhicule.

**contagieux, contagieuse** adjectif
Une maladie **contagieuse** se transmet d'une personne à une autre. *La rougeole est une maladie contagieuse.*

**conte** nom masculin
Un **conte** est une histoire qui raconte des aventures merveilleuses. *« La Belle au bois dormant » est un conte célèbre.*
🔍 Ne confonds pas « conte » et « faire ses comptes ».
● Mot de la même famille : conteur.

**contempler** verbe
Contempler, c'est regarder longtemps en admirant. *Nous contemplons le coucher du soleil sur la mer.*

On aperçoit le **continent** africain sur ce globe

**contenir** verbe
Contenir, c'est avoir à l'intérieur. *La boîte en métal contient des gâteaux. Cette bouteille contient un litre d'eau.*
● Mot de la même famille : contenu.

Mon sac **contient** beaucoup de choses.

**content, contente** adjectif
Être **content**, c'est ressentir du plaisir, de la joie. *Aurélie est contente de revoir ses amis.* Contraire : mécontent.

**contenu** nom masculin
Le **contenu** d'une chose, c'est ce qui se trouve à l'intérieur. *Le contenu de la boîte s'est renversé.*

**conteur** nom masculin
**conteuse** nom féminin
Un **conteur**, une **conteuse** sont des personnes qui disent des contes.
🔍 Ne confonds pas « conteur » et « un compteur de vitesse ».

**continent** nom masculin
Un **continent** est une grande étendue de terre que l'on peut parcourir sans traverser un océan. *L'Europe, l'Asie, l'Amérique, l'Afrique, l'Australie et l'Antarctique sont les six continents.*

a b c d e f g h i j k l m n o p q r s t u v w x y z

A
B
C
D
E
F
G
H
I
J
K
L
M
N
O
P
Q
R
S
T
U
V
W
X
Y
Z

**continuer** verbe

Continuer, c'est ne pas s'arrêter de faire quelque chose. *Vous continuerez à jouer après dîner.* Contraires : s'arrêter, cesser.

**contour** nom masculin

Le contour d'un objet est la ligne qui en fait le tour. *Julien repasse les contours du dessin à l'encre.*

**1. contraire** adjectif

Le sens contraire, c'est celui qui va dans la direction opposée. *Léo distribue les cartes dans le sens contraire des aiguilles d'une montre.* Synonyme : inverse.

**2. contraire** nom masculin

❶ Le contraire, c'est ce qui est opposé. *Mon frère fait toujours le contraire de ce qu'on lui demande.* Synonyme : inverse.

❷ Des contraires sont des mots de sens opposé. *« Gentil » et « méchant » sont des contraires.* Contraire : synonyme.

**contrarier** verbe

Contrarier une personne, c'est lui causer du souci en n'agissant pas comme elle le souhaite. *Léo a oublié de prévenir qu'il allait chez Paul et cela contrarie ses parents.*

**contravention** nom féminin

Une contravention est une somme d'argent à payer quand on a fait une chose interdite par le Code de la route. *Le conducteur roulait trop vite : il a eu une contravention.* Synonyme : amende.

**contre** préposition

❶ Quand une chose est contre une autre chose, elle la touche. *Mon lit est contre le mur.*

❷ Contre signifie : en échange. *Mathis m'a donné des billes contre des timbres.*

❸ Contre signifie : en s'opposant à. *Dans « Astérix », les Romains se battent contre les Gaulois.*

**à contrecœur** adverbe

À contrecœur signifie : à regret, en se forçant. *Léo a prêté sa console de jeux à contrecœur.*

**contredire** verbe

Contredire quelqu'un, c'est dire le contraire de ce qu'il dit. *Pourquoi me contredisez-vous sans arrêt ?*

**contrôle** nom masculin

Le contrôle, c'est l'action de contrôler, d'examiner une chose. *Les pompiers sont venus faire un contrôle du système de sécurité.* Synonyme : vérification.

🔎 Le deuxième o prend un accent circonflexe.

Le **contrôle** d'un billet de banque.

**contrôler** verbe

Contrôler, c'est examiner une chose pour voir si elle fonctionne ou si elle est en règle. *Le contrôleur du train a contrôlé nos billets.* Synonyme : vérifier.

🔎 Le deuxième o prend un accent circonflexe.

● Mots de la même famille : contrôle, contrôleur.

## contrôleur nom masculin
## contrôleuse nom féminin

Un **contrôleur**, une **contrôleuse** sont des personnes chargées de faire des contrôles. C'est un nom de métier. *Le contrôleur d'autobus nous a demandé nos tickets.*

🔎 Le deuxième *o* prend un accent circonflexe.

## convaincre verbe

**Convaincre** une personne, c'est l'amener à reconnaître qu'une chose est vraie, juste ou bonne. *Mes parents m'ont convaincu qu'il ne fallait pas inviter cinquante personnes à mon anniversaire.* Synonyme : **persuader**.

## convalescence nom féminin

La **convalescence** est la période de passage de la maladie à la santé. *Ma grand-mère est en convalescence, elle reprend des forces.*

🔎 Il y a un *c* après le *s*.

## convenable adjectif

❶ Ce qui est **convenable** respecte la politesse. *Ce n'est pas convenable de dire des gros mots.* Synonyme : **poli**.
❷ Une chose **convenable** est une chose qui convient, qui est assez réussie. *Léo a fait un travail convenable.*

## convenir verbe

❶ **Convenir**, c'est aller bien avec quelque chose. *Parmi tous ces mots, choisissez celui qui convient pour rimer avec « chanteur ».*
❷ **Convenir** à quelqu'un, c'est l'arranger, lui plaire. *Je vous attends samedi, si cette date vous convient.*
● Mot de la même famille : **convenable**.

## conversation nom féminin

Avoir une **conversation** avec quelqu'un, c'est parler avec lui. *Mes parents ont eu une longue conversation avec la directrice de l'école.*

→ Cherche **débat** et **discussion**.

## convocation nom féminin

Une **convocation** est une lettre qui demande à quelqu'un d'aller passer un examen ou d'aller à une réunion. *Ma sœur a reçu une convocation pour passer le permis de conduire.*

## convoi nom masculin

Un **convoi** est un ensemble de voitures ou de camions qui circulent les uns derrière les autres.

La police accompagne le **convoi**.

## convoquer verbe

**Convoquer** une personne, c'est lui demander de venir pour une chose importante. *Le directeur a convoqué des élèves dans son bureau.*

● Mot de la même famille : **convocation**.

# coopérative nom féminin

Une **coopérative** est une association de personnes qui se réunissent pour acheter ou vendre des objets, des produits. *Avec l'argent de la coopérative, la maîtresse a acheté des livres pour la classe.*

# copain nom masculin
# copine nom féminin

Un **copain**, une **copine** sont des camarades que l'on aime bien. *Romain va souvent à la piscine avec ses copains de l'école.*

➔ Cherche **ami** et **camarade**.

# copie nom féminin

Une **copie** est une feuille de papier qu'on utilise à l'école pour faire ses devoirs. *Mon frère utilise des copies à grands carreaux.*

● Mot de la même famille : **copier**.

# copier verbe

❶ **Copier**, c'est reproduire exactement un modèle. *Le maître a écrit une poésie au tableau et nous l'avons copiée. Simon a copié son dessin dans un livre.* Synonyme : recopier.

❷ **Copier** sur quelqu'un, c'est regarder ce qu'il a fait et écrire la même chose. *Cet élève a copié sur son voisin.*

# copine ➔ copain

un **coq**

# coq nom masculin

Un **coq** est un oiseau de basse-cour qui a de belles plumes et une crête sur la tête. *Les coqs font « cocorico » quand ils chantent au lever du soleil.*

▶ C'est une volaille. La femelle est la poule. Les petits sont le poussin et le poulet.

🔍 Ne confonds pas « un coq » et « une coque » de bateau .

# coque nom féminin

❶ Un œuf **à la coque** est un œuf que l'on fait cuire trois minutes dans l'eau bouillante avec sa coquille.

❷ La **coque** est la partie extérieure d'un bateau.

❸ Une **coque** est un coquillage comestible que l'on trouve dans le sable.

🔍 Ne confonds pas « une coque » et « un coq ».

● Mot de la même famille : **coquetier**.

# coquelicot nom masculin

Un **coquelicot** est une fleur fragile et légère d'un rouge vif. *Les coquelicots poussent dans les champs de blé en été.*

# coquet, coquette adjectif

Une personne **coquette** aime être bien habillée pour plaire aux autres.

# coquetier nom masculin

Un **coquetier** est un petit récipient qui sert à faire tenir droit un œuf à la coque.

# coquillage nom masculin

Un **coquillage** est un petit animal marin. Son corps est protégé par une coquille. *Les huîtres et les moules sont des coquillages.*

# coquille nom féminin

Une **coquille** est une enveloppe dure. *Les escargots, les coquillages possèdent une coquille. Les œufs, les noix sont recouverts d'une coquille.*

● Mot de la même famille : **coquillage**.

## Les coquillages

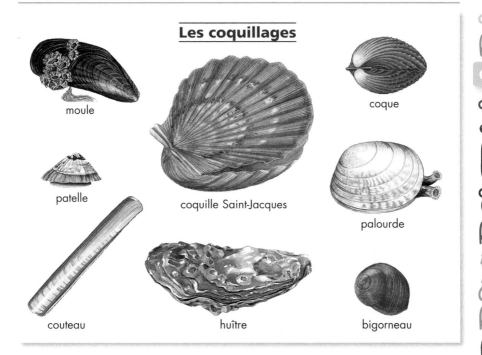

moule

coque

patelle

coquille Saint-Jacques

palourde

couteau

huître

bigorneau

**coquin** nom masculin
**coquine** nom féminin

Un **coquin**, une **coquine** sont des personnes malicieuses qui aiment taquiner les autres et faire des farces. *Petit* **coquin**, *où t'étais-tu caché ?*

**corbeau** nom masculin

Un **corbeau** est un grand oiseau noir qui vit souvent en bandes dans les arbres. *Les* **corbeaux** *font souvent des dégâts dans les cultures de céréales.*

▶ Quand le corbeau crie, on dit qu'il croasse.

🔍 Au pluriel, on écrit *des corbeaux*.
➜ Cherche corneille.

**corbeille** nom féminin

❶ Une **corbeille** est un petit panier, en général sans anse. *J'ai mis la* **corbeille** *de pain sur la table.*

❷ Une **corbeille à papier** est un récipient où l'on jette les papiers.

**corde** nom féminin

❶ Une **corde** est une grosse ficelle très solide. *La barque est attachée à un piquet avec une* **corde**.

❷ Une **corde** est un gros fil t endu sur certains objets ou instruments. *Les raquettes de tennis ont des* **cordes** *très solides. Les guitares ont six* **cordes**.

● Mot de la même famille : **cordon**.

des **corbeaux**

A
B
C
D
E
F
G
H
I
J
K
L
M
N
O
P
Q
R
S
T
U
V
W
X
Y
Z

**cordon** nom masculin

Un **cordon** est une petite corde. *J'ai fermé les rideaux en tirant sur le cordon.*

**cordonnier** nom masculin
**cordonnière** nom féminin

Un **cordonnier**, une **cordonnière** sont des personnes qui réparent les chaussures et les objets en cuir. C'est un nom de métier.

Le **cordonnier** répare un talon.

**corne** nom féminin

Une **corne** est une pointe dure qui pousse sur la tête de certains animaux. *Les vaches et les chèvres ont deux cornes sur le front, le rhinocéros en a une ou deux sur le nez.*

**corneille** nom féminin

Une **corneille** est un oiseau noir qui ressemble à un petit corbeau.

▶ Quand la corneille crie, on dit qu'elle **craille**.

**cornet** nom masculin

Un **cornet** est un sachet en papier ou un objet qui a la forme d'un cône. *J'ai acheté un cornet de frites et un cornet de glace.*

**cornichon** nom masculin

Un **cornichon** est un petit concombre que l'on conserve dans du vinaigre pour lui donner un goût piquant.

**corps** nom masculin

Le **corps**, c'est l'ensemble de toutes les parties d'un être vivant. *La tête, le tronc, les bras et les jambes forment le corps humain.*

🔍 Ce mot se termine par un *s*. On ne prononce pas le *p* ni le *s*.

☛ Va voir « le corps », page 167.

**correct, correcte** adjectif

Une chose **correcte** n'a pas de faute. *Ton opération est correcte.* Synonyme : **juste**. Contraires : **faux, incorrect**.

● Mot de la même famille : **correctement**.

**correctement** adverbe

**Correctement** signifie : comme il faut. *Mathis sait écrire correctement son nom. Tiens-toi correctement !*

**correction** nom féminin

❶ La **correction**, c'est l'action de corriger, de relever les erreurs. *L'instituteur a fait la correction des exercices.*

❷ Une **correction** est une erreur corrigée. *Les corrections sont écrites en rouge sur nos cahiers.*

**correspondance** nom féminin

❶ La **correspondance**, c'est l'ensemble des lettres et des cartes postales que l'on reçoit et que l'on écrit. Synonyme : **courrier**.

❷ Prendre la **correspondance**, c'est changer de ligne de train ou de métro.

# Le corps

les cheveux

la tête

un œil

une oreille

la bouche

le cou

une épaule

un bras

la poitrine

le coude

l'avant-bras

le nombril

le poignet

le ventre

l'aine

la taille

un doigt

le sexe

la cuisse

une main

la cheville

des genoux

le mollet

une jambe

un pied

le dos

la nuque

les orteils

une fossette

une fesse

**correspondant** nom masculin
**correspondante** nom féminin
Un **correspondant**, une **correspondante** s nt des personnes avec lesquelles on échange régulièrement des lettres. *Notre classe a une correspondante qui vit en Afrique.*

**correspondre** verbe
❶ Quand une chose **correspond** à une autre chose, elle va avec. *Écris le mot qui correspond au dessin.*
❷ **Correspondre** avec une personne, c'est lui envoyer des lettres et en recevoir régulièrement. *Jérémy et Rachid ont correspondu pendant six mois.*
● Mots de la même famille : correspondance, correspondant.

**corriger** verbe
Corriger, c'est supprimer les erreurs. *L'institutrice a corrigé la dictée.*
● Mot de la même famille : **correction**.

**corsage** nom masculin
Un **corsage** est un vêtement de femme qui couvre le haut du corps.

**corsaire** nom masculin
Un **corsaire** était un navigateur qui poursuivait les navires de commerce des pays ennemis. *Les corsaires donnaient la plus grande partie de leur butin au roi.*
➜ Cherche **pirate**.

**cortège** nom masculin
Un **cortège** est un ensemble de personnes qui marchent les unes derrière les autres, à l'occasion d'une cérémonie ou pour défiler. *Un long cortège suit les mariés.*

**corvée** nom féminin
Une **corvée** est un travail pénible et désagréable que l'on doit faire. *Le ménage, quelle corvée !*

Les **corsaires** attaquent le navire.

**cosmonaute** nom masculin et nom féminin
Un **cosmonaute**, une **cosmonaute** sont des personnes qui voyagent dans l'espace à bord d'un vaisseau spatial ou d'une fusée. C'est un nom de métier. Synonyme : astronaute.
🔍 On dit parfois un, une **spationaute**.

**costaud** adjectif
Être **costaud**, c'est être grand et fort. *Les déménageurs sont costauds.*
🔍 C'est un mot familier.

**costume** nom masculin
❶ Un **costume** est un vêtement d'homme fait d'un pantalon et d'une veste assortis.
❷ Un **costume** est un habit que l'on porte pour se déguiser. *Pour son anniversaire, Rachid a eu un costume de cow-boy.* Synonyme : déguisement.
● Mot de la même famille : costumé.

**costumé, costumée** adjectif
Un **bal costumé** est un bal où tout le monde est déguisé.

## côte nom féminin

❶ Les **côtes** sont les os courbes qui protègent le cœur et les poumons. *Nous avons douze paires de côtes.*

❷ Une **côte** est une route qui monte. *Nous arrivons en haut de la côte.* Synonyme : **montée.**

❸ La **côte** est le bord de la mer. *Le bateau longe la côte.* Synonyme : **rivage.**

❹ **Côte à côte** signifie : l'un à côté de l'autre. *Audrey et David marchent côte à côte.*

🔎 Le *o* prend un accent circonflexe.

➜ Cherche **pente.**

## côté nom masculin

❶ Le **côté** d'une chose est la partie située à droite ou à gauche. *Le côté droit de la voiture est abîmé.*

❷ Un **côté** est une direction. *Pour se rendre à la piscine, il faut aller de ce côté.*

❸ Un **côté** est une ligne droite qui forme une figure géométrique. *Un carré et un rectangle ont quatre côtés.*

❹ **À côté de** signifie : près de. *Laura est assise à côté de moi.*

🔎 Le *o* prend un accent circonflexe.

Le piéton marche du **côté** gauche de la route.

## coton nom masculin

Le **coton** est une matière douce et blanche qui pousse sur un arbuste des pays chauds, le *cotonnier.* Il sert à fabriquer du fil et du tissu. Il sert aussi à faire des soins quand il n'est pas tissé. *Rémi porte un tee-shirt de coton bleu.*

## cotylédon nom masculin

Le **cotylédon** d'une graine est la partie qui contient les réserves de la plante. *Quand la graine germe, les premières feuilles apparaissent entre les cotylédons.*

🔎 Ce mot s'écrit avec un *y.*

## cou nom masculin

Le **cou** est la partie du corps qui relie la tête au tronc. *Le cou permet de baisser la tête, de la relever et de la tourner.*

🔎 Au pluriel, on écrit *des cous.* Ne confonds pas « cou » et « donner un coup ».

## couchage nom masculin

Un **sac de couchage** est une enveloppe de tissu remplie de duvet. *Quand on campe, on dort dans un sac de couchage.* Synonyme : **duvet.**

## couche nom féminin

❶ Une **couche** de peinture, de vernis est une épaisseur régulière que l'on étale. *J'ai mis trois couches de peinture blanche sur le mur.*

❷ Une **couche** est un linge ou une culotte épaisse qui sert à envelopper les fesses d'un bébé.

a b c d e f g h i j k l m n o p q r s t u v w x y z

A
B
C
D
E
F
G
H
I
J
K
L
M
N
O
P
Q
R
S
T
U
V
W
X
Y
Z

## 1. coucher verbe

❶ **Coucher** un enfant, c'est le mettre au lit. *Madame Arlot a couché son bébé.* Contraire : **lever**.

❷ **Se coucher**, c'est se mettre au lit pour dormir. *Nous nous couchons tous les soirs à neuf heures.* Contraire : **se lever**.

❸ Quand le soleil **se couche**, il disparaît à l'horizon pour faire place à la nuit. Contraire : **se lever**.

● Mots de la même famille : **couchage, couche, couchette**.

## 2. coucher nom masculin

Le **coucher du soleil**, c'est le moment où le soleil disparaît à l'horizon. *Nous avons admiré le coucher du soleil sur la mer.* Contraire : **lever du soleil**.

## couchette nom féminin

Une **couchette** est un lit étroit dans un train ou dans un bateau.

Pierre a pris la **couchette** du haut.

## coucou nom masculin

Un **coucou** est un oiseau migrateur gris qui pond ses œufs dans le nid d'autres oiseaux. *Le coucou fait « cou-cou » quand il chante.*

🔍 Au pluriel, on écrit *des coucous*.

## coude nom masculin

Le **coude** est la partie du bras qui permet de le plier.

## coudre verbe

**Coudre**, c'est assembler avec une aiguille et du fil. *J'ai cousu un bouton à ma chemise. Ma sœur coud à la machine.*

## couette nom féminin

❶ Une **couette** est une grande enveloppe de tissu remplie de duvet et recouverte d'une housse. Elle sert à la fois de drap et de couverture.

❷ Une **couette** est une mèche de cheveux attachée sur le côté de la tête.

## couffin nom masculin

Un **couffin** est un grand panier souple fait pour transporter un bébé.

🔍 Il y a deux *f*.

## coulant, coulante adjectif

Un **nœud coulant** est un nœud fait d'une boucle qui se serre quand on tire. *Un lasso se termine par un nœud coulant.*

## couler verbe

❶ Quand un liquide **coule**, il se répand, s'écoule. *Kien s'est coupé, son sang coule. L'eau des fleuves coule vers la mer.*

❷ **Couler**, c'est tomber au fond de l'eau. *Après avoir heurté un iceberg, le bateau a coulé.* Synonyme : **s'engloutir**.

● Mot de la même famille : **coulant**.

## couleur nom féminin

Ce qui est en **couleur** n'est ni noir ni blanc. *Aujourd'hui, on fait des photos et des films en couleurs. Un arc-en-ciel a sept couleurs.* Synonyme : **teinte**.

☛ Va voir « les couleurs et les formes », page 171.

# Les couleurs et les formes

## Les couleurs

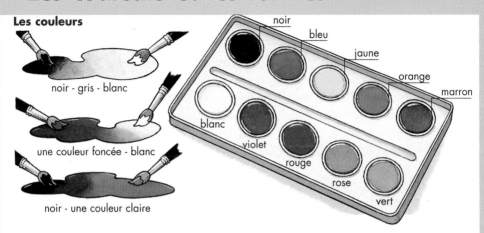

noir - gris - blanc

une couleur foncée - blanc

noir - une couleur claire

noir

bleu

jaune

orange

marron

blanc

violet

rouge

rose

vert

## Les formes

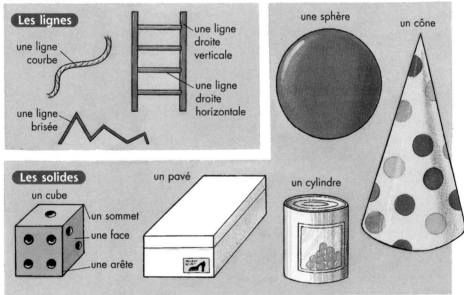

### Les lignes

une ligne courbe

une ligne droite verticale

une ligne droite horizontale

une ligne brisée

une sphère

un cône

### Les solides

un cube

un sommet

une face

une arête

un pavé

un cylindre

### Les figures géométriques

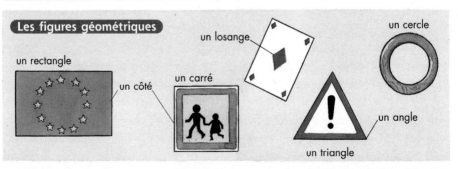

un losange

un cercle

un rectangle

un côté

un carré

un angle

un triangle

## couleuvre nom féminin

Une **couleuvre** est un serpent qui peut mesurer deux mètres de long et qui n'est pas venimeux. *Les couleuvres se nourrissent de rongeurs.*

▶ Le petit est le **couleuvreau**. Les couleuvres ont une tête arrondie et n'ont pas de crochets.

→ Cherche **vipère**.

une **couleuvre**

## coulisses nom féminin pluriel

Les **coulisses** sont la partie d'un théâtre qui est située derrière les décors. *Les comédiens arrivent sur la scène par les coulisses.*

## couloir nom masculin

Un **couloir** est un long passage qui permet d'aller d'une pièce à l'autre. *Ma chambre est au fond du couloir.*

## coup nom masculin

❶ Un **coup** est un geste que l'on fait pour taper ou frapper. *Pour enfoncer un clou, on donne des coups de marteau. Il m'a donné un coup de poing.*

❷ Un **coup** est une action rapide, un geste vif. *J'ai jeté un coup d'œil sur ma montre. Il se donne un coup de peigne.*

❸ Un **coup** est un essai, une tentative. *Laura a réussi à plonger du premier coup.*

❹ Un **coup de feu** est le bruit d'une balle tirée avec un pistolet, un fusil.

❺ Un **coup de soleil** est une brûlure causée par le soleil.

❻ Un **coup de téléphone** est un appel téléphonique. *J'ai donné un coup de téléphone à mon frère.*

🔍 Ce mot se termine par un *p* qu'on ne prononce pas. Ne confonds pas « coup » et « le cou », la partie du corps.

→ Cherche **tout à coup**.

## coupable adjectif

Être **coupable**, c'est avoir commis une faute grave. *Elle a avoué qu'elle était coupable.* Contraire : innocent.

## coupant, coupante adjectif

Un objet **coupant** est un objet qui coupe. *Ce couteau a une lame coupante.* Synonyme : tranchant.

## coupe nom féminin

❶ Une **coupe** est un verre à pied, large et peu profond. *Le champagne se boit dans des coupes.*

❷ Une **coupe** est un vase de métal qui récompense le vainqueur d'une compétition, appelée aussi « coupe ». *Notre équipe de football a gagné la coupe.*

❸ Une **coupe** de cheveux est une façon de se faire couper les cheveux. *Ta nouvelle coupe te va bien.*

## couper verbe

❶ **Couper**, c'est séparer en morceaux, enlever une partie de quelque chose. *Mathis coupe du pain. Papi coupe sa moustache avec des ciseaux.* Synonyme : tailler.

❷ **Se couper**, c'est se faire une blessure avec un objet tranchant. *Julien s'est coupé le doigt avec un canif.*

**❸ Couper** l'eau, le gaz, l'électricité, c'est interrompre leur circulation en fermant le compteur.

● Mots de la même famille : **coupant, coupe.**

Le coiffeur **coupe** les cheveux de Zoé.

**couple** nom masculin

❶ Un **couple** est un homme et une femme qui vivent ensemble.

❷ Un **couple** est un mâle et une femelle. *Fatou élève un couple de hamsters.*

**couplet** nom masculin

Un **couplet**, c'est chacune des parties d'une chanson séparées par le refrain. *Cette chanson a six couplets.*

→ Cherche **refrain.**

**cour** nom féminin

❶ Une **cour** est un terrain découvert, entouré de bâtiments ou de murs. *Les élèves jouent dans la cour de l'école.*

❷ La **cour** d'un roi, d'une reine est l'endroit où ils habitent avec toutes les personnes qui vivent auprès d'eux. *La cour du roi Louis XIV était à Versailles.*

🔍 Ne confonds pas « une cour » et « un cours ».

● Mot de la même famille : **courtisan.**

**courage** nom masculin

Le **courage**, c'est la force d'affronter le danger, de supporter les ennuis ou la douleur. *Pour être sauveteur, il faut avoir du courage.*

● Mot de la même famille : **courageux.**

**courageux, courageuse** adjectif

Une personne **courageuse** a du courage, affronte les risques même si elle a peur. *Les pompiers sont des gens très courageux.*

Contraires : **lâche, peureux.**

**1. courant, courante** adjectif

❶ Une chose **courante** est une chose que l'on a l'habitude de voir, d'entendre ou de faire. *En Europe, le pigeon est une espèce courante.*

Synonymes : **fréquent, ordinaire.**

Contraire : **rare.**

❷ L'eau **courante**, c'est l'eau qui arrive aux robinets par des tuyaux.

**2. courant** nom masculin

❶ Le **courant**, c'est le mouvement de l'eau qui se déplace ou de l'air qui souffle. *Fais attention au courant de la rivière. Ferme la fenêtre, il y a un courant d'air.*

❷ Le **courant**, c'est le déplacement de l'électricité dans les fils et les câbles. *Quand nous partons en vacances, nous coupons le courant.*

Synonyme : **électricité.**

❸ Être **au courant**, c'est être informé, savoir ce qui se passe. *Je suis au courant de leur déménagement.*

**courbature** nom féminin

Une **courbature** est une douleur dans un muscle due à un grand effort ou à la fièvre. *Léa a fait de la gymnastique hier et aujourd'hui elle a des courbatures.*

a b c d e f g h i j k l m n o p q r s t u v w x y z

A B C D E F G H I J K L M N O P Q R S T U V W X Y Z

## 1. courbe adjectif

Une ligne **courbe** est une ligne en forme d'arc. **Contraire :** droit.

→ Cherche **brisé**.

☛ Va voir « les couleurs et les formes », page 171.

## 2. courbe nom féminin

Une **courbe** est une ligne courbe, arrondie. *La ligne des sourcils est une courbe.*

## coureur nom masculin
## coureuse nom féminin

Un **coureur**, une **coureuse** sont des sportifs qui participent à une course. *Les coureurs ont pris le départ.*

## courgette nom féminin

Une **courgette** est un légume allongé à la peau verte. On la mange cuite.

## courir verbe

Courir, c'est avancer très vite en levant haut les genoux. *Adrien court après Paul.*

● Mots de la même famille : **coureur**, **course**.

## couronne nom féminin

Une **couronne** est un cercle de métal précieux orné de pierres et de diamants. *Les rois et les reines portent une couronne.*

● Mot de la même famille : **couronner**.

→ Cherche **diadème**.

## couronner verbe

Couronner une personne, c'est lui mettre une couronne sur la tête pour la désigner comme roi ou reine. *Les rois de France étaient couronnés à Reims.*

une **couronne** royale

## courrier nom masculin

Le **courrier**, c'est l'ensemble des lettres et des cartes postales que l'on envoie et que l'on reçoit. *Le facteur met le courrier dans les boîtes aux lettres.* **Synonyme :** correspondance.

🔎 Il y a deux *r*.

## courroie nom féminin

Une **courroie** est une petite bande souple qui sert à attacher ou à serrer. *Mon sac à dos a deux courroies.*

🔎 Il y a deux *r*.

## cours nom masculin

❶ Un **cours** est une suite de leçons. *Léo est inscrit au cours de dessin.*

❷ En France, un **cours** est un niveau de l'école primaire. *Paul est au cours préparatoire, Alexandra au cours élémentaire 1 et Lola au cours moyen 2.*

❸ Un **cours d'eau** est un fleuve, une rivière ou un ruisseau.

🔎 Ne confonds pas « un cours » et « une cour ».

**course** nom féminin

❶ Une **course** est une compétition de vitesse à pied, à cheval, à vélo, à moto, en voiture. *Audrey et Élisa font la course.*

❷ Une **course** est un achat à faire. *Nous faisons nos courses au supermarché.* Synonyme : commissions.

**court, courte** adjectif

❶ Ce qui est **court** a une petite longueur. *Élisa a les cheveux courts.* Contraire : long.

❷ Ce qui est **court** dure peu de temps. *Les vacances sont trop courtes.* Contraire : long.

**courtisan** nom masculin

Un **courtisan** est un homme qui vivait à la cour du roi.

**couscous** nom masculin

Le **couscous** est un plat fait de semoule de blé, de légumes et de viande.

🔎 Ce mot se termine par un *s* qu'on prononce.

**cousin** nom masculin
**cousine** nom féminin

Le **cousin** et la **cousine** d'une personne sont les enfants de son oncle et de sa tante. *J'ai deux cousins et trois cousines.*

☛ Va voir « la famille », page 273.

**coussin** nom masculin

Un **coussin** est une enveloppe de tissu remplie de plumes ou de duvet.

**couteau** nom masculin

Un **couteau** est un instrument formé d'une lame et d'un manche et qui sert à couper. *Les couteaux sont des couverts.*

🔎 Au pluriel, on écrit *des couteaux.*

**coûter** verbe

**Coûter**, c'est avoir un certain prix. *Ce jeu coûte vingt euros.* Synonyme : valoir.

🔎 Le *u* prend un accent circonflexe.

● Mot de la même famille : coûteux.

**coûteux, coûteuse** adjectif

Un objet **coûteux** est cher. *Ce matériel informatique est coûteux.*

🔎 Le *u* prend un accent circonflexe.

**coutume** nom féminin

Une **coutume** est une habitude ou une manière de vivre. *En France, c'est la coutume d'offrir du muguet le jour du 1er mai.* Synonyme : tradition.

**couture** nom féminin

La **couture**, c'est l'action de coudre. *Mélanie fait de la couture.*

● Mot de la même famille : couturier.

**couturier** nom masculin
**couturière** nom féminin

Un **couturier**, une **couturière** sont des personnes qui taillent et cousent des vêtements. C'est un nom de métier.

➜ Cherche **tailleur**.

**couver** verbe

Pour un oiseau, **couver**, c'est se coucher sur ses œufs jusqu'à leur éclosion. *La poule couve.*

**couvercle** nom masculin

Un **couvercle** est un objet qui sert à couvrir, à fermer une boîte ou un récipient. *J'ai mis un couvercle sur la casserole.*

La poule **couve** ses œufs.

a b c d e f g h i j k l m n o p q r s

A
B
C
D
E
F
G
H
I
J
K
L
M
N
O
P
Q
R
S
T
U
V
W
X
Y
Z

## 1. couvert nom masculin

❶ Les **couverts** sont les ustensiles de table que l'on met devant chaque personne. *Le couteau, la fourchette et la cuillère sont des couverts.*

❷ **Mettre le couvert**, c'est mettre sur la table tout ce qui est nécessaire au repas. *Léo a mis le couvert.*

## 2. couvert, couverte adjectif

❶ Être **couvert**, c'est porter des vêtements. *Tu n'es pas assez couverte par ce froid.*

❷ Un endroit **couvert** est abrité par un toit. *Nous nageons dans une piscine couverte.* Contraire : découvert.

## couverture nom féminin

❶ Une **couverture** est un grand tissu épais que l'on met sur les draps pour avoir chaud.

❷ La **couverture** d'un livre est la feuille de carton très épais qui le recouvre et le protège. *Le titre du livre est écrit sur la couverture.*

## couvrir verbe

❶ **Couvrir** un objet, un véhicule, c'est le protéger en mettant quelque chose dessus. *Camille couvre ses livres. Mon père a couvert sa voiture avec une toile.* Synonyme : recouvrir.

❷ **Se couvrir**, c'est s'habiller de manière à avoir chaud. *Couvre-toi bien pour aller faire du ski.*

❸ Quand le ciel **se couvre**, il se remplit de nuages.

● Mots de la même famille : **couvercle, couvert, couverture**.

un **crabe**

## cow-boy nom masculin

Un **cow-boy** est un homme qui garde de grands troupeaux de vaches, aux États-Unis. *Les cow-boys sont à cheval pour mener le bétail au ranch.*

🔍 Ce mot vient de l'anglais : on prononce [kɔbɔj]. Au pluriel, on écrit *des cow-boys*.

Lucas est déguisé en **cow-boy**.

## crabe nom masculin

Un **crabe** est un animal marin qui a une carapace épaisse, quatre paires de pattes et deux grosses pinces. *Les crabes appelés « tourteaux » se déplacent sur le côté.*

▶ C'est un crustacé.

☞ Va voir « les crustacés », page 183.

## cracher verbe

❶ **Cracher**, c'est lancer de la salive hors de sa bouche. *Il est interdit de cracher dans la rue.*

❷ **Cracher** quelque chose, c'est le rejeter hors de sa bouche. *Lucas a craché le noyau de sa prune.*

## craie nom féminin

La **craie** est une roche blanche qui se casse facilement. On la transforme en bâtons pour écrire sur un tableau noir ou une ardoise.

**craindre** verbe

❶ **Craindre** une chose ou un être, c'est en avoir peur. *Ne **crains** rien, mon chien ne mord pas.*

❷ **Craindre** quelque chose, c'est s'inquiéter. *Nous courons parce que nous **craignons** d'être en retard.*

● Mot de la même famille : **craintif**.

**craintif, craintive** adjectif

Un être **craintif** a peur de tout. *Ma chatte va se cacher au moindre bruit car elle est très **craintive**.*
Synonymes : **farouche, peureux**.

**crampe** nom féminin

Une **crampe** est une douleur provoquée par un muscle qui se durcit d'un seul coup. *Après la course, Léo a eu une **crampe** dans le mollet.*

🔍 Le son [ɑ̃] s'écrit *am* devant un *p*.

des **cratères** de volcans

se **cramponner** verbe

Se **cramponner**, c'est s'accrocher à quelqu'un ou à quelque chose en le serrant fort. *À la patinoire, je **me cramponne** au bras de ma sœur.*

🔍 Le son [ɑ̃] s'écrit *am* devant un *p*.

**crâne** nom masculin

Le **crâne**, c'est l'ensemble des os qui forment le squelette de la tête.

🔍 Le *a* prend un accent circonflexe.

**crâneur** nom masculin
**crâneuse** nom féminin

Être **crâneur**, c'est faire le fier, être prétentieux.

🔍 Le *a* prend un accent circonflexe. C'est un mot familier.

**crapaud** nom masculin

Un **crapaud** est un animal qui ressemble à une grosse grenouille, mais sa peau est rugueuse. Il se nourrit d'insectes. *Les **crapauds** vivent près de l'eau et les femelles pondent dans l'eau.*

▶ Les crapauds sont actifs la nuit. Quand ils crient, on dit qu'ils coassent. Ce sont des **amphibiens**.

**craquer** verbe

❶ **Craquer**, c'est faire un bruit sec. *Dans une maison de campagne, les parquets **craquent**.*

❷ **Craquer**, c'est se casser ou se déchirer. *La branche a **craqué**.*
Synonyme : **se briser**. *Ton pantalon est trop serré, il va **craquer**.*

**cratère** nom masculin

Le **cratère** d'un volcan est le grand trou situé à son sommet. *La lave et les cendres sortent par le **cratère**.*

▶ Des lacs se sont parfois formés dans les cratères des volcans.

un **crapaud**

a b c d e f g h i j k l m n o p q r s t u v w x y

**cravate** nom féminin

Une **cravate** est une bande de tissu que les hommes passent sous le col de leur chemise et qu'ils nouent devant.

**crayon** nom masculin

Un **crayon** est un petit bâton de bois qui contient une mine pour écrire ou pour dessiner. *Clara fait des coloriages avec ses crayons de couleur.*

**crèche** nom féminin

❶ Une **crèche** est un établissement où l'on s'occupe des bébés pendant que leurs parents travaillent.
❷ Une **crèche** de Noël est un ensemble de figurines installées dans un décor. Elle représente la naissance de Jésus dans une étable.

**crédit** nom masculin

Acheter un objet à **crédit**, c'est le prendre et le payer plus tard.

**créer** verbe

**Créer**, c'est réaliser une chose qui n'existait pas avant. *Les ingénieurs créent de nouveaux modèles d'ordinateurs.* Synonyme : **inventer**.

**crème** nom féminin

❶ La **crème** est la matière grasse qui provient du lait. *Avec la crème, on fabrique le beurre.*
❷ Une **crème** est un dessert fait avec des œufs et du lait. *Solène mange un gâteau à la crème.*
❸ Une **crème** est un produit pour les soins de la peau. *Ma sœur met une crème sur son visage.*

**créneau** nom masculin

Un **créneau** est une ouverture rectangulaire faite à intervalles réguliers au sommet d'un château fort. *Les créneaux servaient à observer l'ennemi et à envoyer des projectiles.*

🔎 Au pluriel, on écrit *des créneaux*.

☛ Va voir « le château fort », page 131.

**crêpe** nom féminin

Une **crêpe** est une galette très mince que l'on fait frire. *Chloé mange une crêpe au chocolat.*

🔎 Le premier e prend un accent circonflexe.

● Mot de la même famille : **crêperie**.

une belle **crêpe** !

**crêperie** nom féminin

Une **crêperie** est un restaurant où l'on mange des crêpes.

🔎 Le premier e prend un accent circonflexe.

**crépiter** verbe

**Crépiter**, c'est faire entendre de petits bruits secs en brûlant. *Le bois crépite dans la cheminée.*

**crépuscule** nom masculin

Le **crépuscule** est le moment où le soleil se couche et où la lumière baisse. *Les chauves-souris sortent au crépuscule.*

**cresson** nom masculin

Le **cresson** est une plante qui a des petites feuilles rondes et qui pousse dans l'eau douce. *Avec le cresson, on fait des salades et des soupes.*

**crête** nom féminin

❶ La **crête** d'un coq, c'est le morceau de chair rouge qu'il a sur la tête.

❷ La **crête** d'une montagne, c'est son sommet.

🔎 Le premier e prend un accent circonflexe.

**creuser** verbe

Creuser, c'est faire un trou, rendre creux. *On a creusé un tunnel dans la montagne.* Synonyme : percer. *Le chien creuse le sol pour cacher son os.*

La piste est pleine de **creux**.

**1. creux, creuse** adjectif

❶ Un objet **creux** est vide à l'intérieur. *J'ai trouvé un coquillage creux.* Contraire : plein.

❷ Une assiette **creuse** est plus profonde qu'une assiette plate. *On sert la soupe dans des assiettes creuses.*

● Mot de la même famille : creuser.

**2. creux** nom masculin

Un **creux**, c'est la partie vide ou la partie enfoncée d'une chose. *Certains oiseaux font leur nid dans le creux d'un arbre.* Synonyme : cavité.

**crevasse** nom féminin

Une **crevasse** est une fente dans un glacier. *L'alpiniste est tombé dans une crevasse.*

**crever** verbe

❶ **Crever** une chose, c'est la faire éclater. *Ma petite sœur a crevé son ballon.*

❷ **Crever**, c'est s'ouvrir en éclatant. *Le pneu de mon vélo a crevé en roulant sur un clou.*

**crevette** nom féminin

Une **crevette** est un petit animal marin qui a cinq paires de pattes, deux longues antennes et une fine carapace. *On pêche les crevettes avec un filet.*

▶ C'est un crustacé.

**cri** nom masculin

❶ Un **cri** est un son très fort que fait une personne. *Valentin a poussé un cri de joie quand il a vu son cadeau.*

❷ Un **cri** est un son que fait un animal. *Le cri du chat est le miaulement.*

● Mot de la même famille : crier.

Il a poussé un **cri** quand il a vu l'araignée.

### cric nom masculin

Un **cric** est un instrument qui sert à soulever un véhicule ou un objet très lourd. *Le garagiste a mis un **cric** sous la voiture pour changer une roue.*

### crier verbe

❶ **Crier**, c'est pousser des cris. *Léo a **crié** quand il a vu un scorpion.* **Synonyme : hurler.**

❷ **Crier**, c'est parler fort pour montrer son mécontentement.

### crime nom masculin

Un **crime**, c'est l'action de tuer volontairement une personne. *Il est en prison pour avoir commis un **crime**.* **Synonyme : meurtre.**

● Mot de la même famille : **criminel**.

### criminel nom masculin
### criminelle nom féminin

Un **criminel**, une **criminelle** sont des personnes qui ont commis un crime. *Le **criminel** a été condamné à vingt ans de prison.* **Synonymes : assassin, meurtrier.**

### crinière nom féminin

Une **crinière**, c'est un ensemble de longs poils qui poussent sur le dessus de la tête et sur le cou de certains animaux. *Les chevaux, les bisons et les lions ont une **crinière**.*

### criquet nom masculin

Un **criquet** est un insecte de couleur grise ou brune qui ressemble à une sauterelle. *Les **criquets** se déplacent en sautant et en volant.*

un **criquet**

### crise nom féminin

❶ Une **crise** est l'apparition brutale d'une maladie. *Mon frère a eu une **crise** d'appendicite.*

❷ Avoir une **crise** de nerfs, de rire ou de larmes, c'est s'énerver, rire ou pleurer tout d'un coup et ne plus pouvoir s'arrêter.

❸ Une **crise** est une période difficile dans la vie de quelqu'un ou d'une société.

### cristal nom masculin

❶ Le **cristal** est un verre très fin et très transparent.

❷ Un **cristal** est un objet en cristal.

🔍 Au pluriel, on écrit *des cristaux*.

### critique nom féminin

Faire une **critique** à quelqu'un, c'est lui faire un reproche. *Le professeur a fait des **critiques** sur notre conduite.* **Synonymes : observation, remarque. Contraire : compliment.**

● Mot de la même famille : **critiquer**.

### critiquer verbe

**Critiquer** une personne, c'est ne pas être de son avis, lui donner tort. *Ma sœur **critique** toujours ses camarades.* **Contraire : approuver.**

### croasser verbe

Pour un corbeau, **croasser**, c'est pousser son cri.

🔍 Ne confonds pas « croasser » et « coasser ».

### croc nom masculin

Les **crocs** sont les longues canines pointues d'un chien, d'un loup. *Le chien montre ses **crocs**.*

🔍 Ce mot se termine par un c qu'on ne prononce pas : [kro].

### croche-pied nom masculin

Faire un **croche-pied**, c'est accrocher

avec son pied la jambe de quelqu'un pour le faire tomber.

🔍 Ce mot a un trait d'union. Au pluriel, il n'y a pas de s à « croche » : on écrit *des croche-pieds*.

## crochet nom masculin

❶ Un **crochet** est un morceau de métal recourbé qui sert à accrocher un objet. *Rémi plante un **crochet** dans le mur pour suspendre un tableau.*

❷ Un **crochet** est une dent recourbée qu'ont les serpents venimeux. *La vipère a des **crochets**.*

● Mot de la même famille : crochu.

## crochu, crochue adjectif

Un objet **crochu** a une forme recourbée vers le bas. *L'aigle a un bec **crochu**.*

## crocodile nom masculin

Un **crocodile** est un grand reptile carnivore qui a de grosses mâchoires, de courtes pattes palmées et le corps recouvert d'écailles très dures. Il vit dans les lacs et les fleuves des pays chauds.

▶ Quand le crocodile crie, on dit qu'il **vagit**.

## croire verbe

❶ **Croire** quelqu'un, c'est penser qu'il dit la vérité. *Camille m'a cru quand je lui ai dit que je changeais d'école.*

❷ **Croire en** (ou **croire à**), c'est être sûr qu'une chose ou un être existent. *Elle croit en Dieu. Est-ce que tu crois au père Noël ?*

❸ **Croire**, c'est penser quelque chose sans en être certain. *Je crois qu'il va faire beau demain.*

## croisement nom masculin

Un **croisement** est un endroit où deux routes, deux rues, deux chemins se croisent. *Un accident s'est produit au **croisement** des deux rues.* Synonymes : carrefour, intersection.

## croiser verbe

❶ **Croiser** les bras, c'est avoir les bras pliés l'un sur l'autre. *Zohra a les bras croisés.*

❷ **Croiser** une personne ou un véhicule, c'est les rencontrer alors qu'ils vont dans une direction opposée. *J'ai croisé Bastien dans la rue.*

❸ Quand une route **croise** une autre voie, elle la coupe, la traverse. *Notre rue croise un boulevard.*

● Mot de la même famille : croisement.

Audrey **croise** les bras.

## croissance nom féminin

La **croissance**, c'est le fait de grandir. *Aurélie est en pleine croissance.* Synonyme : développement.

un **crocodile**

*a b c d e f g h i j k l m n o p q r s t u v x y z*

A
B
C
D
E
F
G
H
I
J
K
L
M
N
O
P
Q
R
S
T
U
V
W
X
Y
Z

## 1. croissant nom masculin

❶ Un **croissant** de lune, c'est la partie de la lune qui forme deux cornes.

❷ Un **croissant** est une pâtisserie de forme recourbée.

Marie regarde le **croissant** de lune.

## 2. croissant, croissante adjectif

L'ordre croissant, c'est le classement des nombres du plus petit au plus grand. *Je sais classer les nombres 12, 2, 5, 8 par ordre croissant.* Contraire : décroissant.

## croix nom féminin

Une **croix** est faite de deux traits qui se coupent au milieu. *J'ai mis une croix devant les bonnes réponses.*

🔎 Ce mot se termine par un *x*.

## croque-monsieur nom masculin

Un **croque-monsieur** est un sandwich chaud fait de pain de mie, de fromage et de jambon.

🔎 Ce mot s'écrit avec un trait d'union. Au pluriel, il n'y a pas de *s* : *des croque-monsieur.*

## croquer verbe

Croquer un aliment, c'est l'écraser entre ses dents avec un bruit sec. *Mélanie croque un bonbon.*

## croquis nom masculin

Un **croquis** est un dessin rapide. *Avant de peindre son tableau, Chloé a fait un croquis.*

🔎 Ce mot se termine par un *s*.

## crotte nom féminin

❶ Une **crotte** est une quantité de matière solide qui est rejetée après la digestion. *Les chiens bien dressés font leurs crottes dans le caniveau.*

❷ Des **crottes** de chocolat sont des bonbons au chocolat en forme de petites boules.

## croustillant, croustillante adjectif

Un aliment **croustillant** croque sous la dent. *Julien mange un petit biscuit croustillant.*

## croûte nom féminin

❶ La **croûte** est la partie extérieure de certains aliments. *Camille préfère la croûte du pain à la mie. Mon chien mange les croûtes de fromage.*

❷ Une **croûte** est une plaque dure et brune formée par le sang qui a séché sur une plaie. *Mon frère a des croûtes au genou.*

🔎 Le *u* prend un accent circonflexe.

● Mot de la même famille : croûton.

## croûton nom masculin

Le **croûton** du pain est le bout du pain. Il est formé surtout de croûte.

🔎 Le *u* prend un accent circonflexe.

## cru, crue adjectif

Un aliment **cru** est un aliment que l'on n'a pas fait cuire. *Pauline aime les artichauts crus.* Contraire : cuit.

● Mot de la même famille : crudités.

## crudités nom féminin pluriel

Les **crudités** sont des légumes que l'on peut manger crus. *Les carottes et les concombres sont des crudités.*

### crue nom féminin

Quand une rivière est en **crue**, ses eaux montent et peuvent provoquer une inondation.

La rivière est en **crue**.

### cruel, cruelle adjectif

Être **cruel**, c'est être très méchant, aimer faire souffrir. *Ne sois pas cruel avec les animaux.*

### crustacé nom masculin

Un **crustacé** est un animal qui a un corps mou, sans os, protégé par une carapace. *Les langoustes, les crabes, les homards sont des **crustacés** marins. Les écrevisses sont des **crustacés** d'eau douce.*

### cube nom masculin

Un **cube** est une forme géométrique qui a six côtés formés par six carrés de la même taille.

☞ Va voir « les couleurs et les formes », page 171.

### cueillette nom féminin

Faire la **cueillette** de fruits, c'est les cueillir. *En été, on fait la **cueillette** des pêches.*

🔍 Il y a un *u* après le *c*.

→ Cherche **vendange**.

## Les crustacés

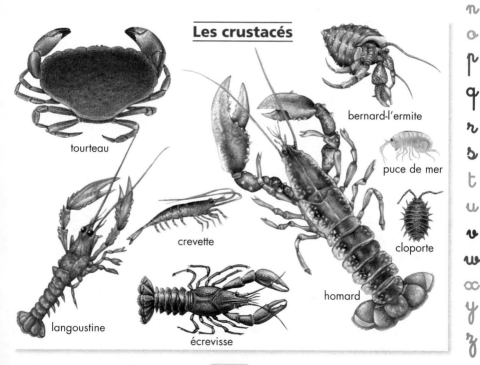

tourteau

crevette

langoustine

écrevisse

bernard-l'ermite

puce de mer

cloporte

homard

**cueillir** verbe

Cueillir des fleurs, des fruits, des légumes, c'est les détacher de leur tige ou de leur branche. *Simon cueille des haricots.*

🔍 Il y a un *u* après le *c*.

● Mot de la même famille : cueillette.

Les enfants **cueillent des cerises**.

**cuillère** nom féminin

Une **cuillère** est un couvert formé d'un manche et d'une partie creuse. *J'ai mis des petites cuillères pour le dessert.*

🔍 On écrit aussi « cuiller ».

● Mot de la même famille : cuillerée.

**cuillerée** nom féminin

Une **cuillerée** est le contenu d'une cuillère. *J'ai mis une cuillerée de crème dans les fraises.*

**cuir** nom masculin

Le **cuir** est la peau de certains animaux. Il sert à faire des vêtements, des chaussures, des sacs, des ceintures et d'autres objets.

🔍 Ne confonds pas « le cuir » et « faire cuire » un aliment.

● Mot de la même famille : cuirasse.

**cuirasse** nom féminin

Une **cuirasse** est une armure qui couvre la poitrine, le ventre et le dos. *Autrefois, les guerriers portaient une cuirasse.*

**cuire** verbe

❶ Faire **cuire** un aliment, c'est le chauffer pour le rendre bon à manger. *Maman fait cuire un bifteck dans une poêle. Les pâtes cuisent.*

❷ Faire **cuire** un objet en céramique, c'est le mettre dans un four spécial pour le rendre dur. *Le potier fait cuire ses pots.*

🔍 Ne confonds pas « cuire » et « le cuir ».

● Mots de la même famille : cuisson, cuit.

**cuisine** nom féminin

❶ La **cuisine** est la pièce où l'on prépare les repas.

❷ Faire la **cuisine**, c'est préparer et faire cuire les aliments. *Le dimanche midi, mon frère fait la cuisine.*

● Mots de la même famille : cuisinier, cuisinière.

**cuisinier** nom masculin
**cuisinière** nom féminin

Un **cuisinier**, une **cuisinière** sont des personnes qui préparent et font cuire les aliments dans un restaurant ou dans une cantine. C'est un nom de métier.

**cuisinière** nom féminin

Une **cuisinière** est un appareil ménager qui sert à faire cuire les aliments. Elle fonctionne au gaz ou à l'électricité.

**cuisse** nom féminin

La **cuisse** est la partie de la jambe qui va de la hanche au genou.

**cuisson** nom féminin
La **cuisson** est la façon de faire cuire les aliments. *Pour certaines viandes, la cuisson se fait à feu doux.*

**cuit, cuite** adjectif
Un aliment **cuit** a fini de cuire. *Jérémy n'aime pas le céleri cuit.* Contraire : **cru**.

**cuivre** nom masculin
Le **cuivre** est un métal rouge assez mou. *Les fils électriques sont en cuivre.*

**culotte** nom féminin
Une **culotte** est un sous-vêtement qui couvre les fesses et le bas du ventre. Synonyme : **slip**.

**cultivateur** nom masculin
**cultivatrice** nom féminin
Un **cultivateur**, une **cultivatrice** sont des personnes qui cultivent la terre. C'est un nom de métier.
→ Cherche **agriculteur**.

**cultiver** verbe
**Cultiver** des plantes, c'est les faire pousser et les récolter. *Dans cette région, les agriculteurs cultivent des céréales.*
● Mots de la même famille : **cultivateur**, **culture**.

**culture** nom féminin
❶ La **culture**, c'est l'action de cultiver la terre, de faire pousser des plantes. *Il faut de grands espaces pour la culture des céréales.*
❷ Les **cultures** sont les plantes que l'on cultive. *Les inondations ont détruit les cultures.*

**cure-dents** nom masculin
Un **cure-dents** est un petit bâton pointu que l'on utilise pour débarrasser ses dents des restes de nourriture.

🔎 Ce mot s'écrit avec un trait d'union. Il ne change pas au pluriel : *des cure-dents.*

**curieux, curieuse** adjectif
❶ Une personne **curieuse** cherche à savoir, à connaître, à s'informer. *Je serais curieuse de savoir pourquoi Léo n'est pas venu à la piscine.*
❷ Une personne **curieuse** cherche à savoir ce qui ne la regarde pas. *Ton frère n'arrête pas de poser des questions, il est trop curieux.* Synonyme : **indiscret**. Contraire : **discret**.
● Mot de la même famille : **curiosité**.

**curiosité** nom féminin
❶ La **curiosité** est le désir de connaître des choses nouvelles. *La curiosité des savants est à l'origine de nombreuses découvertes.*
❷ La **curiosité** est le défaut d'une personne curieuse, indiscrète. *La curiosité te jouera de mauvais tours.*

**cursive** adjectif féminin
L'écriture **cursive** est l'écriture qui est tracée à la main avec des lettres attachées.
→ Cherche **script**.

**cutter** nom masculin
Un **cutter** est un instrument très tranchant qui sert à découper du carton ou du papier épais.

**cuvette** nom féminin
❶ Une **cuvette** est un récipient large et peu profond qui sert au lavage. *Maman a mis du linge à tremper dans une cuvette.*
❷ La **cuvette** des cabinets est la partie profonde qui contient l'eau.

A
B
C
D
E
F
G
H
I
J
K
L
M
N
O
P
Q
R
S
T
U
V
W
X
Y
Z

### cyclable adjectif

Une piste **cyclable** est une voie réservée aux cyclistes, sur le bord d'une route ou d'une rue.

🔍 Ce mot s'écrit avec un *y*.

On est en sécurité lorsqu'on roule sur une piste **cyclable**.

### cycle nom masculin

Un **cycle** est une suite de faits qui reviennent toujours dans le même ordre. *L'eau des nuages tombe lorsqu'il pleut et s'écoule vers la mer, puis l'eau de la mer s'évapore et les nuages se reforment : c'est le **cycle** de l'eau.*

🔍 Ce mot s'écrit avec un *y*.

### cycliste nom masculin et nom féminin

Un **cycliste**, une **cycliste** sont des personnes qui roulent à bicyclette. *La voiture a dépassé un groupe de **cyclistes**.*

🔍 Ce mot s'écrit avec un *y*.

### cyclomoteur nom masculin

Un **cyclomoteur** est un véhicule à deux roues qui a un moteur moins puissant que celui d'une moto.

### cyclone nom masculin

Un **cyclone** est une tempête très violente qui forme de gros tourbillons de vent. *Les îles chaudes et humides sont parfois dévastées par des **cyclones**.*

🔍 Ce mot s'écrit avec un *y*.

→ Cherche **ouragan**, **tempête** et **tornade**.

### cygne nom masculin

Un **cygne** est un grand oiseau migrateur qui a un long cou très souple, des pattes palmées et des plumes blanches ou noires. Il vit sur les eaux douces.

▶ Quand le cygne crie, on dit qu'il **siffle** ou qu'il **trompette**.

🔍 Ce mot s'écrit avec un *y*. Ne confonds pas « cygne » et « faire un signe ».

### cylindre nom masculin

Un **cylindre** est une forme géométrique qui ressemble à un rouleau.

🔍 Ce mot s'écrit avec un *y*.

☞ Va voir « les couleurs et les formes », page 171.

**d'abord** → **abord**

**daim** nom masculin

Un **daim** est un mammifère qui vit dans les forêts. Il appartient à la même famille que le cerf mais il est plus petit. Son pelage est marron avec des taches blanches, et ses cornes, appelées « bois », sont aplaties.

▶ C'est un ruminant. La femelle est la **daine**, le petit est le faon. Quand le daim crie, on dit qu'il **brame**.

🔍 Dans ce mot, le son [ɛ̃] s'écrit *aim*.

**dalle** nom féminin

Une **dalle** est une plaque de pierre ou de ciment qui sert à recouvrir le sol.

→ Cherche **carreau**.

**dalmatien** nom masculin

Un **dalmatien** est un grand chien qui a un pelage blanc avec de très nombreuses taches noires. *J'ai vu le dessin animé « les 101 Dalmatiens ».*

▶ La femelle est la **dalmatienne**.

**dame** nom féminin

❶ Une **dame** est une femme. *Je ne connais pas cette dame.*

❷ Le **jeu de dames** est un jeu qui se joue à deux avec vingt pions noirs et vingt pions blancs que l'on déplace sur un plateau appelé *damier*.

→ Cherche **demoiselle**.

**danger** nom masculin

Un **danger** est un risque d'accident. *Un automobiliste qui roule trop vite représente un danger.*

● Mot de la même famille : dangereux.

☞ Va voir « les panneaux de signalisation », page 491.

**dangereux, dangereuse** adjectif

❶ Une chose **dangereuse** présente un danger, un risque d'accident. *Les cascadeurs font un métier dangereux.*

❷ Un animal **dangereux** peut faire du mal aux humains. *Certains serpents sont dangereux.* Contraire : inoffensif.

**dans** préposition

**Dans** signifie : à l'intérieur. *Mes clés sont dans ma poche.*

**danse** nom féminin

Une **danse** est une suite de pas et de mouvements que l'on fait sur un air de musique. *La valse est une danse.*

● Mots de la même famille : danser, danseur.

### danser verbe

Danser, c'est faire une suite de pas et de mouvements sur un air de musique. *Marie danse bien.*

Kelly **danse** pour le spectacle.

### danseur nom masculin
### danseuse nom féminin

❶ Un **danseur**, une **danseuse** sont des artistes qui dansent dans un ballet. C'est un nom de métier.

❷ Des **danseurs** sont des personnes qui dansent pour leur plaisir.

### dard nom masculin

Un **dard** est une petite pointe venimeuse. *Les abeilles et les guêpes ont un dard.*

### date nom féminin

La **date**, c'est l'indication du jour, du mois et de l'année. *Quelle est ta date de naissance ?*

🔍 Ne confonds pas « date » et « la datte », le fruit.
● Mot de la même famille : **dater**.

### dater verbe

Dater, c'est mettre la date sur une feuille de papier. *Paul a daté sa lettre.*

### datte nom féminin

Une **datte** est un petit fruit brun très sucré qui a un noyau.

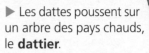

▶ Les dattes poussent sur un arbre des pays chauds, le **dattier**.

🔍 Ne confonds pas « datte » et « la date » de naissance.

### dauphin nom masculin

Un **dauphin** est un grand mammifère marin. Il a un museau pointu et le corps d'un poisson. *Les dauphins font de grands bonds hors de l'eau.*

▶ Les dauphins recherchent la compagnie des humains. Ils peuvent faire de grands bonds hors de l'eau pour se déplacer encore plus vite ou pour jouer.

🔍 Ce mot s'écrit avec *ph*.

des **dauphins**

### davantage adverbe

Davantage signifie : plus. *Léa voudrait davantage de glace.* Contraire : moins.

## de préposition

De est un petit mot que l'on emploie pour donner différentes indications. *Le livre de Julien. Il vient de Bruxelles. Je meurs de froid. Un tas de sable. Elle fait un signe de la main.*

🔎 De s'écrit d' devant une voyelle ou un « h » muet : *le livre d'Anaïs.* On ne dit pas « de le » ni « de les » mais *du* et *des* : *le livre du professeur, des élèves.*

## dé nom masculin

❶ Un **dé** à jouer est un petit cube qui a un nombre de points sur chaque face, de 1 à 6.
❷ Un **dé** à coudre est un petit objet en métal que l'on met au bout d'un doigt pour ne pas se piquer.

## déballer verbe

Déballer un objet, c'est le sortir de son emballage. *Solène déballe son cadeau d'anniversaire.* Contraire : emballer.

🔎 Il y a deux *l*.

## se débarbouiller verbe

Se débarbouiller, c'est se laver le visage. *Valentin s'est débarbouillé après avoir mangé une tarte aux myrtilles.* Contraire : se barbouiller.

Marie et Paul **se débarbouillent**.

## débarquer verbe

Débarquer, c'est descendre d'un avion ou d'un bateau après un voyage. *Les passagers ont débarqué à Montréal.* Contraires : embarquer, monter à bord.

## débarras nom masculin

Un **débarras** est une petite pièce où l'on met les affaires qui embarrassent.

🔎 Ce mot s'écrit avec deux *r* et se termine par un *s*.

## débarrasser verbe

❶ Débarrasser, c'est enlever ce qui embarrasse. *Nous avons débarrassé le grenier.* Contraire : encombrer. *Jérémy voudrait se débarrasser de ses vieux jouets.* Contraires : conserver, garder.
❷ Débarrasser la table, c'est enlever tout ce qui a servi au repas.
● Mot de la même famille : débarras.

## débat nom masculin

Un **débat** est une discussion sur un sujet où chaque personne donne son avis. *Mes parents ont participé à un débat sur la pollution.*

## se débattre verbe

Se débattre, c'est lutter pour échapper à quelqu'un ou à quelque chose. *Le poisson se débattait au bout de la ligne.*

## débloquer verbe

Débloquer une chose, c'est la faire bouger quand elle est bloquée. *J'ai réussi à débloquer la fenêtre.* Contraire : bloquer.

## déboisement nom masculin

Le **déboisement**, c'est l'action de couper les arbres dans les bois et dans les forêts. *Les bûcherons font du déboisement.*

a b c d e f g h i j k l m n o p q r s t u v w x y z

A
B
C
D
E
F
G
H
I
J
K
L
M
N
O
P
Q
R
S
T
U
V
W
X
Y
Z

### déborder verbe

Déborder, c'est se répandre par-dessus bord. *J'ai oublié de fermer le robinet et la baignoire a débordé.*

Oh ! le lavabo **a débordé** !

### déboucher verbe

Déboucher une bouteille, c'est enlever le bouchon. Contraire : boucher.

### debout adverbe

❶ Être **debout** (ou tenir **debout**), c'est se tenir sur ses pieds. *La malade ne tient pas debout.*

❷ Être **debout**, c'est être levé. *Ma mère est debout à six heures tous les matins.*

### déboutonner verbe

Déboutonner un vêtement, c'est l'ouvrir en sortant les boutons des boutonnières. Contraire : boutonner.

🔎 Il y a deux *n*.

### débrancher verbe

Débrancher un appareil électrique, c'est enlever le fil de la prise pour que le courant ne passe plus. Contraire : brancher.

### débris nom masculin pluriel

Des **débris** sont des morceaux cassés. *Il faut ramasser les débris de la bouteille.*

### débrouillard, débrouillarde adjectif

Une personne **débrouillarde** sait se débrouiller, trouver des solutions pour sortir d'une situation difficile. Synonymes : astucieux, dégourdi, malin.

### se débrouiller verbe

Se débrouiller, c'est trouver comment sortir d'une situation difficile. *Jonathan a raté son car, mais il s'est débrouillé pour arriver à l'heure à l'école.* Synonyme : s'arranger.
● Mot de la même famille : débrouillard.

### débroussailler verbe

Débroussailler un lieu, c'est couper les broussailles. *Pour éviter les incendies, il faut débroussailler les forêts.*

### début nom masculin

Le **début** est le moment où quelque chose débute, commence. *Nous sommes au début de l'hiver.* Synonyme : commencement. Contraire : fin.

### débutant nom masculin débutante nom féminin

Un **débutant**, une **débutante** sont des personnes qui commencent à apprendre. *Hugo ne nage pas encore très bien, c'est un débutant.*

### débuter verbe

Quand une chose **débute**, elle en est au début, au commencement. *La séance débute à vingt heures.* Synonyme : commencer. Contraires : s'achever, finir, se terminer.
● Mots de la même famille : début, débutant.

## décalquer verbe

**Décalquer** un dessin, c'est le copier en suivant le contour à l'aide d'un papier transparent placé sur le dessin.

Julie **a décalqué** un dessin.

## décapotable adjectif

Une voiture **décapotable** est une voiture qui a une capote.

## décéder verbe

**Décéder**, c'est mourir. *Ma grand-mère est décédée hier.*

## décembre nom masculin

**Décembre** est le douzième et dernier mois de l'année. Il vient après novembre. *Le 25 décembre, c'est Noël.*

🔎 Le son [ã] s'écrit *em* devant un *b*.

☛ Va voir « le calendrier », page 111.

## déception nom féminin

Avoir une **déception**, c'est être triste parce qu'on n'a pas obtenu ce que l'on espérait. *Paul a eu une grande déception quand son équipe a perdu.*

## décès nom masculin

Le **décès** est la mort d'une personne.

🔎 Ce mot se termine par un *s*.

● Mot de la même famille : **décéder**.

## décevant, décevante adjectif

Une chose ou une personne **décevante** déçoit, n'est pas aussi bien qu'on l'espérait. *Ce film était décevant.*

## décevoir verbe

**Décevoir** quelqu'un, c'est ne pas être aussi bien qu'il l'espérait. *Ce dessin animé m'a déçu.*

● Mots de la même famille : **déception, décevant, déçu.**

## déchaîné, déchaînée adjectif

Être **déchaîné**, c'est être très excité. *Les petits sont déchaînés dans la cour.*

🔎 Le *i* prend un accent circonflexe.

## décharger verbe

**Décharger**, c'est enlever des objets d'un véhicule ou du dos d'un animal. *Nous déchargeons la voiture avec grand-père.* Contraire : **charger**.

## déchets nom masculin pluriel

Les **déchets** sont les épluchures, les emballages, les restes que l'on jette, que l'on n'utilise pas. *J'ai trié les déchets à mettre à la poubelle.* Synonyme : **ordures**.

## déchiffrer verbe

❶ **Déchiffrer** un message, c'est comprendre le code du message. *L'espion a réussi à déchiffrer le message secret.*

❷ **Déchiffrer** une écriture, c'est réussir à la lire. *L'écriture de Léo est si petite qu'on a du mal à la déchiffrer.*

a b c d e f g h i j k l m n o p q r s t u v w x y z

**déchirer** verbe

**Déchirer** du papier, du tissu, c'est le mettre en morceaux, arracher des morceaux. *Chloé a déchiré sa lettre. J'ai déchiré mon pull dans les ronces.*
● Mot de la même famille : **déchirure**.

Kien **a déchiré** son tee-shirt.

**déchirure** nom féminin

Une **déchirure** est une partie déchirée dans du tissu, du papier. *Marie a fait une déchirure à son pantalon.*
Synonyme : **trou**.

**décider** verbe

**Décider**, c'est choisir de faire quelque chose après avoir réfléchi. *Ma sœur a décidé d'apprendre le judo.*
● Mot de la même famille : **décision**.

**décimètre** nom masculin

❶ Il faut dix **décimètres** pour faire un mètre.
❷ Un **double décimètre** est une règle plate graduée qui mesure vingt centimètres.
☛ Va voir « les mesures », page 443.

**décision** nom féminin

Prendre une **décision**, c'est décider de faire quelque chose, choisir de le faire. *Mes parents ont pris la décision de déménager.*

**déclaration** nom féminin

Faire une **déclaration**, c'est déclarer quelque chose, le faire savoir. *Le ministre a fait une déclaration à la télévision.*

**déclarer** verbe

**Déclarer** quelque chose, c'est le faire savoir dans un discours.
● Mot de la même famille : **déclaration**.

**déclencher** verbe

**Déclencher** un mécanisme, c'est le mettre en marche. *L'entrée des voleurs a déclenché le signal d'alarme.*

**décoiffer** verbe

**Décoiffer** une personne, c'est mettre ses cheveux en désordre. *Le vent m'a décoiffée.* Contraire : **coiffer**.

**décollage** nom masculin

Le **décollage**, c'est le moment où un avion, une fusée décollent, quittent le sol. *Il est interdit de se lever pendant le décollage de l'avion.* Contraire : **atterrissage**.

**décoller** verbe

❶ **Décoller**, c'est détacher ce qui était collé. *Clara a décollé un timbre.* Contraire : **coller**.
❷ Quand un avion, une fusée **décollent**, ils quittent le sol pour s'envoler. Contraires : **atterrir, se poser**.
● Mot de la même famille : **décollage**.

L'avion **a décollé**.

**décolleté, décolletée** adjectif
Un vêtement **décolleté** laisse voir le cou et le haut de la poitrine. *Ma sœur a mis sa robe décolletée.*

**décontracté, décontractée** adjectif
Être **décontracté**, c'est être à l'aise, ne pas être gêné, intimidé ou inquiet.

**décor** nom masculin
Sur la scène d'un théâtre, le **décor** montre le lieu où l'histoire se passe.

**décoratif, décorative** adjectif
Un objet **décoratif** décore, orne un lieu. *Ce bouquet est très décoratif dans la salle à manger.*

**décoration** nom féminin
❶ La **décoration**, c'est la façon de décorer. *La décoration de ma chambre me plaît.*
❷ Une **décoration** est un objet qui sert à décorer. *Laura a sorti les décorations de Noël.* Synonyme : ornement.

**décorer** verbe
**Décorer** un lieu, c'est le rendre plus beau, en plaçant de jolis objets. *Pour Noël, on a décoré nos chambres.*
Synonyme : orner.
● Mots de la même famille : **décor**, décoratif, décoration.

**décortiquer** verbe
**Décortiquer** un fruit, c'est enlever sa coquille. *J'ai décortiqué toutes les noix.*

**découpage** nom masculin
Un **découpage**, c'est le fait de découper du papier ou du carton. *Natacha fait des découpages.*

**découper** verbe
**Découper**, c'est couper en suivant les contours. *Léa a découpé des photos de chanteurs.*
● Mot de la même famille : découpage.

Lucas **découpe** du papier.

**décourageant, décourageante** adjectif
Une chose ou une personne **décourageante** enlève le courage de continuer ce qu'on fait. *Cet exercice est trop compliqué : c'est décourageant !*

**décourager** verbe
**Décourager** quelqu'un, c'est lui enlever son courage. *Sa mauvaise note l'a découragé.* Contraire : encourager.

**décousu, décousue** adjectif
Un vêtement **décousu** a des fils défaits. *L'ourlet de ton pantalon est décousu.*

**découvert, découverte** adjectif
Une piscine **découverte** est une piscine construite en plein air. Contraire : couvert.

### découverte nom féminin

❶ Partir à la **découverte**, c'est découvrir ce qui était caché. *Les enfants sont partis à la* **découverte** *du trésor.*

❷ Une **découverte**, c'est une chose que l'on découvre après avoir fait des recherches. *La* **découverte** *des antibiotiques a été très importante pour la médecine.*

### découvrir verbe

❶ **Découvrir** quelque chose, c'est trouver ce qui était caché. *Les enfants* **ont découvert** *un trésor dans une grotte.*

❷ **Découvrir** quelque chose, c'est trouver ce qui était inconnu. *Pasteur a* **découvert** *un vaccin contre la rage.*

● Mots de la même famille : **découvert, découverte.**

Si tu regardes l'image à l'envers, tu **découvriras** un oiseau.

### décrire verbe

**Décrire** un être ou une chose, c'est dire comment ils sont. *Peux-tu* **décrire** *ton école ?*

● Mot de la même famille : **description.**

### décrocher verbe

❶ **Décrocher** un objet, c'est le détacher de l'endroit où il était attaché. *Grand-mère* **a décroché** *les rideaux.* Contraire : accrocher.

❷ **Décrocher** le téléphone, c'est soulever la partie qui permet de parler et d'écouter. *Le téléphone sonne, veux-tu* **décrocher** *?* Contraire : raccrocher.

### décroissant, décroissante adjectif

L'ordre **décroissant** va du plus grand au plus petit. *Je classe les nombres 12, 2, 5, 8 par* **ordre décroissant.** Contraire : croissant.

### déçu, déçue adjectif

Être **déçu**, c'est ne pas avoir obtenu ce qu'on désirait, ce qu'on espérait. *Rémi n'est pas venu dimanche et Audrey était très* **déçue.**

🔎 Le c prend une cédille.

### dedans adverbe

**Dedans** signifie : à l'intérieur. *Regarde dans le placard, j'ai mis tes affaires* **dedans.** Contraires : dehors, à l'extérieur.

### déesse → dieu

### défaire verbe

❶ **Défaire**, c'est détruire ou enlever ce qui est fait. *Marion* **défait** *le nœud de son lacet.* Contraire : faire.

❷ **Défaire** des bagages, c'est les vider. *Dès notre arrivée, nous* **défaisons** *les valises.* Contraire : faire.

### défaite nom féminin

Une **défaite**, c'est la perte d'une guerre, d'une bataille, d'une compétition. *Le match s'est terminé par la* **défaite** *de notre équipe.* Contraire : victoire.

## défaut nom masculin

❶ Un **défaut**, c'est ce qui n'est pas bien dans le caractère d'une personne. *Nous avons tous des défauts.* Contraire : qualité.

❷ Un **défaut**, c'est ce qui n'est pas bien fait dans une chose. *Notre nouveau téléphone a un défaut.*

## défendre verbe

❶ **Défendre** quelque chose à quelqu'un, c'est le lui interdire. *Le gardien nous a défendu de marcher sur les pelouses.* Contraires : autoriser, permettre.

❷ **Défendre** quelqu'un, c'est le protéger contre une attaque. *Si on t'attaque, je te défendrai. Les avocats défendent les personnes accusées.*
● Mot de la même famille : défense.

## défense nom féminin

❶ La **défense**, c'est l'action d'interdire. *Un panneau indiquait « Défense de faire du feu ».* Synonyme : interdiction. Contraires : autorisation, permission.

❷ Prendre la **défense** d'une personne, c'est la protéger contre des attaques. *Jérémy a pris la défense de son frère.*

❸ Les **défenses** sont deux dents très longues qui sortent de la mâchoire d'un éléphant, d'un sanglier.

Rachid prend la **défense** des petits.

## défilé nom masculin

Un **défilé** est un groupe de personnes qui marchent les unes derrière les autres. *J'ai assisté au défilé du 14 Juillet.*
● Mot de la même famille : défiler.

## défiler verbe

**Défiler**, c'est marcher en files, en rangs. *Les soldats ont défilé deux par deux.*

## définir verbe

**Définir** un mot, c'est expliquer ce que ce mot veut dire. *Un dictionnaire définit les mots.*
● Mot de la même famille : définition.

## définition nom féminin

Une **définition** est une explication qui permet de comprendre un mot. *Cherche la définition du mot « conciliabule » dans le dictionnaire.*

## défoncer verbe

❶ **Défoncer** une porte, un mur, c'est les casser pour pénétrer dans un lieu. *Les pompiers ont défoncé la porte.* Synonyme : enfoncer.

❷ **Défoncer** une surface, c'est la creuser profondément. *La route est défoncée par les camions.*

## déformer verbe

**Déformer** un vêtement, c'est changer sa forme en tirant dessus. *Ne tire pas sur ton tee-shirt, tu vas le déformer.*

## dégager verbe

**Dégager** un lieu, c'est le débarrasser de ce qui l'encombre. *L'agent a demandé aux automobilistes de dégager le passage.* Contraire : encombrer. *Le ciel s'est dégagé.*

a b c **d** e f g h i j k l m n o p q r s t u v w x y z

**dégât** nom masculin

Faire du **dégât** (ou des **dégâts**), c'est détruire beaucoup de choses. *L'incendie a fait beaucoup de dégâts.*

🔎 Le *a* prend un accent circonflexe.

→ Cherche **ravage**.

**dégel** nom masculin

Le **dégel** est la fonte de la neige et de la glace, au début du printemps. *Des inondations ont été causées par le dégel.* Synonyme : **fonte des neiges**. Contraire : **gel**.

La neige fond, c'est le **dégel**.

**dégivrer** verbe

Dégivrer, c'est faire fondre le givre. *Ma mère a dégivré le réfrigérateur.*

**dégonfler** verbe

Dégonfler un objet, c'est faire sortir l'air qui est à l'intérieur. *Nous avons dégonflé le matelas pneumatique.* Contraire : **gonfler**.

Le pneu **est dégonflé**.

**dégourdi, dégourdie** adjectif

Une personne **dégourdie** sait se débrouiller, trouver une solution dans une situation difficile. Synonymes : astucieux, débrouillard, malin.

**dégourdir** verbe

Se dégourdir les jambes, c'est les faire bouger en marchant après être resté longtemps immobile.

● Mot de la même famille : **dégourdi**.

→ Cherche **engourdi**.

**dégoût** nom masculin

Avoir du **dégoût** pour un aliment, c'est le détester et avoir mal au cœur quand on le mange. *Paul a un vrai dégoût pour les endives.*

🔎 Le *u* prend un accent circonflexe.

● Mots de la même famille : **dégoûtant**, **dégoûter**.

**dégoûtant, dégoûtante** adjectif

Une chose **dégoûtante** est très sale et provoque le dégoût. *Mes mains sont dégoûtantes !* Contraire : **propre**.

🔎 Le *u* prend un accent circonflexe.

**dégoûter** verbe

Dégoûter quelqu'un, c'est lui donner mal au cœur. *La crème me dégoûte.*

🔎 Le *u* prend un accent circonflexe.

**degré** nom masculin

Un **degré** est une unité qui sert à mesurer la température. *Ce matin, le thermomètre indique une température de 15 degrés.*

☞ Va voir « les mesures », page 443.

**dégringoler** verbe

Dégringoler, c'est tomber. *Paul a dégringolé de sa chaise.*

🔎 C'est un mot familier.

### déguisement nom masculin

Un **déguisement**, c'est un costume et tous les objets nécessaires pour se déguiser. *Pour son anniversaire, Julien a eu un déguisement de mousquetaire.* Synonyme : costume.

### se **déguiser** verbe

**Se déguiser**, c'est mettre un costume pour ressembler à un personnage, un animal ou une chose. *Pour le carnaval, Laura s'est déguisée en grenouille.*
● Mot de la même famille : déguisement.

### déguster verbe

**Déguster** un aliment ou une boisson, c'est les goûter lentement et avec plaisir. *Léo déguste sa glace à la fraise.*

### dehors adverbe

**Dehors** signifie : à l'extérieur. *Maman nous a demandé d'aller jouer dehors.* Contraires : dedans, à l'intérieur.

### déjà adverbe

① **Déjà** signifie : dès maintenant. *Tu as déjà fini de manger !* Contraire : pas encore.
② **Déjà** signifie : dans le passé. *Natacha est déjà allée en colonie de vacances.* Contraire : jamais.

### 1. déjeuner verbe

**Déjeuner**, c'est prendre le repas de midi. *Nous déjeunons vers 13 heures.*

### 2. déjeuner nom masculin

① Le **déjeuner** est le repas de midi. *Nous avons eu du poulet et de la purée pour le déjeuner.*
② Le **petit déjeuner** est le repas du matin. *Laura mange des céréales au petit déjeuner.*

Ils prennent leur **déjeuner**
à la cantine.

### délabré, délabrée adjectif

Une habitation **délabrée** est en très mauvais état, elle tombe en ruine. *Le vieux château est délabré.* Synonyme : en ruine.

### délai nom masculin

Un **délai** est un temps donné pour faire une chose. *J'ai un délai de huit jours pour rendre le livre de bibliothèque.*

### délayer verbe

**Délayer** de la poudre dans un liquide, c'est mélanger les deux choses de façon bien régulière. *Zohra délaie de la farine dans du lait.*

### délicat, délicate adjectif

① Une chose **délicate** est fine, légère, agréable. *Le muguet a un parfum délicat.*
② Une santé **délicate** est une santé fragile.

### délice nom masculin

Un **délice** est une chose très bonne à manger ou à boire. *Ce gâteau au chocolat est un délice.* Synonyme : régal.
● Mot de la même famille : délicieux.

a b c d e f g h i j k l m n o p q r s t u v w x y z

A
B
C
D
E
F
G
H
I
J
K
L
M
N
O
P
Q
R
S
T
U
V
W
X
Y
Z

### délicieux, délicieuse adjectif

Un aliment, un repas **délicieux** est très bon. *Nous avons mangé une tarte délicieuse.* Synonyme : excellent. Contraire : infect.

### délirer verbe

**Délirer**, c'est dire des mots qui n'ont aucun sens. *Le malade a beaucoup de fièvre et il délire.*

### délivrer verbe

**Délivrer** une personne, c'est la remettre en liberté. *Les otages ont été délivrés.* Synonymes : libérer, relâcher.

### deltaplane nom masculin

Un **deltaplane** est une sorte de petit avion très léger et sans moteur. *On se suspend sous le deltaplane pour planer dans l'air.*

un **deltaplane**

### déluge nom masculin

Un **déluge** est une pluie très forte, très violente. *L'orage s'est transformé en déluge.*

### demain adverbe

**Demain**, c'est le jour qui suit aujourd'hui. *Aujourd'hui, nous sommes lundi, demain nous serons mardi.*

→ Cherche **lendemain**.

### demander verbe

❶ **Demander** quelque chose, c'est chercher à savoir, poser une question. *Kien m'a demandé si je voulais dormir chez lui.*

❷ **Demander** une chose, c'est dire qu'on voudrait l'avoir. *Léo a demandé un baladeur pour son anniversaire.*

### démangeaison nom féminin

Une **démangeaison** est une sensation désagréable qui donne envie de se gratter. *Les piqûres de moustiques provoquent des démangeaisons.*

🔍 Il y a un e après le *g*.

### démanger verbe

**Démanger**, c'est causer une démangeaison, donner envie de se gratter. *Léo a la varicelle et ses boutons le démangent.*

● Mot de la même famille : démangeaison.

### démarche nom féminin

La **démarche** d'une personne, c'est sa façon de marcher. *Lucas imite bien la démarche de Charlot.*

### démarrage nom masculin

Le **démarrage**, c'est l'action de démarrer, de commencer à rouler. *Anaïs a attaché sa ceinture avant le démarrage.*

🔍 Il y a deux *r*.

### démarrer verbe

Faire **démarrer** un véhicule, c'est mettre le moteur en marche et commencer à rouler. *Papi n'arrive pas à faire démarrer la voiture.*

🔍 Il y a deux *r*.

● Mot de la même famille : **démarrage**.

### démasquer verbe

**Démasquer** une personne, c'est découvrir son identité. *La police a démasqué le voleur.*

### démêler verbe

**Démêler** des cheveux, c'est les remettre en ordre. *Clara démêle ses cheveux avec une brosse.* Contraire : **emmêler**.

🔍 Le deuxième *e* prend un accent circonflexe.

### déménagement nom masculin

Le **déménagement**, c'est l'action de déménager, de quitter son logement. *Nos voisins ont besoin de cartons pour leur déménagement.*

### déménager verbe

**Déménager**, c'est quitter son logement en emportant ses meubles, ses affaires pour aller habiter ailleurs.

● Mots de la même famille : **déménagement**, **déménageur**.

Ils **déménagent** le canapé.

### déménageur nom masculin

Un **déménageur** est une personne qui transporte les meubles et les affaires des gens qui déménagent. C'est un nom de métier.

### demeure nom féminin

Une **demeure** est une grande maison. *Dans « Aladin et la lampe merveilleuse », Aladin conduit la princesse dans sa nouvelle demeure.*

### demeurer verbe

**Demeurer** est un mot ancien qui signifie « habiter » ou « rester ». *Autrefois, nous avons demeuré dans cette rue. Elle est demeurée immobile pendant une heure.*

● Mot de la même famille : **demeure**.

### demi, demie adjectif

**Demi** désigne la moitié de quelque chose. *J'ai acheté une demi-baguette. Rachid sort de l'école à cinq heures et demie. Marion a quatre ans et demi.*

### demi-finale nom féminin

La **demi-finale** d'une compétition est le match qui précède la finale. *Notre équipe a été battue en demi-finale.*

🔍 Ce mot a un trait d'union. Au pluriel, on écrit *des demi-finales.*

### demi-frère nom masculin

Un **demi-frère** n'a pas le même père ou la même mère que les autres enfants de la famille.

🔍 Ce mot a un trait d'union. Au pluriel, on écrit *des demi-frères.*

### demi-heure nom féminin

Une **demi-heure** est la moitié d'une heure.

🔍 Ce mot a un trait d'union. Au pluriel, on écrit *des demi-heures.*

A
B
C
D
E
F
G
H
I
J
K
L
M
N
O
P
Q
R
S
T
U
V
W
X
Y
Z

## demi-sœur nom féminin

Une **demi-sœur** n'a pas le même père ou la même mère que les autres enfants de la famille.

🔎 Ce mot a un trait d'union. Au pluriel, on écrit *des demi-sœurs.*

## démissionner verbe

**Démissionner**, c'est quitter volontairement son emploi.

➜ Cherche **licencier.**

## demi-tour nom masculin

Faire demi-tour, c'est se retourner pour partir en sens inverse. *Nous **avons fait** **demi-tour** car nous étions perdus.*

🔎 Ce mot a un trait d'union. Au pluriel, on écrit *des demi-tours.*

## démodé, démodée adjectif

Une chose **démodée** n'est plus à la mode. *Ces vêtements sont **démodés.***

## demoiselle nom féminin

❶ Une **demoiselle** est une jeune fille.
❷ Une **demoiselle** d'honneur est une jeune fille qui accompagne une mariée.

➜ Cherche **dame.**

## démolir verbe

**Démolir** une construction, c'est l'abattre. *On **a démoli** les vieux immeubles de notre quartier.* Synonyme : **détruire.** Contraires : **bâtir, construire.**

● Mot de la même famille : **démolition.**

## démolition nom féminin

La **démolition**, c'est l'action de démolir, de détruire une construction. *On a commencé la **démolition** d'un vieil immeuble.* Synonyme : **destruction.** Contraire : **construction.**

## démonstratif adjectif masculin

Un adjectif **démonstratif** est un déterminant qui désigne un être ou une chose que l'on montre. *Les adjectifs démonstratifs sont « ce », « cet », « cette » et « ces ».*

## démonter verbe

**Démonter** un objet, c'est défaire une à une toutes ses parties. *Alexandre a démonté le réveil pour essayer de le réparer.* Contraires : **monter, remonter.**

## démouler verbe

**Démouler** une glace, un gâteau, c'est les retirer d'un moule. *Pauline **démoule** la tarte pour la mettre sur un plat.*

On **démolit** la petite maison.

## dénombrer verbe

**Dénombrer** des êtres, des choses, c'est les compter. *Nicolas a **dénombré** quinze nouveaux élèves dans l'école.*

## dénoncer verbe

**Dénoncer** une personne, c'est donner son nom à ceux qui veulent la punir. *Le voleur a **dénoncé** ses complices à la police.*

## dent nom féminin

❶ Les **dents** sont plantées dans les mâchoires. Elles sont en ivoire et elles servent à mâcher et à croquer. *Un enfant a vingt **dents** et un adulte en* a trente-deux. *Paul se brosse les* **dents** *après les repas.*

**②** Les **dents** de certains objets sont leurs parties pointues. *Les fourchettes, les peignes, les scies ont des* **dents**.

● Mots de la même famille : **dentaire, dentifrice, dentiste.**

### dentaire adjectif

Un **appareil dentaire** est un objet qui sert à redresser les dents.

### dentelle nom féminin

La **dentelle** est un tissu très léger avec des sortes de petits trous qui forment des dessins. *La mariée portait une robe de* **dentelle**.

### dentifrice nom masculin

Le **dentifrice** est une pâte qui sert à nettoyer les dents.

### dentiste nom masculin et nom féminin

Un **dentiste**, une **dentiste** sont des personnes qui soignent les dents. C'est un nom de métier. *Simon a une carie, il doit aller chez le* **dentiste**.

### déodorant nom masculin

Un **déodorant** est un produit de toilette qui sert à supprimer les odeurs de transpiration.

### dépannage nom masculin

Le **dépannage**, c'est l'action de dépanner, de remettre en marche. *Un garagiste s'est occupé du* **dépannage** *de notre voiture.*

🔍 Il y a deux *n*.

### dépanner verbe

**Dépanner** un appareil, un véhicule, c'est le réparer quand il est en panne. *Un mécanicien a* **dépanné** *l'ascenseur.*

🔍 Il y a deux *n*.

● Mots de la même famille : **dépannage, dépanneuse.**

### dépanneuse nom féminin

Une **dépanneuse** est un petit camion qui peut tirer une voiture en panne. *La* **dépanneuse** *a remorqué notre voiture jusqu'au garage.*

🔍 Il y a deux *n*.

La **dépanneuse** charge une voiture.

### dépareillé, dépareillée adjectif

Des objets **dépareillés** ne sont pas pareils ou ne forment pas une série complète. *Léo a mis des chaussettes* **dépareillées**, *l'une jaune, l'autre verte.* Contraire : **assorti.**

### départ nom masculin

Le **départ**, c'est le moment où une personne part, où un véhicule part. *Les coureurs ont pris le* **départ**. *Le* **départ** *de l'avion est prévu à dix heures.* Contraire : **arrivée.**

### départager verbe

**Départager** deux concurrents qui sont à égalité, c'est désigner le vainqueur par une épreuve supplémentaire. *On a rejoué une partie pour* **départager** *les deux équipes.*

a b c d e f g h i j k l m n o p q r s t u v w x y z

A
B
C
D
E
F
G
H
I
J
K
L
M
N
O
P
Q
R
S
T
U
V
W
X
Y
Z

**département** nom masculin

Un **département** est une partie de la France. *Il y a 100 départements en France. Solène habite à Cahors, dans le département du Lot.*

**dépasser** verbe

❶ Dépasser une personne, un véhicule, c'est passer devant. *La voiture a accéléré pour dépasser un camion.* Synonyme : doubler.

❷ Dépasser, c'est être plus haut, plus grand, plus long qu'un autre. *Natacha dépasse Kien de cinq centimètres.*

Julie **a dépassé** Thomas.

**dépaysé, dépaysée** adjectif

Être **dépaysé**, c'est être un peu perdu et mal à l'aise lorsqu'on a changé de pays ou d'endroit. *Zoé va s'habituer à sa nouvelle école, mais pour l'instant elle est dépaysée.*

**se dépêcher** verbe

Se dépêcher, c'est faire vite. *Dépêche-toi, sinon nous allons être en retard.* Synonyme : se presser.

🔍 Le deuxième e prend un accent circonflexe.

**dépendre** verbe

Quand une chose **dépend** d'une autre, les deux choses sont liées. *Nous ne savons pas si nous irons pique-niquer dimanche, cela dépendra du temps.*

**dépense** nom féminin

Une **dépense** est une somme à payer. *L'achat de la nourriture est une dépense nécessaire.*

**dépenser** verbe

❶ Dépenser de l'argent, c'est l'employer pour acheter une chose. *Mes parents ont dépensé beaucoup d'argent pour acheter un appartement.* Contraire : économiser.

❷ Se dépenser, c'est faire de grands efforts physiques. *Les enfants ont besoin de se dépenser.*

● Mot de la même famille : **dépense**.

**déplacement** nom masculin

Le **déplacement**, c'est l'action de se déplacer. *Le télescope permet d'observer le déplacement des étoiles dans le ciel.* Synonyme : mouvement.

**déplacer** verbe

❶ Déplacer des objets, c'est les changer de place. *Nous déplaçons les chaises dans la classe.*

❷ Se déplacer, c'est aller d'un endroit à un autre. *Paul se déplace à pied.*

● Mot de la même famille : déplacement.

**déplaire** verbe

Déplaire à quelqu'un, c'est ne pas lui plaire, ne pas lui convenir. *Cette B. D. m'a déplu.* Contraire : plaire.

**déplier** verbe

Déplier, c'est ouvrir une chose qui était pliée. *Maman déplie les draps.* Contraires : plier, replier.

**déposer** verbe

Déposer, c'est poser ce que l'on portait. *Le voyageur a déposé sa valise à l'hôtel.*

**déprimé, déprimée** adjectif

Être **déprimé**, c'est être triste et découragé, ne plus avoir de goût à rien.

**depuis** préposition

Depuis signifie : à partir de. *Le soleil brille depuis deux jours.*

**député** nom masculin
**députée** nom féminin

Un **député**, une **députée** sont des personnes élues par les citoyens. *En France, les députés votent les lois à l'Assemblée nationale.*

**déraillement** nom masculin

Un **déraillement** est un accident qui a fait sortir le train des rails.

**dérailler** verbe

Quand un train **déraille**, il sort des rails au cours d'un accident.

● Mot de la même famille : déraillement.

**déranger** verbe

❶ **Déranger** des objets, c'est les mettre en désordre. *Quelqu'un a dérangé mes affaires.* Contraire : ranger.
❷ **Déranger** une personne, c'est la gêner dans ses occupations. *Si je vous dérange, je reviendrai demain.*

**déraper** verbe

Déraper, c'est glisser sur le sol. *À vélo, Rémi a dérapé sur le gravier.*

**dernier, dernière** adjectif

❶ Être **dernier**, c'est venir après les autres. *Ma sœur est dernière en sport. Le 31 décembre est le dernier jour de l'année.* Contraire : premier.
❷ L'année **dernière**, c'est l'année qui était juste avant l'année où nous sommes. *Léo et Chloé étaient dans la même classe l'année dernière.* Synonyme : précédent.
Contraires : prochain, suivant.

Le **dernier** coureur est habillé en rouge.

**déroulement** nom masculin

Le **déroulement**, c'est la manière de se dérouler, de se passer. *Thomas nous a raconté le déroulement du match.*

**dérouler** verbe

❶ **Dérouler**, c'est défaire ce qui était enroulé. *Anaïs a déroulé la pelote de laine.* Contraire : enrouler.
❷ Se **dérouler**, c'est avoir lieu. *L'histoire se déroule dans un château.* Synonyme : se passer.
● Mot de la même famille : déroulement.

**1. derrière** préposition

**Derrière** une chose, c'est dans la partie opposée au devant. *Le jardin se trouve derrière la maison.* Contraire : devant.

a b c d e f g h i j k l m n o p q r s t u v w x y z

A
B
C
D
E
F
G
H
I
J
K
L
M
N
O
P
Q
R
S
T
U
V
W
X
Y
Z

## 2. derrière adverbe

Derrière signifie : à l'arrière. *En voiture, les enfants doivent monter derrière.* Contraire : devant.

Le chat s'est caché **derrière** la porte.

## 3. derrière nom masculin

❶ Le **derrière** est la partie située derrière. *La porte de derrière est ouverte.*

❷ Le **derrière**, c'est les fesses. *Léa est tombée sur le derrière.*

## des article pluriel

Des est un déterminant qui se place devant un nom pluriel : *des garçons, des filles.*

🔎 *Des est le pluriel de « un » et de « une ».*

## dès préposition

❶ **Dès** signifie : à partir de. *La boulangerie est ouverte dès sept heures.*

❷ **Dés que** signifie : à partir du moment où. *Elle a couru vers lui dès qu'elle l'a aperçu.*

## désagréable adjectif

❶ Une chose **désagréable** est une chose qui déplaît. *L'odeur du tabac est désagréable.* Contraire : agréable.

❷ Une personne **désagréable** est une personne qui n'est pas agréable. Synonyme : antipathique. Contraires : aimable, charmant, sympathique.

## désaltérer verbe

Désaltérer, c'est calmer la soif. *L'eau est une boisson qui désaltère.*

Les lions **se désaltèrent**.

## désastre nom masculin

Un **désastre** est un grand malheur qui provoque des dégâts. *La sécheresse est un désastre pour les agriculteurs.* Synonyme : catastrophe.

## descendre verbe

❶ Descendre, c'est aller en bas. *Paul est descendu à la cave.* Contraire : monter.

❷ **Descendre** une chose, c'est la porter en bas. *Thomas a descendu la poubelle.* Contraire : monter.

🔎 *Il y a un c après le s.*

● Mot de la même famille : descente.

## descente nom féminin

❶ La **descente**, c'est l'action de descendre. *L'avion a commencé sa descente.*

❷ Une **descente**, c'est la partie d'une route qui descend. *La voiture freine* *dans la* **descente**. Contraires : côte, montée.

🔍 Il y a un *c* après le *s*.

→ Cherche **pente**.

**description** nom féminin
La **description**, c'est l'action de décrire. *Rémi nous a fait la description de sa maison.*

**1. désert, déserte** adjectif
Un endroit **désert** est un endroit où il n'y a presque personne. *Le soir, les rues sont désertes.*

**2. désert** nom masculin
Un **désert** est une région très sèche faite de sable et de pierres, où il ne pousse presque rien.

→ Cherche **dune** et **oasis**.

Une caravane traverse le **désert**.

**désespéré, désespérée** adjectif
Être **désespéré**, c'est être très malheureux, ne plus avoir d'espoir. *Camille est désespérée parce que son chat est très malade.*

● Mot de la même famille : **désespoir**.

**désespoir** nom masculin
Le **désespoir** est une grande tristesse que l'on ressent quand on n'a plus l'espoir

que les choses s'arrangent. *L'agriculteur regardait ses champs inondés avec* **désespoir**. Contraire : espoir.

**se déshabiller** verbe
Se **déshabiller**, c'est enlever ses vêtements. *Mon petit frère se déshabille tout seul.* Contraire : **s'habiller**.

**désherber** verbe
**Désherber**, c'est arracher les mauvaises herbes. *Le jardinier désherbe les allées du jardin.*

**se déshydrater** verbe
Se **déshydrater**, c'est perdre l'eau qu'on a dans le corps. *Quand il fait très chaud, il faut donner beaucoup à boire aux bébés car ils se déshydratent vite.*

🔍 Ce mot s'écrit avec un *h* et un *y*.

**désigner** verbe
❶ **Désigner** une chose, c'est la montrer. *Sur un plan, peux-tu désigner la rue où tu habites ?* Synonyme : **indiquer**.
❷ **Désigner** une personne, c'est la choisir pour faire quelque chose. *Le directeur a désigné son successeur.*

**désinfecter** verbe
**Désinfecter** une plaie, c'est la nettoyer avec un produit qui détruit les microbes.

**désir** nom masculin
Un **désir** est une envie très forte. *Aller à la mer, c'est le seul désir de Laura.* Synonyme : **souhait**.

**désirer** verbe
**Désirer** une chose, c'est en avoir envie. *Grand-père désire réunir toute la famille pour son anniversaire.* Synonyme : **souhaiter**.

● Mot de la même famille : **désir**.

*a b c d e f g h i j k l m n o p q r s t u v w x y z*

A

**désobéir** verbe

Désobéir à une personne, c'est refuser de faire ce qu'elle a demandé, ou faire ce qu'elle a défendu. *David a désobéi à ses parents.* Contraire : obéir.

● Mot de la même famille : désobéissant.

**désobéissant, désobéissante** adjectif

Un enfant **désobéissant** n'obéit pas. *La maîtresse a puni les élèves désobéissants.* Contraire : obéissant.

**désolé, désolée** adjectif

Être **désolé**, c'est être triste, contrarié. *Maman est désolée de ne pas pouvoir aller à la fête de l'école.* Contraires : enchanté, ravi.

**désordonné, désordonnée** adjectif

Une personne **désordonnée** n'a pas d'ordre, vit dans le désordre. *Pierre ne retrouve jamais rien parce qu'il est désordonné.* Contraire : ordonné.

🔎 Il y a deux *n*.

**désordre** nom masculin

Le **désordre** est le manque d'ordre. *Ta chambre est en désordre.* Contraire : ordre.

● Mot de la même famille : désordonné.

Oh ! quel **désordre** !

**désormais** adverbe

**Désormais** signifie : à partir de maintenant. *Désormais, mon petit frère pourra nager sans ses bouées.* Synonyme : dorénavant.

**desserrer** verbe

**Desserrer** une chose, c'est la rendre moins serrée. *Raphaël a desserré sa ceinture.* Contraire : serrer.

🔎 Il y a deux *s* et deux *r*.

**dessert** nom masculin

Un **dessert** est un aliment ou un plat sucré que l'on mange à la fin du repas. *Pour le dessert, nous avons le choix entre une tarte et une glace.*

**dessin** nom masculin

Un **dessin** est une image tracée sur un papier. *Solène a fait un dessin de sa maison.*

→ Cherche animé.

Hugo a terminé son **dessin**.

**dessinateur** nom masculin
**dessinatrice** nom féminin

Un **dessinateur**, une **dessinatrice** sont des personnes qui font des dessins. C'est un nom de métier. *Mon oncle est dessinateur de bandes dessinées.*

**dessiner** verbe

Dessiner, c'est tracer un dessin, représenter un être vivant ou une chose. *Rachid **a dessiné** un château fort.*
● Mots de la même famille : **dessin, dessinateur**.

**1. dessous** adverbe

Dessous signifie : sous quelque chose. *Le crayon n'est pas sur la table, regarde **dessous** !* Contraire : **dessus**.

**2. dessous** nom masculin

Le **dessous** est la partie qui est sous quelque chose. *Le **dessous** de mes chaussures est usé. Les voisins du **dessous** sont des amis.* Contraire : **dessus**.

**1. dessus** adverbe

Dessus signifie : sur quelque chose. *Le banc est mouillé, ne mets pas tes affaires **dessus**.* Contraire : **dessous**.

Le A est **dessus,** le C est dessous.

**2. dessus** nom masculin

Le **dessus** est la partie qui est sur quelque chose. *Le **dessus** de la table est verni. Les voisins du **dessus** sont rentrés.* Contraire : **dessous**.

**destinataire** nom masculin et nom féminin

Un **destinataire** est une personne à qui l'on envoie une lettre, une carte ou un colis. Contraire : **expéditeur**.

**destination** nom féminin

La **destination**, c'est l'endroit où l'on va, où l'on envoie quelque chose. *L'avion à **destination** de Bruxelles va décoller.*

**destruction** nom féminin

La **destruction**, c'est l'action de détruire. *Nous avons assisté à la **destruction** d'une vieille maison.* Synonyme : **démolition**.

**détacher** verbe

❶ **Détacher** une chose, un être, c'est défaire ce qui les attachait. *J'ai **détaché** le chien pour le faire courir.* Contraire : **attacher**.
❷ **Détacher** un vêtement, c'est faire disparaître ses taches. Contraire : **tacher**.

**détail** nom masculin

Un **détail** est un fait peu important. *Pierre voulait connaître tous les **détails** de l'histoire.*

**détaler** verbe

Détaler, c'est se sauver. *Au moindre bruit, les écureuils **détalent**.* Synonyme : **s'enfuir**.

**détective** nom masculin et nom féminin

Un **détective**, une **détective** sont des personnes qui font des enquêtes mais qui ne sont pas des policiers. C'est un nom de métier. *Le **détective** a retrouvé le voleur de bijoux.*

**déteindre** verbe

Quand un vêtement **déteint**, il perd un peu de sa couleur. *Mon tee-shirt **a déteint** au lavage.*

A
B
C
D
E
F
G
H
I
J
K
L
M
N
O
P
Q
R
S
T
U
V
W
X
Y
Z

se **détendre** verbe

Se détendre, c'est se reposer après un effort. *Je vais prendre un bain pour me détendre.*

**déterminant** nom masculin

Un **déterminant** est un petit mot qui accompagne un nom commun. « *Un, une, des* », « *le, la, les* », « *ce, cette, ces* », « *mon, ma, mes* » *sont des* **déterminants**.

→ Cherche **article**.

**déterminer** verbe

**Déterminer** quelque chose, c'est l'indiquer avec précision. *Dans un exercice, nous devions* **déterminer** *les obstacles à franchir sur un parcours.*

● Mot de la même famille : déterminant.

**déterrer** verbe

**Déterrer** un objet, c'est le sortir de terre. *Le chien* **déterre** *un os.*
Contraire : enterrer.

🔍 Il y a deux *r*, comme dans « terre ».

Sam **a déterré** son os.

**détester** verbe

**Détester** un être ou une chose, c'est ne pas les aimer du tout, les avoir en horreur. *Léa* **déteste** *les araignées.*
Contraires : adorer, aimer.

**détonation** nom féminin

Une **détonation** est un bruit de coup de feu, d'explosion. *Les chasseurs ne doivent pas être loin, on entend des* **détonations**.

**détour** nom masculin

Faire un **détour**, c'est s'écarter du chemin direct. *Nous avons fait un* **détour** *pour rentrer de l'école.*

**détruire** verbe

**Détruire** une construction, c'est l'abattre, la réduire en un tas de pierres. *Un tremblement de terre* **a détruit** *le village.* Synonymes : démolir, dévaster. Contraire : construire.

● Mot de la même famille : destruction.

La vague va **détruire** le château.

**dette** nom féminin

Une **dette** est une somme d'argent que l'on doit à quelqu'un. *Monsieur Bertin rembourse ses* **dettes** *petit à petit.*

**deuil** nom masculin

Être en **deuil**, c'est être dans la tristesse quand une personne de sa famille est morte. *En Asie, on porte des vêtements blancs quand on est en* **deuil**.

**dévaler** verbe
Dévaler un escalier, c'est le descendre très vite. *Alexis dévale l'escalier pour ouvrir la porte à son ami.*

**dévaliser** verbe
Dévaliser une personne, un magasin, c'est voler tout ce qu'ils possèdent. *Des cambrioleurs ont dévalisé une bijouterie.*

**1. devant** préposition
Devant une chose, c'est dans la partie située en avant. *La terrasse se trouve devant la maison.* Contraire : **derrière**.

**2. devant** adverbe
Devant signifie : à l'avant. *Pour prendre la photo, on a mis les petits devant.* Contraire : **derrière**.

**3. devant** nom masculin
Le devant est la partie située devant. *Le devant de la voiture est abîmé.* Contraires : **arrière, derrière**.

**dévaster** verbe
Dévaster un endroit, c'est le détruire, provoquer de gros dégâts. *La tempête a dévasté les récoltes.*

**développement** nom masculin
Le développement, c'est le fait de se développer, de grandir. *Un enfant en plein développement a besoin de vitamines et de laitages.* Synonyme : **croissance**.

**développer** verbe
❶ Développer un être vivant, c'est le rendre plus gros, plus grand, plus fort. *La gymnastique développe les muscles. Le bambou est une plante qui se développe très vite.*
❷ Développer une pellicule de photos, c'est faire apparaître les images qui sont sur la pellicule et obtenir des photos.
🔍 Il y a un *l* et deux *p*.

**devenir** verbe
Devenir, c'est commencer à être. *Mathilde est devenue raisonnable. Le têtard deviendra une grenouille.*

**deviner** verbe
Deviner, c'est trouver la réponse à une question. *Devine qui j'ai rencontré !*
● Mot de la même famille : **devinette**.

J'**ai deviné** ce que tu m'as offert.

**devinette** nom féminin
Une devinette est une question amusante que l'on pose à quelqu'un. *Voici une devinette : Quel est le pain qui est blanc d'un côté et noir de l'autre ? (réponse : le pingouin).*
➜ Cherche **charade**.

**devise** nom féminin
Une devise est une règle de conduite, un idéal. *« Liberté, Égalité, Fraternité » est la devise de la République française.*

**dévisser** verbe
Dévisser, c'est défaire ce qui est vissé. *Marion dévisse le bouchon du tube.* Contraire : **visser**.

a b c d e f g h i j k l m n o p q r s t u v w x y z

A

B

C

D

E

F

G

H

I

J

K

L

M

N

O

P

Q

R

S

T

U

V

W

X

Y

Z

## 1. devoir verbe

❶ **Devoir**, c'est être obligé de faire quelque chose. *Demain, Kien doit se lever tôt. Nous avons dû annuler notre voyage.*

❷ Il **doit**..., elle **doit**... indique une possibilité. *À cette heure-ci, Pauline doit être couchée.*

❸ **Devoir** de l'argent à quelqu'un, c'est avoir à le payer, à le rembourser. *Je dois deux euros à Julien.*

→ Cherche **dû**.

## 2. devoir nom masculin

❶ Un **devoir** est une chose que l'on doit faire. *Voter fait partie des devoirs d'un citoyen.*

❷ Un **devoir** est un travail écrit que les élèves doivent faire à la maison.

## dévorer verbe

❶ **Dévorer** une proie, c'est la manger en la déchirant avec ses dents. *Le lion a dévoré une gazelle.*

❷ **Dévorer** un aliment, c'est le manger vite, avec beaucoup d'appétit. *Paul a dévoré une tablette de chocolat.*

❸ **Dévorer** un livre, c'est le lire avec beaucoup d'intérêt et très rapidement.

Zoé et Théo sont prêts
à **dévorer** le gâteau !

## diable nom masculin

❶ Pour les chrétiens, le **diable** représente le mal et s'oppose à Dieu. *On représente le diable en enfer.*

❷ On dit qu'un enfant est un **diable** quand il est turbulent et malicieux.
Contraire : **ange**.

## diadème nom masculin

Un **diadème** est une couronne que les reines portaient très haut sur le front. *La statue de la Liberté, à New York, porte un diadème à sept pointes.*

## diagnostic nom masculin

Faire un **diagnostic**, c'est dire quelle maladie a une personne après l'avoir examinée. *Le médecin a fait son diagnostic : Léo a les oreillons.*

## diagonale nom féminin

Dans un carré ou un rectangle, une **diagonale** est une ligne droite qui joint les deux sommets opposés.

la **diagonale** d'un carré et la
**diagonale** d'un rectangle

## dialogue nom masculin

Un **dialogue** est une conversation entre deux personnes.

## diamant nom masculin

Un **diamant** est une pierre précieuse très brillante et transparente. *La reine portait une couronne de diamants.*

▶ Le diamant est la plus recherchée des pierres précieuses.

**diapositive** nom féminin

Une **diapositive** est une photographie que l'on passe sur un écran avec un projecteur.

**diarrhée** nom féminin

Avoir la **diarrhée**, c'est vider son intestin très souvent.

🔍 Il y a deux *r* et un *h*.

➡ Cherche **constipé**.

**dictée** nom féminin

Une **dictée** est un exercice d'orthographe que l'on fait à l'école. Les élèves doivent écrire un texte que leur professeur lit à haute voix.

**dicter** verbe

Dicter un texte, c'est dire les mots à une personne qui les écrit. *La directrice a dicté une lettre à sa secrétaire.*

● Mot de la même famille : **dictée**.

**dictionnaire** nom masculin

Un **dictionnaire** est un livre qui présente des mots classés dans l'ordre alphabétique. Il donne l'orthographe et la signification des mots.

▶ Les informations que l'on donne sur chaque mot sont réunies dans un texte appelé **article**.

🔍 Il y a deux *n*. On écrit *ti* mais on prononce [si].

**dieu** nom masculin
**déesse** nom féminin

❶ Les chrétiens, les juifs et les musulmans croient en un seul **Dieu**, un être qui a créé le monde et qui est éternel. *On représente Dieu au paradis.*

❷ Les **dieux** et les **déesses** sont des êtres supérieurs aux pouvoirs magiques. *Les Grecs et les Romains avaient des dieux et des déesses.*

🔍 Au pluriel, on écrit *des dieux, des déesses.*

**différence** nom féminin

❶ Une **différence**, c'est ce qui fait que deux êtres ou deux choses ne sont pas pareils. *Je ne vois pas la différence entre ces deux consoles de jeux.* Contraire : **ressemblance**.

❷ Une **différence** est un écart entre deux nombres. *La différence entre 7 et 4, c'est 3.*

● Mot de la même famille : **différent**.

**différent, différente** adjectif

❶ Deux êtres **différents**, deux choses **différentes** ne se ressemblent pas. *Notre maison est différente de la vôtre.* Contraires : **identique, pareil, semblable**.

❷ **Différents** objets, **différentes** personnes, ce sont plusieurs objets, plusieurs personnes. *Paul a visité différents monuments.*

**difficile** adjectif

Une chose **difficile** ne se fait pas facilement ou ne se comprend pas facilement. *Ce problème est difficile.* Synonymes : **compliqué, dur**. Contraires : **facile, simple**.

● Mot de la même famille : **difficulté**.

C'est **difficile** de jongler avec quatre balles !

A
B
C
D
E
F
G
H
I
J
K
L
M
N
O
P
Q
R
S
T
U
V
W
X
Y
Z

**difficulté** nom féminin

❶ La **difficulté**, c'est le fait d'être difficile. *Elle se fait comprendre avec difficulté.* Contraire : facilité.

❷ Une **difficulté** est une chose difficile. *Ce problème comporte plusieurs difficultés.*

**digérer** verbe

Digérer, c'est transformer les aliments dans le corps. *Quand nous mâchons bien, nous digérons mieux.*

● Mot de la même famille : digestion.

**digestion** nom féminin

La **digestion** est la transformation des aliments dans l'estomac et l'intestin.

▶ Pendant la digestion, une partie de ce que nous avons mangé va dans le sang, le reste est rejeté.

**digue** nom féminin

Une **digue** est un long mur construit pour arrêter les eaux d'un fleuve ou de la mer. Synonyme : jetée.

Ils se promènent sur la **digue**.

**diligence** nom féminin

Une **diligence** est une voiture tirée par des chevaux. *Autrefois, on voyageait en diligence.*

**dimanche** nom masculin

Le **dimanche** est le septième et le dernier jour de la semaine. Il vient après le samedi. *Le dimanche est un jour de repos.*

☛ Va voir « le calendrier », page 111.

**dimension** nom féminin

Les **dimensions** d'une chose sont sa longueur, sa largeur et sa hauteur. *Quelles sont les dimensions de cette pièce ?* Synonyme : mesure.

**diminuer** verbe

❶ Diminuer, c'est être moins important ou d'un prix moins élevé. *La température a diminué.* Synonyme : baisser. Contraire : augmenter.

❷ Diminuer, c'est devenir plus court. *À partir de juillet, les jours diminuent.* Synonyme : raccourcir. Contraire : rallonger.

● Mots de la même famille : diminutif, diminution.

**diminutif** nom masculin

Un **diminutif** est un petit nom qui est formé à partir du prénom d'une personne et qui est plus court. *Le diminutif de Nicolas est Nico.*

**diminution** nom féminin

Une **diminution**, c'est le fait de diminuer. *La limitation de la vitesse a entraîné une diminution des accidents de la circulation.* Synonyme : baisse. Contraire : augmentation.

des **dindons**

**dinde** nom féminin

Une **dinde** est un gros oiseau de basse-cour.

▶ C'est une volaille. Le mâle est le dindon, le petit le **dindonneau**. Quand la dinde crie, on dit qu'elle **glougloute**.

**dindon** nom masculin

Un **dindon** est un gros oiseau de basse-cour qui a des plumes noires, blanches ou rousses. Sa tête et son cou sont recouverts d'une peau rouge plissée.

▶ C'est une volaille. La femelle est la dinde, le petit, le **dindonneau**. Quand le dindon crie, on dit qu'il **glougloute**. Il peut dresser les plumes de sa queue, comme le paon.

**1. dîner** verbe

Dîner, c'est prendre le repas du soir. *Nous dînons vers 20 heures.*

🔎 Le *i* prend un accent circonflexe.

● Mot de la même famille : **dînette**.

**2. dîner** nom masculin

Le **dîner** est le repas du soir. *Ma mère mange légèrement au dîner.*

🔎 Le *i* prend un accent circonflexe.

**dînette** nom féminin

Une **dînette** est de la vaisselle en miniature que l'on utilise pour jouer. *Chloé a sorti sa dînette.*

🔎 Le *i* prend un accent circonflexe.

**dinosaure** nom masculin

Un **dinosaure** est un animal préhistorique qui vivait sur la Terre il y a plusieurs millions d'années, bien avant les premiers êtres humains. C'est un énorme reptile qui pondait des œufs avec une coquille très dure.

▶ Certains dinosaures étaient carnivores, d'autres herbivores.

→ Cherche **diplodocus** et tyrannosaure.

**diplodocus** nom masculin

Un **diplodocus** est un animal préhistorique de la famille des dinosaures.

▶ Le diplodocus était herbivore.

🔎 Ce mot se termine par un *s* qu'on prononce.

**dire** verbe

❶ **Dire**, c'est faire savoir par la parole. *Papa m'a dit d'aller me coucher.*

❷ **Vouloir dire**, c'est avoir telle signification. *Que veut dire le mot « potion » ?* Synonyme : **signifier**.

❸ **On dirait que** signifie : on a l'impression que. *On dirait qu'il va pleuvoir.*

**direct, directe** adjectif

❶ Un chemin **direct** va en ligne droite, sans faire de détours. *Quel est le chemin direct pour aller à la piscine ?*

❷ Un train **direct** ne s'arrête pas. *On a pris un train direct pour aller à Lille.*

● Mot de la même famille : directement.

**directement** adverbe

Directement signifie : sans faire de détours ou sans s'arrêter. *Raphaël est rentré directement chez lui.*

un **diplodocus**

A
B
C
D
E
F
G
H
I
J
K
L
M
N
O
P
Q
R
S
T
U
V
W
X
Y
Z

**directeur** nom masculin
**directrice** nom féminin
Un **directeur**, une **directrice** sont des personnes qui dirigent un magasin, une école, une entreprise. C'est un nom de métier.

**direction** nom féminin
❶ La **direction** est le sens que l'on prend. *Dans quelle direction allez-vous ?*
❷ Prendre la **direction** d'une entreprise, c'est la diriger, donner les ordres.

**diriger** verbe
❶ Diriger une entreprise, une école, un magasin, c'est être le responsable, le chef. *Mon oncle dirige un club de judo.*
❷ **Se diriger** vers un lieu, c'est aller vers ce lieu. *Les spectateurs se dirigeaient vers la sortie du cinéma.*
● Mots de la même famille : **directeur, direction.**

**discipline** nom féminin
La **discipline**, c'est le règlement qu'il faut suivre pour éviter le désordre dans un groupe. *La discipline militaire est très dure.*
🔍 Il y a un *c* après le *s*.
● Mot de la même famille : **discipliné.**

**discipliné, disciplinée** adjectif
Être **discipliné**, c'est respecter la discipline, le règlement. Synonyme : **sage.** Contraires : **dissipé, indiscipliné.**
🔍 Il y a un *c* après le *s*.

**discours** nom masculin
Faire un **discours**, c'est dire des paroles en public. *La directrice a fait un discours aux parents d'élèves.*
🔍 Ce mot se termine par un *s*.

**discret, discrète** adjectif
Une personne **discrète** ne se mêle pas de ce qui ne la regarde pas. Contraires : **curieux, indiscret.**

**discussion** nom féminin
Une **discussion** est une conversation où chaque personne donne son avis. Synonyme : **débat.**

**discuter** verbe
Discuter, c'est donner son avis, exprimer ses idées. *Mes parents discutent avec leurs amis.*
● Mot de la même famille : **discussion.**

**disparaître** verbe
Disparaître, c'est ne plus être visible, ne plus être là, ne plus exister. *Le soleil disparaît à l'horizon.* Contraire : **apparaître.** *Notre voisin a disparu. On ignore pourquoi les dinosaures ont disparu.*
🔍 Le deuxième *i* prend un accent circonflexe devant un *t*.
● Mot de la même famille : **disparition.**

Le soleil **disparaît** à l'horizon.

## disparition nom féminin

La **disparition**, c'est l'action de disparaître. *Julien est triste depuis la disparition de sa tortue.* Contraire : apparition.

## dispenser verbe

**Dispenser** une personne de quelque chose, c'est lui permettre de ne pas le faire. *Le médecin a dispensé Raphaël de sport.*

## disperser verbe

**Disperser** des objets, des personnes, c'est les faire aller de tous les côtés. *Un courant d'air a dispersé mes papiers.* Synonyme : éparpiller. Contraire : rassembler. *La foule s'est dispersée.* Contraires : se grouper, se rassembler.

## disponible adjectif

❶ Une chose **disponible** est une chose que l'on peut utiliser ou occuper. *Il y a des chambres disponibles dans l'hôtel.* Synonyme : libre. Contraire : occupé.
❷ Une personne **disponible** n'est pas occupée, a du temps libre.

## disposer verbe

**Disposer** des objets, c'est les placer d'une certaine façon. *J'ai disposé les chaises en rond.*

## dispute nom féminin

Une **dispute** est une discussion violente où l'on crie. *Une dispute a éclaté dans l'immeuble.*

## se disputer verbe

**Se disputer**, c'est se dire des paroles méchantes en criant. *Marion et son frère se disputent sans arrêt.*
● Mot de la même famille : **dispute**.

Les enfants **se disputent**.

## disqualifier verbe

Quand un concurrent **est disqualifié**, il n'a pas le droit de continuer une compétition parce qu'il n'a pas respecté le règlement.

## disque nom masculin

Un **disque** est un objet rond et plat où sont enregistrés des sons. *Natacha écoute un disque.*
● Mot de la même famille : **disquette**.
➜ Cherche **CD** et **DVD**.

## disquette nom féminin

Une **disquette** est un petit disque que l'on met dans un ordinateur pour enregistrer des textes ou des images et pour les voir sur l'écran.

## dissimuler verbe

**Dissimuler** un objet, c'est le cacher au regard des autres.

## dissipé, dissipée adjectif

Être **dissipé**, c'est manquer d'attention et s'agiter. *Cet élève est dissipé, il n'écoute pas et il chahute.* Synonymes : indiscipliné, turbulent. Contraires : discipliné, sage.

A
B
C
D
E
F
G
H
I
J
K
L
M
N
O
P
Q
R
S
T
U
V
W
X
Y
Z

## distance nom féminin

La **distance**, c'est le nombre de mètres ou de kilomètres qui sépare deux endroits. *Nous avons parcouru une distance de 200 km en deux heures et demie.*

La **distance** entre ici et Bruxelles est de 50 km.

## distinguer verbe

❶ **Distinguer**, c'est voir ou entendre nettement. *Par beau temps, on distingue les montagnes au loin.*

❷ **Distinguer** une chose d'une autre, un être d'un autre, c'est faire la différence entre les deux. *Sais-tu distinguer un jaguar d'une panthère ?*

## distraction nom féminin

Une **distraction** est une activité que l'on fait pour s'occuper de manière agréable. *Les jeux vidéo sont mes distractions préférées.* Synonymes : divertissements, loisirs.

## distraire verbe

**Distraire** une personne, c'est lui faire passer un moment agréable. *L'histoire de Marion m'a bien distrait.* Synonymes : amuser, divertir.

● Mots de la même famille : distraction, distrait, distrayant.

## distrait, distraite adjectif

Être **distrait**, c'est ne pas faire attention à ce que l'on fait parce qu'on pense à autre chose. *Léo est très distrait, il a encore oublié son cahier.* Synonyme : étourdi. Contraire : attentif.

## distrayant, distrayante adjectif

Une chose **distrayante** fait passer le temps de manière agréable. *Ce film est distrayant.* Contraire : ennuyeux.

## distribuer verbe

**Distribuer** des choses, c'est les donner à plusieurs personnes. *Romain a distribué des gâteaux.*

● Mots de la même famille : distributeur, distribution.

Rémi **distribue** les cartes.

## distributeur nom masculin

Un **distributeur** est un appareil automatique qui fournit des produits, des tickets de transport ou des billets. *Ma mère a retiré de l'argent au distributeur.*

## distribution nom féminin

La **distribution**, c'est l'action de distribuer. *En colonie de vacances, chacun attend la distribution du courrier.*

## divertir verbe

**Divertir** une personne, c'est la distraire, l'amuser. *Le spectacle de marionnettes nous a diverti*.

● Mot de la même famille : divertissement.

## divertissement nom masculin

Un **divertissement** est une occupation qui divertit. *La lecture est un bon divertissement*. Synonyme : **distraction**.

## diviser verbe

① **Diviser** une chose, c'est la séparer en plusieurs parties. *On a divisé la tarte en six*. Synonyme : **partager**.

② **Diviser** un nombre, c'est compter combien de fois un nombre est contenu dans un autre. *Si on divise 8 par 2, on obtient 4*. Contraire : **multiplier**.

● Mot de la même famille : division.

## division nom féminin

La **division** est l'opération qui permet de diviser un nombre appelé *dividende* par un autre nombre appelé *diviseur*. *On utilise le signe ( : ) pour faire une division*. Contraire : **multiplication**.

## divorce nom masculin

Le **divorce** est la séparation de deux personnes qui étaient mariées ensemble.

● Mot de la même famille : divorcer.

## divorcer verbe

**Divorcer**, c'est ne plus être marié et ne plus vivre avec une personne. *Mes parents ont divorcé*.

## dizaine nom féminin

① Une **dizaine** est un groupe de dix unités. *Dans 37, le chiffre des dizaines est 3*.

② Une **dizaine** est un groupe d'environ dix. *Il y avait une dizaine de personnes dans la salle*.

## docteur nom masculin

Un **docteur** en médecine est un médecin. *Le docteur Colin a soigné ma sœur*.

## document nom masculin

Un **document** est un texte, une photo ou un dessin qui renseigne sur quelque chose. *Pour écrire son livre sur les fourmis, l'auteur a consulté de nombreux documents*.

● Mot de la même famille : documentaire.

## documentaire nom masculin

Un **documentaire** est un film qui fait découvrir la vie des humains, des animaux, des plantes. *À la télévision, j'ai vu un documentaire sur la vie des éléphants*.

🔍 « Documentaire » est un nom masculin qui se termine par un e.

## dodu, dodue adjectif

Être **dodu**, c'est être gras et rond. *Ce bébé est dodu*. Synonyme : **potelé**.

## doigt nom masculin

Les **doigts** sont les cinq parties allongées qui terminent la main et le pied.

🔍 On ne prononce pas le g ni le t.

les **doigts** de la main

A
B
C
D
E
F
G
H
I
J
K
L
M
N
O
P
Q
R
S
T
U
V
W
X
Y
Z

**domaine** nom masculin

❶ Un **domaine** est une grande propriété à la campagne.

❷ Un **domaine** est une activité, une science que l'on connaît très bien. *L'électricité, c'est son domaine.*

**1. domestique** adjectif

Un animal **domestique** est un animal qui vit auprès des humains. *Le chien et le chat sont des animaux domestiques.* Synonyme : familier. Contraire : sauvage.

**2. domestique** nom masculin et nom féminin

Un **domestique**, une **domestique** sont des personnes qui s'occupent de la maison d'une famille. C'est un nom de métier.

🔎 Aujourd'hui, on dit un *employé de maison*, une *employée de maison*.

**domicile** nom masculin

Le **domicile** d'une personne est l'endroit où elle habite.

**dominer** verbe

❶ Dominer, c'est être situé au-dessus de quelque chose. *Un château domine le village.*

❷ Dominer, c'est être supérieur, plus fort. *Notre équipe a dominé dès le début du match.*

**domino** nom masculin

Un **domino** est un pion rectangulaire qui a des points noirs, de 0 à 6. *Nous jouons aux dominos.*

**dommage** nom masculin

Un **dommage** est une chose que l'on regrette. *Tu ne peux pas venir à la fête ? quel dommage !*

🔎 Il y a deux *m*.

**dompteur** nom masculin
**dompteuse** nom féminin

Un **dompteur**, une **dompteuse** sont des personnes qui dressent des animaux sauvages et qui leur font faire des numéros au cirque. C'est un nom de métier. *La dompteuse est entrée dans la cage aux lions.*

🔎 Le son [ɔ̃] s'écrit *om* devant un *p*. On ne prononce pas le *p*.

Le numéro du **dompteur** avec ses lions.

**don** nom masculin

❶ Un **don** est une chose que l'on donne. *Une dame a fait don d'un tableau au musée de la ville.*

❷ Avoir un **don**, c'est être doué pour un art, avoir toutes les qualités nécessaires. *Sarah a des dons pour la musique.* Synonyme : talent.

**donc** conjonction

❶ Donc annonce une conséquence. *Je suis en retard, donc je dois me dépêcher.*

❷ Donc sert à insister. *Viens donc chez nous pour le goûter. Pourquoi donc ris-tu ?*

## donjon nom masculin

Le **donjon** est la tour la plus haute et la mieux protégée d'un château fort. *Le seigneur habitait dans le donjon.*

☞ Va voir « le château fort », page 131.

## donnée nom féminin

Les **données** d'un problème sont les indications que l'on donne dans l'énoncé et qui permettent de trouver la solution.

## donner verbe

❶ **Donner** une chose à quelqu'un, c'est lui faire un don, un cadeau. *Mathis a donné une cassette à Mathilde.* Synonyme : **offrir**.

❷ **Donner** un renseignement, c'est le dire. *Zohra m'a donné son adresse.*

❸ Quand un arbre **donne** des fruits, il les produit. *Le pommier a donné beaucoup de pommes.*

❹ **Donner une explication**, c'est expliquer. **Donner une réponse**, c'est répondre.

● Mots de la même famille : **don, donnée**.

## doré, dorée adjectif

Un objet **doré** est recouvert d'or ou est de la couleur de l'or. *Le cadre du tableau est doré. Les cheveux de Clara ont des reflets dorés.*

## dorénavant adverbe

**Dorénavant** signifie : à partir de maintenant. *Dorénavant, la bibliothèque sera ouverte jusqu'à 19 heures.* Synonyme : **désormais**.

## dorloter verbe

**Dorloter** une personne, c'est s'occuper d'elle avec tendresse, en lui faisant des câlins et en l'embrassant. *La maman dorlote son bébé.* Synonyme : **cajoler**.

## dormir verbe

❶ **Dormir**, c'est fermer les yeux et plonger dans le sommeil. *Dors bien pour être en forme demain.*

❷ **Dormir** debout, c'est être très fatigué. *Lucas s'est couché très tard et, ce matin, il dort debout.*

🔎 Quand on dort d'un sommeil profond, on dit qu'on **dort comme un loir**.

● Mot de la même famille : **dortoir**.

## dortoir nom masculin

Un **dortoir** est une grande salle avec plusieurs lits. *En colonie de vacances, on dort dans des dortoirs.*

## dos nom masculin

Le **dos** est la partie du corps qui va des épaules aux fesses. *Marie dort sur le dos.*

● Mots de la même famille : **dossard, dossier**.

## dose nom féminin

La **dose** d'un médicament est la quantité à prendre en une fois.

## dossard nom masculin

Un **dossard** est un carré de tissu qui a un numéro et qui est fixé sur le dos d'un concurrent.

Les coureuses portent des **dossards**.

a b c d e f g h i j k l m n o p q r s t u v w x y z

A
B
C
D
E
F
G
H
I
J
K
L
M
N
O
P
Q
R
S
T
U
V
W
X
Y
Z

**dossier** nom masculin

❶ Le **dossier** d'un siège, c'est la partie qui sert à appuyer le dos. *Les chaises, les fauteuils et les canapés ont un dossier.*

❷ Un **dossier**, c'est un ensemble de documents, de textes, de photos que l'on rassemble sur un sujet. *Mon cousin a un dossier à faire sur les loups.*

**douane** nom féminin

La **douane** est un endroit situé à la frontière de deux pays, où l'on contrôle les passeports et les bagages.
● Mot de la même famille : **douanier**.

**douanier** nom masculin
**douanière** nom féminin

Un **douanier**, une **douanière** sont des personnes qui font les contrôles à la frontière entre deux pays, qui travaillent à la douane. C'est un nom de métier.

**1. double** adjectif

❶ Ce qui est **double** est répété deux fois. *Ferme la porte à double tour.*

❷ Une rue à **double sens** est une rue où les véhicules roulent dans les deux sens. Contraire : **sens unique**.

**2. double** nom masculin

❶ Le **double** d'un nombre, c'est deux fois ce nombre. *Le double de quatre, c'est huit.* Contraire : **moitié**.

❷ Le **double** d'un jeu de clés, c'est un deuxième jeu.
→ Cherche **triple**.

**doubler** verbe

❶ **Doubler**, c'est être multiplié par deux. *Le prix de certains produits a doublé.*

❷ **Doubler** un véhicule, c'est passer devant. *La voiture a doublé un car.*
Synonyme : **dépasser**.

❸ **Doubler** un vêtement, c'est lui mettre une doublure. *Ma veste est doublée de satin.*
● Mots de la même famille : **double, doublure**.

La moto rouge est en train de **doubler** la moto bleue.

**doublure** nom féminin

Une **doublure** est un tissu léger qui est cousu à l'intérieur d'un vêtement.

**douce** → **doux**

**doucement** adverbe

❶ **Doucement** signifie : avec douceur, sans bruit, sans violence. *Ferme la porte doucement !* Contraire : **brutalement**. *Parle doucement, je ne suis pas sourd !* Contraire : **fort**.

❷ **Doucement** signifie : lentement. *Nous avons roulé tout doucement car il y avait un épais brouillard.* Contraires : **rapidement, vite**.

**douceur** nom féminin

❶ La **douceur** est la qualité de ce qui est doux, agréable à toucher. *La peau des bébés est d'une grande douceur.*

**❷** La **douceur** est le caractère doux d'une personne. *Grand-mère nous parle toujours avec douceur.*
Synonyme : **gentillesse.**

**douche** nom féminin

**❶** Une **douche** est un appareil avec un jet d'eau qui permet de mouiller tout le corps.

**❷ Prendre une douche,** c'est mouiller son corps avec le jet d'une douche pour se laver.

● Mot de la même famille : **se doucher.**

**se doucher** verbe

**Se doucher,** c'est prendre une douche. *Alice se douche tous les matins.*

Les enfants **se douchent**.

**doué, douée** adjectif

Être **doué,** c'est avoir des qualités, du talent pour apprendre un art, une technique. *Armelle est douée pour le chant.*

**douillet, douillette** adjectif

Une personne **douillette** ne supporte pas la plus petite douleur. *Ma sœur est si douillette qu'elle pleure pour une égratignure.*

**douleur** nom féminin

Une **douleur** est la sensation d'avoir mal, de souffrir. *Après sa chute, Mathis a eu une violente douleur dans le bras.*

● Mot de la même famille : **douloureux.**

**douloureux, douloureuse** adjectif

Ce qui cause une douleur est douloureux. *Les piqûres de frelons sont douloureuses.* Contraire : **indolore.**

**doute** nom masculin

**❶** Avoir un **doute,** c'est ne pas être sûr de quelque chose, se poser des questions. *J'ai un doute sur la date de l'anniversaire de Kien.*

**❷ Sans doute** signifie : sûrement. *Hugo n'est pas venu, il a sans doute oublié notre rendez-vous.* Synonymes : **certainement, probablement.**

**douter** verbe

**❶ Douter,** c'est ne pas être sûr de quelque chose. *Je doute que Sarah vienne.*

**❷ Se douter** de quelque chose, c'est le soupçonner, le deviner. *Aurélie se doute que son père lui a préparé une surprise.*

● Mot de la même famille : **doute.**

**doux** adjectif masculin
**douce** adjectif féminin

**❶** Une chose **douce** est agréable à toucher, à voir ou à entendre. *Le pelage du chat est doux.* Contraire : **rugueux.** *Notre institutrice a une voix douce.*

**❷** Un être **doux** a un caractère facile, gentil, des gestes tendres. Contraires : **agressif, brutal, dur, sévère.** *Alice a des gestes doux.* Contraire : **brusque.**

**❸** L'eau **douce** est l'eau des fleuves, des rivières et des lacs. *Les truites sont des poissons d'eau douce.* Contraire : **salé.**

● Mots de la même famille : **doucement, douceur.**

a b c **d** e f g h i j k l m n o p q r s t u v w x y z

A
B
C
D
E
F
G
H
I
J
K
L
M
N
O
P
Q
R
S
T
U
V
W
X
Y
Z

**douzaine** nom féminin
Une **douzaine** est un groupe de douze unités. *J'ai acheté une douzaine d'œufs.*

**dragée** nom féminin
Une **dragée** est un bonbon fait d'une amande recouverte de sucre. *Aux baptêmes et aux mariages, on offre souvent des dragées.*

**dragon** nom masculin
Un **dragon** est un animal fabuleux que l'on représente avec des ailes, des griffes et une longue queue. *Le dragon crache du feu.*

le **dragon** du carnaval

**dramatique** adjectif
Ce qui est **dramatique** est très grave. *La situation des victimes est dramatique.*
Synonyme : tragique.

**drame** nom masculin
Un **drame** est une chose très grave qui arrive, un événement terrible. *L'accident de train est un drame pour les familles des victimes.*
Synonymes : catastrophe, tragédie.
● Mot de la même famille : dramatique.

**drap** nom masculin
Un **drap** est un grand morceau de tissu léger que l'on met dans un lit entre le matelas et la couverture. *On met deux draps : le drap de dessous et le drap de dessus.*

🔍 On ne prononce pas le *p*.
● Mot de la même famille : drapeau.

**drapeau** nom masculin
Un **drapeau** est un morceau de tissu qui porte les couleurs d'un pays. *Le drapeau de l'Europe est bleu et comporte douze étoiles jaunes disposées en cercle.*

🔍 Au pluriel, on écrit *des drapeaux*.
☞ Va voir « les drapeaux », page 223.

**dresser** verbe
❶ Dresser, c'est lever, tenir droit. *La gazelle a dressé ses oreilles.* Contraire : baisser.
❷ Dresser un animal, c'est l'habituer à obéir. *Julien a bien dressé son chien.*
❸ Se dresser, c'est se mettre debout, se tenir droit.

Clara **dresse** son chien.

**drogue** nom féminin
Une **drogue** est un produit très dangereux pour la santé car il agit sur le cerveau.

# Les drapeaux

A
B
C
D
E
F
G
H
I
J
K
L
M
N
O
P
Q
R
S
T

## 1. droit nom masculin

❶ Un **droit** est une chose permise par une personne ou par un règlement. *Ce soir, j'ai le **droit** de regarder la télévision.* Synonymes : autorisation, permission.

❷ Un **droit** est une chose que la loi accorde à chaque personne. *Avoir un nom et une nationalité dès sa naissance est un **droit** pour chaque enfant.*

## 2. droit, droite adjectif

❶ Une ligne **droite** est une ligne qui ne tourne pas. *La ligne **droite** est le plus court chemin pour aller d'un endroit à un autre.* Contraire : courbe.

❷ Un objet **droit** est vertical ou horizontal, il ne penche pas. *Le mur de la maison est bien **droit**.* Contraire : oblique.

❸ La main **droite** est située du côté opposé à celui du cœur. *Léa écrit de la main **droite**.* Contraire : gauche.

❹ Un angle **droit** est un angle formé par deux lignes perpendiculaires.

● Mots de la même famille : droite, droitier.

➔ Cherche **brisé**.

☞ Va voir « les couleurs et les formes », page 171.

## 3. droit adverbe

Marcher **droit**, c'est marcher en ligne droite.

un **dromadaire**

**droite** nom féminin

La **droite**, c'est le côté droit. *Pour aller à la poste, il faut tourner à **droite** après le feu.* Contraire : gauche.

**droitier, droitière** adjectif

Être **droitier**, c'est se servir surtout de sa main droite. Contraire : gaucher.

**drôle** adjectif

❶ Une personne ou une chose **drôle** fait rire. *Clément nous a raconté une histoire **drôle**.* Synonymes : amusant, comique. Contraire : triste.

❷ Une **drôle** de personne, une **drôle** de chose étonne, surprend. *On sent une **drôle** d'odeur ici.* Synonyme : bizarre.

🔍 Le o prend un accent circonflexe.

● Mot de la même famille : drôlement.

**drôlement** adverbe

**Drôlement** signifie : très. *Il fait **drôlement** chaud aujourd'hui !*

🔍 Le o prend un accent circonflexe.

**dromadaire** nom masculin

Un **dromadaire** est un grand mammifère du désert au pelage beige. Il ressemble à un chameau mais il n'a qu'une seule bosse.

▶ C'est un ruminant. Quand le dromadaire crie, on dit qu'il **blatère**.

➔ Cherche **chameau**.

**druide** nom masculin

Un **druide** était un prêtre au temps des Gaulois. *Les **druides** cueillaient le gui tous les ans.*

**du** ➜ **de**

**dû, due** adjectif

❶ Une somme **due** est une somme que l'on doit à quelqu'un.

Z

❷ Être **dû** à, c'est être causé par quelque chose. *L'accident est dû au verglas. L'inondation est due aux fortes pluies.*

🔎 Au masculin singulier, le *u* prend un accent circonflexe.

→ Cherche le verbe **devoir**.

**duc** nom masculin
**duchesse** nom féminin

Un **duc**, une **duchesse** sont des nobles dont la position se situe juste derrière un prince, une princesse.

**duel** nom masculin

Un **duel** est un combat à l'épée ou au pistolet qui opposait deux nobles. *On se battait en duel pour se venger d'une injure.*

Ils se battent en **duel**.

**dune** nom féminin

Une **dune** est une colline de sable formée par le vent, au bord de la mer ou dans le désert.

**duo** nom masculin

Un **duo** est un morceau de musique pour deux instruments ou deux voix. *Marie et Julien ont chanté en duo.*

**dur, dure** adjectif

❶ Un objet **dur**, une matière **dure** sont difficiles à casser, à couper. *Le diamant est une pierre précieuse très dure.* Synonyme : résistant. *Ce beurre est un peu dur.* Contraire : mou. *Ce bifteck est dur.* Contraire : tendre.

❷ Une chose **dure** ne se fait pas facilement. *Cette multiplication est trop dure.* Synonymes : compliqué, difficile. Contraires : facile, simple.

❸ Une personne **dure** manque de gentillesse, de douceur. *Le gardien est un homme dur.* Synonymes : brutal, sévère. Contraires : doux, gentil, indulgent, tendre.

● Mot de la même famille : durcir.

**durcir** verbe

Durcir, c'est devenir dur. *Le beurre a durci dans le réfrigérateur.* Contraire : se ramollir.

**durée** nom féminin

La **durée** est le temps que dure une chose. *Quelle est la durée du voyage ?*

**durer** verbe

Durer, c'est avoir lieu pendant une période de temps. *Le film dure une heure et demie. Le beau temps dure depuis une semaine.*

**duvet** nom masculin

❶ Le **duvet**, c'est l'ensemble des plumes douces et légères qui couvrent le corps des jeunes oiseaux.

❷ Un **duvet** est un sac de couchage rempli de duvet. *Les campeurs dorment dans un duvet.*

a b c d e f g h i j k l m n o p q r s t u v w x y z

A
B
C
D
E
F
G
H
I
J
K
L
M
N
O
P
Q
R
S
T
U
V
W
X
Y
Z

**DVD** nom masculin

Un **DVD** est un petit disque de douze centimètres sur lequel sont enregistrés un grand nombre d'images et de sons. *Théo a eu trois DVD à Noël.*

▶ Les DVD remplacent petit à petit les cassettes vidéo.

**dynamique** adjectif

Une personne **dynamique** fait les choses avec énergie et enthousiasme. *Zoé a de nombreuses occupations : c'est une fille dynamique.* Synonymes : actif, énergique. Contraire : mou.

🔍 Le premier son [i] s'écrit *y*.

**dynamite** nom féminin

La **dynamite** est un explosif puissant, une matière qui provoque des explosions. *Les soldats ont fait sauter un pont à la dynamite.*

🔍 Le premier son [i] s'écrit *y*.

**dynastie** nom féminin

Une **dynastie** est une suite de rois ou d'empereurs d'une même famille.

🔍 Le premier son [i] s'écrit *y*.

**dyslexique** adjectif

Être **dyslexique**, c'est avoir des difficultés à lire et à écrire parce qu'on inverse des lettres.

🔍 Le premier son [i] s'écrit *y*.

**eau nom féminin**

L'**eau** est un liquide transparent qui n'a pas d'odeur et pas de goût. *L'eau des rivières et des lacs est douce, l'eau de mer est salée.*

🔍 Au pluriel, on écrit *des eaux.*

**ébahi, ébahie adjectif**

Être **ébahi**, avoir un air **ébahi**, c'est être très étonné. *Quand il m'a vu faire du deltaplane, Léo m'a regardé d'un air ébahi.* Synonyme : stupéfait.

**éblouir verbe**

❶ Quand une lumière **éblouit**, elle fait mal aux yeux et empêche de bien voir. *Les phares de la voiture ont ébloui un automobiliste.*

❷ **Éblouir**, c'est remplir d'admiration. *La pièce de théâtre a ébloui les spectateurs.* Synonyme : émerveiller.

● Mot de la même famille : éblouissant.

**éblouissant, éblouissante adjectif**

❶ Une lumière **éblouissante** est trop vive, elle éblouit. *La lumière du soleil est éblouissante.* Synonyme : aveuglant.

❷ Une personne, une chose **éblouissante** est très belle. *Hélène était éblouissante dans sa robe de mariée.* Synonymes : magnifique, splendide, superbe.

**éboueur nom masculin**

Un **éboueur** est un homme qui ramasse les ordures dans les rues. C'est un nom de métier. *Les éboueurs vident les poubelles dans le camion à ordures.*

**ébouriffé, ébouriffée adjectif**

Être **ébouriffé**, c'est avoir les cheveux en désordre, tout décoiffés. *Sébastien s'est réveillé tout ébouriffé.*

🔍 Il y a deux *f.*

**ébullition nom féminin**

Quand l'eau est en **ébullition**, elle est en train de bouillir. *Maman jette les pâtes dans l'eau en ébullition.*

**écaille nom féminin**

Des **écailles** sont des petites plaques dures qui recouvrent le corps de certains animaux. *Les poissons, les tortues ont des écailles.*

**écarquiller verbe**

**Écarquiller** les yeux, c'est les ouvrir très grands.

A
B
C
D
E
F
G
H
I
J
K
L
M
N
O
P
Q
R
S
T
U
V
W
X
Y
Z

**écart** nom masculin

❶ Un **écart** est une différence entre deux nombres, deux niveaux. *Dans le désert, il y a de grands écarts de température entre le jour et la nuit.*

❷ **À l'écart** signifie : loin de, en dehors de. *Notre maison est située à l'écart du village.*

❸ Quand une danseuse fait le **grand écart**, ses jambes sont écartées au maximum et touchent le sol sur toute leur longueur.

**écarter** verbe

Écarter des choses, des personnes, c'est mettre une distance entre elles. *Essaie d'écarter les doigts.* Contraire : rapprocher. *Écartez-vous du blessé pour qu'il puisse respirer.* Synonyme : s'éloigner. Contraires : s'approcher, se rapprocher.

● Mot de la même famille : **écart**.

**échafaud** nom masculin

Un **échafaud** est une estrade où l'on coupait autrefois la tête des personnes condamnées à mort. *Louis XVI est mort sur l'échafaud.*

➜ Cherche **guillotine**.

**échafaudage** nom masculin

Un **échafaudage** est une construction faite de barres et de planches que l'on installe le long d'un mur pour faire des travaux en hauteur.

**échange** nom masculin

Un **échange**, c'est l'action d'échanger, de donner une chose contre une autre. *Julien et Léa ont fait un échange de billes.*

**échanger** verbe

❶ Échanger des choses, c'est donner une chose pour en obtenir une autre à la place. *Hugo a échangé une cassette contre un jeu vidéo.*

❷ **Échanger** des lettres, c'est en envoyer à une personne et en recevoir régulièrement d'elle.

● Mot de la même famille : **échange**.

**échantillon** nom masculin

Un **échantillon** est une petite quantité de produit qu'un commerçant donne à ses clients pour qu'ils l'essaient.

**s'échapper** verbe

S'échapper, c'est réussir à s'enfuir. *Le lion s'est échappé de sa cage.* Synonyme : se sauver.

🔍 Il y a deux *p*.

**écharde** nom féminin

Une **écharde** est un petit morceau de bois pointu qui est rentré sous la peau.

**écharpe** nom féminin

Une **écharpe** est une longue bande d'étoffe que l'on porte autour du cou pour avoir chaud.

On a mis un **échafaudage** pour réparer le bâtiment.

## échasse nom féminin

Une **échasse** est un long bâton avec une petite barre pour poser le pied. Elle sert à marcher à une certaine hauteur du sol.

Paul et Virginie apprennent à marcher sur des **échasses**.

## s'**échauffer** verbe

S'**échauffer**, c'est faire des mouvements de gymnastique pour rendre ses muscles plus souples et plus chauds. *Avant un match, les joueurs s'échauffent.*

## échec nom masculin

❶ Un **échec**, c'est le fait d'échouer, de ne pas réussir quelque chose. *Kien nous a annoncé son échec à l'examen.* Contraires : **réussite, succès.**

❷ Le jeu d'**échecs** se joue avec des pièces que l'on déplace sur un plateau appelé *échiquier*. Le but du jeu est de capturer le roi de son adversaire.

## échelle nom féminin

Une **échelle** est un objet fait de deux longues barres verticales reliées par des barreaux. *Les pompiers montent sur la grande échelle.*

## écho nom masculin

L'**écho** est la répétition d'un son qui est renvoyé par un mur ou par une montagne. *Il y a de l'écho dans cette grotte, tout ce que l'on dit se répète.*

🔎 On écrit *ch*, mais on prononce [k].

## échouer verbe

❶ **Échouer**, c'est ne pas réussir. *Notre plan a échoué.* Synonyme : **rater.**

❷ Quand un bateau **s'échoue**, il touche le rivage ou le fond de la mer par accident.

## éclabousser verbe

**Éclabousser**, c'est mouiller en faisant jaillir un liquide. *L'autobus nous a éclaboussés en passant dans une flaque d'eau.* Synonyme : **asperger.**

## éclair nom masculin

❶ Un **éclair** est une lumière très forte et très rapide qui est produite par la foudre pendant un orage.

❷ Un **éclair** est un gâteau fourré de crème au chocolat ou au café.

→ Cherche **tonnerre.**

Les **éclairs** font des zigzags dans le ciel.

a b c d e f g h i j k l m n o p q r s t u v w x y z

A
B
C
D
E
F
G
H
I
J
K
L
M
N
O
P
Q
R
S
T
U
V
W
X
Y
Z

**éclairage** nom masculin

L'**éclairage**, c'est l'action ou la manière d'éclairer. L'**éclairage** de la pièce est trop fort.

**éclaircie** nom féminin

Une **éclaircie** est un moment où le ciel s'éclaircit et où la pluie ne tombe plus. Je profite d'une **éclaircie** pour sortir.

**éclaircir** verbe

❶ **Éclaircir** une chose, c'est la rendre plus claire. La peinture blanche éclaircit la pièce.
❷ S'**éclaircir**, c'est devenir plus clair. Le ciel s'**éclaircit**.
● Mot de la même famille : **éclaircie**.

**éclairer** verbe

**Éclairer** un endroit, c'est lui donner de la lumière. Un grand lampadaire éclaire la salle à manger.
● Mots de la même famille : **éclair**, **éclairage**.

**éclat** nom masculin

❶ L'**éclat**, c'est la lumière vive du soleil, d'une lampe. Je suis ébloui par l'**éclat** du soleil.
❷ Un **éclat** de verre est un petit morceau de verre brisé. Rémi a marché sur des **éclats** de verre.
❸ Un **éclat de rire** est le bruit que fait une personne qui éclate de rire.

**éclatant, éclatante** adjectif

Une chose **éclatante** brille, a beaucoup d'éclat. Elle portait une veste d'un jaune **éclatant**. Synonyme : brillant. Contraire : terne.

**éclater** verbe

❶ **Éclater**, c'est se casser brusquement ou faire un grand bruit. La pierre a éclaté. Le tonnerre éclata.

❷ **Éclater** de rire, **éclater** en sanglots, c'est se mettre à rire ou à pleurer très fort. Quand elle m'a vu avec les cheveux verts, Zoé a éclaté de rire.
● Mots de la même famille : **éclat**, **éclatant**.

**éclipse** nom féminin

Quand il y a une **éclipse** de Soleil, le Soleil est caché par la Lune. Quand il y a une **éclipse** de Lune, la Lune est cachée par l'ombre de la Terre.

**éclosion** nom féminin

L'**éclosion**, c'est le moment où un poussin sort d'un œuf ou le moment où une fleur s'ouvre. Les poules couvent leurs œufs jusqu'à l'**éclosion**.

**écluse** nom féminin

Une **écluse** est une construction sur une rivière ou un canal, à l'endroit où l'eau est plus haute d'un côté que de l'autre. On peut changer la hauteur de l'eau, ce qui permet aux bateaux de passer.

les portes d'une **écluse**

**écœurant, écœurante** adjectif
Un aliment **écœurant** donne mal au cœur. *Ces gâteaux à la crème sont écœurants.*

**école** nom féminin
Une **école** est un endroit où les enfants vont pour apprendre ce qu'ils doivent savoir. *Léo a quatre ans, il va à l'**école** maternelle. Paul a six ans, il va à l'**école** élémentaire.*
▶ En France, l'école publique est gratuite et obligatoire pour tous les enfants de six à seize ans.
● Mot de la même famille : **écolier.**

**écolier** nom masculin
**écolière** nom féminin
Un **écolier**, une **écolière** sont des enfants qui vont à l'école.
➜ Cherche **élève.**

**écologie** nom féminin
L'**écologie** est la science qui étudie l'environnement des êtres vivants et s'occupe de la protection de la nature. *Trier ses déchets, c'est faire de l'**écologie.***
● Mot de la même famille : **écologiste.**

**écologiste** nom masculin et nom féminin
Un **écologiste**, une **écologiste** sont des personnes qui s'intéressent à l'écologie, qui participent à la protection de la nature. *Les **écologistes** s'inquiètent des dangers de la pollution.*

**économe** adjectif
Une personne **économe** dépense peu d'argent, évite les dépenses inutiles.

**économies** nom féminin pluriel
Les **économies** d'une personne, c'est l'argent qu'elle n'a pas dépensé. *Kien a* fait des **économies** *pour acheter un cadeau à son frère.*
● Mots de la même famille : **économe, économiser.**

**économiser** verbe
**Économiser** de l'argent, c'est le garder, éviter de le dépenser pour faire des économies. Contraires : **dépenser, gaspiller.**

**écorce** nom féminin
L'**écorce** est la couche dure qui recouvre le tronc et les branches d'un arbre. *L'**écorce** protège le bois.*

Clara enlève l'**écorce** de la branche.

s'**écorcher** verbe
S'**écorcher**, c'est se déchirer un peu la peau. *Sarah est tombée et elle s'est écorché le genou.* Synonyme : **s'égratigner.**
● Mot de la même famille : **écorchure.**

**écorchure** nom féminin
Une **écorchure** est une petite blessure que l'on a sur la peau quand on s'est écorché. Synonyme : **égratignure.**

**écossais, écossaise** adjectif
Un tissu **écossais** est un tissu qui a des rayures et des carreaux de différentes couleurs qui se croisent.

A
B
C
D
E
F
G
H
I
J
K
L
M
N
O
P
Q
R
S
T
U
V
W
X
Y

s'**écouler** verbe

❶ Quand un liquide s'**écoule**, il coule et disparaît. *L'eau de pluie s'écoule par la gouttière.*

❷ Quand le temps s'**écoule**, il passe. *Une semaine s'est écoulée depuis le début des vacances.*

**écouter** verbe

❶ **Écouter**, c'est faire attention aux sons, aux paroles que l'on entend. *Maman écoute la radio.*

❷ **Écouter** quelqu'un, c'est suivre ses conseils. *Tu devrais écouter ta grand-mère, elle te conseillera bien.*

● Mot de la même famille : **écouteur**.

**écouteur** nom masculin

Un **écouteur** est la partie d'un appareil qui sert à écouter. *Avec les écouteurs d'un baladeur, on écoute de la musique sans gêner les autres.*

➔ Cherche **casque**.

**écran** nom masculin

❶ Un **écran** est la partie plate d'un téléviseur ou d'un ordinateur où apparaissent des images ou des textes.

❷ Un **écran** est une surface blanche sur laquelle on projette des films ou des diapositives.

**écraser** verbe

❶ **Écraser** une chose, c'est la déformer, l'aplatir ou la réduire en petits morceaux en appuyant très fort dessus. *Pour faire du vin, on écrase les grappes de raisin.*

❷ **Écraser** un être, c'est le renverser et lui passer sur le corps avec un véhicule. *Notre chat s'est fait écraser par une moto.*

une **écrevisse**

**écrevisse** nom féminin

Une **écrevisse** est un petit animal qui a une carapace, deux grosses pinces et qui se déplace à reculons. Elle vit dans les lacs ou dans les petites rivières.

▶ C'est un crustacé.

s'**écrier** verbe

S'**écrier**, c'est dire en criant. *Tout à coup, Valentin s'est écrié : « Bravo, j'ai réussi ! »* Synonyme : s'**exclamer**.

**écrire** verbe

❶ **Écrire**, c'est tracer des lettres, des mots, des chiffres. *Maxime apprend à écrire. Camille a écrit la date sur son cahier.* Synonymes : inscrire, marquer, noter.

❷ **Écrire** à quelqu'un, c'est lui écrire une lettre, une carte postale. *Les élèves écrivent à leurs correspondants qui vivent en Afrique.*

● Mots de la même famille : **écrit, écriteau, écriture, écrivain.**

**écrit** nom masculin

L'**écrit**, c'est l'ensemble des exercices où l'on doit écrire. *Jérémy a de bonnes notes à l'écrit.* Contraire : oral.

**écriteau** nom masculin

Un **écriteau** est un panneau avec une inscription. *Devant la maison, un écriteau indiquait « À vendre ».* Synonyme : pancarte.

🔍 Au pluriel, on écrit *des écriteaux*.

**écriture** nom féminin

L'**écriture**, c'est le fait d'écrire, de tracer des lettres. *À l'école, on apprend l'écriture, la lecture et le calcul. Coralie a une belle écriture.*

**écrivain** nom masculin

Un **écrivain** est une personne qui écrit des livres. *Jules Verne est un écrivain français, Daniel Defoe est un écrivain anglais.* Synonyme : auteur.

## s'**écrouler** verbe

S'écrouler, c'est tomber tout d'un coup. *Le mur du jardin s'est écroulé.*
Synonyme : s'effondrer.

## **écume** nom féminin

L'écume est la mousse blanche qui se forme sur les vagues. *En se retirant, la mer laisse de l'écume sur la plage.*

## **écureuil** nom masculin

Un écureuil est un petit rongeur roux ou gris, très agile, qui a une longue queue épaisse et qui vit dans les arbres. *Les écureuils se nourrissent de noisettes, de fruits secs et de glands.*

## **écurie** nom féminin

Une écurie est un bâtiment qui sert d'abri aux chevaux.

## **écuyer** nom masculin
## **écuyère** nom féminin

Un écuyer, une écuyère sont des personnes qui savent monter à cheval et qui dressent les chevaux. *Au cirque, j'ai vu un numéro d'écuyers.*

## **édifice** nom masculin

Un édifice est un bâtiment de grande taille. *La mairie de notre ville est un bel édifice.*

## **éditeur** nom masculin
## **éditrice** nom féminin

Un éditeur, une éditrice sont des personnes qui font écrire et imprimer des livres et qui les mettent en vente. C'est un nom de métier.

## **éducateur** nom masculin
## **éducatrice** nom féminin

Un éducateur, une éducatrice sont des personnes qui s'occupent de l'éducation des enfants et des jeunes.

## **éducation** nom féminin

L'éducation, c'est l'action de développer les qualités morales et physiques d'un enfant. *Les parents s'occupent de l'éducation de leurs enfants.*
● Mot de la même famille : **éducateur**.

## **effacer** verbe

Effacer, c'est faire disparaître ce qui est écrit ou enregistré. *Marie a effacé un film sur la cassette vidéo.*

## **effectivement** adverbe

Effectivement s'emploie pour confirmer quelque chose. *Oui, effectivement, j'ai oublié ton anniversaire.* Synonyme : en effet.

## **effectuer** verbe

Effectuer, c'est faire une chose, un travail. *Les travaux seront effectués le mois prochain.* Synonyme : réaliser.

## **effet** nom masculin

❶ L'effet d'une chose, c'est son résultat, son action. *L'effet de ce médicament est très rapide. Les inondations ont eu des effets catastrophiques sur les cultures.* Synonyme : conséquence.
❷ Un effet, c'est une impression. *Léo me fait l'effet d'un garçon franc.*
❸ En effet s'emploie pour constater quelque chose. *Il fait froid, en effet.*
Synonyme : effectivement.

un **écureuil**

a b c d e f g h i j k l m n o p q r s v w x

**A B C D E F G H I J K L M N O P Q R S T U V W X Y Z**

### efficace adjectif

Un produit **efficace** agit vite, donne de bons résultats. *Ce médicament est efficace contre la toux.*

### effleurer verbe

Effleurer une chose, c'est la toucher très légèrement. *J'ai effleuré sa joue et il s'est réveillé.*

🔍 Il y a deux f.

### s'effondrer verbe

S'effondrer, c'est tomber tout d'un coup. *Le vieux pont s'est effondré.* Synonyme : s'écrouler.

### effort nom masculin

Faire un **effort** (ou des **efforts**), c'est se donner du mal pour réussir quelque chose. *Cet élève a fait de gros efforts en calcul.*

### effrayant, effrayante adjectif

Un être **effrayant**, une chose **effrayante** font très peur, effraient. *Hugo a rêvé d'un monstre effrayant.* Synonymes : effroyable, épouvantable, horrible.

### effrayer verbe

Effrayer une personne, c'est lui faire très peur. *Le bruit de nos pas a effrayé l'écureuil.*

● Mot de la même famille : effrayant.

### effroi nom masculin

L'**effroi** est une très grande peur. *Quand la femme de Barbe-Bleue entra dans le cabinet, elle fut saisie d'un tel effroi qu'elle lâcha la clé.* Synonymes : frayeur, terreur.

● Mot de la même famille : effroyable.

Lucas **est effrayé** par le chien.

### effroyable adjectif

Un être **effroyable**, une chose **effroyable** font très peur, remplissent d'effroi. *Sébastien nous a raconté une histoire effroyable.* Synonymes : effrayant, épouvantable, horrible.

### égal, égale adjectif

❶ Des choses **égales** ont la même dimension, la même valeur. *Les chances sont égales entre les concurrents.* Synonyme : identique. Contraire : inégal.

❷ Quand on dit que tous les hommes sont **égaux** devant la loi, cela signifie qu'ils ont les mêmes droits.

❸ Cela m'est **égal** signifie : cela n'a pas d'importance pour moi.

🔍 Au pluriel, on écrit *égaux, égales.*
● Mots de la même famille : également, égaler, égaliser, égalité.

### également adverbe

Également signifie : aussi. *Alice vient, et Rachid également.*

**234**

**égaler** verbe
Égaler, c'est être égal. *Cinq plus deux égale sept.* Synonyme : faire.

**égaliser** verbe
En sport, **égaliser**, c'est obtenir le même nombre de points que l'adversaire. *Notre équipe a égalisé à la fin de la partie.*

**égalité** nom féminin
L'**égalité**, c'est le fait d'être égal. *À la mi-temps, les deux équipes étaient à égalité. Je suis pour l'égalité entre les personnes.*

**égarer** verbe
**Égarer** une chose, c'est ne plus la retrouver. *Paul a égaré ses lunettes.* Synonyme : perdre.

**église** nom féminin
Une **église** est un bâtiment où les catholiques se rassemblent pour prier.
→ Cherche **mosquée, pagode, synagogue** et **temple.**

**égoïsme** nom masculin
L'**égoïsme** est le défaut d'une personne qui ne pense qu'à elle et jamais aux autres. Contraire : générosité.

Tom a coupé le gâteau
en parts **égales.**

**égoïste** adjectif
Une personne **égoïste** ne pense qu'à elle et jamais aux autres. *Mon frère ne prête jamais ses jouets, il est égoïste.* Contraire : généreux.
● Mot de la même famille : égoïsme.

**égout** nom masculin
Les **égouts** sont de gros tuyaux situés sous terre, par où s'écoulent les eaux sales des maisons et des rues.

**égratigner** verbe
**Égratigner** une partie du corps, c'est la griffer légèrement. *Les ronces m'ont égratigné les jambes.* Synonyme : écorcher.
● Mot de la même famille : égratignure.

**égratignure** nom féminin
Une **égratignure** est une petite blessure que l'on a sur la peau quand on s'est égratigné. Synonyme : écorchure.

Clara s'est fait des **égratignures.**

**eh !** interjection
❶ **Eh** s'emploie pour attirer l'attention, pour appeler. *Eh ! Viens voir ici !*
❷ **Eh bien** introduit une question, une explication ou une conclusion. *Eh bien ! venez plus tard !*

A
B
C
D
E
F
G
H
I
J
K
L
M
N
O
P
Q
R
S
T
U

**éjecter** verbe
Éjecter, c'est projeter au-dehors. *Un passager a été éjecté de la voiture. Éjecte la cassette du magnétoscope.*

**1. élan** nom masculin
Prendre de l'**élan**, c'est courir pour s'élancer. *Pauline a pris son élan pour sauter.*

**2. élan** nom masculin
Un **élan** est un grand cerf qui vit dans les pays du Nord.

s'**élancer** verbe
S'élancer, c'est se jeter en avant ou courir vers une personne. *Léo s'est élancé vers son ami.* Synonyme : se précipiter.
● Mot de la même famille : **élan**.

**élargir** verbe
Élargir une chose, c'est la rendre plus large. *On a élargi la route pour améliorer la circulation des voitures.* Contraire : rétrécir.

La rivière **s'élargit** à cet endroit.

**1. élastique** adjectif
Un objet **élastique** change de forme quand on l'étire et reprend ensuite sa dimension normale. *Ma ceinture est élastique.*

**2. élastique** nom masculin
Un **élastique** est un cordon, un ruban de caoutchouc. *Sarah a fermé le paquet de bonbons avec un élastique.*

**électeur** nom masculin
**électrice** nom féminin
Un **électeur**, une **électrice** sont des personnes qui ont le droit de voter, de participer à une élection. *Quand Clara aura dix-huit ans, elle deviendra électrice.*

**élection** nom féminin
Une **élection**, c'est l'action d'élire, de choisir en votant. *En France, l'élection du président de la République a lieu tous les cinq ans.*

**électricien** nom masculin
**électricienne** nom féminin
Un **électricien**, une **électricienne** sont des personnes qui installent et réparent les fils et les appareils électriques. C'est un nom de métier.

un **élan**

## électricité nom féminin

L'**électricité** est une source d'énergie qui permet de s'éclairer, de se chauffer, de faire fonctionner des appareils. *Un téléviseur fonctionne à l'électricité.*
● Mots de la même famille : **électricien, électrique, s'électrocuter.**

## électrique adjectif

Un appareil **électrique** fonctionne à l'électricité. *Nous avons une cuisinière électrique.*

## s'électrocuter verbe

**S'électrocuter**, c'est être tué par le courant électrique. *Ne touche jamais un appareil électrique avec les mains mouillées, tu pourrais t'électrocuter.*

## électronique adjectif

La musique **électronique** utilise des éléments électriques pour créer des sons. Le courrier **électronique**, ce sont les messages envoyés et reçus par les ordinateurs.

## élégant, élégante adjectif

Une personne **élégante** s'habille avec goût.

## élément nom masculin

Un **élément** est une partie d'un ensemble. *La bibliothèque est vendue par éléments qu'il faut assembler.* Synonyme : **pièce.**

## élémentaire adjectif

❶ Une chose **élémentaire** est une chose très facile. *L'addition à un chiffre est une opération élémentaire.* Synonymes : **facile, simple.** Contraires : **compliqué, difficile.**

❷ Dans les écoles françaises, le cours **élémentaire** est le cours qui vient après le cours préparatoire et avant le cours moyen.

❸ En France, l'école **élémentaire** accueille les élèves après l'école maternelle. Synonyme : **primaire.**

## éléphant nom masculin

Un **éléphant** est un gros mammifère herbivore des pays chauds qui a une peau épaisse et grise, de grandes oreilles, une trompe et des défenses en ivoire. C'est le plus gros animal terrestre.

▶ La femelle est l'**éléphante**. Le petit est l'**éléphanteau**. Quand l'éléphant crie, on dit qu'il **barrit**.

🔍 Ce mot s'écrit avec *ph*.

## élevage nom masculin

L'**élevage**, c'est l'action d'élever des animaux. *Nos voisins ont un élevage de canards.*

un **éléphant**

A B C D E F G H I J K L M N O P Q R S T U V W X Y Z

## élève nom masculin et nom féminin

Un **élève**, une **élève** sont des enfants, des adolescents qui reçoivent des leçons d'un maître, d'un professeur.

🔍 Les **élèves** qui vont à l'école sont des écoliers, ceux qui vont au collège sont des **collégiens** et ceux qui vont au lycée sont des **lycéens**.

Ces deux **élèves** chuchotent.

## élevé, élevée adjectif

❶ Une chose **élevée** a une grande hauteur, un haut niveau. *La température est élevée.*

❷ Être bien **élevé** ou mal **élevé**, c'est être poli ou impoli.

## élever verbe

❶ **Élever** des enfants, c'est les nourrir, les soigner et s'occuper de leur éducation jusqu'à ce qu'ils soient grands.

❷ **Élever** des animaux, c'est les nourrir et les soigner. *Mon oncle élève des chevaux.*

❸ **Élever** un mur, c'est le construire.

❹ **S'élever**, c'est monter de plus en plus haut. *Un cerf-volant s'élève dans le ciel.*

● Mots de la même famille : **élevage**, **élevé**.

## éliminer verbe

❶ **Éliminer** une personne, c'est l'exclure d'un jeu, d'une compétition. *Dans ce jeu, le premier qui dit « oui » est éliminé.*

❷ **Éliminer** une chose, c'est la faire disparaître. *Il faut se brosser les dents pour éliminer le sucre qui abîme l'émail.*

## élire verbe

**Élire** une personne, c'est la choisir par un vote. *Madame Blondin a été élue députée.*

● Mots de la même famille : **électeur**, **élection**.

## élixir nom masculin

Un **élixir** est une boisson qui a des effets magiques. *La sorcière de la mer prépara un élixir à la petite sirène.*

➜ Cherche potion.

## elle pronom féminin

**Elle** représente la troisième personne du féminin. *Elle a six ans. Ces livres sont à elles deux.*

➜ Cherche il.

## éloigner verbe

**Éloigner** une personne, c'est la faire partir plus loin. *Les pompiers ont éloigné les passants.* Synonymes : écarter, repousser. Contraire : attirer. *Ne vous éloignez pas !* Contraires : s'approcher, se rapprocher.

## émail nom masculin

❶ L'**émail** est la couche dure et blanche qui recouvre et protège les dents.

❷ L'**émail** est un vernis dur et brillant qui protège et décore. *Les lavabos sont recouverts d'émail.*

## emballage nom masculin

Un **emballage** est un papier ou un carton qui sert à emballer un objet, à faire un paquet.

🔍 Il y a deux *l*.

## emballer verbe

**Emballer**, c'est envelopper dans du papier, du carton. *Avant le déménagement, on a emballé la vaisselle.* Contraire : **déballer**.

🔍 Il y a deux *l*.

● Mot de la même famille : **emballage**.

Aurélie et Julien **emballent** un cadeau.

## embarquer verbe

**Embarquer**, c'est monter à bord d'un avion ou d'un bateau pour faire un voyage. *Les passagers embarqueront dans une heure.* Contraire : **débarquer**.

## embarrasser verbe

❶ **Embarrasser** un endroit, c'est prendre trop de place. *Des piles de vieux journaux embarrassent le couloir.* Synonyme : **encombrer**.

❷ **Embarrasser** une personne, c'est la troubler au point qu'elle ne sait plus quoi dire. *Ta question m'embarrasse.*

🔍 Il y a deux *r* et deux *s*.

## embaucher verbe

**Embaucher** une personne, c'est l'engager pour un travail. *Le directeur de l'usine a embauché dix ouvriers.* Contraires : **licencier, renvoyer**.

## embellir verbe

**Embellir**, c'est rendre plus beau ou devenir plus beau. *Les fleurs embellissent le jardin.* Contraire : **enlaidir**.

🔍 Il y a deux *l*, comme dans « belle ».

## embêter verbe

❶ **Embêter** une personne, c'est la taquiner, l'agacer. *Cesse d'embêter ta sœur avec tes blagues.*

❷ **S'embêter**, c'est s'ennuyer. Contraires : **s'amuser, se distraire**.

🔍 Le deuxième e prend un accent circonflexe. C'est un mot familier.

## emblème nom masculin

Un **emblème** est un objet qui représente une idée, un pays, un métier, etc. *Les cinq anneaux sont l'emblème des jeux Olympiques.*

## s'emboîter verbe

Des objets qui **s'emboîtent** entrent l'un dans l'autre. *Les tuyaux s'emboîtent.*

Les pièces **s'emboîtent** bien.

**embouchure** nom féminin

L'embouchure d'un fleuve est l'endroit où il se jette dans la mer.

**embouteillage** nom masculin

Un embouteillage est un encombrement sur une route. *Le vendredi soir, il y a des embouteillages à la sortie des grandes villes.* Synonyme : bouchon.

**embrasser** verbe

Embrasser une personne, c'est lui donner des baisers. *J'embrasse mes amis quand j'arrive à l'école.*

Les deux amis **s'embrassent**.

**émerveiller** verbe

Émerveiller quelqu'un, c'est le remplir d'admiration. *Les enfants sont émerveillés par le spectacle.* Synonyme : éblouir.

**émigrer** verbe

Émigrer, c'est quitter son pays pour aller vivre dans un autre pays. *Les parents de Fatou ont émigré il y a vingt ans.*

**émission** nom féminin

Une émission de télévision ou de radio est une partie du programme. *Je regarde souvent les émissions de télévision sur les animaux.*

**emmêler** verbe

Emmêler des cheveux, c'est les mettre en désordre. *Le vent a emmêlé mes cheveux.* Contraire : démêler.

🔎 Le deuxième e prend un accent circonflexe.

**emmener** verbe

Emmener une personne, c'est la prendre avec soi pour aller quelque part. *Papa emmène mon petit frère à la crèche.* Synonyme : accompagner. *Un taxi nous emmène à la gare.* Synonyme : conduire.

🔎 On dit « j'ai emmené une personne » mais « j'ai emporté un objet ».

**s'emmitoufler** verbe

S'emmitoufler, c'est s'envelopper dans des vêtements chauds.

Zoé **s'est emmitouflée**.

**émotif, émotive** adjectif

Une personne émotive est facilement émue par ce qu'elle voit ou ce qu'elle entend. *Elle est émotive, elle a les larmes aux yeux quand on lui raconte une histoire triste.* Synonyme : sensible.

**émotion** nom féminin

Avoir une **émotion**, c'est ressentir de la joie, de la tristesse ou de la peur. *Paul cache ses émotions.*

**émouvoir** verbe

**Émouvoir** une personne, c'est lui donner envie de pleurer. *L'histoire de Bambi m'émeut beaucoup. Je suis ému par votre gentillesse.*
Synonyme : **toucher.**

● Mots de la même famille : émotif, émotion, ému.

**empailler** verbe

**Empailler** un animal mort, c'est remplir sa peau avec de la paille pour le conserver. *Au musée, j'ai vu des oiseaux empaillés.*

s'**emparer** verbe

**S'emparer** d'une chose, c'est la prendre avec force. *Mathis s'est emparé du paquet de bonbons.*

Le joueur **s'est emparé** du ballon.

**empêcher** verbe

❶ **Empêcher** une personne de faire quelque chose, c'est ne pas la laisser faire. *Les cris des enfants m'empêchent de dormir.* Contraire : **permettre.**

❷ **S'empêcher** de faire quelque chose, c'est se retenir de le faire. *Paul n'a pas pu s'empêcher de répondre aux insultes.*

🔎 Le deuxième e prend un accent circonflexe.

**empereur** nom masculin

Un **empereur** est le chef d'un empire. *Napoléon a été l'empereur de la France.*
➔ Cherche **impératrice.**

**empiler** verbe

**Empiler** des objets, c'est les mettre en pile. *La libraire a empilé des livres.*

**empire** nom masculin

Un **empire** est un pays ou un ensemble de pays dirigés par un empereur ou une impératrice.

● Mots de la même famille : empereur, impératrice.

**emploi** nom masculin

❶ **L'emploi du temps** d'une personne, c'est le programme de ses activités, de ses cours. *Quel est ton emploi du temps cette semaine ?*

❷ Un **emploi** est un travail payé. *Paul a un nouvel emploi.*

**employé** nom masculin
**employée** nom féminin

Un **employé**, une **employée** sont des personnes qui ont un emploi dans un bureau, une banque, un magasin, une maison. *La mère de Valentin est employée de banque.*

**employer** verbe

❶ **Employer** une chose, c'est s'en servir. *Grand-mère emploie de l'huile d'olive pour faire la cuisine.*
Synonyme : **utiliser.**

❷ **Employer** un mot, c'est l'utiliser, le dire ou l'écrire. *Le verbe « tintinnabuler » s'emploie rarement.*

a
b
c
d
e
f
g
h
i
j
k
l
m
n
o
p
q
r
s
t
u
v
w
x
y
z

A B C D E F G H I J K L M N O P Q R S T U V W X Y Z

## empoisonner verbe

**Empoisonner** une personne ou un animal, c'est leur faire avaler du poison pour les tuer. *La reine a voulu empoisonner Blanche-Neige. On peut s'empoisonner si l'on mange des champignons vénéneux.* Synonyme : **s'intoxiquer.**

🔍 Il y a deux *n.*

## emporter verbe

❶ **Emporter** un objet, c'est partir avec cet objet. *Mon petit frère a emporté son ours en peluche à l'école.*

❷ Quand le vent ou le courant **emporte** un objet, il l'entraîne au loin avec force. *Le courant a emporté le radeau.*

🔍 On dit « il a emporté un objet » mais « il a emmené une personne ».

Simon **emporte** toutes ses affaires à la plage.

## empoté, empotée adjectif

Une personne **empotée** ne sait pas bien se servir de ses mains. Synonyme : **maladroit.** Contraires : **adroit, dégourdi.**

🔍 C'est un mot familier.

## empreinte nom féminin

❶ Une **empreinte** est une marque laissée sur une surface. *Regarde, il y a des empreintes de pas sur la neige.* Synonyme : **trace.**

❷ Les **empreintes digitales** sont les lignes que l'on a sur la peau, au bout des doigts. *Les empreintes digitales sont différentes d'une personne à l'autre.*

## emprisonner verbe

**Emprisonner** une personne, c'est la mettre en prison. Contraires : **libérer, relâcher.**

## emprunter verbe

**Emprunter** quelque chose à une personne, c'est se le faire prêter par elle. *Est-ce que je peux t'emprunter un livre jusqu'à samedi ?*

## ému, émue adjectif

Être **ému**, c'est ressentir une émotion. *Anaïs était très émue de monter sur la scène pour recevoir son prix.*

## en préposition

**En** est un petit mot que l'on emploie pour donner différentes indications. *Je vis en France. Nous sommes en juin. La table est en bois. Léo est en colère. J'ai un CD, tu en as deux.*

## encadrer verbe

❶ **Encadrer** une photo ou un tableau, c'est les mettre dans un cadre.

❷ **Encadrer** un mot, une phrase, un dessin, c'est les entourer d'un trait qui fait comme un cadre. *J'ai encadré mon dessin en rouge.*

## enceinte adjectif féminin

Quand une femme est **enceinte**, elle attend un enfant.

## encercler verbe

Encercler un lieu, des personnes, c'est les entourer de tous les côtés. *Les policiers ont encerclé la maison.*

## enchaîner verbe

❶ Enchaîner un animal, c'est l'attacher avec une chaîne.

❷ Quand des événements s'enchaînent, ils se suivent régulièrement.

🔎 Le *i* prend un accent circonflexe.

## enchanté, enchantée adjectif

Être enchanté, c'est être très heureux. *Grand-mère est enchantée de son voyage.* Synonyme : ravi. Contraire : désolé.

## enchanteur nom masculin
## enchanteresse nom féminin

Un enchanteur, une enchanteresse sont des personnes qui ont des pouvoirs magiques. *Dans « les Chevaliers de la Table ronde », l'enchanteur se nomme Merlin.* Synonyme : magicien.

La maman de Sarah est **enceinte**.

## encombrant, encombrante adjectif

Un objet encombrant prend beaucoup de place, encombre le passage. *Dans le couloir, il y a des caisses encombrantes.*

🔎 Le son [ɔ̃] s'écrit *om* devant un *b*.

Il y a beaucoup d'objets **encombrants** dans le grenier.

## encombrement nom masculin

Un **encombrement**, c'est une ou plusieurs files de véhicules qui encombrent la route et qui empêchent d'avancer. *Nous sommes arrivés en retard à cause des encombrements.* Synonymes : bouchon, embouteillage.

🔎 Le son [ɔ̃] s'écrit *om* devant un *b*.

## encombrer verbe

Encombrer un endroit, un meuble, c'est prendre trop de place. *Ta valise encombre la chambre.* Synonyme : embarrasser.

🔎 Le son [ɔ̃] s'écrit *om* devant un *b*.

● Mots de la même famille : encombrant, encombrement.

243

A
B
C
D
E
F
G
H
I
J
K
L
M
N
O
P
Q
R
S
T
U
V
W
X
Y
Z

## encore adverbe

❶ Encore indique qu'une action continue. *Rémi dort encore.* Synonyme : toujours.

❷ Encore indique qu'une chose se répète. *J'ai encore oublié mes clés.* Synonyme : de nouveau.

❸ Encore indique qu'une chose vient en supplément. *Le gâteau était bon, j'en prendrais bien encore.*

## encourager verbe

Encourager quelqu'un, c'est lui donner du courage. *Nous encourageons notre équipe par nos applaudissements.* Contraire : décourager.

## encre nom féminin

L'encre est un liquide coloré qui sert à écrire. *Papi écrit avec un stylo à encre bleue.*

🔍 Ne confonds pas « encre » et « l'ancre » d'un bateau.

## endive nom féminin

Une endive est une plante qui a de longues feuilles blanches. On la mange crue ou cuite.

## endormir verbe

❶ Endormir un enfant, c'est le faire dormir. *Maman berce bébé pour l'endormir.* S'endormir, c'est se mettre à dormir. *Je me suis endormie très tôt.* Contraire : se réveiller.

❷ Endormir un malade, un blessé, c'est lui faire prendre un produit pour qu'il dorme profondément et ne sente pas la douleur pendant une opération.

## endroit nom masculin

❶ Un endroit est une place, un lieu. *À quel endroit ranges-tu les verres ? J'habite dans un endroit calme.*

❷ L'endroit d'une chose est le côté que l'on voit. Contraire : l'envers. *Mets ta chaussette à l'endroit.* Contraire : à l'envers.

Camille remet son pull **à l'endroit**.

## en effet → effet

## énergie nom féminin

❶ L'énergie est la force et la volonté. *Léa est pleine d'énergie.*

❷ Une source d'énergie sert à faire fonctionner des machines, à éclairer et à se chauffer. *Le pétrole, l'électricité sont des sources d'énergie.*

● Mot de la même famille : énergique.

## énergique adjectif

Une personne énergique se dépense beaucoup et fait les choses avec énergie. *Léa est une fille énergique.* Synonymes : actif, dynamique. Contraire : mou.

## énerver verbe

❶ Énerver quelqu'un, c'est lui faire perdre patience. *Arrête de bouger, tu m'énerves !* Synonyme : agacer. Contraire : calmer.

❷ S'énerver, c'est perdre son calme. *Ne t'énerve pas !* Contraire : se calmer.

## enfance nom féminin

L'enfance est la période de la vie où l'on est enfant. *Grand-père a passé son enfance à Marseille.*

→ Cherche **jeunesse** et **vieillesse**.

## enfant nom masculin et nom féminin

❶ Un **enfant**, une **enfant** sont un garçon, une fille qui ont moins de treize ans.

❷ Un **enfant** est le fils ou la fille d'une personne. *Ma tante a deux enfants, ce sont mes cousins.*

● Mot de la même famille : **enfance**.

→ Cherche **adolescent** et **adulte**.

## enfer nom masculin

Dans certaines religions, l'**enfer** est le lieu où vont, après leur mort, ceux qui n'ont pas respecté Dieu. *On représente le diable en enfer.*

→ Cherche **paradis**.

## enfermer verbe

❶ **Enfermer** une personne ou un animal, c'est les mettre dans un endroit fermé. *Le chien est enfermé dans le garage.*

❷ **S'enfermer**, c'est fermer sa porte pour ne pas être dérangé. *Léa s'est enfermée dans sa chambre.*

## enfiler verbe

❶ **Enfiler** une aiguille, des perles, c'est passer un fil dans le trou.

❷ **Enfiler** un vêtement, c'est le mettre en le passant par la tête.
Contraire : **enlever**.

## enfin adverbe

❶ **Enfin** s'emploie pour dire qu'un événement a fini par arriver. *Pierre a enfin trouvé ses clés.*

❷ **Enfin** s'emploie pour conclure une énumération. *Léo a invité David, Candice, Hugo et, enfin, Clara.*

Lucas **enfile** sa combinaison de surf.

## enflammer verbe

**Enflammer**, c'est mettre en flammes, faire brûler. *Une allumette a enflammé la paille.* **S'enflammer**, c'est prendre feu. *Le bois sec s'enflamme facilement.*

🔎 Il y a deux *m*, comme dans « flamme ».

## enfler verbe

**Enfler**, c'est devenir gros, gonfler. *Pierre a un abcès et sa joue a enflé.*

## enfoncer verbe

❶ **Enfoncer** un clou, c'est le faire pénétrer dans un mur ou dans du bois.
Synonyme : **planter**.

Marie regarde l'allumette **s'enflammer**.

a
b
c
d
e
f
g
h
i
j
k
l
m
n
o
p
q

**❷ Enfoncer** une porte, un mur, c'est les casser pour pénétrer à l'intérieur d'un lieu. *Les pompiers ont enfoncé la porte.* Synonyme : **défoncer.**

**❸ S'enfoncer**, c'est aller vers le fond de quelque chose. *Le bateau s'enfonce dans la mer.* Synonyme : **couler.**

## enfouir verbe

**Enfouir** un objet, c'est le mettre dans la terre en creusant. *Le chien a enfoui son os dans le jardin.* Synonyme : **enterrer.**

🔎 Ne confonds pas avec « s'enfuir ».

## s'enfuir verbe

**S'enfuir**, c'est partir en courant. *Les cambrioleurs se sont enfuis.* Synonymes : **fuir, se sauver.**

🔎 Ne confonds pas avec « enfouir ».

## engager verbe

**❶ Engager** une personne, c'est la prendre à son service, la faire travailler. *Le coiffeur a engagé une nouvelle employée.* Synonyme : **embaucher.** Contraires : **licencier, renvoyer.**

**❷ S'engager** à faire quelque chose, c'est promettre de le faire. *Paul s'est engagé à rembourser ses dettes.*

## engin nom masculin

**❶ Un engin** est une machine que l'on utilise pour des travaux. *Les grues, les bulldozers sont des engins de construction.*

**❷ Un engin** de guerre est un objet qui blesse et qui tue. *Les chars d'assaut sont des engins de guerre.*

## engloutir verbe

**❶ Engloutir** un aliment, c'est l'avaler très vite. *L'otarie a englouti trois gros poissons.*

**❷ S'engloutir**, c'est disparaître dans l'eau. *Un navire s'est englouti dans la mer.* Synonyme : **couler.**

## engourdi, engourdie adjectif

Quand une partie du corps est **engourdie**, on ne la sent presque plus. *Au réveil, j'avais un bras tout engourdi.*

→ Cherche **dégourdir.**

## engrais nom masculin

L'**engrais** est un produit que l'on met dans la terre pour que les plantes poussent mieux.

● Mot de la même famille : **engraisser.**

## engraisser verbe

**Engraisser** un animal, c'est lui donner beaucoup de nourriture pour qu'il devienne gras. *On engraisse les oies et les canards.*

## énigme nom féminin

Une **énigme** est une chose mystérieuse, difficile à comprendre. *La disparition des dinosaures est une énigme.* Synonyme : **mystère.**

## enjamber verbe

**Enjamber** un espace, un obstacle, c'est passer par-dessus en étendant la jambe. *J'ai enjambé le fossé.*

## enlacer verbe

**Enlacer** une personne, c'est la serrer dans ses bras. *La mère enlace son fils.*

## enlaidir verbe

**Enlaidir**, c'est rendre laid. *Les usines enlaidissent la campagne.* Contraire : **embellir.**

## enlèvement nom masculin

Un **enlèvement**, c'est le fait d'enlever une personne par la force. *Les journalistes ont parlé d'un enlèvement d'enfant.*

Julien **enjambe** la clôture.

**enlever** verbe
❶ **Enlever** une chose, c'est la faire sortir de l'endroit où elle est. *Léo enlève ses affaires de la cuisine.* Synonymes : **ôter, retirer.** *Enlève ton tee-shirt !* Contraires : **enfiler, mettre.**
❷ **Enlever** une chose, c'est la faire partir, la supprimer. *J'ai enlevé la tache avec du savon.*
❸ **Enlever** une personne, c'est l'emmener de force. *Des gangsters ont enlevé une dame.* Synonyme : **kidnapper.**
● Mot de la même famille : **enlèvement.**

**s'enliser** verbe
**S'enliser,** c'est s'enfoncer dans un sol mou. *La voiture s'est enlisée dans le sable.*

**enneigé, enneigée** adjectif
Une route **enneigée** est couverte de neige.

**ennemi** nom masculin
**ennemie** nom féminin
❶ L'**ennemi** (ou les **ennemis**) sont les soldats que l'on combat en temps de guerre.

❷ Un **ennemi** est une personne qui veut du mal à quelqu'un. *Tintin a retrouvé son ennemi Rastapopoulos.* Contraire : **ami.**

**ennui** nom masculin
❶ L'**ennui** est l'impression de vide que l'on éprouve quand on n'a rien à faire ou quand ce que l'on fait n'est pas intéressant. *Rester trois heures sans rien faire, quel ennui !*
❷ Un **ennui** est une chose qui inquiète, contrarie. *Paul a des ennuis de santé.* Synonymes : **problème, souci.**

**ennuyer** verbe
❶ **Ennuyer** quelqu'un, c'est lui donner une impression de vide. *Cette émission m'ennuie.* Contraire : **intéresser.** *Quand Paul n'a rien à faire, il s'ennuie.*
❷ **Ennuyer** quelqu'un, c'est le contrarier ou l'inquiéter. *Cela m'ennuie de quitter mes amis.*
● Mots de la même famille : **ennui, ennuyeux.**

Eva **s'ennuie** sans ses amis.

**ennuyeux, ennuyeuse** adjectif
Une chose **ennuyeuse** provoque une sensation de vide. *Le film était ennuyeux.* Contraires : **distrayant, intéressant, passionnant.**

a
b
c
d
e
f
g
h
i
j
k
l
m
n
o
p
q
r
s
t
u
v
w
x
y
z

**énoncé** nom masculin

L'**énoncé** d'un problème est le texte qui donne des informations et qui pose des questions. *Pour résoudre un problème, il faut lire attentivement l'énoncé.*

**énorme** adjectif

Une chose ou un être **énormes** sont très gros et très grands. *Les éléphants sont des animaux énormes.* Synonyme : gigantesque. Contraire : minuscule.

● Mot de la même famille : énormément.

**énormément** adverbe

**Énormément** signifie : vraiment beaucoup. *Léa a énormément changé.*

**enquête** nom féminin

Une **enquête** est une recherche faite par la police ou par un détective pour découvrir ce qui s'est passé. *Après le cambriolage, la police a mené une enquête.*

🔍 Le deuxième e prend un accent circonflexe.

**enrager** verbe

Faire **enrager** une personne, c'est l'agacer pour la mettre en colère. *Lucas et Alexandra font enrager leur sœur.* Synonyme : taquiner.

Le crocodile a une **énorme** gueule.

**enregistrer** verbe

❶ **Enregistrer** une voix, des sons, des images, c'est les fixer sur une bande spéciale. *Un journaliste a enregistré les déclarations du maire. J'ai enregistré le film « les 101 Dalmatiens » au magnétoscope.*

❷ **Enregistrer** des bagages, c'est les confier au service qui s'occupe de leur transport. *À l'aéroport, nous avons enregistré nos bagages.*

**s'enrhumer** verbe

**S'enrhumer**, c'est attraper un rhume. *Je me suis enrhumée en sortant de la piscine.*

Simon **s'est enrhumé**.

**s'enrichir** verbe

**S'enrichir**, c'est devenir riche. *Les pays qui ont du pétrole dans leur sous-sol s'enrichissent.*

**enroué, enrouée** adjectif

Être **enroué**, c'est avoir une voix plus grave que d'habitude et avoir du mal à parler. *Léa a trop crié, elle est enrouée.*

### enrouler verbe

**Enrouler** une chose, c'est la rouler autour d'une autre chose ou sur elle-même. *Maman a enroulé la nappe.* Contraire : **dérouler.**

### enseigne nom féminin

Une **enseigne** est un panneau ou une décoration qui indique un magasin, un restaurant, une salle de cinéma. *L'enseigne de la pharmacie est une croix verte.*

une **enseigne** de restaurant

### enseigner verbe

**Enseigner**, c'est transmettre des connaissances. *Un professeur de français enseigne le français.* Synonyme : **apprendre.**

🔎 Les personnes qui enseignent sont des **enseignants**.

### 1. ensemble adverbe

**Ensemble** signifie : l'un avec l'autre, les uns avec les autres. *Léo et Yasmina sont partis ensemble.*

### 2. ensemble nom masculin

Un **ensemble**, c'est un groupe qui forme un tout. *La clientèle est l'ensemble des clients. L'athlétisme est l'ensemble des sports que font les athlètes.*

### ensevelir verbe

**Ensevelir** une chose, un être, c'est les recouvrir entièrement d'une masse de terre, de sable, de neige. *L'avalanche a enseveli un skieur.*

### ensoleillé, ensoleillée adjectif

Un endroit **ensoleillé** est rempli de la lumière du soleil. *Notre classe est très ensoleillée.* Synonyme : **lumineux.** Contraires : **obscur, sombre.**

### ensommeillé, ensommeillée adjectif

Être **ensommeillé**, c'est être mal réveillé, avoir sommeil. *À six heures du matin, les voyageurs sont ensommeillés.*

🔎 Il y a deux *m* et deux *l*.

### ensorceler verbe

**Ensorceler** une personne ou une chose, c'est avoir sur elle un pouvoir magique, lui jeter un sort. *Le chant des sirènes a ensorcelé Ulysse et ses compagnons.*

### ensuite adverbe

**Ensuite** signifie : après. *Finis ton repas, tu iras jouer ensuite.* Contraires : **d'abord, avant.**

### entaille nom féminin

Une **entaille** est une blessure faite en se coupant. *Je me suis fait une entaille au doigt.*

### entamer verbe

**Entamer** des aliments, c'est commencer à les manger. *Qui a entamé le gâteau ?*

a b c d e f g h i j k l m n o p q r s t u v w x y z

### entasser verbe

Entasser des objets, c'est les mettre en tas, les uns sur les autres. *Tom a entassé des livres sur son bureau.*

### entendre verbe

❶ Quand on **entend** un bruit, un son, il arrive à nos oreilles. *J'entends des pas dans l'escalier.*

❷ Quand des personnes **s'entendent** bien, elles sont d'accord, elles ne se disputent pas. *Léa et David s'entendent bien.*

● Mot de la même famille : **entente**.

### entente nom féminin

L'**entente** entre des personnes, c'est leurs bonnes relations. *L'entente est bonne dans la classe.*

### enterrement nom masculin

Un **enterrement** est une cérémonie que l'on fait pour enterrer un mort, pour le mettre en terre.

🔍 Il y a deux *r*, comme dans « terre ».

### enterrer verbe

❶ Enterrer un objet, c'est le mettre dans la terre. *Sam a enterré son os dans le jardin.* Synonyme : **enfouir.** Contraire : **déterrer.**

❷ Enterrer un mort, c'est le mettre en terre après l'avoir déposé dans un cercueil.

On **entend** le bruit de la mer dans ce coquillage.

🔍 Il y a deux *r*, comme dans « terre ».

● Mot de la même famille : **enterrement**.

### s'entêter verbe

S'**entêter**, c'est ne pas vouloir changer d'avis, être têtu. *David sait qu'il a tort mais il s'entête.*

🔍 Le deuxième e prend un accent circonflexe, comme dans « tête ».

### enthousiasme nom masculin

Faire quelque chose avec **enthousiasme**, c'est être content et excité. *Florian a accepté avec enthousiasme d'aller au cinéma.*

🔍 Ce mot s'écrit avec *th*.

### entier, entière adjectif

Quand une chose est **entière**, il ne manque pas un élément. *La boîte de bonbons est entière.* Synonyme : **plein.** Contraire : **vide.** *Le jeu de dames est entier.* Synonyme : **complet.**

● Mot de la même famille : **entièrement**.

### entièrement adverbe

**Entièrement** signifie : complètement. *Mon exercice est entièrement faux.*

### entonnoir nom masculin

Un **entonnoir** est un ustensile en forme de cône, qui sert à verser un liquide ou de la poudre dans un récipient.

### entorse nom féminin

Se faire une **entorse**, c'est se tordre la cheville ou le genou.

### entortiller verbe

**Entortiller** une chose, c'est la rouler dans un papier que l'on tord aux deux bouts. *Les bonbons sont entortillés dans du papier doré.*

## entourer verbe

Entourer un lieu, une chose, c'est être autour ou mettre autour. *Un mur entoure le jardin. J'ai entouré les verbes en rouge.*

## entracte nom masculin

Un **entracte** est une pause entre les parties d'un spectacle.

## entraînement nom masculin

Un **entraînement** est une préparation régulière à un sport, à une compétition. *David a repris son entraînement de judo.*

🔎 Le *i* prend un accent circonflexe.

## entraîner verbe

❶ Quand le vent **entraîne** une chose, il la pousse dans une direction. *Le vent entraîne le ballon au large.* Synonyme : **emporter.**
❷ **Entraîner** quelque chose, c'est en être la cause. *Le mariage de Franck a entraîné de grosses dépenses.*
❸ **S'entraîner**, c'est se préparer régulièrement à un sport, à une compétition. *David s'entraîne pour passer sa ceinture orange de judo.* Synonyme : **s'exercer.**

🔎 Le *i* prend un accent circonflexe.
● Mots de la même famille : entraînement, entraîneur.

## entraîneur nom masculin
## entraîneuse nom féminin

Un **entraîneur**, une **entraîneuse** sont des personnes qui préparent un sportif ou un cheval de course pour les compétitions. C'est un nom de métier.

🔎 Le *i* prend un accent circonflexe.

## entre préposition

❶ **Entre** deux choses, **entre** deux personnes, **entre** deux heures, c'est au milieu. *Je suis assise entre Léa et Chloé. Nous déjeunons entre midi et une heure.*
❷ **Entre** s'emploie dans une comparaison. *Quelle différence y a-t-il entre un chat et un lynx ? Il y a une grande ressemblance entre mon frère et moi.*

## entrebâiller verbe

**Entrebâiller** une porte ou une fenêtre, c'est l'ouvrir un petit peu.

🔎 Le a prend un accent circonflexe, comme dans « bâiller ».

## entrée nom féminin

❶ L'**entrée**, c'est l'action d'entrer. *Florian a fait une entrée bruyante dans la classe.* Contraire : **sortie.** *L'entrée de l'usine est interdite au public.* Synonyme : **accès.**
❷ L'**entrée** est l'endroit par où l'on entre. *Attends-moi dans l'entrée de l'appartement. L'entrée du cinéma est éclairée.*
❸ Une **entrée** est un plat que l'on sert au début du repas. *Nous avons eu des crudités en entrée.* Synonyme : **hors-d'œuvre.**

C'est l'**entrée** de l'école.

*a*
*b*
*c*
*d*
*e*
*f*
*g*
*h*
*i*
*j*
*k*
*l*
*m*
*n*
*o*
*p*
*q*
*r*
*s*
*t*
*u*
*v*
*w*
*x*
*y*
*z*

A
B
C
D
E
F
G
H
I
J
K
L
M
N
O
P
Q
R
S
T
U
V
W
X
Y
Z

**entreprise** nom féminin
Une **entreprise** est un endroit où l'on travaille. *Mon oncle travaille dans une entreprise de transport.*

**entrer** verbe
❶ **Entrer**, c'est passer de l'extérieur à l'intérieur. *Je **suis entré** dans un théâtre.* **Contraire : sortir.**
❷ **Entrer**, c'est être admis dans une classe. *L'année prochaine, j'**entrerai** au CE2 et mon frère **entrera** en sixième.*
● Mot de la même famille : **entrée**.

**entretenir** verbe
**Entretenir** une habitation, un véhicule, c'est les tenir en bon état. *Pierre **entretient** bien sa moto.*
● Mot de la même famille : **entretien**.

**entretien** nom masculin
❶ L'**entretien**, c'est l'action d'entretenir. *Le jardinier s'occupe de l'**entretien** des allées.*
❷ Des **produits d'entretien** sont des produits qui servent à garder une maison propre.

**énumération** nom féminin
Une **énumération** est une suite de mots. *Lucas nous a fait l'**énumération** de ses cadeaux.* **Synonyme : liste.**

**énumérer** verbe
**Énumérer**, c'est dire une suite de mots, l'un après l'autre. *Peux-tu **énumérer** les mois de l'année ?* **Synonyme : citer.**
● Mot de la même famille : énumération.

**envahir** verbe
❶ **Envahir** un pays, c'est y entrer de force. *Des troupes de soldats **ont envahi** le pays voisin.*
❷ **Envahir** un lieu, c'est le remplir entièrement. *Les broussailles **envahissent** le jardin.*

**enveloppe** nom féminin
❶ Une **enveloppe** est un papier plié dans lequel on met une lettre. *N'oublie pas de coller un timbre sur l'**enveloppe**.*

❷ L'**enveloppe** d'une chose, d'une plante ou d'un animal, c'est la partie qui les recouvre. *La gousse est l'**enveloppe** des petits pois.*
🔎 Il y a un *l* et deux *p*.
● Mot de la même famille : envelopper.

**envelopper** verbe
**Envelopper**, c'est recouvrir une chose avec une autre chose. *On **enveloppe** les verres dans du papier.*
🔎 Il y a un *l* et deux *p*.

**envers** nom masculin
L'**envers** d'une chose est le côté que l'on ne voit pas. **Contraire : l'endroit.** *Tu as mis ton pull à l'**envers**.* **Contraire : à l'endroit.**
🔎 Ce mot se termine par un *s*.

**envie** nom féminin
❶ **Avoir envie** de quelque chose, c'est le désirer. *J'ai **envie** d'aller faire du ski.*
❷ L'**envie** est le désir d'avoir ce qu'une autre personne a. *On critique souvent les autres par **envie**.* **Synonyme : jalousie.**
● Mot de la même famille : **envier**.

**envier** verbe
**Envier** quelqu'un, c'est désirer avoir ce qu'il a ou faire ce qu'il fait. *Tu as de la chance d'aller voir le match, je t'**envie**.*

**environ** adverbe
**Environ** signifie : à peu près. *Dans notre classe, il y a vingt-cinq élèves **environ**.* **Contraire : exactement.**

**environnement** nom masculin
L'**environnement**, c'est la nature qui est autour de nous. *La pollution est un grave danger pour l'**environnement**.*

**environs** nom masculin pluriel

Les **environs** sont les lieux qui entourent un endroit. *Solène habite dans les environs de Montréal.*

**s'envoler** verbe

❶ Quand un oiseau **s'envole**, il part en volant.

❷ Quand un avion **s'envole**, il monte dans le ciel. Contraire : se poser.

Les pigeons **se sont envolés**.

**envoyer** verbe

❶ **Envoyer** une personne quelque part, c'est la faire partir. *Maman a envoyé mon frère à la campagne.*

❷ **Envoyer** un objet, c'est le lancer. *Envoie le ballon !*

❸ **Envoyer** une lettre, un colis, c'est les mettre à la poste après avoir écrit l'adresse du destinataire. *Demain, j'enverrai un colis à Marion.* Synonymes : adresser, expédier, poster. Contraire : recevoir.

**épais, épaisse** adjectif

❶ Ce qui est **épais** est très gros. *Les éléphants ont une peau épaisse.* Contraires : fin, mince.

❷ Une sauce **épaisse** n'est pas très liquide. Contraires : fluide, liquide.

● Mot de la même famille : **épaisseur**.

**épaisseur** nom féminin

L'**épaisseur** d'un objet est sa dimension entre les deux faces. *La planche a trois centimètres d'épaisseur.*

**s'épanouir** verbe

Quand une fleur **s'épanouit**, elle s'ouvre complètement.

**éparpiller** verbe

**Éparpiller** des objets, des personnes, c'est les faire aller de tous les côtés. *Le vent a éparpillé les feuilles mortes.* Synonyme : disperser. Contraire : rassembler. *Les enfants se sont éparpillés dans la cour.* Contraires : se grouper, se rassembler.

**épaule** nom féminin

L'**épaule** est la partie du corps qui relie le bras au tronc.

**épave** nom féminin

Une **épave** est un bateau qui s'est échoué, qui est au fond de la mer ou rejeté sur le rivage. *Des scaphandriers ont trouvé une épave.*

Il y a une **épave** sur la plage.

A
B
C
D
E
F
G
H
I
J
K
L
M
N
O
P
Q
R
S
T
U
V
W
X
Y
Z

**épée** nom féminin

Une **épée** est une arme qui est faite d'une longue lame pointue et d'une poignée. *Autrefois, on se battait à l'épée.*

**épeler** verbe

**Épeler** un mot, c'est dire chacune des lettres l'une après l'autre. *J'épelle le mot «comptine».*

**éperon** nom masculin

Un **éperon** est une pointe de métal que les cavaliers fixent au talon de leurs bottes. *Le cavalier donne un léger coup d'éperon pour faire avancer son cheval.*

**épi** nom masculin

L'**épi** d'une céréale est le bout de la tige qui porte des grains.
→ Cherche **céréale**.

**épice** nom féminin

Une **épice** est un aliment qui donne plus de goût aux plats. *Le poivre et le piment sont des épices.*

**épicerie** nom féminin

Une **épicerie** est un magasin où l'épicier vend des produits d'alimentation.
● Mot de la même famille : **épicier**.

**épicier** nom masculin
**épicière** nom féminin

Un **épicier**, une **épicière** sont des personnes qui travaillent dans une épicerie. C'est un nom de métier. *J'ai acheté du jus d'orange et des yaourts chez l'épicier.*

**épidémie** nom féminin

Une **épidémie** est une maladie qui atteint un grand nombre de personnes en même temps. *Cet hiver, il y a eu une épidémie de grippe.*

**épinard** nom masculin

L'**épinard** est une plante qui a des feuilles vertes. *Nous avons mangé des épinards à la crème.*

**épine** nom féminin

Une **épine** est un piquant qui pousse sur certaines plantes. *Les roses, les ronces ont des épines.*

**épingle** nom féminin

❶ Une **épingle** est une petite tige de métal qui sert à attacher, à maintenir du tissu, du papier.
❷ Une **épingle à linge** est une pince à linge.

**épisode** nom masculin

Un **épisode** est une partie d'une histoire que l'on raconte en plusieurs fois. *J'ai regardé le premier épisode du feuilleton, à la télévision.*

**éplucher** verbe

**Éplucher** un légume ou un fruit, c'est retirer leur peau et toutes les parties qui ne se mangent pas.
● Mot de la même famille : **épluchure**.

Le singe **épluche** une banane.

**épluchure** nom féminin
Les **épluchures** d'un fruit ou d'un légume sont les morceaux de peau, les parties que l'on enlève en épluchant.

**éponge** nom féminin
Une **éponge** est un objet en matière souple qui absorbe les liquides.
● Mot de la même famille : **éponger**.

**éponger** verbe
**Éponger** un liquide, c'est l'essuyer avec une éponge.

**époque** nom féminin
Une **époque** est un moment de l'histoire d'un pays. *On roulait en calèche à l'époque de Louis XVI.*
Synonyme : au temps de.

**épouse** → **époux**

**épouser** verbe
**Épouser** une personne, c'est se marier avec elle. *Hélène a épousé Franck l'année dernière.*
● Mot de la même famille : **époux**.

**épouvantable** adjectif
Une chose **épouvantable** fait très peur, remplit d'épouvante. *On a entendu un hurlement épouvantable.*
Synonymes : effroyable, horrible, terrifiant.

**épouvantail** nom masculin
Un **épouvantail** est une sorte de mannequin habillé de vieux vêtements. *Les épouvantails éloignent les oiseaux des cultures.*

**épouvante** nom féminin
Un film d'**épouvante** est un film qui fait peur aux spectateurs.
● Mots de la même famille : épouvantable, épouvantail.

L'**épouvantail** fait fuir les oiseaux.

**époux** nom masculin
**épouse** nom féminin
Des **époux** sont des personnes qui sont mariées ensemble. *Grand-père est l'époux de grand-mère.*
Synonyme : mari. *Madame Arlot est l'épouse de monsieur Arlot.*
Synonyme : femme.

**épreuve** nom féminin
❶ Une **épreuve** est une chose difficile que l'on donne à faire à quelqu'un pour qu'il montre sa force et son courage.
❷ Une **épreuve** est une partie d'un examen ou d'une compétition. *Marie a réussi l'épreuve de natation.*

**éprouver** verbe
**Éprouver** un sentiment, c'est le sentir au fond de soi. *Quand je vois mes amis, j'éprouve de la joie.*
Synonyme : ressentir.

**épuiser** verbe
**Épuiser** une personne, c'est la fatiguer énormément. *Ce travail nous a épuisés.* Contraire : reposer.

**épuisette** nom féminin

Une **épuisette** est un petit filet fixé au bout d'un long manche.

Julie a attrapé un crabe dans son **épuisette**.

**équateur** nom masculin

L'**équateur** est la ligne imaginaire qui fait le tour de la Terre, en son milieu. *Le climat des pays situés près de l'équateur est chaud et humide.*

▶ Dans les régions proches de l'équateur, se trouve la **forêt équatoriale** où vivent de nombreux animaux.

☞ Va voir la planche illustrée **14**

**équerre** nom féminin

Une **équerre** est un instrument qui sert à tracer des angles droits.

**équilibre** nom masculin

L'**équilibre** est la position stable qui permet de ne pas tomber. *Marion est en équilibre sur la poutre. Paul a glissé et il a perdu l'équilibre.*

**équipage** nom masculin

L'**équipage** d'un bateau ou d'un avion, c'est l'ensemble des personnes qui y travaillent.

**équipe** nom féminin

Une **équipe** est un groupe de travailleurs ou de joueurs. *Les ouvriers travaillent en équipe. Aziz fait partie d'une équipe de football.*

● Mots de la même famille : équipage, équipement.

**équipement** nom masculin

Un **équipement**, c'est l'ensemble des objets et des vêtements nécessaires à une activité. *J'ai emporté mon équipement de ski en classe de neige.*

**équitation** nom féminin

Faire de l'**équitation**, c'est monter à cheval.

**erreur** nom féminin

Faire une **erreur**, c'est se tromper. *J'ai fait une erreur de calcul.* Synonyme : faute.

**éruption** nom féminin

❶ Un volcan est en **éruption** quand de la lave et des cendres jaillissent du cratère.

❷ Avoir une **éruption** de boutons, c'est avoir soudain le corps couvert de boutons.

**escabeau** nom masculin

Un **escabeau** est une petite échelle pliante qui a des marches.

🔍 Au pluriel, on écrit *des escabeaux*.

**escalade** nom féminin

Faire de l'**escalade**, c'est grimper en haut d'une montagne, d'un rocher ou d'un mur en s'aidant des mains. *Nous avons fait de l'escalade dans les Alpes.*

● Mot de la même famille : escalader.

**escalader** verbe

Escalader une montagne, des rochers, un mur, c'est monter tout en haut. *Les*

des **escargots**

Ils font de l'**escalade**.

*volcanologues* **ont escaladé** *le volcan pour atteindre le cratère.*

### escale nom féminin
Une **escale** est un arrêt au cours d'un voyage. *Le paquebot a fait une **escale** à Miami.*

### escalier nom masculin
❶ Un **escalier** est une suite de marches qui permettent de monter et de descendre.
❷ Un **escalier roulant** (ou un **escalier mécanique**) est un escalier qui est mis en mouvement par un système automatique.

### escalope nom féminin
Une **escalope** de veau ou de dinde est une tranche mince.

### escargot nom masculin
Un **escargot** est un petit animal au corps mou qui porte une coquille en spirale et qui rampe. *Les quatre cornes des **escargots** leur permettent de toucher et de voir.*
▶ Les escargots sont des mollusques.

### esclave nom masculin et nom féminin
Les **esclaves** étaient des personnes qui travaillaient sans être payées. Ils n'étaient pas libres et appartenaient à un maître qui avait tous les pouvoirs sur eux.

### escrime nom féminin
L'**escrime** est un sport de combat où deux adversaires se battent à l'épée.

### espace nom masculin
❶ L'**espace** est l'étendue située au-dessus de l'atmosphère. *Les astronautes voyagent dans l'**espace**.*
❷ L'**espace**, c'est ce qui sépare deux choses, deux personnes. *Entre chaque maison, il y a un **espace** de cent mètres.*
Synonymes : **distance, intervalle.**
● Mot de la même famille : **espacer.**
☞ Va voir la planche illustrée ⓰

### espacer verbe
**Espacer** des choses, c'est mettre un espace entre elles. ***Espacez** davantage vos mots.* Synonyme : **séparer.**

### espèce nom féminin
❶ Une **espèce** est un groupe d'êtres vivants qui se ressemblent beaucoup. *Il existe différentes **espèces** d'animaux et de végétaux. L'**espèce** humaine regroupe tous les êtres humains.*
❷ Une **espèce de**, c'est une chose ou une personne qu'on ne sait pas nommer exactement. *Paul habite dans **une espèce de** chaumière.*
Synonymes : **un genre de, une sorte de.**

a b c d e f g h i j k l m n o p q r s t u v w x y z

A
B
C
D
E
F
G
H
I
J
K
L
M
N
O
P
Q
R
S
T
U
V
W
X
Y
Z

## espérer verbe

Espérer, c'est croire qu'une chose que l'on désire va se réaliser. *J'espère que tu viendras dimanche.*

● Mot de la même famille : **espoir**.

## espion nom masculin
## espionne nom féminin

Un **espion**, une **espionne** sont des personnes qui cherchent à découvrir les secrets d'un pays étranger.

🔎 On dit aussi « agent secret ».

● Mots de la même famille : espionnage, espionner.

## espionnage nom masculin

L'**espionnage** est l'activité des espions.

## espionner verbe

Espionner une personne, c'est la surveiller sans qu'elle le sache.

## espoir nom masculin

L'**espoir**, c'est le fait d'espérer quelque chose. *Les sauveteurs ont l'espoir de retrouver des survivants.*

## esprit nom masculin

L'**esprit** est ce qui permet de réfléchir et de comprendre. *Certaines personnes ont l'esprit vif.*

## Esquimau nom masculin

Un **Esquimau** est une glace recouverte de chocolat et fixée sur un bâton plat.

🔎 Ce mot s'écrit avec une majuscule parce que c'est un nom de marque.

## essai nom masculin

❶ L'**essai**, c'est le fait d'essayer. *Mon oncle a fait l'essai d'une nouvelle voiture.*

❷ Un **essai**, c'est le fait de tenter quelque chose. *J'ai réussi mon saut au premier essai.* Synonyme : **tentative**.

## essaim nom masculin

Un **essaim** est un groupe d'abeilles en vol. *Un essaim comporte une reine et des milliers d'abeilles appelées « ouvrières ».*

🔎 Le son [ɛ̃] s'écrit *aim*.

## essayer verbe

❶ **Essayer** une chose, c'est l'utiliser pour la première fois et voir si elle convient. *Mon oncle a essayé une nouvelle voiture.*

❷ **Essayer** un vêtement, c'est le mettre pour voir s'il va bien.

❸ **Essayer** de faire quelque chose, c'est faire son possible pour y arriver. *Essaie de te rappeler le nom de cette dame.* Synonyme : **tâcher**.

● Mot de la même famille : **essai**.

Lucas **essaie** les chaussures de son père.

## essence nom féminin

L'**essence** est un liquide qui provient du pétrole et qui fait fonctionner les moteurs. *L'essence s'enflamme facilement.*

## essentiel, essentielle adjectif

Ce qui est **essentiel**, c'est ce qui est le plus important. *Vous avez manqué*

la partie **essentielle** du film.
Synonyme : **principal**.

🔍 On écrit *tiel* mais on prononce [sjɛl], comme « ciel ».

### essorer verbe
**Essorer** du linge, c'est faire sortir l'eau qui est à l'intérieur. *Chloé essore son maillot de bain avant de le mettre dans son sac.*

### essoufflé, essoufflée adjectif
Être **essoufflé**, c'est avoir du mal à reprendre son souffle, à respirer normalement. *Après la course, j'étais tout essoufflée.*

🔍 Il y a deux *f*, comme dans « souffle ».

### essuie-glace nom masculin
Un **essuie-glace** est un appareil qui essuie automatiquement le pare-brise et la vitre arrière d'une voiture.

🔍 Ce mot a un trait d'union. Au pluriel, il n'y a pas de *s* à « essuie » : on écrit *des essuie-glaces*.

### essuyer verbe
❶ **Essuyer**, c'est sécher avec un torchon ou une serviette. *Tom essuie la vaisselle. Essuie-toi la figure !*
❷ **Essuyer**, c'est frotter pour enlever la poussière, la boue. *Maman essuie les meubles. Essuyez vos pieds avant d'entrer.*

Marion **essuie** le tableau.

### est nom masculin
L'**est** est l'un des quatre points cardinaux qui permettent de se diriger. *Quand on regarde vers le nord, l'est est à droite. Le soleil se lève à l'est.*

🔍 On prononce le *s* et le *t*.

→ Cherche **nord**, **ouest** et **sud**.

### est-ce que adverbe
**Est-ce que** s'emploie pour poser une question. *Est-ce que tu veux un gâteau ?*

### estomac nom masculin
L'**estomac** est un organe qui se trouve dans le ventre. Il a la forme d'une poche et sert à digérer les aliments.

🔍 On ne prononce pas le *c*.

→ Cherche **intestin**.

### estrade nom féminin
Une **estrade** est un plancher avec des marches que l'on installe au-dessus du sol. *Pour le spectacle, on a installé une estrade dans la cour.*

### et conjonction
**Et** est un petit mot qui sert à relier des mots ou des phrases. *J'aime le chocolat et le caramel. Il est venu et il est reparti.*

🔍 Ne confonds pas avec « il, elle, on est ».

### étable nom féminin
Une **étable** est un bâtiment qui sert d'abri aux bœufs, aux vaches et aux veaux.

### établi nom masculin
Un **établi** est une grosse table qu'un menuisier, un bricoleur utilise pour travailler.

**établissement** nom masculin

Un **établissement** est un bâtiment réservé à un travail, à une activité. *Une école est un établissement scolaire. Une usine est un établissement industriel.*

**étage** nom masculin

Un **étage** est un niveau dans un immeuble. *Nous habitons au premier étage.*

● Mot de la même famille : **étagère**.

**étagère** nom féminin

Une **étagère** est une planche fixée au mur ou qui fait partie d'un meuble. *J'ai rangé mes livres sur une étagère.*

Les livres sont bien rangés sur les **étagères**.

**étalage** nom masculin

Un **étalage**, c'est l'ensemble des marchandises étalées et l'endroit où elles sont présentées. *Nous regardons les étalages du marché.*

**étaler** verbe

❶ **Étaler** des objets, des marchandises, c'est les disposer sur toute la surface disponible. *J'étale mes affaires de classe sur la table.*

❷ **Étaler** un papier, une étoffe, c'est les mettre à plat. *Nous étalons le drap sur le lit.* Synonyme : **étendre**.

● Mot de la même famille : **étalage**.

**étanche** adjectif

Un objet **étanche** ne laisse pas passer l'eau. *Paul a une montre étanche.*

**étang** nom masculin

Un **étang** est une étendue d'eau douce. *On peut pêcher des têtards dans un étang.*

▶ Un étang est plus grand qu'une mare et plus petit qu'un lac.

🔎 On ne prononce pas le *g*.

Quel calme au bord de l'**étang** !

**étape** nom féminin

❶ Une **étape** est une partie d'un voyage, d'une excursion, d'une course. *Nous avons fait une course cycliste en dix étapes.*

❷ Une **étape** est l'endroit où l'on s'arrête pour se reposer. Synonyme : **halte**.

**1. état** nom masculin

❶ Un objet **en bon état** n'est pas abîmé. *La voiture est en bon état.*

**❷** Quand l'**état de santé** d'une personne est bon, elle est en bonne santé.

## 2. État nom masculin

Un **État** est un pays organisé qui a un gouvernement. *Le chef de l'État a fait un discours.* Synonyme : **nation.**

🔎 Ce mot s'écrit avec une majuscule.

### etc. adverbe

Etc. signifie : et d'autres choses. *Nous avons acheté des jus de fruits, des bonbons, des gâteaux, etc.*

🔎 On écrit *etc.* mais on prononce [ɛtsetera].

### été nom masculin

L'**été** est la saison de l'année qui vient après le printemps et avant l'automne. Il commence le 21 ou le 22 juin et finit le 22 ou le 23 septembre.

☛ Va voir « les saisons », page 607.

### éteindre verbe

**❶** **Éteindre**, c'est faire cesser de brûler. *J'ai éteint la bougie.* Contraire : **allumer.**

**❷** **Éteindre**, c'est interrompre le fonctionnement d'un appareil électrique en appuyant sur un bouton. *Éteins la lumière quand tu sors d'une pièce !* Contraire : **allumer.**

On **a éteint** une des deux bougies.

### étendre verbe

**❶** **Étendre** une chose, c'est la mettre à plat. *On a étendu une couverture sur l'herbe.* Synonyme : **étaler.**

**❷** **S'étendre** sur un lit, c'est se mettre dessus. Synonyme : **s'allonger.**

**❸** **S'étendre** sur une surface, c'est occuper cette surface. *La plaine s'étend sur des kilomètres.*

● Mot de la même famille : **étendue.**

### étendue nom féminin

Une **étendue** est une surface, un espace. *Un lac est une étendue d'eau douce.*

### éternel, éternelle adjectif

**❶** Ce qui est **éternel** n'a pas de commencement ni de fin. *Ils se sont juré un amour éternel.*

**❷** Les **neiges éternelles** ne fondent pas, ne disparaissent jamais.

### éternuement nom masculin

Un **éternuement**, c'est le fait d'éternuer.

🔎 Il y a un e avant le *m.*

### éternuer verbe

**Éternuer**, c'est rejeter brusquement de l'air par le nez et la bouche. *Quand on a pris froid, on éternue.*

● Mot de la même famille : **éternuement.**

### étinceler verbe

**Étinceler**, c'est briller en faisant comme de petites étincelles. *La neige étincelle au soleil.* Synonyme : **scintiller.**

### étincelle nom féminin

Une **étincelle** est une flamme minuscule qui s'échappe d'un feu et s'éteint tout de suite. *Dans le feu, les pommes de pin font des étincelles.*

● Mot de la même famille : **étinceler.**

a b c d e f g h i j k l m n o p q r s t u v w x y z

**étiquette** nom féminin
Une **étiquette** est un petit morceau de papier ou de carton fixé sur un objet et qui donne différents renseignements. *Le prix du manteau est écrit sur l'étiquette.*

**étirer** verbe
❶ **Étirer** une chose, c'est l'allonger en tirant dessus. *On peut étirer un élastique.*
❷ **S'étirer**, c'est tendre son dos et ses membres. *Le chien bâille et s'étire.*

Le chat **s'étire**.

**étoffe** nom féminin
Une **étoffe** est un tissu qui sert à faire des vêtements. *Le satin est une étoffe brillante.*

🔍 Il y a deux *f.*

**étoile** nom féminin
❶ Les **étoiles** sont des astres brillants.
❷ Une **étoile de mer** est un petit animal marin qui a la forme d'une étoile.
➜ Cherche **astre**.

**étonnant, étonnante** adjectif
Une chose **étonnante**, un être **étonnant** causent de la surprise, étonnent. *Nous avons appris une nouvelle étonnante.*

**étonner** verbe
**Étonner**, c'est causer de la surprise par quelque chose d'inattendu. *Cela m'étonnerait que David me prête son baladeur.* Synonyme : **surprendre**.
● Mot de la même famille : étonnant.

**étouffer** verbe
**Étouffer**, c'est manquer d'air, ne plus pouvoir respirer. *En été, on étouffe dans cette pièce.*

🔍 Il y a deux *f.*

**étourderie** nom féminin
L'**étourderie** est le défaut d'une personne étourdie, distraite. *Dans ma dictée, j'ai fait une faute d'étourderie.*

**étourdi, étourdie** adjectif
Être **étourdi**, c'est agir sans réfléchir ou ne pas faire attention à ce qu'on doit faire. Synonyme : **distrait**. Contraire : **attentif**.
● Mot de la même famille : étourderie.

**étourdir** verbe
**Étourdir** quelqu'un, c'est lui faire perdre connaissance quelques instants. *Pierre est tombé sur la tête et le choc l'a étourdi.* Synonyme : **assommer**.

**étrange** adjectif
Une chose **étrange**, un être **étrange** surprennent parce qu'ils ne semblent pas normaux. *J'ai vu un animal étrange.* Synonyme : **bizarre**.

**1. étranger** nom masculin
**étrangère** nom féminin
Un **étranger**, une **étrangère** sont des personnes qui viennent d'un autre pays. *Notre ville est visitée par de nombreux étrangers.*

**2. étranger** nom masculin

L'étranger, c'est l'ensemble des autres pays. *Je ne suis jamais allé à l'étranger.*

**étrangler** verbe

Étrangler une personne, c'est lui serrer le cou et l'empêcher de respirer.

**1. être** verbe

❶ Le verbe **être** s'emploie pour décrire un être ou une chose. *Je suis blonde. Le ciel est bleu. Nous sommes grandes.*
❷ Le verbe **être** indique le lieu et le temps. *Les enfants sont à l'école. Il est trois heures.*
❸ Être à quelqu'un, c'est lui appartenir. *Ce livre est à ma sœur.*

**2. être** nom masculin

Les êtres vivants sont les humains, les animaux et les plantes.

**étrier** nom masculin

Un étrier est un anneau de métal qui sert à maintenir le pied d'un cavalier.

**étroit, étroite** adjectif

Ce qui est étroit a une petite largeur. *Le couloir est étroit.* Contraire : large.

**étude** nom féminin

❶ L'étude, c'est l'action d'étudier, d'apprendre. *L'étude d'un instrument de musique demande beaucoup de patience.*
❷ À l'école, l'étude est le temps que les élèves passent à travailler, après les heures de cours. *Après la classe, je reste à l'étude.*
❸ Faire des études, c'est suivre des cours et passer un examen ou un concours. *Ma grande sœur fait des études d'anglais.*
● Mots de la même famille : **étudiant, étudier.**

**étudiant** nom masculin
**étudiante** nom féminin

Un étudiant, une étudiante sont des personnes qui font des études après avoir quitté le lycée. *Mon grand frère est étudiant en médecine.*

**étudier** verbe

Étudier, c'est chercher à s'instruire, à apprendre quelque chose. *Marion étudie la musique.*

**étui** nom masculin

Un étui est une sorte de boîte faite spécialement pour ranger un objet, un instrument. *Mes jumelles sont dans un étui.*

**eu** → avoir

**euh !** interjection

Euh s'emploie quand on hésite, quand on doute ou quand on est gêné. *Euh ! je ne sais pas quoi répondre.*

🔎 On écrit aussi « heu ! ».

**euro** nom masculin

L'euro est la monnaie qui est utilisée dans de nombreux pays d'Europe depuis le 1er janvier 2002.

▶ Un euro est divisé en cent centimes.

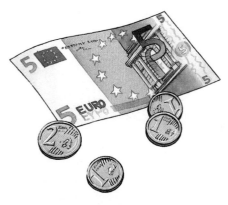

Il y a dix **euros** en tout.

**eux** pronom masculin pluriel

Eux est le pluriel de « lui ». *Léo et Julien s'en vont, je pars avec eux.*

**s'évader** verbe

S'évader, c'est s'enfuir de l'endroit où l'on est retenu prisonnier. *Le prisonnier s'est évadé.*

● Mot de la même famille : **évasion.**

**évaluer** verbe

Évaluer une chose, c'est donner sa valeur, son prix. *Le garagiste a évalué notre voiture.*

**s'évanouir** verbe

S'évanouir, c'est perdre connaissance, ne plus se rendre compte de ce qui se passe. *Le blessé s'est évanoui.*

**s'évaporer** verbe

Quand l'eau **s'évapore**, elle se transforme en vapeur d'eau.

**évasion** nom féminin

Une **évasion**, c'est l'action de s'évader, de s'enfuir d'une prison.

**éveillé, éveillée** adjectif

Être **éveillé**, c'est avoir l'esprit vif et curieux. *Léa est une enfant éveillée.*

**événement** nom masculin

Un **événement**, c'est une chose importante qui arrive. *Le journal télévisé donne les principaux événements de la journée.*

**éventail** nom masculin

Un **éventail** est un petit objet qui se déplie et que l'on agite devant son visage pour faire de l'air.

🔍 Au pluriel, on écrit *des éventails.*

**évidemment** adverbe

Évidemment signifie : sans doute, bien sûr. *Viendras-tu à mon anniversaire ? — Évidemment !*

🔍 On écrit *emment* mais on prononce [amã].

**évident, évidente** adjectif

Ce qui est **évident** est certain. *Pierre a de la fièvre : il est malade, c'est évident.*

● Mot de la même famille : **évidemment.**

**évier** nom masculin

Un **évier** est une sorte de bassin fixé au mur d'une cuisine et qui sert à laver la vaisselle.

**éviter** verbe

❶ Éviter une chose, c'est tout faire pour qu'elle ne se produise pas. *Le conducteur a évité un accident. Évitez de manger trop de sucre.*

❷ Éviter une personne, c'est passer à côté sans la toucher. *Le cycliste a évité un piéton.*

**exact, exacte** adjectif

Ce qui est **exact** est juste, sans erreur. *Ton calcul est exact.* Contraires : faux, inexact. *Ma montre donne l'heure exacte.* Synonyme : précis.

**exactement** adverbe

Exactement signifie : de façon exacte, précise. *Il est trois heures exactement.* Synonyme : juste. Contraires : à peu près, environ.

**ex aequo** adverbe

Être **ex aequo**, c'est avoir le même classement. *Marion est première ex aequo avec Solène.*

**exagérer** verbe

❶ Exagérer, c'est donner trop d'importance à quelque chose. *Léo exagère quand il raconte ses exploits à la patinoire.*

❷ Exagérer, c'est dépasser les limites de ce qui est raisonnable. *Tu veux encore un jeu vidéo ! Tu exagères.*

**examen** nom masculin

❶ Un **examen** est une série d'exercices qui permet de vérifier le niveau d'un élève, d'un candidat. *Le permis de conduire est un examen.*

❷ Faire l'**examen** d'une chose, c'est la regarder attentivement. *Les policiers ont fait l'examen des lieux.*

🔍 On écrit *men* mais on prononce [mɛ̃], comme « main ».

● Mot de la même famille : **examiner**.

**examiner** verbe

❶ Examiner une chose, c'est la regarder attentivement. *Les policiers ont examiné l'appartement de la victime.*

❷ Examiner un malade, c'est regarder son corps avec soin. *Le médecin m'a examiné.* Synonyme : **ausculter**.

**exaucer** verbe

Exaucer un vœu ou un désir, c'est le réaliser. *Dans les contes, les génies et les fées exaucent les vœux.*

**excellent, excellente** adjectif

Ce qui est **excellent** est très bon ou très bien. *Ce gâteau est excellent.* Synonyme : **délicieux**. Contraire : **infect**. *Léo est un excellent nageur.* Contraire : **lamentable**.

**exception** nom féminin

❶ Une **exception** est un cas particulier, une chose qui ne suit pas la règle. *Dans la grammaire française, il y a de nombreuses exceptions.*

❷ À l'**exception de** signifie : sauf. *Toute la famille est venue à l'exception de Camille.*

● Mot de la même famille : **exceptionnel**.

**exceptionnel, exceptionnelle** adjectif

Un être **exceptionnel**, une chose **exceptionnelle** sont très rares. *Léo a eu l'autorisation exceptionnelle de sortir.* Contraires : **courant, habituel, normal**. *Nous avons vu jouer des acteurs exceptionnels.* Synonymes : **extraordinaire, remarquable**.

**excès** nom masculin

Un **excès** dépasse la quantité normale. *Mangez à votre faim, mais ne faites pas d'excès. Le chauffeur a eu une amende pour excès de vitesse.*

🔍 Ce mot se termine par un *s*.

**excité, excitée** adjectif

Être **excité**, c'est être très énervé et impatient. *La veille des vacances, les élèves sont très excités.* Contraire : **calme**.

**exclamation** nom féminin

Un **point d'exclamation** ( ! ) est un signe de ponctuation qui se met après une interjection. *« Ah ! », « eh ! », « oh ! » sont suivis d'un point d'exclamation.*

➜ Cherche **interrogation**.

**s'exclamer** verbe

S'exclamer, c'est exprimer sa joie, sa surprise d'une voix forte. *Enfin ! tu es là ! s'est exclamée ma mère.* Synonyme : **s'écrier**.

● Mot de la même famille : **exclamation**.

**exclure** verbe

Exclure une personne, c'est la mettre à la porte. *Mon frère a été exclu du club de natation.* Synonyme : **renvoyer**.

**excursion** nom féminin

Une **excursion** est un petit voyage ou une longue promenade que l'on fait pour visiter une région.

Ils partent en **excursion**.

**excuse** nom féminin

❶ Une **excuse** est une explication, une raison que l'on donne. *As-tu une excuse pour expliquer ton retard ?*

❷ Faire ses **excuses** (ou présenter ses **excuses**), c'est dire que l'on regrette son action, demander pardon. *Si je vous ai fait de la peine, je vous présente mes excuses.*

**excuser** verbe

❶ Excuser une personne, c'est ne pas lui en vouloir pour ce qu'elle a fait. *Excusez-le, il n'a pas voulu vous faire de la peine.*

❷ S'excuser, c'est présenter ses excuses. *Elle s'est excusée de s'être mise en colère.*

● Mot de la même famille : **excuse**.

**exemplaire** nom masculin

Un **exemplaire**, c'est chacun des objets fabriqués sur le même modèle. *La* *libraire a déjà vendu cent exemplaires du nouveau roman.*

🔍 Le son [ɑ̃] s'écrit *em* devant un *p*.

**exemple** nom masculin

❶ Un **exemple** est un modèle que l'on peut imiter. *Suivez l'exemple de votre camarade.*

❷ On donne un **exemple** pour rendre plus claire une explication, une définition. *Dans ce dictionnaire, les exemples sont écrits en lettres penchées.*

🔍 Le son [ɑ̃] s'écrit *em* devant un *p*.

s'**exercer** verbe

S'exercer, c'est faire des exercices régulièrement pour progresser dans un art, dans un sport. *Marion s'exerce tous les jours à jouer de la guitare.*

Synonyme : s'entraîner.

● Mot de la même famille : exercice.

**exercice** nom masculin

❶ Un **exercice** est un travail scolaire qui permet de vérifier que l'on a compris une leçon. *Nous faisons un exercice de calcul.*

❷ Faire de l'**exercice**, c'est faire une activité physique. *Après sa maladie, Léo doit faire un peu d'exercice.*

Tom fait un **exercice**.

**exigeant, exigeante** adjectif

Être **exigeant**, c'est exiger beaucoup des autres, être difficile à satisfaire.

*Le nouveau directeur est **exigeant**.*
Contraire : **indulgent**.

🔍 Il y a un e après le *g*.

**exiger** verbe
**Exiger** quelque chose, c'est le vouloir absolument. *Maman **exige** que je me lave les mains avant les repas.* Synonyme : **ordonner**.
● Mot de la même famille : **exigeant**.

**exil** nom masculin
Être en **exil**, c'est être obligé de vivre loin de son pays. *Autrefois, le roi condamnait des personnes à l'**exil**.*

**existence** nom féminin
L'**existence**, c'est l'état des êtres qui existent. *Grand-père dit qu'il a eu une **existence** heureuse.* Synonyme : **vie**.

**exister** verbe
❶ **Exister**, c'est avoir une réalité. *Je ne crois pas que les fantômes **existent**. Il **existe** encore des trains à vapeur.* Synonyme : **il y a**.
❷ **Exister**, c'est être en vie. *On ne pourrait pas **exister** sans oxygène.* Synonyme : **vivre**.
● Mot de la même famille : **existence**.

Crois-tu que cet animal **existe** ?

**exotique** adjectif
Une plante **exotique** pousse dans un pays lointain, généralement dans un pays chaud. *Les ananas sont des fruits exotiques.*

**expédier** verbe
**Expédier** une lettre, un colis, c'est les envoyer par la poste. *Ma mère a **expédié** un colis au Canada.*
● Mots de la même famille : expéditeur, expédition.

**expéditeur** nom masculin
**expéditrice** nom féminin
Un **expéditeur**, une **expéditrice** sont des personnes qui envoient une lettre, une carte ou un colis. *Le nom de l'**expéditeur** est écrit au dos de l'enveloppe.* Contraire : **destinataire**.

**expédition** nom féminin
Une **expédition** est un voyage dans des régions mal connues. *Un groupe de savants est parti en **expédition**.*

**expérience** nom féminin
❶ Une **expérience** est un essai, une observation que l'on fait avec certains produits, dans un laboratoire. *Ma grande sœur fait des **expériences** scientifiques.*
❷ Avoir de l'**expérience**, c'est faire un métier, une activité depuis très longtemps. *Notre maître a beaucoup d'**expérience**.*

**explication** nom féminin
Une **explication**, c'est ce qu'on dit pour expliquer, pour faire comprendre quelque chose. *Les **explications** de notre maîtresse sont claires.*

**expliquer** verbe
**Expliquer** quelque chose, c'est le faire comprendre avec des mots. *Grand-père m'a **expliqué** comment fonctionne un moteur.*
● Mot de la même famille : **explication**.

a b c d e f g h i j k l m n o p q r s t u v w x y z

## exploit nom masculin

Un **exploit** est une action très difficile à faire. *L'équipe nationale de football a réalisé un **exploit** pendant la Coupe du monde.*

## explorateur nom masculin
## exploratrice nom féminin

Un **explorateur**, une **exploratrice** sont des personnes qui explorent un pays, qui partent à la découverte d'une région lointaine.

Les **explorateurs** sont au pôle Nord.

## explorer verbe

**Explorer** un lieu, c'est partir à sa découverte pour l'étudier. *Les astronautes **explorent** l'espace.*
● Mot de la même famille : explorateur.

## exploser verbe

**Exploser**, c'est éclater en faisant un grand bruit *Des bombes **ont explosé** et ont fait beaucoup de dégâts.*
● Mots de la même famille : explosif, explosion.

## explosif nom masculin

Un **explosif** est un produit qui provoque des explosions. *La dynamite est un explosif.*

## explosion nom féminin

Une **explosion**, c'est le fait d'exploser. *Les voisins ont entendu une explosion.*

## exposer verbe

❶ **Exposer** des objets, c'est les placer dans un endroit pour les montrer au public. *La libraire **expose** les livres dans la vitrine.*
❷ **S'exposer** au soleil, c'est se mettre au soleil pour bronzer.
● Mot de la même famille : exposition.

Les élèves **exposent** leurs dessins.

## exposition nom féminin

Une **exposition** est une présentation au public d'objets, d'œuvres d'art. *Nous avons visité une **exposition** de voitures anciennes.*

## exprès adverbe

Quand on fait quelque chose **exprès**, on le fait en le voulant vraiment. *J'ai fait exprès de laisser la porte ouverte.*

## expression nom féminin

❶ Une **expression** du visage est un signe qui montre les sentiments d'une personne. *Mon petit frère avait une expression de tristesse.*

❷ Une **expression** est un groupe de mots qui a un sens particulier. *«Rouge comme un coquelicot» est une expression.*

**exprimer** verbe

❶ **Exprimer** un sentiment, une idée, c'est les montrer ou les dire. *Par leurs applaudissements, les spectateurs expriment leur joie.*

❷ Bien s'**exprimer**, c'est bien parler, employer les mots justes.

● Mot de la même famille : **expression**.

L'enfant **exprime** sa joie.

**1. extérieur, extérieure** adjectif

Ce qui est **extérieur** est situé dehors. *Certaines maisons ont un escalier extérieur.* Contraire : intérieur.

**2. extérieur** nom masculin

L'**extérieur** d'un objet, d'un lieu, c'est la partie qui est dehors. *L'extérieur de la voiture est impeccable.*

Contraire : intérieur. *Les animaux de la ferme restent à l'extérieur de la maison.* Synonyme : dehors. Contraire : à l'intérieur.

**extincteur** nom masculin

Un **extincteur** est un appareil qui sert à éteindre un début d'incendie. *Nous avons un extincteur dans le coffre de la voiture.*

**extrait** nom masculin

Un **extrait** est une partie d'un livre ou d'un film. *En classe, nous avons lu un extrait des aventures du Petit Nicolas.* Synonyme : passage.

**extraordinaire** adjectif

Une chose, un être **extraordinaires** surprennent parce qu'on n'a pas l'habitude de les voir. *Les acrobates font des numéros extraordinaires.* Synonymes : étonnant, formidable. Contraires : banal, courant, ordinaire. *Nous avons entendu des musiciens extraordinaires.* Synonymes : exceptionnel, remarquable.

**extraterrestre** nom masculin et nom féminin

Les **extraterrestres** sont des êtres qui ne vivent pas sur la Terre mais qui vivent peut-être sur une autre planète.

🔎 Il y a deux r, comme dans «terre».

**extrémité** nom féminin

L'**extrémité** d'une chose, c'est la partie qui la termine. *La flèche a une extrémité pointue.* Synonyme : bout.

a b c d e f g h i j k l m n o p q r s t u v w x y z

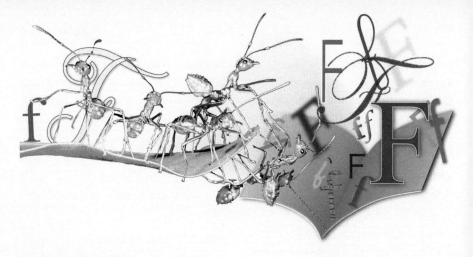

**fable** nom féminin

Une **fable** est un récit qui se termine par une leçon de morale. « *Le Corbeau et le Renard* » *est une* **fable** *de La Fontaine.*
● Mot de la même famille : **fabuleux**.

**fabrication** nom féminin

La **fabrication**, c'est l'action de fabriquer. *Nous avons assisté à la* **fabrication** *d'une voiture.*

**fabriquer** verbe

**Fabriquer** un objet, c'est le faire à partir d'une matière. *Mon oncle* **a fabriqué** *une balançoire.*
● Mot de la même famille : **fabrication**.

**fabuleux, fabuleuse** adjectif

❶ Un animal **fabuleux** n'existe que dans les contes, dans l'imagination. *La licorne est un animal* **fabuleux**. Synonyme : **imaginaire**.
❷ Une chose **fabuleuse** dépasse ce qu'on peut imaginer. *Ali Baba a découvert un trésor* **fabuleux** *dans une caverne.* Synonyme : **extraordinaire**.

**façade** nom féminin

La **façade** d'une maison est la partie où se trouve l'entrée principale. *Des ouvriers ont repeint la* **façade** *de l'immeuble.* Contraire : **arrière**.

🔍 Le c prend une cédille.

**face** nom féminin

❶ La **face** d'une personne est son visage, sa figure. Une photo **de face** est une photo prise du côté où l'on voit le devant. Contraires : **de dos, de profil**.
❷ Le côté **face** d'une pièce de monnaie est le côté qui porte une figure ou un dessin. Contraire : **pile**.
❸ Les **faces** d'un cube, ce sont ses côtés. *Un dé a six* **faces**.
❹ **En face** signifie : devant. *La poste est* **en face** *de la maison. J'habite* **en face**.
● Mot de la même famille : **façade**.

**se fâcher** verbe

❶ Se **fâcher**, c'est se mettre en colère. *Quand je désobéis, ma mère* **se fâche**.
❷ Quand deux personnes **se fâchent**, elles ne se parlent plus. *Lucas* **s'est fâché** *avec Léa.* Synonyme : **se brouiller**. Contraire : **se réconcilier**.

**facile** adjectif

Une chose **facile** se fait, se comprend sans effort. *La maîtresse m'a posé une question* **facile**. Synonymes : **élémentaire, simple**. Contraires : **compliqué, difficile, dur**.
● Mots de la même famille : **facilement, facilité**.

## facilement adverbe

Facilement signifie : avec facilité, sans effort. *J'ai réussi à sauter facilement.*

## facilité nom féminin

La **facilité**, c'est la qualité de ce qui est facile. *Cet exercice est d'une grande facilité.* Synonyme : simplicité. Contraire : difficulté.

## façon nom féminin

❶ Une **façon** de faire, c'est une manière de faire. *Je vais te montrer de quelle façon il faut s'y prendre.*
❷ **De toute façon** signifie : quoi qu'il arrive. *De toute façon, je ne bougerai pas d'ici.* Synonyme : de toute manière.

🔍 Le c prend une cédille.

## facteur nom masculin
## factrice nom féminin

Un **facteur**, une **factrice** sont des personnes chargées de distribuer le courrier.

## facture nom féminin

Une **facture** est un papier qui donne la liste et le prix des produits achetés ou des travaux faits.

## facultatif, facultative adjectif

Une activité **facultative** est une activité que l'on choisit de faire ou de ne pas faire. *Cette année, les cours de natation sont facultatifs.* Contraire : obligatoire.

## fade adjectif

Un aliment **fade** n'a pas beaucoup de goût. *La sauce est fade, il faudrait ajouter un peu de sel.*

## faible adjectif

❶ Être **faible**, c'est ne pas avoir beaucoup de forces. *Paul a été malade, il est encore faible. Elle parlait d'une voix faible.* Contraires : ferme, forte.
❷ Être **faible en quelque chose**, c'est ne pas bien réussir. *Je suis faible en calcul.* Contraires : bon, fort.

## faillir verbe

Faillir, c'est être sur le point de faire quelque chose. *J'ai failli tomber.*

Le **facteur** apporte le courrier.

Il **a failli** tomber !

A
B
C
D
E
F
G
H
I
J
K
L
M
N
O
P
Q
R
S
T
U
V
W
X
Y
Z

**faim** nom féminin

Avoir faim, c'est avoir besoin de manger.

🔎 Le son [ɛ̃] s'écrit aim.

→ Cherche soif.

**fainéant, fainéante** adjectif

Une personne fainéante ne veut rien faire. Synonyme : paresseux.

**faire** verbe

❶ Faire, c'est fabriquer un objet, réaliser une chose. L'imprimeur fait des livres. Nous avons fait une cabane. Synonyme : construire.

❷ Faire, c'est avoir pour résultat. Deux plus deux font quatre. Synonyme : égaler.

❸ Il fait froid, il fait beau, il fait nuit signifient : la température de l'air est froide, le temps est beau, la nuit est tombée.

❹ Se faire du souci (ou s'en faire), c'est s'inquiéter. Elle se fait du souci pour ses enfants.

**faire-part** nom masculin

Un faire-part est une carte que l'on envoie pour annoncer un événement important. Nous avons reçu un faire-part de naissance.

🔎 Ce mot a un trait d'union. Il n'y a pas de s au pluriel : on écrit des faire-part.

**faisan** nom masculin

Un faisan est un gros oiseau à longue queue et au plumage coloré. Un chasseur a tué un faisan.

▶ La femelle est la faisane. Le petit est le faisandeau.

🔎 On écrit ai, mais on prononce [ə], comme dans « le ».

un **faisan**

**fait** nom masculin

❶ Un fait est une chose qui arrive. Il a neigé en juillet : c'est un fait curieux. Synonyme : événement.

❷ Prendre une personne sur le fait, c'est la surprendre en train de faire quelque chose d'interdit.

❸ En fait signifie : en réalité. J'ai cru voir Léa, en fait c'était Marie.

**fakir** nom masculin

Un fakir est un homme qui s'est entraîné pour ne pas ressentir la douleur. Au cirque, j'ai vu un fakir s'allonger sur une planche à clous.

**falaise** nom féminin

Une falaise est une partie très haute de la côte qui tombe à pic dans la mer.

**falloir** verbe

Falloir, c'est être nécessaire ou obligatoire. Il faudra que je rentre tôt. Pour que l'équipe soit complète, il faut onze joueurs.

🔎 Ce mot s'écrit avec deux l.

**familial, familiale** adjectif

La vie familiale est la vie de famille.

🔎 Au pluriel, on écrit familiaux, familiales.

**familier, familière** adjectif

❶ Des animaux familiers sont des animaux qui vivent avec les humains. Les chats et les chiens sont des animaux familiers. Synonyme : domestique. Contraire : sauvage.

❷ Un mot familier est un mot que l'on emploie avec ses camarades mais que l'on n'écrit pas. « Balade » et « se balader » sont des mots familiers.

**famille** nom féminin

❶ La famille est le groupe de personnes que forment les parents, les enfants, les grands-parents, les oncles, les tantes, les cousins.

# La famille

les grands-parents paternels

les grands-parents maternels

mon grand-père    ma grand-mère

mon grand-père    ma grand-mère

mon oncle

ma tante

les parents

mon oncle

ma tante

ma cousine

mon père    ma mère

ma cousine

mon cousin

ma sœur

mon frère

moi

❷ Une **famille** d'animaux est un groupe d'animaux qui ont des ressemblances. *Le chat et le jaguar appartiennent à la même* **famille**.

❸ Une **famille** de mots est un ensemble de mots formés à partir d'un même mot. *Les mots « terrain », « terrestre » et « territoire » sont des mots de la* **famille** *de « terre ».*

● Mot de la même famille : **familial**.

☞ Va voir « la famille », page 273.

### **famine** nom féminin

La **famine** est le manque de nourriture dans un pays. *Des personnes meurent de* **famine** *dans le monde.*

### se **faner** verbe

Quand une fleur **se fane**, elle perd ses couleurs et sèche. **Synonyme : se** flétrir.

### **fanfare** nom féminin

Une **fanfare** est un orchestre composé de trompettes et d'autres instruments en cuivre et de tambours. *La* **fanfare** *défile dans les rues.*

### **fantastique** adjectif

❶ Un film **fantastique** est un film qui raconte une histoire étrange ou effrayante.

❷ Ce qui est **fantastique** étonne beaucoup. *Léo a une chance* **fantastique**. **Synonymes : extraordinaire, incroyable**.

un **faon**

### **fantôme** nom masculin

Dans les histoires, un **fantôme** est un mort qui revient sur terre. *Des fantômes apparaissent la nuit dans le château hanté.* **Synonyme : revenant**.

🔍 Le o prend un accent circonflexe.

### **faon** nom masculin

Le **faon** est le petit de la biche et du cerf. *Bambi est le nom d'un* **faon**.

🔍 On écrit *faon* mais on prononce [fã], comme dans « fanfare ».

### **farandole** nom féminin

Une **farandole** est une longue file de personnes qui dansent en se tenant par la main. *À la fin du repas, nous avons fait une* **farandole**.

### **farce** nom féminin

Faire une **farce**, c'est jouer un tour à quelqu'un. *Cachons-nous sous le lit pour faire une* **farce** *à Marie !*

● Mot de la même famille : **farceur**.

→ Cherche **blague** et **plaisanterie**.

Qui a fait une **farce** à David ?

### **farceur** nom masculin
### **farceuse** nom féminin

Un **farceur**, une **farceuse** sont des personnes qui aiment faire des farces.

## farci, farcie adjectif

Des tomates **farcies**, des choux **farcis** sont des tomates, des choux que l'on a remplis d'aliments hachés.

## fardeau nom masculin

Un **fardeau** est une chose très lourde à porter. *Un sac de ciment est un fardeau sur les épaules du maçon.*

🔎 Au pluriel, on écrit *des fardeaux.*

## farine nom féminin

La **farine** est la poudre que l'on obtient quand on a moulu des grains de blé ou d'autres céréales.

## farouche adjectif

Un animal **farouche** est un animal qui a peur et qui s'enfuit quand on s'approche de lui. Synonymes : **craintif**, **sauvage**.

## fatigant, fatigante adjectif

Un travail **fatigant** fatigue, demande beaucoup d'efforts.

🔎 « Fatiguer » s'écrit avec un *u* mais « fatigant » n'en a pas.

## fatigue nom féminin

On ressent de la **fatigue** après un gros effort ou lorsqu'on est resté trop longtemps sans repos. *Le 24 décembre, Adrien est resté debout jusqu'à minuit malgré sa fatigue.*

## fatigué, fatiguée adjectif

Être **fatigué**, c'est ressentir de la fatigue. *Anaïs était très fatiguée après le match.*

## fatiguer verbe

Fatiguer quelqu'un, c'est lui causer de la fatigue, lui ôter ses forces. *Les longues promenades fatiguent grand-mère.*

● Mots de la même famille : **fatigant, fatigue, fatigué**.

Le bébé bâille, il est **fatigué** !

## faucher verbe

Faucher l'herbe, c'est la couper avec une faux.

## faucon nom masculin

Un **faucon** est un oiseau de proie très rapide que l'on dressait autrefois pour la chasse.

▶ C'est un rapace.

## se faufiler verbe

Se faufiler, c'est se glisser adroitement quelque part. *Audrey s'est faufilée dans la foule.*

## faune nom féminin

La **faune**, c'est l'ensemble des animaux. *Nous avons étudié la faune des régions polaires.*

→ Cherche **flore**.

un **faucon**

A

**fausse → faux**

B

**il faut → falloir**

C

**faute nom féminin**

D

❶ Une **faute** est une action qui ne respecte pas la loi ou le règlement. *Les enfants ont été pris en faute.*

E

❷ Une **faute** est une erreur. *J'ai fait une faute d'orthographe.*

F

G

**fauteuil nom masculin**

Un **fauteuil** est un siège qui a un dossier et deux bras.

H

I

**fauve nom masculin**

Un **fauve** est un animal féroce et carnivore. *Le lion, le tigre et la panthère sont des fauves.*

J

K

**1. faux adjectif masculin**
　　**fausse adjectif féminin**

L

M

❶ Ce qui est **faux** est contraire à la vérité. *Tu dis que j'ai triché mais c'est faux.* Contraire : vrai.

N

❷ Un calcul **faux**, une opération **fausse** comportent des fautes, des erreurs. *Mon problème est faux.* Synonymes : incorrect, inexact. Contraires : correct, exact, juste.

O

P

Q

❸ Un **faux** bijou est une imitation d'un vrai.

R

**2. faux adverbe**

S

Chanter **faux**, c'est ne pas pouvoir suivre l'air, la musique. Contraire : juste.

T

**3. faux nom féminin**

U

V

Une **faux** est un outil qui a une grande lame courbe au bout d'un long manche. *La faux sert à faucher les hautes herbes.*

W

X

Y

🔎 Ce mot se termine par un *x*. Il ne change pas au pluriel : *des faux.*

Z

**favori, favorite adjectif**

Un objet **favori**, une personne **favorite** sont ceux que l'on préfère. *J'écoute mon disque favori.* Synonyme : préféré.

**fax nom masculin**

❶ Le **fax** est un appareil qui permet de transmettre des documents en utilisant les lignes téléphoniques.

❷ Un **fax** est un courrier transmis par le fax.

🔎 Ce mot ne change pas au pluriel : on écrit *des fax.*

**fée nom féminin**

Dans les contes, les **fées** sont des femmes qui ont des pouvoirs magiques. *Dans « la Belle au bois dormant », les fées ont fait des dons à la princesse, le jour de sa naissance.*

La **fée** tient sa baguette magique.

**fêler verbe**

**Fêler** un objet, c'est le fendre légèrement. *Je n'ai pas cassé la tasse, je l'ai seulement fêlée.*

🔎 Le premier e prend un accent circonflexe.

**félicitations** nom féminin pluriel

Des **félicitations** sont des paroles que l'ont dit à quelqu'un pour le féliciter. *J'ai reçu les **félicitations** de la maîtresse.*
Synonyme : **compliments.**

**féliciter** verbe

**Féliciter** une personne, c'est lui faire des compliments. *Après le match, notre entraîneur nous a **félicités**.*
Contraire : **gronder.**
● Mot de la même famille : **félicitations.**

**félin** nom masculin

Un **félin** est un animal carnivore de la famille du chat. *Les **félins** peuvent rentrer leurs griffes.*

**femelle** nom féminin

Une **femelle** est un animal de sexe féminin qui porte des petits ou qui pond des œufs. *La louve est la **femelle** du loup. La poule est la **femelle** du coq.*

▶ Les femelles des mammifères ont des mamelles pour allaiter leurs petits.

→ Cherche **mâle.**

**féminin, féminine** adjectif

❶ Ce qui est **féminin** se rapporte aux femmes, aux filles. *Ma sœur suit la mode **féminine**. Une robe est un vêtement **féminin**.*

❷ Un nom **féminin** est précédé de « la » ou « une ». *« Une roue », « la circulation », « la fraternité » sont des noms **féminins**.* Un adjectif **féminin** s'accorde avec un nom féminin. *« Jolie », « éternelle », « coquette » sont des adjectifs **féminins**.*

→ Cherche **masculin.**

**Les félins**

jaguar

lynx

chat angora

guépard

léopard

puma

lion

tigre

chat siamois

lionne et lionceaux

A
B
C
D
E
**F**
G
H
I
J
K
L
M
N
O
P
Q
R
S
T
U
V
W
X
Y
Z

**femme** nom féminin

❶ Une **femme** est une adulte de sexe féminin. *Ma grand-mère est une femme douce.*

❷ Une **femme** est une personne mariée de sexe féminin. *Hélène est la femme de Franck.* Synonyme : épouse.

● Mot de la même famille : **féminin**.

→ Cherche **homme** et **mari**.

**fendre** verbe

Fendre une bûche, c'est la couper dans le sens de la longueur. Quand un objet **se fend**, il se forme une ouverture longue et étroite sur sa surface. *La planche s'est fendue.*

● Mot de la même famille : **fente**.

Grand-père **fend** du bois.

**fenêtre** nom féminin

Une **fenêtre** est une ouverture faite dans un mur pour laisser passer de la lumière et de l'air. On monte un cadre et des vitres sur cette ouverture.

**fente** nom féminin

Une **fente** est une ouverture longue et étroite. *J'ai glissé une pièce dans la fente de la tirelire. L'eau coule par terre, il y a une fente dans la baignoire.*

**fer** nom masculin

❶ Le **fer** est un métal gris et résistant. *La grille est en fer.*

❷ Un **fer à cheval** est un objet en fer qui a la forme d'un demi-cercle et que l'on fixe sous les sabots des chevaux.

❸ Un **fer à repasser** est un appareil électrique qui sert à repasser le linge.

**férié, fériée** adjectif

Un jour **férié** est un jour de fête où l'on ne travaille pas. *En France, le 14 juillet est un jour férié.*

**1. ferme** nom féminin

Une **ferme** est l'habitation d'un fermier, d'un agriculteur. Elle comprend des bâtiments pour le bétail et les récoltes et est entourée de champs.

● Mot de la même famille : **fermier**.

☞ Va voir la planche illustrée ❶

**2. ferme** adjectif

❶ Un objet **ferme**, une matière **ferme** sont un peu durs. *Je dors sur un matelas ferme.* Contraire : mou.

❷ Un ton **ferme**, une voix **ferme** ne tremblent pas. *Le maître parle d'une voix ferme.* Contraire : faible.

**fermer** verbe

❶ Fermer, c'est empêcher le passage en tirant une porte, en tournant un robinet. *J'ai fermé la porte à clé. On a fermé le robinet d'eau et le robinet de gaz.* Contraire : ouvrir.

❷ Quand un magasin, un établissement **ferme**, il ne reçoit pas les clients, les visiteurs. *La boucherie ferme le lundi.* Contraire : ouvrir.

❸ Fermer, c'est rapprocher des parties ouvertes. *Ferme les yeux ! Fermez vos livres !* Contraire : ouvrir.

● Mot de la même famille : **fermeture**.

Il **ferme** la porte du garage.

**fermeture** nom féminin

❶ La **fermeture**, c'est l'action de fermer. *Le directeur a ordonné la **fermeture** du magasin.* Contraire : ouverture.
❷ Une **fermeture** est un système qui permet de fermer un objet. *La fermeture de mon anorak est cassée.*
→ Cherche **clôture**.

**fermier** nom masculin
**fermière** nom féminin

Un **fermier**, une **fermière** sont des personnes qui habitent dans une ferme et qui s'en occupent. C'est un nom de métier. Synonyme : agriculteur.

**féroce** adjectif

Un animal **féroce** est un animal sauvage qui tue par instinct. *Le tigre est une bête **féroce**.*

**fertile** adjectif

Une terre **fertile** est une terre où les plantes poussent bien et en grand nombre.

**fesse** nom féminin

Les **fesses** sont les deux parties rondes qui forment le derrière.
● Mot de la même famille : **fessée**.

**fessée** nom féminin

Une **fessée** est une série de tapes sur les fesses. *Mes parents me donnent parfois des **fessées**.*

**festin** nom masculin

Un **festin** est un grand repas de fête.

**fête** nom féminin

❶ Une **fête** est une grande réunion de personnes qui dansent et s'amusent en souvenir d'un événement important ou heureux. *Le 14 Juillet est le jour de la **fête** nationale en France. Marie organise une **fête** pour son anniversaire.*
❷ Une **fête** est un lieu en plein air où sont installés toutes sortes de stands et d'attractions. *À la **fête**, j'ai fait des tours d'autos tamponneuses.*

🔍 Le premier e prend un accent circonflexe.
● Mot de la même famille : **fêter**.

**fêter** verbe

Fêter un événement ou une personne, c'est faire une fête en leur honneur. *Le 25 décembre, on **fête** Noël.*

🔍 Le premier e prend un accent circonflexe.

**feu** nom masculin

❶ Le **feu**, c'est de la chaleur et des flammes qui proviennent d'une matière qui brûle. *En été, il y a souvent des **feux** de forêt.* Synonyme : incendie. *À la campagne, nous faisons du **feu** dans la cheminée.*
❷ Une **arme à feu** est une arme qui produit une détonation. *Un pistolet est une **arme à feu**.*
❸ Un **feu** (ou un **feu tricolore**) est un signal lumineux pour la circulation. *Quand le **feu** est vert, les piétons doivent attendre pour traverser.*

🔍 Au pluriel, on écrit *des feux*.

a
b
c
d
e
f
g
h
i
j
k
l
m
n
o
p
q
r
s
t
u
v
w
x
y
z

A
B
C
D
E
F
G
H
I
J
K
L
M
N
O
P
Q
R
S
T
U
V
W
X
Y
Z

**feu d'artifice** nom masculin

Un **feu d'artifice** est une série de fusées lumineuses et de feux colorés que l'on envoie, la nuit, dans le ciel pour fêter un événement. *Le 14 juillet, en France, on tire des* **feux d'artifice**.

🔍 Au pluriel, on écrit *des feux d'artifice*.

**feuillage** nom masculin

Le **feuillage**, c'est l'ensemble des feuilles d'un arbre.

**feuille** nom féminin

❶ Une **feuille** est la partie verte et plate qui pousse sur les tiges des plantes et sur les branches des arbres. *En automne, les* **feuilles** *tombent*.

❷ Une **feuille** est un morceau de papier que l'on utilise pour écrire, dessiner ou peindre.

● Mots de la même famille : **feuillage, feuilleter, feuilleton, feuillu**.

**feuilleter** verbe

**Feuilleter** un livre, c'est tourner les pages en les regardant rapidement.

Quel beau **feu d'artifice** !

**feuilleton** nom masculin

Un **feuilleton** est une histoire en plusieurs épisodes. *Nous regardons un* **feuilleton** *à la télévision*.

## Les feuilles

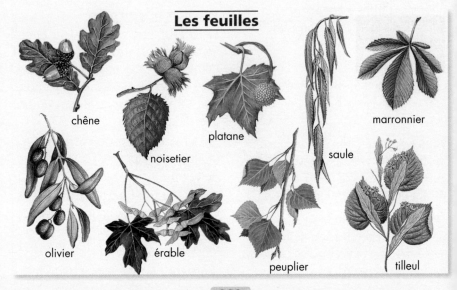

chêne

noisetier

platane

marronnier

saule

olivier

érable

peuplier

tilleul

**feuillu** nom masculin

Un **feuillu** est un arbre qui a des feuilles et non des aiguilles. *Le chêne et le peuplier sont des feuillus.*

→ Cherche **arbre** et **conifère**.

**feutre** nom masculin

Un **feutre** est un stylo à encre qui a une pointe souple en matière plastique.

**fève** nom féminin

Une **fève** est une petite figurine que l'on cache dans la galette des Rois. *J'ai la fève, c'est moi le roi !*

**février** nom masculin

Février est le deuxième mois de l'année. Il vient après janvier et avant mars. *En février, les écoliers français ont des vacances.*

☞ Va voir « le calendrier », page 111.

**fiancé** nom masculin
**fiancée** nom féminin

Des **fiancés** sont des personnes qui se sont engagées à se marier. *Mon grand frère nous a présenté sa fiancée.*

**ficeler** verbe

**Ficeler** un objet, c'est l'entourer de ficelle. *J'ai ficelé mon colis avant de l'expédier.*

Tom **a ficelé** le colis.

**ficelle** nom féminin

Une **ficelle** est une corde mince.
● Mot de la même famille : **ficeler**.

**fiche** nom féminin

Une **fiche** est une feuille de carton mince. *À la bibliothèque, les titres des livres sont inscrits sur des fiches.*

**fidèle** adjectif

Un ami **fidèle** est un ami qui est là quand on a besoin de lui, qui n'oublie pas ceux qu'il aime.

**fier, fière** adjectif

Être **fier** de quelque chose ou de quelqu'un, c'est être content et éprouver un peu d'orgueil. *Adrien est fier d'avoir gagné la course. Mamie est fière de ses petits-enfants.*

🔎 « Fier » se prononce [fjɛr].

**fièvre** nom féminin

Avoir de la **fièvre**, c'est avoir une température du corps au-dessus de 37°.
● Mot de la même famille : **fiévreux**.

**fiévreux, fiévreuse** adjectif

Être **fiévreux**, c'est avoir plus de 37° de température.

**figue** nom féminin

Une **figue** est un fruit à la peau violette. *Les figues se mangent fraîches ou sèches.*
▶ Les figues poussent sur un arbre des régions chaudes, le **figuier**.

**figure** nom féminin

❶ La **figure** est le devant de la tête. Synonymes : **face, visage.**

❷ Une **figure** géométrique est un dessin qui a une forme géométrique. *Le carré, le losange, le cercle sont des figures géométriques.*

**❸** Une **figure** est un ensemble de pas et de mouvements.

● Mot de la même famille : **figurine**.

Les patineurs font des **figures**.

## figurine nom féminin

Une **figurine** est une très petite statue. *On met des figurines dans la crèche de Noël.*

## fil nom masculin

**❶** Un **fil** est un long brin de coton ou d'une autre matière qu'on utilise pour coudre.

**❷** Un **fil électrique** est un brin de métal qui transporte le courant.

## file nom féminin

Une **file** est une suite de personnes ou de choses placées les unes derrière les autres. *La file d'attente est très longue devant le cinéma.*

## filer verbe

Filer, c'est partir très vite. Synonyme : se sauver.

🔎 C'est un mot familier.

## filet nom masculin

Un **filet** est un objet fait de mailles en ficelle ou en corde. *Les pêcheurs réparent leurs filets.*

## fille nom féminin

Une **fille** est un enfant de sexe féminin. *Nos voisins ont deux filles.*

→ Cherche **fils** et **garçon**.

☞ Va voir « la famille », page 273.

## filleul nom masculin
## filleule nom féminin

Un **filleul**, une **filleule**, c'est l'enfant qu'une personne présente à l'église le jour de son baptême. *Mathis est le filleul de mon père.*

→ Cherche **marraine** et **parrain**.

## film nom masculin

**❶** Un **film** est une pellicule que l'on place dans une caméra ou dans un appareil photo.

**❷** Un **film** est une suite d'images projetées sur un écran et qui montrent des êtres en action. *J'aime les films d'aventures.*

● Mot de la même famille : **filmer**.

une bobine de **film**

## filmer verbe

Filmer, c'est enregistrer des images sur un film avec une caméra. *Papi nous a filmés pendant le match.*

## fils nom masculin

Un **fils** est un enfant de sexe masculin. *Madame Arlot a un fils.*

Synonyme : **garçon**.

🔍 Dans « fils », il y a un *l* qu'on ne prononce pas.

→ Cherche **fille**.

☛ Va voir « la famille », page 273.

**filtre** nom masculin

Un **filtre** à café est un objet en papier ou en tissu qui laisse passer l'eau et qui retient la poudre de café.

→ Cherche **passoire**.

**1. fin** nom féminin

La **fin** est le moment où quelque chose finit. *J'ai regardé le match jusqu'à la fin.* Contraires : commencement, début.

🔍 Ne confonds pas « fin » et « avoir faim ».

● Mots de la même famille : **final, finale, finalement, finaliste, finir.**

**2. fin, fine** adjectif

Un objet **fin**, une matière **fine** ont très peu d'épaisseur. *On a coupé le saucisson en tranches fines.* Contraire : épais. *On met du sel fin sur les frites.* Contraire : gros. *Le héron a les pattes fines.* Synonyme : mince.

**final, finale** adjectif

Un **point final** marque la fin d'un paragraphe, d'un texte. *J'ai terminé ma lettre par un point final.*

🔍 Au masculin pluriel, on écrit *finals* ou *finaux*.

**finale** nom féminin

La **finale** d'une compétition est le dernier match, celui qui désigne le champion. *En 1998, l'équipe de France a gagné la finale de la Coupe du monde de football.*

→ Cherche **demi-finale**.

**finalement** adverbe

**Finalement** signifie : pour finir. *Nous t'avons attendu un long moment et finalement, nous sommes rentrés.*

**finaliste** nom masculin et nom féminin

Un **finaliste** est un joueur qui joue la finale d'une compétition.

**finir** verbe

❶ **Finir**, c'est prendre fin, arriver à la fin. *Le film finit bientôt.* Synonymes : s'achever, se terminer. Contraire : commencer.

❷ **Finir**, c'est faire complètement. *J'ai fini de lire mon livre.* Synonymes : achever, terminer. Contraires : commencer, débuter.

**fixe** adjectif

❶ Un siège **fixe** est attaché et ne peut pas être déplacé. Contraire : mobile.

❷ Un regard **fixe** ne bouge pas. Synonyme : immobile.

● Mot de la même famille : **fixer**.

**fixer** verbe

❶ **Fixer** un objet, c'est l'attacher ou le faire tenir. *Papi fixe un tableau au mur.* Synonymes : accrocher, clouer.

❷ **Fixer** du regard, c'est regarder sans bouger les yeux. *Zoé me fixe du regard depuis cinq minutes.*

**flacon** nom masculin

Un **flacon** est une petite bouteille qui contient du parfum ou un médicament.

**flair** nom masculin

Le **flair** est l'odorat des animaux. *Les chiens ont un bon flair.*

● Mot de la même famille : **flairer**.

a b c d e f g h i j k l m n o p q r s t u v w x y z

A
B
C
D
E
F
G
H
I
J
K
L
M
N
O
P
Q
R
S

**flairer** verbe

Pour un animal, **flairer**, c'est sentir, pour découvrir quelque chose.

Filou **flaire** les traces du gibier.

**flamant** nom masculin

Un **flamant** est un grand oiseau qui a de longues pattes et des plumes blanches ou roses. *Les* **flamants** *vivent au bord de l'eau.*

**flambeau** nom masculin

Un **flambeau** est un long bâton enflammé à un bout pour faire de la lumière. *Des* **flambeaux** *éclairaient la piste de ski.* Synonyme : torche.

🔍 Le son [ɑ̃] s'écrit *am* devant un *b*. Au pluriel, on écrit *des flambeaux*.

des **flamants**

**flamber** verbe

**Flamber**, c'est brûler avec de grandes flammes. *Les bûches* **flambent** *dans la cheminée.*

🔍 Le son [ɑ̃] s'écrit *am* devant un *b*.
● Mot de la même famille : **flambeau**.

**flamme** nom féminin

Une **flamme**, c'est ce qui jaillit d'une matière qui brûle. *Je regarde la* **flamme** *de la bougie.*

🔍 Il y a deux *m*.

**flan** nom masculin

Un **flan** est un dessert fait d'une crème cuite.

🔍 Ne confonds pas « flan » et « le flanc », le côté.

**flanc** nom masculin

Le **flanc**, c'est le côté du corps. *Le chien est couché sur le* **flanc**.

🔍 Ce mot se termine par un c qu'on ne prononce pas. Ne confonds pas « flanc » et « un flan », un dessert.

**flâner** verbe

**Flâner**, c'est se promener sans savoir où l'on va. *Le dimanche, nous* **flânons** *dans les rues.*

🔍 Le a prend un accent circonflexe.

**flaque** nom féminin

Une **flaque** d'eau est une petite mare qui se forme sur le sol. *Ne saute pas dans les* **flaques** *d'eau.*

**flash** nom masculin

Un **flash** est un petit appareil qui produit un éclair très vif et qui permet de prendre des photos dans un endroit sombre.

🔍 Ce mot se termine par *sh*.

### flèche nom féminin
❶ Une **flèche** est une longue tige de bois qui a une pointe à un bout. C'est un projectile que l'on tire avec un arc.
❷ Une **flèche** est un dessin qui indique une direction. *La sortie du cinéma est indiquée par une flèche.*
● Mot de la même famille : **fléchette**.

un jeu de **fléchettes**

### fléchette nom féminin
Une **fléchette** est une petite flèche que l'on lance à la main sur une cible.

### se flétrir verbe
Quand une fleur **se flétrit**, elle perd ses couleurs et sèche. Synonyme : **se faner**.

### fleur nom féminin
Une **fleur** est la partie d'une plante qui est souvent colorée et parfumée. *Le muguet est une fleur des bois. La marguerite est une fleur des champs.*
● Mots de la même famille : **fleurir, fleuriste, flore**.

### fleurir verbe
Fleurir, c'est être en fleur. *Les jonquilles fleurissent au printemps.*

### fleuriste nom masculin et nom féminin
Un **fleuriste**, une **fleuriste** sont des personnes qui vendent des fleurs et des plantes. C'est un nom de métier.

### fleuve nom masculin
Un **fleuve** est un cours d'eau qui se jette dans la mer. *Le Nil, la Seine, le Saint-Laurent sont des fleuves.*
➜ Cherche **rivière**.

## Les fleurs

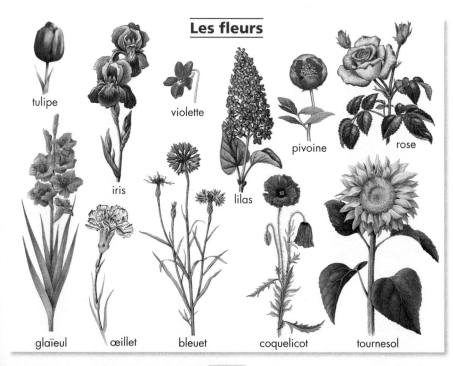

tulipe

violette

iris

glaïeul

œillet

bleuet

lilas

pivoine

rose

coquelicot

tournesol

A
B
C
D
E
F
G
H
I
J
K
L
M
N
O
P
Q
R
S
T
U
V
W
X
Y
Z

**flocon** nom masculin

❶ Un **flocon** de neige est un petit morceau de neige qui tombe des nuages. *Le petit chien essayait d'attraper les flocons de neige.*

❷ Les **flocons d'avoine** sont des morceaux d'avoine très fins et très légers. *Clara met des flocons d'avoine dans son lait.*

**flore** nom féminin

La **flore**, c'est l'ensemble des plantes. *Nous avons étudié la flore des Alpes.*

→ Cherche **faune**.

**flot** nom masculin

❶ Les **flots**, ce sont les eaux de la mer. *Les bateaux naviguent sur les flots.*

❷ Un **flot** est une grande quantité. *Elle a versé des flots de larmes.*

● Mot de la même famille : **flotter**.

**flotter** verbe

Flotter, c'est rester à la surface de l'eau. *Ne crains rien, avec une bouée, tu vas flotter.* Contraire : **couler**.

Le bateau et le morceau de bois **flottent**.

**flou, floue** adjectif

Une photo **floue** est une photo où l'on ne voit pas nettement les formes *Si vous bougez, la photo sera floue* Contraire : **net**.

🔎 Au pluriel, on écrit *flous, floues*.

**fluide** adjectif

Une sauce, une crème **fluide** coule facilement. *Ma pâte à crêpes est fluide.* Contraire : **épais**.

**flûte** nom féminin

Une **flûte** est un instrument de musique en bois ou en métal formé d'un tube percé de trous. *On souffle dans une flûte et on bouche les trous avec ses doigts.*

▶ Un joueur, une joueuse de flûte sont des **flûtistes**.

☞ Va voir « les instruments de musique », page 355.

**fœtus** nom masculin

Un **fœtus** est un enfant ou un animal qui est encore dans le ventre de sa mère.

🔎 On prononce [fetys].

**foi** nom féminin

Avoir la **foi**, c'est croire en Dieu.

🔎 Ne confonds pas « la foi » avec « le foie » ou « une fois ».

Paul joue de la **flûte**.

**foie** nom masculin

❶ Le **foie** est un organe situé dans le haut du ventre. Il joue un rôle important dans la digestion.

❷ Le **foie gras** est le foie d'un canard ou d'une oie que l'on a engraissés.

🔎 « Foie » est un nom masculin qui se termine par un *e*. Ne confonds pas « le foie » avec « la foi » ou « une fois ».

**foin** nom masculin

Le **foin** est l'herbe fauchée et séchée qui sert de nourriture au bétail pendant l'hiver.

**foire** nom féminin

❶ Une **foire** est un grand marché où les agriculteurs vendent leurs produits ou leurs animaux.

❷ Une **foire** est une fête en plein air avec des stands et des attractions. *J'ai gagné un ours en peluche à la foire.* Synonyme : **fête foraine.**

**fois** nom féminin

❶ Le mot **fois** indique qu'une chose se répète. *J'ai fait trois fois le tour de la cour.*

❷ Le mot **fois** indique la multiplication. *Deux fois deux font quatre.*

❸ À la **fois** signifie : en même temps. *Les enfants parlaient tous à la fois.*

❹ Il était une **fois** signifie : il y avait un jour. *Il était une fois un pauvre bûcheron...*

🔎 Ne confonds pas « une fois » avec « la foi » ou « le foie ».

**folie** nom féminin

❶ La **folie** est une maladie du cerveau qui empêche de contrôler ses gestes et ses paroles.

❷ C'est de la **folie** veut dire : ce n'est pas raisonnable, c'est dangereux. *C'est de la folie de rouler à cette vitesse !*

**folle** → **fou**

**foncé, foncée** adjectif

Une couleur **foncée** est une couleur proche du noir. *J'ai peint la forêt en vert foncé.* Synonyme : **sombre.** Contraire : **clair.**

**foncer** verbe

**Foncer sur** une personne, une chose, c'est se diriger vers elle à toute vitesse. *J'ai eu peur quand j'ai vu une voiture foncer sur nous.*

**fonction** nom féminin

La **fonction** d'une chose, c'est le rôle qu'elle joue dans un ensemble. *Quelle est la fonction de l'estomac ?*

● Mots de la même famille : fonctionnement, fonctionner.

**fonctionnement** nom masculin

Le **fonctionnement** d'un appareil, c'est la manière dont il fonctionne, dont on s'en sert. *Explique-moi le fonctionnement d'un ordinateur.*

**fonctionner** verbe

**Fonctionner**, c'est être en état de marche. *L'ascenseur fonctionne de nouveau.* Synonyme : **marcher.**

**fond** nom masculin

❶ Le **fond** d'un objet, c'est sa partie inférieure. *J'ai brûlé le fond de la casserole.*

❷ Le **fond** d'un endroit, c'est la partie la plus éloignée de l'entrée. *Ma chambre est au fond du couloir.*

❸ Faire quelque chose **à fond**, c'est le faire jusqu'au bout, complètement. *Marie a rangé sa chambre à fond.*

a b c d e f g h i j k l m n o p q r s t u v w x y z

A
B
C
D
E
F
G
H
I
J
K
L
M
N
O
P
Q
R
S
T
U
V
W
X
Y
Z

## fondre verbe

❶ **Fondre**, c'est devenir liquide à la chaleur. *Le chocolat fond au soleil.*
❷ Quand le sel ou le sucre **fond** dans l'eau, il se mélange à l'eau et disparaît.
● Mot de la même famille : **fonte**.

La glace **a fondu** !

## fontaine nom féminin

Une **fontaine** est une petite construction avec un bassin où coule l'eau.

## fonte nom féminin

La **fonte des neiges**, c'est la transformation de la neige en eau. *La fonte des neiges a lieu au printemps.* **Synonyme** : dégel. **Contraire** : gel.

## football nom masculin

Le **football** est un sport d'équipe. Les onze joueurs d'une équipe doivent envoyer un ballon dans les buts de l'autre équipe, avec le pied.
▶ Un joueur de football est un **footballeur**, une joueuse est une **footballeuse**.
🔍 Ce mot vient de l'anglais. Il s'écrit avec deux *o* et deux *l*. L'abréviation courante de « football » est « foot ».

## forain, foraine adjectif

Une **fête foraine** est une fête en plein air avec des stands et des attractions. *Nous avons fait des tours de manège à la fête foraine.*

## force nom féminin

❶ Avoir de la **force**, c'est pouvoir faire de grands efforts. *Il faut avoir de la force pour déplacer un piano !*
❷ Être de la même **force**, c'est être du même niveau qu'une autre personne. *Léo et Adrien ne sont pas de la même force aux fléchettes.*
❸ À **force de** signifie : en répétant son effort. *À force de crier, je n'ai plus de voix.*

## forcément adverbe

**Forcément** signifie : obligatoirement. *Quand on arrive dans une nouvelle école, on est forcément intimidé.*

## forcer verbe

❶ **Forcer** quelqu'un, c'est l'obliger à faire quelque chose. *L'orage nous a forcés à rentrer.*
❷ **Forcer** une serrure ou une porte, c'est l'ouvrir par la force.

## forêt nom féminin

Une **forêt** est un lieu couvert d'arbres. C'est un grand bois. *En automne, on peut cueillir des champignons dans la forêt.*
🔍 Le e prend un accent circonflexe.
☛ Va voir la planche illustrée ❷

## forgeron nom masculin

Un **forgeron** est une personne qui fabrique des objets en fer. Il chauffe le fer et le travaille à chaud à coups de marteau. C'est un métier qui a presque disparu en France.

**format** nom masculin

Le **format**, c'est la dimension d'un papier ou d'un livre. *J'ai acheté des enveloppes de grand format.*

**forme** nom féminin

❶ La **forme**, c'est le contour, l'aspect d'une chose ou d'une personne. *Mon visage a une forme ovale.*

❷ Une **forme**, c'est l'aspect que prend un mot. « Chantons » est une **forme** du verbe « chanter ».

❸ Être **en forme**, c'est se sentir bien et plein d'énergie.

● Mot de la même famille : **former**.

☞ Va voir « les couleurs et les formes », page 171.

Un **forgeron** au travail.

**former** verbe

❶ **Former**, c'est donner une certaine forme à quelque chose. *Formez bien vos lettres !*

❷ **Former** un groupe, c'est le faire, le créer. *Nous avons formé deux équipes.*

❸ Quand une chose **se forme**, elle apparaît. *Une flaque d'eau s'est formée devant la maison.*

**formidable** adjectif

Une chose **formidable** est excellente. *Nous avons passé des vacances formidables.*

Synonyme : **extraordinaire**.

**formule** nom féminin

❶ Une **formule** est un mot ou une suite de mots que l'on prononce dans certaines occasions. *« Abracadabra » est une formule magique.*

❷ La **formule 1** est une catégorie de voitures de course.

**1. fort, forte** adjectif

❶ Être **fort**, c'est avoir de la force. *Les sportifs qui soulèvent des haltères sont très forts.* Contraire : **faible**.

❷ Être **fort** en quelque chose, c'est bien réussir. *Je suis fort en orthographe.*

Synonyme : **bon**. Contraires : **faible**, **mauvais**.

● Mot de la même famille : **force**.

Julien est **fort**.

**2. fort** adverbe

Taper **fort**, c'est taper avec une grande force. Parler **fort**, c'est parler d'une voix forte. Contraire : **doucement**.

**fortune** nom féminin

Avoir de la **fortune**, c'est avoir beaucoup d'argent, être riche.

a b c d e f g h i j k l m n o p q r s t u v w x y z

A
B
C
D
E
F
G
H
I
J
K
L
M
N
O
P
Q
R
S
T
U
V
W
X
Y
Z

**fossé** nom masculin

Un **fossé** est un creux situé le long d'une route pour que l'eau s'écoule.

**fossette** nom féminin

Une **fossette** est un petit creux naturel que l'on a parfois à certains endroits du corps. *Élise a deux fossettes sur la joue.*

☛ Va voir « le corps », page 167.

**fou** adjectif masculin
**folle** adjectif féminin

❶ Être **fou**, être **folle**, c'est avoir perdu la raison, ne plus contrôler ses actes et ses paroles.

❷ Être **fou de joie**, c'est être très joyeux. *Rémi est fou de joie d'avoir gagné le match.*

❸ On dit qu'il y a un **monde fou** quand il y a énormément de monde.

❹ Un **fou rire** est un rire que l'on ne peut pas arrêter.

🔍 Au pluriel, on écrit *fous, folles.*

**foudre** nom féminin

La **foudre** est de l'électricité contenue dans l'air quand il y a de l'orage et qui tombe sur terre en faisant des zigzags. *La foudre est attirée par les objets élevés et pointus.*

➜ Cherche **éclair** et **tonnerre**.

**fouet** nom masculin

Un **fouet** est une lanière de cuir attachée à un manche. On l'utilise pour donner des coups et dresser les animaux. *Le dompteur fait claquer son fouet.*

● Mot de la même famille : **fouetter.**

**fouetter** verbe

Fouetter, c'est donner des coups de fouet.

🔍 Il y a deux *t.*

**fougère** nom féminin

Les **fougères** sont des plantes sans fleurs qui ont des feuilles très découpées et qui poussent dans les bois.

des **fougères**

**fouiller** verbe

Fouiller, c'est chercher avec soin dans un endroit. *Je n'ai pas retrouvé ma montre, et pourtant j'ai fouillé dans toute la maison.*

**fouillis** nom masculin

Le **fouillis** est un grand désordre. *Quel fouillis dans ma chambre !*

🔍 Ce mot se termine par un *s.*

**foulard** nom masculin

Un **foulard** est un morceau de tissu léger que l'on met autour du cou ou sur la tête.

**foule** nom féminin

La **foule** est un grand nombre de personnes rassemblées. *Après le match, la foule s'est dispersée.*

**fouler** verbe

Se **fouler** la cheville, s'est se la tordre, se faire une entorse.

Léo a peur de se perdre
dans la **foule**.

**four** nom masculin

Un **four** est un appareil fermé par une porte, qui sert à cuire ou à chauffer les aliments. *Il existe des **fours** électriques, des **fours** à gaz et des **fours** à micro-ondes.*

**fourche** nom féminin

Une **fourche** est un outil qui a plusieurs dents en métal et un long manche. *Le fermier remue le foin avec une fourche.*

● Mots de la même famille : **fourchette**, **fourchu**.

**fourchette** nom féminin

Une **fourchette** est un couvert qui a des dents et un manche et qui sert à piquer les aliments.

**fourchu, fourchue** adjectif

Une chose **fourchue** se divise comme une fourche. *Les hirondelles ont une queue fourchue.*

**fourmi** nom féminin

❶ Une **fourmi** est un insecte noir ou rouge qui vit en groupe dans une fourmilière.

❷ **Avoir des fourmis**, c'est avoir les jambes ou les bras qui picotent.

● Mot de la même famille : **fourmilière**.

des **fourmis**

**fourmilière** nom féminin

❶ Une **fourmilière** est un endroit où les fourmis ont creusé la terre et où elles vivent. *Les **fourmilières** sont formées de galeries à plusieurs étages.*

❷ Une **fourmilière** est un groupe de fourmis.

**fournir** verbe

❶ **Fournir** des choses, c'est donner ce qui est nécessaire à quelqu'un, à un groupe. *L'école **fournit** les manuels aux élèves.*

❷ **Fournir** un effort, c'est faire un effort.

● Mot de la même famille : **fournitures**.

**fournitures** nom féminin pluriel

Les **fournitures** scolaires sont les objets utilisés par les écoliers, comme les stylos, les trousses, les cahiers. *À la rentrée, nous achetons des **fournitures**.*

**fourrage** nom masculin

Le **fourrage**, c'est l'ensemble des plantes que l'on donne à manger au bétail.

## 1. **fourré** nom masculin

Un **fourré** est un groupe d'arbustes et de broussailles très serrés. Synonyme : **buisson**.

Le faon est caché dans un **fourré**.

## 2. **fourré, fourrée** adjectif

❶ Un vêtement **fourré**, une chaussure **fourrée** sont doublés de fourrure. *En hiver, je mets des gants fourrés.*

❷ Un gâteau **fourré** à la crème est un gâteau rempli de crème.

● Mot de la même famille : **fourrure**.

## **fourrière** nom féminin

La **fourrière** est l'endroit où sont conduits les chiens et les chats abandonnés ou les véhicules mal garés.

## **fourrure** nom féminin

La **fourrure** est le poil épais de certains animaux. *La fourrure protège les animaux du froid.* Synonyme : **pelage**.

## **foyer** nom masculin

Le **foyer** est la maison, l'endroit où vit une famille.

## **fracas** nom masculin

Un **fracas** est un bruit très fort. *L'arbre s'est écroulé dans un grand fracas.* Synonyme : **vacarme**.

🔎 Ce mot se termine par un *s*.

## **fracture** nom féminin

Une **fracture** est une blessure qu'on se fait en se cassant un os. *Adrien a une fracture du bras.*

## **fragile** adjectif

❶ Un objet **fragile** se casse facilement. *Les verres en cristal sont fragiles.* Contraires : **résistant, robuste, solide.**

❷ Une personne **fragile** est souvent malade, a une santé délicate. *Mon frère est un enfant fragile.* Contraires : **résistant, robuste.**

## **fraîcheur** nom féminin

❶ La **fraîcheur** est la température fraîche, l'air frais. *Allons sous les arbres pour avoir un peu de fraîcheur.* Contraire : **chaleur.**

❷ La **fraîcheur** est la qualité d'un produit frais. *Regarde sur la boîte quelle est la date limite de fraîcheur des œufs.*

🔎 Le *i* prend un accent circonflexe.

## 1. **frais** adjectif masculin
##    **fraîche** adjectif féminin

❶ De l'eau **fraîche**, c'est de l'eau un peu froide. Contraire : **tiède.**

❷ Du pain **frais**, c'est du pain qui vient d'être fait. Contraire : **rassis.**

🔎 Au féminin, le *i* prend un accent circonflexe.

● Mot de la même famille : **fraîcheur**.

## 2. **frais** nom masculin pluriel

Les **frais**, c'est l'argent que l'on dépense pour quelque chose. *Mes parents ont eu beaucoup de frais pour l'entretien de la voiture.* Synonyme : **dépenses.**

A B C D E F G H I J K L M N O P Q R S T U V W X Y Z

**fraise** nom féminin

Une **fraise** est un petit fruit rouge.

▶ Les fraises poussent sur une plante basse, le **fraisier**.

**framboise** nom féminin

Une **framboise** est un petit fruit rouge foncé.

▶ Les framboises poussent sur un petit arbuste, le **framboisier**.

🔍 Le son [ã] s'écrit *am* devant un *b*.

**1. franc** nom masculin

Le **franc** a été la monnaie de la France, de la Belgique, de la Suisse, du Luxembourg et de quelques autres pays. Depuis le 1er janvier 2002, il a été remplacé par l'euro.

🔍 Ce mot se termine par un *c*.

→ Cherche **euro**.

**2. franc** adjectif masculin
   **franche** adjectif féminin

Une personne **franche** est une personne qui ne ment pas. *Simon a été franc avec moi.*

🔍 Au masculin, ce mot se termine par un *c*.

● Mots de la même famille : **franchement, franchise**.

**français** nom masculin

Le **français** est la langue parlée en France, en Belgique, en Suisse, au Canada et dans d'autres pays.

▶ Il y a environ 110 millions de personnes qui parlent le français dans le monde.

🔍 Le c prend une cédille.

**franchement** adverbe

**Franchement** signifie : avec franchise, sans mentir. *Raconte-moi franchement ce qui s'est passé.*

**franchir** verbe

❶ **Franchir** un obstacle, c'est sauter par-dessus ou l'escalader. *Le cerf a franchi le fossé.*

❷ **Franchir** une ligne, une frontière, c'est passer de l'autre côté. *Le coureur a franchi la ligne d'arrivée. Le bateau franchit l'écluse.*

Le cheval **franchit** l'obstacle.

**franchise** nom féminin

La **franchise** est la qualité d'une personne franche, qui ne ment pas. *Adrien m'a parlé avec franchise.*

**frange** nom féminin

Une **frange** est faite des cheveux qui recouvrent le front et font une sorte de bande. *Léa a coupé sa frange.*

**frapper** verbe

❶ **Frapper**, c'est donner un coup, des coups. *On a frappé à la porte. Au théâtre, on frappe trois coups avant de lever le rideau. On ne doit pas frapper un animal avec la main.*
Synonymes : **battre, taper**.

A B C D E F G H I J K L M N O P Q R S T U V W X Y Z

❷ **Frapper**, c'est faire une forte impression. *Adrien a vu un spectacle qui l'a frappé.* Synonyme : impressionner.

*Alice **frappe** à la porte.*

**fraternité** nom féminin

La **fraternité** est le sentiment qui existe entre des personnes qui s'aident et qui se traitent comme des frères et des sœurs. «*Liberté, Égalité, **Fraternité***» *est la devise de la République française.*

**frayeur** nom féminin

Une **frayeur** est une grande peur. *Elle a poussé un cri de **frayeur**.* Synonymes : effroi, terreur.

**fredonner** verbe

**Fredonner** un air, c'est le chanter doucement. Synonyme : chantonner.

🔍 Il y a deux *n*.

**frein** nom masculin

Le **frein** est la pédale d'une voiture ou la poignée d'un vélo qui permet de ralentir ou d'arrêter le véhicule.
● Mot de la même famille : **freiner**.

**freiner** verbe

**Freiner**, c'est arrêter un véhicule avec le frein. *Au carrefour, le conducteur a freiné.* Contraire : accélérer.

**frelon** nom masculin

Un **frelon** est une grosse guêpe.

☛ Va voir «les insectes», page 351.

**fréquent, fréquente** adjectif

Une chose **fréquente** se produit souvent. *Les chutes de neige sont **fréquentes** en altitude.* Synonyme : courant. Contraires : exceptionnel, rare.

**frère** nom masculin

Le **frère** d'une personne est un garçon qui a les mêmes parents que cette personne. *Mathis est le **frère** de Lucas.*
● Mot de la même famille : **fraternité**.

→ Cherche **sœur**.

☛ Va voir «la famille», page 273.

**frétiller** verbe

Quand un poisson **frétille**, il s'agite par de petits mouvements rapides.

**friandise** nom féminin

Les **friandises** sont les bonbons, les chocolats et tout ce qui contient du sucre. Synonyme : confiserie.

**Frigidaire** nom masculin

Un **Frigidaire** est un appareil ménager qui produit du froid et qui sert à conserver les aliments. Synonyme : réfrigérateur.

🔍 Ce mot s'écrit avec une majuscule parce que c'est un nom de marque.

**frileux, frileuse** adjectif

Une personne **frileuse** a souvent froid.

**frimousse** nom féminin

Une **frimousse** est un visage d'enfant. *Ce bébé a une jolie **frimousse**.*

## fripé, fripée adjectif
Un vêtement **fripé** est couvert de plis. *Ma robe est toute fripée.*
Synonymes : chiffonné, froissé.

## frire verbe
Frire, c'est cuire dans de l'huile bouillante. *Maman a mis les pommes de terre à frire.*
● Mot de la même famille : frite.

## frise nom féminin
Une **frise** est une bordure décorative. Elle est faite d'un ensemble de dessins, de motifs qui se répètent.

Anaïs dessine une **frise**.

## frisé, frisée adjectif
Des cheveux **frisés** sont des cheveux qui forment de petites boucles.
Synonyme : bouclé. Contraire : raide.

## frisson nom masculin
Un **frisson** est un petit tremblement. *Quand on a de la fièvre, on a souvent des frissons.*
● Mot de la même famille : frissonner.

## frissonner verbe
Frissonner, c'est avoir des frissons, des petits tremblements. *Paul frissonne quand il sort de l'eau.*
Synonyme : grelotter.

🔎 Il y a deux *s* et deux *n.*

## frite nom féminin
Les **frites** sont des pommes de terre coupées en longs morceaux et que l'on fait frire. *J'ai mangé un bifteck avec des frites.*

## 1. froid, froide adjectif
❶ Ce qui est **froid** a une température peu élevée. *Paul prend une douche froide.* Contraire : chaud.
❷ Un repas **froid** est fait d'aliments crus ou que l'on a fait refroidir. Contraire : chaud.

## 2. froid nom masculin
Le **froid**, c'est la température basse. *Je ne sors pas par ce froid.* Contraire : chaleur. Avoir froid, c'est éprouver une sensation de froid. Contraire : avoir chaud. Prendre froid, c'est s'enrhumer.

## froissé, froissée adjectif
Un vêtement **froissé** est couvert de plis. *Ton pantalon est tout froissé.*
Synonymes : chiffonné, fripé.

## frôler verbe
Frôler une personne, une chose, c'est passer très près, en la touchant à peine. *J'ai frôlé un passant dans la rue.*

🔎 Le *o* prend un accent circonflexe.

## fromage nom masculin
Le **fromage** est un aliment fait avec du lait de vache, de brebis ou de chèvre. *Le camembert, le gruyère, le roquefort sont des fromages.*

## froncer verbe
Froncer les sourcils, c'est les rapprocher en formant des plis sur le front. *Quand papa fronce les sourcils, je sais qu'il est fâché.*

a b c d e f g h i j k l m n o p q r s t u v w x y z

A
B
C
D
E
F
G
H
I
J
K
L
M
N
O
P
Q
R
S
T
U
V
W
X
Y
Z

**front nom masculin**

Le **front** est le haut du visage, au-dessus des sourcils.

**frontière nom féminin**

Une **frontière** est la limite qui sépare deux pays. *À la frontière, les douaniers contrôlent les bagages.*

**frotter verbe**

Frotter, c'est passer une chose sur une autre en appuyant. *Je frotte mes genoux avec un gant de toilette. Le chien se frotte contre le mur.*

**frousse nom féminin**

La **frousse**, c'est la peur. *Dans le noir, j'ai la frousse.*

🔍 C'est un mot familier.

**fruit nom masculin**

❶ Un **fruit** est la partie d'une plante ou d'un arbre qui contient les graines. Il provient de la fleur. *Les fraises, les pêches, les ananas sont des fruits.*

❷ Les **fruits de mer** sont les crustacés et les coquillages. *Les homards, les huîtres sont des fruits de mer.*

● Mots de la même famille : fruité, fruitier.

**fruité, fruitée adjectif**

Un aliment **fruité** a un goût de fruit. *L'huile d'olive a un goût fruité.*

**fruitier, fruitière adjectif**

Un arbre **fruitier** est un arbre qui donne des fruits comestibles. *Les pommiers, les abricotiers, les cerisiers sont des arbres fruitiers.*

**fuir verbe**

❶ Fuir, c'est s'éloigner très vite pour échapper à quelqu'un ou à quelque chose. *Mon chien est très bizarre, il fuit quand on l'appelle.* Synonymes : s'enfuir, se sauver.

**Les fruits**

bananes

fraises

pomme

pêche

orange

cerises

figue

kiwi

raisin

ananas

melon

noix

poire

une **fusée**

❷ **Fuir**, c'est laisser échapper un liquide ou un gaz. *Le robinet de la baignoire fuit.*

● Mot de la même famille : **fuite**.

### fuite nom féminin

❶ La **fuite**, c'est l'action de fuir, de se sauver. *Les cambrioleurs ont pris la fuite.*

❷ Une **fuite** se produit lorsqu'un liquide ou un gaz s'échappe. *Je sens une odeur de gaz, il doit y avoir une fuite.*

### fumée nom féminin

La **fumée** est un nuage qui s'échappe d'une matière qui brûle.

### fumer verbe

❶ **Fumer**, c'est faire de la fumée en brûlant. *Le feu n'est pas éteint, les cendres fument encore.*

❷ **Fumer** une cigarette, un cigare, une pipe, c'est aspirer puis rejeter la fumée.

*Merci de ne pas fumer, car cela nous gêne beaucoup.*

● Mots de la même famille : **fumée**, **fumeur**.

### fumeur nom masculin
### fumeuse nom féminin

Un **fumeur**, une **fumeuse** sont des personnes qui fument. *Ma mère est une ancienne fumeuse.*

### funambule nom masculin et nom féminin

Un **funambule**, une **funambule** sont des acrobates qui marchent et qui dansent sur une corde tendue au-dessus du sol.

🔍 Le son [ɑ̃] s'écrit *am* devant un *b*.

Le **funambule** fait son numéro.

### furet nom masculin

Un **furet** est un petit mammifère qui a un pelage brun ou blanc et des yeux rouges.

### furieux, furieuse adjectif

Être **furieux**, c'est être très en colère. *Marion est furieuse contre son frère.*

### fusée nom féminin

❶ Une **fusée** est un engin qui transporte un satellite, des hommes ou du matériel, à grande vitesse dans l'espace.

a
b
c
d
e
f
g
h
i
j
k
l
m
n
o
p
q
r
s
t
u
v
w
x
y
z

❷ Une **fusée** est une sorte de tube rempli de poudre que l'on envoie dans l'air quand on fait un feu d'artifice.

→ Cherche **satellite**.

**fusil** nom masculin
Un **fusil** est une arme à feu qui a un canon long. *Le chasseur a pris son fusil.*

🔍 Ce mot se termine par un *l* qu'on ne prononce pas.

● Mots de la même famille : **fusillade, fusiller**.

→ Cherche **carabine**.

**fusillade** nom féminin
Une **fusillade** est une suite de coups de fusil.

**fusiller** verbe
**Fusiller** une personne condamnée à mort, c'est la tuer à coups de fusil.

**futé, futée** adjectif
Une personne **futée** est intelligente et rusée. Synonymes : **astucieux, débrouillard, malin**.

🔍 C'est un mot familier.

**1. futur, future** adjectif
Les siècles **futurs** sont les siècles qui viendront après le siècle présent. Contraires : **passé, présent**.

**2. futur** nom masculin
❶ Le **futur**, c'est ce qui se passera plus tard. *On ne peut pas connaître le futur.* Synonyme : **avenir**. Contraire : **passé**.
❷ Le **futur** est un temps que l'on emploie quand une action va avoir lieu. *Dans la phrase « Demain, j'irai chez Paul », le verbe « aller » est au futur.*

→ Cherche **imparfait, passé** et **présent**.

**gâcher** verbe

Gâcher quelque chose, c'est ne pas en prendre soin et en jeter une grande quantité. *Adrien gâche du papier quand il dessine.* Synonyme : **gaspiller**.

🔍 Le *a* prend un accent circonflexe.
● Mot de la même famille : **gâchis**.

**gâchette** nom féminin

La **gâchette** est la partie d'un fusil ou d'un pistolet qui fait partir le coup de feu quand on appuie dessus. *Le chasseur a le doigt sur la gâchette.*

🔍 Le *a* prend un accent circonflexe. On dit aussi « détente ».

**gâchis** nom masculin

Le **gâchis**, c'est l'action de gâcher, de gaspiller. *Toute cette nourriture jetée ; quel gâchis !* Synonyme : **gaspillage**.

🔍 Le *a* prend un accent circonflexe et le mot se termine par un *s*.

**gag** nom masculin

Un **gag** est une petite scène drôle dans un film ou un autre spectacle.

🔍 Ne confonds pas avec « un gage ».

**gage** nom masculin

Un **gage** est une petite épreuve amusante que l'on doit subir quand on a perdu à un jeu.

🔍 Ne confonds pas avec « un gag ».

**gagnant** nom masculin
**gagnante** nom féminin

Un **gagnant**, une **gagnante** sont des personnes qui ont gagné à un jeu, à un concours. *Les gagnants ont été applaudis.* Contraire : **perdant**.

Les **gagnants** lèvent leur coupe.

299

A
B
C
D
E
F
**G**
H
I
J
K
L
M
N
O
P
Q
R
S
T
U
V
W
X
Y
Z

**gagner** verbe

❶ **Gagner**, c'est remporter la victoire. *Notre équipe a gagné.* Contraire : **perdre**.

❷ **Gagner** un lot, c'est l'obtenir après avoir été tiré au sort. *J'ai gagné une montre à la loterie.*

❸ **Gagner** de l'argent, c'est recevoir de l'argent pour un travail. *Ma sœur gagne de l'argent en gardant des enfants.*

❹ **Gagner** du temps, de la place, c'est prendre moins de temps, moins de place. *En prenant l'avion, on gagne du temps.*

● Mot de la même famille : **gagnant**.

**gai, gaie** adjectif

❶ Une personne **gaie** est de bonne humeur. *Pierre a un caractère gai, il aime rire.* Synonyme : **joyeux**. Contraire : **triste**.

❷ Un air **gai**, une musique **gaie** mettent de bonne humeur. Contraire : **triste**.

● Mots de la même famille : **gaiement**, **gaieté**.

**gaiement** adverbe

**Gaiement** signifie : avec gaieté, dans la joie. *Les enfants parlaient gaiement.* Synonyme : **joyeusement**. Contraire : **tristement**.

🔍 Il y a un e avant le *m*.

**gaieté** nom féminin

La **gaieté**, c'est la bonne humeur, la joie. *Le visage de Pierre montre de la gaieté.* Contraire : **tristesse**.

🔍 Il y a un e avant le *t*.

**galaxie** nom féminin

Une **galaxie** est un gigantesque groupe d'étoiles. *Le Soleil est l'une des étoiles de notre galaxie qui contient des centaines de milliards d'étoiles.*

**galerie** nom féminin

Une **galerie** est un couloir souterrain. *Les mineurs travaillent dans des galeries. Les fourmis, les taupes creusent des galeries.*

**galet** nom masculin

Un **galet** est un caillou qui devient lisse et arrondi par le mouvement de l'eau.

**galette** nom féminin

Une **galette** est un gâteau rond et plat. *Dans la galette des Rois, il y a une fève.*

**galipette** nom féminin

Faire la **galipette**, c'est mettre les mains et la tête par terre, lancer les jambes en l'air et rouler sur le dos. Synonyme : **roulade**.

Les enfants font des **galipettes**.

**galop** nom masculin

Le **galop** est la vitesse la plus rapide d'un cheval. *Les chevaux sont partis au galop.*

🔍 Ce mot se termine par un *p* qu'on ne prononce pas.

● Mot de la même famille : **galoper**.

➔ Cherche **trot**.

## galoper verbe

Pour un cheval, **galoper**, c'est aller au galop, à la vitesse la plus rapide.

Le cheval **galope**.

## gambader verbe

**Gambader**, c'est courir gaiement, faire de petits bonds. *Les enfants gambadent dans le pré.*

🔎 Le son [ɑ̃] s'écrit *am* devant un *b*.

## gamelle nom féminin

Une **gamelle** est une sorte de boîte en métal qui sert à transporter de la nourriture.

## gamin nom masculin
## gamine nom féminin

Un **gamin**, une **gamine** sont des enfants.

🔎 C'est un mot familier.

## gamme nom féminin

Une **gamme** est une suite de notes de musique chantées ou jouées dans un ordre précis. *Raphaël fait des gammes au piano.*

🔎 Il y a deux *m*.

## gang nom masculin

Un **gang** est un groupe de personnes malhonnêtes qui volent ou qui tuent.

● Mot de la même famille : **gangster**.

## ganglion nom masculin

Un **ganglion** est une petite boule située sous la peau, à certains endroits du corps. *Quand on a une angine, les ganglions du cou sont enflés.*

## gangster nom masculin

Un **gangster** est un homme qui fait partie d'un gang. Synonyme : **bandit**.

## gant nom masculin

❶ Un **gant** est un vêtement qui recouvre la main et enveloppe chaque doigt.

❷ Un **gant de toilette** est une sorte de poche en tissu-éponge où l'on met la main et que l'on utilise pour se laver.

→ Cherche **moufle**.

## garage nom masculin

❶ Un **garage** est un endroit couvert qui sert d'abri aux véhicules. *Papa rentre sa voiture au garage.*

❷ Un **garage** est un atelier de mécanique pour les véhicules. *Notre voiture est en réparation dans un garage.*

● Mot de la même famille : **garagiste**.

l'intérieur d'un **garage**

A
B
C
D
E
F
**G**
H
I
J
K
L
M
N
O
P
Q
R
S
T
U
V
W
X
Y
Z

**garagiste** nom masculin et nom féminin

Un **garagiste**, une **garagiste** sont des personnes qui réparent des véhicules dans un garage. C'est un nom de métier.

**garantir** verbe

Quand un appareil **est garanti**, le vendeur le répare gratuitement pendant un certain temps, en cas de panne. *Notre ordinateur est garanti deux ans.*

🔍 Le papier qui garantit est une **garantie**.

**garçon** nom masculin

Un **garçon** est un enfant de sexe masculin. *Adrien est un garçon intelligent. Madame Charniot a trois garçons.*

🔍 Le c prend une cédille.

→ Cherche **fille** et **fils**.

**1. garde** nom masculin et nom féminin

❶ Un **garde**, une **garde** sont des personnes chargées de surveiller quelqu'un, un lieu ou de prendre soin d'une personne. *Le prisonnier a échappé à ses gardes. La garde-malade arrive à huit heures.*

❷ Un **garde du corps** est un homme chargé de protéger certaines personnes. *Le président de la République est entouré de ses gardes du corps.*

**2. garde** nom féminin

❶ La **garde**, c'est l'action de garder, de surveiller. *Maman m'a confié la garde de mon petit frère.* Synonyme : **surveillance**.

❷ Un **chien de garde** est un chien dressé pour garder un bâtiment.

❸ **Prendre garde** à quelque chose, c'est faire attention pour éviter un ennui ou un danger. *En été, prends garde aux vipères !*

**garder** verbe

❶ **Garder** une personne, c'est la surveiller, s'occuper d'elle. *Ma grande sœur garde des enfants.* **Garder** un lieu, c'est le surveiller, empêcher d'y entrer. *Le chien garde la maison.*

❷ **Garder** une chose, c'est la conserver, ne pas s'en séparer. *Léa a gardé ses jouets de bébé.* Contraires : **se débarrasser de, jeter.** *Paul garde sa montre pour dormir.* Contraires : **enlever, ôter, retirer.**

❸ **Garder un secret**, c'est ne le dire à personne.

● Mots de la même famille : **garde, garderie, gardien.**

Le chien **garde** le troupeau.

**garderie** nom féminin

Une **garderie** est un endroit où l'on garde les très jeunes enfants. *Papi emmène sa petite-fille à la garderie.*

**gardien** nom masculin
**gardienne** nom féminin

❶ Un **gardien**, une **gardienne** gardent des personnes, des animaux, des habitations ou d'autres lieux. C'est un nom de métier. *La **gardienne** de l'immeuble est serviable.*

❷ Le **gardien de but** est le joueur qui est chargé de protéger les buts de son équipe. *Le **gardien de but** a arrêté le ballon.*

## 1. gare nom féminin

Une **gare** est un endroit où les trains s'arrêtent et d'où ils partent. *Le train entre en **gare**.*

☛ Va voir la planche illustrée ❻

## 2. gare ! interjection

**Gare** à s'emploie pour menacer quelqu'un ou pour prévenir d'un danger. *Gare à toi si tu tires encore les poils du chat ! Gare aux chutes de pierres !*

## garer verbe

**Garer** un véhicule, c'est le ranger le long d'un trottoir, ou dans un garage. *Grand-mère **a garé** sa voiture en face de la maison.*

● Mots de la même famille : **garage**, **gare**.

## gaspillage nom masculin

Le **gaspillage**, c'est l'action de gaspiller, de gâcher. *Ne jette pas ces fruits, c'est du **gaspillage**.* Synonyme : **gâchis**.

## gaspiller verbe

**Gaspiller** une chose, c'est l'utiliser sans en prendre soin et en jeter une grande quantité. *Mon frère **gaspille** la peinture.* Synonyme : **gâcher**.

● Mot de la même famille : **gaspillage**.

## gâteau nom masculin

Un **gâteau** est une pâtisserie faite avec de la farine, des œufs, du sucre, du beurre.

*Un éclair est un **gâteau**. Un biscuit est un petit **gâteau** sec.*

🔍 Le premier *a* prend un accent circonflexe. Au pluriel, on écrit *des gâteaux*.

## gâter verbe

❶ **Gâter** quelqu'un, c'est lui donner beaucoup de cadeaux et de choses agréables. *Mes grands-parents m'**ont gâté** pour mon anniversaire.*

❷ **Gâter les dents**, c'est les abîmer. *Le sucre **gâte** les dents et fait des caries.*

❸ Quand le temps **se gâte**, il devient mauvais.

🔍 Le *a* prend un accent circonflexe.

## 1. gauche adjectif

La main **gauche** est située du même côté que le cœur. *Benjamin écrit de la main **gauche**.* Contraire : **droit**.

● Mot de la même famille : **gaucher**.

## 2. gauche nom féminin

La **gauche** est le côté gauche. *Pour aller à la gare, il faut tourner à **gauche**.* Contraire : **droite**.

## gaucher, gauchère adjectif

Être **gaucher**, c'est se servir surtout de sa main gauche. Contraire : **droitier**.

## gaufre nom féminin

Une **gaufre** est un gâteau cuit dans un moule rectangulaire qui fait des petits carrés sur le dessus.

● Mot de la même famille : **gaufrette**.

## gaufrette nom féminin

Une **gaufrette** est une petite gaufre, un petit gâteau sec léger et croustillant.

## gaver verbe

**Gaver** une oie, un canard, c'est leur donner beaucoup à manger pour les engraisser. *Le foie gras est le foie des oies et des canards que l'on **a gavés**.*

**gaz** nom masculin

❶ Un **gaz** est une matière invisible, ou bleue quand elle forme une couche très épaisse. Il n'a pas d'odeur. *L'air est un gaz.*

❷ Le **gaz** sert au chauffage ou à la cuisson des aliments. *Nous avons une cuisinière à gaz.*

● Mot de la même famille : **gazeux**.

**gazelle** nom féminin

Une **gazelle** est un mammifère des pays chauds qui a un pelage beige et blanc et de longues cornes. *Les gazelles peuvent courir à 100 kilomètres à l'heure.*

▶ Les gazelles sont des ruminants.

➜ Cherche **antilope**.

**gazeux, gazeuse** adjectif

L'eau **gazeuse** est de l'eau qui contient un gaz. *L'eau gazeuse pétille.*

**gazon** nom masculin

Le **gazon** est de l'herbe courte et fine que l'on tond régulièrement.

**gazouiller** verbe

Pour un oiseau, **gazouiller**, c'est faire de petits sons doux et mélodieux. *On entend les oiseaux gazouiller très tôt le matin.*

une **gazelle**

**1. géant** nom masculin
**géante** nom féminin

Un **géant**, une **géante** sont des personnes d'une taille extraordinaire. *Le géant Gulliver regardait l'armée de Lilliput défiler entre ses jambes.* Contraire : **nain**.

➜ Cherche **ogre**.

Le **géant** enjambe les montagnes.

**2. géant, géante** adjectif

Un animal, une plante, un objet **géants** sont très grands. *Au zoo, j'ai vu des tortues géantes.*
Synonyme : **gigantesque**.
Contraires : **minuscule, nain**.

**gecko** nom masculin

Un **gecko** est un grand lézard d'Asie qui a de gros yeux et qui est très bruyant.

**gel** nom masculin

Le **gel**, c'est de l'eau qui s'est transformée en glace. *Les cultures ont été abîmées par le gel.* Contraire : **dégel**.

### gelée nom féminin

**1** La **gelée**, c'est une forte baisse de température qui fait geler l'eau. *La météo annonce de fortes gelées.*

**2** La **gelée** est une sorte de confiture faite avec le jus des fruits.

### geler verbe

**1** Quand l'eau **gèle**, elle se transforme en glace.

**2** Quand **il gèle**, la température descend au-dessous de zéro degré.

● Mots de la même famille : **gel**, **gelée**.

L'eau du lac **a gelé**.

### gémir verbe

**Gémir**, c'est pousser de petits cris de douleur et se plaindre. *Le malade a gémi toute la nuit.*

● Mot de la même famille : **gémissement**.

### gémissement nom masculin

Un **gémissement** est un cri faible que pousse une personne ou un animal qui souffre. Synonyme : **plainte**.

### gênant, gênante adjectif

Une chose **gênante** gêne, dérange. *Au cinéma, le bavardage de mes voisins était très gênant.*

🔍 Le e prend un accent circonflexe.

### gencive nom féminin

La **gencive** est la chair rose qui recouvre la base des dents. *Quand on se brosse les dents trop fort, on a parfois mal aux gencives.*

### gendarme nom masculin et nom féminin

Un **gendarme**, une **gendarme** sont des militaires qui font respecter la loi. C'est un nom de métier. *Les gendarmes arrêtent les automobilistes qui roulent trop vite sur les routes.*

● Mot de la même famille : **gendarmerie**.

### gendarmerie nom féminin

La **gendarmerie** est le bâtiment où les gendarmes travaillent et habitent.

### gêne nom féminin

La **gêne**, c'est le fait d'être gêné, de se sentir mal à l'aise. *Il n'y a pas de gêne entre amis.*

🔍 Le premier e prend un accent circonflexe.

● Mots de la même famille : **gênant**, **gêner**.

un **gecko**

A
B
C
D
E
F
G
H
I
J
K
L
M
N
O
P
Q
R
S
T
U
V
W
X
Y
Z

## gêner verbe

❶ Gêner une personne, c'est lui causer une gêne, la déranger. *Vos cris me gênent pour travailler. Est-ce que la fumée vous gêne ?*

❷ Gêner une personne, c'est la mettre mal à l'aise. *Son regard me gêne.*

🔍 Le premier e prend un accent circonflexe.

## 1. général, générale adjectif

❶ Ce qui est général se rapporte à un ensemble de choses ou de personnes. *Quand Léo a fini son histoire, il y a eu un éclat de rire général.*

❷ En général signifie : presque toujours. *Nous déjeunons vers 13 heures en général.* Synonymes : d'habitude, généralement. Contraire : rarement.

🔍 Au pluriel, on écrit *généraux, générales.*

● Mot de la même famille : généralement.

## 2. général nom masculin

Un général est un militaire qui commande une armée.

🔍 Au pluriel, on écrit *des généraux.*

## généralement adverbe

Généralement signifie : le plus souvent. *Ici, la neige tombe généralement en janvier.* Synonyme : en général. Contraire : rarement.

## généreux, généreuse adjectif

Une personne généreuse donne beaucoup aux autres. Contraires : avare, égoïste.

● Mot de la même famille : générosité.

## générique nom masculin

Le générique d'un film est la liste des personnes qui ont joué dans le film et qui l'ont fait.

Tom est **généreux** avec ses camarades.

## générosité nom féminin

La générosité est la qualité d'une personne généreuse. *Grand-père nous fait souvent des cadeaux et nous le remercions pour sa générosité.* Contraire : égoïsme.

## génial, géniale adjectif

Une personne, une chose géniale montre du génie, une grande intelligence. *Mon oncle est un inventeur génial. Paul a eu une idée géniale.*

🔍 Au pluriel, on écrit *géniaux, géniales.*

## génie nom masculin

❶ Avoir du génie, c'est être très intelligent et inventer des choses nouvelles.

❷ Un génie est une personne qui a du génie, des dons extraordinaires. *Mozart était un génie.*

❸ Dans les contes, les génies sont des êtres qui ont des pouvoirs magiques. *Le génie apparut quand Aladin frotta la lampe.*

● Mot de la même famille : génial.

**génisse** nom féminin
Une **génisse** est une jeune vache.
→ Cherche **veau**.

**genou** nom masculin
❶ Le **genou** est la partie ronde qui est située entre la cuisse et la jambe et qui permet de plier la jambe.
❷ Être à **genoux**, se mettre à **genoux**, c'est poser les genoux par terre. *Yann se met à genoux pour jouer.*
Synonyme : **s'agenouiller**.

🔎 Au pluriel, on écrit *des genoux*.

**genre** nom masculin
❶ Un **genre** est une sorte de choses, de personnes. *Je n'aime pas ce genre de vêtements.*
❷ En grammaire, le **genre** d'un nom est sa terminaison qui indique s'il est masculin ou féminin. *« Avion » est un nom du genre masculin, « maison » est un nom du genre féminin .*

**gens** nom masculin pluriel
Des **gens** sont des personnes. *La rue était pleine de gens.*

**gentil, gentille** adjectif
❶ Une personne **gentille** est aimable, douce et ne se met pas en colère facilement. Synonyme : **bon**.
Contraires : **dur, méchant, sévère**.
❷ Un enfant **gentil** est sage et obéissant.
Contraires : **insupportable, odieux**.

🔎 « Gentil » se termine par un *l* qu'on ne prononce pas.
● Mots de la même famille : **gentillesse, gentiment**.

**gentillesse** nom féminin
La **gentillesse** est la qualité d'une personne gentille. *Elle a été d'une grande gentillesse avec moi.* Synonyme : **bonté**.
Contraire : **méchanceté**.

**gentiment** adverbe
**Gentiment** signifie : avec gentillesse. *Pierre m'a répondu gentiment.*
Contraire : **méchamment**.

**géographie** nom féminin
La **géographie** est l'étude de la Terre, de ses pays et de ses villes, de ses fleuves, de ses montagnes, de ses plaines, de ses déserts.

**géométrie** nom féminin
La **géométrie** est l'étude des lignes, des surfaces et des volumes.
● Mot de la même famille : **géométrique**.

**géométrique** adjectif
Une figure, une forme **géométrique** est une forme simple que l'on trace avec une règle et un compas. *Le cercle, le carré, le cylindre sont des figures géométriques.*
☞ Va voir « les couleurs et les formes », page 171.

**géranium** nom masculin
Un **géranium** est une plante à fleurs rouges, roses ou blanches.

🔎 On écrit *um* mais on prononce [ɔm], comme « homme ».

Grand-mère arrose les **géraniums**.

A
B
C
D
E
F
G
H
I
J
K
L
M
N
O
P
Q
R
S
T
U
V
W
X
Y
Z

**gercé, gercée** adjectif
Une peau **gercée** est légèrement fendue. *Quand il fait très froid, on a souvent les lèvres gercées.*

**germe** nom masculin
Le **germe** est la première pousse d'une graine qui va se développer pour former une nouvelle plante.
● Mot de la même famille : **germer.**

**germer** verbe
Quand une plante **germe**, elle commence à pousser.

La graine **a germé.**

**geste** nom masculin
Un **geste** est un mouvement que l'on fait avec les bras, les mains ou la tête. *Marion fait beaucoup de gestes en parlant.*
● Mot de la même famille : **gesticuler.**

**gesticuler** verbe
Gesticuler, c'est faire beaucoup de gestes. *Mon petit frère ne tient pas en place et n'arrête pas de gesticuler.*

**gibier** nom masculin
Le **gibier**, c'est l'ensemble des animaux que l'on chasse. *Le faisan fait partie du gibier à plume.*

**gicler** verbe
Quand un liquide **gicle**, il jaillit en éclaboussant. *L'eau a giclé de la fontaine.*

**gifle** nom féminin
Une **gifle** est un coup donné sur la joue avec la main ouverte. Synonyme : **claque.**
● Mot de la même famille : **gifler.**

**gifler** verbe
Gifler une personne, c'est lui donner une gifle.

**gigantesque** adjectif
Un animal, une plante, un objet **gigantesques** sont très grands. *En Amérique du Nord, il y a des arbres gigantesques.* Synonymes : **énorme, géant, immense.** Contraire : **minuscule.**

**gigot** nom masculin
Un **gigot** est une cuisse de mouton ou d'agneau. *Nous avons mangé du gigot à midi.*

**gigoter** verbe
Gigoter, c'est agiter sans arrêt ses bras et ses jambes. *Le bébé gigote dans son berceau.* Synonyme : **se trémousser.**

**gilet** nom masculin
❶ Un **gilet** est un vêtement de laine à manches longues qui se boutonne sur le devant.
❷ Un **gilet** est un vêtement court et sans manches. *Les hommes portent parfois un gilet sous leur veste.*

**girafe** nom féminin
Une **girafe** est un mammifère qui a un très long cou et un pelage beige avec des taches brunes. Elle vit dans les savanes d'Afrique. C'est le plus grand des animaux terrestres.
▶ Les girafes sont des ruminants. Le petit est le **girafeau** ou le **girafon.**

### giratoire adjectif

Le **sens giratoire** est le sens que les véhicules doivent suivre pour faire le tour d'un rond-point.

### girouette nom féminin

Une **girouette** est une plaque de métal qui tourne autour d'un axe et indique la direction du vent. *Les girouettes ont souvent la forme d'un coq.*

### givre nom masculin

Le **givre** est de la vapeur d'eau qui s'est transformée en une mince couche de glace. *Ce matin, il y a du givre sur le pare-brise.*

### glace nom féminin

❶ La **glace** est de l'eau qui a gelé et qui est devenue solide.

❷ Une **glace** est une crème glacée parfumée. *J'aime les glaces à la framboise.*

❸ Une **glace** est une plaque de verre qui est faite pour refléter les images. *Je me regarde dans la glace.* Synonyme : **miroir**.

● Mots de la même famille : **glacé, glacial, glacier, glaçon**.

### glacé, glacée adjectif

❶ Ce qui est **glacé** est très froid. *Je ne bois pas d'eau glacée. J'ai les pieds glacés.* Contraire : **brûlant**.

❷ Une **crème glacée** est une crème que l'on a fait geler.

❸ Des **marrons glacés** sont des marrons qui ont été recouverts d'une couche de sucre fondu.

### glacial, glaciale adjectif

Une eau **glaciale** est froide comme de la glace. Contraire : **brûlant**.

🔍 Au pluriel, on écrit *glacials, glaciales*.

### glacier nom masculin

Un **glacier** est une étendue de glace en montagne. *Dans les Alpes, il y a de nombreux glaciers.*

Il y a des crevasses dans un **glacier**.

### glaçon nom masculin

Un **glaçon** est un petit morceau de glace. *J'ai mis deux glaçons dans mon jus d'orange.*

🔍 Le c prend une cédille.

des **girafes**

a b c d e f g h i j k l m n o p q r s t

**glaïeul** nom masculin

Un **glaïeul** est une grande fleur rouge, rose ou blanche qui a une très longue tige.

🔍 Il y a un tréma sur le *i*.

☞ Va voir « les fleurs », page 285.

**gland** nom masculin

Le **gland** est le fruit marron clair du chêne. Il est contenu dans une sorte de petite coupe verte. *Les sangliers mangent des glands.*

**glissade** nom féminin

Une **glissade**, c'est l'action de se laisser glisser. *Je fais des glissades sur le parquet ciré.*

**glissant, glissante** adjectif

Une surface **glissante** est lisse et fait glisser. *Le parquet ciré est glissant.*

**glisser** verbe

❶ **Glisser**, c'est se déplacer sur une surface lisse. *Les patineurs glissent sur la piste.*

❷ **Glisser**, c'est perdre l'équilibre sur une surface glissante. *Julien a glissé sur une plaque de verglas.*
Synonyme : **déraper.**

❸ **Glisser** une chose, c'est la faire passer dans un petit espace. *Le gardien glisse le courrier sous la porte.*

● Mots de la même famille : **glissade, glissant.**

Camille **a glissé** sur le parquet ciré.

**globe** nom masculin

❶ Un **globe** est un objet en forme de boule. *La cuisine est éclairée par un globe.*

❷ Un **globe terrestre** est une boule qui représente la Terre avec ses mers, ses océans, ses pays.

🔍 Un globe terrestre est parfois appelé une **mappemonde.**

→ Cherche **sphère.**

**gloire** nom féminin

La **gloire** est une grande célébrité. *Les héros se couvrent de gloire.*

**glousser** verbe

Pour une poule, **glousser**, c'est pousser de petits cris pour appeler ses petits.

**glouton** nom masculin
**gloutonne** nom féminin

Un **glouton**, une **gloutonne** sont des personnes ou des animaux qui mangent beaucoup et très vite.

→ Cherche **goinfre.**

**gluant, gluante** adjectif

Une chose **gluante** est collante et molle. *Les escargots laissent des traces gluantes.*

**glucide** nom masculin

Les **glucides** sont les sucres contenus dans les aliments. Ils aident le corps à conserver son énergie.

→ Cherche **lipide** et **protéine.**

**gobelet** nom masculin

Un **gobelet** est un verre en métal, en carton ou en plastique.

→ Cherche **timbale.**

**godet** nom masculin

Un **godet** est un petit récipient où l'on met de l'eau pour rincer les pinceaux.

### goéland nom masculin

Un **goéland** est un gros oiseau gris et blanc qui a les pattes palmées et qui vit près des côtes. *Les goélands ressemblent à de grosses mouettes.*

un **goéland**

### goinfre nom masculin et nom féminin

Un **goinfre**, une **goinfre** sont des personnes qui mangent beaucoup. *Mon frère a mangé la moitié de la tarte, quel goinfre !* Synonyme : glouton.

🔍 C'est un mot familier.

### golf nom masculin

Le **golf** est un sport qui se joue sur une grande pelouse qui a dix-huit trous. Il faut envoyer la balle dans chaque trou en la frappant avec une canne spéciale.

🔍 Ne confonds pas avec « un golfe », au bord de la mer.

### golfe nom masculin

Un **golfe** est une partie de la mer qui avance dans la terre et qui forme une grande étendue d'eau.

🔍 Ne confonds pas avec « le golf », le sport.

### gomme nom féminin

Une **gomme** est un petit bloc de caoutchouc ou de plastique qui sert à effacer ce que l'on a écrit.

🔍 Il y a deux **m**.

● Mots de la même famille : **gommer**, **gommette**.

### gommer verbe

**Gommer**, c'est effacer quelque chose avec une gomme. *J'ai gommé un mot.*

🔍 Il y a deux **m**.

### gommette nom féminin

Les **gommettes** sont des petits morceaux de papier de toutes les formes et de toutes les couleurs que l'on mouille sur l'envers pour les coller.

▶ Le papier collant des gommettes est appelé du **papier gommé**.

🔍 Il y a deux **m** et deux **t**.

### gondole nom féminin

Une **gondole** est un bateau plat que l'on fait avancer à l'aide d'un aviron. *À Venise, on se promène sur l'eau dans des gondoles.*

▶ Une gondole est conduite par un **gondolier**.

La **gondole** glisse sur l'eau.

a b c d e f g h i j k l m n o p q r s t u v w x y z

### gonfler verbe

❶ **Gonfler** un objet, c'est le remplir d'air. *Léo gonfle sa bouée.* Contraire : **dégonfler**.

❷ Quand une partie du corps **gonfle**, elle devient plus grosse. *Je me suis tordu le pied et ma cheville a gonflé.* Synonyme : **enfler**. Contraire : **dégonfler**.

### gorge nom féminin

❶ La **gorge** est le fond de la bouche. *Quand on a une angine, on a mal à la gorge.*

❷ La **gorge** est la partie avant du cou. *Le chien a mordu le chat à la gorge.* ● Mot de la même famille : **gorgée**.

### gorgée nom féminin

Une **gorgée** est la quantité de liquide que l'on avale en une fois. *J'ai bu mon chocolat à grandes gorgées.*

### gorille nom masculin

Un **gorille** est un grand singe qui a un pelage très foncé. *Les gorilles vivent dans les forêts d'Afrique.*

▶ C'est le plus grand et le plus fort des singes. Il se nourrit de fruits et de feuilles.

un **gorille** et son petit

### gosier nom masculin

Le **gosier** est le fond de la bouche. *Élise a une arête dans le gosier.*

### gosse nom masculin et nom féminin

Un **gosse**, une **gosse** sont des enfants. 🔍 C'est un mot familier.

### goudron nom masculin

Le **goudron** est une pâte noire qui durcit en refroidissant. *La route est recouverte de goudron.*

### gouffre nom masculin

Un **gouffre** est un trou très profond dans le sol. *Le gouffre de Padirac a 75 mètres de profondeur.*

🔍 Il y a deux *f*.

Ils descendent dans le **gouffre**.

### goulot nom masculin

Le **goulot** est la partie étroite qui forme le haut d'une bouteille. *Ne bois pas au goulot, prends un verre !*

### gourde nom féminin

Une **gourde** est un récipient qui sert à transporter de la boisson. *J'ai rempli ma gourde à la fontaine.*

### 1. gourmand, gourmande adjectif

Une personne **gourmande** aime manger beaucoup de bonnes choses. ● Mot de la même famille : **gourmandise**.

## 2. gourmand nom masculin
## gourmande nom féminin

Un **gourmand**, une **gourmande** sont des personnes qui aiment manger beaucoup de bonnes choses. *Quelle gourmande, elle a mangé tout le chocolat !*

## gourmandise nom féminin

La **gourmandise** est le défaut d'un gourmand. *Léa a eu une indigestion à cause de sa gourmandise.*

## gousse nom féminin

La **gousse** des petits pois ou des haricots est l'enveloppe qui contient les graines.

## goût nom masculin

❶ Le **goût** est le sens qui permet de reconnaître ce que l'on mange et de savoir si un aliment est acide, amer, salé ou sucré.
❷ Le **goût** d'un aliment, c'est ce que l'on sent dans la bouche. *Cette sauce a un bon goût.*
❸ **Avoir du goût**, c'est savoir reconnaître les belles choses et les aimer.
❹ Les **goûts** d'une personne, ce sont les choses qui l'intéressent, ses préférences. *Mathis et Clément ont les mêmes goûts.*

🔎 Le *u* prend un accent circonflexe.
● Mot de la même famille : **goûter**.
➔ Cherche **odorat**, **ouïe**, **toucher** et **vue**.

## 1. goûter verbe

❶ **Goûter** un aliment, c'est en manger un peu pour savoir s'il est bon.
❷ **Goûter**, c'est prendre un petit repas dans l'après-midi, faire un goûter.

🔎 Le *u* prend un accent circonflexe.

## 2. goûter nom masculin

Le **goûter** est le petit repas que l'on prend dans l'après-midi. *Je prends un pain au chocolat et du lait pour mon goûter.*

🔎 Le *u* prend un accent circonflexe.

Ils prennent leur **goûter** dans la cour.

## goutte nom féminin

Une **goutte** est une petite quantité de liquide. *J'ai reçu quelques gouttes de pluie.*

🔎 Il y a deux *t*.
● Mots de la même famille : **gouttelette, gouttière**.

## gouttelette nom féminin

Une **gouttelette** est une très petite goutte.

🔎 Il y a deux fois deux *t*.

## gouttière nom féminin

Une **gouttière** est un gros tuyau ouvert qui est fixé sur le bord des toits pour recueillir l'eau de pluie.

🔎 Il y a deux *t*.

## gouvernail nom masculin

Le **gouvernail** d'un bateau est l'appareil mobile qui sert à le diriger. *Certains gouvernails ont une hélice.*

a b c d e f g h i j k l m n o p q r s t u v w x y z

A
B
C
D
E
F
G
H
I
J
K
L
M
N
O
P
Q
R
S
T
U
V
W
X
Y
Z

**gouvernante** nom féminin
Une **gouvernante** est une femme qui gardait les enfants et qui s'occupait de leur éducation.

**gouvernement** nom masculin
Le **gouvernement**, c'est l'ensemble des personnes qui dirigent un pays. *Les ministres sont les membres du gouvernement.*

**gouverner** verbe
Gouverner un pays, c'est le diriger.
● Mots de la même famille : **gouvernail**, **gouvernement**.

**grâce** nom féminin
❶ La **grâce** d'une personne, c'est la beauté qui apparaît dans sa démarche et ses mouvements. *Les danseuses ont beaucoup de grâce.*
❷ **Grâce à** signifie : avec l'aide de quelqu'un ou de quelque chose. *Maman a trouvé un emploi grâce à un ami.*
🔍 Le a prend un accent circonflexe.
● Mot de la même famille : **gracieux**.

**gracieux, gracieuse** adjectif
Un être **gracieux** a de la grâce. *Les biches sont des animaux gracieux. Audrey est une enfant souriante et gracieuse.*

**gradin** nom masculin
Les **gradins** sont des bancs placés comme les marches d'un escalier. *Au stade et au cirque, les spectateurs sont assis sur des gradins.*

**gradué, graduée** adjectif
Une règle **graduée** est marquée d'un petit trait à chaque millimètre et d'un grand trait à chaque centimètre.

**grain** nom masculin
❶ Les **grains** sont les fruits des céréales. *Je mange des grains de maïs cuit.*

❷ Des **grains de raisin** sont les petits fruits ronds qui forment une grappe.
❸ Un **grain** d'une matière est un très petit morceau. *Je sens des grains de sable dans mes chaussures.*
● Mot de la même famille : **graine**.

**graine** nom féminin
La **graine** d'une plante est la petite partie que l'on sème pour obtenir une nouvelle plante.
➜ Cherche **cotylédon** et **germe**.

**graisse** nom féminin
❶ La **graisse** est la matière grasse qui se forme sous la peau et qui protège du froid.
❷ La **graisse** est un produit gras, comme le beurre ou l'huile.

**grammaire** nom féminin
La **grammaire**, c'est l'ensemble des règles qui permettent de faire des phrases correctes.

**gramme** nom masculin
Le **gramme** est une unité de mesure des masses. *Mille grammes font un kilogramme.*
🔍 L'abréviation de « gramme » est g.
☛ Va voir « les mesures », page 443.

**1. grand, grande** adjectif
❶ Être **grand**, c'est avoir une haute taille ou des dimensions importantes. *Léo est grand pour son âge.* Contraire : **petit**. *Nous avons un grand jardin.* Synonyme : **vaste**.
❷ Un **grand** frère, une **grande** sœur sont les enfants les plus âgés d'une famille. Contraire : **petit**.
❸ Un **grand homme** est un homme célèbre, qui a réalisé des choses importantes.
● Mots de la même famille : **grandeur**, **grandir**.

## 2. grand nom masculin
### grande nom féminin

❶ Un **grand**, une **grande** sont des personnes plus âgées que soi. *Sarah est dans la classe des grands.* Contraire : petit.

❷ Les **grands** sont les adultes, les grandes personnes. *Ce soir, je me couche tard comme les grands.*

Raphaël est plus **grand** que Julie.

## grand-chose pronom

Pas **grand-chose** signifie : peu de choses, presque rien. *On n'a pas grand-chose à manger ce soir.*

🔎 Ce mot s'écrit avec un trait d'union.

## grandeur nom féminin

❶ La **grandeur** est la dimension, la taille d'une chose. *J'ai vu un appareil photo de la grandeur d'un briquet.*

❷ Un objet **grandeur** nature a les mêmes dimensions que dans la réalité.

## grandir verbe

**Grandir**, c'est devenir plus grand. Contraire : rapetisser.

## grand-mère nom féminin

La **grand-mère** d'une personne est la mère de sa mère ou la mère de son père. *La mère de ma mère est ma grand-mère maternelle.*

🔎 Ce mot s'écrit avec un trait d'union. Au pluriel, on écrit *des grands-mères.*

☛ Va voir « la famille », page 273.

## grand-père nom masculin

Le **grand-père** d'une personne est le père de sa mère ou le père de son père. *Le père de mon père est mon grand-père paternel.*

🔎 Ce mot s'écrit avec un trait d'union. Au pluriel, on écrit *des grands-pères.*

☛ Va voir « la famille », page 273.

## grands-parents nom masculin pluriel

Les **grands-parents** d'une personne sont les parents de ses parents.

🔎 Ce mot s'écrit avec un trait d'union.

☛ Va voir « la famille », page 273.

## grange nom féminin

Dans une ferme, une **grange** est un bâtiment où l'on range le foin et les récoltes.

## grappe nom féminin

Une **grappe** de fruits est un groupe de fruits qui poussent sur une même tige. *Je cueille une grappe de raisin, une grappe de groseilles.*

🔎 Il y a deux *p.*

## 1. gras, grasse adjectif

❶ Les **matières grasses** contiennent de la graisse. *Le beurre, la margarine, l'huile sont des matières grasses.*

❷ Être **gras**, c'est avoir trop de graisse. *Mon chien est devenu gras.* Synonyme : gros. Contraire : maigre.

❸ Des papiers **gras** sont tachés de graisse. *Nous jetons les papiers gras dans la poubelle.*

a b c d e f g h i j k l m n o p q r s t u v w x y z

A
B
C
D
E
F
G
H
I
J
K
L
M
N
O
P
Q
R
S
T

### 2. gras nom masculin

Le **gras** de la viande est la partie grasse. *J'aime bien le gras du jambon.*

### gratter verbe

❶ Gratter, c'est frotter avec ses ongles ou ses griffes. *Ne gratte pas tes boutons ! Le chien se gratte le cou.*

❷ Gratter, c'est frotter pour enlever une couche de matière. *Le peintre gratte la vieille peinture du mur.*

🔍 Il y a deux *t*.

### gratuit, gratuite adjectif

Une chose **gratuite** s'obtient sans qu'on la paye. *Aujourd'hui, l'entrée du musée est gratuite.* Contraire : **payant**.
● Mot de la même famille : **gratuitement**.

### gratuitement adverbe

**Gratuitement** signifie : sans payer. *Nous sommes entrés au concert gratuitement.*

### grave adjectif

❶ Ce qui est **grave** peut avoir des conséquences importantes. *Mon cousin a une grave blessure.* Contraire : **léger**. *Tu as perdu ton stylo, ce n'est pas grave.*

❷ Une voix **grave** est une voix très basse. Contraire : **aigu**.

❸ Un accent **grave** est un accent qu'on met sur le « e » pour prononcer le son [ɛ]. *Dans « très », il y a un accent grave.*
● Mot de la même famille : **gravement**.

### gravement adverbe

Être **gravement** blessé, c'est avoir des blessures importantes. Contraire : **légèrement**.

### graver verbe

Graver, c'est écrire ou dessiner en creux sur une matière dure. *Mon prénom est gravé sur ma médaille.*

### gravier nom masculin

Le **gravier**, c'est un ensemble de tout petits cailloux. *L'allée du jardin est recouverte de gravier.*

### grêle nom féminin

La **grêle** est une pluie de petits morceaux de glace.

🔍 Le premier e prend un accent circonflexe.
● Mot de la même famille : **grêlon**.

### grêlon nom masculin

Un **grêlon** est un grain de grêle.

🔍 Le e prend un accent circonflexe.

### grelot nom masculin

Un **grelot** est une boule de métal qui contient un grain de métal. Il sonne comme une clochette quand on l'agite.
● Mot de la même famille : **grelotter**.

### grelotter verbe

Grelotter, c'est trembler de froid. *Je grelottais en sortant de la piscine.* Synonyme : **frissonner**.

🔍 Il y a deux *t*.

### grenadine nom féminin

La **grenadine** est un sirop de fruits rouges.

Le chien **se gratte** l'oreille.

## grenier nom masculin

Le **grenier** est la partie d'une maison qui se trouve juste sous le toit. *On a mis les vieux meubles dans le grenier.*

## grenouille nom féminin

Une **grenouille** est un petit animal à la peau lisse, verte ou rousse. Elle vit près des mares et des étangs. *Les têtards se transforment en grenouilles.*

▶ Quand les grenouilles crient, on dit qu'elles coassent. Ce sont des **amphibiens**.

→ Cherche **crapaud**.

une **grenouille**

## grève nom féminin

Faire la **grève**, c'est s'arrêter de travailler pour obtenir quelque chose. *Les ouvriers font la grève pour avoir une augmentation de salaire.*

## gribouillage nom masculin

Un **gribouillage** est un ensemble de traits qui ne représentent rien. *Mon petit frère fait des gribouillages.*

🔎 On dit aussi « gribouillis ».

## gribouiller verbe

Gribouiller, c'est tracer des traits qui ne représentent rien. *Mon petit frère a gribouillé sur mon cahier.*

● Mot de la même famille : gribouillage.

## griffe nom féminin

Les **griffes** sont les ongles crochus et pointus de certains animaux. *Le chat rentre ses griffes.*

🔎 Il y a deux *f*.
● Mots de la même famille : griffer, griffon.

→ Cherche **serre**.

## griffer verbe

Griffer, c'est donner un coup de griffe. *Le chat d'Adrien m'a griffé la main.*
Synonyme : **égratigner**.

## griffon nom masculin

Un **griffon** est un animal fabuleux. Il a un corps de lion, une tête d'aigle et d'énormes griffes. *Dans « Alice au pays des merveilles », la reine emmène Alice voir le griffon.*

un **griffon**

## grignoter verbe

Grignoter, c'est manger en rongeant. *L'écureuil a grignoté la noisette.*

## grillade nom féminin

Une **grillade** est une tranche de viande grillée.

## grillage nom masculin

Un **grillage** est une clôture de fils métalliques qui se croisent. *Le poulailler est entouré d'un grillage.*

a b c d e f g h i j k l m n o p q r s t u v w x y z

## gronder verbe

❶ Quand le tonnerre **gronde**, on entend comme un bruit de tambour.
❷ **Gronder** quelqu'un, c'est lui faire des reproches. *Quand je fais une bêtise, mes parents me grondent.* Contraire : féliciter.

*Son père le **gronde**.*

## 1. gros, grosse adjectif

❶ Ce qui est **gros** est épais et lourd. *Aide-moi à porter la grosse branche !* Contraire : **fin**. Être **gros**, c'est avoir trop de graisse. *Mon chat est gros.* Synonyme : **gras**. Contraires : maigre, mince.
❷ Une **grosse** somme, un **gros** lot, ce sont une somme, un lot importants. *J'ai gagné le gros lot à la loterie.*
❸ Un **gros mot** est un mot grossier, qui n'est pas convenable, pas poli. Synonyme : **grossièreté**.
● Mots de la même famille : **grosseur, grossir**.

## 2. gros nom masculin
## grosse nom féminin

Un **gros**, une **grosse** sont des personnes trop grosses. *Ce n'est pas intelligent de se moquer des gros.*

## groseille nom féminin

Une **groseille** est un petit fruit rond, rouge ou blanc, qui a

un goût acide et qui pousse en grappes.
▶ Les groseilles poussent sur un petit arbre, le **groseillier**.

## grosseur nom féminin

La **grosseur** d'un objet, c'est sa taille. *Le prix des œufs varie selon leur grosseur.*

## grossier, grossière adjectif

Une personne **grossière** est très impolie. *Mon frère a été puni parce qu'il a été grossier.* Contraires : correct, poli. *Elle dit des mots grossiers.* Synonymes : gros mot, grossièreté.
● Mot de la même famille : **grossièreté**.

## grossièreté nom féminin

Une **grossièreté** est un mot grossier.

## grossir verbe

❶ **Grossir**, c'est devenir plus gros. *Mon chien a grossi.* Contraire : maigrir.
❷ **Grossir** un objet, c'est le faire paraître plus gros. *Une loupe grossit les objets.*
→ Cherche **engraisser**.

## grotte nom féminin

Une **grotte** est un grand creux dans une roche ou dans le sol. *Les hommes préhistoriques vivaient dans des grottes.* Synonyme : caverne.

*Ils explorent une **grotte**.*

A
B
C
D
E
F
G
H
I
J
K
L
M
N
O
P
Q
R
S
T

## groupe nom masculin

❶ Un **groupe** est un ensemble de personnes ou de choses rassemblées. *Le guide est entouré d'un **groupe** de touristes.* Synonyme : bande. *Un **groupe** d'immeubles va être démoli.*

❷ En grammaire, un **groupe** est un ensemble de mots organisés autour d'un mot principal. *J'ai entouré le **groupe** du nom en rouge et le **groupe** du verbe en vert.*

● Mot de la même famille : **grouper**.

## grouper verbe

**Grouper**, c'est mettre en groupe. *Nous avons **groupé** nos valises dans le hall de l'hôtel.* Synonyme : rassembler. Contraire : disperser. *Les élèves se sont **groupés** autour de la maîtresse.* Synonyme : se rassembler. Contraires : se disperser, s'éparpiller.

## grue nom féminin

Une **grue** est un engin très haut que l'on utilise sur les chantiers pour soulever et déplacer des poids très lourds.

## gruyère nom masculin

Le **gruyère** est un fromage cuit fait avec du lait de vache. Il a une pâte percée de trous.

La **grue** déplace un bloc de béton.

## guenon nom féminin

La **guenon** est la femelle du singe.

## guépard nom masculin

Un **guépard** est un mammifère carnivore d'Afrique et d'Asie. Il ressemble à une panthère mais il a un pelage clair tacheté de noir.

▶ Les guépards sont des félins. Ce sont les animaux terrestres les plus rapides. Leur vitesse peut atteindre 115 kilomètres à l'heure.

→ Cherche **félin**, **jaguar** et **léopard**.

## guêpe nom féminin

Une **guêpe** est un insecte volant qui a le corps rayé de jaune et de noir et un dard venimeux. Elle ressemble à une abeille, mais ne produit pas de miel ni de cire.

▶ Les guêpes vivent en groupes dans un **guêpier**.

→ Cherche **frelon**.

☞ Va voir « les insectes », page 351.

## guérir verbe

**Guérir**, c'est aller bien après avoir été malade. *Avec du repos et des médicaments, tu vas **guérir** vite.*

● Mot de la même famille : **guérison**.

un **guépard**
et son petit

**guérison** nom féminin
La **guérison**, c'est le fait d'être guéri.
*La* **guérison** *de Maxime a été lente.*

**guerre** nom féminin
Une **guerre** est un combat armé entre des pays ou entre des peuples. *De nombreux pays sont en* **guerre.**

**guet** nom masculin
**Faire le guet**, c'est surveiller les environs pour voir si quelqu'un approche. *Pendant le cambriolage, l'un des voleurs faisait le guet.*

**guetter** verbe
Guetter, c'est surveiller attentivement. *Le chat* **guette** *la souris. Chloé* **guette** *l'arrivée du facteur.*

🔎 Il y a deux *t*.
● Mot de la même famille : **guet.**

**gueule** nom féminin
La **gueule** est la bouche des animaux. *Le chien ouvre la* **gueule** *pour attraper la balle.*

🔎 C'est un mot grossier quand on parle des personnes.

**gui** nom masculin
Le **gui** est une plante qui reste toujours verte et qui a des petites boules blanches. Il prend racine sur le tronc de certains arbres.
➔ Cherche **houx.**

**guichet** nom masculin
Un **guichet** est une ouverture dans une vitre qui permet de parler avec un employé dans une banque, à la poste, dans une gare, un cinéma.

**guide** nom masculin et nom féminin
Un **guide**, une **guide** sont des personnes qui accompagnent ou qui font visiter. C'est un nom de métier.

*Nous avons fait l'ascension avec un* **guide** *de montagne.*
● Mot de la même famille : **guider.**

**guider** verbe
Guider une personne, c'est l'accompagner pour lui montrer le chemin ou lui faire visiter quelque chose. *Pouvez-vous nous* **guider** *jusqu'à la piscine ?*

**guidon** nom masculin
Un **guidon** est une barre en métal qui a deux poignées et que l'on tient pour diriger une bicyclette ou une moto.

**guignol** nom masculin
Le **guignol** est un théâtre de marionnettes. *Les enfants sont allés au* **guignol.**

🔎 Le héros de ce théâtre s'appelle Guignol.

une marionnette de **guignol**

**guillemets** nom masculin pluriel
Les **guillemets** « » sont des signes que l'on met avant et après un mot ou une phrase que l'on cite.

**guillotine** nom féminin
La **guillotine** est une machine qui servait à couper la tête des gens condamnés à mort.
➔ Cherche **échafaud.**

a b c d e f g h i j k l m n o p q r s t u v w x y z

A
B
C
D
E
F
G
H
I
J
K
L
M
N
O
P
Q
R
S
T
U
V
W
X
Y
Z

**guirlande** nom féminin

Une **guirlande** est une longue suite de papiers découpés, de fleurs, de petites ampoules. *À Noël, on a décoré le sapin avec des guirlandes électriques.*

**guitare** nom féminin

Une **guitare** est un instrument de musique qui a six cordes que l'on pince.

● Mot de la même famille : **guitariste**.

Ils sont au cours de **guitare**.

**guitariste** nom masculin et nom féminin

Un **guitariste**, une **guitariste** sont des musiciens qui jouent de la guitare.

**gymnase** nom masculin

Un **gymnase** est une grande salle qui est installée pour faire de la gymnastique.

🔎 Ce mot s'écrit avec un *y*.

**gymnastique** nom féminin

La **gymnastique**, c'est l'ensemble des exercices que l'on fait pour rendre son corps plus souple et ses muscles plus forts.

▶ Les sportifs qui font de la gymnastique sont des **gymnastes**.

🔎 Il y a un *y* au début du mot.

● Mot de la même famille : **gymnase**.

**gyrophare** nom masculin

Un **gyrophare** est un phare qui tourne et qui clignote. Il est placé sur le toit d'une ambulance, d'une voiture de police ou de pompiers.

🔎 Ce mot s'écrit avec un *y*.

## *ha ! interjection

Ha s'emploie quand on est surpris ou quand on rit. *Ha ! vous partez déjà ? Ha ! ha ! ha ! elle est drôle ton histoire !*

## habile adjectif

Être **habile**, c'est bien savoir se servir de ses mains, faire des gestes précis. *Élise fabrique des colliers avec de toutes petites perles : elle est très habile.* Synonyme : adroit. Contraire : maladroit.

● Mot de la même famille : habileté.

## habileté nom féminin

L'**habileté**, c'est le fait d'être habile, adroit. *Les prestidigitateurs sont très habiles.*

## s'habiller verbe

S'**habiller**, c'est mettre ses vêtements. *Aziz est assez grand pour s'habiller tout seul.* Contraire : se déshabiller.

● Mot de la même famille : habit.

## habit nom masculin

Des **habits** sont des vêtements. *Je range mes habits dans l'armoire.*

## habitant nom masculin
## habitante nom féminin

Un **habitant**, une **habitante** sont des personnes qui habitent dans un endroit. *Notre ville a plus de vingt mille habitants.*

## habitat nom masculin

❶ L'**habitat**, c'est la façon d'organiser les habitations. *Les architectes s'occupent de l'habitat.*

❷ L'**habitat** d'un animal, c'est l'endroit où il vit. *La savane est l'habitat des girafes.*

## habitation nom féminin

L'**habitation**, c'est l'endroit où les personnes habitent. *Nous cherchons une habitation plus grande.* Synonyme : logement.

## habiter verbe

**Habiter** quelque part, c'est y vivre, y avoir son logement. *Nous habitons dans un immeuble de six étages.* Synonyme : loger.

● Mots de la même famille : habitant, habitat, habitation.

### habitude nom féminin

❶ Une **habitude**, c'est une chose que l'on fait régulièrement. *J'ai l'habitude de me lever tôt.*

❷ **D'habitude** signifie : en général. *D'habitude, nous allons chez grand-mère le mardi soir.* Synonyme : **généralement**.

● Mot de la même famille : **s'habituer**.

### s'**habituer** verbe

**S'habituer** à quelque chose, c'est en prendre l'habitude. *Rémi s'est habitué à se lever tôt.*

### *hache nom féminin

Une **hache** est un outil qui a une grosse lame fixée à un manche. *Papi fend du bois avec une hache.*

### *hacher verbe

**Hacher**, c'est couper en tout petits morceaux avec un instrument tranchant. *Ma mère hache du persil.*

### *haie nom féminin

Une **haie** est une rangée d'arbustes qui forme une clôture.

Le jardinier taille la **haie**.

### *haillons nom masculin pluriel

Les **haillons** sont des vêtements vieux et déchirés.

### *haine nom féminin

La **haine** est le sentiment violent que l'on éprouve quand on déteste quelqu'un. *J'éprouve de la haine pour les gens injustes.* Contraire : **amour**.

### *haïr verbe

**Haïr** une personne, c'est la détester et lui vouloir du mal. *Elle hait celui qui a écrasé son petit chat.* Contraires : **adorer, aimer**.

🔍 Il y a un tréma sur le *i*.

● Mot de la même famille : **haine**.

### haleine nom féminin

L'**haleine** est l'air que l'on rejette par la bouche. *Le dentifrice à la menthe donne une haleine fraîche.*

### *hall nom masculin

Le **hall** d'un bâtiment ou d'une gare est la très grande salle qui sert d'entrée. *Le bureau d'accueil est dans le hall de l'hôtel.*

🔍 Ce mot vient de l'anglais : on prononce [ol].

### halogène adjectif

Une lampe **halogène** est une lampe qui a une ampoule spéciale pour donner un éclairage proche de la lumière du jour.

### *halte nom féminin

Une **halte** est un arrêt pendant une marche, un voyage. *Nous avons fait une halte au sommet de la montagne.* Synonyme : **pause**.

### haltère nom masculin

Un **haltère** est une barre avec deux boules ou deux disques lourds à chaque extrémité. *Les haltères sont très lourds à soulever.*

🔍 « Haltère » est un nom masculin qui se termine par un *e*.

## *hamac nom masculin

Un **hamac** est un tissu ou un filet que l'on suspend et dans lequel on peut s'allonger.

Théo fait la sieste dans le **hamac**.

## *hamburger nom masculin

Un **hamburger** est une sorte de sandwich fait avec un pain rond et un bifteck haché et grillé.

## *hameau nom masculin

Un **hameau** est un groupe de maisons, à la campagne, à l'écart d'un village.

🔎 Au pluriel, on écrit *des hameaux*.

## hameçon nom masculin

Un **hameçon** est un petit crochet pointu fixé au bout d'une ligne et qui sert à attraper les poissons.

🔎 Le c prend une cédille.

## *hamster nom masculin

Un **hamster** est un petit rongeur qui vit dans les champs et qui creuse des galeries. *Les hamsters entassent des graines pour l'hiver.*

## *hanche nom féminin

La **hanche** est la partie du corps où la jambe s'attache au tronc.

## *handball nom masculin

Le **handball** est un sport d'équipe. Les sept joueurs d'une équipe doivent envoyer, avec les mains, le ballon dans les buts de l'autre équipe.

▶ Un joueur de handball est un **handballeur**, une joueuse est une **handballeuse**.

🔎 On prononce [bal], comme « balle ».

## *handicapé, *handicapée adjectif

Une personne **handicapée** est une personne qui ne peut pas bouger une partie de son corps, après un accident ou dès la naissance.

## *hangar nom masculin

Un **hangar** est une construction ouverte sur les côtés, qui sert à ranger des machines et des récoltes.

## *hanneton nom masculin

Un **hanneton** est un gros insecte volant qui a des antennes. *Les hannetons vivent dans les forêts, où ils causent de gros dégâts à la végétation.*

→ Cherche **scarabée**.

des **hamsters**

a b c d e f g h i j k l m n r s t u v w

325

**\*hanté, \*hantée adjectif**

Une maison **hantée** est une maison où l'on croit qu'il y a des fantômes.

**\*haricot nom masculin**

Les **haricots** sont des plantes. On mange, en légumes, les gousses vertes et les graines.

**harmonica nom masculin**

Un **harmonica** est un petit instrument de musique. *On souffle et on aspire dans l'harmonica pour obtenir les sons.*

**\*harpe nom féminin**

Une **harpe** est un grand instrument de musique en forme de triangle avec de nombreuses cordes que l'on pince.

▶ Un joueur, une joueuse de harpe sont des **harpistes**.

☞ Va voir « les instruments de musique », page 355.

une joueuse de **harpe**

**\*harpon nom masculin**

Un **harpon** est une tige de métal pointue, avec des dents, qui sert à pêcher les gros poissons et les baleines.

**\*hasard nom masculin**

❶ Le **hasard**, c'est ce qui fait que les choses arrivent de manière imprévue. *Nous nous sommes revus par hasard.*

❷ Faire quelque chose **au hasard**, c'est le faire sans choisir, sans réfléchir. *Le prestidigitateur m'a fait tirer une carte au hasard.*

❸ Un **jeu de hasard** est un jeu où c'est la chance qui compte et pas la réflexion. *La loterie est un jeu de hasard.*

**\*hâte nom féminin**

Avoir **hâte** de faire quelque chose, c'est être pressé, impatient. *J'ai hâte de commencer le judo.*

🔎 Le a prend un accent circonflexe.

**\*hausse nom féminin**

La **hausse**, c'est le fait d'augmenter, de devenir plus important ou d'une valeur plus élevée. *On prévoit une hausse des prix.* Synonyme : augmentation. Contraires : baisse, diminution.

**\*hausser verbe**

❶ **Hausser** les sourcils, **hausser** les épaules, c'est les lever. *Léo a haussé les épaules pour montrer qu'il se moquait de ce qu'on lui disait.*

❷ **Hausser** la voix, **hausser** le ton, c'est parler plus fort, d'un ton autoritaire. *Notre instituteur doit parfois hausser la voix.*

● Mot de la même famille : hausse.

**1. \*haut, \*haute adjectif**

Ce qui est **haut** a une grande hauteur ou un niveau élevé. *Le mur du jardin est haut. La marée est haute.* Contraire : bas. *Vous pouvez parler à voix haute.* Contraire : bas.

● Mot de la même famille : hauteur.

## 2. *haut adverbe

❶ Haut signifie : à une hauteur ou à un niveau élevés. *L'avion vole haut.*
Contraire : bas.

❷ En haut signifie : au-dessus, à l'étage du dessus. *Arthur est en haut.*
Contraire : en bas.

## 3. *haut nom masculin

❶ Le haut, c'est la partie supérieure d'une chose, d'un lieu. *La valise est rangée dans le haut du placard.*
Contraire : bas. *Le haut de la montagne est enneigé.* Synonymes : cime, sommet.

❷ De haut signifie : de hauteur. *La tour a 300 mètres de haut.*

## *hauteur nom féminin

La hauteur d'une chose est sa dimension dans le sens vertical, à partir du sol. *La hauteur de la bibliothèque est de deux mètres.*

→ Cherche largeur et longueur.

## *haut-parleur nom masculin

Un haut-parleur est un appareil qui augmente le volume des sons. *À la gare, l'arrivée des trains est annoncée par les haut-parleurs.*

🔍 Ce mot s'écrit avec un trait d'union. Au pluriel, il n'y a pas de s à « haut » : on écrit *des haut-parleurs.*

## *hé ! interjection

Hé s'emploie pour appeler quelqu'un. *Hé ! toi, viens ici !*

🔍 On écrit aussi « eh ! ».

## hebdomadaire adjectif

Un magazine hebdomadaire est un magazine que l'on peut acheter chaque semaine.

→ Cherche mensuel.

## héberger verbe

Héberger une personne, c'est la loger chez soi. *Cette semaine, nous hébergeons des amis.*

## *hélas ! interjection

Hélas s'emploie quand on regrette quelque chose. *Hélas ! je n'ai pas pu voir le match !*

## hélice nom féminin

Une hélice est un objet en métal formé de sortes d'ailes qui tournent autour d'un axe. *Les hélicoptères et les bateaux à moteur ont des hélices.*

## hélicoptère nom masculin

Un hélicoptère est une sorte d'avion qui se déplace grâce à une grande hélice placée dessus. *Les hélicoptères décollent à la verticale.*

L'hélicoptère va atterrir.

## *hennir verbe

Pour un cheval, hennir, c'est pousser son cri.

## herbe nom féminin

L'herbe, c'est un ensemble de plantes vertes à fine tige qui couvrent le sol. *Les vaches broutent l'herbe du pré.*

● Mots de la même famille : herbier, herbivore.

a b c d e f g h i j k l m n o p q r s t u v w x y z

A
B
C
D
E
F
G
**H**
I
J
K
L
M
N
O
P
Q
R
S
T

**herbier** nom masculin

Un **herbier** est une collection de plantes séchées et fixées sur les feuilles d'un gros cahier. *Émilie regarde les fleurs de son* **herbier**.

**herbivore** adjectif

Les animaux **herbivores** sont les animaux qui se nourrissent d'herbe ou de feuilles. *Les bœufs et les moutons sont* **herbivores**.

→ Cherche **carnivore, omnivore** et **végétarien**.

**\*hérisson** nom masculin

Un **hérisson** est un petit mammifère nocturne au dos recouvert de piquants. *Les* **hérissons** *se mettent en boule quand ils sont en danger*.

**héritage** nom masculin

Un **héritage** est l'ensemble des choses qu'une personne laisse à sa mort. *Maman a reçu un appartement en héritage*.

**hériter** verbe

Hériter, c'est recevoir des choses après la mort d'une personne de sa famille.

un **hérisson**

*Nous* **avons hérité** *de la maison de grand-père*.

● Mots de la même famille : **héritage, héritier**.

**héritier** nom masculin
**héritière** nom féminin

Un **héritier**, une **héritière** sont des personnes qui héritent, qui reçoivent ce qu'une personne a laissé après sa mort.

**\*héron** nom masculin

Un **héron** est un grand oiseau migrateur qui a un long cou, un long bec et des pattes fines. *Les* **hérons** *se nourrissent de poissons et de grenouilles*.

**\*héros** nom masculin
**héroïne** nom féminin

❶ Un **héros**, une **héroïne** sont des personnes qui ont fait preuve d'un grand courage devant le danger. *Le pompier s'est conduit en* **héros** *quand il a sauvé un enfant des flammes*.

❷ Le **héros**, l'**héroïne** d'une histoire sont les personnages principaux. On les admire pour leurs actions et leurs qualités. *La Petite Sirène est l'***héroïne** *d'un conte d'Andersen*.

🔍 « Héros » se termine par un s. Il y a un tréma sur le *i* de « héroïne ».

**hésitation** nom féminin

L'**hésitation**, c'est l'action d'hésiter. *Avant de répondre, Zohra eut une* **hésitation**.

**hésiter** verbe

Hésiter, c'est avoir du mal à se décider. *J'***hésite** *entre une glace au chocolat et une crêpe à la confiture*.

● Mot de la même famille : **hésitation**.

**\*heu !** interjection

Heu s'emploie quand on hésite, quand on doute ou quand on est gêné. *Heu ! je crois que j'ai perdu ton livre.*

🔎 On écrit aussi « euh ! ».

**heure** nom féminin

❶ L'**heure** est une unité de mesure du temps. *Il y a vingt-quatre heures dans une journée.*

❷ **C'est l'heure** signifie : c'est le moment. *C'est l'heure de manger.*

❸ **De bonne heure** signifie : tôt. *Rachid se lève de bonne heure.* Contraire : **tard.**

❹ **Tout à l'heure** signifie : dans un moment. *Je reviendrai tout à l'heure.*

☛ Va voir « les mesures », page 443.

C'est l'**heure** d'aller
au cours de violon.

**heureusement** adverbe

**Heureusement** signifie : par chance. *J'avais perdu mes clés, mais heureusement je les ai retrouvées.* Contraire : **malheureusement.**

**heureux, heureuse** adjectif

Être **heureux**, c'est avoir de grandes joies, connaître le bonheur. *Sébastien est heureux de partir en colonie de vacances.* Contraire : **malheureux.**

● Mot de la même famille : **heureusement.**

**\*heurter** verbe

**Heurter** une personne ou un objet, c'est les toucher brutalement. *La voiture a heurté un mur.* Synonyme : **percuter.**

**hibernation** nom féminin

L'**hibernation**, c'est la période où certains animaux hibernent. *Pendant l'hibernation, le rythme du cœur et de la respiration ralentit beaucoup.*

**hiberner** verbe

Quand un animal **hiberne**, il passe l'hiver dans une sorte de sommeil où le rythme de son cœur et de sa respiration est très lent. *Les marmottes hibernent.*

● Mot de la même famille : **hibernation.**

un **héron**

A
B
C
D
E
F
G
**H**
I
J
K
L
M
N
O
P
Q
R
S
T
U
V
W
X
Y
Z

**\*hibou nom masculin**
Un **hibou** est un oiseau de proie nocturne qui ressemble à une chouette, mais qui a des plumes dressées sur chaque côté de la tête.
▶ C'est un rapace. Quand le hibou crie, on dit qu'il **hulule** ou qu'il **hue**.
🔍 Au pluriel, on écrit *des hiboux*.

des **hiboux**

**hideux, hideuse adjectif**
Une personne ou une chose **hideuse** est très laide. *Dans « Aladin et la lampe merveilleuse », le génie apparut soudain, hideux et terrifiant.*
Synonymes : affreux, horrible.
Contraires : magnifique, superbe.

**hier adverbe**
**Hier**, c'est le jour qui est venu avant aujourd'hui. *Aujourd'hui nous sommes dimanche, hier, c'était samedi.*
→ Cherche **veille**.

**\*hi-fi nom féminin**
Une chaîne **hi-fi** est un appareil qui reproduit parfaitement les sons enregistrés sur un disque ou sur une cassette.
🔍 Ce mot s'écrit avec un trait d'union.

**hippique adjectif**
Un concours **hippique** est une compétition à cheval.
🔍 Il y a deux *p*.

**hippocampe nom masculin**
Un **hippocampe** est un petit poisson de mer qui nage à la verticale. Sa tête ressemble à celle d'un cheval et sa queue est courbe. *La femelle hippocampe pond des œufs dans une poche du mâle.*
🔍 Il y a deux *p* au début du mot.
☞ Va voir « les poissons », page 530.

**hippodrome nom masculin**
Un **hippodrome** est un grand terrain réservé aux courses de chevaux.
🔍 Il y a deux *p*.

**hippopotame nom masculin**
Un **hippopotame** est un très gros mammifère herbivore qui vit dans les fleuves d'Afrique.
🔍 Il y a deux *p* au début du mot.

**hirondelle nom féminin**
Une **hirondelle** est un petit oiseau migrateur au dos noir, au ventre blanc et à la queue fourchue. *Les hirondelles se nourrissent d'insectes qu'elles attrapent en volant.*
▶ Quand l'hirondelle crie, on dit qu'elle gazouille.

**\*hisser verbe**
**Hisser** une chose, c'est la faire monter en la tirant ou en la soulevant. *Les marins hissent les voiles.*

**histoire nom féminin**
❶ L'**histoire**, c'est l'ensemble des événements importants qui se sont passés autrefois. *À l'école, nous apprenons l'histoire de France.*
❷ Une **histoire** est le récit d'un événement réel ou inventé. *Léo nous a raconté une histoire très drôle.*

## hiver nom masculin

L'hiver est la saison de l'année qui vient après l'automne et avant le printemps. Il commence le 21 ou le 22 décembre et finit le 20 ou le 21 mars.
☛ Va voir « les saisons », page 607.

## *hocher verbe

Hocher la tête, c'est la remuer de haut en bas pour montrer que l'on est d'accord ou d'un côté et de l'autre quand on n'est pas d'accord.
● Mot de la même famille : hochet.

## *hochet nom masculin

Un hochet est un petit jouet à grelots. *Le bébé agite son hochet.*

## *hockey nom masculin

Le hockey est un sport d'équipe qui se joue sur la glace ou sur le gazon.
▶ Un joueur de hockey est un **hockeyeur**, une joueuse est une **hockeyeuse**.
🔎 Ne confonds pas « hockey » avec « avoir le hoquet ».

## *hold-up nom masculin

Un hold-up est une attaque de personnes armées qui commettent un vol. *Un hold-up a été commis à la banque.*
🔎 Ce mot vient de l'anglais : il se prononce [ɔldœp]. Il s'écrit avec un trait d'union. Il n'y a pas de s au pluriel : on écrit des hold-up.

## *homard nom masculin

Un homard est un animal marin qui a une carapace bleue. Il a de grosses pinces, comme la langoustine, mais il est plus grand. *Les homards deviennent rouges quand on les fait cuire.*
☛ Va voir « les crustacés », page 183.

## homme nom masculin

❶ Un homme est un être humain. *Tous les hommes ne parlent pas la même langue.*
❷ Un homme est un adulte de sexe masculin. *Les petits garçons deviennent des hommes.*
→ Cherche femme.

## honnête adjectif

Une personne honnête respecte la morale, ne vole pas les autres, ne triche pas. Contraire : malhonnête.
🔎 Le premier e prend un accent circonflexe.
● Mots de la même famille : honnêtement, honnêteté.

## honnêtement adverbe

Honnêtement signifie : de façon honnête. *Cet homme riche a fait fortune honnêtement.*
🔎 Le premier e prend un accent circonflexe.

## honnêteté nom féminin

L'honnêteté est la qualité d'une personne honnête, qui respecte la morale. *Elle a eu l'honnêteté de rapporter le porte-monnaie à son propriétaire.*
🔎 Le premier e prend un accent circonflexe.

## honneur nom masculin

❶ L'honneur est le sentiment d'une personne qui est fière de ce qu'elle fait et qui pense mériter le respect des autres. *Autrefois, les nobles se battaient en duel pour défendre leur honneur.*

un **hippopotame** et son petit

a b c d e f g h i j k l m n o p q r s t u v w x

**❷** Faire quelque chose **en l'honneur d'**une personne, c'est le faire spécialement pour elle. *Nous avons fait une fête en l'honneur de nos nouveaux voisins.*

**\*honte nom féminin**
La **honte** est le sentiment que l'on a après avoir fait une mauvaise action ou quand on a été ridicule. *Tu devrais avoir honte d'avoir été aussi lâche.*
● Mot de la même famille : **honteux**.

**\*honteux, \*honteuse adjectif**
**❶** Être **honteux**, c'est avoir honte de ce qu'on a fait ou dit. *Je suis honteuse d'avoir désobéi.* Contraire : **fier**.
**❷** Une action **honteuse** cause de la honte. *C'est vraiment honteux d'attaquer un plus petit que soi.*

Zoé se cache, car elle est **honteuse**.

**hôpital nom masculin**
Un **hôpital** est un établissement où l'on soigne les malades et les blessés. *Grand-père s'est fait opérer à l'hôpital.*
🔍 Le *o* prend un accent circonflexe. Au pluriel, on écrit *des hôpitaux*.
● Mot de la même famille : **hospitaliser**.

**\*hoquet nom masculin**
Avoir le **hoquet**, c'est être agité de petites secousses qui soulèvent la poitrine en provoquant un bruit spécial. *Ne mange pas trop vite, tu vas avoir le hoquet !*

🔍 Ne confonds pas « hoquet » avec « le hockey », le sport.

**horaire nom masculin**
Un **horaire** est un tableau où sont indiquées les heures de départ et d'arrivée d'un moyen de transport, les heures d'ouverture et de fermeture d'un lieu. *Les horaires de trains sont affichés dans le hall de la gare.*

**horizon nom masculin**
L'**horizon** est la ligne imaginaire où le ciel semble rejoindre la terre ou la mer. *Le soleil disparaît à l'horizon.*
● Mots de la même famille : **horizontal, horizontale**.

**horizontal, horizontale adjectif**
Ce qui est **horizontal** suit la ligne de l'horizon. *La surface d'un liquide est horizontale.* Contraire : **vertical**.

🔍 Au pluriel, on écrit *horizontaux, horizontales*.

Rémi écrit sur les lignes **horizontales**.

**horizontale nom féminin**
L'**horizontale** est une ligne droite horizontale. *Étendez les bras à l'horizontale.* Contraire : **verticale**.

**horloge** nom féminin

Une **horloge** est une grande pendule. *L'horloge de la gare indique trois heures.*

**horreur** nom féminin

❶ Avoir **horreur** de quelque chose, c'est le détester. *Simon a horreur des gâteaux à la crème.* Contraire : adorer.

❷ Un film d'**horreur** est un film qui fait peur ou qui provoque du dégoût.

● Mot de la même famille : **horrible**.

**horrible** adjectif

❶ Une chose **horrible** fait horreur, provoque une très grande peur ou du dégoût. *Lucas nous a raconté une histoire horrible.* Synonymes : atroce, effroyable, épouvantable, terrifiant.

❷ Un être ou une chose **horribles** sont très laids. *Mon dessin est horrible.* Synonymes : affreux, hideux. Contraires : magnifique, splendide, superbe.

**\*hors de** préposition

**Hors de** signifie : à l'extérieur de. *Valentin nage avec la tête hors de l'eau.* Contraire : dans.

**\*hors-d'œuvre** nom masculin

Un **hors-d'œuvre** est un plat que l'on sert avant le plat principal. *Nous avons eu des crudités en hors-d'œuvre.* Synonyme : entrée.

🔎 Ce mot s'écrit avec un trait d'union. Au pluriel, il n'y a pas de s à « œuvre » : on écrit *des hors-d'œuvre*.

**hospitaliser** verbe

**Hospitaliser** une personne, c'est la faire entrer à l'hôpital pour la soigner. *Le blessé a été hospitalisé.*

**\*hot dog** nom masculin

Un **hot dog** est une sorte de sandwich qui contient une saucisse chaude.

🔎 Au pluriel, on écrit *des hot dogs*.

**hôtel** nom masculin

Un **hôtel** est un bâtiment où l'on peut louer une chambre pour une nuit ou plus.

🔎 Le o prend un accent circonflexe.

**hôtesse** nom féminin

❶ Une **hôtesse** est une femme qui renseigne et qui oriente les visiteurs dans une exposition ou une entreprise. C'est un nom de métier.

❷ Une **hôtesse de l'air** est une femme qui s'occupe des passagers d'un avion. C'est un nom de métier.

🔎 Le o prend un accent circonflexe.

**\*hotte** nom féminin

❶ Une **hotte** est une sorte de grand panier que l'on porte sur le dos à l'aide de bretelles. Elle sert à transporter des objets.

❷ Une **hotte** est un appareil situé au-dessus d'une cuisinière. Elle sert à aspirer les odeurs et les fumées.

🔎 Il y a deux t.

Le père Noël a des jouets plein sa **hotte**.

A B C D E F G **H** I J K L M N O P Q R S T U V W X Y Z

**\*hourra !** interjection

Hourra est un cri que l'on pousse pour montrer sa joie, son enthousiasme. *Hourra ! on a gagné !*

🔍 Il y a deux *r*.

**\*housse** nom féminin

Une housse est une enveloppe en tissu ou en plastique qui sert à recouvrir et à protéger un objet. *J'ai une housse de couette bleue.*

**\*houx** nom masculin

Le houx est un arbuste qui a des feuilles vertes piquantes et des petites boules rouges. *À Noël, nous avons décoré la maison avec du houx.*

🔍 Ce mot se termine par un *x*.

→ Cherche **gui**.

**\*hublot** nom masculin

Un hublot est une petite fenêtre ronde, dans un bateau ou un avion. *En avion, Tom se met toujours près du hublot.*

Le marin fait briller le **hublot**.

**huile** nom féminin

L'huile est un liquide gras que l'on utilise pour faire la cuisine ou pour graisser les moteurs.

**huître** nom féminin

Une huître est un coquillage comestible qui vit fixé aux rochers.

🔍 Le *i* prend un accent circonflexe.

☛ Va voir « les coquillages », page 135, et « les mollusques », page 452.

**1. humain, humaine** adjectif

Un être humain est un être vivant qui n'est ni un animal ni une plante. Le corps humain est le corps des hommes et des femmes.

● Mots de la même famille : humanitaire, humanité.

**2. humain** nom masculin

Un humain est un être humain : un homme, une femme ou un enfant. *Les dauphins aiment la compagnie des humains.*

**humanitaire** adjectif

Une association humanitaire est un groupe de gens qui viennent en aide à des personnes pauvres, malades, aux victimes d'une catastrophe naturelle ou d'une guerre.

**humanité** nom féminin

L'humanité est l'ensemble des êtres humains.

**humeur** nom féminin

L'humeur d'une personne est un aspect de son caractère. *Natacha est toujours de bonne humeur.*

**humide** adjectif

❶ Une chose humide est légèrement mouillée. *Mon maillot de bain est encore humide.* Contraire : sec.

❷ Une région humide est une région où il pleut beaucoup. Contraire : sec.

● Mot de la même famille : humidité.

**humidité** nom féminin

L'humidité est l'eau qui est contenue dans l'air. *L'humidité fait rouiller le fer.*

**humilier** verbe

Humilier une personne, c'est la couvrir de honte. *Elle a humilié mon petit frère en se moquant de lui devant tout le monde.*

**humour** nom masculin

Avoir de l'**humour**, c'est savoir rire des choses désagréables qui arrivent tout en prenant un air sérieux.

**\*hurlement** nom masculin

❶ Le **hurlement** est le cri du loup et de la hyène.

❷ Un **hurlement** est un grand cri. *Sarah a poussé des hurlements en voyant un rat.*

**\*hurler** verbe

❶ Pour un loup, une hyène, **hurler**, c'est pousser son cri.

❷ **Hurler**, c'est pousser de grands cris. *Léa s'est coincé les doigts dans la portière et elle a hurlé de douleur.*

● Mot de la même famille : hurlement.

Les loups **hurlent** dans la nuit.

**\*hutte** nom féminin

Une **hutte** est une petite maison faite avec des branches, de la terre et de la paille. *Dans certains pays chauds, les habitants vivent dans des huttes.*

Synonyme : **case**.

**\*hyène** nom féminin

Une **hyène** est un mammifère carnivore des pays chauds qui a un pelage gris ou roux avec des taches brunes. *Les hyènes se nourrissent d'animaux morts.*

▶ Quand la hyène crie, on dit qu'elle hurle.

🔎 Ce mot s'écrit avec un *y*. On dit « la hyène » ou « l'hyène ».

**hygiène** nom féminin

L'**hygiène** est l'ensemble des soins nécessaires pour rester propre et en bonne santé. *À la piscine, je respecte les règles d'hygiène.*

🔎 Il y a un *y* au début du mot.

● Mot de la même famille : hygiénique.

**hygiénique** adjectif

Ce qui est **hygiénique** se rapporte à la propreté du corps et à la santé. *Ma mère a acheté des rouleaux de papier hygiénique.*

**hymne** nom masculin

Un **hymne** national est un chant en l'honneur d'un pays.

🔎 Ce mot s'écrit avec un *y*.

une **hyène**

*a b c d e f g h i j k l m n o p q r s t u*

A
B
C
D
E
F
G
H
I
J
K
L
M
N
O
P
Q
R
S
T
U
V
W
X
Y
Z

## hypnotiser verbe

**Hypnotiser** une personne, c'est provoquer chez elle un état proche du sommeil en la regardant droit dans les yeux et en lui parlant.

🔍 Il y a un *y* au début du mot.

## hypocrite adjectif

Une personne **hypocrite** ne dit pas ce qu'elle pense réellement et fait semblant d'éprouver de bons sentiments. Contraire : sincère.

🔍 Il y a un *y* au début du mot.

Le fakir **a hypnotisé** le garçon.

**ibis** nom masculin
Un **ibis** est un grand oiseau au long bec recourbé et au plumage blanc et noir ou bien rouge.

🔍 Ce mot se termine par un *s* qu'on prononce.

☛ Va voir l'illustration ci-dessus.

**iceberg** nom masculin
Un **iceberg** est un énorme bloc de glace qui flotte dans les mers polaires. *Les icebergs ne sont pas formés d'eau de mer comme la banquise.*

**ici** adverbe
**Ici** signifie : à cet endroit. *N'allez pas aussi loin, venez* ***ici*** *! Le chien est passé par* ***ici****.*

→ Cherche **là**.

**1. idéal, idéale** adjectif
Un endroit **idéal**, une personne **idéale** sont vraiment bien. *Voilà un endroit* ***idéal*** *pour passer de bonnes vacances.* Synonyme : **parfait**.

🔍 Au pluriel, on écrit *idéaux, idéales*.

**2. idéal** nom masculin
❶ Avoir un **idéal**, c'est se donner un but à atteindre dans la vie. *En devenant infirmier, mon frère a réalisé son* ***idéal****.*

❷ L'**idéal**, c'est une chose parfaite. *L'idéal, ce serait que tout le monde trouve du travail.*

🔍 Au pluriel, on écrit *des idéaux*.

**idée** nom féminin
Une **idée** est ce qui vient à l'esprit quand on réfléchit. *Camille a toujours de bonnes* ***idées****.*

**identique** adjectif
Des objets ou des êtres **identiques** se ressemblent parfaitement. *Nos vélos sont* ***identiques***. Synonymes : **pareil**, **semblable**. Contraire : **différent**.

→ Cherche **même**.

**identité** nom féminin
❶ L'**identité** d'une personne est son nom, son prénom et d'autres renseignements qui permettent de la reconnaître.

❷ Un **papier d'identité** est un document qui prouve l'identité d'une personne. *Un passeport est un* ***papier d'identité****.*

**idiot, idiote** adjectif
Être **idiot**, c'est ne jamais rien comprendre. Synonymes : **bête**, **sot**, **stupide**. Contraire : **intelligent**.

● Mot de la même famille : **idiotie**.

A B C D E F G H I J K L M N O P Q R S T U V W X Y Z

## idiotie nom féminin

Une **idiotie** est une parole ou une action idiote. *Arrête de raconter des idioties.* Synonyme : **bêtise**.

🔍 On écrit *tie* mais on prononce [si].

## idole nom féminin

Une **idole** est une personne qu'on adore, qu'on admire par-dessus tout. *Cet acteur est l'idole de ma grande sœur.*

## igloo nom masculin

Un **igloo** est une habitation ronde faite avec des blocs de neige dure. *Les Esquimaux habitent dans des igloos pendant les périodes de chasse.*

🔍 Les deux *o* se prononcent « ou » : [iglu].

Les Esquimaux construisent un **igloo**.

## ignorant nom masculin
## ignorante nom féminin

Un **ignorant**, une **ignorante** sont des personnes qui ne savent rien, qui n'ont rien retenu de ce qu'on leur a appris. Contraire : **savant**.

## ignorer verbe

Ignorer, c'est ne pas savoir. *J'ignore le nom du nouveau voisin.*
● Mot de la même famille : **ignorant**.

## iguane nom masculin

Un **iguane** est une sorte de gros lézard d'Amérique.

🔍 On prononce [igwan].

## il pronom masculin

Il représente la troisième personne du masculin. *Il a cinq ans. Ils arrivent.*
→ Cherche **elle**.

## île nom féminin

Une **île** est une terre entourée d'eau. *La Corse est une île.*

🔍 Le *i* prend un accent circonflexe.
→ Cherche **presqu'île**.

Le bateau est près de l'**île**.

## illisible adjectif

Une écriture **illisible** est une écriture mal formée, que l'on a du mal à lire. Contraire : **lisible**.

🔍 Il y a deux *l*.

## illuminer verbe

Illuminer, c'est éclairer d'une lumière vive. *Des éclairs illuminent le ciel.*

🔍 Il y a deux *l*.

## illusion nom féminin

❶ Une **illusion** est une impression qui ne correspond pas à la réalité. *J'ai cru entendre ta voix, mais c'était une illusion.*

**❷ Se faire des illusions**, c'est imaginer des choses fausses. *Mathieu croit qu'il peut gagner la course sans s'entraîner : il **se fait des illusions**.*

🔍 Il y a deux *l*.

● Mot de la même famille : illusionniste.

**illusionniste nom masculin et nom féminin**

Un **illusionniste**, une **illusionniste** sont des personnes qui font des tours de magie sur scène. C'est un nom de métier. *L'**illusionniste** a fait sortir une colombe de son chapeau.* Synonymes : magicien, prestidigitateur.

🔍 Il y a deux *l* et deux *n*.

**illustration nom féminin**

Une **illustration** est un dessin ou une photo qui illustre un livre ou un magazine. *Ce dictionnaire contient de nombreuses **illustrations**.* Synonyme : image.

**illustré, illustrée adjectif**

Un livre **illustré** est un livre qui a des dessins ou des photos. *Nous avons acheté un dictionnaire **illustré**.*

**illustrer verbe**

**Illustrer**, c'est décorer un livre, un magazine, un cahier avec des dessins ou des photos.

● Mots de la même famille : illustration, illustré.

**image nom féminin**

❶ Une **image** est un dessin ou une photo. *Dans un livre, je regarde d'abord les **images**.* Synonyme : illustration.

❷ Une **image**, c'est ce qui apparaît sur un écran. *L'**image** n'est pas nette sur notre téléviseur.*

Marie regarde le livre d'**images**.

**imaginaire adjectif**

Un être, un objet **imaginaire** est créé par l'imagination. *Le griffon et la licorne sont des animaux **imaginaires**.* Synonyme : fabuleux. Contraire : réel.

**imagination nom féminin**

L'**imagination** est le pouvoir d'imaginer. *Chloé a de l'**imagination**, elle est capable d'inventer des tas d'histoires.*

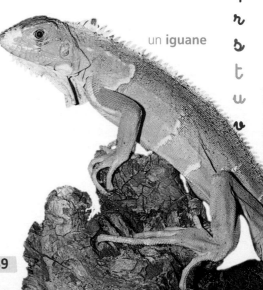

un **iguane**

a b c d e f g h i j k l m n o p q r s t u v

**imaginer** verbe

❶ Imaginer, c'est créer par l'esprit. *Clément a imaginé un nouveau jeu.* Synonyme : **inventer.**

❷ S'imaginer quelque chose, c'est le croire à tort. *Si tu t'imagines qu'il va se laisser faire, tu te trompes.*

● Mots de la même famille : **imaginaire, imagination.**

J'**imagine** que je suis sur une plage.

**imam** nom masculin

Un **imam** est un chef religieux musulman.

🔍 On prononce [imam].

→ Cherche **pasteur**, **prêtre** et **rabbin.**

**imbécile** nom masculin et nom féminin

Un **imbécile**, une **imbécile** sont des personnes stupides, peu intelligentes. *Ne me prends pas pour un imbécile.*

● Mot de la même famille : **imbécillité.**

**imbécillité** nom féminin

Une **imbécillité** est une action ou une parole stupide. *Arrête tes imbécillités !* Synonymes : **bêtise, idiotie.**

🔍 « Imbécillité » s'écrit avec deux *l* mais « imbécile » n'en a qu'un.

**imitation** nom féminin

❶ L'**imitation**, c'est l'action d'imiter. *Pierre a fait une excellente imitation du directeur.*

❷ Une **imitation** est un objet fait en copiant sur un autre. *Ce n'est pas une vraie perle, c'est une imitation.*

**imiter** verbe

❶ Imiter une personne ou un animal, c'est reproduire ses gestes, sa voix, son cri. *Adrien s'amuse à imiter sa mère.*

❷ Imiter une personne, c'est chercher à lui ressembler en suivant son exemple. *Alice imite sa grande sœur.*

● Mot de la même famille : **imitation.**

**immatriculation** nom féminin

Une **immatriculation** est un numéro que l'on donne à une personne, à un véhicule. *Les voitures et les motos ont un numéro d'immatriculation.*

🔍 Il y a deux *m.*

**immédiatement** adverbe

Immédiatement signifie : sans attendre. *Elle est partie immédiatement après le repas.* Synonymes : **aussitôt, tout de suite.**

🔍 Il y a deux *m* au début du mot.

**immense** adjectif

Ce qui est **immense** est très grand. *Le Canada est un pays immense.* Synonymes : **gigantesque, vaste.** Contraire : **minuscule.**

🔍 Il y a deux *m.*

**immeuble** nom masculin

Un **immeuble** est un bâtiment de plusieurs étages qui est divisé en appartements.

🔍 Il y a deux *m.*

**immigré** nom masculin
**immigrée** nom féminin
Un **immigré**, une **immigrée** sont des personnes qui ont quitté leur pays pour aller vivre et travailler dans un autre pays.

🔍 Il y a deux *m*.

**immobile** adjectif
Une personne, un animal **immobiles** ne bougent pas. *Il est difficile de rester longtemps immobile.*

🔍 Il y a deux *m*.

Restez **immobiles** !

**immortel, immortelle** adjectif
Un être **immortel** ne meurt jamais. *Tom nous a raconté une histoire de dragon immortel.* Contraire : **mortel**.

🔍 Il y a deux *m*.

**impair, impaire** adjectif
Un nombre **impair** est un nombre qui se termine par 1 ou par 3 ou par 5 ou par 7 ou par 9. *27 est un nombre impair.* Contraire : **pair**.

**imparfait** nom masculin
L'**imparfait** est un temps que l'on emploie quand une action dure dans le passé. *Dans la phrase « Au Moyen Âge, il y avait des chevaliers », le verbe « avoir » est à l'imparfait.*

**impasse** nom féminin
Une **impasse** est une petite rue qui est fermée au fond. *Nous faisons du roller dans l'impasse.*

**impatience** nom féminin
L'**impatience**, c'est le fait d'être impatient. *J'attends l'arrivée de David avec impatience.*
Contraire : **patience**.

**impatient, impatiente** adjectif
Une personne **impatiente** supporte mal d'attendre. *Les enfants sont souvent impatients.* Contraire : **patient**. *Natacha est impatiente d'être en vacances.* Synonyme : **pressé**.

🔍 Le son [ɛ̃] s'écrit *im* devant un *p*.
● Mots de la même famille : **impatience, s'impatienter**.

**s'impatienter** verbe
**S'impatienter**, c'est perdre patience, commencer à s'énerver parce qu'on attend depuis longtemps. *Le train a du retard, les voyageurs s'impatientent.*
Contraire : **patienter**.

La chienne **s'impatiente** !

**impeccable** adjectif
Un vêtement **impeccable** est un vêtement parfaitement propre et repassé, très bien entretenu. Synonyme : **net**.

🔍 Le son [ɛ̃] s'écrit *im* devant un *p* et il y a deux *c*.

a b c d e f g h i j k l m n o p q r s t u v w x y z

A
B
C
D
E
F
G
H
I
J
K
L
M
N
O
P
Q
R
S
T
U
V
W
X
Y
Z

**impératrice** nom féminin
Une **impératrice** est une femme qui dirige un empire ou la femme d'un empereur.

**1. imperméable** adjectif
Un tissu **imperméable** est un tissu qui ne laisse pas passer l'eau. *Les parapluies sont en tissu imperméable.*

**2. imperméable** nom masculin
Un **imperméable** est un manteau qui protège de la pluie.

**impoli, impolie** adjectif
Une personne **impolie** manque de politesse, d'éducation. *Il ne dit jamais bonjour, il est impoli.* Synonyme : **malpoli.** Contraire : **poli.**

**impolitesse** nom féminin
L'**impolitesse**, c'est le fait d'être impoli. *Partir sans dire au revoir, c'est de l'impolitesse.*

**importance** nom féminin
L'**importance**, c'est le fait d'être important, intéressant. *Cette découverte est d'une grande importance. Tu as cassé un verre mais cela n'a pas d'importance.*

**important, importante** adjectif
❶ Ce qui est **important** importe beaucoup, a un grand intérêt. *J'ai une question importante à te poser.*
❷ Une somme **importante** est une grosse somme. *Les réparations de la maison ont coûté une somme importante.*

**importer** verbe
❶ **Importer**, c'est compter beaucoup pour quelqu'un. *Être en bonne santé, c'est ce qui importe le plus pour lui.*

❷ **N'importe qui, n'importe quoi** signifient : une personne quelconque, une chose quelconque. *N'importe qui peut faire une erreur.*

🔎 Le son [ɛ̃] s'écrit *im* devant un *p*.
● Mots de la même famille : importance, important.

**impossible** adjectif
Ce qui est **impossible** ne peut pas se faire. *Pour un être humain, vivre sans respirer, c'est impossible.* Contraire : **possible.**

**impôt** nom masculin
Un **impôt** est une somme d'argent que l'on donne à l'État.
▶ Les **impôts** servent à construire des routes, des hôpitaux, des écoles et tout ce qui est utile aux habitants.
🔎 Le *o* prend un accent circonflexe.

**impression** nom féminin
❶ Une **impression**, c'est ce que l'on ressent quand quelque chose arrive. *Cela fait une drôle d'impression de nager sans bouée pour la première fois.* Synonyme : **effet.**
❷ **J'ai l'impression que** signifie : il me semble que, on dirait que. *J'ai l'impression que nous sommes perdus.*
🔎 Le son [ɛ̃] s'écrit *im* devant un *p*.
● Mots de la même famille : impressionnant, impressionner.

**impressionnant, impressionnante** adjectif
Une chose, un être **impressionnants** impressionnent, font un peu peur. *Les tigres sont impressionnants.*

**impressionner** verbe
**Impressionner** quelqu'un, c'est lui faire une forte impression. *Le numéro du magicien a impressionné les enfants.* Synonyme : **frapper.**

## imprévu, imprévue adjectif

Ce qui est **imprévu** arrive sans avoir été prévu. *La visite imprévue de ma tante a étonné toute la famille.* Synonyme : inattendu.

## imprimante nom féminin

Une **imprimante** est une machine qui est reliée à un ordinateur et qui sert à imprimer ce que l'on voit à l'écran.

La feuille sort de l'**imprimante**.

## imprimer verbe

**Imprimer** des livres et des journaux, c'est reproduire des textes et des dessins sur du papier avec de grosses machines appelées des *presses*. *On imprime des livres, des journaux, des affiches dans une imprimerie.*

🔍 Le son [ɛ̃] s'écrit *im* devant un *p*.
● Mots de la même famille : imprimante, imprimerie, imprimeur.

## imprimerie nom féminin

Une **imprimerie** est un atelier ou une usine où l'on imprime des livres et des journaux.

## imprimeur nom masculin

Un **imprimeur** est une personne qui travaille dans une imprimerie ou qui la dirige. C'est un nom de métier.

## imprudence nom féminin

❶ L'**imprudence**, c'est le manque de prudence.
❷ Une **imprudence** est une action dangereuse qui peut provoquer un accident. *Rouler vite quand il pleut, c'est commettre une imprudence.*

## imprudent, imprudente adjectif

Être **imprudent**, c'est manquer de prudence, ne pas faire attention au danger. *Tu as été imprudent de traverser la rue sans regarder.* Contraire : prudent.
● Mot de la même famille : imprudence.

## inadmissible adjectif

Une chose **inadmissible** est une chose que l'on ne peut pas admettre, accepter. *Un tel chahut est inadmissible en classe.*

## inattendu, inattendue adjectif

Une chose **inattendue** est une chose que l'on n'attendait pas. *Leur mariage est un événement inattendu.* Synonyme : imprévu.

## inattention nom féminin

L'**inattention** est le manque d'attention. *Quand on conduit, il ne faut pas avoir une seconde d'inattention.*

## incapable adjectif

Être **incapable** de faire quelque chose, c'est ne pas pouvoir le faire. *Mon petit frère est incapable de s'habiller tout seul.* Contraire : capable.

a b c d e f g h i j k l m n o p q r s t u v w x y z

A
B
C
D
E
F
G
H
I
J
K
L
M
N
O
P
Q
R
S
T
U
V
W
X
Y
Z

**incassable** adjectif

Un objet, une matière **incassables** ne peuvent pas se casser. *J'ai des lunettes avec des verres incassables.*

**incendie** nom masculin

Un **incendie** est un grand feu qui s'étend et qui cause des dégâts importants. *Les pompiers ont éteint l'incendie de forêt.*

🔎 « Incendie » est un nom masculin qui se termine par un e.

Les pompiers éteignent l'**incendie**.

**incident** nom masculin

Un **incident**, c'est un ennui qui n'est pas très grave. *Notre voyage s'est déroulé sans incident.*

**incisive** nom féminin

Les **incisives** sont les dents plates qui sont situées sur le devant de la mâchoire.

➜ Cherche **canine** et **molaire**.

**incliner** verbe

Incliner, c'est faire pencher. *Le vent incline les peupliers.* S'incliner, c'est se pencher en avant. *L'acteur s'est incliné pour saluer le public.*

**incolore** adjectif

Ce qui est **incolore** n'a pas de couleur. *L'eau est un liquide incolore.*

**incomplet, incomplète** adjectif

Quand un ensemble est **incomplet**, il lui manque un ou plusieurs éléments. *On ne peut pas jouer, le jeu de dominos est incomplet.* Contraire : complet.

**incompréhensible** adjectif

Une chose **incompréhensible** est impossible à comprendre. *Ce qu'il dit est incompréhensible.* Contraire : compréhensible.

🔎 Il y a un *h* après le é.

**inconnu, inconnue** adjectif

Quand une personne ou une chose est **inconnue**, personne ne la connaît. *Ce roman a été écrit par un auteur inconnu.* Contraires : célèbre, connu.

**inconscient, inconsciente** adjectif

Être **inconscient**, c'est ne pas se rendre compte des conséquences de ses actes. *Mon petit frère est inconscient du danger.*

🔎 Il y a un *c* après le *s*.

**inconvénient** nom masculin

Un **inconvénient**, c'est une chose qui pose un problème. *L'inconvénient de cet appartement, c'est qu'il est trop petit.* Contraire : avantage.

**incorrect, incorrecte** adjectif

Une chose **incorrecte** a des fautes. *Le résultat de ton opération est incorrect.* Synonyme : faux, inexact. Contraires : correct, exact, juste.

🔎 Il y a deux *r*.

**incroyable** adjectif

Une chose **incroyable** est difficile à croire. *Ton histoire de soucoupe volante est incroyable.* Synonyme : invraisemblable.

**indemne** adjectif

Être **indemne**, c'est ne pas être blessé. *Léo est sorti indemne de l'accident.* Synonyme : sain et sauf.

**indépendance** nom féminin

L'**indépendance**, c'est le fait d'être indépendant, de décider seul de ses actes. *Ma grande sœur aimerait avoir plus d'indépendance.*

**indépendant, indépendante** adjectif

❶ Une personne **indépendante** prend ses décisions seule. *Sarah est une jeune fille indépendante.*
❷ Un pays **indépendant** est un pays libre, qui n'est pas dirigé par un autre pays.
● Mot de la même famille : indépendance.

**index** nom masculin

L'**index** est le doigt de la main qui est le plus près du pouce.

🔎 Ce mot ne change pas au pluriel : *des index.*

☛ Va voir « les doigts », page 217.

**indication** nom féminin

Une **indication**, c'est l'action d'indiquer une chose, de renseigner sur quelque chose. *Pour aller chez toi, j'ai besoin de quelques indications.* Synonymes : information, renseignement.

**indice** nom masculin

Un **indice** est un signe ou un objet qui donne la preuve de quelque chose. *La police a des indices pour trouver le coupable.*

**indien, indienne** adjectif

Un village **indien**, une coutume **indienne** sont ceux des premiers habitants de l'Amérique, les Indiens. *Certaines coutumes indiennes ont été oubliées.*

un chef **indien**

**indifférence** nom féminin

L'**indifférence** est l'attitude d'une personne qui n'est pas intéressée ni touchée par ce qu'elle voit ou entend. *La voisine regarde les autres avec indifférence.* Contraire : intérêt.

**indifférent, indifférente** adjectif

Être **indifférent**, c'est n'éprouver aucun intérêt, aucun sentiment pour une chose ou une personne. *Elle est indifférente aux problèmes des autres.*
● Mot de la même famille : indifférence.

**indigène** nom masculin et nom féminin

Un **indigène**, une **indigène** sont des personnes qui sont nées dans le pays où elles vivent. *Les touristes ne parlent pas la même langue que les indigènes.*

**indigestion** nom féminin

Avoir une **indigestion**, c'est être un peu malade après une digestion difficile. *Marion a mangé trop de gâteaux, elle a une indigestion.*

**indigo** nom masculin

L'indigo est un bleu foncé, légèrement violet. *L'indigo est l'une des couleurs de l'arc-en-ciel.*

**indiquer** verbe

Indiquer, c'est montrer. *La flèche indique la sortie.* Synonyme : désigner. *La petite aiguille indique les heures.* Synonyme : marquer. *L'automobiliste met son clignotant pour indiquer qu'il va tourner.* Synonyme : signaler.
● Mot de la même famille : indication.

Les panneaux **indiquent** le chemin.

**indiscipliné, indisciplinée** adjectif

Être **indiscipliné**, c'est ne pas respecter la discipline. *La maîtresse a puni les élèves indisciplinés.* Synonyme : dissipé. Contraire : discipliné.

🔎 Il y a un c après le s.

**indiscret, indiscrète** adjectif

Une personne **indiscrète** se mêle de ce qui ne la regarde pas. *Une personne qui écoute aux portes est indiscrète.* Synonyme : curieux. Contraire : discret.
● Mot de la même famille : indiscrétion.

**indiscrétion** nom féminin

L'indiscrétion est le défaut d'une personne indiscrète, qui se mêle de ce qui ne la regarde pas.

**indispensable** adjectif

Une chose **indispensable** est absolument nécessaire. *En hiver, des vêtements chauds sont indispensables.* Contraire : inutile.

**individu** nom masculin

Un **individu** est une personne, un être unique. *La société est composée d'un ensemble d'individus.*
● Mot de la même famille : individuel.

**individuel, individuelle** adjectif

Un travail **individuel** est fait par une seule personne. Un sport **individuel** ne se joue pas en équipe. *La course, le saut sont des sports individuels.* Contraire : collectif.

**indolore** adjectif

Ce qui est **indolore** ne cause pas de douleur. *N'aie pas peur, ce vaccin est indolore.* Contraire : douloureux.

**indulgence** nom féminin

L'indulgence est la qualité d'une personne indulgente, qui pardonne facilement. *Notre grand-mère nous traite avec indulgence.* Contraire : sévérité.

**indulgent, indulgente** adjectif

Une personne **indulgente** pardonne facilement les erreurs, les défauts des autres. *Le maître est indulgent.*

Synonyme : compréhensif.
Contraires : dur, sévère.
● Mot de la même famille : indulgence.

**industrie** nom féminin
L'industrie, c'est l'ensemble des usines qui fabriquent des produits.
● Mot de la même famille : industriel.

**industriel, industrielle** adjectif
Une région industrielle est une région où l'industrie est importante, où il y a beaucoup d'usines.

**inégal, inégale** adjectif
❶ Des choses inégales n'ont pas la même dimension, la même valeur. *Léo a coupé le gâteau en parts inégales.* Contraire : égal.
❷ Un travail inégal n'est pas régulier. *Le travail scolaire de mon frère est inégal.* Synonyme : irrégulier. Contraire : régulier.
🔍 Au pluriel, on écrit *inégaux, inégales.*

Les jambes de mon pantalon sont de longueur inégale.

**inespéré, inespérée** adjectif
Une chose inespérée est une chose que l'on n'attendait plus, que l'on croyait impossible. *Deux minutes avant la fin du match, la victoire de notre équipe était inespérée.* Contraires : certain, sûr.

**inévitable** adjectif
Une chose inévitable est une chose que l'on ne pouvait pas éviter, qui devait forcément arriver. *Le conducteur roulait trop vite, un accident était inévitable.*

**inexact, inexacte** adjectif
Ce qui est inexact est faux, contient des erreurs. *Le résultat de mon opération est inexact.* Contraires : exact, juste.

**infantile** adjectif
Une maladie infantile est une maladie que l'on attrape quand on est enfant. *La varicelle est une maladie infantile.*

**infect, infecte** adjectif
Un aliment, un repas infect est très mauvais. *Les frites étaient infectes.* Contraire : délicieux.

s'**infecter** verbe
Quand une plaie s'infecte, elle est envahie par les microbes. *Nettoie bien la plaie, sinon elle risque de s'infecter.*
● Mot de la même famille : infection.

**infection** nom féminin
Une infection, c'est le développement de microbes dans le corps. *Une blessure mal nettoyée peut provoquer une infection.*

**inférieur, inférieure** adjectif
❶ Ce qui est inférieur est situé plus bas. *Bastien habite à l'étage inférieur.* Contraire : supérieur.
❷ Un nombre inférieur à un autre est plus petit. *Six est inférieur à neuf.* Contraire : supérieur.

a
b
c
d
e
f
g
h
i
j
k
l
m
n
o
p
q
r
s
t
u
v
w
x
y
z

A
B
C
D
E
F
G
H
I
J
K
L
M
N
O
P
Q
R
S
T
U
V
W
X
Y
Z

## infernal, infernale adjectif

Une personne, une chose **infernale** est difficile à supporter. *Elles font un bruit infernal. En ce moment, les enfants sont infernaux.* Synonymes : insupportable, odieux, terrible. Contraire : adorable.

🔍 Au pluriel, on écrit *infernaux, infernales.*

## infini, infinie adjectif

❶ Ce qui est **infini** est sans fin, sans limites. *La suite des nombres est infinie.*

❷ Ce qui est **infini** est très grand. *Sur l'étang, il y a un nombre infini d'insectes.*

● Mot de la même famille : **infinité.**

## infinité nom féminin

Une **infinité** de choses est un nombre de choses si grand qu'on ne peut pas les compter. *Il y a une infinité d'étoiles.*

## infinitif nom masculin

L'**infinitif** est la forme d'un verbe quand on ne le conjugue pas. « *Chanter* », « *finir* », « *faire* » *sont des verbes à l'infinitif.*

## infirme adjectif

Une personne **infirme** ne peut pas se servir d'une partie de son corps. Synonyme : paralysé.

● Mots de la même famille : **infirmerie, infirmier.**

## infirmerie nom féminin

Une **infirmerie** est une pièce installée dans une école, une colonie de vacances ou une prison pour accueillir et soigner les personnes malades ou légèrement blessées.

Leur voisin est **infirme**.

## infirmier nom masculin
## infirmière nom féminin

Un **infirmier**, une **infirmière** sont des personnes qui soignent les malades et les blessés. C'est un nom de métier. *Une infirmière est venue me faire une piqûre.*

L'**infirmière** soigne Rémi.

## influence nom féminin

L'**influence**, c'est l'action d'une personne ou d'une chose sur une autre personne ou une autre chose. *L'alimentation a une influence sur la santé.*

**informaticien** nom masculin
**informaticienne** nom féminin

Un informaticien, une informaticienne sont des personnes qui travaillent dans l'informatique. C'est un nom de métier.

**information** nom féminin

❶ Une information est un renseignement qui informe. *J'ai demandé des informations sur le judo.*

❷ Les informations, ce sont les nouvelles que l'on donne à la radio et à la télévision.

**informatique** nom féminin

L'informatique est la science et la technique des ordinateurs.
● Mot de la même famille : informaticien.

**informer** verbe

Informer quelqu'un de quelque chose, c'est le lui faire savoir. *Rémi nous a informés de son arrivée.*
Synonymes : annoncer, avertir de, prévenir de.
● Mot de la même famille : information.

**infusion** nom féminin

Une infusion est une boisson chaude faite avec des plantes que l'on met dans de l'eau bouillante. *J'ai bu une infusion de menthe.* Synonyme : tisane.

**ingénieur** nom masculin

Un ingénieur est un homme ou une femme qui fait des recherches scientifiques et dirige des travaux dans une entreprise. C'est un nom de métier. *Ma cousine est ingénieur en informatique.*

**ingrédient** nom masculin

Un ingrédient est un produit que l'on utilise dans un mélange, dans une préparation. *Pour faire une pâte à crêpes, il faut plusieurs ingrédients : du lait, des œufs et de la farine.*

Ils ont préparé tous les **ingrédients**.

**inhumain, inhumaine** adjectif

Ce qui est inhumain est cruel, sans pitié. *Personne n'a secouru le blessé, c'est inhumain.*

**initiale** nom féminin

Une initiale est la première lettre d'un mot. *« P. A. » sont les initiales de Paul Arlot.*
🔎 On écrit *ti* mais on prononce [si].

**initiation** nom féminin

L'initiation à une chose, c'est le fait de commencer à l'apprendre. *Ce cours est une bonne initiation à l'informatique.*
🔎 On écrit *ti* mais on prononce [si].

**initiative** nom féminin

Prendre une initiative, c'est faire le premier une chose. *Marie a pris l'initiative d'organiser une randonnée.*
🔎 Au milieu du mot, on écrit *ti* mais on prononce [si].

a b c d e f g h i j k l m n o p q r s t u v w x y z

**349**

A
B
C
D
E
F
G
H
I
J
K
L
M
N
O
P
Q
R
S
T
U
V
W
X
Y
Z

**injure** nom féminin

Une **injure** est une parole méchante et grossière que l'on adresse à quelqu'un. *Le voleur criait des injures aux policiers.* Synonyme : insulte.
● Mot de la même famille : injurier.

**injurier** verbe

Injurier quelqu'un, c'est lui dire des injures, des paroles méchantes. *Elle m'a injurié en me traitant d'imbécile.* Synonyme : insulter.

**injuste** adjectif

Ce qui est **injuste** est contraire à la justice. *Zoé chahutait, et c'est Julie qui a été punie : c'est injuste !* Contraire : juste.
● Mot de la même famille : injustice.

**injustice** nom féminin

Une **injustice** est un acte injuste. *Mettre une personne innocente en prison, c'est une injustice.*

**innocent, innocente** adjectif

Être **innocent**, c'est n'avoir pas fait de mal, de faute grave. *On accuse Valentin d'avoir cassé un carreau, mais il dit qu'il est innocent.* Contraire : coupable.

**inoffensif, inoffensive** adjectif

Un animal **inoffensif** ne peut pas faire de mal aux humains. *N'aie pas peur du chien, il est inoffensif.* Contraire : dangereux.

**inondation** nom féminin

Une **inondation** est une grande quantité d'eau qui se répand et qui recouvre un endroit. *La rivière a débordé et a provoqué une inondation.*
➔ Cherche crue.

La rivière est en crue, quelle **inondation** !

**inonder** verbe

Inonder un lieu, c'est le recouvrir entièrement d'eau. *Les grosses pluies ont inondé les champs.*
● Mot de la même famille : inondation.

**inquiet, inquiète** adjectif

Être **inquiet**, c'est ne pas avoir l'esprit calme et se faire du souci. *Laura n'est pas rentrée et maman est inquiète.*
● Mots de la même famille : s'inquiéter, inquiétude.

s'**inquiéter** verbe

S'inquiéter, c'est se faire du souci, attendre dans l'inquiétude. *Quand mon frère fait de la planche à voile, mes parents s'inquiètent.*

**inquiétude** nom féminin

L'**inquiétude**, c'est l'état d'une personne qui s'inquiète, qui se fait du souci. *La maladie de Rémi a causé beaucoup d'inquiétude à sa mère.* Synonyme : souci.

**inscription** nom féminin

❶ L'**inscription**, c'est l'action d'inscrire. *Mamie s'est occupée de mon inscription au cours de danse.*
❷ Une **inscription**, c'est ce qui est inscrit, écrit. *Le mur est couvert d'inscriptions.*

## Les insectes

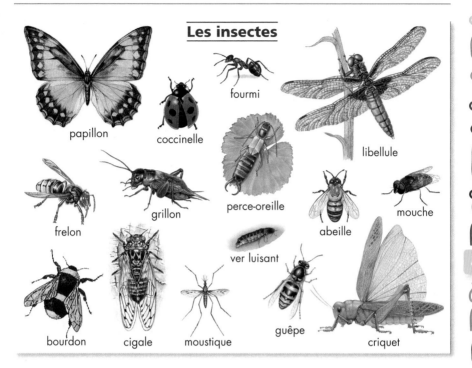

papillon

coccinelle

fourmi

libellule

frelon

grillon

perce-oreille

abeille

mouche

ver luisant

bourdon

cigale

moustique

guêpe

criquet

**inscrire** verbe

❶ **Inscrire** quelqu'un, c'est noter son nom sur une liste. *Le directeur du club m'a inscrite au judo.*

❷ **Inscrire** quelque chose, c'est l'écrire. *Léa a inscrit son nom sur la première page du cahier.* Synonymes : marquer, noter.

🔎 Mot de la même famille : *inscription.*

**insecte** nom masculin

Un **insecte** est un petit animal qui a six pattes et qui a souvent des ailes. *Les poux, les abeilles, les papillons sont des insectes.*

**inséparable** adjectif

Des personnes **inséparables** sont toujours ensemble, ne se séparent pas. *Dans les aventures de Tintin, Dupond et Dupont sont inséparables.*

**insigne** nom masculin

Un **insigne** est un signe que portent les membres d'un groupe. *Rémi porte l'insigne de son club de karaté.*

**insister** verbe

**Insister,** c'est demander plusieurs fois. *Léo a insisté pour que je vienne à son exposition de poteries.*

**insolation** nom féminin

Avoir une **insolation,** c'est se sentir malade après être resté trop longtemps au soleil. *Une insolation commence par un coup de soleil.*

**insolence** nom féminin

L'**insolence,** c'est l'attitude d'une personne qui manque de respect, de politesse. *Cet élève a été puni pour son insolence.*

A
B
C
D
E
F
G
H
I
J
K
L
M
N
O
P
Q
R
S
T
U
V
W
X
Y
Z

## insolent, insolente adjectif

Être **insolent**, c'est montrer de l'insolence, manquer de respect. *Elle a été insolente avec sa mère.*

● Mot de la même famille : **insolence**.

## insomnie nom féminin

Avoir une **insomnie**, c'est avoir beaucoup de mal à s'endormir ou à se rendormir.

## insouciant, insouciante adjectif

Une personne **insouciante** ne se fait aucun souci. *Les adultes disent souvent que les adolescents sont insouciants.*

## inspecteur nom masculin
## inspectrice nom féminin

❶ Un **inspecteur**, une **inspectrice** sont des personnes chargées d'inspecter, de contrôler. C'est un nom de métier. *Une inspectrice est venue dans notre classe.*

❷ Un **inspecteur de police** est un policier qui fait des enquêtes. C'est un nom de métier.

## installer verbe

❶ **Installer** un objet, un appareil, c'est le mettre en place. *On a fait installer le chauffage dans la maison de campagne.*

❷ **Installer** une personne, c'est la mettre dans un endroit, dans une position confortable. *Léo a installé le bébé dans le landau.*

## instant nom masculin

Un **instant** est un petit moment. *J'arrive dans un instant.*

## instinct nom masculin

L'**instinct** est ce qui guide les animaux. *Grâce à son instinct, l'hirondelle s'envole vers les pays chauds au début de l'automne.*

🔍 Ce mot se termine par *ct*.

Le livreur **installe** le lecteur de DVD.

## instituteur nom masculin
## institutrice nom féminin

Un **instituteur**, une **institutrice** sont des personnes qui font la classe, qui enseignent dans une école. C'est un nom de métier. **Synonymes** : **maître**, **professeur des écoles**.

## instructif, instructive adjectif

Ce qui est **instructif** permet de s'instruire, de connaître des choses nouvelles. *C'est très instructif de voyager.*

## instruction nom féminin

❶ L'**instruction**, c'est l'action d'apprendre des choses à quelqu'un pour qu'il s'instruise. *Les professeurs s'occupent de l'instruction des élèves.*

❷ Une **instruction**, c'est un ordre, une explication donnés à quelqu'un pour qu'il puisse agir. *Ma mère m'a laissé ses instructions.* **Synonyme** : **consigne**.

s'**instruire** verbe

S'**instruire**, c'est développer ses connaissances. *On va à l'école pour s'instruire.*
● Mots de la même famille : **instructif, instruction.**

**instrument** nom masculin

❶ Un **instrument** est un objet qui sert à faire un travail. *Les médecins ont des instruments pour examiner les malades.*
❷ Un **instrument de musique** est un objet qui sert à jouer de la musique. *La guitare, le piano, la flûte sont des instruments de musique.*
☞ Va voir « les instruments de musique », page 355.

**insuffisant, insuffisante** adjectif

Ce qui est **insuffisant** ne suffit pas. *Cette quantité de pâtes est insuffisante pour quatre personnes.* Contraire : **suffisant.**

**insulte** nom féminin

Une **insulte** est une parole méchante, que l'on dit à quelqu'un quand on est en colère. Synonyme : **injure.**

**insulter** verbe

**Insulter** quelqu'un, c'est lui crier des insultes, des paroles méchantes. *Elle s'est mise en colère et m'a insulté en me traitant de brute.* Synonyme : **injurier.**

**insupportable** adjectif

Une chose, une personne **insupportable** est difficile à supporter. *Sa brûlure lui a causé des douleurs insupportables. Aujourd'hui, les enfants ont été insupportables.* Synonymes : **infernal, odieux, terrible.** Contraire : **adorable.**

**intact, intacte** adjectif

Un objet, un véhicule **intact** est resté en bon état, n'a pas été abîmé. *Malgré l'accident, la voiture est intacte.*

**intelligence** nom féminin

L'**intelligence** est la qualité d'une personne qui comprend vite les choses, apprend facilement et s'adapte bien aux situations nouvelles. *Tu as fait preuve d'intelligence.* Contraire : **stupidité.**
● Mot de la même famille : **intelligent.**

**intelligent, intelligente** adjectif

Être **intelligent**, c'est comprendre vite, apprendre facilement et s'adapter facilement aux situations nouvelles. Contraires : **bête, idiot, sot, stupide.**

**intempéries** nom féminin pluriel

Les **intempéries**, c'est le mauvais temps. *Le match a été annulé à cause des intempéries.*
🔍 Le son [ɑ̃] s'écrit *em* devant un *p*.

**intention** nom féminin

Avoir l'**intention** de faire quelque chose, c'est vouloir le faire. *J'ai l'intention d'apprendre à skier.*

**intercaler** verbe

**Intercaler**, c'est mettre entre deux choses. *Dans un exercice, on devait intercaler un nombre entre 16 et 18.*

**interdiction** nom féminin

L'**interdiction**, c'est l'action d'interdire. *Un panneau signale l'interdiction de stationner.* Synonyme : **défense.** Contraires : **autorisation, permission.**
☞ Va voir « les panneaux de signalisation », page 491.

a b c d e f g h i j k l m n o p q r s t u v w x y z

A
B
C
D
E
F
G
H
I
J
K
L
M
N
O
P
Q
R
S
T
U
V
W
X
Y
Z

**interdire** verbe

Interdire, c'est ordonner de ne pas faire quelque chose. *On m'a interdit de sortir sous la pluie.* Synonyme : défendre. Contraires : autoriser, permettre. *Il est interdit de faire du feu dans le bois.*
● Mot de la même famille : **interdiction**.

Ce panneau **interdit** de poser des affiches.

**intéressant, intéressante** adjectif

❶ Une idée, un fait **intéressants** retiennent l'attention, apprennent des choses. *Nous avons regardé un documentaire très intéressant.* Contraire : **ennuyeux**.
❷ Un prix **intéressant** est un prix peu élevé. *Mes parents ont acheté une voiture à un prix intéressant.*

🔍 Il y a un *r* et deux *s*.

**intéresser** verbe

Intéresser quelqu'un, c'est retenir son attention, sa curiosité, son intérêt. *La visite de la Cité des sciences nous a beaucoup intéressés.* Contraire : **ennuyer**. *Clément s'intéresse beaucoup au sport.*

🔍 Il y a un *r* et deux *s*.

**intérêt** nom masculin

L'intérêt, c'est l'attention que l'on porte à quelque chose ou à quelqu'un. *Les élèves écoutent leur professeur avec beaucoup d'intérêt.* Contraires : **ennui, inattention, indifférence**.

🔍 Le deuxième e prend un accent circonflexe.
● Mots de la même famille : intéressant, intéresser.

**1. intérieur, intérieure** adjectif

Ce qui est **intérieur** est situé dans une chose. *Papi met son portefeuille dans la poche intérieure de sa veste.* Contraire : **extérieur**.

**2. intérieur** nom masculin

L'intérieur d'un objet, d'un lieu, c'est la partie qui est dedans. *L'intérieur du tiroir est peint en blanc.* Contraire : **extérieur**. *Aujourd'hui, on est restés à l'intérieur.* Contraires : **dehors, à l'extérieur**.

**interjection** nom féminin

Une **interjection** est un petit mot invariable que l'on emploie quand on est content, surpris, déçu, quand on hésite. *« Ah ! », « euh ! », « hélas ! » sont des interjections.*

🔍 Une interjection est toujours suivie d'un point d'exclamation.

**international, internationale** adjectif

Une compétition, une rencontre **internationale** se fait entre des personnes de plusieurs nations.

🔍 On écrit *ti* mais on prononce [si]. Au pluriel, on écrit *internationaux, internationales*.

**Internet** nom masculin

Internet est un système de communication mondial. Il permet de trouver des informations et d'envoyer des messages à l'aide d'un ordinateur.

🔍 Ce mot peut s'écrire avec une minuscule : « internet ».

# Les instruments de musique

la clé de sol — une note — une portée — un triangle — une flûte à bec — des maracas — un métronome — do ré mi fa sol la si = la gamme — la clé de fa — une ronde — une noire — une blanche — une croche — un tambourin

un piano à queue — la baguette — une contrebasse — une partition — une flûte — une harpe — le clavier — un violon — une trompette — un violoncelle — le chef d'orchestre — un saxophone — une clarinette — un micro — des amplificateurs — un musicien — une batterie — une basse — un synthétiseur

une cornemuse — un cor — un accordéon — une flûte de Pan — une guitare — un tambour — un balafon — un sitar

A
B
C
D
E
F
G
H
I
J
K
L
M
N
O
P
Q
R
S
T
U
V
W
X
Y
Z

## Interphone nom masculin

Un **Interphone** est une sorte de téléphone qui se trouve à l'entrée d'un immeuble et qui permet de parler aux personnes qui sont dans les appartements.

🔍 Ce mot s'écrit avec *ph*. Il prend une majuscule parce que c'est un nom de marque.

## interrogation nom féminin

❶ Une **interrogation** est un ensemble de questions que l'on pose à un élève pour vérifier ses connaissances.

❷ Un **point d'interrogation** ( ? ) est un signe de ponctuation qui se met à la fin d'une phrase quand on pose une question.

→ Cherche **exclamation**.

## interrogatoire nom masculin

Un **interrogatoire** est une série de questions qu'un policier ou un juge pose au cours d'une enquête.

🔍 « Interrogatoire » est un nom masculin qui se termine par un *e*.

## interroger verbe

**Interroger** quelqu'un, c'est lui poser des questions. *La maîtresse m'a interrogé sur la leçon d'histoire.* **Synonyme : questionner.**

● Mots de la même famille : interrogation, interrogatoire.

## interrompre verbe

❶ **Interrompre** quelque chose, c'est le faire cesser. *Mamie a interrompu son voyage.* **Synonyme : arrêter.** **Contraire : continuer.**

❷ **Interrompre** quelqu'un, c'est lui couper la parole. *J'ai des choses importantes à te dire, ne m'interromps pas !*

● Mots de la même famille : interrupteur, interruption.

## interrupteur nom masculin

Un **interrupteur** est un petit appareil qui permet de couper ou de faire passer le courant électrique. *L'interrupteur de ma chambre est près de la porte.*

## interruption nom féminin

Une **interruption**, c'est le fait de s'interrompre, de s'arrêter. *Une panne d'électricité a entraîné l'interruption du film. Élise a parlé toute la soirée sans interruption.* **Synonyme : arrêt.**

## intersection nom féminin

Une **intersection** est un endroit où deux lignes, deux routes se coupent. *La boulangerie se trouve à l'intersection de deux rues.* **Synonymes : carrefour, croisement.**

☞ Va voir « les panneaux de signalisation », page 491.

## intervalle nom masculin

Un **intervalle** est un espace entre deux choses. *Mets un intervalle entre les mots.*

Il y a trois **intervalles** entre les salades.

## intervenir verbe

**Intervenir**, c'est arriver quelque part et agir. *Les pompiers sont intervenus très vite sur le lieu de l'incendie.*

### intervertir verbe

Intervertir deux choses, c'est mettre l'une à la place de l'autre. *Tu as interverti deux lettres dans un mot.*
Synonyme : inverser.

### interview nom féminin

Une **interview** est une conversation entre une personne célèbre et un journaliste qui lui pose des questions.

🔍 Ce mot vient de l'anglais : on prononce [ɛ̃tɛrvju].

● Mot de la même famille : interviewer.

### interviewer verbe

Interviewer une personne, c'est lui poser des questions sur sa vie, sur son métier. *Les journalistes ont interviewé le champion après sa victoire.*

🔍 Ce mot vient de l'anglais : on prononce [ɛ̃tɛrvjuve].

### intestin nom masculin

L'intestin est un organe qui se trouve sous l'estomac, dans le ventre, et qui a la forme d'un long tuyau enroulé.

▶ Les aliments passent dans l'intestin à la fin de la digestion.

→ Cherche estomac.

### intime adjectif

❶ Une personne **intime** est une personne avec laquelle on est très lié. *Rachid est l'ami intime de Julien.*

❷ Une chose **intime** est une chose très personnelle. *Elle écrit ses pensées et ses secrets dans son journal intime.*

### intimider verbe

Intimider quelqu'un, c'est lui faire un peu peur. *Le nouveau gardien de l'immeuble nous intimide.*

Emma **est intimidée**.

### s'**intituler** verbe

Pour un livre, un journal, un film, s'intituler, c'est avoir pour titre. *Comment s'intitule ton livre ?*

### intonation nom féminin

L'intonation, c'est le ton de la voix. *J'ai senti que tu étais furieux à ton intonation.*

### intoxication nom féminin

Une **intoxication** est une maladie provoquée par un aliment ou un produit qui empoisonne. *David a eu une intoxication à cause des champignons.*

### s'**intoxiquer** verbe

S'intoxiquer, c'est être malade comme avec du poison. *Elle s'est intoxiquée avec des crustacés.*
Synonyme : s'empoisonner.

● Mot de la même famille : intoxication.

a b c d e f g h i j k l m n o p q r s t u v w x y z

A
B
C
D
E
F
G
H
I
J
K
L
M
N
O
P
Q
R
S
T
U
V
W
X
Y
Z

**intrépide** adjectif

Une personne **intrépide** ne craint pas le danger. *Pour faire du saut à l'élastique, il faut être* **intrépide**. Contraire : **peureux**.

**introduire** verbe

❶ **Introduire**, c'est faire entrer une chose dans une autre. *J'ai* **introduit** *la clé dans la serrure.*

❷ **S'introduire** quelque part, c'est réussir à y entrer. *Dans la nuit, les voleurs* **se sont introduits** *dans la bijouterie.* Synonyme : **pénétrer**.

**introuvable** adjectif

Une chose **introuvable** est une chose qu'on ne peut pas trouver. *Nous avons cherché partout, la clé est* **introuvable**.

**intrus** nom masculin
**intruse** nom féminin

Un **intrus**, une **intruse** sont des personnes qui s'introduisent quelque part sans avoir été invitées. *À la fête de Pauline, il y avait une* **intruse**.

**inusable** adjectif

Un objet **inusable** ne s'use pas. *Mon sac à dos est* **inusable**. Synonyme : **résistant**.

**inutile** adjectif

Une chose **inutile** ne sert à rien. *Dans ton sac à dos, il y a beaucoup d'affaires inutiles.* Contraires : **nécessaire, utile**.

**invariable** adjectif

Un mot **invariable** est un mot qui s'écrit toujours de la même façon, qui ne change pas de forme. *« Avec », « dans », « demain » sont des mots* **invariables**.

**invasion** nom féminin

Une **invasion** est une arrivée soudaine d'un très grand nombre de personnes, d'animaux ou de choses. *Une* **invasion** *de sauterelles a détruit les récoltes.*

**inventaire** nom masculin

Faire un **inventaire**, c'est faire une liste précise. *Le libraire fait l'* **inventaire** *des livres qu'il n'a pas vendus.*

🔍 « Inventaire » est un nom masculin qui se termine par un e.

**inventer** verbe

❶ **Inventer**, c'est créer une chose qui n'existait pas avant. *La pile a été* **inventée** *par Volta.*

❷ **Inventer**, c'est imaginer. *Mathis a* **inventé** *une histoire.*

● Mots de la même famille : **inventeur, invention**.

Il **a inventé** une histoire d'extraterrestres.

**inventeur** nom masculin
**inventrice** nom féminin

Un **inventeur**, une **inventrice** sont des personnes qui inventent, qui créent des objets ou des techniques. *Denis Papin est l'* **inventeur** *de la machine à vapeur.*

**invention** nom féminin

❶ Une **invention** est un objet ou une technique que l'on a inventés. *L'informatique est une grande invention du 20ᵉ siècle.*

❷ Une **invention** est une chose que l'on invente, que l'on imagine. *Ce qu'il t'a dit est une invention, ce n'est pas la réalité.*

## 1. inverse adjectif
Le sens **inverse**, c'est celui qui va dans la direction opposée. *Une voiture venait en sens inverse.* Synonyme : contraire.
● Mot de la même famille : inverser.

## 2. inverse nom masculin
L'**inverse**, c'est le contraire. *Tu as fait l'inverse de ce que je t'avais demandé.*

## inverser verbe
**Inverser** des choses, c'est les mettre dans le sens inverse. *Je voulais écrire 27 et j'ai écrit 72 : j'ai inversé le 2 et le 7.* Synonyme : intervertir.

## invincible adjectif
Une personne, un groupe de personnes **invincibles** ne peuvent pas être vaincus, battus. *Le boxeur se croyait invincible.*

## invisible adjectif
Une chose, un être **invisibles** sont une chose, un être que l'on ne peut pas voir. *Sans microscope, les microbes sont invisibles.* Contraire : visible.

## invitation nom féminin
L'**invitation**, c'est le fait d'inviter. *J'accepte ton invitation avec plaisir.*

Clara a reçu une **invitation** !

## invité nom masculin
## invitée nom féminin
Un **invité**, une **invitée** sont des personnes que l'on a invitées. *Les invités sont arrivés.*

## inviter verbe
**Inviter** une personne, c'est la recevoir quelque part. *Je vous invite tous chez moi pour mon anniversaire. Grand-mère nous a invités au restaurant.*
● Mots de la même famille : invitation, invité.

## involontaire adjectif
Une erreur, un geste **involontaires** ne sont pas voulus, ne sont pas fait exprès. *Excuse-moi si je t'ai fait de la peine, c'était involontaire.*

## invraisemblable adjectif
Une chose **invraisemblable** est difficile à croire, ne semble pas vraie. *Bastien nous a fait un récit invraisemblable de ses vacances.* Synonyme : incroyable.

## iris nom masculin
❶ Un **iris** est une fleur à longue tige, de couleur violette, blanche, jaune ou brune.
❷ L'**iris** est la partie colorée qui est au milieu de l'œil.

🔎 Ce mot se termine par un s qu'on prononce.
→ Cherche **pupille**.
☞ Va voir « les fleurs », page 285.

## ironie nom féminin
L'**ironie** est une façon de se moquer en disant le contraire de ce que l'on pense. *« Tu es impeccable », m'a dit Léo par ironie quand il m'a vu tout sale.*
● Mot de la même famille : ironique.

## ironique adjectif
Une parole, un ton **ironiques** montrent de l'ironie, sont un peu moqueurs. *Quand je suis arrivé dernier à la course, Mathilde m'a félicité d'un ton ironique.*

a b c d e f g h i j k l m n o p q r s t u v w x y z

**irrégulier, irrégulière adjectif**

❶ Une chose **irrégulière** n'a pas une forme régulière ou un rythme régulier. *Le malade a un pouls irrégulier.* Synonyme : inégal. Contraire : régulier.

❷ En grammaire, ce qui est **irrégulier** ne suit pas la règle générale. *Le mot « œil » a un pluriel irrégulier.* Contraire : régulier.

🔍 Il y a deux *r*.

**irréparable adjectif**

Un objet **irréparable** ne peut pas être réparé. *Mon baladeur est irréparable.*

🔍 Il y a deux *r*.

**irrespirable adjectif**

Un air **irrespirable** est très désagréable à respirer. *Dans certaines grandes villes, l'air est irrespirable.*

🔍 Il y a deux *r*.

**irriguer verbe**

Irriguer un champ, c'est l'arroser par un système de canaux ou de tuyaux. *Dans les régions très sèches, on irrigue les champs.*

🔍 Il y a deux *r*.

**irriter verbe**

❶ Irriter quelqu'un, c'est l'énerver et le mettre un peu en colère. *Tes remarques moqueuses l'ont irrité.* Synonyme : agacer.

❷ Irriter une partie du corps, c'est provoquer une réaction désagréable. *La fumée nous irrite les yeux.*

🔍 Il y a deux *r*.

**isolé, isolée adjectif**

Une chose, une personne **isolée** est située à l'écart des autres choses ou des autres personnes. *Nous habitons une maison isolée.*

● Mot de la même famille : isoloir.

**isoloir nom masculin**

Un **isoloir** est une sorte de cabine où un électeur s'isole pour mettre son bulletin de vote dans une enveloppe. *Pour qu'un vote reste secret, on doit aller dans l'isoloir.*

Maman entre dans l'**isoloir**.

**1. israélite adjectif**

La religion **israélite** est celle des descendants de Moïse et d'Abraham. *David est israélite, il va à la synagogue.* Synonyme : juif.

**2. israélite nom masculin et nom féminin**

Les **israélites** sont des personnes qui croient en Dieu et qui vont prier à la synagogue. Synonyme : juif.

▶ Le samedi est le jour de repos des israélites.

→ Cherche **bouddhiste, catholique, musulman** et **protestant**.

**issue nom féminin**

Une **issue** est un passage par où l'on peut sortir. *Les issues de secours*

*sont indiquées par des panneaux.*
Synonyme : **sortie.**

**itinéraire** nom masculin

Un **itinéraire** est un chemin à suivre pour aller d'un lieu à un autre. *J'ai choisi l'itinéraire le plus court pour aller chez toi.* Synonyme : **trajet.**

🔍 « Itinéraire » est un nom masculin qui se termine par un *e*.

**ivoire** nom masculin

❶ L'**ivoire** est la partie dure des dents de l'homme et des mammifères. *L'ivoire est recouvert d'émail.*

❷ L'**ivoire** est la matière dure et blanche des défenses d'éléphants, d'hippopotames, de sangliers.

🔍 « Ivoire » est un nom masculin.

**ivre** adjectif

Une personne **ivre** est une personne qui a bu trop d'alcool et qui a un comportement anormal.

● Mots de la même famille : **ivresse, ivrogne.**

→ Cherche **soûl.**

**ivresse** nom féminin

L'**ivresse** est l'état d'une personne ivre. *Il est interdit de conduire en état d'ivresse.*

**ivrogne** nom masculin et nom féminin

Un **ivrogne**, une **ivrogne** sont des personnes qui sont souvent ivres, qui boivent trop d'alcool.

**jabot** nom masculin

Le **jabot** est la poche que certains oiseaux ont à la base du cou. *La nourriture est gardée dans le jabot avant de passer dans l'estomac.*

**jacasser** verbe

Pour une pie, **jacasser**, c'est pousser son cri.

**jadis** adverbe

Jadis signifie : dans le temps passé. *Jadis, il y avait davantage d'agriculteurs en France.* Synonyme : **autrefois.** Contraires : actuellement, aujourd'hui, maintenant.

🔍 Ce mot se termine par un *s* qu'on prononce.

**jaguar** nom masculin

Un **jaguar** est un mammifère carnivore d'Amérique du Sud qui ressemble à une panthère.

▶ Les jaguars sont des félins. Ils chassent la nuit.

→ Cherche **guépard** et **félin.**

**jaillir** verbe

Quand un liquide **jaillit**, il sort avec force. *Le pétrole a jailli du puits.* Synonyme : **gicler.**

**jalousie** nom féminin

La **jalousie** est l'état d'esprit d'une personne qui voudrait avoir ce que les autres ont. Synonyme : **envie.**

**jaloux, jalouse** adjectif

Être **jaloux**, c'est vouloir ce qu'une autre personne a. *Elle est jalouse de la réussite de sa sœur.*

● Mot de la même famille : **jalousie.**

**jamais** adverbe

Jamais signifie : à aucun moment. *Camille ne triche jamais.* Contraires : **toujours, tout le temps.** *Pauline n'est jamais allée à la mer.* Contraire : **déjà.**

**jambe** nom féminin

La **jambe** est la partie du corps qui va de la hanche au pied.

🔍 Le son [ɑ̃] s'écrit *am* devant un *b*.

**jambon** nom masculin

Le **jambon** est la cuisse ou l'épaule du porc préparée par le charcutier. *Je mange un sandwich au jambon.*

🔍 Le son [ɑ̃] s'écrit *am* devant un *b*.

**janvier** nom masculin

Janvier est le premier mois de l'année. Il vient avant février. *Le 1er janvier, on se souhaite une bonne année.*

☛ Va voir « le calendrier », page 111.

**jardin** nom masculin

Un **jardin** est un terrain où l'on cultive des plantes. *Dans les jardins, on fait pousser des fleurs, des légumes et des arbres.*

● Mots de la même famille : jardinage, jardinier.

→ Cherche **potager** et **verger**.

**jardinage** nom masculin

Le **jardinage**, c'est la culture et l'entretien des jardins.

**jardinier** nom masculin
**jardinière** nom féminin

Un **jardinier**, une **jardinière** sont des personnes qui cultivent et entretiennent des jardins.

Léo et sa maman sont de bons **jardiniers**.

**jars** nom masculin

Le **jars** est le mâle de l'oie.

▶ Le petit est l'**oison**. Quand le jars crie, on dit qu'il **jargonne**.

🔎 Ce mot se termine par un *s*.

**1. jaune** adjectif

La couleur **jaune** est la couleur du soleil et des citrons.

● Mot de la même famille : jaunir.

**2. jaune** nom masculin

❶ Le **jaune** est la couleur jaune. *J'ai peint les fenêtres en jaune.*

❷ Le **jaune d'œuf** est la partie jaune qui est au centre de l'œuf.

☛ Va voir « les couleurs et les formes », page 171.

**jaunir** verbe

Jaunir, c'est devenir jaune. *Les feuilles des arbres jaunissent en automne.*

**javelot** nom masculin

Un **javelot** est une lance utilisée en athlétisme. *On lance le javelot d'une main, le plus loin possible.*

L'athlète lance le **javelot**.

**jazz** nom masculin

Le **jazz** est une musique rythmée créée vers 1900, aux États-Unis, par des musiciens noirs.

🔎 On prononce [dʒɑz].

**je** pronom

Je représente la première personne du singulier. *Je m'appelle Adrien.*

🔎 *Je* s'écrit *j'* devant une voyelle ou un « h » muet : *j'ai, j'hésite.*

a b c d e f g h i j k l m n o p q r s t u v w x y z

**jean** nom masculin

Un **jean** est un pantalon de toile très solide.

🔍 Ce mot vient de l'anglais : on prononce [dʒin].

**jet** nom masculin

Un **jet** d'eau est une colonne d'eau qui jaillit. *Au milieu du bassin, il y a un jet d'eau.*

**jetée** nom féminin

Une **jetée** est un mur qui s'avance dans la mer et qui sert à protéger un port des grosses vagues. **Synonyme : digue.**

**jeter** verbe

❶ Jeter, c'est envoyer avec force. *Les enfants jettent des pierres dans l'eau.* **Synonyme : lancer.**

❷ Jeter, c'est se débarrasser de quelque chose. *Paul a jeté tous les vieux journaux.* **Contraires : conserver, garder.**

❸ **Se jeter sur** quelque chose, sur quelqu'un, sur un animal, c'est bondir pour l'attraper. *Le chat s'est jeté sur la souris.*

❹ Quand un cours d'eau **se jette** dans un fleuve ou dans la mer, ses eaux y coulent. *La Marne se jette dans la Seine.*

● Mot de la même famille : **jet.**

Elle **jette** la peau de banane à la poubelle.

**jeton** nom masculin

Un **jeton** est un petit objet utilisé dans certains jeux ou dans certains appareils pour remplacer les pièces de monnaie.

**jeu** nom masculin

❶ Un **jeu** est un objet avec lequel on joue selon certaines règles. *Simon a un jeu d'échecs.*

❷ Un **jeu** est une façon de s'amuser, de se distraire. *Nous avons inventé un jeu.*

❸ Un **jeu de clés** est une série de clés.

🔍 Au pluriel, on écrit *des jeux.*

→ Cherche **jouet.**

**jeudi** nom masculin

Le **jeudi** est le quatrième jour de la semaine. Il vient après le mercredi et avant le vendredi. *Je vais chez Léo tous les jeudis.*

☛ Va voir « le calendrier », page 111.

à **jeun** adverbe

Être à jeun, c'est n'avoir rien mangé ni bu depuis le réveil. *Pour sa prise de sang, Marie doit être à jeun.*

🔍 On prononce : [aʒɛ̃].

**1. jeune** adjectif

Être **jeune**, c'est n'avoir pas un grand âge. *Ma mère a trente ans, elle est jeune.* **Contraires : âgé, vieux.**

● Mot de la même famille : **jeunesse.**

**2. jeune** nom masculin et nom féminin

Un **jeune**, une **jeune** sont des adolescents ou de jeunes adultes. *Le surf est un sport qui plaît aux jeunes.*

**jeunesse** nom féminin

❶ La **jeunesse** est la période de la vie entre l'enfance et l'âge adulte. *Grand-mère parle souvent de sa jeunesse.*

❷ La **jeunesse**, c'est l'ensemble des jeunes et des enfants. *Nous regardons des émissions pour la jeunesse.*

→ Cherche **enfance** et **vieillesse**.

**jockey** nom masculin

Un **jockey** est un cavalier qui monte des chevaux de course. C'est un nom de métier.

**jogging** nom masculin

Le **jogging** est une course à pied, à petite vitesse, que l'on fait régulièrement pour être en forme. *Mes parents font du jogging dans le parc.*

🔎 Il y a deux *g* au milieu du mot.

**joie** nom féminin

La **joie** est l'émotion que l'on ressent quand on est très content. *J'accepte ton invitation avec joie.* Synonyme : **plaisir**.
● Mots de la même famille : **joyeusement, joyeux**.

**joindre** verbe

❶ **Joindre** deux choses, c'est les rapprocher complètement. *Nicolas joint les pieds pour plonger.*
❷ **Joindre** quelque chose, c'est le mettre avec une autre chose. *Romain a joint un dessin à sa lettre.*
❸ **Joindre** quelqu'un, c'est lui parler au téléphone. *Ma mère a réussi à joindre la directrice.*

**joli, jolie** adjectif

Ce qui est **joli** est agréable à regarder ou à écouter. *Tu as fait une jolie photo. Ta sœur est très jolie.* Synonyme : **beau**. Contraire : **laid**. *Lola a une jolie voix.* Synonyme : **mélodieux**.

**jongler** verbe

Jongler, c'est lancer des objets en l'air, les rattraper et les relancer aussitôt. *Rémi jongle avec trois balles.*
● Mot de la même famille : **jongleur**.

**jongleur** nom masculin
**jongleuse** nom féminin

Un **jongleur**, une **jongleuse** sont des artistes de cirque qui jonglent.

La **jongleuse** fait son numéro.

**jonquille** nom féminin

Une **jonquille** est une fleur jaune qui pousse au printemps dans les bois, dans les prés et dans les jardins.

des **jonquilles**

**joue** nom féminin

La **joue** est la partie du visage qui se trouve entre le nez et l'oreille.
● Mot de la même famille : **joufflu**.

**jouer** verbe

❶ **Jouer**, c'est se distraire en faisant des jeux. *Pendant la récréation, nous jouons dans la cour.* Synonyme : **s'amuser**.
❷ **Jouer**, c'est faire un sport. *Mathilde joue au basket.*
❸ **Jouer** d'un instrument de musique, c'est en tirer des sons mélodieux. *Lucas joue de la guitare.*
❹ Au théâtre, au cinéma, **jouer**, c'est avoir un rôle. *Natacha a joué la Petite Sirène.*
● Mots de la même famille : **jeu, jouet, joueur**.

**jouet** nom masculin

Un **jouet** est un objet fait pour jouer. *Nous regardons les jouets dans les vitrines de Noël.*
→ Cherche **jeu**.

**joueur** nom masculin
**joueuse** nom féminin

Un **joueur**, une **joueuse** sont des personnes qui participent à un jeu ou à un match. *Arthur a distribué des cartes aux joueurs. Léa est une joueuse de tennis.*

**joufflu, joufflue** adjectif

Une personne **joufflue** a de grosses joues. *Mon petit frère est un bébé dodu et joufflu.*

**jour** nom masculin

❶ Un **jour** est une durée de 24 heures. *Une année a 365 ou 366 jours. En hiver, les jours sont plus courts qu'en été.* Synonyme : **journée**.
❷ Le **jour**, c'est la clarté, la lumière du soleil. *Demain, il fera jour à 6 heures.* Contraire : **nuit**.
● Mots de la même famille : **journal, journaliste, journée**.
☛ Va voir « le calendrier », page 111.

**journal** nom masculin

❶ Un **journal** est un ensemble de feuilles imprimées qui donnent des informations sur les événements du jour.
❷ Le **journal télévisé** est l'émission qui donne les informations à la télévision.
🔎 Au pluriel, on écrit *des journaux*.

**journaliste** nom masculin et nom féminin

Un **journaliste**, une **journaliste** sont des personnes qui écrivent dans les journaux ou qui donnent des informations à la télévision ou à la radio. C'est un nom de métier.

**journée** nom féminin

La **journée** est le temps qui se passe entre le lever et le coucher du soleil, entre le matin et le soir. *Nous avons passé une journée à la montagne.* Synonyme : **jour**.
→ Cherche **matinée** et **soirée**.
☛ Va voir « les activités de la journée », page 37.

**joyau** nom masculin

Un **joyau** est un bijou qui a une grande valeur. *À la fin du conte, Hansel et Gretel emportèrent tous les joyaux de la sorcière.*
🔎 Au pluriel, on écrit *des joyaux*.

**joyeusement** adverbe

**Joyeusement** signifie : avec joie, dans la gaieté. *Quand je rentre de l'école, mon petit frère m'accueille joyeusement.* Synonyme : **gaiement**. Contraire : **tristement**.

**joyeux, joyeuse** adjectif

Une personne **joyeuse** montre sa joie, son plaisir. *On n'a jamais vu Léa aussi joyeuse.* Synonymes : content, gai. Contraire : triste.

**judo** nom masculin

Le **judo** est un sport de combat qui vient du Japon.

▸ Une personne qui fait du judo est un **judoka** ou une **judoka**.

Lucas et Tom font du **judo**.

**juge** nom masculin et nom féminin

Un **juge**, une **juge** sont des personnes qui décident si quelqu'un est coupable ou innocent d'après la loi. C'est un nom de métier.

→ Cherche **justice** et **tribunal**.

**juger** verbe

❶ **Juger** une personne, c'est dire si elle est coupable ou innocente, et la condamner à la peine qu'elle mérite.

❷ **Juger**, c'est avoir une opinion, un avis sur une chose. *Mamie a jugé qu'il fallait rentrer de bonne heure.*

● Mot de la même famille : **juge**.

**1. juif, juive** adjectif

La religion **juive** est la religion israélite.

**2. juif** nom masculin
**juive** nom féminin

Un **juif**, une **juive** sont des israélites.

→ Cherche **bouddhiste**, **catholique**, **musulman** et **protestant**.

**juillet** nom masculin

Juillet est le septième mois de l'année. Il vient après juin et avant août. *Mes parents prennent leurs vacances en juillet.*

☞ Va voir « le calendrier », page 111.

**juin** nom masculin

Juin est le sixième mois de l'année. Il vient après mai et avant juillet. *Fin juin, les jours sont les plus longs de l'année.*

☞ Va voir « le calendrier », page 111.

**jumeau** nom masculin
**jumelle** nom féminin

Des **jumeaux** sont deux frères ou une sœur et un frère qui sont nés au même moment de la même mère. Des **jumelles** sont deux sœurs qui sont nées au même moment de la même mère.

🔍 Au masculin pluriel, on écrit *des jumeaux*.

Chloé et Marie sont **jumelles**.

a b c d e f g h i j k l m n o p q r s t u v w x y z

**jumelles** nom féminin pluriel

Des **jumelles** sont des lunettes spéciales qui permettent de voir ce qui est loin. *Nicolas observe les oiseaux avec des jumelles*.

**jument** nom féminin

La **jument** est la femelle du cheval.
▶ Le petit est le poulain. Quand la jument crie, on dit qu'elle hennit.

**jungle** nom féminin

En Inde, la **jungle** est une vaste région où le sol est recouvert de hautes herbes et de broussailles où vivent les grands fauves.

**jupe** nom féminin

Une **jupe** est un vêtement féminin qui serre la taille et qui descend jusqu'aux jambes.

**jurer** verbe

Jurer, c'est promettre en faisant un serment. *Au tribunal, le témoin a juré de dire toute la vérité*.

**jury** nom masculin

Le **jury** est un groupe de personnes chargé de juger un accusé dans un tribunal.
🔎 Ce mot se termine par un *y*.

**jus** nom masculin

Le **jus** est le liquide qui est contenu dans un fruit ou dans un légume. *Le matin, je bois un jus d'orange*.
🔎 Ce mot se termine par un *s*.

**jusque** préposition

Jusque est un mot qui sert à indiquer une limite. *Je reste là jusqu'à ce soir*.

🔎 Jusque s'écrit *jusqu'* devant une voyelle : *jusqu'ici, tout est parfait*.

Alice a de l'eau **jusqu'**aux chevilles.

**1. juste** adjectif

❶ Ce qui est **juste** ne comporte pas d'erreur. *Ton addition est juste*. Synonyme : **exact**. Contraires : **faux**, inexact.

❷ Une personne **juste** respecte la justice. *Notre maître est juste. Cette punition est juste*. Contraire : injuste.

❸ Un vêtement, des chaussures **justes** sont trop étroits.
● Mot de la même famille : justice.

**2. juste** adverbe

❶ **Juste** signifie : exactement. *Sophie habite juste à côté de la poste. Il est midi juste*.

❷ Chanter **juste**, c'est bien suivre la musique. Contraire : **faux**.

**justice** nom féminin

❶ La **justice** est une règle de vie qui permet de respecter les droits de chacun. *Le professeur traite les élèves avec justice*. Contraire : injustice.

❷ Rendre la **justice**, c'est la faire respecter dans un tribunal. *Les juges rendent la justice*.

## kangourou nom masculin

Un **kangourou** est un mammifère d'Australie qui avance en sautant sur ses grandes pattes de derrière. *La femelle kangourou porte son petit, pendant six mois, dans une poche qu'elle a sur le ventre.*

🔎 Au pluriel, on écrit *des kangourous*.

## karaté nom masculin

Le **karaté** est un sport de combat qui vient du Japon. *Au karaté, on arrête les coups avant de toucher son adversaire.*

▶ Une personne qui fait du karaté est un **karatéka** ou une **karatéka**.

## kayak nom masculin

Un **kayak** est un canoë fermé que l'on fait avancer avec des pagaies.

## képi nom masculin

Un **képi** est une sorte de casquette rigide que portent certains militaires.

## kermesse nom féminin

Une **kermesse** est une fête organisée en plein air, avec des jeux et des stands.

## kidnapper verbe

**Kidnapper** une personne, c'est l'enlever, en général pour obtenir une rançon.

## kilogramme nom masculin

Le **kilogramme** est la principale unité de mesure des masses. *Un kilogramme est égal à mille grammes.*

🔎 L'abréviation de « kilogramme » est *kg*. On dit aussi un « kilo ».

☞ Va voir « les mesures », page 443.

## kilomètre nom masculin

Le **kilomètre** est une unité de mesure des longueurs. *Un kilomètre est égal à mille mètres.*

🔎 L'abréviation de « kilomètre » est *km*.

☞ Va voir « les mesures », page 443.

un **kangourou** et son petit

A
B
C
D
E
F
G
H
I
J
K
L
M
N
O
P
Q
R
S
T
U
V
W
X
Y
Z

**kimono** nom masculin

Un **kimono** est un vêtement de sport fait d'une veste et d'un pantalon larges. On le porte pour faire du judo ou du karaté.

**kinésithérapeute** nom masculin et nom féminin

Un kinésithérapeute, une kinésithérapeute sont des personnes qui soignent par des mouvements de gymnastique et par des massages. C'est un nom de métier.

🔍 Il y a *th* au milieu du mot.

**kiosque** nom masculin

Un **kiosque** à journaux est une petite boutique sur un trottoir où l'on vend les journaux.

**kiwi** nom masculin

Un **kiwi** est un fruit des pays chauds qui a une peau brune recouverte de petits poils et une chair verte.

**klaxonner** verbe

Klaxonner, c'est appuyer sur un appareil sonore, appelé *Klaxon*, pour prévenir d'un danger.

**koala** nom masculin

Un **koala** est un petit mammifère nocturne d'Australie qui a un épais pelage gris et des oreilles rondes. *Les koalas vivent dans les arbres.*

**la → le**

**là** adverbe

Là signifie : à cet endroit qui est plus loin. *Ne reste pas ici, installe-toi là ! Le chien est passé par là.*

🔎 Le *a* prend un accent grave.

→ Cherche **ici**.

**là-bas** adverbe

Là-bas signifie : au loin. *Regarde la moto, là-bas.*

🔎 Le premier *a* prend un accent grave et il y a un trait d'union.

**laboratoire** nom masculin

Un **laboratoire** est une salle qu'on utilise pour faire des analyses et des expériences ou pour développer des photos.

🔎 « Laboratoire » est un nom masculin qui se termine par un e.

**labourer** verbe

Labourer un champ, c'est retourner la terre avec une charrue avant de semer.

**labyrinthe** nom masculin

Un **labyrinthe** est un ensemble de chemins compliqués où l'on peut se perdre.

🔎 Ce mot s'écrit avec un *y* et avec *th.*

**lac** nom masculin

Un **lac** est une grande étendue d'eau. *Nous avons fait de la barque sur le lac.*

▶ Un lac est beaucoup plus grand qu'un étang.

**lacer** verbe

Lacer ses chaussures, c'est les attacher avec des lacets.

🔎 Ne confonds pas « lacer » et « lasser ».

● Mot de la même famille : **lacet.**

**lacet** nom masculin

❶ Un **lacet** est un cordon que l'on passe dans les trous d'une chaussure pour l'attacher. *Paul noue ses lacets.*

❷ Une route **en lacets** a de nombreux virages. *Il ne faut pas conduire vite sur une route en lacets.*

**lâche** adjectif

Une personne **lâche** manque de courage. *Ce garçon est lâche, il s'attaque aux petits.* Contraires : brave, courageux.

🔎 Le *a* prend un accent circonflexe.

**lâcher** verbe

Lâcher quelque chose, quelqu'un, c'est le laisser s'échapper en desserrant la main. *Ton ballon va s'envoler si tu lâches la ficelle !* Contraires : attraper, saisir, tenir.

🔍 Le a prend un accent circonflexe.

Aziz **a lâché** son ballon.

**là-haut** adverbe

Là-haut signifie : dans un endroit situé plus haut. *Regarde l'avion là-haut !*

🔍 Le premier a prend un accent grave et il y a un trait d'union.

**laid, laide** adjectif

Ce qui est **laid** est désagréable à regarder. *Ces couleurs sont très laides.* Contraires : beau, joli.
● Mot de la même famille : laideur.

**laideur** nom féminin

La **laideur** est le défaut de ce qui est laid. *Les villes industrielles sont souvent d'une grande laideur.*

**laine** nom féminin

La **laine** est une matière souple et douce qui provient de la fourrure du mouton.

**laisse** nom féminin

Une **laisse** est une lanière que l'on attache au collier d'un chien. *Solène tient Sam en laisse.*

Chloé promène son chien en **laisse**.

**laisser** verbe

❶ Laisser, c'est ne pas emmener quelqu'un, un animal, ne pas emporter quelque chose. *Elle a laissé son fils à la crèche. Tom a laissé son livre chez moi.*

❷ Laisser, c'est permettre à quelqu'un de faire quelque chose. *Laisse-moi passer !* Contraire : empêcher.

**lait** nom masculin

Le **lait** est le liquide blanc qui est produit par les seins des femmes qui viennent d'accoucher et par les mamelles des vaches, des chèvres, des brebis et de toutes les femelles de mammifères. *Le lait est un aliment très équilibré et très nourrissant qui permet la croissance.*
● Mot de la même famille : laitage.

**laitage** nom masculin

Un **laitage** est un aliment qui contient du lait. *Les yaourts et les petits-suisses sont des laitages.*

**laitue** nom féminin

La **laitue** est une salade verte toute ronde qui a un cœur jaune.

**lama** nom masculin

Un **lama** est un mammifère ruminant d'Amérique du Sud. *Les lamas sont utilisés pour porter des chargements.*

**lambeau** nom masculin

Un **lambeau** est un morceau déchiré de tissu, de papier ou de peau. *Je suis tombé dans les ronces et ma chemise est en lambeaux.*

🔎 Le son [ã] s'écrit *am* devant un *b*. Au pluriel, on écrit *des lambeaux.*

**lame** nom féminin

Une **lame** de métal, de verre ou de bois est un morceau plat et mince. *Le couteau ne coupe plus, il faut aiguiser la lame.*

**lamentable** adjectif

Ce qui est **lamentable** est très mauvais. *Tes notes en classe sont lamentables.* Contraire : **excellent.**

se **lamenter** verbe

Se **lamenter**, c'est raconter ses malheurs. *La voisine se lamente toute la journée.* Synonyme : se plaindre.

**lampadaire** nom masculin

Un **lampadaire** est une lampe qui a un grand pied et qui est posée ou fixée au sol.

🔎 Le son [ã] s'écrit *am* devant un *p.*

**lampe** nom féminin

Une **lampe** est un objet qui sert à éclairer. *Tu verras plus clair si tu allumes ta lampe de bureau.*

▶ Avant l'invention de l'électricité, on utilisait des lampes à huile et des lampes à pétrole.

🔎 Le son [ã] s'écrit *am* devant un *p.*
● Mots de la même famille : lampadaire, lampion.

**lampion** nom masculin

Un **lampion** est une lanterne en papier de toutes les couleurs. *La place était éclairée par des lampions.*

🔎 Le son [ã] s'écrit *am* devant un *p.*

On a allumé les **lampions.**

**lance** nom féminin

Une **lance** est une arme ancienne faite d'un long morceau de bois terminé par une pointe en métal.

**lancer** verbe

❶ **Lancer,** c'est envoyer avec force. *À toi de lancer les dés.* Synonyme : jeter.

❷ **Se lancer** à la poursuite de quelqu'un, d'un animal, c'est se précipiter pour l'attraper. *Elle s'est lancée à la poursuite du voleur.*

**landau** nom masculin

Un **landau** est une voiture d'enfant qui a une capote. *On promène les bébés dans un landau.*

🔎 Au pluriel, on écrit *des landaus.*

➔ Cherche **poussette.**

## langage nom masculin

❶ Le **langage** est la capacité qu'ont les êtres humains de parler, de s'exprimer. *Certains enfants ont des difficultés de langage.*

❷ Un **langage** est un système de signes et de gestes qui permet de communiquer. *Les sourds-muets utilisent le langage des signes.*

## langouste nom féminin

Une **langouste** est un animal marin qui a une carapace rose et deux longues antennes, mais qui n'a pas de pinces.

▶ C'est un crustacé.

● Mot de la même famille : **langoustine**.

## langoustine nom féminin

Une **langoustine** est un animal marin qui a une carapace rose, des pinces comme le homard, mais qui est plus petite.

▶ C'est un crustacé.

## langue nom féminin

❶ La **langue** est un organe situé dans la bouche. Elle sert à parler et à goûter les aliments.

❷ Une **langue**, c'est l'ensemble des mots utilisés pour parler et écrire. *Les Français et les Anglais ne parlent pas la même langue.*

❸ **Donner sa langue au chat**, c'est ne pas savoir répondre à une devinette.

● Mot de la même famille : **langage**.

## lanière nom féminin

Une **lanière** est une longue bande de cuir ou de tissu. *Le dompteur fait claquer la lanière de son fouet.*

## lanterne nom féminin

Une **lanterne** est une sorte de boîte en verre qui contient une lampe. *Notre porte d'entrée est éclairée par une lanterne.*

## laper verbe

Pour un animal, **laper**, c'est boire à petits coups de langue. *Le chat lape de l'eau.*

Roméo **lape** son lait.

un **lapin**

## lapin nom masculin

Le **lapin** est un mammifère herbivore qui ronge ses aliments. *On élève les lapins dans des petites cabanes appelées «clapiers».*

▶ La femelle est la **lapine**. Le petit est le **lapereau**. Quand le lapin crie, on dit qu'il **clapit** ou qu'il **glapit**.

➜ Cherche **lièvre**.

**laquelle → lequel**

## 1. large adjectif

Ce qui est **large** a une grande distance d'un bord à l'autre. *La rivière est large.*
Contraire : étroit.
● Mot de la même famille : largeur.

## 2. large nom masculin

❶ De **large** signifie : de largeur. *La rue a cinq mètres de large.*
❷ Le **large**, c'est la pleine mer. *Le navire a gagné le large.*
● Mot de la même famille : largeur.

**largeur** nom féminin
Dans une surface, la **largeur** est la plus petite dimension. *La largeur de la table est de 60 centimètres.* Dans un rectangle, la **largeur** est le petit côté. *J'ai mesuré la largeur du rectangle.*
Contraire : longueur.
→ Cherche hauteur.

**larme** nom féminin
Une **larme** est une goutte de liquide salé qui sort des yeux quand on pleure. *En nous quittant, ma petite sœur était en larmes.* Synonyme : en pleurs.

**larve** nom féminin
Une **larve** est la forme que prennent certains animaux avant de devenir adultes. *Le têtard est la larve de la grenouille.*

**laser** nom masculin
Le **laser** est un appareil qui produit des rayons très puissants. *Le laser est utilisé dans les lecteurs de CD.*

**lasser** verbe
**Lasser** quelqu'un, c'est le fatiguer, l'ennuyer. *Ma sœur a fini par lasser mes parents avec ses caprices.*
Ne confonds pas « lasser » et « lacer » ses chaussures.

**lasso** nom masculin
Un **lasso** est une longue corde terminée par un nœud coulant. *Les cow-boys attrapent les taureaux au lasso.*

**lavabo** nom masculin
Un **lavabo** est une sorte de bassin situé dans une salle de bains et qui sert à se laver.

**lavage** nom masculin
Le **lavage**, c'est l'action de laver. *Mon pull a rétréci au lavage.*

**lavande** nom féminin
La **lavande** est une plante à petites fleurs bleues très parfumées. *On a mis des sachets de lavande séchée dans l'armoire.*

**lave** nom féminin
La **lave** est une matière épaisse, molle et brûlante qui s'échappe des volcans en éruption. Elle devient solide en refroidissant.

**laver** verbe
**Laver**, c'est nettoyer avec de l'eau et du savon ou de la lessive. *Paul lave son maillot de bain.* Synonyme : nettoyer. *Nous nous lavons avant de dîner.*
● Mots de la même famille : lavabo, lavage.

David et Léa **se lavent** dans la baignoire.

**layette** nom féminin

La **layette** est le linge et les vêtements d'un bébé. *Mamie tricote de la* **layette** *pour son petit-fils.*

**le, la** article

Le et la sont des déterminants : *le maître, la voiture.*

🔍 *Le et la s'écrivent l'* devant une voyelle ou un « h » muet : *l'os, l'homme, l'eau, l'herbe.* Au pluriel, on dit *les.*

**lécher** verbe

Lécher, c'est passer la langue sur quelque chose. *Le chat me* **lèche** *la main.*

**leçon** nom féminin

Une **leçon**, c'est ce qu'un professeur donne à apprendre. *Hugo récite sa* **leçon** *d'histoire.*

🔍 *Le c prend une cédille.*

**1. lecteur** nom masculin
**lectrice** nom féminin

Un **lecteur**, une **lectrice** sont des personnes qui lisent des livres ou des journaux. *Mes sœurs sont* **lectrices** *du même journal.*

**2. lecteur** nom masculin

Un lecteur de cassettes, un **lecteur** de CD, un **lecteur de DVD** sont des appareils que l'on utilise pour écouter

La chatte **lèche** son petit.

des cassettes et des CD, pour regarder des DVD.

**lecture** nom féminin

La **lecture**, c'est le fait de lire, de déchiffrer un texte. *Nous apprenons la* **lecture**. *La maîtresse nous fait parfois la* **lecture**.

**légende** nom féminin

❶ Une **légende** est un récit merveilleux que l'on raconte depuis très longtemps. *Ma grand-mère m'a raconté la* **légende** *de Merlin l'Enchanteur.*

❷ La **légende** d'une photo ou d'un dessin est le texte qui l'accompagne et qui donne parfois des précisions. La **légende** d'une carte de géographie, c'est la liste des signes et des couleurs.

**léger, légère** adjectif

❶ Une chose ou une personne **légère** a peu de poids. *Ma valise est* **légère**. Contraire : lourd.

❷ Un vent **léger** ne souffle pas fort. *La brise est un vent* **léger**. Contraires : fort, violent.

❸ Une blessure **légère** est peu importante et peu profonde. *Sarah a une blessure* **légère** *au genou.* Contraire : grave.

● Mots de la même famille : légèrement, légèreté.

**légèrement** adverbe

❶ **Légèrement** signifie : de façon légère. *Le chat l'a griffé* **légèrement**. Contraire : fort. *Grand-mère mange* **légèrement**. Synonyme : peu. Contraire : beaucoup.

❷ Être **légèrement** blessé, c'est ne pas avoir de blessure importante ou profonde. Contraire : gravement.

**légèreté** nom féminin
La **légèreté** est l'état de ce qui est léger. *Le liège est d'une grande légèreté.* Contraires : lourdeur, poids.

**légume** nom masculin
Un **légume** est une plante. On mange ses feuilles, ses tiges, ses racines ou ses graines. *Les carottes, les haricots verts, les asperges sont des légumes verts. Les lentilles sont des légumes secs.*

**lendemain** nom masculin
Le **lendemain**, c'est le jour suivant. *Nous attendions mon oncle samedi, mais il est arrivé le lendemain.*
→ Cherche **veille**.

**lent, lente** adjectif
Une personne, un animal, un véhicule **lents** ne se déplacent pas vite. *Sur l'autoroute, les véhicules lents roulent sur la voie de droite.* Contraire : rapide. Avoir l'esprit **lent**, c'est ne pas comprendre vite. Contraire : : vif.
● Mots de la même famille : **lentement, lenteur**.

**lentement** adverbe
**Lentement** signifie : avec lenteur. *Mon arrière-grand-mère marche lentement.* Contraires : rapidement, vite.

**lenteur** nom féminin
Quand on fait quelque chose avec **lenteur**, on le fait sans aller vite. *Maman me dit souvent de me dépêcher, elle se plaint de ma lenteur.* Contraire : rapidité.

a b c d e f g h i j k l m n o p q r s t u v w x y z

## Les légumes

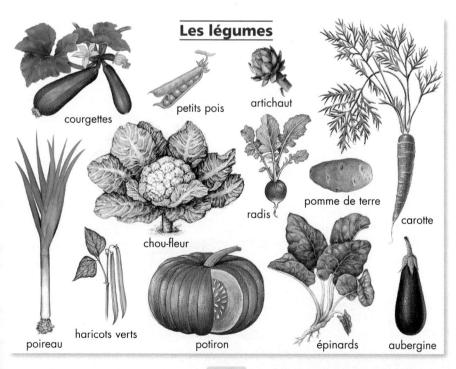

courgettes

petits pois

artichaut

chou-fleur

radis

pomme de terre

carotte

poireau

haricots verts

potiron

épinards

aubergine

# lentille

A B C D E F G H I J K L M N O P Q R S T U V W X Y Z

**lentille nom féminin**

❶ Les **lentilles** sont des petites graines rondes, brunes ou vertes, que l'on mange cuites. Ce sont des légumes secs.

❷ Des **lentilles** sont des petits disques transparents que l'on place sur les yeux pour corriger la vue. *Franck porte des lentilles.*

**léopard nom masculin**

Un **léopard** est une panthère d'Afrique. Il a un pelage jaune à taches noires.

▶ Les léopards sont des félins.

→ Cherche **guépard** et **félin**.

**lequel, laquelle pronom**

Lequel, laquelle sont des mots qui remplacent un nom. *C'est une idée à laquelle je n'avais pas pensé.*

🔍 Au pluriel, on écrit *lesquels, lesquelles.*

**les → le**

**lessive nom féminin**

❶ La **lessive** est un produit que l'on utilise pour laver le linge.

❷ La **lessive**, c'est le lavage du linge. *Mon frère a fait la lessive.*

**lettre nom féminin**

❶ Une **lettre** est un signe de l'alphabet. *L'alphabet français a 26 lettres.*

un **léopard**

❷ Une **lettre** est un texte que l'on écrit à quelqu'un et que l'on signe. *Notre correspondant nous a envoyé une lettre d'Afrique.*

Maman lit une **lettre**.

**1. leur adjectif**

Leur est un déterminant qui se place devant un nom masculin ou un nom féminin : *leur fils, leur fille.*

🔍 Au pluriel, on écrit *leurs.*

**2. leur pronom**

Leur représente la troisième personne du pluriel. *Je leur parle.*

→ Cherche **lui**.

**1. lever verbe**

❶ Lever, c'est diriger vers le haut ou mettre plus haut. *Sarah a levé la main.* Contraire : **baisser**.

❷ Lever un enfant, c'est le sortir du lit. Contraire : **coucher**. Se lever, c'est sortir du lit, se mettre debout. *Le dimanche, je me lève plus tard.* Contraire : **se coucher**.

une **libellule**

*Dans la jungle, les singes s'élancent d'une **liane** à l'autre.*

Il y a beaucoup de **lianes** dans cette forêt.

❸ Quand le soleil **se lève**, il apparaît à l'horizon et il va faire jour. Contraire : se coucher.

## 2. **lever** nom masculin

Le **lever du soleil**, c'est le moment où le soleil apparaît à l'horizon. Contraire : coucher du soleil.

## **lèvre** nom féminin

Les **lèvres** sont les deux parties roses qui entourent la bouche.

## **lézard** nom masculin

Un **lézard** est un animal qui a un corps couvert d'écailles, quatre pattes courtes et une longue queue. *Les **lézards** se chauffent au soleil.*

▶ Les lézards sont des reptiles.

## **liaison** nom féminin

Faire une **liaison**, c'est prononcer ensemble la dernière lettre d'un mot et la première lettre du mot suivant. *Quand je dis « les hommes », je fais une liaison.*

## **liane** nom féminin

Une **liane** est une plante à longues tiges souples qui s'accrochent aux arbres.

## **libellule** nom féminin

Une **libellule** est un insecte qui a quatre longues ailes transparentes. *Les libellules vivent près de l'eau et se nourrissent de petits insectes qu'elles attrapent en volant.*

## **libérer** verbe

**Libérer** un prisonnier, c'est le faire sortir de prison, le rendre libre. Synonymes : délivrer, relâcher. Contraire : emprisonner.

## **liberté** nom féminin

❶ La **liberté**, c'est le droit de penser, de dire ce que l'on veut en respectant les autres. *« Liberté, Égalité, Fraternité » est la devise de la République française.*

❷ Être **en liberté**, c'est ne pas être enfermé ou attaché, pouvoir aller où l'on veut. *Le prisonnier a été remis **en liberté**. Marie élève des animaux **en liberté** dans son jardin.*

un **lézard**

# libraire nom masculin et nom féminin

Un **libraire**, une **libraire** sont des personnes qui vendent des livres. C'est un nom de métier.

● Mot de la même famille : **librairie**.

# librairie nom féminin

Une **librairie** est un magasin où le libraire vend des livres.

# libre adjectif

❶ Être **libre**, c'est ne pas être enfermé et pouvoir aller où l'on veut. *J'ai ouvert la cage, l'oiseau est libre.*

❷ Une place **libre** est une place que l'on peut occuper. *Vous pouvez vous asseoir, la place est libre.* Synonyme : **disponible**. Contraire : **occupé**.

❸ Avoir du **temps libre**, c'est faire ce que l'on veut de son temps. *Maman ne travaille pas le mercredi : elle a du temps libre.* Synonyme : **loisirs**.

● Mot de la même famille : **liberté**.

# licencier verbe

Licencier une personne, c'est la renvoyer de son travail. *Le directeur de l'usine a licencié des ouvriers.* Contraires : **embaucher, engager**.

# licorne nom féminin

Une **licorne** est un animal fabuleux que l'on représente comme un cheval d'un blanc éclatant avec une longue corne au milieu du front. *Dans les légendes, la licorne est le symbole de ce qui est innocent et pur et sa corne a des pouvoirs magiques.*

On distingue une **licorne** sur cette tapisserie.

# liège nom masculin

Le **liège** est l'écorce légère et imperméable de certains chênes. On l'utilise surtout pour fabriquer des bouchons.

# lien nom masculin

Un **lien** est un objet qui sert à lier, à attacher. *Une corde, une ficelle, un ruban sont des liens.*

# lier verbe

❶ Lier, c'est attacher. *On a lié les mains du prisonnier.*

❷ Se lier avec quelqu'un, c'est devenir son ami. *Sébastien et Marie se sont liés.*

● Mot de la même famille : **lien**.

# lierre nom masculin

Le **lierre** est une plante aux feuilles toujours vertes, qui pousse en s'accrochant aux arbres ou aux murs. *Du lierre recouvre la façade de la maison.*

🔍 Il y a deux r.

# lieu nom masculin

❶ Un **lieu** est un endroit précis. *Quel est ton lieu de naissance ? Ma mère n'habite pas loin de son lieu de travail.*

**②** **Au lieu de** signifie : plutôt que de. *Tu ferais mieux d'aller jouer dehors au lieu de regarder la télévision.*

**❸** **Avoir lieu**, c'est se produire, se dérouler. *La fête de l'école aura lieu dans un parc.*

🔍 Au pluriel, on écrit *des lieux*.

### lieue nom féminin

Une **lieue** est une ancienne mesure de longueur qui correspond à quatre kilomètres environ. *Dans le conte « le Petit Poucet », l'ogre met ses bottes de sept lieues pour faire des pas gigantesques.*

L'ogre a mis ses bottes de sept **lieues**.

### lièvre nom masculin

Un **lièvre** est un mammifère herbivore sauvage qui ronge ses aliments et qui court très vite. Il ressemble à un lapin, mais il est plus grand et a les pattes de derrière plus fortes.

▶ La femelle est la **hase**, le petit est le **levraut**. Quand le lièvre crie, on dit qu'il **vagit**.

### ligne nom féminin

**❶** Une **ligne** est un trait long et fin. *Quand je dessine un cercle, on ne peut pas voir le début et la fin de la ligne.*

**②** Une **ligne** est une suite de lettres, de mots ou de chiffres écrits les uns à côté des autres. *Rémi a lu dix lignes de son livre de lecture.*

**❸** Une **ligne** est un fil attaché au bout d'une canne à pêche. *Le pêcheur a cassé sa ligne.*

**❹** Les **lignes** électriques, téléphoniques sont les installations qui permettent de s'éclairer et de téléphoner.

**❺** Une **ligne** est un trajet en transport en commun. *Nous avons pris la ligne 21 de l'autobus.*

☞ Va voir « les couleurs et les formes », page 171.

### ligoter verbe

**Ligoter** une personne, c'est l'attacher pour qu'elle ne puisse plus bouger. *Les voleurs ont ligoté le gardien de la bijouterie.*

### lilas nom masculin

Le **lilas** est un arbuste qui a des fleurs en grappes mauves, violettes ou blanches, très parfumées.

🔍 Ce mot se termine par un *s*.

un **lièvre**

*a b c d e f g h i j k l m n o p q r s t u v w x y*

## limace nom féminin

Une **limace** est un petit animal au corps mou qui ressemble à un escargot, mais qui n'a pas de coquille. *Les limaces mangent les salades.*

▶ Les limaces sont des mollusques.

## limande nom féminin

Une **limande** est un poisson de mer très plat qui a les deux yeux sur le même côté.

## lime nom féminin

❶ Une **lime** est un outil en métal qui sert à rendre une matière lisse ou moins épaisse. *Le menuisier arrondit les angles de la planche avec une lime.*

❷ Une **lime à ongles** est un petit instrument en acier ou en carton qui sert à raccourcir ou à arrondir les ongles.

● Mot de la même famille : **limer**.

## limer verbe

Limer, c'est frotter avec une lime. *Le menuisier lime les bords de la planche.*

## limitation nom féminin

La **limitation**, c'est l'action de limiter. *Sur la route, il y a des panneaux de limitation de vitesse.*

un **lion**

## limite nom féminin

❶ Une **limite** est l'endroit ou la ligne qui marque la fin d'un lieu. *Le ballon est sorti des limites du terrain.*

❷ **La dernière limite**, c'est le dernier moment. *Aujourd'hui, c'est la dernière limite pour s'inscrire aux cours de judo.*

● Mots de la même famille : **limitation**, **limiter**.

## limiter verbe

Limiter, c'est marquer la limite d'une chose. *Sur l'autoroute, la vitesse est limitée à 130 kilomètres à l'heure.*

## limonade nom féminin

La **limonade** est une boisson gazeuse sucrée qui a un léger goût de citron.

## limpide adjectif

Une eau **limpide** est une eau très claire. Synonyme : transparente. Contraire : trouble.

🔎 le son [ɛ̃] s'écrit *im* devant un *p*.

## linge nom masculin

Le **linge** est l'ensemble des objets en tissu que l'on utilise dans la maison ou comme vêtements. *On a mis le linge sale dans la machine à laver.*

## lingot nom masculin

Un **lingot** d'or est un bloc d'or de forme rectangulaire. *Un lingot d'or pèse un kilogramme.*

## lion nom masculin

Le **lion** est un mammifère carnivore sauvage d'Afrique. Il a un pelage beige et une crinière.

▶ C'est un félin. La femelle, la **lionne**, n'a pas de crinière. Le petit est le **lionceau**. Quand le lion crie, on dit qu'il rugit.

**lipide** nom masculin

Les **lipides** sont des aliments gras qui aident le corps à conserver son énergie. *Le beurre et l'huile sont des lipides.*

→ Cherche **glucide** et **protéine**.

**liqueur** nom féminin

Une **liqueur** est une boisson sucrée qui contient de l'alcool.

**1. liquide** adjectif

Une chose **liquide** coule, n'est pas solide. *Quand elle fond, la glace devient liquide. Ta sauce est trop liquide.* Contraire : **épais**. *Le lait est un aliment liquide.* Contraire : **solide**.

**2. liquide** nom masculin

Un **liquide** est une matière qui coule et qui n'a pas de forme. *L'eau, le lait sont des liquides.*

**lire** verbe

❶ **Lire**, c'est reconnaître les lettres et les mots et comprendre leur sens. *Valentin apprend à lire.*

❷ **Lire** quelque chose à quelqu'un, c'est le dire à voix haute en suivant le texte. *Ma sœur me lit une histoire.*

● Mots de la même famille : **lecteur, lecture, lisible, lisiblement**.

**lisible** adjectif

Une écriture **lisible** est une écriture que l'on peut lire facilement. Contraire : **illisible**.

**lisiblement** adverbe

Écrire **lisiblement**, c'est écrire de façon lisible.

**lisière** nom féminin

La **lisière** d'un bois, d'une forêt, c'est la limite, le bord. *Notre maison se trouve à la lisière de la forêt.* Synonyme : **orée**.

**lisse** adjectif

Une chose **lisse** est douce au toucher. *Les bébés ont la peau lisse.* Contraire : **rugueux**.

**liste** nom féminin

Une **liste** est une série de mots ou de nombres. *La maîtresse lit la liste des élèves.*

**lit** nom masculin

❶ Un **lit** est un meuble fait pour se coucher. *Dans un lit, il y a un matelas sur un sommier.*

❷ Le **lit** d'un cours d'eau est l'endroit creux du sol où coule l'eau. *La rivière est sortie de son lit à cause des pluies.*

● Mot de la même famille : **litière**.

**litière** nom féminin

❶ La **litière** des chevaux, des bœufs, c'est la paille sur laquelle ils se couchent.

❷ La **litière** des animaux domestiques, c'est le mélange de gravier et de sable sur lequel ils font leurs besoins.

**litre** nom masculin

Le **litre** est une unité de mesure des liquides. *J'ai acheté une bouteille d'eau d'un litre et demi.*

🔎 L'abréviation de « litre » est *l*.

☛ Va voir « les mesures », page 443.

Quel plaisir de **lire** !

a b c d e f g h i j k l m n o p q r s t u v w x y z

A
B
C
D
E
F
G
H
I
J
K
L
M
N
O
P
Q
R
S
T
U
V
W
X
Y
Z

**littérature** nom féminin

La **littérature**, c'est l'ensemble des livres écrits par les écrivains. *« Le Chat botté », « la Petite Sirène » sont des œuvres de la **littérature** de jeunesse.*

**livraison** nom féminin

La **livraison**, c'est l'action de livrer. *Ce magasin fait les **livraisons** à domicile.*

**1. livre** nom masculin

Un **livre** est un ensemble de feuilles imprimées qui sont fixées ensemble dans l'ordre où elles doivent se lire.

**2. livre** nom féminin

Une **livre** est la moitié d'un kilogramme.

🔍 On dit aussi « cinq cents grammes ».

**livrer** verbe

Livrer une marchandise, c'est l'apporter à domicile. *On nous a **livré** un ordinateur.*

● Mots de la même famille : **livraison**, **livreur**.

Le livreur leur **livre** une pizza.

**livreur** nom masculin
**livreuse** nom féminin

Un **livreur**, une **livreuse** sont des personnes qui livrent des marchandises, qui font des livraisons.

**local** nom masculin

Un **local** est une partie d'un bâtiment ou une pièce d'un immeuble. *Dans notre immeuble, il y a un **local** pour ranger les vélos et les poussettes.*

🔍 Au pluriel, on écrit *des locaux*.

**locataire** nom masculin et nom féminin

Un **locataire**, une **locataire** sont des personnes qui louent un logement. Ils paient un loyer pour habiter dans un logement qui appartient à une autre personne.

● Mot de la même famille : **location**.

→ Cherche **propriétaire**.

**location** nom féminin

La **location**, c'est l'action de louer et le logement loué. *Pour les vacances, mes parents ont pris une **location** au bord de la mer.*

**locomotion** nom féminin

Les **moyens de locomotion** sont des moyens de transport. *La voiture, le train, l'avion sont des **moyens de locomotion.***

● Mot de la même famille : **locomotive**.

**locomotive** nom féminin

Une **locomotive** est une machine qui tire les wagons d'un train.

**logement** nom masculin

Un **logement** est un endroit où les personnes vivent, dans un immeuble ou une maison. *Mes parents ont trouvé un **logement** plus grand.*

Synonyme : **habitation**.

**loger** verbe

❶ **Loger** quelque part, c'est y vivre, y avoir son habitation. *Nous logeons dans un petit immeuble.*

Synonyme : **habiter**.

**❷ Loger** une personne, c'est lui fournir un logement. *Nous logeons une amie à la maison.* Synonyme : héberger.
● Mot de la même famille : logement.

**logique** adjectif
Une chose **logique** est pleine de bon sens. *Si Léa est l'aînée de la famille, elle a donc au moins un frère ou une sœur, c'est logique.*

**loi** nom féminin
La **loi**, c'est l'ensemble des règles qui indiquent les droits et les devoirs de chacun dans la société. *Tous les citoyens doivent respecter la loi.*

**loin** adverbe
**Loin** signifie : à une grande distance. *L'école est loin de la maison.* Contraire : près.
● Mot de la même famille : lointain.

**lointain, lointaine** adjectif
Un pays **lointain** est un pays situé à une grande distance du pays où l'on se trouve. *Jérémy rêve de voyager dans les pays lointains.* Contraire : proche.

**loir** nom masculin
Un **loir** est un petit rongeur gris qui ressemble à un écureuil et qui vit dans les arbres.
▶ C'est un animal végétarien qui hiberne.

un **loir**

**loisirs** nom masculin pluriel
**❶** Les **loisirs** sont les moments libres pour se distraire. *Que fais-tu pendant tes loisirs ?*

**❷** Des **loisirs** sont des distractions, des divertissements. *Le cinéma et les jeux vidéo sont mes loisirs préférés.*

**1. long, longue** adjectif
**❶** Ce qui est **long** a une grande distance d'un bout à l'autre. *Cette rue est longue.* Contraire : court.
**❷** Ce qui est **long** dure longtemps. *En été, les jours sont longs.* Contraire : court.
● Mots de la même famille : longer, longueur.

**2. long** nom masculin
**❶** De **long** signifie : de longueur. *Le mur a dix mètres de long.*
**❷** Le **long de** signifie : en longeant, en suivant. *Nous nous sommes promenés le long de la rivière.*

**longer** verbe
**Longer**, c'est suivre le bord. *Le chemin longe le lac.*

Les enfants **longent** le bois.

A
B
C
D
E
F
G
H
I
J
K
**L**
M
N
O
P
Q
R
S
T
U

## longtemps adverbe

**Longtemps** signifie : pendant un long moment. *Je t'ai attendu longtemps.*

## longueur nom féminin

Dans une surface, la **longueur** est la plus grande dimension. *La longueur de la table est de deux mètres.* Dans un rectangle, la **longueur** est le grand côté. *J'ai mesuré la longueur du rectangle.* **Contraire :** largeur.

→ Cherche **hauteur**.

☛ Va voir « les mesures », page 443.

## lorsque conjonction

**Lorsque** indique le moment où quelque chose se passe. *Téléphone-moi lorsque tu arriveras.* **Synonyme :** quand.

🔍 **Lorsque** s'écrit *lorsqu'* devant « en », « il », « elle », « on », « un », « une » : *lorsqu'il pleut ; lorsqu'on viendra.*

## losange nom masculin

Un **losange** est une forme géométrique qui a quatre côtés égaux.

→ Cherche **carré**.

☛ Va voir « les couleurs et les formes », page 171.

## lot nom masculin

Un **lot** est un objet ou une somme d'argent qu'on gagne dans une loterie.
● Mot de la même famille : **loterie**.

## loterie nom féminin

Une **loterie** est un jeu de hasard qui permet de gagner un lot quand on est tiré au sort. *Nous avons acheté des billets de loterie.*

## 1. louche nom féminin

Une **louche** est une grande cuillère ronde qui a un long manche. *On sert la soupe avec une louche.*

## 2. louche adjectif

Une chose ou une personne **louche** est une chose, une personne bizarre, dont il faut se méfier. *Mon frère ne veut pas dire où il va ce soir, c'est louche !* **Synonyme :** suspect.

## loucher verbe

**Loucher**, c'est avoir les yeux qui ne regardent pas dans la même direction. *Les nouveau-nés louchent parfois à la naissance.*

## louer verbe

**Louer** un logement, c'est donner une somme d'argent au propriétaire pour y habiter. *Mon grand frère loue un studio.* **Louer** un objet, un appareil, c'est l'emprunter en donnant une somme d'argent. *Nous avons loué des DVD.*
● Mots de la même famille : **locataire, location, loyer**.

## loup nom masculin

Un **loup** est un mammifère sauvage qui ressemble à un grand chien, mais qui a des mâchoires plus fortes.

▶ Les loups vivent en bandes appelées **meutes** et s'abritent dans une tanière. La femelle est la **louve**, le petit est le **louveteau**. Quand le loup crie, on dit qu'il hurle.

🔍 Ce mot se termine par un *p* qu'on ne prononce pas.

un **loup**

## loupe nom féminin

Une **loupe** est un instrument en verre très épais qui grossit les objets. *David regarde ses timbres à la loupe.*

## louper verbe

**Louper**, c'est manquer quelque chose. *J'ai loupé le train.* Synonyme : rater.

🔍 C'est un mot familier.

## lourd, lourde adjectif

Une chose ou une personne **lourde** a un grand poids. *Je ne peux pas porter cette planche, elle est trop lourde.* Contraire : léger.

● Mots de la même famille : lourdaud, lourdeur.

Ces cartons sont trop **lourds** !

## lourdaud, lourdaude adjectif

Un être **lourdaud** est lent et maladroit. *Les canards sont lourdauds.*

## lourdeur nom féminin

La **lourdeur** est l'état de ce qui est lourd. *Mon cartable est d'une telle lourdeur que j'ai du mal à le porter.* Synonyme : poids. Contraire : légèreté.

## loutre nom féminin

Une **loutre** est un petit mammifère carnivore qui a un pelage brun épais, des pattes palmées et une queue qui lui sert de gouvernail. *La loutre construit son terrier près de l'eau et se nourrit de poissons.*

## loyer nom masculin

Un **loyer** est une somme d'argent qu'un locataire paie à un propriétaire pour habiter dans un logement.

## lucarne nom féminin

Une **lucarne** est une petite fenêtre dans un toit.

## lueur nom féminin

Une **lueur** est une petite clarté. *Nous avons dîné à la lueur d'une bougie.*

## luge nom féminin

Une **luge** est un petit traîneau qu'on utilise pour glisser sur la neige. *Zoé fait de la luge.*

## lui pronom

**Lui** représente la troisième personne du singulier. *Tu lui manques beaucoup.*
➔ Cherche leur.

des **loutres**

**luisant, luisante** adjectif

❶ Une chose **luisante** est brillante. *Mon chien a le poil luisant.*

❷ Un **ver luisant** est un petit insecte qui brille dans la nuit.

**lumière** nom féminin

❶ La **lumière** est la clarté qui vient du soleil ou d'une lampe. *La lumière entre dans ma chambre.* Synonyme : jour. Contraires : obscurité, ombre.

❷ La **lumière** est l'éclairage électrique. *Éteins la lumière !*

● Mot de la même famille : **lumineux**.

**lumineux, lumineuse** adjectif

❶ Un objet **lumineux** brille dans l'obscurité. *Ma montre a un cadran lumineux.*

❷ Une pièce **lumineuse** reçoit beaucoup de lumière. *Ma chambre est très lumineuse.* Synonymes : clair, ensoleillé. Contraires : obscur, sombre.

**lundi** nom masculin

Le **lundi** est le premier jour de la semaine. Il vient avant le mardi. *De nombreux magasins sont fermés le lundi.*

☞ Va voir « le calendrier », page 111.

**lune** nom féminin

❶ La **Lune** est un astre qui tourne autour de la Terre et qui est éclairé par le Soleil.

❷ **Être dans la lune**, c'est être distrait, rêveur.

🔍 Quand ce mot désigne l'astre, il s'écrit avec une majuscule.

**lunettes** nom féminin pluriel

Des **lunettes** sont deux verres maintenus par une monture et par deux branches. Elles servent à corriger la vue ou à protéger les yeux du soleil.

*Marie porte des lunettes. Paul met ses lunettes de soleil.*

**lutin** nom masculin

Dans les contes, un **lutin** est un petit personnage malicieux qui a des pouvoirs magiques.

Le **lutin** porte un bonnet pointu.

**lutte** nom féminin

❶ Une **lutte** est un combat. *Les deux adversaires ont abandonné la lutte.*

❷ Une **lutte** est une action menée pour vaincre un mal, une maladie. *Cette association continue sa lutte contre le cancer.*

🔍 Il y a deux *t*.

● Mot de la même famille : **lutter**.

un croissant de **lune**

**lutter** verbe

**❶ Lutter** contre un adversaire, c'est se battre contre lui.

**❷ Lutter** contre un mal, une maladie, c'est les combattre, chercher des moyens de les supprimer, de les guérir. *Cette association lutte pour le droit au logement.*

🔍 Il y a deux *t*.

**luxe** nom masculin

Le **luxe**, c'est un ensemble d'objets rares et de grande valeur. *Ils vivent dans le luxe.* Synonyme : richesse.

**luzerne** nom féminin

La **luzerne** est une plante avec des petites fleurs violettes. *La luzerne sert de nourriture au bétail et aux lapins.*

**lycée** nom masculin

Un **lycée** est un établissement scolaire où vont les élèves après le collège.

🔍 Ce mot s'écrit avec un *y*. C'est un nom masculin qui se termine par un *e*.

**lynx** nom masculin

Un **lynx** est un mammifère carnivore sauvage qui ressemble à un grand chat, mais qui a une queue plus courte et des oreilles plus pointues terminées par une touffe de poils.

▶ Les lynx sont des félins.

🔍 Ce mot s'écrit avec un *y*. Il se termine par un *x* que l'on prononce. Il ne change pas au pluriel : *des lynx*.

# 1 À la campagne

1 un **château d'eau**

2 un **village**

3 une **hirondelle**

4 un **silo à grain**

5 des **vignes**

6 des **peupliers**

7 des **meules de paille**

8 une **moissonneuse-batteuse**

9 un **bois**

10 un **pommier**

11 des **serres**

12 un **clapier**

13 un **poulailler**

14 une **grange**

15 du **fumier**

16 un **tracteur**

17 des **moutons**

18 un **verger**

19 une **pie**

20 des **oies**

21 des **cochons**

22 une **porcherie**
23 un **champ de blé**
24 un **pré**
25 des **vaches**
26 des **ruches**
27 une **chèvre** et un **chevreau**
28 un **cheval** et un **poulain**

29 des **taupinières**
30 une **clôture**
31 un **lapin de garenne**
32 un **faisan**
33 un **papillon**
34 des **marguerites**
35 un **coquelicot**

| Adjectifs | Verbes |
|---|---|
| agricole | brouter |
| boisé, e | cultiver |
| campagnard, e | labourer |
| fleuri, e | moissonner |
| fruitier, ère | planter |
| mûr, e | semer |
| ·········· | ·········· |

# 2 Dans la forêt

1. un **châtaignier**
2. un **marronnier**
3. un **hêtre**
4. un **pin**
5. un **hibou**
6. un **geai**
7. un **pic épeiche**
8. un **chêne**
9. un **écureuil**
10. un **coucou**
11. une **chouette**
12. un **pivert**
13. un **cerf**
14. une **biche**
15. un **chevreuil**
16. une **mésange**
17. des **fougères**
18. une **couleuvre**
19. une **souche**
20. un **blaireau**
21. des **marcassins**

| | | | |
|---|---|---|---|
| **22** un **sanglier** | **29** un **crapaud** | | |
| **23** des **châtaignes** | **30** une **vipère** | | |
| **24** un **hérisson** | **31** un **noisetier** | | |
| **25** un **terrier** | **32** un **mulot** | | |
| **26** une **ortie** | **33** un **renard** | | |
| **27** un **lièvre** | **34** des **champignons** | | |
| **28** des **pommes de pin** | **35** des **glands** | | |

| Adjectifs | Verbes |
|---|---|
| feuillu, e | se cacher |
| forestier, ère | creuser |
| piquant, e | gazouiller |
| sauvage | grimper |
| silencieux, euse | observer |
| sombre | ramasser |
| . . . . . . . . . . | . . . . . . . . . . |

# 3 Au bord de la mer

1. le **volley-ball**
2. une **mouette**
3. le **surf**
4. une **planche à voile**
5. le **ski nautique**
6. une **voile**
7. un **voilier**
8. un **paquebot**
9. un **phare**
10. la **jetée**
11. le **port**
12. des **bateaux de pêche**
13. un **parasol**
14. des **cabines**
15. des **palmes**
16. un **masque de plongée**
17. un **tuba**
18. un **canot pneumatique**
19. un **maître-nageur sauvet**
20. un **cerf-volant**
21. des **rochers**

| | |
|---|---|
| 22 une **chaise longue** | 29 le **sable** |
| 23 un **château de sable** | 30 une **étoile de mer** |
| 24 un **râteau** | 31 des **coquillages** |
| 25 une **pelle** | 32 des **moules** |
| 26 un **seau** | 33 une **épuisette** |
| 27 un **bernard-l'ermite** | 34 une **crevette** |
| 28 une **bouée** | 35 des **algues** |

| Adjectifs | Verbes |
|---|---|
| agité, e | se baigner |
| bronzé, e | flotter |
| calme | jouer |
| ensoleillé, e | nager |
| mouillé, e | naviguer |
| nautique | pêcher |

# 4 À la montagne

1. un **pylône**
2. un **aigle**
3. un **sommet**
4. un **glacier**
5. un **restaurant d'altitude**
6. un **chalet**
7. des **sapins**

8. un **téléphérique**
9. un **télésiège**
10. une **route en lacets**
11. une **dameuse**
12. un **slalom**
13. une **perche**
14. un **gant**

15. un **bonnet**
16. un **remonte-pente**
17. une **luge**
18. une **patinoire**
19. une **cagoule**
20. un **moniteur de ski**
21. des **lunettes**

22 un **casque**
23 un **bâton**
24 une **piste**
25 la **neige**
26 un **skieur**, une **skieuse**
27 un **surf**
28 un **secouriste**

29 un **ski**
30 la **spatule**
31 un **anorak**

| Adjectifs | Verbes |
|---|---|
| alpin, e | descendre |
| enneigé, e | glisser |
| haut, e | monter |
| montagneux, euse | patiner |
| sportif, ive | skier |
| · · · · · · · · · · | · · · · · · · · · · |
| · · · · · · · · · · | · · · · · · · · · · |

# 5 Sur l'autoroute

1. le **péage**
2. un **camion**
3. un **lampadaire**
4. une **station-service**
5. des **pompes à essence**
6. une **caravane**
7. des **clignotants**

8. un **radar**
9. une **moto**
10. un **autocar**
11. un **panneau de signalisation**
12. une **camionnette**
13. une **voie**
14. une **voiture**

15. une **ligne blanche**
16. un **pont**
17. une **plaque d'immatriculat**
18. un **pare-chocs**
19. un **phare**
20. un **capot**
21. des **essuie-glaces**

**22** un **pare-brise**
**23** un **rétroviseur**
**24** un **conducteur**
**25** une **ceinture de sécurité**

| Adjectifs | Verbes |
|---|---|
| encombré, e | conduire |
| lent, e | doubler |
| prudent, e | freiner |
| rapide | ralentir |
| vigilant, e | rouler |
| . . . . . . . . . . | . . . . . . . . . . |
| . . . . . . . . . . | . . . . . . . . . . |

# 6 À la gare

| | | |
|---|---|---|
| **1** des **lampadaires** | **7** un **T.G.V.** | **13** un **rail** |
| **2** un **écran d'affichage** | **8** le **chef de gare** | **14** le **ballast** |
| **3** un **sac de voyage** | **9** une **casquette** | **15** un **quai** |
| **4** une **voie** | **10** une **horloge** | **16** un **voyageur** |
| **5** un **mécanicien** | **11** le **tableau des horaires** | **17** un **guichet** |
| **6** un **train** | **12** une **traverse** | **18** une **valise** |

**19** un **chariot à bagages**
**20** un **composteur**
**21** un **escalier roulant**
**22** des **bagages**
**23** un **colis**
**24** un **banc**

| Adjectifs | Verbes |
|---|---|
| impatient, e | attendre |
| lourd, e | consulter |
| patient, e | monter |
| pressé, e | partir |
| prudent, e | réparer |
| . . . . . . . . . . | . . . . . . . . . . |
| . . . . . . . . . . | . . . . . . . . . . |

# 7 À l'aéroport

1 un **hangar**

2 la **tour de contrôle**

3 un **avion**

4 la **queue de l'avion**

5 un **camion-citerne**

6 une **piste**

7 un **conteneur**

8 la **soute**

9 la **rampe de chargement**

10 des **bagages**

11 une **aile**

12 la **cabine de pilotage**

13 la **passerelle d'embarquement**

14 une **navette**

15 un **réacteur**

16 un **véhicule d'entret**

17 une **porte**

18 des **hublots**

19 des **passagers**

20 un **pilote**

21 une **hôtesse de l'air**

22 un **technicien**
23 le **chariot à bagages**
24 le **train d'atterrissage**
25 le **nez de l'avion**

| Adjectifs | Verbes |
|---|---|
| aérien, enne | atterrir |
| aéronautique | débarquer |
| aérospatial, e | décoller |
| dangereux,euse | embarquer |
| prudent, e | survoler |
| supersonique | voler |
| volant, e | voyager |

# 8 Dans la maison

| | | |
|---|---|---|
| 22 une **cuisinière** | 29 un **canapé** | |
| 23 un **évier** | 30 un **téléviseur** | |
| 24 un **réfrigérateur** | 31 des **chaises** | |
| 25 la **salle à manger** | 32 un **radiateur** | |
| 26 une **boîte aux lettres** | 33 une **porte** | |
| 27 la **rampe de l'escalier** | 34 le **sous-sol** | |
| 28 un **fauteuil** | 35 un **balcon** | |

| Adjectifs | Verbes |
|---|---|
| confortable | se coucher |
| décoré, e | faire la cuisine |
| lumineux, euse | habiter |
| propre | jouer |
| sale | se laver |
| sombre | lire |

# 9 Dans la ville

| | 22 | des **vélos** | 29 | un **panneau de signalisation** |
|---|---|---|---|---|
| | 23 | un **scooter** | 30 | un **kiosque à journaux** |
| | 24 | une **place** | 31 | un **square** |
| | 25 | le **trottoir** | 32 | une **avenue** |
| | 26 | la **chaussée** | 33 | des **piétons** |
| | 27 | une **vitrine** | 34 | un **distributeur de billets** |
| | 28 | une **rue** | | |

| Adjectifs | Verbes |
|---|---|
| animé, e | s'arrêter |
| bruyant, e | circuler |
| calme | faire les courses |
| encombré, e | marcher |
| piétonnier, ère | rouler |
| pollué, e | tourner |
| pressé, e | traverser |

# 10 Dans un parc

1. un **tremplin**
2. une **piste de skateboard**
3. un **skateboard**
4. un **casque**
5. une **cabane**
6. un **pont en rondins**
7. une **tyrolienne**
8. une **échelle suspendue**
9. un **plot**
10. des **rollers**
11. une **poubelle**
12. un **ballon**
13. un **arbre**
14. un **vélo**
15. une **allée**
16. un **banc**
17. une **poussette**
18. le **jardinier**
19. un **seau**
20. un **bac à sable**
21. une **pelle**

| Adjectifs | Verbes |
|---|---|
| amusant, e | s'amuser |
| content, e | courir |
| distrayant, e | jouer |
| prudent, e | lancer |
| sportif, ive | se promener |
| vert, e | sauter |
| . . . . . . . . . . | . . . . . . . . . . |

# 11 À la bibliothèque

| | | |
|---|---|---|
| ⑲ un **magazine** | ㉕ un **présentoir** | |
| ⑳ un **portemanteau** | ㉖ la **couverture** | |
| ㉑ un **bac à albums** | ㉗ une **étagère** | |
| ㉒ un **album** | ㉘ la **conteuse** | |
| ㉓ des **livres** | ㉙ un **tabouret à roulettes** | |
| ㉔ un **stylo** | ㉚ une **bande dessinée** | |

| Adjectifs | Verbes |
|---|---|
| amusant, e | classer |
| attentif, ive | consulter |
| illustré, e | emprunter |
| silencieux, euse | feuilleter |
| soigneux, euse | lire |
| . . . . . . . . . . | ranger |
| . . . . . . . . . . | rendre |

# 12 Au musée

1. une **nature morte**
2. un **cadre**
3. un **paysage**
4. un **banc**
5. des **lampes**
6. le **titre du tableau**
7. le **gardien**

8. le **sens de la visite**
9. la **guide**
10. des **tableaux**
11. des **écouteurs**
12. une **sculpture**
13. un **mobile**
14. le **vestiaire**

15. l'**accueil**
16. un **billet**
17. des **caméras de surveillan**
18. des **livres d'art**
19. la **librairie**
20. les **toilettes**
21. une **statue**

| Adjectifs | Verbes |
|---|---|
| abstrait, e | dessiner |
| artistique | écouter |
| classique | expliquer |
| coloré, e | montrer |
| géométrique | observer |
| peint, e | représenter |
| · · · · · · · · · · | · · · · · · · · · · |

# 13 Dans la savane

1. un **acacia**
2. un **léopard**
3. une **girafe**
4. un **baobab**
5. des **marabouts**
6. un **tisserin**
7. des **nids de tisserin**
8. des **babouins**
9. des **pintades**
10. une **termitière**
11. un **buffle**
12. des **gnous**
13. un **serpentaire**
14. un **crocodile**
15. une **antilope**
16. des **zèbres**
17. des **gazelles**
18. un **hippopotame**
19. un **rhinocéros**
20. un **éléphant**
21. la **trompe**

22 une **défense**

23 un **guépard**
   et son petit

24 un **ibis**

25 une **hyène**

26 un **lézard d'Afrique**

27 un **chacal**

28 un **vautour**

29 une **carcasse**

30 un **lion**

31 la **crinière**

32 une **lionne**
   et des **lionceaux**

33 une **mare**

| Adjectifs | Verbes |
|-----------|--------|
| chaud, e | boire |
| rapide | chasser |
| rayé, e | courir |
| sec, sèche | grimper |
| tacheté, e | se nourrir |
| . . . . . . . . . . | . . . . . . . . . . |
| . . . . . . . . . . | . . . . . . . . . . |

# 14 Dans la forêt équatoriale

1 un **porc-épic**
2 un **anaconda**
3 un **paresseux**
4 un **singe-araignée**
5 un **toucan**
6 un **singe hurleur**

7 un **perroquet**
8 un **colibri**
9 un **ara**
10 un **jaguar**
11 un **ocelot**
12 des **singes-écureuils**

13 un **tatou**
14 une **mygale**
15 une **liane**
16 une **tortue**
17 un **caïman**
18 des **grenouilles venimeus**

| | | | |
|---|---|---|---|
| **19** un **tapir** | **25** un **scalaire** | | |
| **20** un **iguane** | **26** des **anguilles électriques** | | |
| **21** des **piranhas** | **27** des **racines** | | |
| **22** un **scarabée** | **28** un **fourmilier** | | |
| **23** des **néons** | **29** des **fougères** | | |
| **24** un **boa** | **30** un **papillon** | | |

| Adjectifs | Verbes |
|---|---|
| agile | s'accrocher |
| bruyant, e | se balancer |
| coloré, e | dévorer |
| humide | s'enrouler |
| touffu, e | ramper |
| venimeux, euse | sauter |

# 15 Dans l'océan

1 un **espadon**
2 une **raie manta**
3 une **méduse**
4 une **tortue de mer**
5 un **banc de poissons**
6 un **poisson-pilote**
7 un **requin-marteau**

8 un **thon**
9 une **orque**
10 un **barracuda**
11 des **algues**
12 des **coraux**
13 un **poisson-chauve-souris**
14 des **dauphins**

15 des **poissons-clowns**
16 un **poisson-arlequin**
17 une **daurade**
18 un **poisson-lune**
19 un **poisson-chirurgien**
20 un **poisson-Picasso**
21 une **baudroie**

| | | |
|---|---|---|
| 22 une **murène** | 29 un **poisson-papillon** | |
| 23 un **tentacule** | 30 un **poisson-porc-épic** | |
| 24 une **pieuvre** | 31 une **sole** | |
| 25 une **crevette** | 32 une **étoile de mer** | |
| 26 un **hippocampe** | 33 un **oursin** | |
| 27 un **poisson-ange** | 34 une **langouste** | |
| 28 des **anémones de mer** | 35 une **éponge** | |

| Adjectifs | Verbes |
|---|---|
| aquatique | se cacher |
| marin, e | capturer |
| maritime | chasser |
| salé, e | flotter |
| sombre | nager |
| . . . . . . . . . . | . . . . . . . . . . |
| . . . . . . . . . . | . . . . . . . . . . |

# 16 Dans l'espace

1. le **Soleil**
2. une **sonde spatiale**
3. un **satellite d'observation**
4. une **comète**
5. la **Lune**
6. un **satellite de transmission**
7. la **planète Terre**
8. une **station spatiale**
9. des **panneaux solaires**
10. la **Galaxie**
11. un **astronaute**
12. un **scaphandre**
13. une **navette spati**
14. des **étoiles**
15. des **astéroïdes**

| **Adjectifs** | **Verbes** |
|---|---|
| étoilé, e | briller |
| lunaire | se coucher |
| planétaire | éclairer |
| solaire | explorer |
| spatial, e | se lever |
| terrestre | tourner |

16 **Mercure**
17 **Vénus**
18 **Terre**
19 **Mars**
20 **Jupiter**

21 **Saturne**
22 **Uranus**
23 **Neptune**
24 **Pluton**

**ma → mon**

**mâcher** verbe

Mâcher un aliment, c'est l'écraser avec les dents. *Il faut bien **mâcher** pour bien digérer.*

🔍 Le a prend un accent circonflexe.

● Mot de la même famille : mâchoire.

**machin** nom masculin

Un **machin** est un objet qu'on ne sait pas nommer. *Qu'est-ce que c'est ce **machin** qui est sur ton lit ?*

Synonyme : chose.

🔍 C'est un mot familier.

**machine** nom féminin

Une **machine** est un appareil qui fait des travaux ou qui les rend plus faciles. *Une **machine** à **laver** lave automatiquement le linge. Une **machine** à **calculer** permet de calculer plus vite.*

**mâchoire** nom féminin

Les **mâchoires** sont les os de la bouche. *Nous avons deux **mâchoires**. Les dents sont plantées dans les **mâchoires**.*

🔍 Le a prend un accent circonflexe.

**maçon** nom masculin

Un **maçon** est une personne qui construit les murs des maisons et répare les murs, les sols. C'est un nom de métier.

🔍 Le c prend une cédille.

**madame** nom féminin

Madame est le nom que l'on donne à une femme mariée quand on s'adresse à elle ou quand on parle d'elle. *Bonjour **madame** ! J'ai vu **madame** Florent ce matin.*

🔍 Au pluriel, on dit *mesdames*.

**mademoiselle** nom féminin

Mademoiselle est le nom que l'on donne à une jeune fille quand on s'adresse à elle ou quand on parle d'elle. *Au revoir **mademoiselle** ! J'ai parlé à **mademoiselle** Ledoux.*

🔍 Au pluriel, on dit *mesdemoiselles*.

**magasin** nom masculin

Un **magasin** est un local où un commerçant vend des marchandises. *Le **magasin** de jouets sera ouvert le dimanche qui précède Noël.*

Synonyme : boutique.

→ Cherche **supermarché**.

Ils font leurs courses
dans un **magasin**.

**magazine** nom masculin
Un **magazine** est un journal illustré
qui paraît chaque semaine ou chaque
mois.
🔍 Ce mot s'écrit avec un *z*.

**mage** nom masculin
❶ Un **mage** est un homme qui fait de
la magie.
❷ Dans la religion catholique, les **Rois
mages** sont les trois personnages qui
sont venus adorer Jésus à Bethléem.

**magicien** nom masculin
**magicienne** nom féminin
Un **magicien**, une **magicienne** sont
des personnes qui font des tours de
magie. **Synonymes** : illusionniste,
prestidigitateur.

**magie** nom féminin
La **magie** est l'art de faire des choses
surprenantes avec des gestes et des
mots mystérieux. *Mon oncle fait des
tours de magie.*
● Mots de la même famille : **mage**,
magicien, magique.

**magique** adjectif
Une formule **magique**, une
baguette **magique** ont des pouvoirs
extraordinaires. « *Abracadabra* » *est
une formule magique.*

**magnétophone** nom masculin
Un **magnétophone** est un appareil qui
permet d'enregistrer des sons sur une
cassette et de les écouter.
🔍 Ce mot s'écrit avec *ph*.

**magnétoscope** nom masculin
Un **magnétoscope** est un appareil qui
permet d'enregistrer des sons et des
images sur une cassette vidéo et de les
passer sur un écran de télévision.

**magnifique** adjectif
Une personne ou une chose
**magnifique** est très belle. *Regarde
ce magnifique paysage.*
**Synonymes** : merveilleux, splendide,
superbe. **Contraires** : affreux, horrible.

**mai** nom masculin
**Mai** est le cinquième mois de l'année.
Il vient après avril et avant juin. *En mai,
fais ce qu'il te plaît, dit le proverbe.*
☛ Va voir « le calendrier », page 111.

**maigre** adjectif
❶ Être **maigre**, c'est n'avoir pas
assez de graisse. *Ce chat est maigre.*
**Contraires** : gras, gros.
❷ Un fromage, un yaourt **maigre** ne
contient pas beaucoup de matières
grasses. **Contraire** : gras.
● Mot de la même famille : maigrir.
→ Cherche mince.

**maigrir** verbe
**Maigrir**, c'est devenir plus maigre.
*Mon chat a beaucoup maigri.*
**Contraire** : grossir.

a b c d e f g h i j k l m n o p q r s t u v w x y z

**maille** nom féminin
Une **maille** est une boucle de fil ou de laine qui est reliée à d'autres boucles pour former un tricot ou un filet. *Quand elle tricote, mamie compte les mailles.*
● Mot de la même famille : **maillon**.

Le pêcheur répare les **mailles** de son filet.

**maillon** nom masculin
Un **maillon** est un anneau d'une chaîne. *La chaîne du chien a de gros maillons.*

**maillot** nom masculin
❶ Un **maillot** est un vêtement de sport qui couvre le haut du corps. *Les footballeurs ont enfilé leur maillot.*
❷ Un **maillot de bain** est un vêtement de bain. *Ma sœur a un maillot de bain de deux pièces.*

**main** nom féminin
La **main** est la partie du corps qui est au bout du bras et qui sert à prendre, à toucher. *Fatou écrit de la main droite, Mathis de la main gauche.*

**maintenant** adverbe
❶ Maintenant signifie : au moment où l'on parle. *Nous devons partir maintenant.* Synonyme : **tout de suite.**

❷ Maintenant signifie : à notre époque. *Maintenant, on peut faire le tour du monde en quarante heures.* Synonymes : **actuellement, aujourd'hui.** Contraires : **autrefois, jadis.**

**maintenir** verbe
❶ Maintenir, c'est empêcher de bouger. *Les câbles maintiennent le mât.* Synonyme : **soutenir.**
❷ Maintenir, c'est affirmer avec force. *Je maintiens qu'il a tort.* Synonyme : **soutenir.**

**maire** nom masculin et nom féminin
Un **maire**, une **maire** sont des personnes qui ont été élues pour diriger une commune. *Le maire a marié mon cousin.*
● Mot de la même famille : **mairie.**

**mairie** nom féminin
La **mairie** est le bâtiment où se trouve le bureau du maire ou de la maire. *Mon cousin s'est marié à la mairie.*

**mais** conjonction
Mais signifie : malgré cela. *Ce problème est difficile, mais nous trouverons la solution.*

**maïs** nom masculin
Le **maïs** est une céréale qui a une grande tige et des épis de grains jaunes comestibles. *Avec le maïs, on fait de la farine et de l'huile.*
🔎 Il y a un tréma sur le *i* et on prononce le *s*.

**maison** nom féminin
❶ Une **maison** est un bâtiment qui sert d'habitation. *Un chalet, une chaumière, un pavillon sont des maisons.*

❷ **À la maison** signifie : chez soi. *Je rentre à la maison.*

● Mot de la même famille : maisonnette.

☛ Va voir la planche illustrée ❽

**maisonnette** nom féminin

Une **maisonnette** est une petite maison.

🔎 Il y a deux *n* et deux *t*.

**maître** nom masculin
**maîtresse** nom féminin

❶ Le **maître**, la **maîtresse** sont les personnes qui enseignent, à l'école, ce que les élèves doivent savoir. *À la rentrée, nous aurons un nouveau maître.* Synonymes : instituteur, professeur des écoles.

❷ Le **maître**, la **maîtresse** d'un animal sont les personnes qui s'occupent de lui. *Sam attend son maître.*

des épis de **maïs**

❸ Un **maître nageur** est un professeur de natation. *Le maître nageur nous a appris à plonger.*

🔎 Le *i* prend un accent circonflexe. Ne confonds pas « maître » avec « un mètre » pour mesurer.

**majesté** nom féminin
Majesté est le nom que l'on donne à un roi ou à une reine, à un empereur ou à une impératrice. *Les espions de Sa Majesté la reine ont découvert un complot.*

**1. majeur, majeure** adjectif
Être **majeur**, c'est avoir l'âge de la majorité, c'est-à-dire 18 ans, en France. *Quand on est majeur, on a le droit et le devoir de voter.* Contraire : mineur.

● Mot de la même famille : majorité.

**2. majeur** nom masculin
Le **majeur** est le doigt du milieu de la main, celui qui est plus grand que les autres.

☛ Va voir « les doigts », page 217.

**majorité** nom féminin
❶ La **majorité** des personnes, c'est le plus grand nombre. *La majorité des élèves déjeune à la cantine.* Synonyme : : la plupart.

❷ La **majorité**, c'est l'âge où l'on devient responsable de ce que l'on fait. *En France, la majorité est à 18 ans.*

**majuscule** nom féminin
Une **majuscule** est une grande lettre. *Les noms propres commencent par une majuscule. Une phrase commence par une majuscule.* Contraire : minuscule.

**1. mal** adverbe
Mal signifie : d'une façon qui ne convient pas. *À deux ans, on parle mal.* Contraire : bien.

## 2. mal nom masculin

**❶** Le **mal**, c'est ce qui est contraire à la morale, ce qui ne respecte pas la vie. *À sept ans, on sait faire la différence entre le bien et le mal.* Contraire : bien.

**❷** Avoir mal, faire mal, c'est ressentir une douleur, faire souffrir. *Ne tire pas les poils du chat, tu lui fais mal !*

**❸** Se donner du **mal**, c'est faire beaucoup d'efforts. *Maxime se donne du mal pour apprendre à lire.* Synonyme : peine.

🔎 Au pluriel, on écrit *des maux.*

## 1. malade adjectif

Une personne **malade** n'est pas en bonne santé. *Léo a de la fièvre, il est malade.* Synonyme : souffrant.

● Mot de la même famille : maladie.

Julien est **malade**.

## 2. malade nom masculin et nom féminin

Un **malade**, une **malade** sont des personnes qui ne sont pas en bonne santé, qui ont une maladie. *À l'hôpital, les infirmières et les médecins soignent les malades.*

## maladie nom féminin

La **maladie**, c'est ce qui empêche d'être en bonne santé. *Ta maladie n'est pas grave.*

## maladroit, maladroite adjectif

Être **maladroit**, c'est ne pas avoir des gestes précis. *Elle est maladroite, elle renverse souvent son verre.* Contraires : adroit, habile.

## mâle nom masculin

Un **mâle** est un animal de sexe masculin. Il fait des petits avec une femelle. *Le coq est le mâle de la poule. Le taureau est le mâle de la vache. Le bélier est le mâle de la brebis.*

🔎 Le a prend un accent circonflexe.

➔ Cherche **femelle**.

## maléfique adjectif

Dans les contes, une chose ou une personne **maléfique** a une mauvaise influence, porte malheur. *Dans le conte des frères Grimm, Hans, le joueur de flûte, a quelque chose de maléfique et d'attirant à la fois.*

## malgré préposition

**Malgré** signifie : sans tenir compte de quelque chose. *Julien est allé jouer dehors malgré la pluie.*

## malheur nom masculin

Le **malheur**, c'est un ensemble d'événements tragiques, de grandes peines qui touchent une personne. *Elle a eu le malheur de perdre sa mère.* Contraire : bonheur.

🔎 Il y a un h après le l.

● Mots de la même famille : malheureusement, malheureux.

## malheureusement adverbe

**Malheureusement** signifie : par manque de chance. *Je voulais aller nager, mais malheureusement la piscine était fermée.* Contraire : heureusement.

## malheureux, malheureuse
adjectif

Être **malheureux**, c'est avoir de grands chagrins, connaître le malheur. *Romain est malheureux parce que son hamster est mort.* Contraire : heureux.

## malhonnête adjectif

Une personne **malhonnête** ne respecte pas la morale, vole, triche, trompe les autres. Contraire : honnête.

🔎 Le premier e prend un accent circonflexe.

## malicieux, malicieuse adjectif

Une personne **malicieuse** taquine les autres sans méchanceté. *Les lutins sont des êtres malicieux.*

## malin, maligne adjectif

Être **malin**, être **maligne**, c'est avoir l'esprit vif, savoir se débrouiller, trouver des idées pour résoudre des choses difficiles. *Elle est maligne, elle a compris qu'il y avait un piège.* Synonymes : astucieux, débrouillard, dégourdi.

Le petit Paul est très **malin**.

## malle nom féminin

Une **malle** est un grand coffre qui sert à transporter les affaires que l'on emporte en voyage.

🔎 Il y a deux *l*.
● Mot de la même famille : **mallette**.

## mallette nom féminin

Une **mallette** est une petite valise rigide. *Papa emporte sa mallette au bureau.*

🔎 Il y a deux *l*.

## malnutrition nom féminin

La **malnutrition** est une mauvaise alimentation qui n'apporte pas assez de vitamines et de protéines. *Dans les pays pauvres, les enfants souffrent souvent de malnutrition.*

## malpoli, malpolie adjectif

Une personne **malpolie** est mal élevée, manque de politesse. *C'est malpoli de couper la parole.* Synonyme : impoli. Contraire : poli.

## maltraiter verbe

**Maltraiter**, c'est traiter brutalement, donner des coups. *C'est cruel de maltraiter un animal.*

## maman nom féminin

**Maman** est le nom affectueux que l'on donne à sa mère. *J'attends maman.*

## mamelle nom féminin

Les **mamelles** sont les parties du corps des femelles des mammifères qui produisent du lait. Synonyme : pis.

🔎 « Mamelle » ne prend qu'un *m* et « mammifère » en prend deux.

## mamie nom féminin

**Mamie** est l'un des noms affectueux que l'on donne à sa grand-mère. *Je vais chez mamie.*

🔎 On écrit aussi « mamy ».

a
b
c
d
e
f
g
h
i
j
k
l
m
n
o
p
q
r
s
t
u
v
w
x
y
z

A
B
C
D
E
F
G
H
I
J
K
L
M
N
O
P
Q
R
S
T
U
V
W
X
Y
Z

**mammifère** nom masculin

Un **mammifère** est un animal qui a la peau généralement couverte de poils. La femelle a des mamelles. *Les chats, les chauves-souris, les dauphins, les baleines sont des mammifères.*

🔍 Il y a deux *m* au milieu du mot.

**mammouth** nom masculin

Un **mammouth** est un éléphant préhistorique de très grande taille, recouvert de longs poils. *Les mammouths vivaient dans les pays froids.*

🔍 Il y a deux *m* au milieu du mot et *th* à la fin.

**1. manche** nom féminin

La **manche** d'un vêtement est la partie qui recouvre le bras. *Julie porte une robe à manches longues. Nicolas a une chemise à manches courtes.*

**2. manche** nom masculin

Un **manche** est la partie allongée d'un objet qui sert à le tenir. *Un balai, un couteau, un marteau ont un manche.*

**manchot** nom masculin

Un **manchot** est un gros oiseau de mer, noir et blanc, qui a des pattes palmées et des ailes qui lui servent de nageoires. *Les manchots ne peuvent pas voler car ils ont des ailes trop courtes.*

▶ Les manchots vivent en groupes près des mers froides du pôle Sud.

→ Cherche **pingouin**.

☞ Va voir l'illustration page 422.

**Les mammifères**

chauve-souris

lapin

dauphin

écureuil

girafe

rat

cheval

lion

phoque

hérisson

chimpanzé

vache

koala

kangourou

castor

ours

chien

**mandarine** nom féminin

Une **mandarine** est un fruit qui ressemble à une petite orange.

▶ Les mandarines poussent sur un arbre, le **mandarinier**.

**manège** nom masculin

❶ Un **manège** est une attraction. Il se compose de véhicules et d'animaux qui tournent, les uns derrière les autres. *Clara a fait trois tours de manège.*

❷ Un **manège** est un endroit où l'on apprend à monter à cheval.

**mangeoire** nom féminin

Une **mangeoire** est un récipient où l'on met de la nourriture pour les animaux.

→ Cherche **abreuvoir**.

**manger** verbe

**Manger** un aliment, c'est l'absorber pour se nourrir. *À la maison, nous mangeons beaucoup de fruits.* Synonyme : **consommer**.

● Mot de la même famille : **mangeoire**.

**manie** nom féminin

Une **manie** est une habitude bizarre. *Elle a la manie de se gratter la joue quand elle parle.*

**manière** nom féminin

❶ Une **manière** est une façon d'être, de faire une chose. *Elle a des manières simples. Il y a plusieurs manières de faire cet exercice.* Synonyme : **façon**.

❷ **De toute manière** signifie : quoi qu'il arrive. *Tu peux faire un caprice, je ne céderai pas de toute manière.* Synonyme : **de toute façon**.

**manifestation** nom féminin

Une **manifestation** est un groupe de personnes qui se rassemblent et défilent dans les rues pour protester contre quelque chose. *La manifestation contre la guerre est passée dans notre rue.*

**mannequin** nom masculin

❶ Un **mannequin** est une forme humaine que l'on habille pour essayer ou pour vendre des vêtements. *La commerçante habille les mannequins dans la vitrine.*

❷ Un **mannequin** est une personne qui présente les modèles de vêtements au public. C'est un nom de métier. *Les mannequins participent à des défilés de mode.*

**manque** nom masculin

Le **manque** d'une chose, c'est une quantité insuffisante. *Dans certains pays, les gens souffrent du manque de nourriture.*

**manquer** verbe

❶ **Manquer**, c'est ne pas avoir une chose nécessaire. *Nous allons bientôt manquer de provisions.*

❷ **Manquer** d'une chose, c'est ne pas en avoir assez. *Ma sœur manque de patience.*

un **mammouth**

A B C D E F G H I J K L M N O P Q

❸ **Manquer**, c'est être absent de l'école, de son lieu de travail. *Ma sœur était malade, elle a manqué la classe.*

❹ **Manquer** quelque chose, c'est arriver trop tard. *Jérémy a manqué son train.* Synonyme : **rater.**

❺ **Manquer** à quelqu'un, c'est créer un vide par son absence. *Clara me manque.*

● Mot de la même famille : manque.

**manteau nom masculin**
Un **manteau** est un vêtement à manches longues que l'on porte pour se protéger du froid.

🔎 Au pluriel, on écrit *des manteaux.*

**1. manuel, manuelle adjectif**
Le travail **manuel** est le travail que l'on fait avec ses mains. *La poterie, la menuiserie, la couture sont des activités manuelles.*

**2. manuel nom masculin**
Un **manuel** est un livre de classe. *Ma sœur lit son manuel d'histoire.*

On **maquille** Hugo en clown.

**maquette nom féminin**
Une **maquette** est un modèle réduit. *Romain a fait une maquette d'avion.*

**maquillage nom masculin**
Des produits de **maquillage** sont des produits que l'on utilise pour se maquiller ou pour transformer son visage. *Pour la fête, maman m'a fait un maquillage de clown.*

**se maquiller verbe**
Se maquiller, c'est se mettre des produits de beauté sur le visage. *Ma sœur se maquille pour sortir.*

● Mot de la même famille : maquillage.

**marâtre nom féminin**
❶ Une **marâtre** est une mauvaise mère.
❷ Autrefois, une **marâtre** était la deuxième épouse d'un homme qui avait déjà des enfants. *Dans les contes, la marâtre est souvent méchante avec les enfants de son mari.*

🔎 Le deuxième *a* prend un accent circonflexe.

**marbre nom masculin**
Le **marbre** est une pierre très dure. *On fait des statues en marbre.*

un **marcassin**

**marcassin nom masculin**
Un **marcassin** est un jeune sanglier.

## marchand nom masculin
## marchande nom féminin

Un **marchand**, une **marchande** sont des personnes qui vendent des marchandises. *On m'a acheté des baskets chez le marchand de chaussures.*

● Mot de la même famille : marchandise.

→ Cherche **commerçant** et **vendeur**.

## marchandise nom féminin

Une **marchandise** est un produit fabriqué qui se vend et qui s'achète. *Au marché, on peut acheter toutes sortes de marchandises.*

## marche nom féminin

❶ La **marche**, c'est l'action de marcher. *La marche est un bon exercice. Nous avons fait une longue marche.*

❷ Mettre un appareil **en marche**, c'est le faire fonctionner. *Paul a mis l'ordinateur en marche.*

❸ Une **marche** d'escalier ou d'escabeau est un endroit plat où l'on pose le pied. *L'escalier du donjon a deux cents marches.*

● Mot de la même famille : marcher.

## marché nom masculin

Un **marché** est un lieu public où les marchands s'installent pour vendre leurs marchandises. *Coralie va au marché tous les dimanches.*

## marcher verbe

❶ **Marcher**, c'est se déplacer en mettant un pied devant l'autre. *Nous avons marché toute la journée.*

❷ **Marcher**, c'est être en état de marche. *Mon jouet ne marche plus.* Synonyme : fonctionner.

Elle fait ses courses au **marché**.

## mardi nom masculin

Le **mardi** est le deuxième jour de la semaine. Il vient après le lundi et avant le mercredi. *Léa va au cours de danse tous les mardis après l'école.*

☞ Va voir « le calendrier », page 111.

## mare nom féminin

Une **mare** est une petite étendue d'eau immobile et peu profonde. *Les canards barbotent dans la mare.*

▶ Une mare est plus petite qu'un étang.

## marécage nom masculin

Un **marécage** est un terrain couvert d'eau peu profonde, et envahi de plantes. *On chasse les canards dans les marécages.*

## marée nom féminin

La **marée** est le mouvement des eaux de la mer, qui montent et qui descendent deux fois par jour et deux fois dans la nuit.

## marelle nom féminin

La **marelle** est un jeu où l'on fait avancer une boîte plate ou un caillou dans des cases dessinées sur le sol, en sautant sur un pied. *Zohra joue à la marelle.*

a b c d e f g h i j k l m n o p q r s t u v w x y z

**marge** nom féminin

Une **marge** est un espace blanc laissé sur le côté d'une page écrite. *L'instituteur écrit ses corrections dans la marge des cahiers.*

**marguerite** nom féminin

Une **marguerite** est une fleur des champs à pétales blancs et à cœur jaune.

**mari** nom masculin

Le **mari** d'une femme est l'homme qui est marié avec elle. *Franck est le mari d'Hélène.* Synonyme : **époux.**

→ Cherche **épouse** et **femme.**

**mariage** nom masculin

Un **mariage** est une cérémonie où un homme et une femme se marient, deviennent mari et femme.

**marié** nom masculin
**mariée** nom féminin

Un **marié**, une **mariée** sont les personnes qui viennent de se marier. *Les invités ont félicité les mariés.*

**se marier** verbe

Se marier, c'est devenir mari et femme. *Laura et Benjamin vont se marier.*
● Mots de la même famille : **mariage, marié.**

Claire et Aziz **se marient.**

**1. marin, marine** adjectif

Un animal **marin** est un animal qui vit dans la mer. *Le dauphin est un mammifère marin.*
● Mot de la même famille : **marine.**

**2. marin** nom masculin

Un **marin** est une personne qui navigue en mer, qui travaille sur un bateau. C'est un nom de métier.

→ Cherche **matelot** et **navigateur.**

**marine** nom féminin

La **marine**, c'est l'ensemble des navires et des marins d'un pays. *Clément voudrait travailler dans la marine.*

**marionnette** nom féminin

Une **marionnette** est un personnage en bois ou en tissu que l'on fait bouger avec les mains ou en tirant sur des fils. *Guignol est une célèbre marionnette.*

🔍 Il y a deux *n* et deux *t*.

**marmite** nom féminin

Une **marmite** est un grand récipient avec un couvercle et deux anses, qui sert à faire cuire les aliments.

→ Cherche **cocotte.**

**marmotte** nom féminin

Une **marmotte** est un petit rongeur qui a une fourrure marron-gris très épaisse. Elle vit dans les montagnes. *Les marmottes hibernent dans un terrier.*

▶ C'est un animal végétarien. Quand la marmotte crie, on dit qu'elle siffle.

🔍 Il y a deux *t*.

**marque** nom féminin

❶ Une **marque** est un signe qui permet de distinguer quelque chose. *Léo a fait une marque au crayon devant les CD qui lui plaisent . Le « s » et le « x » sont les marques du pluriel des noms.*

❷ Une **marque** est une trace. *On distingue des **marques** de pas dans la neige.* Synonyme : **empreinte.** *Quand on se cogne, on a des **marques** sur la peau.*

❸ La **marque** d'une marchandise est le nom de l'usine qui l'a fabriquée. *Quelle est la **marque** de votre voiture ?*

❹ Un **nom de marque** est le nom donné à un appareil par ses inventeurs ou par ceux qui l'ont fabriqué. *« Caméscope » est un **nom de marque**.*

❺ Une **marque** d'affection est un geste ou une parole qui montre ce sentiment. *Marie donne des **marques** d'affection à sa famille.*

## marquer verbe

❶ **Marquer**, c'est faire une marque, mettre une marque. *Ma mère a marqué mes vêtements à mon nom.*

❷ **Marquer**, c'est écrire quelque chose. *J'ai marqué ton nom sur mon carnet.* Synonymes : **inscrire, noter.**

❸ **Marquer**, c'est servir de repère. *Le coup de sifflet de l'arbitre marque la fin du match.*

❹ **Marquer**, c'est indiquer sur un appareil de mesure. *L'aiguille de la boussole marque le nord.*

❺ **Marquer** un but, un point, c'est le réussir, le gagner. *Notre équipe a marqué un but.*

● Mot de la même famille : **marque.**

## marraine nom féminin

Dans la religion catholique, la **marraine** est la femme qui présente un enfant au baptême. *Patricia est ma **marraine** et je suis son filleul.*

🔎 Il y a deux *r.*

→ Cherche **parrain.**

## marre adverbe

En avoir **marre**, c'est en avoir assez.

*J'**en ai marre** de ranger tes affaires.*

🔎 Il y a deux *r.* C'est un mot familier.

## 1. marron adjectif

La couleur **marron** est la couleur des marrons. *Je n'aime pas les chaussures marron.*

🔎 Ce mot ne change pas au pluriel.

## 2. marron nom masculin

❶ Le **marron** est la couleur marron. *Sur mon dessin, j'ai peint la terre en marron.*

❷ Un **marron** est une espèce de châtaigne.

▶ Les marrons poussent sur un arbre, le **marronnier**. Les **marrons d'Inde** ne sont pas comestibles.

☞ Va voir « les couleurs et les formes », page 171.

## mars nom masculin

**Mars** est le troisième mois de l'année. Il vient après le mois de février et avant le mois d'avril. *En **mars**, les arbres se couvrent de bourgeons.*

🔎 Ce mot se termine par un *s* qu'on prononce.

☞ Va voir « le calendrier », page 111.

une **marmotte**

**marteau** nom masculin

Un **marteau** est un outil fait d'un bloc de métal fixé à un manche. *Un marteau sert à planter des clous.*

🔎 Au pluriel, on écrit *des marteaux.*

**mascotte** nom féminin

Une **mascotte** est un objet, une personne ou un animal que l'on prend comme porte-bonheur. *La mascotte de notre équipe de football est un petit chien blanc.*

@ Il y a deux *t*.

**masculin, masculine** adjectif

❶ Ce qui est **masculin** se rapporte aux hommes, aux garçons. *Mathis est un prénom masculin.*

❷ Un nom **masculin** est un nom qui est précédé de « le » ou « un ». « *Un livre* », « *un chien* », « *le silence* » *sont des noms masculins.* Un adjectif **masculin** s'accorde avec un nom masculin. « *Blond* », « *maternel* », « *petit* » *sont des adjectifs masculins.*

→ Cherche **féminin.**

**masque** nom masculin

❶ Un **masque** est un objet qui cache le visage et que l'on met pour se déguiser. *Le jour du carnaval, Audrey portait un masque d'oiseau.*

❷ Un **masque** est un objet qui sert à se protéger le visage ou à respirer. *Quand on fait de l'escrime, on porte un masque.*

**massage** nom masculin

Faire un **massage**, c'est frotter une partie du corps avec les mains pour détendre les muscles ou calmer une douleur. *Le kinésithérapeute m'a fait un massage de la cheville.*

des **masques** de carnaval

**masse** nom féminin

❶ Une **masse** est une grande quantité de matière, sans forme précise. *Une grosse masse de neige bloquait la route.* Synonyme : **bloc.**

❷ La **masse** d'un objet, d'un corps, c'est ce qu'il pèse. *Les balances servent à mesurer les masses.* Synonyme : **poids.**

● Mot de la même famille : **massif.**

☞ Va voir « les mesures », page 443.

**massif** nom masculin

❶ Un **massif** de plantes est un ensemble de plantes situées les unes à côté des autres. *Nous avons un massif de roses dans le jardin.*

❷ Un **massif** est un groupe de montagnes. *Le massif du Mont-Blanc se trouve dans les Alpes.*

**mât** nom masculin

Un **mât** est un grand poteau qui porte les voiles d'un bateau ou qui soutient une tente.

🔎 Le *a* prend un accent circonflexe.

## match nom masculin

Un **match** est une compétition sportive qui oppose deux personnes ou deux équipes. *Nous avons remporté le match. Les deux équipes ont fait match nul.*

Elles font un **match** de volley sur la plage.

## matelas nom masculin

Un **matelas** est une sorte de gros coussin rectangulaire que l'on pose sur le sommier d'un lit. On se couche dessus pour dormir.

🔍 Ce mot se termine par un *s*.

## matelot nom masculin

Un **matelot** est un homme d'équipage qui travaille sur un navire. *Le matelot lave le pont.*

→ Cherche **marin**.

## matériaux nom masculin pluriel

Des **matériaux** sont des matières qui servent à construire, à fabriquer. *Le bois et la pierre sont des matériaux.*

## matériel nom masculin

Le **matériel**, c'est l'ensemble des objets nécessaires pour faire un travail. *Le plombier a apporté son matériel pour réparer le robinet.*

## maternel, maternelle adjectif

❶ Les grands-parents **maternels** sont les parents de la mère.

❷ La **langue maternelle** est la langue que l'on a apprise quand on était tout petit. *Le français est la langue maternelle des Québécois.*

❸ L'**école maternelle** est l'école où l'on va entre l'âge de trois ans et l'âge de six ans environ.

● Mot de la même famille : **maternité**.

→ Cherche **paternel**.

## maternité nom féminin

Une **maternité** est un établissement où les femmes peuvent accoucher.

## mathématiques nom féminin pluriel

Les **mathématiques** sont l'étude des nombres et de la géométrie.

🔍 Ce mot s'écrit avec *th* au début. L'abréviation de « mathématiques » est « maths ».

## matière nom féminin

❶ La **matière** existe à l'état solide, liquide ou gazeux.

❷ Une **matière**, c'est ce qui forme une chose. *Le verre, le bois sont des matières. Le beurre est une matière grasse.*

● Mots de la même famille : **matériaux**, **matériel**.

## matin nom masculin

Le **matin** est le début de la journée, entre le lever du soleil et midi. *Ce matin, je me suis levé tard.*

● Mots de la même famille : **matinée**, **matines**.

→ Cherche **soir**.

## matinée nom féminin

La **matinée** est la partie de la journée qui s'écoule entre le lever du soleil et midi. *J'ai passé la matinée à dessiner.*

→ Cherche **soirée**.

☛ Va voir « les activités de la journée », page 37.

a b c d e f g h i j k l m n o p q r s t u v w x y z

## matines nom féminin pluriel

Les **matines** sont une prière que les religieux font tôt le matin. « *Frère Jacques, Dormez-vous ? Sonnez les matines* » est une chanson française très connue.

Il sonne les **matines**.

## 1. mauvais, mauvaise adjectif

❶ Un air **mauvais** montre de la méchanceté. *Le chien me regarde d'un air mauvais.* Synonyme : méchant. Contraire : gentil.

❷ Être **mauvais** en quelque chose, c'est ne pas réussir. *Mon frère est mauvais en gymnastique.* Contraires : bon, fort.

❸ Une chose **mauvaise** est désagréable, mal faite ou ne convient pas. *Le gâteau était mauvais. Ton idée est mauvaise. Elle est de mauvaise humeur.* Contraire : bon.

## 2. mauvais adverbe

Sentir **mauvais**, c'est avoir une odeur désagréable. *Les boucs sentent mauvais.* Contraire : bon.

## mauve adjectif

La couleur **mauve** est une couleur violet clair.

## maximum nom masculin

Le **maximum** de choses, le **maximum** de personnes, c'est le plus grand nombre possible de choses, de personnes. *Nous avons mis le **maximum** de choses dans le coffre de la voiture.* Contraire : minimum.

🔍 On écrit *um* mais on prononce [ɔm], comme « homme ».

## mayonnaise nom féminin

Une **mayonnaise** est une sauce épaisse et froide faite avec de l'huile, des jaunes d'œufs et de la moutarde.

🔍 Il y a deux *n*.

## me pronom

**Me** représente la première personne du masculin singulier et du féminin singulier. *Elle me regarde gentiment.*

🔍 *Me* s'écrit *m'* devant une voyelle ou un « h » muet : *il m'a fait rire. Je m'habille.*

## mécanicien nom masculin
## mécanicienne nom féminin

Un **mécanicien**, une **mécanicienne** sont des personnes qui entretiennent et qui réparent les machines et les moteurs. C'est un nom de métier.

Le **mécanicien** répare la voiture.

## 1. mécanique adjectif

Un objet **mécanique** fonctionne grâce à un mécanisme, à une machine. *Un escalier roulant est un escalier mécanique.*

● Mots de la même famille : mécanicien, mécanisme.

## 2. mécanique nom féminin

La **mécanique**, c'est la construction et le fonctionnement des machines et des moteurs. *Pour devenir mécanicien, il faut étudier la mécanique.*

## mécanisme nom masculin

Un **mécanisme** est un ensemble de pièces, de petites roues et de ressorts qui permettent de faire fonctionner une machine ou un appareil.

## méchamment adverbe

**Méchamment** signifie : avec méchanceté. *Julie m'a répondu méchamment.* Contraire : gentiment.

🔍 Il y a deux *m* au milieu du mot.

## méchanceté nom féminin

La **méchanceté** est le défaut d'une personne méchante, qui fait volontairement du mal ou de la peine aux autres. Contraires : bonté, gentillesse.

## méchant, méchante adjectif

Une personne **méchante** fait volontairement du mal ou de la peine aux autres. Contraires : bon, gentil. Un air **méchant** montre la volonté de faire du mal. Synonyme : mauvais.

● Mots de la même famille : méchamment, méchanceté.

## mèche nom féminin

❶ Une **mèche** est une touffe de cheveux. *Papi a une mèche blanche sur le front.*

❷ Une **mèche** est un petit cordon qui dépasse d'une bougie et que l'on fait brûler. *Au contact de l'allumette, la mèche s'est enflammée.*

## méchoui nom masculin

Un **méchoui** est un mouton ou un agneau cuit entier à la broche. *Le méchoui est un plat d'Afrique du Nord.*

## mécontent, mécontente adjectif

Être **mécontent**, c'est ne pas être satisfait de quelque chose. *Héloïse est très mécontente d'avoir perdu la partie de dominos.* Contraires : content, satisfait.

## médaille nom féminin

❶ Une **médaille** est un petit bijou plat que l'on porte au cou, accroché à une chaîne.

❷ Une **médaille** est une grosse pièce de métal que l'on donne en récompense au vainqueur d'une compétition. *L'équipe de natation du Maroc a obtenu une médaille d'argent aux jeux Olympiques.*

Elle a la **médaille** d'or.

a b c d e f g h i j k l m n o p q r s t u v w x y z

A B C D E F G H I J K L M N O P Q R S T U V W X Y Z

**médecin** nom masculin
Un **médecin** est une personne qui soigne les malades. C'est un nom de métier. *La mère de Valentin est médecin.* Synonyme : docteur.

**médecine** nom féminin
La **médecine** est la science qui permet de soigner et d'éviter les maladies.
● Mots de la même famille : **médecin**, **médical**, **médicament**.

**médical, médicale** adjectif
Un examen **médical**, une visite **médicale** sont faits par un médecin.
🔍 Au pluriel, on écrit *médicaux*, *médicales*.

Loan passe la visite **médicale**.

**médicament** nom masculin
Un **médicament** est un produit qui permet de soigner ou d'éviter une maladie, de calmer la douleur. *On achète les médicaments dans une pharmacie.*

**méduse** nom féminin
Une **méduse** est un animal marin qui a un corps mou presque transparent et des tentacules.

**se méfier** verbe
Se **méfier** de quelqu'un, c'est ne pas avoir vraiment confiance en lui. *Ce garçon répète tout ce qu'on lui dit : méfie-toi de lui !*

**mégot** nom masculin
Un **mégot** est le bout qui reste quand on a fumé une cigarette.

**meilleur, meilleure** adjectif
❶ **Meilleur** s'emploie à la place de « plus bon ». *Je trouve le chocolat au lait meilleur que le chocolat noir. Le temps est meilleur qu'hier.* Contraire : **pire**.
❷ Le **meilleur** ami d'une personne est son ami le plus cher.

**mélange** nom masculin
Un **mélange** est un ensemble de choses que l'on a mises ensemble. *Une salade de fruits est un mélange de fruits.*

**mélanger** verbe
❶ **Mélanger**, c'est mettre des choses ou des personnes ensemble pour faire un tout. *Pour faire un gâteau, nous mélangeons du sucre, des œufs et de la farine.*
❷ **Mélanger** des choses, c'est les mettre en désordre. *Quelqu'un a mélangé mes jouets.*
● Mot de la même famille : **mélange**.

Hugo **mélange** les couleurs.

## se **mêler** verbe

**Se mêler** de quelque chose, c'est s'occuper de ce qui ne nous regarde pas. *Elle se mêle toujours des affaires des autres.*

🔍 Le premier *e* prend un accent circonflexe.

## **mélodie** nom féminin

Une **mélodie** est un air de musique. *Audrey chante une mélodie.*
● Mot de la même famille : **mélodieux**.

## **mélodieux, mélodieuse** adjectif

Un son **mélodieux**, une voix **mélodieuse** sont agréables à entendre.

## **melon** nom masculin

Un **melon** est un gros fruit rond ou ovale avec une peau jaune épaisse et une chair sucrée.

## **membre** nom masculin

❶ Un **membre** est une partie du corps qui est rattachée au tronc. *Les bras et les jambes sont nos membres.*
❷ Un **membre** est une personne qui fait partie d'un groupe. *Léa est membre d'un club de gymnastique.*

🔍 Le son [ɑ̃] s'écrit *em* devant un *b*.

## 1. **même** adjectif

❶ Une **même** chose est une chose pareille à une autre. *Marion et Émilie ont eu la même note.* **Contraire** : différent.
❷ **Moi-même** signifie : tout seul. *J'ai fait cette maquette moi-même.*

🔍 Le premier *e* prend un accent circonflexe.

→ Cherche **identique** et **semblable**.

## 2. **même** adverbe

**Même** s'emploie pour insister. *Mon frère est arrivé au moment même où je lui téléphonais.*

🔍 Le premier *e* prend un accent circonflexe.

→ Cherche **quand même** et **tout de même**.

## **mémoire** nom féminin

La **mémoire** est l'activité de l'esprit qui permet d'avoir des souvenirs. *J'ai une bonne mémoire.*

## **menace** nom féminin

Une **menace** est une parole ou un geste qu'on utilise pour faire peur. *Rachid a résisté aux menaces des voyous.*

## **menacer** verbe

**Menacer**, c'est vouloir faire peur à quelqu'un. *Dans le film, les brigands menaçaient les habitants.*
● Mot de la même famille : **menace**.

## **ménage** nom masculin

❶ Faire le **ménage**, c'est nettoyer, enlever la poussière sur les meubles, passer l'aspirateur et ranger tout ce qui traîne.
❷ Une **femme de ménage**, un **homme de ménage** sont des personnes qui font le ménage chez quelqu'un ou dans une entreprise.
● Mot de la même famille : **ménager**.

## **ménager, ménagère** adjectif

❶ Un appareil **ménager** est un appareil qui rend plus faciles les tâches à faire dans une maison. *Une cafetière électrique, une machine à laver, un aspirateur sont des appareils ménagers.*
❷ Un produit **ménager** est un produit qui sert à nettoyer la maison.

## ménagerie nom féminin

La **ménagerie** d'un cirque est l'endroit où vivent les animaux.

La girafe est dans la **ménagerie**.

## mendiant nom masculin
## mendiante nom féminin

Un **mendiant**, une **mendiante** sont des personnes très pauvres qui demandent de l'argent aux passants.

## mendier verbe

Mendier, c'est demander de l'argent aux passants.

● Mot de la même famille : **mendiant**.

## mener verbe

❶ Quand une route **mène** à un endroit, elle permet d'y aller. *La route mène au lac.* Synonyme : conduire.

❷ **Mener** une action, c'est la diriger. *L'inspecteur mène l'enquête.*

❸ En sport, **mener**, c'est être en tête. *Notre équipe mène par 3 buts à 1.*

## menotte nom féminin

❶ Une **menotte** est une petite main d'enfant.

❷ Des **menottes** sont des bracelets en métal reliés par une chaîne. *Les policiers ont attaché les menottes aux poignets du prisonnier.*

🔎 Il y a deux *t*.

## mensonge nom masculin

Un **mensonge** est une chose que l'on dit et qui n'est pas vraie. *C'est un mensonge : je n'ai pas pris son livre.* Contraire : la vérité.

## mensuel, mensuelle adjectif

Un magazine **mensuel** est un magazine que l'on peut acheter chaque mois.

→ Cherche **hebdomadaire**.

## mental, mentale adjectif

Le calcul **mental** se fait de tête, sans écrire. Une maladie **mentale** est une maladie du fonctionnement de l'esprit.

## menteur nom masculin
## menteuse nom féminin

Un **menteur**, une **menteuse** sont des personnes qui mentent, qui disent des mensonges.

## menthe nom féminin

La **menthe** est une plante aux feuilles très parfumées qui pousse dans les endroits humides. *La menthe sert à faire des tisanes et à parfumer des bonbons ou du sirop.*

🔎 Ce mot s'écrit avec *th*.

## mentir verbe

Mentir, c'est ne pas dire la vérité. *Mon frère m'a menti.*

● Mots de la même famille : **mensonge**, **menteur**.

## menton nom masculin

Le **menton** est la partie du visage qui se trouve au-dessous de la bouche.

**menu** nom masculin
Un **menu** est la liste des plats proposés à un repas. *Au restaurant, le serveur nous a apporté le menu.*

**menuiserie** nom féminin
Une **menuiserie** est un atelier de menuisier.

**menuisier** nom masculin
**menuisière** nom féminin
Un **menuisier**, une **menuisière** sont des personnes qui fabriquent et qui réparent des objets en bois. C'est un nom de métier.
● Mot de la même famille : **menuiserie**.

**mépriser** verbe
Mépriser quelqu'un, c'est le considérer comme inférieur et ne pas s'intéresser à lui. *Elle méprise les petits.*

**mer** nom féminin
La **mer** est une grande étendue d'eau salée. *Les poissons, les baleines, les dauphins vivent dans la mer.*
▶ La mer est plus petite que l'océan.
🔍 Ne confonds pas « la mer » avec « la mère », la maman.
☛ Va voir la planche illustrée ❸

Elle a mis des feuilles de **menthe** dans le thé.

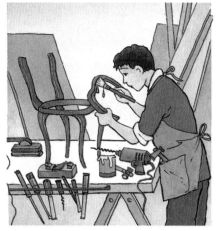

Le **menuisier** est en train de fabriquer une chaise.

**merci !** interjection
Merci est une formule de politesse que l'on emploie pour remercier. « *Veux-tu un bonbon ? — Oui, merci !* »

**mercredi** nom masculin
Le **mercredi** est le troisième jour de la semaine. Il vient après le mardi et avant le jeudi. *Alexandre prend des cours de guitare tous les mercredis après-midi.*
☛ Va voir « le calendrier », page 111.

**mère** nom féminin
❶ Une **mère** est une femme qui a mis au monde ou qui a adopté un ou plusieurs enfants.
❷ Une **mère** est une femelle qui a eu des petits. *Les chatons tètent leur mère.*
🔍 Ne confonds pas « la mère » avec « la mer », l'étendue d'eau.
→ Cherche **père**.
☛ Va voir « la famille », page 273.

**mériter** verbe
Mériter quelque chose, c'est avoir droit à une récompense ou à une punition. *Tu as bien travaillé à l'école, tu mérites des félicitations.*

a b c d e f g h i j k l m n o p q r s t u v w x y z

A
B
C
D
E
F
G
H
I
J
K
L
M
N
O
P
Q
R
S
T
U
V
V
Y
Z

### merle nom masculin

Un **merle** est un oiseau noir au bec jaune qui vit dans les bois et dans les parcs. *Les merles se nourrissent de vers et de graines.*

▶ La femelle est la **merlette**, le petit est le **merleau**. Quand le merle crie, on dit qu'il siffle.

☞ Va voir « les becs d'oiseaux », page 83.

### merveille nom féminin

Une **merveille** est une chose très belle. *Ce tableau est une merveille.*

● Mot de la même famille : merveilleux.

### merveilleux, merveilleuse adjectif

Une chose **merveilleuse** est une chose très belle. *Nous avons vu un spectacle merveilleux.* Synonymes : magnifique, splendide, superbe. Contraires : affreux, horrible.

### mes → mon

### mésange nom féminin

Une **mésange** est un petit oiseau au plumage souvent bleu ou jaune qui se nourrit surtout d'insectes.

une **mésange**

### message nom masculin

Un **message** est un petit mot ou des paroles que l'on transmet à une personne pour l'informer de quelque chose. *Aziz m'a laissé un message sur le répondeur.*

un **merle**

### mesure nom féminin

❶ La **mesure** est le calcul d'une grandeur, d'une quantité. *Le thermomètre est un instrument de mesure.*

❷ Les **mesures** sont les dimensions d'une chose, d'une personne. *Grand-mère prend mes mesures pour me faire une robe.*

● Mot de la même famille : mesurer.

☞ Va voir « les mesures », page 443.

### mesurer verbe

❶ **Mesurer** une chose ou une personne, c'est prendre ses mesures, leurs dimensions. *Maman mesure l'armoire.*

❷ **Mesurer** un mètre vingt, c'est avoir cette taille.

### métal nom masculin

Le **métal** est une matière, souvent dure et brillante, que l'on trouve dans une mine. *Le fer, l'or, l'argent sont des métaux.*

🔎 Au pluriel, on écrit *des métaux*.

● Mot de la même famille : métallique.

### métallique adjectif

Un objet **métallique** est fait de métal. *Les gâteaux secs sont dans une boîte métallique.*

🔎 Il y a deux *l*.

# Les mesures

## Les longueurs

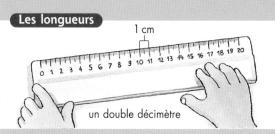

1 cm

un double décimètre

1 millimètre (1 mm)
1 centimètre (1 cm) = 10 mm
1 décimètre (1 dm) = 10 cm = 100 mm
1 mètre (1 m) = 10 dm = 100 cm
1 kilomètre (1 km) = 1 000 m

## Les masses

une livre        un kilo

une balance

une unité
de masse        un pèse-
                personne

1 gramme (1 g)
1 demi-livre = 250 g
1 livre = 500 g
1 kilogramme = 1 000 g

## Les capacités

1 litre

1/2 litre

1 litre 1/2

33 centilitres

1 centilitre (1 cl)
1/2 litre = 50 cl
1 litre = 100 cl

## Le temps

un cadran de montre

la grande
aiguille pour
les minutes

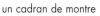

un chronomètre

la petite
aiguille pour
les heures

la trotteuse
pour les
secondes

un radioréveil

1 seconde (1 s)
1 minute (1 min) = 60 secondes
1 quart d'heure (1/4 h) = 15 minutes
1 demi-heure (1/2 h) = 30 minutes
3 quarts d'heure (3/4 h) = 45 minutes
1 heure (1h) = 60 minutes
1 jour = 24 heures

## La température

un thermomètre
d'appartement

un thermomètre
de bain

un thermomètre médical

le liquide
coloré

au-dessus
de 0

en dessous
de 0

le réservoir

1 degré (1 )
2 degrés (2 )
5 degrés en dessous de 0 (– 5 )
20 degrés au-dessus de 0 (+ 20 )

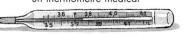

## météo nom féminin

La **météo** est la science qui étudie ce qui se passe dans l'atmosphère pour prévoir les changements de temps. *La météo annonce du soleil pour demain.*

🔍 « Météo » est l'abréviation de « météorologie ».

## méthode nom féminin

Une **méthode** est une manière de faire quelque chose en suivant un ordre logique. *Quelle est la meilleure méthode pour classer les timbres ?* Synonymes : **moyen, système.**

🔍 Ce mot s'écrit avec *th.*

## métier nom masculin

Un **métier** est le travail que l'on fait pour gagner sa vie. *Médecin, instituteur, plombier sont des noms de métier.* Synonyme : **profession.**

## mètre nom masculin

Le **mètre** est la principale unité de mesure des longueurs. *Un mètre est égal à cent centimètres.*

🔍 L'abréviation de « mètre » est *m.* Ne confonds pas « mètre » avec « un maître » d'école.

☞ Va voir « les mesures », page 443.

## métro nom masculin

Le **métro** est une sorte de train souterrain ou aérien qui permet de se déplacer dans une grande ville. *Nous prenons le métro pour aller chez nos grands-parents.*

## mettre verbe

❶ **Mettre**, c'est placer à un endroit. *J'ai mis tes lunettes sur ton bureau.* Synonyme : **poser.** *Elle met deux sucres dans son café. Marie s'est mise à côté de Pierre.*

❷ **Mettre**, c'est placer sur le corps. *Marion a mis son pantalon noir.* Synonyme : **enfiler.** Contraires : **enlever, ôter, retirer.** *Les pompiers mettent un casque.*

❸ **Mettre** un certain temps, c'est passer un certain temps à faire quelque chose. *Nous avons mis quatre heures pour rentrer.*

❹ **Se mettre** à faire quelque chose, c'est commencer à le faire. *Jonathan s'est mis au travail.*

le **métro** aérien

## meuble nom masculin

Un **meuble** est un gros objet qui est utile dans une maison. *Une table, une armoire, une chaise, un lit sont des meubles.*

## meugler verbe

Pour un bœuf, une vache, un taureau, **meugler**, c'est pousser son cri. Synonyme : **beugler.**

## meule nom féminin

Une **meule** est un gros tas de foin ou de paille. *Après la moisson, on voyait des meules dans les champs.*

**meunier** nom masculin
**meunière** nom féminin
Un **meunier**, une **meunière** sont des personnes qui travaillent dans un moulin. Ils font de la farine avec des céréales. C'est un nom de métier.

**meurtre** nom masculin
Un **meurtre**, c'est l'action de tuer volontairement une personne.
Synonyme : **crime**.
● Mot de la même famille : meurtrier.

**meurtrier** nom masculin
**meurtrière** nom féminin
Un **meurtrier**, une **meurtrière** sont des personnes qui ont commis un meurtre. *La police a retrouvé la **meurtrière**.*
Synonymes : assassin, criminel.

**meute** nom féminin
Une **meute** est un groupe de chiens dressés pour la chasse. C'est aussi une bande de loups.

**miauler** verbe
Pour un chat, **miauler**, c'est pousser son cri.

**micro** nom masculin
Un **micro** est un appareil qui permet d'augmenter les sons et de les enregistrer. *Le chanteur a pris le **micro**.*

**microbe** nom masculin
Un **microbe** est un être vivant microscopique qui peut causer des maladies.
➞ Cherche **virus**.

**micro-ondes** nom masculin
Un **micro-ondes** est un four qui permet de réchauffer et de cuire très rapidement les aliments.
🔍 Ce mot s'écrit avec un trait d'union. Il ne change pas au pluriel.

**microscope** nom masculin
Un **microscope** est un instrument qui grossit énormément les objets. Il permet de voir les choses minuscules. *As-tu déjà observé une goutte de sang au microscope ?*
● Mot de la même famille : microscopique.

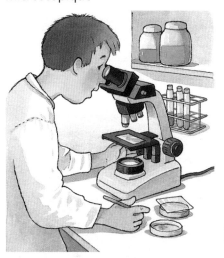

Il regarde dans son **microscope**.

**microscopique** adjectif
Une chose, un être **microscopiques** sont si petits qu'on ne peut les voir qu'au microscope. *Les microbes sont des êtres **microscopiques**.*

**midi** nom masculin
❶ **Midi** est le milieu de la journée, entre le matin et l'après-midi. *On a rendez-vous à **midi** (12 heures).*
❷ **Le Midi**, c'est le sud de la France. *Anaïs habite dans le **Midi**.*

**mie** nom féminin
La **mie** est la partie molle qui est à l'intérieur du pain. *Paul adore la **mie** et Julie préfère la croûte.*
➞ Cherche **croûte**.

a b c d e f g h i j k l m n o p q r s t u v w x y z

A
B
C
D
E
F
G
H
I
J
K
L
**M**
N
O
P
Q
R
S
T
U
V
W
X
Y
Z

## miel nom masculin

Le **miel** est le produit sucré que les abeilles fabriquent quand elles ont butiné des fleurs. *Les abeilles déposent le miel dans les rayons de la ruche.*
→ Cherche **apiculteur.**

## le **mien** pronom masculin
## la **mienne** pronom féminin

Le **mien**, la **mienne**, c'est une chose qui est à moi. *Ce n'est pas ton cahier, c'est le mien.*

🔎 Au pluriel, on écrit *les miens*, *les miennes.*

Cette serviette, c'est **la mienne** !

## miette nom féminin

Une **miette** est un tout petit morceau de pain ou de gâteau. *Zohra donne des miettes de pain aux moineaux.*

## mieux adverbe

**Mieux** s'emploie à la place de « plus bien ». *Depuis un mois, Alexis travaille mieux. Clara va mieux.*
Contraire : **moins bien.**

## mignon, mignonne adjectif

Une personne **mignonne** est charmante et agréable.

## migraine nom féminin

Une **migraine** est un mal de tête très fort.

## migrateur, migratrice adjectif

Un oiseau **migrateur** est un oiseau qui change de région à certaines saisons. *En Europe, les oiseaux migrateurs partent en Afrique au début de l'automne et reviennent au printemps.*

## milieu nom masculin

❶ Le **milieu**, c'est l'endroit qui se trouve à la même distance des bords. *La table est au milieu de la pièce.*
Synonyme : **centre.**

❷ Le **milieu**, c'est le moment entre le début et la fin. *Nous sommes partis au milieu du film.*

🔎 Au pluriel, on écrit *des milieux.*

La fléchette est en plein **milieu** de la cible.

## 1. militaire adjectif

Un terrain **militaire**, un camion **militaire** appartient à l'armée. *Nous avons croisé des camions militaires sur la route.*

## 2. militaire nom masculin

Un **militaire** est une personne qui fait partie de l'armée. C'est un nom de métier. *Un gendarme est un militaire.*
Synonyme : **soldat.**

🔎 « Militaire » est un nom masculin qui se termine par un e.

## mille-pattes nom masculin

Un mille-pattes est un petit animal au corps allongé et formé d'anneaux. Il ressemble à un ver mais il a de nombreuses pattes.

🔍 Ce mot s'écrit avec un trait d'union. Il ne change pas au pluriel : on écrit des mille-pattes.

## milliard nom masculin

Un milliard est un nombre égal à mille millions. Des milliards d'étoiles brillent dans le ciel.
● Mot de la même famille : milliardaire.

## milliardaire nom masculin et nom féminin

Un milliardaire, une milliardaire sont des personnes très riches, qui ont des milliards.

## millier nom masculin

Un millier, c'est environ mille. Au spectacle, il y avait un millier de personnes.

## million nom masculin

Un million est un nombre égal à mille fois mille.
● Mot de la même famille : millionnaire.

## millionnaire nom masculin et nom féminin

Un millionnaire, une millionnaire sont des personnes très riches, qui ont des millions.

🔍 Il y a deux l et deux n.

## mime nom masculin

❶ Un mime est une petite pièce de théâtre sans paroles.
❷ Un mime est un acteur qui raconte une histoire uniquement avec des gestes et des expressions du visage.
● Mot de la même famille : mimer.

## mimer verbe

Mimer, c'est imiter en faisant uniquement des gestes, sans paroles et sans sons. Lucas a mimé un éléphant.

## mimosa nom masculin

Le mimosa est un arbuste qui a de petites fleurs jaunes en forme de boules et parfumées.

## mince adjectif

Ce qui est mince a une petite épaisseur. Maman coupe le saucisson en tranches minces. Synonyme : fin. Contraire : épais. Une personne mince a des formes fines. Léo est mince. Contraire : gros.

→ Cherche maigre.

## mine nom féminin

❶ La mine d'une personne, c'est l'aspect de son visage qui montre son état de santé. Mathilde revient de vacances : elle a bonne mine.
❷ La mine d'un crayon est la tige qui est à l'intérieur et qui permet d'écrire.
❸ Une mine est un ensemble de galeries creusées dans le sol pour trouver du charbon, des métaux ou des pierres précieuses.
● Mot de la même famille : un mineur.

## 1. mineur, mineure adjectif

Être mineur, c'est ne pas avoir atteint l'âge de la majorité, c'est-à-dire 18 ans, en France. Contraire : majeur.

## 2. mineur nom masculin

Un mineur est un ouvrier qui travaille dans une mine. C'est un nom de métier.

a b c d e f g h i j k l m n o p q r s t u v w x y z

## miniature nom féminin

Un objet, un lieu en **miniature** est reproduit en très petites dimensions.

des cyclistes en **miniature**

## minimum nom masculin

Le **minimum**, c'est le moins de choses possible. *Nous avons pris le minimum pour partir en voyage.* Contraire : **maximum**.

🔎 On écrit *um* mais on prononce [ɔm], comme « homme ».

## ministre nom masculin et nom féminin

Les **ministres** sont les personnes qui font partie du gouvernement d'un pays.

## Minitel nom masculin

Le **Minitel** est un appareil composé d'un écran et d'un clavier et qui est branché sur la ligne du téléphone. *On peut avoir toutes sortes de renseignements sur le Minitel.*

🔎 Ce mot s'écrit avec une majuscule parce que c'est un nom de marque.

## minuit nom masculin

**Minuit**, c'est le milieu de la nuit. C'est 24 heures ou 0 heure. *Le 31 décembre, on s'embrasse à minuit.*

## 1. minuscule adjectif

Une chose ou un être **minuscules** sont très petits. *Les fourmis sont des insectes minuscules.* Contraires : **énorme**, **géant**, **gigantesque**, **immense**.

## 2. minuscule nom féminin

Une **minuscule** est une petite lettre. *Les noms communs commencent par une minuscule.* Contraire : **majuscule**.

## minute nom féminin

La **minute** est une unité de mesure du temps. *Il y a soixante minutes dans une heure.*

☞ Va voir « les mesures », page 443.

## miracle nom masculin

Un **miracle** est un événement extraordinaire que l'on ne peut pas expliquer. *Le bébé est sorti indemne de l'accident, c'est un miracle.*

## mirage nom masculin

Un **mirage** est l'image d'un objet que l'on croit voir quand l'air est très chaud. *Les mirages se produisent parfois dans le désert.*

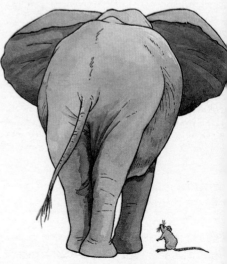

La souris est **minuscule** par rapport à l'éléphant.

**miroir** nom masculin

Un **miroir** est une plaque de verre qui est faite pour refléter les images. *Coralie se regarde dans un miroir.* Synonyme : glace.

**mis** → **mettre**

**misère** nom féminin

La **misère** est une grande pauvreté. *De nombreuses personnes vivent dans la misère.* Contraire : richesse.

**mission** nom féminin

Avoir une **mission**, c'est être chargé de faire quelque chose. *Solène a pour mission de décorer la classe.*

**mite** nom féminin

Une **mite** est un insecte qui ressemble à un petit papillon blanc. *Les larves des mites mangent les tissus de laine et les fourrures.*

**mi-temps** nom féminin

Dans un sport d'équipe, une **mi-temps**, c'est chacune des deux parties d'un match. C'est aussi la pause entre les deux parties. *Les deux équipes étaient à égalité à la fin de la première mi-temps.*

🔍 Ce mot s'écrit avec un trait d'union. Il ne change pas au pluriel : on écrit *des mi-temps*.

**mixte** adjectif

Une école, une équipe **mixte** se compose de filles et de garçons. *Notre équipe de football est mixte.*

**1. mobile** adjectif

Un objet **mobile** peut bouger ou être déplacé. *Notre mâchoire inférieure est mobile.* Contraire : fixe.

**2. mobile** nom masculin

Un **mobile** est un objet décoratif fait d'un assemblage de petits objets suspendus à des fils. *On a accroché un mobile au plafond de la chambre de Théo.*

Le **mobile** bouge
quand on souffle dessus.

**mobilier** nom masculin

Le **mobilier**, c'est l'ensemble des meubles d'un logement.

**moche** adjectif

Ce qui est **moche** est laid. *Ce pull est moche.* Contraires : beau, joli.

🔍 C'est un mot familier.

**1. mode** nom féminin

La **mode** est une façon de s'habiller, de se coiffer, de vivre qui plaît à un moment, à une époque. *Les pantalons larges sont à la mode cette année.*

**2. mode** nom masculin

Un **mode d'emploi** est un document qui indique comment se servir d'un appareil. *Papi a lu le mode d'emploi de l'ordinateur.*

a b c d e f g h i j k l m n o p q r s t u v w x y z

A
B
C
D
E
F
G
H
I
J
K
L
M
N
O
P
Q
R
S
T
U
V
W
X
Y
Z

**modelage** nom masculin

Le **modelage**, c'est le fait de modeler. Faire du **modelage**, c'est employer de la pâte à modeler pour fabriquer un objet.

**modèle** nom masculin

❶ Un **modèle** est un objet, une personne ou un dessin que l'on essaie de reproduire. *Pierre dessine d'après un modèle.*

❷ Prendre modèle sur quelqu'un, c'est suivre son exemple. *Tu devrais prendre modèle sur ta sœur.*

❸ Un **modèle** est un objet fabriqué en série. *Mon grand frère a acheté le dernier modèle de téléphone portable.*

Sarah se sert d'un **modèle** de chat.

**modeler** verbe

Modeler un objet, c'est le fabriquer avec de la terre ou avec une pâte molle, la *pâte à modeler. Julien a acheté de la pâte à modeler.*

● Mot de la même famille : modelage.

**moderne** adjectif

Ce qui est **moderne** appartient à notre époque, existe depuis peu de temps. *Marie fait de la danse moderne. La bibliothèque se trouve dans un bâtiment moderne.* Contraire : ancien.

**modeste** adjectif

Une personne **modeste** ne se vante pas. *Malgré ses découvertes importantes, ce savant est resté modeste.* Contraires : orgueilleux, prétentieux.

**moelle** nom féminin

La **moelle** est la matière molle et grasse qui se trouve dans certains os et dans la colonne vertébrale.

🔍 On prononce [mwal].

**moi** pronom

Moi représente la première personne du singulier. *C'est moi l'aînée.*

**moindre** adjectif

Moindre signifie : plus petit ou moins important. *Les chats entendent le moindre bruit.*

**moineau** nom masculin

Un **moineau** est un petit oiseau au plumage brun qui vit dans les champs et dans les villes.

▶ Quand le moineau crie, on dit qu'il **pépie**.

🔍 Au pluriel, on écrit *des moineaux*.

☛ Va voir « les becs d'oiseaux », page 83.

**moins** adverbe

❶ Moins indique une quantité, une valeur plus petite. *Anaïs a moins de jouets que Julien.* Contraire : plus. *Donne-moi un sac à porter, tu te fatigueras moins.* Contraires : davantage, plus.

❷ Moins indique une soustraction, un nombre que l'on retranche. *Sept moins quatre font trois.* Contraire : plus.

**mois** nom masculin

Un **mois** est une partie d'une année. *Dans une année, il y a douze mois.*

🔍 Ce mot se termine par un s.

☛ Va voir « le calendrier », page 111.

## moisir verbe

Moisir, c'est s'abîmer en se couvrant de champignons microscopiques. *Les fruits ont moisi à cause de l'humidité.* .

## moisson nom féminin

La **moisson** est la récolte des céréales. *Les agriculteurs font la moisson en été.*

● Mot de la même famille : moissonner.

## moissonner verbe

Moissonner un champ, c'est faire la moisson, couper et ramasser les céréales à l'aide d'une machine, la *moissonneuse.*

## moite adjectif

Être **moite**, c'est être légèrement humide de sueur. *Quand on transpire, on a les mains moites.* Contraire : sec.

## moitié nom féminin

❶ La **moitié** d'une chose, c'est la partie qui est égale à l'autre partie. *Mamie a partagé le gâteau en deux moitiés.*
❷ Remplir **à moitié**, c'est remplir jusqu'au milieu d'un récipient. *Ton verre est rempli à moitié.*

Léo a **moins** de bonbons que Léa.

## molaire nom féminin

Les **molaires** sont les grosses dents du fond de la bouche, qui servent à broyer les aliments.

➜ Cherche **canine** et **incisive**.

## molle ➜ mou

## mollet nom masculin

Le **mollet** est la partie arrière de la jambe, entre la cheville et le genou. *Faire de la bicyclette développe les mollets.*

🔍 Il y a deux *l.*

## mollusque nom masculin

Un **mollusque** est un animal qui a un corps mou, sans squelette et qui est parfois protégé par une coquille. Il vit dans l'eau ou dans les lieux humides. *Les escargots, les limaces, les pieuvres sont des mollusques.*

🔍 Il y a deux *l.*

☞ Va voir « les mollusques », page 452.

## moment nom masculin

❶ Un **moment** est un temps court. *On nous a demandé d'attendre un moment.* Synonyme : instant.
❷ Au **moment** de, au **moment** où indiquent l'instant précis où quelque chose se passe. *L'orage a éclaté tout juste au moment où nous sommes rentrés.*

## momie nom féminin

Une **momie** est un cadavre humain conservé selon les méthodes des anciens Égyptiens. *On a retrouvé de nombreuses momies dans les pyramides.* .

a b c d e f g h i j k l m n o p q r s t u v w x y z

**mon, ma adjectif**

Mon et ma sont des déterminants qui indiquent qu'une chose m'appartient, qu'une personne est de la même famille que moi : *mon jouet, ma sœur.*

🔎 Quand un nom féminin commence par une voyelle ou un « h » muet, on dit *mon* : *mon amie, mon habitude.* Au pluriel, on dit *mes.*

**monde nom masculin**

❶ Le **monde**, c'est tout ce qui existe. *Autrefois, on croyait que la Terre était au centre du monde.* Synonyme : Univers.

❷ Le **monde**, c'est la Terre. *J'aimerais faire le tour du monde.* Synonyme : planète.

❸ Il y a du monde signifie : il y a un grand nombre de personnes.

❹ Venir au monde, c'est naître. Mettre un enfant au monde, c'est le faire naître.

● Mot de la même famille : mondial.

**mondial, mondiale adjectif**

La population **mondiale**, c'est la population du monde entier.

🔎 Au pluriel, on écrit *mondiaux, mondiales.*

**moniteur nom masculin**
**monitrice nom féminin**

❶ Un **moniteur**, une **monitrice** sont des personnes qui enseignent certains sports. *Danièle est monitrice de ski.*

❷ Un **moniteur**, une **monitrice** de colonie de vacances sont des personnes qui s'occupent des enfants dans une colonie de vacances.

**monnaie nom féminin**

❶ La **monnaie**, c'est l'ensemble des pièces et des billets utilisés dans un pays. *L'euro est la monnaie de nombreux pays d'Europe.*

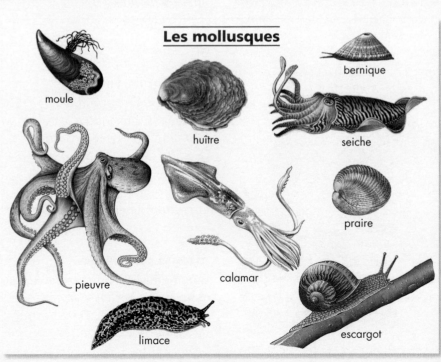

**Les mollusques**

moule

huître

bernique

seiche

praire

pieuvre

calamar

limace

escargot

**❷ Rendre la monnaie**, c'est donner la différence entre l'argent reçu et le prix de la marchandise achetée. *Quand j'achète le pain avec un billet, la boulangère me rend la monnaie.*

🔎 Il y a deux *n*.

**monotone** adjectif
Ce qui est **monotone** est toujours pareil, ne varie pas. *Ces champs de maïs sont monotones.* Contraire : varié.

**monsieur** nom masculin
**Monsieur** est le nom que l'on donne à un homme quand on s'adresse à lui ou quand on parle de lui. *Merci, monsieur ! J'ai rencontré monsieur Dumont.*

🔎 Ce mot se termine par un *r* qu'on ne prononce pas. Au pluriel, on dit *messieurs*.

**monstre** nom masculin
Un **monstre** est un être imaginaire qui fait très peur. *Les dragons sont des monstres.*

**montage** nom masculin
Faire un **montage**, c'est assembler les différentes parties d'un objet, d'un meuble. *Mon frère a fini le montage de l'armoire.*

**montagne** nom féminin
Une **montagne** est une région au relief élevé. *Les montagnes ont des sommets ronds ou pointus.*
➔ Cherche **colline**.
☞ Va voir la planche illustrée ❹

**montée** nom féminin
**❶ La montée**, c'est l'action de monter. *Les alpinistes ont rencontré des difficultés pendant la montée.* Contraire : descente.
**❷** Une **montée**, c'est la partie de la route qui monte. *La voiture a accéléré*

dans la **montée**. Synonyme : côte. Contraire : descente.
➔ Cherche **pente**.

**monter** verbe
**❶ Monter**, c'est aller en haut. *Je suis monté par l'ascenseur.* Contraire : descendre.
**❷ Monter** une chose, c'est la porter en haut. *Elle a monté les valises au grenier.* Contraire : descendre.
**❸ Monter** le son, c'est le rendre plus fort. *Monte le son de la chaîne.* Contraire : baisser.
**❹ Monter**, c'est augmenter. *La température monte. Le niveau de la rivière a monté.* Contraire : baisser.
**❺ Monter** un objet, c'est assembler toutes ses parties. *Les campeurs ont monté la tente.* Contraire : démonter.
**❻ Monter à cheval**, c'est faire du cheval, de l'équitation
● Mots de la même famille : **montage, montée, monture.**

Je vais essayer de **monter** au sommet.

A
B
C
D
E
F
G
H
I
J
K
L
**M**
N
O
P
Q
R
S
T
U
V
W
X
Y
Z

## montgolfière nom féminin

Une **montgolfière** est un immense ballon qui s'élève dans l'air grâce à de l'air chaud. Elle permet de transporter des passagers placés dans une sorte de grand panier appelé une *nacelle*.

🔍 Dans « montgolfière », il y a un *t* qu'on ne prononce pas.

## montre nom féminin

Une **montre** est un instrument qui indique l'heure et que l'on porte au poignet.

## montrer verbe

❶ **Montrer** une chose, c'est la faire voir. *Sébastien m'a montré sa chambre. Peux-tu nous montrer ton village sur la carte ?* Synonymes : **désigner**, **indiquer**.

❷ **Montrer** quelque chose, c'est le prouver. *Son comportement montre qu'il dit la vérité.*

❸ **Se montrer**, c'est apparaître. *Le soleil se montre entre les nuages.*

● Mot de la même famille : **montre**.

## monture nom féminin

La **monture** d'une paire de lunettes est la partie qui entoure les verres et qui les maintient.

## monument nom masculin

Un **monument** est un grand bâtiment que l'on peut visiter. *Les églises, les châteaux, les palais sont des monuments.*

## se moquer verbe

**Se moquer** de quelqu'un, c'est rire de lui et le rendre ridicule. *Léo a peur des souris et son frère se moque de lui.*

● Mot de la même famille : **moqueur**.

## moquette nom féminin

Une **moquette** est un tapis qui recouvre toute la surface d'une pièce et qui est fixé au sol.

## moqueur, moqueuse adjectif

Être **moqueur**, avoir un air **moqueur**, c'est se moquer de quelqu'un, rire de lui. *Quand je lui ai dit que j'avais peur de plonger, Kien m'a regardé d'un air moqueur.*

## morale nom féminin

❶ La **morale**, c'est l'ensemble des règles à suivre pour faire ce qui est bien. *Si tu triches, tu ne respectes pas la morale.*

❷ La **morale** d'une histoire ou d'une fable est la leçon que l'on peut en retenir. *« On a toujours besoin d'un plus petit que soi » est la morale de la fable « le Lion et le Rat ».*

## morceau nom masculin

❶ Un **morceau** est une partie d'une chose que l'on peut diviser. *Peux-tu me couper un morceau de pain ?* Synonyme : **bout**.

❷ Un **morceau** est une partie cassée d'un objet. *J'ai cassé un verre et je ramasse les morceaux.*

❸ Un **morceau** de musique est une partie d'une œuvre. *Rachid nous a joué un morceau à la guitare.*

🔍 Au pluriel, on écrit *des morceaux*.

## mordiller verbe

**Mordiller**, c'est mordre légèrement. *Jonathan mordille son crayon.*

## mordre verbe

❶ **Mordre**, c'est blesser en serrant fort entre les dents. *Un chien m'a mordu.*

❷ **Mordre** un aliment, c'est le croquer. *Je mords une pomme.*

● Mots de la même famille : **mordiller, morsure.**

**morsure** nom féminin
Une **morsure** est une blessure faite en mordant. *Les morsures de vipère peuvent être mortelles.*

**1. mort, morte** adjectif
❶ Être **mort**, c'est être sans vie. *Paul a trouvé son hamster mort.* Contraire : **vivant.** *Nous avons ramassé du bois mort.* Synonyme : **sec.** Contraire : **vert.**
❷ Être **mort de faim, de peur, de fatigue**, c'est être affamé, avoir très peur, être très fatigué. *Dans le train fantôme, j'étais morte de peur.*

**2. mort** nom masculin
**morte** nom féminin
Un **mort**, une **morte** sont des personnes qui ont cessé de vivre. *Dans l'incendie, il y a eu plusieurs morts.*
➜ Cherche **cadavre.**

**3. mort** nom féminin
La **mort** est l'arrêt définitif de la vie. *Marie a eu beaucoup de chagrin à la mort de son grand-père.* Synonyme : **décès.**

**mortel, mortelle** adjectif
❶ Être **mortel**, c'est devoir mourir un jour. *Tous les êtres vivants sont mortels.* Contraire : **immortel.**
❷ Une chose **mortelle**, un aliment **mortel** provoquent la mort. *Elle a eu un accident mortel. Certains champignons sont mortels.*

**morve** nom féminin
La **morve** est le liquide épais qui coule du nez quand on est enrhumé.

**mosaïque** nom féminin
Une **mosaïque** est un assemblage de petits morceaux de verre ou de céramique qui forment un motif.

🔎 Il y a un tréma sur le *i.*

**mosquée** nom féminin
Une **mosquée** est un bâtiment où les musulmans se rassemblent pour prier.
➜ Cherche **église, pagode, synagogue** et **temple.**

**mot** nom masculin
❶ Un **mot** est un ensemble de lettres qui a une signification. *Dans la phrase « Le soleil brille », il y a trois mots.*
❷ Écrire un **mot**, dire un **mot**, c'est écrire une petite lettre ou dire quelques paroles.
❸ Faire des **mots croisés**, c'est trouver des mots d'après leur définition et les écrire dans une grille.

**motard** nom masculin
Un **motard** est un gendarme qui se déplace à moto pour faire son travail.

**moteur** nom masculin
Un **moteur** est un appareil qui fait fonctionner une machine ou avancer un véhicule.

Le chiot **mordille** l'oreille de sa mère.

a b c d e f g h i j k l m n o p q r s t u v

A
B
C
D
E
F
G
H
I
J
K
L
M
N
O
P
Q
R
S
T
U
V
W
X
Y
Z

## motif nom masculin

❶ Le **motif** d'une action, c'est ce qui l'explique. *Quel est le motif de ton absence ?* Synonymes : **cause, raison.**
❷ Un **motif** est un dessin qui se répète. *On a posé un papier à motifs sur les murs de ma chambre.*

## moto nom féminin

Une **moto** est un véhicule à deux roues et à moteur, qui sert à transporter une ou deux personnes. *Quand je serai grand, j'aurai une grosse moto.*
● Mot de la même famille : **motard.**

une **moto** de course

## mou, molle adjectif

❶ Un objet **mou**, une matière **molle** s'enfoncent quand on appuie dessus. *Ce beurre est tout mou.* Contraire : **dur.** *La terre du jardin est molle.* Contraire : **ferme.**
❷ Une personne **molle** manque d'énergie, n'est pas vive. *Secoue-toi, tu es trop mou !* Contraires : **actif, dynamique, énergique.**
🔎 Au pluriel, on écrit *mous, molles.*

## mouche nom féminin

Une **mouche** est un insecte volant qui a deux ailes, six pattes et

une trompe pour aspirer sa nourriture. *Les mouches bourdonnent.*
● Mot de la même famille : **moucheron.**

## se moucher verbe

Se moucher, c'est débarrasser son nez de ce qui l'encombre. *Quand on se mouche, on souffle fort dans son mouchoir.*
● Mot de la même famille : **mouchoir.**

## moucheron nom masculin

Un **moucheron** est une sorte de petite mouche.

## mouchoir nom masculin

Un **mouchoir** est un carré de tissu ou de papier qui sert à se moucher.

## moudre verbe

**Moudre** une matière, c'est la réduire en poudre. *On moud le café dans un moulin électrique.* Synonyme : **broyer.**
→ Cherche **moulu.**

## moue nom féminin

Faire la **moue**, c'est faire une grimace en avançant les lèvres quand on est mécontent.

## mouette nom féminin

Une **mouette** est un oiseau au plumage blanc et gris qui a les pattes palmées. *Les mouettes vivent près des côtes.*
→ Cherche **goéland.**

## moufle nom féminin

Une **moufle** est un gant qui enveloppe tous les doigts de la main, sauf le pouce.

## mouiller verbe

Mouiller, c'est rendre humide, recouvrir d'eau. *Mouille ton gant pour te laver.*

Zoé a **mouillé** ses chaussures.

**moulage** nom masculin

Faire un **moulage**, c'est fabriquer un objet en remplissant un moule avec du plâtre liquide. *À l'école, nous avons fait des moulages de personnages.*

**1. moule** nom masculin

Un **moule** est un objet creux où l'on verse une pâte ou du plâtre qui durcit. *On fait cuire une tarte dans un moule à tarte. Kien a versé du plâtre dans un moule.*

● Mot de la même famille : **moulage**.

**2. moule** nom féminin

Une **moule** est un coquillage noir comestible qui vit fixé aux rochers. *On a fait cuire les moules pour les manger.*

☞ Va voir « les coquillages », page 165.

**moulin** nom masculin

❶ Un **moulin** est un bâtiment où l'on moud les grains des céréales. *Les meuniers font la farine dans des moulins.*

une **mouette**

❷ Un **moulin à café**, un **moulin à poivre** sont des appareils qui servent à moudre des grains de café, de poivre.

▶ Autrefois, il existait deux sortes de moulins pour faire la farine : les moulins à vent et les moulins à eau.

● Mot de la même famille : **moulinet**.

un **moulin** à vent

**moulinet** nom masculin

Un **moulinet** est un petit moulin qui sert de jouet. Il est fait de petites ailes qui tournent autour d'un axe.

**moulu, moulue** adjectif

Du café **moulu** est du café broyé, réduit en poudre.

**mourir** verbe

❶ **Mourir**, c'est cesser de vivre. *Mon hamster est mort.*

❷ **C'est à mourir de rire** signifie : c'est très drôle.

a b c d e f g h i j k l m n o p q r s t u v w x y z

● Mots de la même famille : **mort, mortel**.

### mousquetaire nom masculin

Un **mousquetaire** était un soldat chargé de la garde du roi.

🔍 « Mousquetaire » est un nom masculin qui se termine par un *e*.

### mousse nom féminin

❶ La **mousse**, c'est un ensemble de petites bulles. *Le savon fait de la mousse.*

❷ La **mousse**, c'est une crème faite avec des blancs d'œufs.

❸ La **mousse** est une plante verte rase qui n'a pas de fleurs ni de racines. Elle forme une sorte de tapis sur le sol, les arbres et les pierres.

● Mot de la même famille : **mousser**.

La **mousse** déborde de la baignoire.

### mousser verbe

Mousser, c'est faire de la mousse. *Cette lessive mousse beaucoup.*

### moustache nom féminin

❶ La **moustache**, c'est l'ensemble des poils qui poussent au-dessus de la lèvre supérieure. *Papi a rasé sa moustache.*

❷ Les **moustaches** d'un animal sont les poils longs et raides qu'il a sur le museau. *Les chats ont des moustaches pour reconnaître les objets au toucher.*

● Mot de la même famille : **moustachu**.

### moustachu, moustachue adjectif

Un homme **moustachu** a de la moustache.

### moustique nom masculin

Un **moustique** est un insecte volant qui vit dans les lieux chauds et humides. La femelle pique les animaux et les humains pour se nourrir de leur sang.

☛ Va voir « les insectes », page 351.

### moutarde nom féminin

La **moutarde** est une sauce épaisse au goût piquant. Elle est faite avec les graines écrasées d'une plante à fleurs jaunes, appelée aussi « moutarde ».

### mouton nom masculin

Un **mouton** est un mammifère qui a une fourrure frisée et épaisse. On l'élève pour sa viande, sa laine et le lait des femelles.

▶ Les moutons sont des ruminants.

→ Cherche **bélier** et **brebis**.

### mouvement nom masculin

❶ Faire un **mouvement**, c'est bouger une partie de son corps. *Natacha a fait un mouvement brusque.*

Synonyme : **geste**.

❷ Le **mouvement** d'une chose, c'est son déplacement régulier d'un endroit vers un autre. *Le bébé suit des yeux les mouvements du mobile.*

## 1. moyen, moyenne adjectif

❶ Avoir une taille **moyenne**, c'est n'être ni grand ni petit.

❷ Ce qui est **moyen** n'est ni bon ni mauvais. *Mes résultats scolaires sont moyens.*

❸ Dans les écoles françaises, le cours **moyen** est le cours qui vient après le cours élémentaire.

● Mot de la même famille : **moyenne**.

*Charlotte a une taille **moyenne**.*

## 2. moyen nom masculin

❶ Un **moyen**, c'est ce qui permet de faire quelque chose. *J'ai trouvé un moyen de convaincre mon frère.* Synonyme : **manière**.

❷ Les **moyens de transport** sont les véhicules qui permettent de se déplacer. *La voiture, le train, l'avion, le bateau sont des moyens de transport.* Synonyme : **moyen de locomotion**.

## moyenne nom féminin

Avoir la **moyenne**, c'est avoir obtenu la moitié des points. *Si tu as 5 sur 10, tu as la moyenne.*

## muer verbe

❶ Pour un animal, **muer**, c'est changer de peau, de pelage ou de plumage. *Les serpents et les oiseaux muent.*

❷ Pour un garçon, **muer**, c'est avoir la voix qui change au moment de l'adolescence.

## muet, muette adjectif

❶ Une personne **muette** est une personne qui ne peut pas parler.

❷ Le cinéma **muet**, un film **muet** est sans paroles.

❸ Un « h » **muet** est un « h » qui n'empêche pas la liaison avec la voyelle qui suit. *Dans « les hommes », il y a un « h » muet.*

## muguet nom masculin

Le **muguet** est une petite fleur des bois qui a des clochettes blanches parfumées.

## mule nom féminin

Une **mule** est un mulet femelle, né d'un âne et d'une jument.

## mulet nom masculin

Un **mulet** est un mammifère qui est né d'un âne et d'une jument. Il est plus petit qu'un cheval et plus grand qu'un âne.

## multicolore adjectif

Un objet **multicolore** a plusieurs couleurs. *Élise porte un déguisement multicolore.* Synonyme : **bariolé**. Contraire : **uni**.

➜ Cherche **tricolore**.

## multiplicande nom masculin

Dans une multiplication, le **multiplicande** est le nombre que l'on multiplie. *Dans la multiplication 3 × 4, le multiplicande est 3.*

➜ Cherche **multiplicateur**.

A
B
C
D
E
F
G
H
I
J
K
L
M
N
O
P
Q
R
S
T
U
V
W
X
Y
Z

## multiplicateur nom masculin

Dans une multiplication, le **multiplicateur** est le nombre qui multiplie. *Dans la multiplication 3 × 4, le multiplicateur est 4.*

→ Cherche **multiplicande**.

## multiplication nom féminin

La **multiplication** est l'opération qui permet de multiplier un nombre, le multiplicande, par un autre nombre, le multiplicateur. *On utilise le signe × pour faire une multiplication.* Contraire : **division**.

Clara a fait deux **multiplications**.

## multiplier verbe

**Multiplier**, c'est faire une opération qui revient à additionner plusieurs fois un nombre. *9 multiplié par 2 égale 18, c'est-à-dire 9 + 9 = 18.* Contraire : **diviser**.

● Mots de la même famille : **multiplicande, multiplicateur, multiplication**.

## munitions nom féminin pluriel

Les **munitions** sont les balles et les cartouches que l'on utilise pour charger les armes à feu.

## mur nom masculin

Un **mur** est une construction verticale qui forme un côté d'un bâtiment ou qui sert à fermer un espace. *Les murs de la maison sont en brique. Un mur de pierre entoure le parc.*

## mûr, mûre adjectif

❶ Un fruit **mûr** est un fruit qui a fini de se développer et qui est bon à être cueilli et mangé. *Les cerises sont mûres au mois de juillet.*

❷ On dit qu'un enfant est très **mûr** pour son âge quand il est capable de réfléchir et de se comporter comme une grande personne.

🔍 Le *u* prend un accent circonflexe.

● Mot de la même famille : **mûrir**.

## mûre nom féminin

Une **mûre** est un petit fruit noir et rond qui pousse sur les ronces. *Simon et Clara cueillent des mûres pour faire de la confiture.*

🔍 Le *u* prend un accent circonflexe.

## mûrir verbe

**Mûrir**, c'est devenir mûr. *Le raisin mûrit tout l'été au soleil.*

🔍 Le *u* prend un accent circonflexe.

Les tomates **ont** bien **mûri**.

**murmure** nom masculin
Un **murmure** est un petit bruit de voix.
*On entend des **murmures** dans la salle.*
● Mot de la même famille : murmurer.

**murmurer** verbe
Murmurer, c'est dire quelque chose à voix basse. *Solène a **murmuré** quelques mots.* Synonyme : chuchoter.

**muscle** nom masculin
Les **muscles** du corps permettent de faire des mouvements. *Le biceps est le plus gros **muscle** du bras.*
● Mot de la même famille : musclé.

**musclé, musclée** adjectif
Être **musclé**, c'est avoir des muscles bien développés. *Les athlètes sont **musclés**.*

**museau** nom masculin
Le **museau** est la partie avant de la tête des mammifères. *Le chien a posé son **museau** sur ma main.*
🔍 Au pluriel, on écrit *des museaux*.
● Mot de la même famille : muselière.

**musée** nom masculin
Un **musée** est un bâtiment où l'on peut voir des œuvres d'art ou des objets anciens. *Nous avons visité le **musée** de l'Automobile.*
🔍 « Musée » est un nom masculin qui se termine par un e.
☞ Va voir la planche illustrée ⑫

**muselière** nom féminin
Une **muselière** est un objet que l'on fixe sur le museau des chiens pour les empêcher de mordre.

**musical, musicale** adjectif
L'éducation **musicale** se rapporte à la musique.
🔍 Au pluriel, on écrit *musicaux, musicales*.

**1. musicien** nom masculin
**musicienne** nom féminin
Un **musicien**, une **musicienne** sont des personnes qui composent ou qui jouent de la musique. *Les pianistes, les guitaristes, les trompettistes sont des **musiciens**.*
☞ Va voir « les instruments de musique », page 355.

**2. musicien, musicienne** adjectif
Être **musicien**, c'est avoir des dons pour la musique.

**musique** nom féminin
❶ La **musique** est l'art d'assembler les sons de manière à les rendre agréables à l'oreille.
❷ La **musique**, c'est un ensemble de sons mélodieux. *J'aime la **musique** de cette chanson.* Synonymes : air, mélodie.
● Mots de la même famille : musical, musicien.
☞ Va voir « les instruments de musique », page 355.

**1. musulman, musulmane** adjectif
La religion **musulmane** a été créée par Mahomet. *Aziz est **musulman**, il va à la mosquée.*
🔍 La religion musulmane est aussi appelée « l'islam ».

**2. musulman** nom masculin
**musulmane** nom féminin
Les **musulmans** sont des personnes qui croient en un seul Dieu, Allah, et qui vont prier à la mosquée.
→ Cherche bouddhiste, catholique, israélite et protestant.

## mygale nom féminin

Une **mygale** est une grosse araignée des pays chauds. *La piqûre des mygales est très douloureuse.*

▶ Les mygales sont les plus grosses de toutes les araignées. Elles peuvent manger des souris et des lézards.

🔍 Ce mot s'écrit avec un *y*.

→ Cherche **tarentule**.

Julie est **myope,**
elle voit mal sans ses lunettes.

## myope adjectif

Une personne **myope** voit mal les objets éloignés. *Quand on est myope, on porte des lunettes ou des lentilles.*

🔍 Ce mot s'écrit avec un *y*.

## myrtille nom féminin

Une **myrtille** est un petit fruit rond et noir qui pousse dans la montagne sur de petits arbustes sauvages.

🔍 Ce mot s'écrit avec un *y*.

## mystère nom masculin

Un **mystère** est une chose incompréhensible. *Comment le prisonnier s'est-il évadé ? C'est un mystère pour la police.* Synonyme : **énigme**.

🔍 Ce mot s'écrit avec un *y*.

● Mot de la même famille : **mystérieux**.

## mystérieux, mystérieuse adjectif

Une chose **mystérieuse** est inexplicable. *Cette disparition reste mystérieuse.*

🔍 Ce mot s'écrit avec un *y*.

**nacre** nom féminin

La **nacre** est une matière brillante d'un blanc rose qui se trouve à l'intérieur de la coquille de certains mollusques. *Les huîtres fabriquent de la nacre.*

**nage** nom féminin

❶ La **nage** est l'action et la manière de nager. *Paul a rejoint le bateau à la nage.*

❷ Être en **nage**, c'est être couvert de sueur.

▶ Les deux principales **nages** sont la **brasse** et le **crawl**.

**nageoire** nom féminin

Les **nageoires** sont les organes qui permettent aux poissons et aux mammifères marins de nager. *Les dauphins ont trois nageoires.*

🔍 Il y a un e après le *g*.

**nager** verbe

Nager, c'est se déplacer dans l'eau en faisant certains mouvements. *Sébastien apprend à nager.*

● Mots de la même famille : **nage**, **nageoire**, **nageur**.

**nageur** nom masculin
**nageuse** nom féminin

Un **nageur**, une **nageuse** sont des personnes qui nagent. *Léa est une bonne nageuse.*

**naïf, naïve** adjectif

Une personne **naïve** est une personne qui croit tout ce qu'on lui dit.

🔍 Il y a un tréma sur le *i*.

**1. nain** nom masculin
**naine** nom féminin

Un **nain**, une **naine** sont des personnes qui ont une taille très petite. *Blanche-Neige a dormi dans la maison des sept nains.* Contraire : **géant**.

**2. nain, naine** adjectif

Un animal **nain**, une plante **naine** sont très petits. *Léo a un lapin nain.*
Contraires : **géant**, **gigantesque**.

**naissance** nom féminin

La **naissance** est le moment où un bébé ou un animal sort du ventre de sa mère, où il vient au monde. *Juste après sa naissance, le petit veau se tenait déjà sur ses pattes.*

## naître verbe

Naître, c'est sortir du ventre de sa mère, venir au monde. *Paul est né le 24 mars.*

🔍 Le *i* prend un accent circonflexe devant un *t*.

● Mots de la même famille : **naissance**, **natal**.

Le petit veau vient de **naître**.

## naja nom masculin

Le **naja** est un serpent venimeux d'Asie et d'Afrique. *L'espèce de naja la plus connue est le cobra.*

☛ Va voir l'illustration page 463.

## nappe nom féminin

Une **nappe** est un grand morceau de tissu qui sert à protéger une table. *Maman a acheté une nappe brodée pour douze personnes.*

🔍 Il y a deux *p*.

## narine nom féminin

Les **narines** sont les ouvertures du nez qui servent à respirer et à sentir.

## narrateur nom masculin
## narratrice nom féminin

Un **narrateur**, une **narratrice** sont des personnes qui racontent une histoire, qui font une narration, un récit.

🔍 Il y a deux *r*.

## narration nom féminin

Une **narration** est le récit d'un événement. *Mon frère a fait la narration de son voyage en Australie.*

🔍 Il y a deux *r*.

● Mot de la même famille : **narrateur**.

## natal, natale adjectif

Le pays **natal**, la ville **natale** sont le pays, la ville où l'on est né. *Le Sénégal est le pays natal de Bintou.*

🔍 Au pluriel, on écrit *natals*, *natales*.

## natation nom féminin

La **natation** est le sport de la nage. *Tom est inscrit à un club de natation.*

Léa et Tom font de la **natation**.

## nation nom féminin

Une **nation**, c'est l'ensemble des habitants d'un pays qui ont des traditions et une langue communes. *En France, le président de la République est le chef de la nation.* Synonyme : État.

● Mots de la même famille : **national**, **nationalité**.

## national, nationale adjectif

❶ Un hymne **national**, une fête **nationale** se rapportent à une nation. *On a chanté les hymnes nationaux avant le match.*

❷ En France, l'Assemblée **nationale**, c'est l'ensemble des députés de la nation.

🔍 Au pluriel, on écrit *nationaux, nationales*.

→ Cherche **international**.

### nationalité nom féminin

La **nationalité**, c'est le fait d'appartenir à une nation. *Pierre est de nationalité belge.*

### natte nom féminin

Une **natte** est une coiffure faite avec trois mèches de cheveux que l'on croise. Synonyme : **tresse**.

🔍 Il y a deux *t*.

Fatou fait des **nattes** à Clara.

### nature nom féminin

La **nature**, c'est l'ensemble des êtres et des choses qui n'ont pas été fabriqués par les humains, comme la mer, la campagne, les montagnes, les plantes et les animaux. *En classe de découverte, nous étudions la nature.* Synonyme : **environnement**.

● Mot de la même famille : **naturel**.

### naturel, naturelle adjectif

Un phénomène **naturel** est produit par la nature. *L'orage est un phénomène naturel.* Des fleurs **naturelles** sont des fleurs qui ont poussé dans la nature. Contraire : **artificiel**.

### naufrage nom masculin

Quand un bateau fait **naufrage**, il coule. *Le bateau a fait naufrage dans la tempête.*

### nautique adjectif

Un sport **nautique** est un sport que l'on fait dans l'eau ou sur l'eau. *La natation, l'aviron, le surf sont des sports nautiques.*

### naval, navale adjectif

Un chantier **naval** est un chantier où l'on construit des navires, des bateaux.

🔍 Au pluriel, on écrit *navals, navales*.

### navette nom féminin

❶ Une **navette** est un véhicule qui fait régulièrement des allers et retours entre deux endroits peu éloignés. *Nous avons pris la navette qui va du village à la station de ski.*

❷ Une **navette** spatiale est un véhicule que l'on envoie dans l'espace et qui revient sur terre.

### navigateur nom masculin
### navigatrice nom féminin

Un **navigateur**, une **navigatrice** sont des personnes qui font de grands voyages en mer. *Christophe Colomb était un grand navigateur.*

→ Cherche **marin** et **matelot**.

### navigation nom féminin

La **navigation**, c'est l'action de naviguer, de voyager par bateau. La **navigation** aérienne, c'est le transport par avion.

a b c d e f g h i j k l m n o p q r s t u v w x y z

A
B
C
D
E
F
G
H
I
J
K
L
M
N
O
P
Q
R
S
T
U
V
W
X
Y
Z

## naviguer verbe

Naviguer, c'est voyager par bateau. *Christophe Colomb a longtemps navigué avant de découvrir l'Amérique.*

● Mots de la même famille : **navigateur, navigation**.

## navire nom masculin

Un **navire** est un gros bateau qui navigue sur la mer. *Les navires peuvent transporter des marchandises ou des passagers.*

Le **navire** est en pleine mer.

## ne adverbe

Ne s'emploie dans une phrase négative. *Je ne comprends pas. Elle ne triche jamais.*

🔍 *Ne s'écrit n' devant une voyelle ou un « h » muet : je n'ai plus de bonbons. N'hésite pas à m'appeler.*

## né, née ➜ naître

## nécessaire adjectif

Une chose **nécessaire** est une chose qu'il faut avoir ou qu'il faut faire. *Il est nécessaire de bien dormir pour être en bonne santé.* Synonyme : **indispensable**. Contraire : **inutile**.

## négatif, négative adjectif

❶ Faire une réponse **négative**, c'est répondre non, refuser ce qu'une personne a demandé. Contraire : **affirmatif**.

❷ Une phrase **négative** est une phrase qui sert à nier, à dire non. *« Elle ne viendra pas » est une phrase négative.*

## négliger verbe

**Négliger** une chose, c'est ne pas s'en occuper assez. *Elle néglige son jardin.* Contraire : **soigner**.

## neige nom féminin

La **neige** est de l'eau gelée qui tombe des nuages en flocons.

● Mot de la même famille : **neiger**.

## neiger verbe

Quand **il neige**, il tombe de la neige.

## nénuphar nom masculin

Un **nénuphar** est une plante qui pousse dans l'eau. Il a une longue tige, de grandes feuilles et des fleurs blanches, roses ou jaunes.

🔍 *Ce mot s'écrit avec ph.*

## nerf nom masculin

Les **nerfs** relient le cerveau aux différentes parties du corps. Ils nous permettent de sentir, de voir, d'entendre, de parler, de toucher et de bouger.

🔍 *Ce mot se termine par un f qu'on ne prononce pas.*

● Mots de la même famille : **nerveux, nervure**.

## nerveux, nerveuse adjectif

❶ Le **système nerveux**, c'est l'ensemble formé par les nerfs et le cerveau.

❷ Une personne **nerveuse** s'énerve et s'agite facilement. Contraire : calme.

## nervure nom féminin

Les **nervures** d'une feuille sont les lignes que l'on voit dessus et dessous. *La sève circule dans les nervures.*

La feuille a des grosses **nervures** et des petites **nervures**.

## net, nette adjectif

❶ Un vêtement **net**, une maison **nette** sont parfaitement propres et bien entretenus. Synonyme : impeccable. Contraire : sale.

❷ Une photo **nette** est une photo où l'on distingue bien les détails. Contraire : flou.

🔎 « Net » se prononce [nɛt].

● Mot de la même famille : nettement.

## nettement adverbe

**Nettement** signifie : de façon nette. *Quand il fait beau, on voit nettement les étoiles.* Contraire : mal.

🔎 Il y a deux *t* au milieu du mot.

## nettoyage nom masculin

Le **nettoyage** est l'action de nettoyer, de rendre propre. *Le gardien s'occupe du nettoyage de l'immeuble.*

🔎 Il y a deux *t*.

## nettoyer verbe

**Nettoyer** une chose, c'est la rendre propre. *Il faut nettoyer la baignoire quand on a pris un bain.*

🔎 Il y a deux *t*.

● Mot de la même famille : nettoyage.

## neuf, neuve adjectif

Ce qui est **neuf** vient d'être fabriqué, n'a jamais servi. *Nous habitons dans un immeuble neuf. Mathilde a une robe neuve.* Contraires : usé, vieux.

## neveu nom masculin

Le **neveu** d'une personne est le fils de son frère ou de sa sœur. *Simon est le neveu de Brigitte.*

🔎 Au pluriel, on écrit *des neveux*.

→ Cherche **nièce**.

☞ Va voir « la famille », page 273.

## nez nom masculin

❶ Le **nez** se trouve au milieu du visage, entre les deux joues. Il sert à respirer et à sentir.

❷ Se trouver **nez à nez** avec quelqu'un, c'est se trouver soudain en face de lui.

🔎 Ce mot se termine par un *z*. Il ne change pas au pluriel : on écrit *des nez*.

## ni conjonction

**Ni** signifie : et pas non plus. *Je n'ai pas de papier ni de stylo.*

des **nénuphars**

**niche** nom féminin

Une **niche** est une petite cabane qui sert d'abri à un chien.

Filou est dans sa **niche**.

**nichée** nom féminin

Une **nichée**, c'est l'ensemble des petits oiseaux nés en même temps et vivant dans le même nid. *L'hirondelle nourrit sa nichée.*

**nicotine** nom féminin

La **nicotine** est un produit toxique qui est contenu dans le tabac.

**nid** nom masculin

Un **nid** est un abri que les oiseaux construisent pour pondre leurs œufs et les couver.

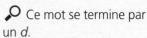

🔍 Ce mot se termine par un *d*.

● Mot de la même famille : **nichée**.

**nièce** nom féminin

La **nièce** d'une personne est la fille de son frère ou de sa sœur. *Clara est la nièce de Franck.*

→ Cherche **neveu**.

☞ Va voir « la famille », page 273.

**nier** verbe

Nier, c'est dire qu'une chose n'existe pas ou n'est pas vraie. *L'homme que* la police a arrêté **nie** avoir commis un cambriolage. **Contraires** : avouer, reconnaître.

**niveau** nom masculin

❶ Un **niveau**, c'est la hauteur qu'atteint une chose. *Le niveau de la rivière a monté.*

❷ Le **niveau** d'un élève, d'une classe, c'est la mesure de leurs connaissances. *Notre classe a un bon niveau.*

🔍 Au pluriel, on écrit *des niveaux*.

**noble** nom masculin et nom féminin

Au temps des rois, les **nobles** étaient des personnes riches et importantes. *Les nobles possédaient des châteaux et des terres.*

**noce** nom féminin

Une **noce** est une fête que l'on fait pour un mariage.

**nocturne** adjectif

Un animal **nocturne** vit la nuit et dort le jour. *Les chouettes sont des oiseaux nocturnes. Les hérissons sont des mammifères nocturnes.*

**nœud** nom masculin

Un **nœud** est une boucle que l'on fait en croisant les deux bouts d'un lien et en les tirant. *J'ai fait un nœud solide pour fermer le paquet.*

🔍 Ce mot se termine par un *d*.

● Mot de la même famille : **nouer**.

**1. noir, noire** adjectif

La couleur **noire** est la couleur du charbon.

● Mot de la même famille : **noircir**.

**2. noir** nom masculin

❶ Le **noir** est la couleur noire. *Elle s'habille toujours en noir.*

❷ Le **noir**, c'est l'absence de lumière. *Benjamin a peur dans le noir.* Synonyme : **obscurité**.

☞ Va voir « les couleurs et les formes », page 171.

### noircir verbe

Noircir, c'est rendre noir ou devenir noir. *La fumée de la cheminée a noirci le mur.*

### noisette nom féminin

Une **noisette** est un petit fruit formé d'une coquille brun clair et entouré de petites feuilles vertes. *On casse la coquille des noisettes pour manger la graine.*

▶ Les noisettes poussent sur un arbuste, le **noisetier**.

L'écureuil mange des **noisettes**.

### noix nom féminin

Une **noix** est un petit fruit qui a une coquille. *On casse la coquille des noix.*

▶ Les noix poussent sur un arbre, le **noyer**.

🔎 Ce mot se termine par un *x*. Il ne change pas au pluriel : on écrit *des noix*.

### nom nom masculin

Un **nom** est un mot qui désigne un être ou une chose. *Quel est ton nom ?* « Garçon », « fille », « joie » sont des **noms** communs. « Simon », « Bousquet », « France » sont des **noms** propres.

🔎 Dans ce mot, le son [ɔ̃] s'écrit *om*.
● Mot de la même famille : **nommer**.
→ Cherche **prénom**.

### nomade nom masculin et nom féminin

Un **nomade**, une **nomade** sont des personnes qui n'ont pas d'habitation fixe et qui se déplacent d'un lieu à un autre. *Les nomades dorment sous une tente ou dans une caravane.*

### nombre nom masculin

❶ Un **nombre**, c'est ce qui permet de compter et de mesurer. *50 est un nombre à deux chiffres.*
❷ Un **nombre**, c'est une quantité. *Un grand nombre d'élèves sont malades.*

🔎 Le son [ɔ̃] s'écrit *om* devant un *b*.
● Mot de la même famille : **nombreux**.
☞ Va voir « les nombres », page 471.

### nombreux, nombreuse adjectif

De **nombreuses** personnes, de **nombreux** objets, ce sont beaucoup de personnes, beaucoup d'objets. *J'ai de nombreux amis.* Contraire : **rare**.

🔎 Le son [ɔ̃] s'écrit *om* devant un *b*.

### nombril nom masculin

Le **nombril** est la petite cicatrice ronde que l'on a au milieu du ventre. C'est la marque du cordon qui rattachait le bébé à sa mère et qui a été coupé à la naissance.

🔎 Le son [ɔ̃] s'écrit *om* devant un *b*.

### nommer verbe

❶ **Nommer**, c'est donner un nom. *Comment as-tu nommé ton chien ?* Synonyme : **appeler**. Se nommer, c'est avoir tel nom. *Notre voisin se nomme Adrien Manet.* Synonyme : **s'appeler**.

a b c d e f g h i j k l m n o p q r s t u v w x y z

A B C D E F G H I J K L M N O P Q R S T U V W X Y Z

❷ **Nommer**, c'est donner le nom d'un être ou d'une chose. *Peux-tu nommer trois poissons de rivière ?*
Synonyme : **citer.**

🔍 Il y a deux *m*.

**non** adverbe

❶ **Non** s'emploie pour refuser ou pour nier quelque chose. *« Veux-tu de la glace ? – Non, merci. » « C'est toi qui as pris mon livre ? – Non. »*
Contraire : **oui.**

❷ **Non plus** employé dans une phrase négative signifie : aussi. *Léa n'est pas arrivée et Tom non plus.*

**nord** nom masculin
Le **nord** est l'un des quatre points cardinaux qui permettent de se diriger. *L'étoile Polaire indique la direction du nord.*
→ Cherche **est, ouest** et **sud.**

L'aiguille de la boussole indique toujours le **nord.**

**normal, normale** adjectif
Ce qui est **normal** n'a rien de particulier. *Alice a une taille normale.*
Synonyme : **ordinaire.** *C'est normal de pleurer quand on a du chagrin.*
Contraire : **anormal.**

🔍 Au pluriel, on écrit *normaux, normales.*
● Mot de la même famille : **normalement.**

**normalement** adverbe
**Normalement** signifie : de façon normale. *Le voyage s'est passé normalement.*

**nos** → **notre**

**note** nom féminin
❶ Une **note** est un chiffre ou une lettre qui indique la valeur du devoir d'un élève. *Marie a eu une bonne note à sa récitation.*
❷ Une **note de musique** est un signe qui représente un son et qui sert à écrire la musique. *Je connais les sept notes de la gamme.*
❸ Une **note** est un papier qui indique une somme à payer. *Au restaurant, les clients demandent la note.*
● Mot de la même famille : **noter.**

**noter** verbe
❶ **Noter** un devoir, c'est lui mettre une note.
❷ **Noter** quelque chose, c'est l'écrire. *J'ai noté ton numéro de téléphone.*
Synonymes : **inscrire, marquer.**

**notre** adjectif
**Notre** est un déterminant qui indique qu'une chose nous appartient, qu'une personne est de la même famille que nous : *notre maison, notre mère.*

🔍 Au pluriel, on dit *nos.*
● Mot de la même famille : **le nôtre.**

**le nôtre** pronom masculin
**la nôtre** pronom féminin
Le **nôtre**, la **nôtre**, c'est une chose qui nous appartient. *Vous prenez vos jouets et nous prenons les nôtres.*

🔍 Le o prend un accent circonflexe. Au pluriel, on écrit *les nôtres.*

# Les nombres

## Les unités

| | | | |
|---|---|---|---|
| 0 zéro | | 3 trois | 7 sept |
| 1 un | | 4 quatre | 8 huit |
| 2 deux | | 5 cinq | 9 neuf |
| | | 6 six | |

 un abricot

 deux cerises

 cinq grains de raisin

 huit noisettes

## Les dizaines

| | | |
|---|---|---|
| 10 dix | 21 vingt et un | 50 cinquante |
| 11 onze | 22 vingt-deux | 53 cinquante-trois |
| 12 douze | 30 trente | 60 soixante |
| 13 treize | 31 trente et un | 64 soixante-quatre |
| 14 quatorze | | 70 soixante-dix |
| 15 quinze | | 71 soixante et onze |
| 16 seize | | 72 soixante-douze |
| 17 dix-sept | | 80 quatre-vingts |
| 18 dix-huit | | 88 quatre-vingt-huit |
| 19 dix-neuf | 40 quarante | 90 quatre-vingt-dix |
| 20 vingt | 42 quarante-deux | 99 quatre-vingt-dix-neuf |

 dix coccinelles

 une douzaine d'œufs

 trente et une fourmis

## Les centaines

| | | |
|---|---|---|
| 100 cent | 203 deux cent trois | 600 six cents |
| 101 cent un | 220 deux cent vingt | 700 sept cents |
| 102 cent deux | 300 trois cents | 800 huit cents |
| 110 cent dix | 400 quatre cents | 900 neuf cents |
| 200 deux cents | 500 cinq cents | |

 des centaines de papillons

## Les milliers

1 000 mille
2 000 deux mille
10 000 dix mille

des milliers d'étoiles

## Le rangement dans l'ordre

1re 2e 3e 4e 5e 6e 7e 8e 9e 10e

11e 12e 13e 14e 15e 16e 17e 18e 19e 20e

A
B
C
D
E
F
G
H
I
J
K
L
M
**N**
O
P
Q
R
S
T
U
V
W
X
Y
Z

**nouer** verbe

Nouer, c'est faire un nœud. *Lucas a noué la ficelle du paquet.*

Paul **noue** ses lacets.

**nougat** nom masculin

Le **nougat** est une confiserie faite d'amandes, de sucre cuit et de miel. *J'aime le nougat quand il n'est pas trop dur.*

**nouille** nom féminin

Les **nouilles** sont des pâtes plates ou rondes.

**nourrice** nom féminin

Une **nourrice** est une femme qui garde les petits enfants chez elle. *Pendant que je suis à l'école, ma petite sœur est chez la nourrice.*

**nourrir** verbe

❶ Nourrir, c'est donner à manger. *Nous nourrissons notre chat.*
❷ Se nourrir, c'est absorber des aliments. *Ma voisine se nourrit de légumes et de fruits.* Synonymes : consommer, manger.

🔍 Il y a deux *r* au milieu du mot.
● Mots de la même famille : nourrice, nourrissant, nourrisson, nourriture.

**nourrissant, nourrissante** adjectif

Un aliment **nourrissant** nourrit bien. *Les produits laitiers sont très nourrissants.*

🔍 Il y a deux *r* et deux *s*.

**nourrisson** nom masculin

Un **nourrisson** est un bébé qui se nourrit encore de lait.

🔍 Il y a deux *r* et deux *s*.

**nourriture** nom féminin

La **nourriture**, c'est l'ensemble des aliments qui nourrissent un être vivant. Synonyme : **alimentation**.

🔍 Il y a deux *r* au milieu du mot.

**nous** pronom pluriel

Nous représente la première personne du pluriel. *Nous partirons demain.*

**1. nouveau, nouvelle** adjectif

❶ Une **nouvelle** chose est une chose qui n'existait pas avant. *Ce lecteur de DVD est un nouveau modèle.* Contraires : **ancien, vieux**.
❷ Un **nouvel** objet est un objet qui remplace l'ancien. *Papi a acheté une nouvelle voiture.* Synonyme : **autre**.
❸ Un **nouvel** élève est un élève qui vient d'arriver. Contraire : **ancien**.
❹ De nouveau signifie : une fois de plus. *Notre équipe a de nouveau gagné.* Synonyme : **encore**.

🔍 On dit « un *nouvel* élève », « un *nouvel* hôtel » parce que ces mots commencent par une voyelle ou un « h » muet. Au pluriel, on écrit *nouveaux, nouvelles*.
● Mots de la même famille : nouveau-né, nouvelle.

**2. nouveau** nom masculin
   **nouvelle** nom féminin

Un **nouveau**, une **nouvelle** sont des personnes qui viennent d'arriver. *Dans notre classe, il y a un nouveau.*

Au pluriel, on écrit *des nouveaux, des nouvelles.*

### nouveau-né nom masculin

Un **nouveau-né** est un enfant qui vient de naître.

Ce mot s'écrit avec un trait d'union. Au pluriel, il n'y a pas de *x* à « nouveau » : on écrit *des nouveau-nés.*

### nouveauté nom féminin

Une **nouveauté** est une chose nouvelle. *Le commerçant présente ses nouveautés.*

### novembre nom masculin

**Novembre** est le onzième mois de l'année. Il vient après le mois d'octobre et avant le mois de décembre.

Le son [ã] s'écrit *em* devant un *b*.

☞ Va voir « le calendrier », page 111.

### noyau nom masculin

Un **noyau** est la partie dure qui se trouve dans certains fruits et qui contient une graine. *Les pêches, les abricots, les cerises ont un noyau.*

Au pluriel, on écrit *des noyaux.*

### se noyer verbe

Se **noyer**, c'est mourir dans l'eau. *Deux personnes se sont noyées dans le lac.*

Le **nouveau-né** est tout petit.

### nu, nue adjectif

Être **nu**, c'est être sans vêtement. *Pour prendre une douche, on se met nu.* Être pieds **nus**, c'est être sans chaussures.

### nuage nom masculin

Un **nuage** est un ensemble de gouttelettes d'eau qui flottent dans le ciel. *Les gros nuages gris annoncent de la pluie.*

● Mot de la même famille : nuageux.

### nuageux, nuageuse adjectif

Un ciel **nuageux** est couvert de nuages.

Le ciel est très **nuageux**.

### nuance nom féminin

Une **nuance** est une petite différence de couleur. *Le bleu clair et le bleu foncé sont des nuances de bleu.*

### nucléaire adjectif

L'énergie **nucléaire** utilise l'énergie des atomes. Synonyme : atomique.

### nuire verbe

❶ **Nuire** à une personne, c'est lui faire du mal ou du tort. *Les cigarettes nuisent à sa santé.*

❷ **Nuire** à une chose, c'est lui causer un dommage, l'abîmer. *La sécheresse nuit aux cultures.*

● Mot de la même famille : nuisible.

A
B
C
D
E
F
G
H
I
J
K
L
M
N
O
P
Q
R
S
T
U
V
W
X
Y
Z

**nuisible** adjectif

❶ Une chose **nuisible** fait du mal, est mauvaise pour la santé. *Le tabac est nuisible.*

❷ Un animal **nuisible** détruit les récoltes ou transmet des maladies. *Les corbeaux et les moustiques sont des animaux nuisibles.*

**nuit** nom féminin

❶ La **nuit** est le temps qui se passe entre le coucher et le lever du soleil, entre le soir et le matin. *En hiver, les nuits sont plus longues qu'en été.* Contraires : jour, journée.

❷ Quand **il fait nuit**, le Soleil n'éclaire pas la Terre. Contraire : il fait jour.

La Lune et les étoiles brillent dans la **nuit**.

**nul, nulle** adjectif

❶ Quand deux équipes font match **nul**, elles ont le même nombre de points et il n'y a pas de vainqueur.

❷ Être **nul** en quelque chose, c'est être très mauvais. *Je suis nulle en gymnastique.* Contraires : bon, fort.

**nulle part** adverbe

**Nulle part** signifie : à aucun endroit. *Je ne vois mon stylo nulle part.* Contraire : quelque part.

**numéro** nom masculin

❶ Un **numéro** est un nombre qui sert à classer. *Mon billet de tombola a le numéro 37.*

❷ Un **numéro** est une partie d'un spectacle. *Kien a adoré le numéro des jongleurs.*

❸ Un **numéro** est un exemplaire d'un journal, d'un magazine.
● Mot de la même famille : numéroter.

**numéroter** verbe

Numéroter, c'est donner un numéro. *Dans un exercice, on devait numéroter des phrases.*

**nuque** nom féminin

La **nuque** est l'arrière du cou.

**oasis** nom féminin

Une **oasis** est un endroit situé dans le désert mais habité et couvert de verdure.

🔎 Ce mot se termine par un *s* qu'on prononce.

**obéir** verbe

Obéir à une personne, c'est faire ce qu'elle a demandé, ou ne pas faire ce qu'elle a défendu. *Bastien obéit à la maîtresse.* Contraire : désobéir.
● Mot de la même famille : obéissant.

**obéissant, obéissante** adjectif

Un enfant **obéissant** obéit, fait ce qu'on lui demande. Contraire : désobéissant.

**objet** nom masculin

Un **objet** est une chose que l'on peut toucher. *Un stylo, une chaise, un jouet sont des objets.*

**obligation** nom féminin

Une **obligation**, c'est ce qui est obligatoire. *C'est une obligation d'attacher sa ceinture de sécurité en voiture.*
☛ Va voir « les panneaux de signalisation », page 491.

**obligatoire** adjectif

Quand une chose est **obligatoire**, on est obligé de l'avoir ou de la faire. *Un passeport est obligatoire pour entrer dans certains pays. Aller à l'école de six à seize ans, c'est obligatoire.* Contraire : facultatif.

**obligatoirement** adverbe

Obligatoirement signifie : de manière obligatoire. *Pour circuler à moto, il faut avoir obligatoirement un casque.*

**obliger** verbe

Obliger quelqu'un à faire quelque chose, c'est exiger qu'il le fasse. *Ma mère m'oblige à ranger ma chambre.* Synonyme : forcer.
● Mots de la même famille : obligation, obligatoire, obligatoirement.

**oblique** adjectif

Une ligne **oblique** est une ligne qui n'est ni horizontale ni verticale, qui est penchée. *La lettre « V » est formée de deux barres obliques.*

**obscur, obscure** adjectif

Un endroit **obscur** ne reçoit pas de lumière. *L'escalier du sous-sol est obscur.* Synonyme : sombre. Contraires : clair, ensoleillé, lumineux.
● Mot de la même famille : obscurité.

A
B
C
D
E
F
G
H
I
J
K
L
M
N
O
P
Q
R
S
T
U
V
W
X
Y
Z

## obscurité nom féminin

L'obscurité, c'est l'absence de lumière. *Julie a un peu peur dans l'obscurité.* Synonyme : noir.

## observation nom féminin

❶ L'observation, c'est le fait d'observer, de regarder avec attention. *Grand-père est intéressé par l'observation des étoiles.*

❷ Une observation est une remarque, une critique. *L'instituteur nous a fait des observations sur notre conduite.* Synonyme : reproche.

## observer verbe

Observer quelque chose, c'est le regarder attentivement pour l'étudier. *Alexandre observe les étoiles.*

Manon et Lucas **observent** les insectes.

## obstacle nom masculin

❶ Un obstacle est un objet qui empêche de passer. *La voiture a pu éviter l'obstacle.*

❷ Un obstacle est une difficulté. *Dans l'organisation de notre fête, nous avons rencontré plusieurs obstacles.*

## obtenir verbe

Obtenir quelque chose, c'est réussir à l'avoir. *Mon grand frère a obtenu son permis de conduire.* Contraire : rater.

## occasion nom féminin

❶ Une occasion, c'est une chose qui arrive au bon moment. *Puisque je vous vois, je profite de l'occasion pour vous remercier.*

❷ Acheter un véhicule, un objet d'occasion, c'est acheter un véhicule, un objet qui a déjà servi à une autre personne. Contraire : neuf.

🔍 Il y a deux c.

## occupation nom féminin

Une occupation est une activité qui occupe le temps. *Pendant les vacances, le sport est ma principale occupation.*

🔍 Il y a deux c.

## occupé, occupée adjectif

❶ Une personne occupée a des choses à faire. *Je n'ai pas le temps de jouer avec toi, je suis très occupé.*

❷ Une place occupée est prise, est utilisée par quelqu'un. *Dans l'autocar, toutes les places étaient occupées.* Contraires : disponible, libre.

🔍 Il y a deux c.

Papa est très **occupé**.

**occuper** verbe

❶ **Occuper** quelqu'un, c'est lui trouver une activité. *Les moniteurs de la colonie savent bien nous occuper. Zoé sait s'occuper toute seule.*

❷ **Occuper** un lieu, c'est s'y trouver. *Une famille occupe l'appartement du dessus.*

❸ **S'occuper** de quelqu'un, de quelque chose, c'est en prendre soin. *Les infirmières s'occupent des malades. Le jardinier s'occupe du jardin.*

🔍 Il y a deux c.

● Mots de la même famille : occupation, occupé.

**océan** nom masculin

Un **océan** est une vaste étendue d'eau salée qui couvre une grande partie de la Terre. *De nombreuses espèces de poissons vivent dans l'océan.*

▶ Un océan est plus grand qu'une mer.

☛ Va voir la planche illustrée ⑮

**octave** nom féminin

Une **octave** est un intervalle de huit notes de musique.

**octobre** nom masculin

Octobre est le dixième mois de l'année. Il vient après le mois de septembre et avant le mois de novembre.

☛ Va voir « le calendrier », page 111.

**oculiste** nom masculin et nom féminin

Un **oculiste**, une **oculiste** sont des médecins qui soignent les yeux. C'est un nom de métier. Synonyme : ophtalmologiste.

→ Cherche opticien.

**odeur** nom féminin

Une **odeur**, c'est ce que l'on sent. *L'odeur des roses est agréable.*

● Mot de la même famille : odorat.

→ Cherche arôme, parfum.

**odieux, odieuse** adjectif

Une personne **odieuse** est une personne très désagréable. Synonymes : infernal, insupportable. Contraires : agréable, charmant, gentil.

**odorat** nom masculin

L'**odorat** est le sens qui permet de reconnaître ce que l'on sent.

→ Cherche goût, ouïe, toucher et vue.

**œil** nom masculin

L'**œil** permet de voir. Les deux yeux se trouvent sous le front, de chaque côté du nez.

🔍 Au pluriel, on dit *des yeux.*

**œillet** nom masculin

Un **œillet** est une fleur parfumée qui a des pétales très découpés.

☛ Va voir « les fleurs », page 285.

**œuf** nom masculin

❶ Un **œuf**, c'est ce que pondent les femelles des oiseaux. Il est fait d'une coquille ovale. *La cane a pondu des œufs. Je mange un œuf à la coque.*

❷ Un **œuf**, c'est ce que pondent les reptiles, les grenouilles, les poissons, les crustacés et les insectes.

▶ Quand l'œuf d'un oiseau a été couvé, il donne naissance à un petit.

🔍 Au pluriel, on écrit *des œufs* et on ne prononce pas le *f.*

**œuvre** nom féminin

Une **œuvre** d'art est une musique, une pièce de théâtre, un livre ou un film créés par un artiste. *« Pierre et le Loup » est une œuvre célèbre de Prokofiev.*

**offrir** verbe

Offrir une chose, c'est la donner en cadeau. *Mon oncle m'a offert un vélo pour mon anniversaire.*

🔍 Il y a deux *f*.

Julien **a offert** un cadeau et des fleurs à sa maman.

**ogre** nom masculin
**ogresse** nom féminin

Dans les contes de fées, un **ogre**, une **ogresse** sont des géants qui ont un énorme appétit. *Le Petit Poucet et ses frères ont dormi dans la maison de l'ogre.*

**oh !** interjection

Oh s'emploie quand on est content, quand on est surpris, quand on est déçu ou quand on admire quelque chose. *Oh ! il neige ! Oh ! vous m'avez fait peur ! Oh ! la belle moto !*

une **oie**

**oie** nom féminin

Une **oie** est un gros oiseau de basse-cour qui a un plumage blanc, brun ou gris, un long cou, un large bec et des pattes palmées. *On élève les oies pour leur chair et pour leur foie.*

▶ C'est une volaille. Le mâle est le **jars**, le petit est l'**oison**. Quand l'oie crie, on dit qu'elle **siffle** ou qu'elle **criaille**.

**oignon** nom masculin

Un **oignon** est une plante qui a une odeur forte et un goût piquant.

🔍 On ne prononce pas le *i*.

**oiseau** nom masculin

Un **oiseau** est un animal au corps couvert de plumes, qui a deux pattes et deux ailes et qui peut généralement voler. Les femelles pondent des œufs et les couvent.

▶ Les petits sont les **oisillons**.

🔍 Au pluriel, on écrit *des oiseaux*.

→ Cherche **bec**.

☞ Va voir « les oiseaux », page 479.

**olive** nom féminin

Une **olive** est un petit fruit vert ou noir qui a un noyau.

▶ Les olives poussent sur un arbre des régions chaudes, l'**olivier**. Elles servent à fabriquer de l'huile.

**olympique** adjectif

Les **jeux Olympiques** sont une compétition sportive internationale qui a lieu tous les quatre ans.

🔍 Il y a un *y* après le *l*.

**ombre** nom féminin

❶ L'**ombre** est l'endroit qui n'est pas éclairé par le soleil. *Mets-toi à l'ombre !* Contraires : lumière.

**Les oiseaux**

chouette

toucan

rossignol

albatros

mésange bleue

martin-pêcheur

pinson

coq

pingouin

rouge-gorge

autruche

cygne

colibri

vautour

❷ Une **ombre** est une sorte de reflet sombre. Elle est produite par la lumière qui éclaire une personne ou un objet. *Peter Pan voulait rattraper son* ***ombre***.

🔎 Le son [ɔ̃] s'écrit *om* devant un *b*.

Ils ont peur de leurs **ombres**.

**omelette** nom féminin

Une **omelette** est un plat fait avec des œufs battus et cuits dans une poêle. *Nous avons mangé une* ***omelette*** *aux champignons*.

**omnivore** adjectif

Être **omnivore**, c'est manger de tout : viande, laitages et légumes. *L'homme, le porc sont* ***omnivores***.

➜ Cherche **carnivore** et **herbivore**.

**on** pronom

❶ **On** désigne une ou plusieurs personnes de façon vague. *Je crois qu'***on*** *t'appelle.* ***On*** *raconte que son grand-père a été champion de judo*.

❷ **On** s'emploie souvent à la place de « nous ». *****On*** *s'est bien amusés à la fête*.

🔎 Ne confonds pas avec « ils ont ».

a b c d e f g h i j k l m n **o** p q r s t u v w x y z

A
B
C
D
E
F
G
H
I
J
K
L
M
N
O
P
Q
R
S
T
U
V
W
X
Y
Z

**oncle** nom masculin

Un **oncle** est le frère de l'un des parents. *Mon oncle Franck est le frère de ma mère.*

→ Cherche **tante**.

☞ Va voir « la famille », page 273.

**ongle** nom masculin

L'**ongle** est la partie dure qui recouvre l'extrémité des doigts des mains et des pieds. *Je me coupe les ongles.*

Julie se met du vernis
sur les **ongles** des pieds.

**opéra** nom masculin

❶ Un **opéra** est une pièce de théâtre chantée et accompagnée de musique. *« La Flûte enchantée » est un opéra de Mozart.*

❷ L'**opéra** est le théâtre où l'on joue des opéras.

**opération** nom féminin

❶ Une **opération**, c'est ce qui permet de faire un calcul avec les nombres. *Les quatre opérations sont l'addition, la soustraction, la multiplication et la division.*

❷ Une **opération** est l'action d'opérer. *Les chirurgiens font des opérations dans un hôpital ou dans une clinique.*

**opérer** verbe

**Opérer** une personne ou un animal, c'est retirer ou soigner une partie malade de son corps. *On m'a opéré le genou à l'hôpital.*

● Mot de la même famille : **opération**.

**ophtalmologiste** nom masculin
**et nom féminin**

Un **ophtalmologiste**, une **ophtalmologiste** sont des médecins qui soignent les yeux. C'est un nom de métier. Synonyme : **oculiste**.

🔍 Ce mot s'écrit avec *ph*.

→ Cherche **opticien**.

**opinion** nom féminin

L'**opinion** d'une personne, c'est ce qu'elle pense de quelque chose. *J'ai donné mon opinion sur le film.* Synonyme : **avis**.

**opposé, opposée** adjectif

❶ Des directions **opposées** vont dans le sens contraire.

❷ Des idées **opposées**, des avis **opposés** sont complètement différents.

🔍 Il y a deux *p*.

**s'opposer** verbe

❶ S'**opposer** à quelque chose, c'est lutter contre. *Des associations se sont opposées à la construction d'une autoroute.* Synonyme : **refuser**. Contraire : **accepter**.

❷ S'**opposer** à quelqu'un, c'est être d'avis contraire. *Au cours de la discussion, deux personnes se sont opposées.*

🔍 Il y a deux *p*.

● Mot de la même famille : **opposé**.

**opticien** nom masculin
**opticienne** nom féminin

Un **opticien**, une **opticienne** sont des personnes qui fabriquent et qui vendent des lunettes. C'est un nom de métier.

→ Cherche **oculiste** et **ophtalmologiste**.

**optimiste** adjectif

Une personne **optimiste** pense toujours que tout ira bien. Contraire : pessimiste.

**1. or** nom masculin

L'**or** est un métal précieux jaune et brillant. *Mathilde a une médaille en or.*

**2. or** conjonction

Or signifie : mais, pourtant. *Tu m'avais dit que tu viendrais, or tu n'es pas venu.*

🔍 Ce mot s'emploie surtout à l'écrit.

**orage** nom masculin

Un **orage** est une grosse pluie avec des éclairs et des coups de tonnerre.

● Mot de la même famille : **orageux**.

L'**orage** a éclaté.

**orageux, orageuse** adjectif

Quand le temps est **orageux**, un orage va éclater.

**oral** nom masculin

L'**oral**, c'est l'ensemble des exercices où l'on doit parler. *Zoé a des bonnes notes à l'oral.* Contraire : écrit.

🔍 Au pluriel, on écrit *des oraux*.

**1. orange** nom féminin

Une **orange** est un fruit rond, d'une couleur entre le jaune et le rouge, qui a un goût sucré.

▶ Les oranges poussent sur un arbre des régions chaudes, l'**oranger**.

**2. orange** adjectif

La couleur **orange** est une couleur entre le rouge et le jaune. *J'ai des baskets orange.*

🔍 Ce mot ne change pas au pluriel.

**3. orange** nom masculin

L'**orange** est la couleur orange. *On a peint les murs de ma chambre en orange.*

☛ Va voir « les couleurs et les formes », page 171.

**orang-outan** nom masculin

Un **orang-outan** est un grand singe brun qui a les bras très longs. Il vit dans les forêts d'Asie.

🔍 On ne prononce pas le *g*. Ce mot s'écrit avec un trait d'union. Au pluriel, on écrit *des orangs-outans*.

un **orang-outan**
et son petit

481

**orbite** nom féminin

Une **orbite** est le trajet en forme de courbe que fait une planète ou un satellite. *La Terre parcourt son orbite autour du Soleil en un an.*

**orchestre** nom masculin

Un **orchestre**, c'est un ensemble de musiciens qui jouent une même œuvre avec différents instruments. *Le chef d'orchestre dirige les musiciens.*

🔍 On écrit *ch* mais on prononce [k].

**ordinaire** adjectif

❶ Un objet **ordinaire** est de qualité courante. *J'écris sur du papier ordinaire.* Contraires : rare, spécial.

❷ Des gens **ordinaires** sont des gens qui ressemblent à tout le monde, qui n'ont rien de particulier. Contraires : exceptionnel, extraordinaire, original.

**ordinateur** nom masculin

Un **ordinateur** est une machine électronique qui peut faire des calculs très rapidement. Il sert aussi à écrire des textes, à dessiner, à trouver des renseignements et à jouer.

Ils font un jeu sur l'**ordinateur**.

**ordonnance** nom féminin

Une **ordonnance** est une liste de médicaments écrite par un médecin.

*La pharmacienne a lu l'ordonnance.*

🔍 Il y a deux *n*.

**ordonné, ordonnée** adjectif

Une personne **ordonnée** a de l'ordre, range bien ses affaires. Contraire : désordonné.

🔍 Il y a deux *n*.

**ordonner** verbe

Ordonner, c'est donner un ordre. *La maîtresse nous a ordonné de sortir.*

🔍 Il y a deux *n*.

**ordre** nom masculin

❶ L'**ordre**, c'est une façon de classer des choses avec méthode. *Anaïs récite les lettres dans l'ordre alphabétique. J'ai classé des nombres en ordre croissant.*

❷ L'**ordre**, c'est le fait d'être disposé à la place qui convient. *Ma chambre est en ordre.* Contraire : désordre.

❸ Un **ordre**, c'est ce que l'on commande de faire. *On nous a donné l'ordre de sortir.*

● Mots de la même famille : ordonnance, ordonné, ordonner.

**ordures** nom féminin pluriel

Les **ordures** sont les choses que l'on met à la poubelle. *Les éboueurs ramassent les ordures.* Synonyme : déchets.

**orée** nom féminin

L'**orée** d'un bois, d'une forêt, c'est le bord, la limite. *Hansel et Gretel atteignirent l'orée du bois et aperçurent un peu plus loin la maison de leur père.* Synonyme : lisière.

**oreille** nom féminin

Les **oreilles** se trouvent de chaque côté de la tête et permettent d'entendre.

**oreiller** nom masculin

Un **oreiller** est un coussin carré ou rectangulaire que l'on met dans un lit pour poser sa tête.

→ Cherche **traversin**.

**oreillons** nom masculin pluriel

Avoir les **oreillons**, c'est avoir une maladie contagieuse qui fait enfler le cou sous les oreilles.

**organe** nom masculin

Un **organe** est une partie du corps qui a une fonction précise. *Les yeux sont les organes de la vue.*

● Mot de la même famille : **organisme**.

**organisation** nom féminin

L'**organisation**, c'est la manière d'organiser quelque chose, de le préparer de façon précise. *Marion s'est occupée de l'organisation de la fête.*

**organiser** verbe

Organiser quelque chose, c'est le préparer de façon précise. *Les parents d'élèves ont organisé une sortie au jardin zoologique.*

● Mot de la même famille : **organisation**.

**organisme** nom masculin

L'**organisme**, c'est l'ensemble des parties du corps. *L'air et l'eau sont indispensables à l'organisme.*

**orge** nom féminin

L'**orge** est une céréale qui a un épi entouré de longues tiges fines. Elle sert à nourrir les animaux et à fabriquer de la bière.

**orgue** nom masculin

Un **orgue** est un grand instrument de musique qui a plusieurs claviers et de gros tuyaux. On le trouve surtout dans les églises.

**orgueil** nom masculin

L'**orgueil** est le défaut d'une personne qui pense être meilleure et faire mieux que les autres.

● Mot de la même famille : **orgueilleux**.

**orgueilleux, orgueilleuse** adjectif

Une personne **orgueilleuse** se croit supérieure aux autres. Synonyme : **prétentieux**. Contraire : **modeste**.

**orientation** nom féminin

L'**orientation**, c'est la manière de s'orienter, de se repérer. *Paul a le sens de l'orientation, il retrouve toujours son chemin.*

**s'orienter** verbe

S'**orienter**, c'est se repérer et trouver son chemin. *Il est difficile de s'orienter dans l'obscurité.*

● Mot de la même famille : **orientation**.

Alice **s'oriente** sur le plan.

A
B
C
D
E
F
G
H
I
J
K
L
M
N
O
P
Q
R
S
T
U
V
W
X
Y
Z

## original, originale adjectif

Une chose, une personne **originale** ne ressemble à rien ni à personne d'autre. *Zoé a toujours des idées **originales**.*

Contraires : banal, ordinaire.

🔍 Au pluriel, on écrit *originaux, originales.*

## origine nom féminin

❶ L'**origine** d'une chose, c'est son commencement, son point de départ. *Connais-tu l'**origine** de ton nom de famille ?*

❷ L'**origine** d'une personne, c'est l'endroit où ses ancêtres ont vécu. *Audrey est d'**origine** anglaise.*

## ornement nom masculin

Un **ornement** est un objet qui sert à orner, à décorer. *Nous avons mis des **ornements** sur les murs de la classe.* Synonyme : décoration.

## orner verbe

Orner un lieu, une chose, c'est les rendre plus beaux avec des objets décoratifs. *Une guirlande lumineuse **orne** le sapin de Noël.* Synonyme : décorer.

● Mot de la même famille : ornement.

## ornithorynque nom masculin

Un **ornithorynque** est un mammifère d'Australie qui a un bec de canard et qui pond des œufs.

## orphelin nom masculin
## orpheline nom féminin

Un **orphelin**, une **orpheline** sont des enfants qui n'ont plus de parents vivants.

🔍 Ce mot s'écrit avec *ph.*

## orteil nom masculin

Les **orteils** sont les doigts des pieds.

un **ornithorynque**

## orthographe nom féminin

L'**orthographe** est la manière correcte d'écrire les mots. *Quand je ne connais pas l'**orthographe** d'un mot, je regarde dans le dictionnaire.*

🔍 Ce mot s'écrit avec *th* et *ph.*

## orthophoniste nom masculin et nom féminin

Un **orthophoniste**, une **orthophoniste** sont des personnes qui corrigent les défauts de prononciation. C'est un nom de métier.

🔍 Ce mot s'écrit avec *th* et *ph.*

## ortie nom féminin

L'**ortie** est une plante qui pique quand on la touche.

Rémi a des piqûres d'**ortie** sur les jambes.

**orvet** nom masculin
Un **orvet** est un lézard sans pattes qui ressemble à un petit serpent. Sa queue se casse facilement. *Les orvets sont inoffensifs.*

**os** nom masculin
Les **os** sont les parties dures et blanches qui forment le squelette. *Nous avons environ 200 os.*

🔍 Au singulier, on prononce le *s* : [ɔs], mais, au pluriel on ne le prononce pas : [o].

**oser** verbe
**Oser**, c'est avoir le courage de faire ou de dire quelque chose. *J'ai osé dire ce que je pensais de lui.*

**osier** nom masculin
L'**osier** est un arbre qui a de longues branches souples. *On fabrique des paniers et des corbeilles avec des branches d'osier.*

**otage** nom masculin
Un **otage** est une personne que l'on retient prisonnière pour pouvoir l'échanger contre quelque chose. *Les cambrioleurs ont pris le directeur de la banque en otage.*

**otarie** nom féminin
Une **otarie** est un mammifère qui vit dans les mers froides. Elle ressemble à un phoque, mais elle a un corps plus allongé et des membres plus longs qui lui permettent de mieux se déplacer sur terre.

**ôter** verbe
❶ **Ôter** une chose, c'est l'enlever. *Elle a ôté son manteau en entrant.* Synonyme : retirer. Contraire : garder.
❷ Dans une soustraction, **ôter** un nombre, c'est l'enlever. *Si l'on ôte quatre de sept,* il reste trois. Synonymes : retrancher, soustraire. Contraire : ajouter.

🔍 Le *o* prend un accent circonflexe.

**otite** nom féminin
Une **otite** est une maladie des oreilles très douloureuse.

**ou** conjonction
**Ou** est un petit mot qui sert à relier des mots ou des phrases en indiquant un choix. *On peut aller au Canada en avion ou en bateau.*

🔍 Ne confonds pas « ou » et « où ».

Est-ce que ce sera une fille **ou** un garçon ?

**où** pronom
**Où** remplace un nom de lieu. *La ville où nous habitons est située près de la mer.*

🔍 Il y a un accent grave sur le *u*. Ne confonds pas « où » et « ou ».

**oubli** nom masculin
Un **oubli**, c'est le fait d'oublier quelque chose. *Elle a laissé son sac ici, c'est sûrement un oubli.*

**oublier** verbe
❶ **Oublier**, c'est ne plus savoir quelque chose. *J'ai oublié le nom de notre voisine.* Contraires : se rappeler, se souvenir de.

❷ **Oublier**, c'est ne pas penser à prendre une chose, à faire quelque chose. *J'ai oublié mes clés. Tu as oublié d'acheter le pain.*
● Mot de la même famille : oubli.

**ouest** nom masculin
L'**ouest** est l'un des quatre points cardinaux qui permettent de se diriger. *Quand on regarde vers le nord, l'ouest est à gauche. Le soleil se couche à l'ouest.*
🔎 On prononce le *s* et le *t*.
→ Cherche **est**, **nord** et **sud**.

**ouf !** interjection
Ouf s'emploie quand on est soulagé. *Ouf ! j'ai fini de ranger mes jouets !*

**oui** adverbe
Oui s'emploie pour accepter ou pour affirmer quelque chose. « *Veux-tu un gâteau ? – Oui, merci.*» «*As-tu rangé ta chambre ? – Oui.*» Contraire : non.

**ouïe** nom féminin
L'**ouïe** est le sens qui permet d'entendre.
🔎 Il y a un tréma sur le *i*.
→ Cherche **goût**, **odorat**, **toucher** et **vue**.

**ouistiti** nom masculin
Un **ouistiti** est un petit singe qui vit dans les forêts d'Amérique du Sud. Il a une très longue queue qui lui permet de sauter d'arbre en arbre sans tomber.

**ouragan** nom masculin
Un **ouragan** est une tempête très violente. *Il y a souvent des ouragans dans les Antilles.*
→ Cherche **cyclone**, **tempête** et **tornade**.

**ourlet** nom masculin
Un **ourlet** est le bord d'un tissu replié à l'intérieur et cousu. *L'ourlet de ton pantalon est décousu.*

**ours** nom masculin
Un **ours** est un grand mammifère qui a une fourrure épaisse et de grosses griffes.
▶ La femelle est l'**ourse**, le petit est l'**ourson**. Quand l'ours crie, on dit qu'il grogne. L'ours blanc vit dans la région des pôles. Il se nourrit de phoques et de poissons. L'ours brun est le plus gros des ours. Il vit dans les forêts d'Europe, d'Asie et d'Amérique.
🔎 Ce mot se termine par un *s* qu'on prononce.

**oursin** nom masculin
Un **oursin** est un petit animal marin. Il a une carapace ronde couverte de piquants qui peuvent bouger. *Les oursins sont comestibles.*

**outil** nom masculin
Un **outil** est un objet que l'on utilise pour faire un travail manuel. *Un marteau, une perceuse, une pelle sont des outils.*
🔎 Ce mot se termine par un *l* qu'on ne prononce pas.

**ouvert, ouverte** → ouvrir

un **ours**

**ouverture** nom féminin

❶ L'ouverture, c'est l'action d'ouvrir. *J'ai attendu l'*ouverture *de la poste.* Contraire : fermeture.

❷ Une **ouverture** est un espace qui permet de passer. *Les fenêtres sont des* ouvertures.

**ouvre-boîte** nom masculin

Un **ouvre-boîte** est un instrument qui sert à ouvrir les boîtes de conserve.

🔎 Le *i* prend un accent circonflexe. Ce mot s'écrit avec un trait d'union. Au pluriel, il n'y a pas de *s* à « ouvre » : *des ouvre-boîtes.*

**ouvrier** nom masculin
**ouvrière** nom féminin

Un **ouvrier**, une **ouvrière** sont des personnes qui font un travail manuel dans une usine ou un atelier.

**ouvrir** verbe

❶ Ouvrir, c'est permettre le passage en poussant une porte, en dévissant un robinet. *J'ai ouvert le robinet de la baignoire.* Contraire : fermer.

❷ Quand un magasin ou un établissement **ouvre**, il reçoit les clients, les visiteurs. *Le musée* ouvre *à dix heures.* Contraire : fermer.

❸ Ouvrir, c'est déplier ou écarter. *Elle a ouvert son parapluie. Ouvrez les yeux !* Contraire : fermer.

● Mots de la même famille : **ouverture**, **ouvre-boîte**.

Marie **ouvre** le robinet.

**1. ovale** adjectif

Un objet **ovale** a la forme d'un œuf. *Un ballon de rugby est* ovale.

**2. ovale** nom masculin

Un **ovale** est une forme ovale.

🔎 « Ovale » est un nom masculin qui se termine par un e.

**oxygène** nom masculin

L'**oxygène** est un gaz sans odeur contenu dans l'air. Il est indispensable aux êtres vivants car il leur permet de respirer.

🔎 Ce mot s'écrit avec un *y.*

**ozone** nom masculin

L'**ozone** est un gaz qui forme une couche dans l'atmosphère. Il protège la Terre des rayons trop chauds du Soleil.

a b c d e f g h i j k l m n **o** p q r s t u v w x y z

**pacte** nom masculin

Signer un **pacte** (ou faire un **pacte**), c'est signer un accord.

**pagaie** nom féminin

Une **pagaie** est une rame courte. *On fait du canoë avec une pagaie.*

**pagaille** nom féminin

La **pagaille** est un grand désordre. *Qui a mis cette pagaille dans mes affaires ?* Synonyme : fouillis.

🔎 C'est un mot familier.

**1. page** nom féminin

Une **page**, c'est chaque côté d'une feuille de cahier ou de livre. *Ouvrez votre livre à la page 57.*

**2. page** nom masculin

Un **page** est un jeune noble qui était au service d'un roi, d'un seigneur ou d'une dame. *Dans la chanson « Malbrough s'en va-t-en guerre », la dame demande à son page quelles nouvelles il apporte.*

**pagne** nom masculin

Un **pagne** est un vêtement fait d'un morceau de tissu que l'on enroule autour des hanches. On le porte dans les pays chauds.

**pagode** nom féminin

Une **pagode** est un bâtiment où les bouddhistes se rassemblent pour prier.

→ Cherche **église**, **mosquée**, **synagogue** et **temple**.

**paillasson** nom masculin

Un **paillasson** est un petit tapis à poils durs que l'on place devant une porte d'entrée pour s'essuyer les pieds.

**paille** nom féminin

❶ La **paille** est la tige coupée des céréales. *La paille sert de litière et de fourrage au bétail.*

❷ Une **paille** est un petit tuyau qui sert à aspirer une boisson.

● Mots de la même famille : **paillasson**, **paillette**.

**paillette** nom féminin

Une **paillette** est une petite plaque de métal qui scintille. *L'actrice portait une robe à paillettes.*

**pain** nom masculin

❶ Le **pain** est un aliment fait d'un mélange de farine, d'eau et de sel et qui est cuit au four. *J'ai acheté du pain de mie à la boulangerie.*

**❷** Le **pain d'épice** est un gâteau fait avec de la farine de seigle, du miel et des épices.

**❸** Un **pain au chocolat** est une pâtisserie qui contient une barre de chocolat.

🔎 Ne confonds pas avec « le pin », l'arbre.

**pair, paire** adjectif
Un nombre **pair** est un nombre qui se termine par 0 ou 2 ou 4 ou 6 ou 8. *26 est un nombre pair.* Contraire : impair.

**paire** nom féminin
Une **paire** est un ensemble de deux choses qui vont ensemble. *J'ai perdu ma paire de chaussettes.*

Alice a mis sa nouvelle **paire** de baskets.

**paître** verbe
Pour un ruminant, **paître**, c'est manger l'herbe en broutant. *Les vaches paissent dans le pré.* Synonyme : brouter.

🔎 Le *i* prend un accent circonflexe devant un *t*.

**paix** nom féminin
**❶** La **paix**, c'est l'état d'un pays qui n'est pas en guerre.

**❷** **Faire la paix**, c'est se réconcilier.

🔎 Ce mot se termine par un *x*.

**palais** nom masculin
**❶** Un **palais** est une grande habitation où vit un personnage important. Synonyme : château.

**❷** Le **palais** est la partie supérieure à l'intérieur de la bouche.

🔎 Ce mot se termine par un *s*.

**pâle** adjectif
**❶** Ce qui est **pâle** a peu de couleurs. *Chloé a le teint pâle.*

**❷** Une couleur **pâle** est une couleur claire. *Mon pull est bleu pâle.*

🔎 Le *a* prend un accent circonflexe.
● Mot de la même famille : **pâlir**.

**palette** nom féminin
Une **palette** est une plaque que les peintres utilisent pour mélanger leurs couleurs.

**palier** nom masculin
Le **palier** est la partie d'un escalier qui se trouve entre chaque étage.

**pâlir** verbe
**Pâlir**, c'est devenir tout pâle. *Il a pâli de peur.*

🔎 Le *a* prend un accent circonflexe.

**palissade** nom féminin
Une **palissade** est une barrière de planches. *Le chantier est entouré d'une palissade.*

**palme** nom féminin
Les **palmes** sont des objets en caoutchouc qui ressemblent à des pattes palmées. *J'ai mis des palmes pour nager plus vite.*
● Mots de la même famille : **palmé**, **palmier**.

A
B
C
D
E
F
G
H
I
J
K
L
M
N
O
P
Q
R

## palmé, palmée adjectif

Les pattes **palmées** des oiseaux nageurs ont les doigts réunis par une peau. *Les canards, les pingouins ont les pattes palmées.*

## palmier nom masculin

Un **palmier** est un arbre des pays chauds qui a de très grandes feuilles au sommet du tronc.

▶ Les feuilles du palmier sont appelées des **palmes**.

## pamplemousse
nom masculin

Un **pamplemousse** est un gros fruit jaune qui a un goût acide.

▶ Les pamplemousses poussent sur un arbre des régions chaudes, le **pamplemoussier**.

🔍 Le son [ɑ̃] s'écrit *am* devant un *p*.

## pancarte nom féminin

Une **pancarte** est un panneau qui porte une inscription. « *Défense d'entrer* », c'est ce qu'indique une **pancarte** devant le chantier. Synonyme : **écriteau**.

des **pandas**

## panda nom masculin

Un **panda** est un mammifère noir et blanc qui vit dans les forêts de l'Inde et de la Chine. Il ressemble à un petit ours. *Les grands pandas mangent des bambous.*

## pané, panée adjectif

Un aliment **pané** est un aliment recouvert de miettes de pain sec et frit. *Au déjeuner, nous avons mangé du poisson pané.*

## panier nom masculin

Un **panier** est un objet en paille ou en osier, qui a une ou deux anses. *Je mets mes provisions dans un panier.*

## panique nom féminin

La **panique** est une grande peur que l'on ne peut pas contrôler. *Au cinéma, un incendie a provoqué la panique des spectateurs.*

## panne nom féminin

Une **panne** est l'arrêt d'une machine, d'un système ou d'un véhicule. *Notre voiture est tombée en panne.*

🔍 Il y a deux *n*.

## panneau nom masculin

❶ Un **panneau** est une plaque de bois ou de métal qui porte des inscriptions. *Sur les routes, les panneaux de signalisation indiquent les directions, les dangers et les interdictions.*

❷ Un **panneau** est une surface plate. *Les portes sont faites de panneaux en bois.*

🔍 Il y a deux *n*. Au pluriel, on écrit *des panneaux*.

☛ Va voir « les panneaux de signalisation », page 491.

## panoplie nom féminin

Une **panoplie** est un déguisement avec tous les objets qui l'accompagnent. *Pour Noël, David a eu une panoplie de pompier.*

# Les panneaux de signalisation

## Les panneaux de danger

attention danger | passage pour piétons | attention aux enfants | attention aux cyclistes | ralentisseur | passage à niveau | chaussée glissante

## Les panneaux d'interdiction

circulation interdite | sens interdit | interdiction de dépasser | interdit aux cyclistes | interdit aux piétons | stationnement interdit | vitesse limitée

## Les panneaux de priorité et d'intersection

arrêt obligatoire | carrefour à sens giratoire | intersection | route prioritaire | cédez le passage

## Les feux tricolores

  rouge : arrêt

 orange : prudence

 vert : libre

 feux pour les piétons

## Les panneaux d'obligation

direction obligatoire : tout droit | direction obligatoire : à droite | vitesse minimale obligatoire | voie réservée aux autobus | piste cyclable

## Les panneaux d'indication

arrêt d'autobus | transport d'enfants | passage pour piétons | parc de stationnement | chemin sans issue | accessible aux personnes handicapées | poste de secours

**panorama** nom masculin

Un **panorama** est un grand paysage qu'on voit d'une hauteur. *Du sommet de la montagne, on peut admirer le panorama.*

**pansement** nom masculin

Un **pansement**, c'est ce que l'on met sur une blessure pour la protéger des infections. *Une bande, une compresse, du sparadrap peuvent servir de pansement.*

**pantalon** nom masculin

Un **pantalon** est un vêtement qui enveloppe les fesses et chacune des jambes jusqu'aux pieds.

**panthère** nom féminin

Une **panthère** est un mammifère carnivore des pays chauds qui a un pelage beige avec des taches noires ou bien un pelage noir. *Les panthères chassent la nuit.*

▶ Les panthères sont des félins. Quand la panthère crie, on dit qu'elle **feule**, qu'elle **miaule** ou qu'elle **rugit**.

🔎 Ce mot s'écrit avec *th*.

→ Cherche **félin**, **guépard** et **léopard**.

**pantin** nom masculin

Un **pantin** est une marionnette que l'on fait bouger en tirant sur des fils. *Pinocchio est un pantin.*

**pantoufle** nom féminin

Une **pantoufle** est une chaussure souple, légère et confortable pour la maison. Synonyme : chausson.

**paon** nom masculin

Un **paon** est un grand oiseau qui a un plumage bleu-vert et une longue queue. Le mâle étale sa queue en éventail.

▶ La femelle est la **paonne**. Elle a un plumage moins coloré que le mâle.

un **pantin**

Quand le paon crie, on dit qu'il **criaille** ou qu'il **braille**.

🔎 On écrit *paon* mais on prononce [pɑ̃], comme dans « panda ».

**papa** nom masculin

**Papa** est le nom affectueux que l'on donne à son père. *Au revoir, papa !*

une **panthère** noire

**pape** nom masculin

Le **pape** est le chef des catholiques. *Le pape habite à Rome, en Italie.*

**papeterie** nom féminin

Une **papeterie** est une boutique où l'on peut acheter du papier, des stylos et toutes les fournitures scolaires.

**papi** nom masculin

**Papi** est l'un des noms affectueux que l'on donne à son grand-père. *Raconte-nous une histoire, papi !*

🔍 On écrit aussi « papy ».

**papier** nom masculin

❶ Le **papier** est une matière qui est fabriquée avec du bois et des chiffons réduits en pâte. *J'écris sur du papier à lettres.*

❷ Les **papiers** sont des documents qui prouvent l'identité d'une personne. *Le policier lui a demandé ses papiers et il a montré son passeport.*

**papillon** nom masculin

❶ Un **papillon** est un insecte qui a quatre ailes et une trompe pour aspirer le liquide sucré des fleurs.

❷ Un **nœud papillon** est un nœud de cravate en forme de papillon.

→ Cherche **chenille**.

**paquebot** nom masculin

Un **paquebot** est un grand navire qui sert à transporter des passagers.

**pâquerette** nom féminin

Une **pâquerette** est une fleur des champs à pétales blancs et à cœur jaune. Elle ressemble à une petite marguerite.

🔍 Le *a* prend un accent circonflexe.

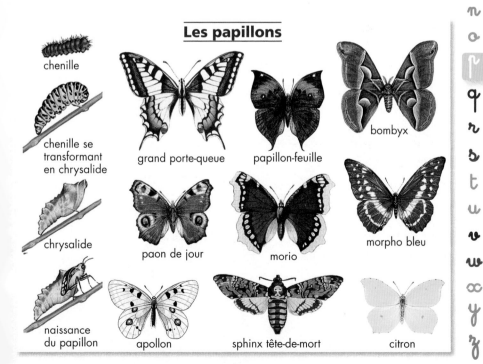

**Les papillons**

chenille

chenille se transformant en chrysalide

chrysalide

naissance du papillon

grand porte-queue

paon de jour

apollon

papillon-feuille

morio

sphinx tête-de-mort

bombyx

morpho bleu

citron

*a b c d e f g h i j k l m n o p q r s t u v w x y z*

493

A
B
C
D
E
F
G
H
I
J
K
L
M
N
O
P
Q
R
S
T
U
V
W
X
Y
Z

**paquet** nom masculin
❶ Un **paquet** est un objet enveloppé dans un emballage. *Envoyez-nous le paquet par la poste.* Synonyme : **colis.**
❷ Un **paquet** est une marchandise emballée pour être vendue. *J'ai acheté un paquet de sucre.*

**par** préposition
Par s'emploie pour donner différentes indications. *Le prisonnier s'est échappé par la fenêtre. Je tiens ma petite sœur par la main. Le piéton a été renversé par une voiture. Nous avons un livre par élève.*

**parachute** nom masculin
Un **parachute** est une grande toile servant à ralentir la chute d'une personne qui saute d'un avion en vol.

**parachutiste** nom masculin et nom féminin
Un **parachutiste**, une **parachutiste** sont des personnes qui sautent en parachute.

**paradis** nom masculin
Dans certaines religions, le **paradis** est l'endroit où ceux qui ont respecté Dieu vont après leur mort. Le paradis est souvent représenté par un jardin.
🔍 Ce mot se termine par un *s*.
→ Cherche **enfer.**

**paragraphe** nom masculin
Un **paragraphe** est une partie de texte. Il commence au début d'une ligne et finit quand on retourne à la ligne pour commencer une nouvelle phrase.
🔍 Ce mot s'écrit avec *ph.*

**paraître** verbe
❶ Paraître, c'est avoir l'air. *Vous paraissez bien joyeux ce matin.* Synonyme : **sembler.**
❷ Il paraît que signifie : on dit que. *Il paraît que la maîtresse est absente.*

🔍 Le *i* prend un accent circonflexe devant un *t.*

**parallèle** adjectif
Deux lignes **parallèles** sont deux lignes qui sont toujours à la même distance l'une de l'autre et qui ne se croisent pas.
🔍 Il y a deux *l* au milieu du mot et un seul *l* à la fin.
→ Cherche **perpendiculaire.**

Thomas fait des lignes **parallèles.**

**paralysé, paralysée** adjectif
Une personne **paralysée** ne peut plus bouger une partie de son corps, à la suite d'un accident ou d'une maladie. Synonyme : **infirme.**
🔍 Il y a un *y.*

**parapente** nom masculin
Un **parapente** est un parachute rectangulaire fait pour se jeter du haut d'un sommet.

**parapluie** nom masculin
Un **parapluie** est un objet fait d'un tissu imperméable monté sur un manche. On l'ouvre pour se protéger de la pluie.

**parasol** nom masculin
Un **parasol** est une sorte de grand parapluie qui sert à se protéger du soleil.

Il fait du **parapente**.

**paratonnerre** nom masculin
Un **paratonnerre** est une tige de fer qui est fixée sur le toit d'un bâtiment et reliée au sol. Il sert à protéger de la foudre.
Ce mot s'écrit avec deux *n* et deux *r*.

**parc** nom masculin
① Un **parc** est un grand jardin avec des pelouses et des arbres. *Un parc entoure le château.*
② Un **parc de stationnement** est un endroit où l'on peut se garer. Synonyme : parking.
☛ Va voir les planches illustrées ⑩

**parce que** conjonction
Parce que indique la raison, la cause de quelque chose. *J'ouvre la fenêtre parce que j'ai chaud.* Synonyme : car.
*Parce que* s'écrit *parce qu'* devant certains mots qui commencent par une voyelle : *parce qu'il est content ; parce qu'on est là.*

**parcmètre** nom masculin
Un **parcmètre** est un appareil où l'on met une somme d'argent qui correspond au temps de stationnement.

**parcourir** verbe
Parcourir une distance, c'est la faire. *Nous avons parcouru dix kilomètres à pied en trois heures.*
● Mot de la même famille : **parcours**.

**parcours** nom masculin
Un **parcours** est le chemin suivi par une personne ou par un véhicule. *Quel est le parcours de cet autobus ?* Synonymes : itinéraire, trajet.
Ce mot se termine par un *s*.

**par-dessous** préposition
Par-dessous signifie : par la partie qui est dessous. *J'attrape mon frère par-dessous les bras.* Contraire : par-dessus.
Ce mot s'écrit avec un trait d'union.

**par-dessus** préposition
Par-dessus signifie : par la partie qui est dessus. *Elle essaie de lire par-dessus l'épaule d'une dame.* Contraire : par-dessous.
Ce mot s'écrit avec un trait d'union.

Le chien saute **par-dessus** la haie.

A
B
C
D
E
F
G
H
I
J
K
L
M
N
O
**P**
Q
R
S
T
U
V
W
X
Y
Z

## 1. **pardon** nom masculin

Demander **pardon**, c'est faire des excuses. *Elle a demandé pardon d'avoir menti.*

● Mot de la même famille : **pardonner**.

## 2. **pardon** ! interjection

❶ **Pardon** s'emploie pour s'excuser, pour demander pardon. *Pardon, madame, je vous ai fait mal ?*

❷ **Pardon** s'emploie pour faire répéter ce qu'on a mal compris. *Pardon ? Qu'avez-vous dit ?* Synonyme : *comment ?*

## **pardonner** verbe

Pardonner à quelqu'un, c'est ne pas lui en vouloir pour ce qu'il a fait ou pour ce qu'il a dit. *Pardonnez-moi si je vous ai vexé.* Synonyme : **excuser**.

## **pare-brise** nom masculin

Le **pare-brise** est la vitre qui se trouve à l'avant d'une voiture. Il protège du vent et de la pluie.

🔍 Ce mot s'écrit avec un trait d'union. Il ne change pas au pluriel : on écrit *des pare-brise*.

## **pareil, pareille** adjectif

Quand deux choses sont **pareilles**, elles se ressemblent parfaitement, ce sont les mêmes. *Mon sac à dos et celui de Jérémy sont pareils.* Synonymes : **identique**, **semblable**. Contraire : **différent**.

## **parenthèse** nom féminin

Des **parenthèses** sont des signes qui encadrent un mot ou un groupe de mots qui n'est pas indispensable. *Dans la phrase « Paul (mon frère aîné) est venu »*, *(mon frère aîné)* est entre *parenthèses*.

🔍 Ce mot s'écrit avec *th*.

## **parents** nom masculin pluriel

Les **parents** sont le père et la mère d'une personne.

☞ Va voir « la famille », page 273.

## **paresse** nom féminin

La **paresse** est le défaut d'une personne qui n'aime pas travailler ni faire d'efforts. *C'est par paresse que je n'ai pas répondu à sa lettre.*

● Mot de la même famille : **paresseux**.

## **paresseux, paresseuse** adjectif

Une personne **paresseuse** n'aime pas travailler ni faire des efforts. Synonyme : **fainéant**.

## **parfait, parfaite** adjectif

Une chose **parfaite** est sans défaut. *Ton travail est parfait. Aucune personne n'est parfaite.*

● Mot de la même famille : **parfaitement**.

Leurs bonnets sont **pareils**.

## **parfaitement** adverbe

**Parfaitement** signifie : de manière parfaite. *Tes photos sont parfaitement réussies.*

## **parfois** adverbe

**Parfois** signifie : de temps en temps. *Romain oublie parfois ses clés.* Synonyme : **quelquefois**.

## parfum nom masculin

❶ Un **parfum** est une odeur agréable. *J'aime le parfum du lilas.*

❷ Un **parfum** est un liquide qui sent bon et qui contient de l'alcool. *Ma sœur m'a prêté son flacon de parfum.*

❸ Un **parfum** est un goût donné à certains aliments sucrés. *La fraise et la vanille sont deux parfums de glace.*
Synonyme : **arôme**.

● Mots de la même famille : **parfumé, se parfumer**.

des flacons de **parfum**

## parfumé, parfumée adjectif

Ce qui est **parfumé** a un parfum. *Le lilas et le mimosa sont des fleurs très parfumées. J'aime les glaces parfumées aux fruits.*

## se parfumer verbe

**Se parfumer**, c'est se mettre du parfum sur la peau.

## pari nom masculin

Le **pari**, c'est l'action de parier. *J'ai fait un pari avec mes amis. Léo a perdu son pari.*

## parier verbe

**Parier**, c'est faire un jeu où les personnes s'engagent à donner quelque chose à celle qui aura raison. *Je te dis que la tour Eiffel mesure 324 mètres, tu veux parier ?*

● Mot de la même famille : **pari**.

## parking nom masculin

Un **parking** est un endroit pour garer les véhicules. *On a construit un grand parking devant le supermarché.*
Synonyme : **parc de stationnement**.

## parler verbe

❶ **Parler**, c'est dire des mots, s'exprimer. *Nicolas a deux ans, il commence à parler. Sais-tu parler anglais ?*

❷ **Ne plus parler à quelqu'un**, c'est être fâché avec lui et ne plus lui adresser la parole.

● Mot de la même famille : **parole**.

→ Cherche **bavarder** et **discuter**.

## parmi préposition

**Parmi** signifie : au milieu de. *On aperçoit une maison parmi les arbres.*

**Parmi** ces moutons, il y a un intrus.

## parole nom féminin

❶ La **parole** est la capacité de parler, de s'exprimer par des mots. *Les êtres humains peuvent communiquer par la parole. La voisine ne m'adresse plus la parole. Ne me coupe pas la parole sans arrêt.*

❷ Les **paroles** d'une chanson, c'est son texte. *Connais-tu les paroles de « Santillano » ?*

A
B
C
D
E
F
G
H
I
J
K
L
M
N
O
P
Q
R
S
T
U
V
W
X
Y
Z

**parquet** nom masculin

Le **parquet**, c'est l'ensemble des planches qui recouvrent un sol. *J'ai glissé sur le parquet ciré.* Synonyme : plancher.

**parrain** nom masculin

Dans la religion catholique, le **parrain** est l'homme qui présente un enfant au baptême. *Franck est mon parrain et je suis sa filleule.*

🔎 Il y a deux *r*.

→ Cherche **marraine**.

**part** nom féminin

❶ Une **part** est une partie d'une chose divisée entre plusieurs personnes. *J'ai coupé la pizza en quatre parts.* Synonyme : portion.

❷ Faire quelque chose **de la part de** quelqu'un, c'est le faire à sa place. *Je t'apporte un cadeau de la part de Bastien.*

→ Cherche **autre part**, **nulle part** et **quelque part**.

à **part** adverbe

❶ À **part** signifie : sauf. *Tout le monde s'est baigné, à part Julie.*

❷ Mettre à **part**, c'est mettre de côté. *J'ai mis tes affaires de toilette à part.*

**partage** nom masculin

Faire un **partage**, c'est donner une part à chaque personne. *Les pirates ont fait le partage du butin.* Synonyme : répartition.

● Mot de la même famille : partager.

**partager** verbe

❶ Partager, c'est diviser en parts. *La propriété a été partagée entre les*

*trois enfants.* Synonymes : diviser, répartir.

❷ Partager, c'est donner une partie de ce qu'on a. *Chloé a partagé son goûter avec Julien.*

Hugo **partage** sa glace avec Fatou.

**partenaire** nom masculin et nom féminin

Un **partenaire**, une **partenaire** sont des personnes qui sont dans le même camp, dans un jeu, un sport. *Léa est ma partenaire au tennis.* Contraire : adversaire.

**parti** nom masculin

❶ Un **parti** est un groupe de personnes qui font de la politique. *Les partis présentent leurs candidats aux élections.*

❷ Prendre **parti** pour quelqu'un, c'est dire qu'il a raison, le défendre. *Dans la dispute, Lucas a pris parti pour son frère.*

🔎 Ne confonds pas « un parti » et « une partie ».

**participe** nom masculin

Un **participe** est une forme du verbe. *Dans « j'ai aimé », « aimé » est le participe passé du verbe « aimer ».*

**participer** verbe
Participer à quelque chose, c'est le faire avec d'autres. *Marie et Hugo ont participé à la course.*

**particulier, particulière** adjectif
Avoir quelque chose de **particulier**, c'est avoir quelque chose qui distingue des autres. *Elle a une manière particulière de jouer au tennis.* Synonyme : spécial.
● Mot de la même famille : particulièrement.

en **particulier** adverbe
En particulier signifie : surtout. *J'aime tous les fruits, mais les ananas en particulier.* Synonymes : particulièrement, spécialement.

**particulièrement** adverbe
Particulièrement signifie : surtout. *Clément aime particulièrement les bandes dessinées.* Synonymes : en particulier, spécialement.

**partie** nom féminin
❶ Une **partie**, c'est un morceau, un élément, un passage. *Ma sœur m'a raconté une partie de l'histoire.*
❷ Une **partie** est un ensemble de coups qu'il faut jouer. *Nous avons fait une partie de dames.*
❸ Faire partie d'un groupe, c'est y être inscrit, en être membre. *Valentin fait partie d'un club de sport.*
🔍 Ne confonds pas « une partie » et « un parti », en politique.

**partir** verbe
❶ Partir, c'est quitter l'endroit où l'on est. *Nous partirons de la piscine à 15 heures.* Synonyme : s'en aller. Contraire : arriver.
❷ Partir, c'est ne plus être visible. *La tache de chocolat est partie au lavage.* Synonyme : disparaître.

Claire **part** en voyage.

à **partir de** préposition
À partir de indique un point de départ. *À partir d'ici, la route est droite. À partir de demain, je fais du sport.* Synonyme : dès.

**partition** nom féminin
Une **partition** est une feuille où sont écrites les notes d'un morceau de musique. *Le pianiste joue sans regarder sa partition.*

**partout** adverbe
Partout signifie : dans tous les endroits. *Je n'ai pas trouvé mon porte-monnaie, pourtant je l'ai cherché partout.*

**1. pas** nom masculin
❶ Un **pas** est un mouvement que l'on fait quand on pose un pied devant l'autre pour marcher. *Un bébé fait ses premiers pas vers l'âge d'un an.*

A B C D E F G H I J K L M N O P Q R S T U V W X Y Z

❷ Un **pas** est une trace laissée par le pied d'une personne qui a marché.

On voit les **pas** de Lucas sur le sable.

**2. pas** adverbe
Pas s'emploie dans une phrase négative. *Je ne sais pas nager.*

**passage** nom masculin
❶ Le **passage** est l'action de passer. *Mon oncle est de passage en France.*
❷ Un **passage** est un endroit par où l'on peut passer. *Le guide nous a montré un passage secret dans le château.*
❸ Un **passage à niveau** est un croisement entre une route et une voie ferrée.
❹ Un **passage** est une partie d'un livre ou d'une chanson. *J'ai lu un passage des « Contes de la rue Broca ».* Synonyme : extrait.

**passager** nom masculin
**passagère** nom féminin
Un **passager**, une **passagère** sont des personnes qui sont transportées en bateau, en avion ou en voiture. *Le conducteur a trois passagers dans sa voiture.*

**passant** nom masculin
**passante** nom féminin
Un **passant**, une **passante** sont des personnes qui passent dans la rue.

*Mathieu a demandé son chemin à une passante.* Synonyme : piéton.

**1. passé, passée** adjectif
Les siècles **passés** sont les siècles qui ont précédé le siècle présent. Contraires : futur, présent.

**2. passé** nom masculin
❶ Le **passé** est la période qui s'est déroulée avant le moment présent. *Grand-mère pense souvent au passé.* Contraires : avenir, futur, présent.
❷ Le **passé** est un temps que l'on emploie quand une action est terminée. *Dans la phrase « Léo a fini son travail », le verbe « finir » est au passé.*
➔ Cherche futur, imparfait et présent.

**passeport** nom masculin
Un **passeport** est un papier d'identité qui a la forme d'un petit carnet. Il permet de voyager dans certains pays étrangers.

**passer** verbe
❶ Passer, c'est avancer pour aller plus loin. *Les voitures passent à toute vitesse.* Synonyme : circuler.
❷ Passer quelque part, c'est y rester peu de temps. *Maxime est passé à la maison.*
❸ Passer une limite, c'est aller de l'autre côté. *Nous avons passé la frontière.* Synonymes : franchir, traverser.
❹ Passer, c'est donner, transmettre. *Passe-moi le pain !*
❺ Passer un examen, un concours, c'est les subir. Passer dans une classe supérieure, c'est y être admis.
❻ Quand le temps passe, il s'écoule. *Le temps passe vite en vacances.*
❼ Passer un certain temps, c'est l'utiliser de telle manière. *J'ai passé la soirée à classer des photos. Elle a passé son enfance à la campagne.*

**8** Quand une chose **se passe**, elle a lieu. *L'histoire se passe au Moyen Âge.* Synonyme : **se dérouler.**

**9** **Se passer de** quelque chose ou de quelqu'un, c'est s'en séparer. *Elle ne peut pas se passer de son ours en peluche.*

● Mots de la même famille : **passage, passager, passant, passé, passerelle, passoire.**

**passerelle** nom féminin

**1** Une **passerelle** est un petit pont où passent les piétons. *On traverse la voie ferrée sur une passerelle.*

**2** Une **passerelle** est un escalier mobile qui permet de monter dans un avion ou dans un bateau.

**passion** nom féminin

**1** La **passion** est un amour très fort. *Elle aime son mari avec passion.*

**2** Une **passion** est une chose qu'on aime par-dessus tout. *J'ai une passion pour les animaux.*

● Mots de la même famille : **passionnant, passionner.**

Les avions, c'est sa **passion**.

**passionnant, passionnante** adjectif

Une chose, une personne **passionnante** passionne, intéresse énormément. *J'ai vu un film passionnant.* Contraire : **ennuyeux.**

🔎 Il y a deux *n*.

**passionner** verbe

**Passionner** quelqu'un, c'est l'intéresser vivement. *Cette histoire m'a passionné.* Contraire : **ennuyer.**

🔎 Il y a deux *n*.

**passoire** nom féminin

Une **passoire** est un objet percé de trous, qui laisse passer un liquide et retient les matières solides. *J'ai mis les pâtes dans la passoire.*

→ Cherche **filtre.**

**pasteur** nom masculin

Dans la religion protestante, un **pasteur** est un homme ou une femme qui dirige les cérémonies religieuses.

→ Cherche **imam**, **prêtre** et **rabbin.**

**pastille** nom féminin

Une **pastille** est un petit bonbon rond et plat. *Léa suce des pastilles à la menthe.*

**patate** nom féminin

Une **patate** est une pomme de terre.

🔎 C'est un mot familier.

**patauger** verbe

**Patauger**, c'est marcher dans une petite hauteur d'eau ou dans la boue.

Les enfants **pataugent** dans la mare.

## pâte nom féminin

❶ Une **pâte** est un mélange de farine et d'eau qui sert à faire du pain et des gâteaux.

❷ Les **pâtes** sont des aliments fabriqués avec de la semoule de blé. *Les spaghettis sont des pâtes.*

🔍 *Le a prend un accent circonflexe. Ne confonds pas avec « la patte » d'un animal.*

## pâté nom masculin

❶ Le **pâté** est de la charcuterie faite d'un mélange de viandes hachées cuites. On le mange froid.

❷ Un **pâté** de sable est un petit tas de sable humide que l'on tasse dans un seau et que l'on démoule.

🔍 *Le a prend un accent circonflexe. Ne confonds pas « le pâté » et « la pâtée » pour les animaux.*

## pâtée nom féminin

Une **pâtée** est un mélange d'aliments que l'on donne aux chiens et aux chats.

🔍 *Le a prend un accent circonflexe. Ne confonds pas « la pâtée » et « le pâté » de campagne.*

## paternel, paternelle adjectif

Les grands-parents **paternels** sont les parents du père.

→ Cherche **maternel**.

## patience nom féminin

La **patience** est la qualité d'une personne qui sait attendre sans s'énerver. *Pour être un bon pêcheur, il faut avoir de la patience.* Contraire : **impatience**.

🔍 *On écrit ti mais on prononce [si].*

## patient, patiente adjectif

Une personne **patiente** sait attendre sans s'énerver. *Pour observer les oiseaux, il faut être patient.* Contraire : **impatient**.

🔍 *On écrit ti mais on prononce [si].*

● Mots de la même famille : **patience, patienter**.

## patienter verbe

**Patienter**, c'est prendre patience, attendre calmement. *Le médecin nous a demandé de patienter dans la salle d'attente.* Contraire : **s'impatienter**.

🔍 *On écrit ti mais on prononce [si].*

## patin nom masculin

❶ Des **patins à glace** sont des chaussures spéciales qui ont une lame sous les semelles. Ils permettent de glisser sur la glace.

❷ Des **patins à roulettes** sont des chaussures spéciales qui ont des petites roues pour glisser sur le sol.

● Mots de la même famille : **patinage, patiner, patineur, patinoire**.

→ Cherche **roller**.

Les enfants font du **patin à glace** à la patinoire.

## patinage nom masculin

Le **patinage** est un sport où l'on patine sur la glace ou sur le sol. *Le patinage artistique est un sport olympique.*

## patiner verbe

Patiner, c'est faire du patin à glace ou du patin à roulettes. *Émilie sait bien patiner.*

## patineur nom masculin
## patineuse nom féminin

Un **patineur**, une **patineuse** sont des personnes qui font du patin. *Les patineurs glissent sur la patinoire.*

## patinoire nom féminin

Une **patinoire** est une piste pour faire du patin à glace.

## pâtisserie nom féminin

❶ Une **pâtisserie** est une pâte sucrée cuite au four. *Les croissants et les tartes sont des pâtisseries.* Synonyme : gâteau.

❷ Une **pâtisserie** est un magasin où le pâtissier fabrique et vend des pâtisseries.

🔍 Le *a* prend un accent circonflexe.

● Mot de la même famille : **pâtissier**.

## pâtissier nom masculin
## pâtissière nom féminin

Un **pâtissier**, une **pâtissière** sont des personnes qui fabriquent et qui vendent des pâtisseries. C'est un nom de métier.

🔍 Le *a* prend un accent circonflexe.

## patrie nom féminin

La **patrie** est le pays où l'on est né ou le pays où l'on vit depuis longtemps.

## patron nom masculin
## patronne nom féminin

Un **patron**, une **patronne** sont des personnes qui dirigent une usine, un magasin ou un restaurant.

## patte nom féminin

❶ Une **patte** est le membre d'un animal. *Les chats ont quatre pattes. Les oiseaux ont deux pattes. Les mouches ont six pattes.*

❷ Marcher **à quatre pattes**, c'est marcher sur les mains et les genoux ou sur les mains et les pieds.

🔍 Il y a deux *t*. Ne confonds pas avec « une pâte » qui se mange.

### Les pattes des animaux

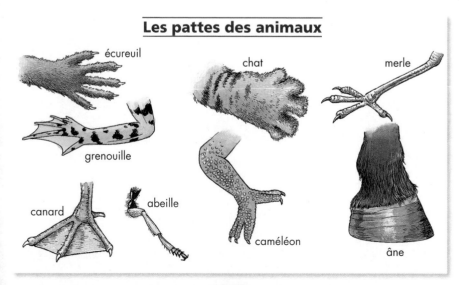

écureuil
chat
merle
grenouille
canard
abeille
caméléon
âne

a b c d e f g h i j k l m n o p q r s t u v w x y z

## pâturage nom masculin

Un **pâturage** est un pré où le bétail vient paître. *La Normandie est une région de pâturages.*

🔍 Le premier *a* prend un accent circonflexe.

## paume nom féminin

La **paume** est l'intérieur de la main. *Elle serre un bonbon dans la paume de sa main.*

## paupière nom féminin

La **paupière** est la peau qui protège l'œil. *Les cils poussent au bord des paupières.*

## pause nom féminin

Une **pause** est un petit arrêt dans un travail ou une activité. *Les ouvriers font une pause sur le chantier.*

## pauvre adjectif

Une personne **pauvre** n'a pas assez d'argent pour se nourrir et se loger. Contraire : riche.
● Mot de la même famille : **pauvreté**.

## pauvreté nom féminin

La **pauvreté** est l'état d'une personne pauvre, qui n'a pas assez d'argent pour vivre. *Beaucoup de gens vivent dans la pauvreté.* Contraire : richesse.

## pavage nom masculin

Un **pavage**, c'est un ensemble de dessins, de motifs carrés ou rectangulaires placés les uns à côté des autres. *Je colorie un pavage.*

## pavé nom masculin

❶ Les **pavés** sont des petits blocs de pierre qui recouvrent les rues.
❷ Un **pavé** est une forme géométrique qui ressemble à un cube allongé.
● Mot de la même famille : **pavage**.

☞ Va voir « les couleurs et les formes », page 171.

## pavillon nom masculin

Un **pavillon** est une maison qui a généralement un petit jardin et qui se trouve dans la banlieue des grandes villes.
→ Cherche **villa**.

## payant, payante adjectif

Quand une chose est **payante**, il faut payer pour l'avoir. *Le spectacle est payant.* Contraire : gratuit.

## paye nom féminin

La **paye** est l'argent que l'on reçoit pour son travail. Synonyme : salaire.

🔍 On écrit aussi « paie ».

## payer verbe

Payer, c'est donner une somme d'argent en échange d'une marchandise, d'un travail. *Combien as-tu payé ce CD ?*
● Mots de la même famille : payant, paye.

Maman **paye** ses achats à la caisse.

## pays nom masculin

Un **pays** est le territoire d'une nation. *Le Canada est un grand pays.*

🔍 Ce mot se termine par un *s*.
● Mots de la même famille : paysage, paysan.

## paysage nom masculin

Le **paysage**, c'est la nature que l'on voit d'un endroit. *De ma fenêtre, je peux admirer le paysage.*
Synonyme : **panorama**.

Il photographie le **paysage**.

## paysan nom masculin
## paysanne nom féminin

Un **paysan**, une **paysanne** sont des personnes qui cultivent la terre et élèvent des animaux. Synonyme : **agriculteur**.

## péage nom masculin

Le **péage** d'une autoroute est l'endroit où les conducteurs payent pour avoir le droit de rouler.
☞ Va voir la planche illustrée ❺

## peau nom féminin

❶ La **peau** est la partie extérieure du corps. Elle protège du soleil et des microbes. *Paul a la peau bronzée. Les crapauds ont la peau rugueuse.*
❷ La **peau** est la partie extérieure de certains fruits ou légumes. *Les ananas ont une peau très épaisse.*
🔎 Au pluriel, on écrit *des peaux*.

## 1. pêche nom féminin

Une **pêche** est un fruit qui a un gros noyau, une peau très douce et une chair sucrée.
▶ Les pêches poussent sur un arbre, le **pêcher**.
🔎 Le premier e prend un accent circonflexe.

## 2. pêche nom féminin

La **pêche**, c'est l'action de pêcher, d'attraper des poissons. *Adrien va à la pêche avec son grand-père.*

🔎 Le premier e prend un accent circonflexe.
● Mots de la même famille : **pêcher**, **pêcheur**.

## pêcher verbe

**Pêcher**, c'est attraper des poissons et d'autres animaux qui vivent dans l'eau. *J'ai pêché une truite avec ma canne à pêche.*

🔎 Le premier e prend un accent circonflexe.

Papi **pêche** à la ligne.

## pêcheur nom masculin
## pêcheuse nom féminin

Un **pêcheur**, une **pêcheuse** sont des personnes qui pêchent pour leur plaisir. C'est aussi un nom de métier. *Les pêcheurs à la ligne étaient assis au bord du lac.*

## pédale nom féminin

Une **pédale** est un objet qui sert à faire fonctionner un véhicule. On appuie dessus avec le pied. *J'appuie sur les pédales du vélo pour monter la côte.*
● Mot de la même famille : **pédaler**.

505

**pédaler** verbe
Pédaler, c'est appuyer sur les pédales d'un vélo.

Zoé **pédale** dans la montée.

**pédiatre** nom masculin et nom féminin
Un **pédiatre**, une **pédiatre** sont des médecins qui soignent les enfants. C'est un nom de métier.

**peigne** nom masculin
Un **peigne** est un objet qui a des dents et que l'on utilise pour démêler ses cheveux, pour se coiffer.
● Mot de la même famille : **peigner**.

**peigner** verbe
Peigner une personne, c'est la coiffer avec un peigne. *Marion peigne sa petite sœur. Avant de sortir, je me peigne.* Synonyme : se coiffer.

**peindre** verbe
❶ Peindre, c'est recouvrir une surface de peinture. *Nous peignons les murs en bleu.*
❷ Peindre, c'est créer avec de la peinture. *Picasso a peint de nombreux tableaux.*
● Mots de la même famille : **peintre**, **peinture**.

**peine** nom féminin
❶ Avoir de la **peine**, c'est être très triste. *J'ai eu beaucoup de peine quand mon chien est mort.* Synonyme : chagrin.
❷ Se donner de la **peine**, c'est faire de gros efforts. *Romain se donne de la peine pour faire son exercice.* Synonyme : mal.
❸ Une **peine** est une punition qu'un juge donne à un coupable. *Le voleur a été condamné à une peine de cinq ans de prison.*

**à peine** adverbe
À peine signifie : presque pas. *Je te vois à peine dans le noir.*

**peintre** nom masculin et nom féminin
❶ Un **peintre**, une **peintre** sont des personnes qui peignent des maisons, des murs. C'est un nom de métier.
❷ Un **peintre**, une **peintre** sont des artistes qui peignent des tableaux. C'est un nom de métier.

**peinture** nom féminin
❶ La **peinture** est une matière qui sert à peindre. *Nous avons acheté deux pots de peinture. Papi m'a donné une boîte de peintures.*
❷ Faire de la **peinture**, c'est peindre pour son plaisir.

**pelage** nom masculin
Le **pelage**, c'est l'ensemble des poils d'un animal. *Le renard a un pelage roux.* Synonyme : fourrure.

**peler** verbe
Peler, c'est perdre des petits morceaux de peau. *J'ai eu un coup de soleil et maintenant je pèle.*

**pélican** nom masculin
Un **pélican** est un grand oiseau qui vit dans les eaux douces. Il a des pattes palmées

et un long bec avec une poche. *Dans leur poche, les pélicans gardent les poissons qu'ils ont pêchés pour leurs petits.*

**pelle** nom féminin
Une **pelle** est un outil fait d'une plaque de métal un peu creuse qui est fixée à un manche. Elle sert à creuser la terre ou le sable.

**pellicule** nom féminin
❶ Une **pellicule** est un rouleau de matière plastique spéciale qui sert à faire des photos. *J'ai mis une pellicule dans mon appareil photo.* Synonyme : film.
❷ Une **pellicule** est un petit morceau de peau sèche qu'on a parfois dans les cheveux.
🔍 Il y a deux *l* au début du mot.

**pelote** nom féminin
Une **pelote** de laine, c'est un long fil de laine enroulé sur lui-même. *Le chat joue avec une pelote de laine.*

**peloton** nom masculin
Un **peloton** est un groupe de coureurs dans une course. *Un coureur s'est détaché du peloton.*

se **pelotonner** verbe
Se pelotonner, c'est se rouler en boule. *Le chat s'est pelotonné dans un fauteuil.*
🔍 Il y a deux *n*.

**pelouse** nom féminin
Une **pelouse** est un terrain couvert de gazon. *Mon frère a tondu la pelouse.*

**peluche** nom féminin
❶ La **peluche** est un tissu épais à poils doux. *Mon petit frère joue avec son koala en peluche.*
❷ Une **peluche** est un jouet, un animal en peluche. *Paul a retrouvé sa peluche sous le lit.*

**pencher** verbe
❶ **Pencher**, c'est incliner ou être incliné. *Marie penche la tête. Le cadre penche un peu.*
❷ **Se pencher**, c'est incliner le haut du corps en avant. *Il est dangereux de se pencher par la fenêtre.*

Léa **se penche** pour ramasser un coquillage.

**pendant** préposition
**Pendant** indique la durée d'une action. *J'ai joué du piano pendant deux heures.*

un **pélican**

A
B
C
D
E
F
G
H
I
J
K
L
M
N
O
P
Q
R
S
T
U
V
W
X
Y
Z

**penderie** nom féminin

Une **penderie** est un meuble ou une pièce qui sert à suspendre des vêtements.

**pendre** verbe

❶ **Pendre**, c'est être suspendu. *Des fruits pendent aux branches.*

❷ **Pendre** une personne, c'est la mettre à mort en la suspendant par le cou. *Autrefois, en France, on pendait les personnes condamnées à mort.*

● Mot de la même famille : **penderie**.

**pendule** nom féminin

Une **pendule** est un instrument qui indique l'heure. On la pose sur un meuble ou on l'accroche au mur.

➔ Cherche **horloge**.

**pénétrer** verbe

**Pénétrer** quelque part, c'est s'avancer à l'intérieur. *La marmotte a pénétré dans son terrier.* Synonyme : **s'introduire**.

**pénible** adjectif

Ce qui est **pénible** est dur et fatigant. *Les éboueurs font un travail pénible.*

**péniche** nom féminin

Une **péniche** est un long bateau à fond plat. Elle sert à transporter les marchandises sur les fleuves, les rivières et les canaux.

La **péniche** navigue sur la Seine.

**pensée** nom féminin

Une **pensée**, c'est ce que l'on pense. *Elle a chassé une pensée de son esprit.* Synonyme : **idée**.

➔ Cherche **avis** et **opinion**.

**penser** verbe

❶ **Penser**, c'est former des idées dans son esprit. *Les êtres humains pensent.* Synonyme : **réfléchir**. *Je pense que tu as raison.* Synonyme : **croire**.

❷ **Penser** à quelqu'un, à quelque chose, c'est se souvenir d'une personne, d'une chose. *Je pense à mes amis.*

❸ **Penser** à faire quelque chose, c'est se le rappeler. *J'ai pensé à acheter du pain.*

● Mot de la même famille : **pensée**.

**pension** nom féminin

Une **pension** est une école où les élèves restent le soir pour dîner et dormir.

● Mot de la même famille : **pensionnaire**.

**pensionnaire** nom masculin et nom féminin

Un **pensionnaire**, une **pensionnaire** sont des élèves qui restent le soir dans leur école pour dîner et dormir.

🔎 Il y a deux *n au milieu du mot.*

**pente** nom féminin

La **pente** d'une route ou d'une montagne est la partie qui monte ou qui descend. *Les cyclistes sont arrêtés au milieu de la pente.* Synonymes : **côte**, **descente**, **montée**. *Le chemin est en pente.*

**pépin** nom masculin

Un **pépin** est la graine de certains fruits. *Les pommes, les poires et les raisins ont des pépins.*

## perçant, perçante adjectif

Avoir une vue **perçante**, c'est voir parfaitement les objets éloignés. *Les chats ont la vue perçante.*

🔎 Le c prend une cédille.

## percer verbe

❶ **Percer**, c'est faire un trou, une ouverture. *On a percé un tunnel sous la Manche.* Synonyme : creuser.

❷ Quand une dent **perce**, elle sort de la gencive. Synonyme : pousser.

● Mots de la même famille : perçant, perceuse.

## perceuse nom féminin

Une **perceuse** est un outil électrique qui sert à percer des trous.

## perche nom féminin

Une **perche** est une longue tige de bois ou de métal. *Les skieurs tiennent les perches du remonte-pente. Des athlètes font du saut à la perche.*

● Mots de la même famille : se percher, perchoir.

## se percher verbe

Pour un oiseau, **se percher**, c'est se poser sur un endroit élevé. *Le moineau s'est perché sur une branche.*

Les cigognes **se sont perchées** sur le nid.

## perchoir nom masculin

Un **perchoir** est un endroit où se perchent les oiseaux domestiques. *Le canari chante sur son perchoir.*

## percuter verbe

**Percuter**, c'est heurter violemment. *La voiture a percuté un mur.*

## perdant nom masculin
## perdante nom féminin

Un **perdant**, une **perdante** sont des personnes qui ont perdu à un jeu. *Les perdants auront un petit lot.* Contraire : gagnant.

## perdre verbe

❶ **Perdre** quelque chose, un animal, c'est ne plus l'avoir. *Aurélie a perdu son stylo.* Synonyme : égarer. Contraires : retrouver, trouver.

❷ **Perdre** quelqu'un, c'est être séparé de lui parce qu'il est mort.

❸ **Perdre**, c'est être vaincu dans un jeu, dans une compétition. *Notre équipe a perdu.* Contraire : gagner.

❹ **Se perdre**, c'est ne pas retrouver son chemin. *Nous nous sommes perdus dans la forêt.* Synonyme : s'égarer.

● Mots de la même famille : perdant, perte.

## perdrix nom féminin

Une **perdrix** est un oiseau au plumage gris ou roux. *Le chasseur a tué deux perdrix.*

▶ Le petit est le **perdreau**. Quand la perdrix crie, on dit qu'elle **cacabe**.

🔎 Ce mot se termine par un *x*. Il ne change pas au pluriel : on écrit *des perdrix*.

a
b
c
d
e
f
g
h
i
j
k
l
m
n
o
p
q
r
s
t
u
v
w
x
y
z

A
B
C
D
E
F
G
H
I
J
K
L
M
N
O
P
Q
R
S
T
U
V
W
X
Y
Z

**père** nom masculin

❶ Un **père** est un homme qui a donné la vie ou qui a adopté un ou plusieurs enfants.

❷ Le **père** d'un animal est le mâle qui lui a donné la vie. *Les petits tigres suivent leur père.*

→ Cherche **mère**.

☛ Va voir « la famille », page 273.

**perfection** nom féminin

La **perfection**, c'est la qualité de ce qui est parfait. *Quand on fait un travail, il faut essayer d'atteindre la perfection.*

**péril** nom masculin

Un **péril** est un grand danger. *Les héros et les héroïnes des contes sont souvent en péril.*

● Mot de la même famille : **périlleux**.

**périlleux, périlleuse** adjectif

Un **saut périlleux** est un saut dangereux où l'on fait un tour complet sur soi-même.

Tom fait un **saut périlleux**.

**périmètre** nom masculin

Un **périmètre** est une ligne qui fait le tour d'une surface, d'une figure géométrique. *Le périmètre du jardin est de 300 mètres.*

▶ On calcule le périmètre d'un rectangle en additionnant deux fois sa longueur et deux fois sa largeur.

**période** nom féminin

Une **période** est une certaine durée. *La piscine reste ouverte pendant la période des vacances.*

**perle** nom féminin

❶ Une **perle** est une petite boule de nacre que l'on trouve dans certaines huîtres.

❷ Une **perle** est une petite boule décorative qui est percée d'un trou. *Solène s'est fait un bracelet avec des perles en bois.*

**permettre** verbe

❶ **Permettre** à une personne de faire quelque chose, c'est lui donner la permission, le droit de le faire. *Le médecin m'a permis de sortir.* Synonyme : **autoriser**. Contraires : **défendre**, **interdire**.

❷ **Permettre**, c'est rendre possible. *Son travail lui permet de voyager à l'étranger.* Contraire : **empêcher**.

● Mots de la même famille : **permis**, **permission**.

**permis** nom masculin

Un **permis** est un document qui permet de faire quelque chose, qui en donne le droit. *Kien a obtenu son permis de conduire.*

🔍 Ce mot se termine par un *s*.

**permission** nom féminin

La **permission**, c'est l'action de permettre, d'autoriser. *J'ai la permission d'aller jouer dehors.* Synonyme : **autorisation**. Contraires : **défense**, **interdiction**.

**perpendiculaire** adjectif

Deux lignes **perpendiculaires** sont deux lignes qui se coupent en formant un angle droit.

→ Cherche **parallèle**.

**perroquet** nom masculin

Un **perroquet** est un oiseau des pays chauds au gros bec crochu. Il est capable d'imiter la voix humaine.

▶ Quand le perroquet crie, on dit qu'il **jase**.

🔍 Il y a deux *r*.

☞ Va voir « les becs d'oiseaux », page 83.

**perruche** nom féminin

Une **perruche** est une sorte de perroquet de petite taille. Son plumage est jaune, vert ou bleu.

🔍 Il y a deux *r*.

**perruque** nom féminin

Une **perruque** est une fausse chevelure. *La chanteuse portait une perruque rousse.*

🔍 Il y a deux *r*.

Adrien a mis une **perruque** de clown.

**persil** nom masculin

Le **persil** est une plante cultivée pour ses feuilles qui donnent du goût à certains aliments. *Je mets du persil haché sur les tomates.*

🔍 Ce mot se termine par un *l* qu'on ne prononce pas.

**personnage** nom masculin

Un **personnage** est une personne qui a été imaginée dans un livre, un film ou une pièce de théâtre. *Astérix est un personnage de bande dessinée ; Zorro, un personnage de roman et de film.*

**personnalité** nom féminin

La **personnalité** de quelqu'un est sa manière d'être, de penser et de se comporter. *Chaque enfant a sa personnalité.* Synonyme : **caractère**.

**1. personne** nom féminin

❶ Une **personne** est un être humain. *Dans notre famille, il y a sept personnes.*
❷ Une **grande personne** est un homme ou une femme qui n'est plus un enfant ni un adolescent. Synonyme : **adulte**.
❸ La première **personne** du singulier est la personne qui parle. *Dans « je joue », le verbe jouer est conjugué à la première personne du singulier.*
● Mots de la même famille : **personnage, personnalité, personnel**.

une **perruche**

A
B
C
D
E
F
G
H
I
J
K
L
M
N
O
**P**
Q
R
S
T
U
V
W
X
Y
Z

**2. personne** pronom

Personne, c'est aucun être humain. *Le soir, il n'y a **personne** dans ma rue.*

**1. personnel, personnelle** adjectif

Des affaires **personnelles** sont des affaires qui appartiennent à une personne. *Marie a rangé ses affaires **personnelles** dans une petite valise.*

**2. personnel** nom masculin

Le **personnel** d'une entreprise, c'est l'ensemble des personnes qui y travaillent. *Le directeur a réuni tout le **personnel**.*

**persuader** verbe

**Persuader** une personne, c'est lui faire comprendre qu'une idée est vraie, juste ou bonne. *Je ne voulais pas m'inscrire au club de judo, mais Julien m'a **persuadé** de le faire.* Synonyme : **convaincre**.

**perte** nom féminin

La **perte**, c'est le fait de perdre un objet ou un être. *Je ne me console pas de la **perte** de mon baladeur.*

**pesanteur** nom féminin

La **pesanteur** est la force qui entraîne les êtres et les objets vers le sol. *Dans l'espace, il n'y a pas de **pesanteur**.*

**peser** verbe

❶ **Peser**, c'est mesurer la masse. *Le pédiatre **pèse** le bébé.*
❷ **Peser** trente kilos, c'est avoir ce poids.
● Mot de la même famille : **pesanteur**.

**pessimiste** adjectif

Une personne **pessimiste** pense toujours que tout ira mal. Contraire : **optimiste**.

**pet** nom masculin

Faire un **pet**, c'est laisser échapper un gaz de l'intestin par le derrière.
● Mot de la même famille : **pétard**.

**pétale** nom masculin

Les **pétales** sont les parties colorées d'une fleur. *Les coquelicots ont des **pétales** rouges.*

🔍 « Pétale » est un nom masculin qui se termine par un e.

**pétard** nom masculin

Un **pétard** est un petit explosif que l'on utilise pour faire du bruit. *À la fête, on a fait exploser des **pétards**.*

**pétiller** verbe

Quand un liquide **pétille**, il fait des bulles qui éclatent avec de petits bruits secs. *La limonade et le champagne **pétillent**.*

**1. petit, petite** adjectif

❶ Être **petit**, c'est avoir une taille peu élevée ou des dimensions peu importantes. *Léa est **petite** pour son âge.* Contraire : **grand**. *Nous habitons dans une **petite** ville.*

❷ Un **petit** frère, une **petite** sœur sont les enfants les moins âgés d'une famille. Contraire : **grand**.

Le marchand **pèse** les fruits.

Julie est plus **petite** que Raphaël.

## 2. petit nom masculin
## petite nom féminin

❶ Un **petit**, une **petite** sont de jeunes enfants. *Les petits font la sieste.*
Contraire : grand.

❷ Un **petit** est un jeune animal. *La chienne protège ses petits.*

## petit à petit adverbe

Petit à petit signifie : peu à peu. *Petit à petit, l'oiseau fait son nid.*

## petite-fille nom féminin

La **petite-fille** d'une personne est la fille de sa fille ou la fille de son fils.

🔍 Ce mot s'écrit avec un trait d'union. Au pluriel, on écrit *des petites-filles*.

☛ Va voir « la famille », page 273.

## petit-fils nom masculin

Le **petit-fils** d'une personne est le fils de sa fille ou le fils de son fils. *Madame Nourrit promène son petit-fils.*

🔍 Ce mot s'écrit avec un trait d'union. Au pluriel, on écrit *des petits-fils*.

☛ Va voir « la famille », page 273.

## petits-enfants nom masculin pluriel

Les **petits-enfants** d'une personne sont les enfants de sa fille ou de son fils. *Monsieur Florent a trois petits-enfants.*

🔍 Ce mot s'écrit avec un trait d'union.

## petit-suisse nom masculin

Un **petit-suisse** est un fromage frais au lait de vache. Il a la forme d'un petit cylindre.

🔍 Ce mot s'écrit avec un trait d'union. Au pluriel, on écrit *des petits-suisses*.

## pétrole nom masculin

Le **pétrole** est un liquide noir que l'on trouve dans le sol. Il sert surtout à fabriquer de l'essence et des matières plastiques.

## peu adverbe

❶ **Peu** signifie : en petite quantité, en petit nombre. *Je mange **peu** à midi.*
Contraires : beaucoup, énormément.
*Dans notre classe, il y a **peu** d'élèves.*
Contraires : beaucoup, plein. *Je prends un **peu** de sel.*

❷ **Peu à peu** signifie : un peu chaque jour. *Je fais des progrès **peu à peu**.*
Synonyme : petit à petit.

Léa met **peu** de beurre, mais Léo en met beaucoup.

a b c d e f g h i j k l m n o p q r s t u v w x y z

A
B
C
D
E
F
G
H
I
J
K
L
M
N
O
P
Q
R
S
T
U
V
W
X
Y
Z

**peuple** nom masculin

Un **peuple**, c'est l'ensemble des personnes qui habitent dans le même pays. *Le peuple suisse votera dimanche.*

● Mots de la même famille : populaire, population.

**peuplier** nom masculin

Un **peuplier** est un arbre haut et mince qui pousse dans les endroits humides.
☞ Va voir « les arbres », page 26, et « les feuilles », page 280.

**peur** nom féminin

La **peur** est l'émotion que l'on ressent devant un danger. *J'ai eu peur au moment de plonger. Les serpents me font peur.*

● Mot de la même famille : **peureux**.

**peureux, peureuse** adjectif

Une personne **peureuse** est une personne qui a peur, qui manque de courage. Synonyme : **craintif**. Contraires : **brave, courageux, intrépide**.

**peut-être** adverbe

**Peut-être** indique la possibilité. *Cet été, nous irons peut-être camper.* Contraires : **certainement, sûrement**.

🔍 Ce mot s'écrit avec un trait d'union.

**phare** nom masculin

❶ Un **phare** est une tour qui envoie des signaux lumineux pour guider les navires la nuit. *Les phares sont situés près des côtes.*
❷ Les **phares** sont les lumières qui se trouvent à l'avant d'un véhicule et qui éclairent loin. *La nuit, les conducteurs allument leurs phares.*

**pharmacie** nom féminin

Une **pharmacie** est un magasin où le pharmacien vend des médicaments et des produits pour le corps.

● Mot de la même famille : pharmacien.

**pharmacien** nom masculin
**pharmacienne** nom féminin

Un **pharmacien**, une **pharmacienne** sont des personnes qui vendent des médicaments et des produits pour le corps. C'est un nom de métier.

**phénomène** nom masculin

Un **phénomène** est un fait que l'on peut observer. *Un orage est un phénomène naturel.*

**phonétique** adjectif

L'alphabet **phonétique** utilise des signes spéciaux pour noter la prononciation des sons. « *Chat* » s'écrit [ʃa] en alphabet *phonétique*.

**phoque** nom masculin

Un **phoque** est un mammifère des mers froides qui a un pelage ras et des membres courts et palmés.

▶ Les phoques se nourrissent de poissons. Ils peuvent rester longtemps sous la banquise en creusant des trous pour respirer à la surface.

→ Cherche **otarie**.

Le bateau passe près du **phare**.

## photo nom féminin

Une **photo** est une image faite par un appareil photo et reproduite sur un papier spécial. *J'ai pris une photo de mon chat. Léo a pris ses amis en photo.*

🔍 « Photo » est l'abréviation de « photographie » et de « photographique ».
● Mots de la même famille : photocopie, photographe, photographier.

## photocopie nom féminin

Une **photocopie** est la copie d'un document par un appareil appelé *photocopieuse. J'ai fait une photocopie de mon dessin.*

## photographe nom masculin et nom féminin

❶ Un **photographe**, une **photographe** sont des personnes qui prennent des photos pour leur plaisir. C'est aussi un nom de métier.
❷ Un **photographe**, une **photographe** sont des personnes qui développent des pellicules de photos et qui vendent des appareils photo. C'est un nom de métier.

## photographier verbe

**Photographier**, c'est prendre une personne, un animal ou une chose en photo. *Au jardin zoologique, j'ai photographié des singes et des ours.*

## phrase nom féminin

Une **phrase** est une suite de mots qui a un sens. Elle commence par une majuscule et se termine par un point.

## physique adjectif

❶ Un exercice **physique** ou un effort **physique** se fait avec le corps. *Les cyclistes font des efforts physiques dans les montées.*
❷ L'éducation **physique**, la culture **physique**, c'est la gymnastique.

## pianiste nom masculin et nom féminin

Un **pianiste**, une **pianiste** sont des musiciens qui jouent du piano.

## piano nom masculin

Un **piano** est un instrument de musique qui a un clavier avec des touches noires et des touches blanches.
● Mot de la même famille : pianiste.
☞ Va voir « les instruments de musique », page 355.

Clara joue du **piano**.

## pic nom masculin

Un **pic** est le sommet pointu d'une montagne. *Les pics des Alpes s'élèvent à plus de 2 000 mètres.*

un **phoque**

a
b
c
d
e
f
g
h
i
j
k
l
m
n
o
p
q
r
s
t
u
v
w
x
y
z

A
B
C
D
E
F
G
H
I
J
K
L
M
N
O
P
Q
R
S
T
U
V
W

## à **pic** adverbe

À **pic** signifie : tout droit vers le bas, à la verticale. *Le bateau a coulé à pic. La falaise tombe à pic sur la mer.*

## **picorer** verbe

Pour un oiseau, **picorer**, c'est manger à petits coups de bec. *Les poules picorent le grain.*

## **picoter** verbe

Picoter, c'est piquer un peu. *La fumée me picote les yeux.*

## **pie** nom féminin

Une **pie** est un oiseau noir et blanc qui a une longue queue. *Les pies sont attirées par les objets brillants.*

▶ Quand la pie crie, on dit qu'elle **jacasse** ou qu'elle **jase**.

## **pièce** nom féminin

❶ Une **pièce** est une partie d'habitation qui est entourée de cloisons. *Nous habitons dans un appartement de trois pièces.*

❷ Une **pièce** est un morceau de métal rond qui sert de monnaie. *J'ai des pièces dans mon porte-monnaie.*

❸ Une **pièce** est un élément d'un ensemble. *Mon puzzle a deux cents pièces.*

❹ Une **pièce** de théâtre est une œuvre écrite pour être jouée par des comédiens.

Les poules **picorent** dans la bassine.

## **pied** nom masculin

❶ Le **pied** est la partie du corps qui se trouve au bout de la jambe. Il sert à se tenir debout et à se déplacer.

❷ À **pied** signifie : en marchant. *Nous avons fait cinq kilomètres à pied.*

❸ Avoir **pied**, c'est toucher le fond de l'eau avec les pieds en gardant la tête hors de l'eau.

❹ Le **pied** d'un objet est la partie qui le fait tenir debout. *Une chaise a quatre pieds. Le pied de la lampe est cassé.*

❺ Le **pied** d'un arbre ou d'un champignon, c'est sa partie inférieure. *Nous nous sommes reposés au pied d'un arbre.*

● Mots de la même famille : **piétiner**, **piéton**.

## **piège** nom masculin

❶ Un **piège** est un appareil qui sert à attraper ou à tuer des animaux. *On a mis des pièges à souris dans le grenier.*

❷ Un **piège** est une difficulté cachée. *Attention ! cet exercice comporte un piège.*

## **pierre** nom féminin

❶ La **pierre** est une matière dure que l'on trouve à la surface du sol et dans le sol. *Notre maison est en pierre.*

❷ Une **pierre** est un morceau de roche. *J'ai ramassé des pierres dans la rivière.*
Synonyme : **caillou.**

❸ Une **pierre précieuse** est une pierre rare que l'on utilise pour fabriquer des bijoux. *Le diamant est une pierre précieuse.*

## **piétiner** verbe

Piétiner, c'est faire de petits pas en avançant peu. *Les spectateurs piétinent devant l'entrée du théâtre.*

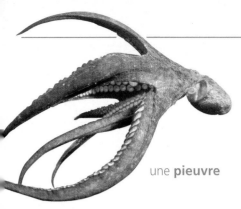

une **pieuvre**

## 1. piéton nom masculin
## piétonne nom féminin

Un **piéton**, une **piétonne** sont des personnes qui se déplacent à pied. *Les piétons marchent sur les trottoirs.*
Synonyme : **passant**.

## 2. piéton, piétonne adjectif

Une rue **piétonne** est une rue qui est faite uniquement pour les piétons.

🔍 On dit aussi « une rue piétonnière ».

## pieuvre nom féminin

Une **pieuvre** est un animal marin qui a huit tentacules pour se déplacer et capturer ses proies.

▶ Les pieuvres sont des mollusques.

## pigeon nom masculin

Un **pigeon** est un oiseau au plumage gris, blanc ou brun que l'on voit souvent dans les villes.

▶ La femelle est la **pigeonne**, le petit est le **pigeonneau**. Quand le pigeon crie, on dit qu'il roucoule.

🔍 Il y a un e après le g.

→ Cherche **colombe** et **tourterelle**.

## pile nom féminin

❶ Une **pile** est un tas d'objets. *J'ai posé une pile de livres sur la table.*

❷ Une **pile** est un petit appareil qui fournit de l'électricité. *Je dois changer les piles de mon baladeur.*

❸ Le côté **pile** d'une pièce de monnaie est le côté qui porte les chiffres. Contraire : **face**. *Nous avons joué à pile ou face pour savoir qui mettra la table.*

## pilier nom masculin

Un **pilier** est une colonne qui soutient un bâtiment. *Le toit de la gare repose sur des piliers.*

## pilote nom masculin et nom féminin

Un **pilote**, une **pilote** sont des personnes qui conduisent un avion, une moto de course ou une voiture de course. C'est un nom de métier.

● Mot de la même famille : **piloter**.
☞ Va voir la planche illustrée ❼

Les **pilotes** sont aux commandes de l'avion.

## piloter verbe

**Piloter** un avion, une moto de course ou une voiture de course, c'est les conduire. *Alexis voudrait apprendre à piloter un avion.*

## piment nom masculin

Le **piment** est une plante des pays chauds que l'on met dans certains plats. *Les piments rouges ont un goût très piquant.*

a b c d e f g h i j k l m n o p q r s t u v w x y z

A
B
C
D
E
F
G
H
I
J
K
L
M
N
O
P
Q
R
S
T
U
V
W
X
Y
Z

**pin** nom masculin

Un **pin** est un arbre qui a des aiguilles et qui donne de la résine.

▶ C'est un conifère. Ses fruits sont les pommes de pin.

🔍 Ne confonds pas avec « le pain », l'aliment.

☛ Va voir « les conifères », page 158.

**pince** nom féminin

❶ Une **pince** est un outil fait de deux parties que l'on rapproche pour serrer des objets. *On suspend le linge avec des pinces à linge.*

❷ Des **pinces** de crustacés sont des pattes qui peuvent pincer. *Les crabes, les homards et les écrevisses ont des pinces.*

**pinceau** nom masculin

Un **pinceau** est un instrument qui est fait d'une touffe de poils fixée au bout d'un manche et qui sert à peindre. *Je nettoie mes pinceaux dans un godet.*

🔍 Au pluriel, on écrit *des pinceaux.*

une **pintade**

**pincer** verbe

Pincer, c'est serrer très fort. *Mon petit frère m'a pincé le bras. Je me suis pincé le doigt dans la porte.*

● Mot de la même famille : **pince.**

**pingouin** nom masculin

Un **pingouin** est un gros oiseau marin noir et blanc qui a des pattes palmées et un gros bec. Il vit sur la banquise ou au bord des mers du pôle Nord. *Les pingouins nagent et volent.*

→ Cherche **manchot.**

**ping-pong** nom masculin

Le **ping-pong** est un sport qui se joue à deux ou à quatre sur une grande table avec une petite raquette. Les joueurs se renvoient une balle légère par-dessus un filet.

🔍 Ce mot s'écrit avec un trait d'union.

**pinson** nom masculin

Un **pinson** est un petit oiseau qui a des plumes rouges sur la gorge. *Les pinsons ont un chant mélodieux.*

**pintade** nom féminin

Une **pintade** est un oiseau de basse-cour qui a des plumes grises avec des taches claires.

▶ C'est une volaille. Le petit est le **pintadeau.** Quand la pintade crie, on dit qu'elle **criaille.**

**pioche** nom féminin

Une **pioche** est un outil formé d'un morceau de fer pointu qui est fixé à un manche. Elle sert à creuser les sols durs.

● Mot de la même famille : **piocher.**

**piocher** verbe

❶ Piocher, c'est creuser la terre avec une pioche. *Le jardinier pioche la terre avant de planter des arbustes.*

**2** **Piocher**, c'est prendre une carte, un jeton, un domino au hasard dans un tas. *Si tu ne peux pas jouer, pioche une carte !*

**pion** nom masculin

Un **pion** est une pièce d'un jeu. *On joue aux dames avec des **pions**. Un jeu d'échecs a huit **pions** blancs et huit **pions** noirs.*

**pipe** nom féminin

Une **pipe** est un objet formé d'une partie creuse pour faire brûler le tabac et d'un tuyau pour aspirer la fumée.

**pipeau** nom masculin

Un **pipeau** est une petite flûte à six trous.

🔎 Au pluriel, on écrit *des pipeaux*.

**1. piquant, piquante** adjectif

**1** Une plante **piquante** pique, a des piquants. *Les roses ont des tiges piquantes.*

**2** Un aliment **piquant** pique la langue. *La moutarde a un goût **piquant**.*

Le cactus est **piquant** !

**2. piquant** nom masculin

**1** Un **piquant** est une pointe qui pousse sur certaines plantes et qui pique. *Les cactus ont des **piquants**.*

**2** Un **piquant** est une petite pointe qui pousse sur le corps de certains animaux. *Les hérissons et les porcs-épics ont des **piquants**.*

**pique-nique** nom masculin

Un **pique-nique** est un repas que l'on prend en plein air. *En colonie de vacances, nous faisons des pique-niques.*

🔎 Ce mot s'écrit avec un trait d'union. Au pluriel, il n'y a pas de *s* à « pique » : on écrit *des pique-niques*.

● Mot de la même famille : **pique-niquer**.

Ils font un **pique-nique** dans un champ.

**pique-niquer** verbe

**Pique-niquer**, c'est faire un pique-nique, manger en plein-air.

🔎 Ce mot s'écrit avec un trait d'union.

**piquer** verbe

**1** **Piquer**, c'est faire un petit trou dans la peau avec la pointe d'une aiguille, d'un dard ou d'un piquant. *Attention ! avec ton aiguille, tu risques de **piquer** quelqu'un. Une guêpe m'**a piqué**.*

**2** **Piquer**, c'est faire une piqûre. *L'infirmière m'**a piqué** au bras.*

a b c d e f g h i j k l m n o p q r s t u v w x y z

**❸ Piquer**, c'est brûler légèrement les yeux ou la gorge. *La fumée des cigarettes pique les yeux.*

● Mots de la même famille : **piquant, piquet, piqûre**.

### piquet nom masculin

Un **piquet** est un bâton ou une barre à bout pointu que l'on enfonce dans le sol. *Les campeurs ont planté les piquets de leur tente.*

### piqûre nom féminin

❶ Une **piqûre** est une petite blessure qu'un insecte ou une plante fait sur la peau en piquant. *Les piqûres de moustique démangent.*

❷ Faire une **piqûre**, c'est enfoncer une aiguille dans la peau pour introduire le médicament contenu dans une seringue.

🔎 Le *u* prend un accent circonflexe.

### piranha nom masculin

Un **piranha** est un poisson aux dents pointues et coupantes qui vit dans les fleuves d'Amérique du Sud. C'est un poisson très vorace.

🔎 Il y a un *h* après le *n*.

### pirate nom masculin

Un **pirate** était un navigateur qui attaquait les navires pour voler leur chargement.

→ Cherche **corsaire**.

Les pirates attaquent le **navire**.

un **piranha**

### pire adjectif

**Pire** s'emploie à la place de « plus mauvais ». *Son caractère est pire qu'avant.* Contraire : **meilleur**.

### pirogue nom féminin

Une **pirogue** est une barque légère et longue qui est faite dans un tronc d'arbre. *On se déplace souvent en pirogue sur les fleuves d'Afrique.*

### pirouette nom féminin

Une **pirouette** est un tour que l'on fait sur soi-même. *Les acrobates font des pirouettes.*

### pis nom masculin

Le **pis** d'une vache, d'une chèvre, d'une brebis est la partie de la mamelle que les petits tètent.

🔎 Ce mot se termine par un *s*.

### piscine nom féminin

Une **piscine** est un grand bassin qui est installé pour faire de la natation. *Nous apprenons à nager à la piscine.*

🔎 Il y a un *c* après le *s*.

### pissenlit nom masculin

Un **pissenlit** est une plante à fleurs jaunes qui pousse dans les prés. On mange ses feuilles en salade.

▶ Son fruit a des sortes de petits poils qui s'envolent quand on souffle dessus.

**piste** nom féminin

❶ La **piste** d'un aéroport est la longue bande de terrain où les avions décollent et atterrissent.

❷ Une **piste** de ski est une pente couverte de neige où l'on fait du ski.

❸ La **piste** d'un cirque est l'endroit où sont présentés les numéros des artistes. *Les clowns entrent sur la piste.*

❹ La **piste** du gibier, c'est la trace de son passage. *Le chien flaire la piste du lièvre.*

☞ Va voir la planche illustrée ❹ et ❼

**pistolet** nom masculin

Un **pistolet** est une petite arme à feu que l'on tient d'une main. *Le cow-boy a tiré plusieurs coups de pistolet.*

→ Cherche revolver.

**pitié** nom féminin

La **pitié** est le sentiment que l'on a pour une personne ou un animal qui souffre. *J'ai eu pitié d'un chien abandonné et nous l'avons adopté.*

**pitre** nom masculin

Faire le **pitre**, c'est faire rire les autres par ses farces et ses grimaces.

un **pivert**

**pivert** nom masculin

Un **pivert** est un oiseau qui a un plumage vert-jaune sur le corps et rouge sur la tête. Il frappe l'écorce des arbres avec son bec pour faire sortir les insectes qu'il mange.

🔍 On écrit aussi « pic-vert ».

**pizza** nom féminin

Une **pizza** est une tarte salée qui est faite avec des tomates, des olives, du fromage ou d'autres aliments.

🔍 On prononce [pidza].

● Mot de la même famille : pizzeria.

**pizzeria** nom féminin

Une **pizzeria** est un restaurant où l'on mange des pizzas.

🔍 On prononce [pidzerja].

**placard** nom masculin

Un **placard** est un meuble qui sert à ranger toutes sortes d'objets. *Les assiettes sont dans le placard de la cuisine.*

**place** nom féminin

❶ Une **place** est un endroit assez grand où plusieurs rues arrivent. *La mairie se trouve sur la place du village.*

❷ Quand il y a de la **place**, il y a un espace qui n'est pas occupé. *Il reste encore de la place dans ma valise.*

❸ La **place** d'un objet, d'une personne est l'endroit où ils doivent se trouver. *J'ai rangé les livres à leur place. Mettez-vous en place pour le spectacle.*

❹ Une **place** est un siège pour s'asseoir dans un transport en commun ou dans une salle de spectacle. *Dans le train, il restait huit places assises.*

❺ Faire quelque chose à la **place** de quelqu'un, c'est le remplacer. *Léa jouera à la place de Mathieu.*

a b c d e f g h i j k l m n o p q r s t u v w x y z

**⑥ À ta place** signifie : si j'étais toi. *À ta place, je choisirais les baskets rouges.*
● Mot de la même famille : **placer**.

Loan laisse sa **place** à une dame.

**placer** verbe
**Placer** un objet, une personne, c'est les mettre à une place. *Nous plaçons les chaises au milieu de la pièce.* Synonymes : disposer, poser. *La maîtresse place les élèves sur la scène.*

**plafond** nom masculin
Le **plafond** est la surface qui ferme le haut d'une pièce. *Des guirlandes sont suspendues au plafond de la classe.*

**plage** nom féminin
Une **plage** est une étendue de sable ou de galets au bord de la mer, au bord d'une rivière ou d'un lac. *Les enfants ramassent des coquillages sur la plage.*
☞ Va voir la planche illustrée ❸

**plaie** nom féminin
Une **plaie** est une blessure qui a déchiré la peau. *On nettoie les plaies pour qu'elles ne s'infectent pas.*

**plaindre** verbe
**❶ Plaindre** une personne, c'est avoir de la pitié, de la peine pour elle. *Ma sœur a la varicelle, je la plains.*

**❷ Se plaindre**, c'est dire qu'on souffre ou qu'on est malheureux ou mécontent. *Mon cousin est malade, mais il ne se plaint jamais.* Synonyme : gémir. *Cela ne sert à rien de se plaindre du mauvais temps.* Synonyme : se lamenter.
● Mot de la même famille : **plainte**.

**plaine** nom féminin
Une **plaine** est une région au sol plat. *Les plaines sont souvent cultivées.*

**plainte** nom féminin
Une **plainte** est un cri provoqué par la douleur. *On entendait les plaintes des blessés.* Synonyme : gémissement.

**plaire** verbe
**❶ Plaire** à quelqu'un, c'est lui convenir. *Ce pull me plaît.* Contraire : déplaire.
**❷ Se plaire** quelque part, c'est être content d'y être. *Nous nous plaisons beaucoup au bord de la mer.*
**❸ S'il te plaît, s'il vous plaît** sont des formules de politesse que l'on emploie pour demander quelque chose. *S'il te plaît, raconte-moi une histoire !*
● Mot de la même famille : **plaisir**.

**plaisanter** verbe
**Plaisanter**, c'est dire des choses drôles pour amuser les autres. *Sébastien aime bien plaisanter.*
● Mot de la même famille : **plaisanterie**.

**plaisanterie** nom féminin
Une **plaisanterie** est une chose drôle que l'on dit ou que l'on fait pour amuser les autres. *La plaisanterie de Romain nous a fait beaucoup rire.* Synonyme : blague.

**plaisir** nom masculin
Le **plaisir** est l'émotion que l'on ressent quand on est content. *Ta lettre m'a fait un grand plaisir.* Synonyme : joie.

**plan** nom masculin

Un **plan** est un dessin précis qui représente les différentes parties d'un lieu. *J'ai fait le plan de la classe.*

**planche** nom féminin

❶ Une **planche** est une longue plaque de bois. *Le menuisier scie des planches.*

❷ Une **planche à voile** est une sorte de planche en plastique avec un mât et une voile. On se tient debout dessus pour glisser sur l'eau.

❸ Dans un livre, une **planche** est une page d'illustrations sur un sujet. *Je regarde la planche de l'espace.*

❹ **Faire la planche**, c'est flotter sur le dos à la surface de l'eau.
● Mot de la même famille : **plancher.**

La **planche à voile** glisse sur l'eau.

**plancher** nom masculin

Le **plancher** est le sol en planches d'une habitation. *Le chien est couché sur le plancher.* Synonyme : **parquet.**

**planer** verbe

❶ Pour un oiseau, **planer**, c'est voler sans agiter les ailes. *Un aigle plane dans le ciel.*

❷ Pour un avion, **planer**, c'est voler avec le moteur arrêté.
● Mot de la même famille : **planeur.**

**planète** nom féminin

Une **planète** est un astre qui tourne autour du Soleil et qui n'envoie pas de rayons lumineux. *La Terre est une planète.*

▶ Les principales planètes sont : Mercure, Vénus, la Terre, Mars, Jupiter, Saturne, Uranus, Neptune et Pluton.

☞ Va voir la planche illustrée ⑯

la **planète** Terre

**planeur** nom masculin

Un **planeur** est un avion léger et sans moteur qui plane dans l'air. *Au décollage, les planeurs sont tirés par un gros avion.*

**plantation** nom féminin

❶ La **plantation**, c'est l'action de planter. *La plantation des végétaux se fait dans un terrain labouré.*

❷ Les **plantations** sont les végétaux plantés. *La grêle peut détruire les plantations.*

a b c d e f g h i j k l m n o p q r s t u v w x y z

A
B
C
D
E
F
G
H
I
J
K
L
M
N
O
P
Q
R
S
T
U
V
W
X
Y
Z

**plante** nom féminin

❶ Une **plante** est un végétal qui est fixé au sol par des racines. *Les arbres, les légumes, les fleurs, les herbes, les algues sont des* **plantes**.

❷ La **plante du pied** est le dessous du pied. *J'ai marché si longtemps que j'ai mal à la* **plante des pieds**.

**planter** verbe

❶ Planter, c'est mettre en terre une plante pour qu'elle pousse. *Mamie a* **planté** *un rosier*.

❷ Planter un clou, c'est l'enfoncer dans un mur ou dans du bois.

❸ Planter une tente, c'est enfoncer les piquets et installer la tente.

● Mots de la même famille : **plantation, plante**.

Franck **plante** des salades.

**plaque** nom féminin

❶ Une **plaque** est un morceau plat de matière dure. *Le dessus de la cheminée est fait d'une* **plaque** *de marbre. J'ai acheté une* **plaque** *de chocolat*.

❷ Une **plaque** est une tache colorée qui se forme sur la peau. *Le bébé a des* **plaques** *rouges sur le visage*.

**1. plastique** adjectif

La **matière plastique** est une matière artificielle fabriquée à partir du pétrole. Elle sert à faire de nombreux objets. *Ma trousse et mon stylo sont en* **matière plastique**.

**2. plastique** nom masculin

Le **plastique**, c'est la matière plastique. *Nos assiettes de camping sont en* **plastique**.

**1. plat, plate** adjectif

❶ Un terrain **plat** n'a pas de creux ni de bosses et n'est pas en pente. *Pour planter une tente, il faut un terrain* **plat**.

❷ Une assiette **plate** est peu profonde. *On ne mange pas la soupe dans des assiettes* **plates**. Contraire : **creux**.

❸ Un objet, un animal **plat** a une petite épaisseur. *La raie est un poisson* **plat**.

● Mots de la même famille : **plateau, plate-bande**.

**2. plat** nom masculin

❶ Un **plat** est une sorte de grande assiette où l'on met les aliments que l'on sert. *Ma sœur a servi le poulet dans un grand* **plat**.

❷ Un **plat** est un aliment préparé pour être mangé. *Le poulet avec des spaghettis est mon* **plat** *préféré*.

à **plat** adverbe

Poser un objet à **plat**, c'est le poser sur sa surface la plus large. *J'ai posé mon dictionnaire* à **plat**.

**platane** nom masculin

Un **platane** est un grand arbre qui a un feuillage épais et une écorce qui se détache facilement. *On a planté des* **platanes** *dans la cour de l'école*.

☛ Va voir « les arbres », page 26, et « les feuilles », page 280.

**plateau** nom masculin

❶ Un **plateau** est un objet plat qui sert à transporter des aliments ou de la vaisselle. *Le serveur a apporté les boissons sur un plateau.*

❷ Un **plateau** est une région au sol plat qui se trouve en haut d'une colline ou d'une montagne. *De la vallée, nous sommes montés sur le plateau.*

🔎 Au pluriel, on écrit *des plateaux.*

**plate-bande** nom féminin

Une **plate-bande** est une partie d'un jardin qui est plantée de fleurs. Elle est plate, longue et étroite. *On ne marche pas sur les plates-bandes.*

🔎 Au pluriel, on écrit *des plates-bandes.*

**plâtre** nom masculin

Le **plâtre** est une poudre blanche que l'on mélange avec de l'eau et qui durcit quand elle sèche. *Papi a bouché un trou avec du plâtre.*

🔎 Le *a* prend un accent circonflexe.

**1. plein, pleine** adjectif

❶ Quand une chose ou un véhicule sont **pleins**, ils ne peuvent pas contenir davantage. *Mon verre est plein.* Contraire : vide. *L'autocar est plein.* Synonyme : complet. *Le paquet de gâteaux est plein.* Synonyme : entier.

❷ **Plein de** signifie : rempli, couvert de. *Ta chemise est pleine de taches.*

❸ **En pleine nuit, en pleine mer,** c'est au milieu de la nuit, au milieu de la mer. *Le bateau a coulé en pleine mer.* Synonyme : au large.

**2. plein** nom masculin

Faire le **plein**, c'est remplir le réservoir d'essence d'un véhicule.

**3. plein** adverbe

**Plein** signifie : en grande quantité. *Je peux te donner un jeu vidéo, j'en ai plein.* Synonyme : beaucoup. Contraire : peu.

**pleurer** verbe

Pleurer, c'est verser des larmes. *Léa s'est fait mal et elle pleure.* Contraire : rire.

● Mots de la même famille : pleurnicher, pleurs.

**pleurnicher** verbe

Pleurnicher, c'est pleurer sans raison.

**pleurs** nom masculin pluriel

Être **en pleurs**, c'est pleurer. *J'ai trouvé mon petit frère en pleurs.* Synonyme : en larmes.

🔎 Ce mot s'emploie surtout à l'écrit.

**pleuvoir** verbe

Quand **il pleut**, il tombe de l'eau de pluie. *Hier, il a plu tout l'après-midi.*

**pli** nom masculin

Un **pli** est une marque qui reste quand on a plié ou repassé quelque chose. *Papi a un pli à son pantalon.*

● Mots de la même famille : pliage, pliant, plier, plissé.

**pliage** nom masculin

Le **pliage**, c'est le fait de plier du papier pour lui donner une certaine forme. *On fait des pliages pour fabriquer des cocottes en papier.*

Nicolas fait des **pliages**.

a b c d e f g h i j k l m n o p q r s t u v w x y z

A
B
C
D
E
F
G
H
I
J
K
L
M
N
O
P
Q
R
S
T
U
V
W
X
Y
Z

**pliant, pliante** adjectif

Un objet, un meuble **pliant** peut se plier. *Nous avons installé des chaises pliantes.*

**plier** verbe

Plier, c'est ramener sur elles-mêmes les parties d'une matière souple. *Maman plie la nappe.* Contraire : **déplier.**

**plissé, plissée** adjectif

Une jupe **plissée** est une jupe qui a des plis réguliers.

**plomb** nom masculin

Le **plomb** est un métal gris très lourd. *Papi a une collection de soldats de plomb.*

🔎 Le son [ɔ̃] s'écrit *om* devant un *b*. Ce mot se termine par un *b* qu'on ne prononce pas.

● Mot de la même famille : **plombier.**

**plombier** nom masculin

Un **plombier** est une personne qui installe et répare les tuyaux d'eau et de gaz, les appareils de la cuisine et de la salle de bains. C'est un nom de métier.

🔎 Le son [ɔ̃] s'écrit *om* devant un *b*.

**plongée** nom féminin

Faire de la **plongée**, c'est nager sous l'eau pour explorer le fond de la mer ou pour pêcher.

**plongeoir** nom masculin

Un **plongeoir** est un tremplin installé au-dessus de l'eau et qui sert à plonger. *À la piscine, j'ai sauté du grand plongeoir.*

🔎 Il y a un *e* après le *g*.

**plongeon** nom masculin

Un **plongeon** est un saut que l'on fait dans l'eau, la tête et les bras en avant. *Rémi a fait un beau plongeon.*

🔎 Il y a un *e* après le *g*.

**plonger** verbe

❶ Plonger, c'est sauter dans l'eau, la tête la première. *Nous plongeons dans le grand bassin de la piscine.*

❷ Plonger un objet ou une partie du corps, c'est les tremper dans l'eau. *Émilie a plongé son bras dans la cuvette.*

● Mots de la même famille : **plongée, plongeoir, plongeon, plongeur.**

**plongeur** nom masculin
**plongeuse** nom féminin

Un **plongeur**, une **plongeuse** sont des personnes qui font de la plongée. *La plongeuse a enfilé sa combinaison et a mis ses palmes.*

Le **plongeur** explore le fond de la mer.

**plu → plaire**

**pluie** nom féminin

La **pluie** est de l'eau qui tombe des nuages.

● Mot de la même famille : **pleuvoir, pluvieux.**

**plumage** nom masculin

Le **plumage**, c'est l'ensemble des plumes d'un oiseau. *Les corbeaux ont un plumage noir.*

**plume** nom féminin

❶ Les **plumes** sont des tiges avec des sortes de poils, appelés *barbes*. Elles recouvrent le corps des oiseaux et le protègent. *Le canard essuie ses plumes avec son bec.*

❷ Une **plume** est une petite lame de métal qui se trouve au bout d'un stylo. *Franck dessine avec un stylo à plume.*

● Mot de la même famille : **plumage**.

la **plupart** nom féminin

La **plupart** signifie : le plus grand nombre, presque tous. *La plupart des enfants aiment les glaces.*

**pluriel** nom masculin

Un mot est au **pluriel** quand il désigne plusieurs êtres ou plusieurs choses. *La plupart des noms communs prennent un « s » au pluriel.* Contraire : **singulier**.

**plus** adverbe

❶ **Plus** indique une quantité, une valeur plus grande. *Anaïs a lu plus de livres que moi.* Contraire : **moins**. *Mon père travaille beaucoup, mais ma mère travaille plus.* Synonyme : **davantage**.

❷ **Plus** indique une addition, un nombre que l'on ajoute. *Trois plus quatre font sept.* Contraire : **moins**.

❸ **Plus** s'emploie dans une phrase négative. *Il ne neige plus.*

**plusieurs** adjectif pluriel

**Plusieurs** personnes, **plusieurs** choses, c'est plus d'une personne, plus d'une chose. *Pour faire ce puzzle, il m'a fallu plusieurs jours.* Synonyme : **quelques**.

**plutôt** adverbe

**Plutôt** signifie : de préférence. *Ne reste pas tout seul, viens plutôt avec nous.*

🔎 Le o prend un accent circonflexe.

**pluvieux, pluvieuse** adjectif

Une saison **pluvieuse** est une saison où il pleut souvent. *Nous avons eu un été pluvieux.* Contraire : **sec**.

**pneu** nom masculin

Un **pneu** est une enveloppe en caoutchouc qui entoure une roue. *Mon vélo a un pneu crevé.*

🔎 Au pluriel, on écrit *des pneus*.

● Mot de la même famille : **pneumatique**.

**pneumatique** adjectif

Un objet **pneumatique** se gonfle et prend sa forme quand il est rempli d'air. *Le campeur a gonflé son matelas pneumatique.*

**poche** nom féminin

❶ La **poche** d'un vêtement est la partie en forme de sac où l'on peut mettre de petits objets. *Papi met ses clés dans sa poche.*

❷ Un livre de **poche**, une lampe de **poche** sont assez petits pour être transportés.

Juliette a **plusieurs** amis.

a b c d e f g h i j k l m n o p q r s t u v w x y z

**❸** L'argent de **poche** est l'argent pour les petites dépenses personnelles. *Ma tante nous a donné de l'argent de poche.*
● Mot de la même famille : **pochette**.

**pochette** nom féminin
Une **pochette** est un sachet ou une enveloppe qui contient ou qui protège des objets. *Je range les photos dans leur pochette. Ma pochette-surprise est pleine de petits cadeaux et de confiseries.*

**pochoir** nom masculin
Un **pochoir** est une plaque qui a été découpée par endroits en suivant les contours d'un dessin. On passe un pinceau dans la partie vide pour reproduire le dessin. *À Noël, nous faisons des décors au pochoir sur les fenêtres.*

**1. poêle** nom masculin
Un **poêle** est un appareil de chauffage qui fonctionne au bois ou au charbon. *Aujourd'hui, les poêles sont souvent remplacés par les radiateurs.*
🔍 On prononce [pwal], comme « poil ». Le premier e prend un accent circonflexe.

**2. poêle** nom féminin
Une **poêle** est un récipient peu profond qui a un manche et qui sert à faire frire des aliments.
🔍 On prononce [pwal], comme « poil ». Le premier e prend un accent circonflexe.

**poème** nom masculin
Un **poème** est un texte de poésie, écrit généralement en vers. *Romain récite un poème.*

**poésie** nom féminin
**❶** La **poésie** est l'art d'écrire des poèmes. *Mon oncle fait de la poésie.*

**❷** Une **poésie** est un texte écrit en vers. *Nous avons appris une poésie.*
Synonyme : **poème**.
● Mots de la même famille : **poème**, **poète**.

Zohra écrit un **poème**.

**poète** nom masculin
Un **poète** est une personne qui écrit des poèmes, qui fait de la poésie.

**poids** nom masculin
**❶** Le **poids** d'un être ou d'une chose, c'est ce qu'ils pèsent. *Le poids de la table est de cinquante kilos.*
Synonyme : **masse**.
**❷** Le lancer de **poids** est une épreuve d'athlétisme. On doit lancer une boule de métal le plus loin possible.
🔍 Ce mot se termine par un s.

**poignard** nom masculin
Un **poignard** est une arme qui a une lame courte et pointue.

**poignée** nom féminin
**❶** Une **poignée** de choses, c'est la quantité que peut contenir une main fermée.
**❷** La **poignée** d'un objet est la partie qui sert à le tenir. *La poignée de mon cartable est cassée.*

**❸** Donner une **poignée de main**, c'est serrer la main.

Hugo donne une **poignée**
de bonbons à Zoé.

**poignet** nom masculin

Le **poignet** est la partie du corps qui se trouve entre la main et le bras. *Hugo porte une montre au* **poignet**.

**poil** nom masculin

Les **poils** recouvrent le corps de certains animaux et certaines parties du corps humain. *Les lapins ont des* **poils** *très doux. Les cils et les sourcils sont des poils.*
● Mot de la même famille : **poilu**.

**poilu, poilue** adjectif

Un animal **poilu**, une personne **poilue** sont couverts de poils, ont beaucoup de poils.

**poing** nom masculin

Le **poing** est la main fermée. *Dans la bagarre, il a reçu un coup de poing.*

🔎 Ce mot se termine par un *g* qu'on ne prononce pas.
● Mots de la même famille : **poignée**, **poignet**.

**point** nom masculin

**❶** Un **point** est un petit signe rond. *On met un* **point** *sur la lettre « i » et sur la lettre « j ».*

**❷** Un **point** est un signe de ponctuation. *Une phrase se termine par un* **point**.

**❸** Un **point** est l'unité qui sert à compter dans un jeu, un sport, ou à noter un devoir. *Léo a gagné la partie de ping-pong par vingt et un* **points** *à onze.*

**❹** Le **point de départ** est l'endroit d'où l'on est parti. *Nous sommes revenus à notre* **point de départ**.

**❺** Les **points cardinaux** sont les repères qui servent à s'orienter. *Le nord, le sud, l'est et l'ouest sont les quatre points cardinaux.*

**❻** Être **sur le point de** faire quelque chose, c'est être très prêt de le faire. *J'étais* **sur le point de** *partir quand tu es arrivé.*

**❼** Mettre quelque chose **au point**, c'est le préparer, le régler. *Notre spectacle est prêt, nous l'avons mis* **au point**.
● Mot de la même famille : **pointillé**.

**pointe** nom féminin

**❶** La **pointe** est le bout pointu d'un objet. *Je me suis piquée avec la* **pointe** *d'une aiguille.*

**❷** Marcher sur la **pointe des pieds**, c'est marcher sur le bout des pieds pour ne pas faire de bruit.
● Mot de la même famille : **pointu**.

**pointillé** nom masculin

Un **pointillé** est une ligne formée par des petits points. *J'ai découpé l'image en suivant le* **pointillé**.

**pointu, pointue** adjectif

Un objet **pointu** se termine en pointe. *Les crocs des chiens sont* **pointus**.

a b c d e f g h i j k l m n o p q r s t u v w x y z

**pointure** nom féminin

La **pointure** d'une chaussure est le nombre qui indique sa taille. *Ma pointure est le 35.*

**poire** nom féminin

Une **poire** est un fruit de couleur jaune ou verte, de forme ovale et qui a des pépins.

▶ Les poires poussent sur un arbre, le **poirier**.

**poireau** nom masculin

Un **poireau** est un légume allongé qui est blanc à la base et qui a des feuilles vertes. On le mange en soupe, en salade ou en légume.

🔎 Au pluriel, on écrit *des poireaux.*

**pois** nom masculin

❶ Les **petits pois** sont des légumes à grains ronds et verts enfermés dans une gousse.

❷ Un **pois** est un petit rond. *Papi porte une cravate à pois.*

🔎 Ce mot se termine par un *s.*

**poison** nom masculin

Un **poison** est un produit très dangereux, qui peut être mortel. *Les champignons vénéneux contiennent du poison.*

**poisson** nom masculin

❶ Un **poisson** est un animal au corps couvert d'écailles. Il a des nageoires et il vit dans l'eau. *La carpe est un poisson d'eau douce, la sardine, un poisson d'eau de mer.*

❷ Un **poisson d'avril** est une fausse nouvelle qu'on annonce le 1er avril pour faire une farce.

● Mot de la même famille : **poissonnerie**.

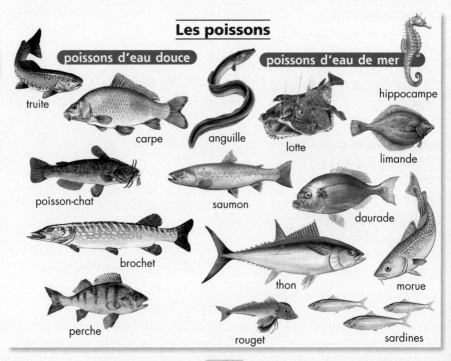

**Les poissons**

poissons d'eau douce

poissons d'eau de mer

hippocampe

truite

carpe

anguille

lotte

limande

poisson-chat

saumon

daurade

brochet

thon

morue

perche

rouget

sardines

**poissonnerie** nom féminin
Une **poissonnerie** est un magasin où l'on peut acheter du poisson, des coquillages et des crustacés.

🔍 Il y a deux *s* et deux *n*.

**poitrine** nom féminin
❶ La **poitrine** est la partie du corps qui se trouve entre le cou et la taille et qui contient le cœur et les poumons. Synonyme : **thorax**.
❷ La **poitrine**, c'est les seins d'une femme.

**poivre** nom masculin
Le **poivre** est une épice en grains qui a un goût piquant. Il sert à assaisonner les plats. *J'ai mis du **poivre** dans la vinaigrette.*
▶ Le poivre provient d'un arbuste des pays chauds, le **poivrier**.

**polaire** adjectif
❶ Les régions, les mers **polaires** se trouvent près des pôles.
❷ Un **ours polaire** est un ours blanc qui vit dans la région d'un pôle.
❸ L'**étoile Polaire** est l'étoile très brillante qui indique la direction du nord.

**pôle** nom masculin
Les **pôles** sont les régions très froides qui se trouvent le plus au nord et le plus au sud de la Terre. *Les pingouins vivent au **pôle** Nord et les manchots au **pôle** Sud.*

🔍 Le *o* prend un accent circonflexe.
● Mot de la même famille : **polaire**.

**poli, polie** adjectif
Être **poli**, c'est bien se tenir, être bien élevé. *On dit « merci » quand on est poli.* Contraires : **impoli**, **mal élevé**, **malpoli**.
● Mots de la même famille : **poliment**, **politesse**.

On trouve des icebergs près des **pôles**.

**police** nom féminin
La **police**, c'est l'ensemble des policiers d'un pays. *La **police** est chargée des enquêtes.*
● Mot de la même famille : **policier**.

**policier** nom masculin
**policière** nom féminin
Un **policier**, une **policière** sont des personnes qui font partie de la police. Elles font respecter les lois et s'occupent de la sécurité de la population. C'est un nom de métier.

**poliment** adverbe
**Poliment** signifie : de manière polie. *Julien s'est excusé **poliment**.*

**polir** verbe
**Polir**, c'est rendre lisse en frottant. *Le menuisier a poli une planche.*

**polisson** nom masculin
**polissonne** nom féminin
Un **polisson**, une **polissonne** sont des enfants turbulents et désobéissants. *Ce **polisson** a encore caché mes clés !*

**politesse** nom féminin
La **politesse**, c'est le fait d'être poli. *« Merci », « pardon », « s'il vous plaît » sont des formules de **politesse**.*

A
B
C
D
E
F
G
H
I
J
K
L
M
N
O
P
Q
R
S
T
U
V
W
X
Y
Z

**politique** nom féminin
La politique est la manière de gouverner un pays.

**pollen** nom masculin
Le pollen est une fine poudre faite de petits grains et qui permet aux plantes de se reproduire. *Le vent et les insectes transportent le pollen.*

🔍 Il y a deux *l*. On écrit *en* mais on prononce [lɛn], comme « laine ».

**pollué, polluée** adjectif
Un lieu pollué contient des produits toxiques dangereux pour la vie et pour la santé. *La rivière est polluée par les égouts.* Contraire : **pur.**

🔍 Il y a deux *l*.
● Mot de la même famille : **pollution.**

**pollution** nom féminin
La pollution, c'est l'ensemble des dégâts que font les produits toxiques dans l'eau et dans l'air. *Ici, la pollution de l'air est due aux usines.*

**pommade** nom féminin
Une pommade est une crème épaisse et grasse qui contient un produit pour soigner ou calmer la douleur. *Mets de la pommade sur tes piqûres de moustique.*

🔍 Il y a deux *m*.

**pomme** nom féminin
Une pomme est un fruit rond jaune, vert ou rouge, qui a des pépins.

▶ Les pommes poussent sur un arbre, le **pommier.**
● Mot de la même famille : **pomme de terre.**

→ Cherche **api** et **reinette.**

**pomme de terre** nom féminin
Une pomme de terre est un légume qui pousse sous la terre. *On peut faire*

*de la purée ou des frites avec des pommes de terre.*

🔍 Au pluriel, on écrit *des pommes de terre.*

**pompe** nom féminin
❶ Une pompe est un appareil qui sert à remplir d'air les pneus d'un véhicule ou un objet gonflable. *J'ai gonflé les pneus de mon vélo avec une pompe.*
❷ Une **pompe à essence** est un appareil qui sert à remplir d'essence le réservoir des véhicules.

🔍 Le son [ɔ̃] s'écrit *om* devant un *p.*

**pompier** nom masculin
Un pompier est un homme qui éteint les incendies et qui vient au secours des personnes qui ont un accident. *On prévient les pompiers quand il y a une fuite de gaz.*

🔍 Le son [ɔ̃] s'écrit *om* devant un *p.*

**pompon** nom masculin
Un pompon est une boule faite avec des fils de laine. *Les marins ont un pompon sur leur béret.*

🔍 Le son [ɔ̃] s'écrit *om* devant un *p.*

**ponctuation** nom féminin
Un signe de ponctuation est un signe que l'on utilise quand on écrit, pour marquer des arrêts ou le ton.

**pondre** verbe
Pondre, c'est faire des œufs. *Les femelles des oiseaux, des poissons et de certains serpents pondent.*

**poney** nom masculin
❶ Un poney est un petit cheval à crinière épaisse.
❷ **Faire du poney,** c'est monter sur le dos d'un poney.

▶ Quand le poney crie, on dit qu'il hennit.

🔍 Ce mot se termine par un *y.*

| | |
|---|---|
| . | *point* |
| ! | *point d'exclamation* |
| ? | *point d'interrogation* |
| ... | *points de suspension* |
| : | *deux-points* |
| , | *virgule* |
| ; | *point-virgule* |

les signes de **ponctuation**

### pont nom masculin

Un **pont** est une construction qui permet de passer au-dessus d'un cours d'eau, d'une route ou d'une voie ferrée.

● Mot de la même famille : **pont-levis**.

→ Cherche **viaduc**.

### pont-levis nom masculin

Un **pont-levis** est un pont qui peut se relever et se baisser au-dessus d'un fossé, à l'entrée d'un château fort. *On relevait le pont-levis pour empêcher les ennemis d'entrer.*

🔎 Ce mot s'écrit avec un trait d'union. Au pluriel, on écrit *des ponts-levis*.

☞ Va voir « le château fort », page 131.

### populaire adjectif

Une personne **populaire** est connue et aimée par beaucoup de monde. *Léo est l'élève le plus populaire de la classe.*

### population nom féminin

La **population**, c'est l'ensemble des habitants d'un pays, d'une ville, d'un quartier. *Notre ville a une population de 10 000 habitants.*

### porc nom masculin

Un **porc** est un mammifère qui a la peau rose ou grise et la queue en tire-bouchon. Synonyme : cochon.

▶ La femelle est la truie, le petit est le **porcelet**. Quand le porc crie, on dit qu'il grogne.

🔎 Ce mot se termine par un c qu'on ne prononce pas. Ne confonds pas avec « un port », pour les bateaux.

● Mot de la même famille : porcherie.

### porcelaine nom féminin

La **porcelaine** est une matière qui sert à fabriquer de la vaisselle et des vases. *Les objets en porcelaine sont fragiles.*

### porc-épic nom masculin

Un **porc-épic** est un rongeur des pays chauds. Il a le dos recouvert de longs piquants.

🔎 On prononce les deux c. Au pluriel, on écrit *des porcs-épics*.

### porcherie nom féminin

Une **porcherie** est un bâtiment qui sert d'abri aux porcs.

un **porc-épic**

A
B
C
D
E
F
G
H
I
J
K
L
M
N
O
**P**
Q
R
S
T
U
V
W
X
Y
Z

**port** nom masculin

Un **port** est un endroit où vont les bateaux pour charger et décharger leur cargaison ou pour embarquer et débarquer les passagers.

🔍 Ne confonds pas avec « le porc », le cochon.

☛ Va voir la planche illustrée ❸

un **port**

**portable** adjectif

Un téléphone, un ordinateur **portables** peuvent être portés.

🔍 On dit aussi « un portable ».

**portail** nom masculin

Un **portail** est une grande porte à l'entrée d'un bâtiment ou d'un parc.

**porte** nom féminin

❶ Une **porte** est un panneau qui sert à fermer une ouverture et qui permet d'entrer et de sortir. *La porte du garage est fermée à clé.*

❷ La **porte** d'un meuble est la partie qui permet de l'ouvrir et de le fermer. *La porte du placard est ouverte.*

❸ **Mettre** une personne **à la porte**, c'est la renvoyer.

● Mots de la même famille : **portail, portière**.

**porte-bagages** nom masculin

Un **porte-bagages** est la partie plate qui se trouve à l'arrière d'une moto ou d'une bicyclette et qui sert à transporter des bagages.

🔍 Ce mot s'écrit avec un trait d'union. Il ne change pas au pluriel : *des porte-bagages*.

**porte-bonheur** nom masculin

Pour les personnes superstitieuses, un **porte-bonheur** est un objet qui porte chance. *Ma sœur pense qu'un fer à cheval est un porte-bonheur.*

🔍 Ce mot s'écrit avec un trait d'union. Il ne change pas au pluriel : *des porte-bonheur*.

→ Cherche **mascotte**.

**porte-clés** nom masculin

Un **porte-clés** est un objet qui sert à porter des clés.

🔍 Ce mot s'écrit avec un trait d'union. Il ne change pas au pluriel : *des porte-clés*. On écrit aussi « porte-clefs ».

**portée** nom féminin

❶ Une **portée** est une série de cinq lignes horizontales qui sert à écrire les notes de musique.

❷ Une **portée**, c'est l'ensemble des petits que porte une femelle dans son ventre et qui naissent en même temps. *La chatte a eu une portée de cinq chatons.*

**portefeuille** nom masculin

Un **portefeuille** est un étui qui sert à ranger des billets de banque et des papiers d'identité.

**portemanteau** nom masculin

Un **portemanteau** est un objet qui sert à suspendre des vêtements. *Nous accrochons nos vêtements aux*

**portemanteaux** *avant d'entrer dans la classe.*

🔍 Au pluriel, on écrit *des portemanteaux.*

→ Cherche **cintre**.

**porte-monnaie** nom masculin

Un **porte-monnaie** est un petit objet qui sert à ranger des pièces de monnaie.

🔍 Ce mot s'écrit avec un trait d'union. Il ne change pas au pluriel : *des porte-monnaie.*

**porter** verbe

❶ **Porter** un objet, une personne, c'est les soulever, supporter leur poids. *Je n'arrive pas à porter ce sac de ciment.*

❷ **Porter** un vêtement, une arme, un bijou, des lunettes, c'est les avoir sur soi. *Simon porte un jean.*

❸ **Porter** un nom, c'est avoir ce nom. *Julie porte le même nom qu'une chanteuse.*

❹ **Se porter bien** ou **se porter mal**, c'est aller bien ou mal.

● Mots de la même famille : **portable, porte-bagages, porte-bonheur, portée, portefeuille,** etc.

Pierre **porte** son petit frère.

**portière** nom féminin

Une **portière** est une porte de voiture ou de train.

**portion** nom féminin

Une **portion** est la quantité de nourriture servie à une personne. *À la cantine, j'ai demandé une deuxième portion de frites.* Synonyme : **part**.

**portique** nom masculin

Un **portique** est une poutre soutenue par des poteaux. On y accroche des balançoires, des anneaux et d'autres objets pour faire de la gymnastique.

Laura se balance sur le **portique**.

**portrait** nom masculin

Un **portrait** est un dessin, une peinture ou une photo qui représentent une personne. *Un peintre a fait le portrait de ma sœur.*

**poser** verbe

❶ **Poser** un objet, une personne, c'est les mettre quelque part. *J'ai posé les assiettes sur la table.* Synonyme : **placer**. *Pose ton petit frère par terre.*

A
B
C
D
E
F
G
H
I
J
K
L
M
N
O
**P**
Q
R
S
T
U
V
W
X
Y
Z

❷ **Poser** une question, c'est demander quelque chose à quelqu'un. *Léa a posé une question à la maîtresse.* Synonyme : interroger.

❸ **Poser** un chiffre, une opération, c'est les écrire.

❹ **Poser**, c'est rester immobile pour être pris en photo. *Les mariés posent devant le photographe.*

❺ Pour un oiseau, **se poser**, c'est cesser de voler et se placer quelque part. *Le moineau s'est posé sur une branche.* Contraire : s'envoler. Pour un avion, **se poser**, c'est cesser de voler et toucher le sol. *L'avion se pose sur la piste.* Synonyme : atterrir. Contraires : décoller, s'envoler.

● Mot de la même famille : **position**.

L'oiseau **s'est posé** sur le bord de la fenêtre.

**position nom féminin**

❶ Une **position** est une manière de se tenir. *J'ai changé de position pour lire.*

❷ La **position** d'une personne est la place qu'elle occupe dans un groupe ou dans une compétition. *Le coureur est arrivé en deuxième position.*

**posséder verbe**

Quand on **possède** une chose, elle est à soi, on en est propriétaire. *Mes grands-parents possèdent une maison de campagne.* Synonyme : avoir.

**possibilité nom féminin**

La **possibilité**, c'est le fait d'être possible. *J'aurai la possibilité de venir te voir demain.*

**possible adjectif**

Ce qui est **possible** peut arriver ou peut se faire. *Faire dix kilomètres à pied en deux heures, c'est possible. Il est possible que je me trompe dans mon addition.* Contraire : impossible.

● Mot de la même famille : **possibilité**.

**postal, postale adjectif**

Une carte **postale**, un colis **postal** sont une carte, un colis envoyés par la poste.

🔎 Au pluriel, on écrit *postaux, postales.*

**1. poste nom féminin**

La **poste** est le bâtiment et l'entreprise où des personnes s'occupent du courrier que l'on envoie et que l'on reçoit. *J'ai expédié un colis par la poste.*

● Mots de la même famille : **postal, poster**.

**2. poste nom masculin**

❶ Un **poste** est un appareil qui permet d'écouter ou de regarder des émissions. *Le poste de radio fonctionne toute la journée à la maison.* Synonymes : radio, transistor. *Le poste de télévision est en panne.* Synonyme : téléviseur.

❷ Un **poste** est un emploi. *Ma tante a un poste d'informaticienne dans une grande entreprise.*

### 1. poster verbe
Poster, c'est mettre à la poste. *J'ai posté une lettre et un colis.* Synonymes : envoyer, expédier.

### 2. poster nom masculin
Un poster est une affiche ou une très grande photo qui sert à décorer un mur. *Romain a des posters de voitures dans sa chambre.*

🔎 Ce mot vient de l'anglais : on écrit *ter* mais on prononce [tɛr], comme « terre ».

### pot nom masculin
Un pot est un récipient qui peut contenir différentes choses. *On a mis des pots de fleurs sur le balcon. J'ai acheté un pot de yaourt.*
● Mots de la même famille : poterie, potier.

### potable adjectif
L'eau potable est l'eau que l'on peut boire sans danger.

### potage nom masculin
Un potage est une soupe de légumes assez légère.
● Mot de la même famille : potager.

### potager nom masculin
Un potager est une partie de jardin où l'on cultive des légumes. *Grand-père fait pousser des haricots dans son potager.*
→ Cherche verger.

### poteau nom masculin
Un poteau est un morceau de bois, de métal ou de ciment qui est planté dans le sol et qui sert de support. *Sur les routes, les poteaux supportent les fils électriques.* Synonyme : pylône.

🔎 Au pluriel, on écrit *des poteaux.*

### potelé, potelée adjectif
Être potelé, c'est avoir des formes rondes. Synonyme : dodu. Contraire : maigre.

La petite Solène est bien potelée.

### poterie nom féminin
❶ La poterie est la fabrication d'objets en terre cuite. *Ma sœur fait de la poterie.*
❷ Une poterie est un objet en terre cuite. *Nous avons exposé nos poteries à la fête de l'école.*

### potier nom masculin
### potière nom féminin
Un potier, une potière sont des personnes qui fabriquent des poteries. C'est un nom de métier.

### potion nom féminin
Une potion était un médicament qui se buvait. *Dans « Harry Potter », le professeur Rogue fabrique une puissante potion magique.*
→ Cherche élixir.

### pou nom masculin
Un pou est un petit insecte sans ailes qui vit dans les cheveux. *Ma petite sœur a attrapé des poux.*
▶ Les œufs de poux sont appelés des lentes.

🔎 Au pluriel, on écrit *des poux*. Ne confonds pas avec « le pouls ».

a b c d e f g h i j k l m n o p q r s t u v w x y z

**poubelle** nom féminin

Une **poubelle** est un récipient où l'on met les ordures et toutes les choses que l'on jette.

**pouce** nom masculin

Le **pouce** est le doigt de la main qui est le plus gros et le plus court. *Mon petit frère suce son pouce.*

☞ Va voir « les doigts », page 217.

**poudre** nom féminin

❶ La **poudre** est une matière moulue en grains très fins. *Je mets du sucre en poudre sur les fraises.*

❷ La **poudre** est un explosif que l'on utilise dans les armes à feu et les feux d'artifice.

**poulailler** nom masculin

Un **poulailler** est une cabane qui sert d'abri aux poules.

**poulain** nom masculin

Un **poulain** est un jeune cheval. C'est le petit de la jument et du cheval.

**poule** nom féminin

Une **poule** est un oiseau de basse-cour qui a des ailes courtes et une petite

un **poulain**

crête sur la tête. *Les poules pondent des œufs.*

▶ C'est une volaille. Le mâle est le coq. Le petit est le poussin, qui devient ensuite un poulet. Quand la poule crie, on dit qu'elle **caquette** ou qu'elle **glousse**.

● Mots de la même famille : **poulailler, poulet.**

**poulet** nom masculin

Un **poulet** est un jeune coq ou une jeune poule.

▶ Quand le poulet crie, on dit qu'il **piaule**.

**pouls** nom masculin

Prendre le **pouls** d'une personne, c'est mettre un doigt sur son poignet pour sentir et compter les battements de son cœur.

🔍 Ce mot se termine par un *l* et un *s* qu'on ne prononce pas. Ne confonds pas avec « le pou », l'insecte.

**poumon** nom masculin

Les **poumons** sont les deux organes qui se trouvent dans la poitrine et qui servent à respirer.

**poupée** nom féminin

Une **poupée** est un jouet qui ressemble à un enfant ou à une grande personne. *Anaïs joue à la poupée.*

Lola a habillé sa **poupée.**

## pour préposition

Pour est un petit mot qu'on emploie pour donner différentes indications. *J'ai acheté des fleurs pour maman. Je pars tôt pour arriver à l'heure. Je prépare mes affaires pour demain. Il a eu une amende pour excès de vitesse. Elle est grande pour son âge.*

## pourboire nom masculin

Un **pourboire** est une somme d'argent qu'un client donne en plus du prix à payer. *Papi a laissé un pourboire au serveur.*

🔎 « Pourboire » est un nom masculin qui se termine par un e.

## pourquoi adverbe

Pourquoi signifie : pour quelle raison. *Je ne sais pas pourquoi elle pleure. Pourquoi ris-tu ?*

## pourrir verbe

Pourrir, c'est s'abîmer, devenir mauvais. *Les fruits commencent à pourrir.*

🔎 Il y a deux r au milieu du mot.

## poursuite nom féminin

La **poursuite**, c'est l'action de poursuivre. *Le chien court à la poursuite du chat.*

## poursuivre verbe

Poursuivre quelqu'un, un animal, un véhicule, c'est courir derrière pour essayer de l'attraper. *Le chat poursuit la souris.*

● Mot de la même famille : **poursuite**.

## pourtant adverbe

Pourtant signifie : malgré cela. *Franck est malade, pourtant il est venu.* Synonyme : **cependant**.

## pourvu que conjonction

Pourvu que exprime un souhait, un désir. *Pourvu que la fête soit réussie !*

## pousse nom féminin

Une **pousse** est une plante qui commence à pousser. *Au printemps, les arbres font de nouvelles pousses.*

➜ Cherche **bourgeon et germe**.

## pousser verbe

❶ Pousser, c'est appuyer devant soi ou déplacer avec un effort. *La porte est lourde et je dois pousser fort pour l'ouvrir. Le jardinier pousse la brouette.* Contraire : **tirer**. *Elle m'a poussé et j'ai failli tomber.* Synonyme : **bousculer**.

❷ Pousser un cri, un hurlement, c'est le faire entendre. *Julien a poussé un cri en voyant un rat.*

❸ Pousser, c'est grandir, se développer. *L'herbe a beaucoup poussé. Anaïs a une dent qui pousse.* Synonyme : **percer**.

● Mots de la même famille : **pousse, poussette**.

## poussette nom féminin

Une **poussette** est une petite voiture d'enfant que l'on pousse.

➜ Cherche **landau**.

Romain pousse la **poussette**.

A
B
C
D
E
F
G
H
I
J
K
L
M
N
O
P
Q
R
S
T
U

## poussière nom féminin

La **poussière** est une matière faite de minuscules grains de terre ou de saleté. Elle est dans l'air et se dépose sur les objets et le sol. *On passe l'aspirateur pour enlever la* **poussière**.
● Mot de la même famille : **poussiéreux**.

Les meubles du grenier sont couverts de **poussière**.

## poussiéreux, poussiéreuse adjectif

Un objet, un meuble, un sol **poussiéreux** est couvert de poussière.

## poussin nom masculin

Le **poussin** est le petit de la poule et du coq. *Quand ils grandissent, les poussins deviennent des poulets.*

des **poussins**

## poutre nom féminin

❶ Une **poutre** est un morceau de bois épais et long qui sert à soutenir un toit ou un plafond. *Les poutres du grenier sont abîmées.*

❷ Une **poutre** sert à faire des exercices de gymnastique.

## 1. pouvoir verbe

**Pouvoir** faire quelque chose, c'est en avoir la possibilité, les capacités, l'autorisation. *Je voulais passer chez toi, mais je n'ai pas pu. Je peux nager sous l'eau. Maintenant, vous pouvez aller jouer dehors.*

## 2. pouvoir nom masculin

❶ Avoir le **pouvoir** de faire quelque chose, c'est en avoir la possibilité, en être capable. *Les êtres humains ont le pouvoir de parler.*

❷ Avoir un **pouvoir** (ou des **pouvoirs**) sur quelqu'un, c'est avoir de l'autorité et une grande influence. *Le maître avait tous les pouvoirs sur ses esclaves.*

❸ Prendre le **pouvoir**, c'est gouverner un pays. *Des militaires ont pris le pouvoir dans ce pays.*

## prairie nom féminin

Une **prairie** est un terrain couvert d'herbe. *J'ai cueilli des pâquerettes dans la prairie.* Synonyme : **pré**.

## pratique adjectif

Un objet **pratique** est facile à utiliser. *Ce sac est pratique avec toutes ses poches.* Synonyme : **commode**.

## pré nom masculin

Un **pré** est un terrain couvert d'herbe. *Un troupeau de vaches broute dans le pré.* Synonyme : **prairie**.

**préau** nom masculin

Le **préau** d'une école est la partie couverte de la cour. C'est aussi la grande salle qui se trouve au rez-de-chaussée.

🔍 Au pluriel, on écrit *des préaux*.

**précaution** nom féminin

Une **précaution**, c'est ce qui permet d'éviter un danger ou un ennui. *Je soulève le couvercle de la marmite avec précaution. J'ai pris un imperméable par précaution.*

**précédent, précédente** adjectif

L'année **précédente**, c'est l'année qui était juste avant l'année où nous sommes. *Cet été, je vais en colonie de vacances comme l'année précédente.* Synonyme : dernier. Contraires : prochain, suivant.

● Mot de la même famille : précéder.

**précéder** verbe

Précéder, c'est venir devant ou avant. *Raphaël marche plus vite que moi, il me précède.* Contraire : suivre. *Lundi est le jour qui précède mardi.* Contraires : succéder à, suivre.

**précieusement** adverbe

Précieusement signifie : avec un grand soin, comme s'il s'agissait d'une chose précieuse. *Je garde précieusement tes dessins.*

**précieux, précieuse** adjectif

Un objet **précieux** a une grande valeur, un grand prix. *L'or et l'argent sont des métaux précieux.*

● Mot de la même famille : précieusement.

**précipice** nom masculin

Un **précipice** est un trou très profond qui descend à pic au bord d'une route. Synonyme : ravin.

Il est au bord du **précipice**.

**se précipiter** verbe

Se précipiter, c'est venir en courant. *Les journalistes se sont précipités vers l'actrice.* Synonymes : accourir, s'élancer, se ruer.

**précis, précise** adjectif

❶ Un renseignement **précis**, une explication **précise** sont clairs et donnent des détails. *On m'a donné des informations précises sur les cours de judo.* Contraire : vague.

❷ Un geste **précis** est bien fait du premier coup et sans hésitation. *Les chirurgiens opèrent avec des gestes précis.* Contraire : maladroit.

❸ Un endroit **précis**, une heure **précise** sont exacts. *Elle a montré l'endroit précis de l'accident.*

● Mots de la même famille : préciser, précision.

**préciser** verbe

Préciser, c'est dire de manière précise. *Peux-tu nous préciser le jour et l'heure de ton arrivée ?*

**précision** nom féminin

❶ La **précision**, c'est le fait d'être précis. *Ma sœur m'a indiqué le chemin avec précision.*

*a b c d e f g h i j k l m n o p q r s t u v w x y z*

**❷** Une **précision** est une indication qui précise, qui complète ce que l'on a dit. *La maîtresse nous donne des précisions sur le spectacle que nous allons voir.*

**précoce** adjectif

**❶** Une saison **précoce** arrive plus tôt que d'habitude. *Cette année, l'hiver est précoce.*

**❷** Un enfant **précoce** est en avance pour son âge. *Un enfant qui sait lire, écrire et compter à cinq ans est un enfant précoce.*

**prédire** verbe

**Prédire**, c'est dire à l'avance ce qui va arriver, le prévoir. *J'avais prédit que notre équipe gagnerait.*

**préféré, préférée** adjectif

Un objet **préféré**, une personne **préférée** sont ceux que l'on préfère. *Quel est ton dessin animé préféré ?* Synonyme : **favori**.

**préférence** nom féminin

La **préférence**, c'est le fait de préférer une personne ou une chose aux autres. *Audrey a une préférence pour les glaces au chocolat.*

**préférer** verbe

**Préférer**, c'est aimer mieux. *« Le Roi et l'Oiseau » est le dessin animé que je préfère.*

● Mots de la même famille : **préféré**, **préférence**.

**préhistoire** nom féminin

La **préhistoire** est la période la plus ancienne de l'histoire, avant l'invention de l'écriture.

● Mot de la même famille : **pré-historique**.

**préhistorique** adjectif

Un animal, un objet **préhistorique** appartient au temps de la préhistoire. *Les animaux préhistoriques existaient bien avant les hommes préhistoriques.*

un homme **préhistorique**

**premier, première** adjectif

Être **premier**, c'est venir avant les autres. *Marie est première en sport.* *Le 1er janvier est le premier jour de l'année.* Contraire : **dernier**.

**prendre** verbe

**❶** **Prendre**, c'est mettre dans sa main. *Je prends un stylo.* Synonyme : **saisir**. Contraire : **lâcher**.

**❷** **Prendre**, c'est attraper, capturer. *Le pêcheur a pris un poisson. La souris est prise au piège.*

**❸** **Prendre**, c'est enlever quelque chose à quelqu'un. *Le cambrioleur a pris des bijoux.* Synonyme : **voler**.

**❹** **Prendre**, c'est boire ou manger. *Le matin, nous prenons un jus d'orange et une tartine.*

**❺** **Prendre** un moyen de transport, c'est l'utiliser. *Solène prend l'autobus.*

**❻** Quand un feu **prend**, il commence à brûler. *Le feu a pris dans la cave.*

**⑦ S'y prendre**, c'est agir d'une certaine manière. *Zoé s'y prend bien avec les animaux.*

● Mot de la même famille : **prise**.

**prénom** nom masculin

Le **prénom** d'une personne est son premier nom. Il vient avant le nom de famille. *Je m'appelle Simon Bousquet : Simon est mon prénom.*

🔎 Dans ce mot, le son [ɔ̃] s'écrit *om*.

➜ Cherche **nom**.

**préparation** nom féminin

Une **préparation** est le travail que l'on fait pour préparer quelque chose. *Nous nous sommes occupés de la préparation du repas.*

**préparatoire** adjectif

En France, le cours **préparatoire** est la première classe de l'école primaire. C'est la classe qui vient avant le cours élémentaire.

**préparer** verbe

**Préparer** une chose, c'est l'organiser et faire ce qu'il faut pour qu'elle soit prête. *Nous avons préparé un spectacle.*

● Mots de la même famille : **préparation, préparatoire**.

Elles **préparent** le repas.

**préposition** nom féminin

Une **préposition** est un mot invariable qui réunit d'autres mots. *« De », « dans », « sur », « chez », « pour » sont des prépositions.*

**près** adverbe

**❶ Près** signifie : à une petite distance. *La piscine est près de l'école.* Synonyme : **à côté de**. Contraire : **loin**. *L'infirmière reste près du malade.* Synonyme : **auprès**.

**❷ À peu près** signifie : presque. *Alexandra et Antoine ont à peu près le même âge. Il est à peu près 10 heures.* Synonyme : **environ**. Contraires : **exactement, juste**.

➜ Cherche **proche**.

**présence** nom féminin

La **présence**, c'est le fait d'être là. *Nous comptons sur ta présence pour la fête de l'école.* Contraire : **absence**.

**1. présent, présente** adjectif

**❶** Être **présent**, c'est être là. *Tous les élèves sont présents.* Contraire : **absent**.

**❷** Le moment **présent** est le moment qui se passe maintenant. Contraires : **futur, passé**.

● Mot de la même famille : **présence**.

**2. présent** nom masculin

**❶** Le **présent** est la période qui se passe maintenant. *Si tu penses trop au passé ou à l'avenir, tu ne profites pas du présent.* Contraires : **avenir, futur, passé**.

**❷** Le **présent** est un temps que l'on emploie quand une action a lieu maintenant. *Dans la phrase « Je vais à l'école », le verbe « aller » est au présent.*

➜ Cherche **futur, imparfait** et **passé**.

a b c d e f g h i j k l m n o p q r s t u v w x y z

A
B
C
D
E
F
G
H
I
J
K
L
M
N
O
**P**
Q
R
S
T
U
V
W
X
Y
Z

**présentateur** nom masculin
**présentatrice** nom féminin
Un **présentateur**, une **présentatrice** sont des personnes qui présentent une émission ou un spectacle. C'est un nom de métier.

**présentation** nom féminin
❶ La **présentation**, c'est la manière de présenter. *Le libraire a fait une nouvelle présentation de ses livres.*
❷ Faire les **présentations**, c'est présenter des personnes les unes aux autres.

**présenter** verbe
❶ **Présenter** des objets, c'est les disposer pour les montrer au public. *Le vendeur présente les nouveaux modèles dans la vitrine.*
❷ **Présenter** un programme, des informations, un spectacle, c'est les annoncer.
❸ **Présenter** une personne, c'est dire son nom pour la faire connaître. *Le directeur nous a présenté le nouveau maître.*
● Mots de la même famille : **présentateur, présentation**.

**président** nom masculin
**présidente** nom féminin
❶ Le **président** de la République est le chef de l'État. *En France, le président de la République est élu pour cinq ans.*
❷ Un **président**, une **présidente** sont des personnes qui dirigent un groupe ou une réunion. *La présidente de l'association a demandé le silence.*

**presque** adverbe
**Presque** signifie : pas tout à fait. *J'ai presque terminé mon travail.* Synonyme : **à peu près.**

**presqu'île** nom féminin
Une **presqu'île** est une terre entourée d'eau presque de tous les côtés.

🔍 Le *i* prend un accent circonflexe.
→ Cherche **île.**

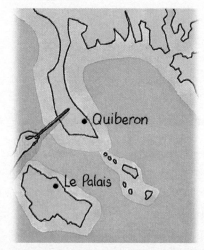
la **presqu'île** de Quiberon

**pressé, pressée** adjectif
❶ Quand une personne est **pressée**, elle se dépêche, elle a quelque chose d'urgent à faire.
❷ Quand une personne est **pressée** de faire quelque chose, elle a hâte de le faire. *Je suis pressée de revoir mes cousins.* Synonyme : **impatient.**

Le papa de Laura est **pressé**.

## 1. presser verbe
Presser un fruit, c'est appuyer dessus pour faire sortir le jus.

## 2. se presser verbe
Se presser, c'est faire vite. *Elle se presse de partir pour ne pas rater l'avion.* Synonyme : se dépêcher.
● Mot de la même famille : pressé.

## prestidigitateur nom masculin
## prestidigitatrice nom féminin
Un prestidigitateur, une prestidigitatrice sont des personnes qui font des tours de magie. C'est un nom de métier. Synonymes : illusionniste, magicien.

## prêt, prête adjectif
❶ Quand une chose est prête, sa préparation est terminée. *Le dîner est prêt.*
❷ Quand une personne est prête, elle a fini de se préparer. *Je suis prête à partir.*
🔎 Le e prend un accent circonflexe.

Simon est prêt à partir.

## prétentieux, prétentieuse adjectif
Une personne prétentieuse est fière d'elle-même et se croit supérieure aux autres. *Ton frère n'arrête pas de se vanter, il est vraiment prétentieux !* Synonyme : orgueilleux. Contraire : modeste.
🔎 On écrit *ti* mais on prononce [si].

## prêter verbe
Prêter quelque chose à une personne, c'est lui permettre de l'utiliser à condition qu'elle le rende. *Rémi m'a prêté un jeu vidéo.*
🔎 Le premier e prend un accent circonflexe.
→ Cherche emprunter.

## prétexte nom masculin
Un prétexte est une fausse raison que l'on donne. *Elle dit qu'elle a mal au ventre, mais c'est un prétexte pour ne pas sortir.*

## prêtre nom masculin
Dans la religion catholique, un prêtre est un homme qui dirige les cérémonies religieuses.
🔎 Le premier e prend un accent circonflexe.
→ Cherche imam, pasteur et rabbin.

## preuve nom féminin
Une preuve, c'est ce qui permet de montrer que quelque chose est vrai, de le prouver. *Nous avons la preuve que cette personne est innocente.*

## prévenir verbe
Prévenir, c'est faire savoir à l'avance. *Julien nous a prévenus qu'il arriverait plus tard.* Synonymes : avertir, informer.

## prévoir verbe
❶ Prévoir, c'est savoir à l'avance qu'une chose se produira. *Les scientifiques avaient prévu le tremblement de terre.*
❷ Prévoir, c'est décider et organiser. *Tout est prévu pour votre séjour chez nous.*

## prier verbe
❶ Prier, c'est s'adresser à Dieu. *Les catholiques vont prier à l'église.*
❷ Prier une personne de faire quelque chose, c'est le lui demander en insistant. *Je vous prie de rester tranquille.*
● Mot de la même famille : prière.

a
b
c
d
e
f
g
h
i
j
k
l
m
n
o
p
q
r
s
t
u
v
w
x
y
z

A

**prière** nom féminin

❶ Une **prière** est un ensemble de paroles que l'on adresse à Dieu.

❷ **Prière de** signifie : il est demandé de. « *Prière de ne pas déranger* ».

**primaire** adjectif

En France, l'école **primaire** accueille les élèves après l'école maternelle. *À six ans, on entre à l'école primaire.*
Synonyme : élémentaire.

**primevère** nom féminin

Une **primevère** est une fleur de couleur blanche, rouge ou jaune, qui pousse au début du printemps dans les prés et dans les bois.

**prince** nom masculin

Un **prince** est le fils d'un roi ou d'un empereur.

**princesse** nom féminin

Une **princesse** est la fille d'un roi, d'un empereur ou la femme d'un prince.

**1. principal, principale** adjectif

La partie **principale**, c'est la partie la plus importante. *Tu as manqué la partie principale du film.*
Synonyme : essentiel.

🔎 Au pluriel, on écrit *principaux, principales*.

**2. principal** nom masculin

Le **principal**, c'est la chose la plus importante. *Tu n'as pas été blessé dans l'accident, c'est le principal.*

**principe** nom masculin

Un **principe** est une règle de conduite que l'on se donne. *J'ai pour principe de ne jamais me décourager.*

**printemps** nom masculin

Le **printemps** est la saison de l'année qui vient après l'hiver et avant l'été. Il commence le 20 ou le 21 mars et finit le 21 ou le 22 juin.

🔎 Ce mot se termine par un *s*.

☞ Va voir « les saisons », page 607.

**prioritaire** adjectif

Un véhicule **prioritaire** a la priorité sur les autres véhicules. *Une ambulance est un véhicule prioritaire.*

**priorité** nom féminin

Avoir la **priorité**, c'est avoir le droit de passer avant les autres. *Les voitures de pompiers, les ambulances et les voitures de police ont la priorité.*

● Mot de la même famille : **prioritaire**.

**pris** ➜ **prendre**

**prise** nom féminin

❶ Une **prise** de courant est reliée à une ligne électrique et sert à brancher un appareil.

❷ Faire une **prise** de sang, c'est prendre un peu de sang dans une seringue pour l'analyser.

❸ Une **prise** de judo est une manière de prendre, de saisir son adversaire.

**prison** nom féminin

Une **prison** est un établissement où l'on enferme les personnes condamnées et les personnes qui vont être jugées.

● Mot de la même famille : **prisonnier**.

**prisonnier** nom masculin
**prisonnière** nom féminin

Un **prisonnier**, une **prisonnière** sont des personnes que l'on a enfermées dans une prison.

**privé, privée** adjectif

❶ Un lieu **privé** est un lieu qui appartient à quelqu'un et qui n'est pas ouvert au public. *On ne peut pas entrer : c'est un jardin privé.* Contraire : **public**.

**❷** Une école **privée** est une école qui n'appartient pas à l'État. Contraire : public.

**priver** verbe
Priver une personne de quelque chose, c'est l'empêcher de l'avoir, d'en profiter. *Mes parents m'ont privé de télévision.*

Adrien **est privé** de dessert.

**prix** nom masculin
**❶** Le **prix** d'une chose, c'est ce qu'elle coûte. *Quel est le prix de ce jeu ?*
**❷** Un **prix** est une récompense. *Franck a gagné le premier prix à un concours.*
**❸** À tout prix signifie : quels que soient les efforts à faire. *J'ai perdu mes lunettes, il faut que je les retrouve à tout prix.*
🔍 Ce mot se termine par un *x*. Il ne change pas au pluriel : *des prix.*

**probable** adjectif
Ce qui est **probable** est presque sûr. *«Tu crois que l'histoire finit bien ? – C'est probable.»* Contraire : impossible.
● Mot de la même famille : probablement.

**probablement** adverbe
Probablement signifie : sans doute. *Il va probablement pleuvoir.*
Synonymes : certainement, sûrement.

**problème** nom masculin
**❶** Un **problème** est un exercice de calcul où l'on doit trouver la solution.
**❷** Avoir un **problème** (ou des **problèmes**), c'est avoir une ou plusieurs difficultés à résoudre. *Mes parents ont des problèmes d'argent.* Synonymes : ennui, souci.

**procès** nom masculin
Un **procès** est une réunion dans un tribunal, où l'on juge une personne accusée d'un crime ou d'un vol.
🔍 Ce mot se termine par un *s*.
➜ Cherche avocat et juge.

**prochain, prochaine** adjectif
L'année **prochaine**, c'est l'année qui viendra après l'année où nous sommes. *L'année prochaine, je ferai du judo.* Synonyme : suivant.
Contraires : dernier, précédent.
● Mot de la même famille : proche.

**proche** adjectif
**❶** Ce qui est **proche** est situé à une petite distance. *La gare est proche de la maison.*
**❷** Ce qui est **proche** va bientôt arriver ou est arrivé depuis peu de temps. *Les vacances sont proches.*

**prodige** nom masculin
Un **prodige** est un événement extraordinaire que l'on ne peut pas expliquer. *Hans le joueur de flûte était un véritable magicien qui faisait des prodiges.* Synonyme : miracle.

**produire** verbe
**❶** Produire quelque chose, c'est le fabriquer de façon naturelle ou par le travail. *Les abeilles produisent le miel et la cire.* Synonyme : faire. *Le pommier produit des pommes.* Synonyme : donner. *Cette usine produit des appareils électriques.*

❷ **Produire** quelque chose, c'est en être la cause. *Les éclairs sont produits par la foudre.*

❸ **Se produire**, c'est avoir lieu. *L'accident s'est produit hier soir.* Synonyme : arriver.

● Mot de la même famille : **produit**.

**produit** nom masculin
❶ Un **produit** est une chose donnée par la nature ou fabriquée. *Le blé est un produit agricole. Les lessives sont des produits industriels.*
❷ Le **produit** est le résultat d'une multiplication. *Douze est le produit de six multiplié par deux.*

**professeur** nom masculin
❶ Un **professeur** est une personne qui fait la classe à des élèves, qui donne des cours. C'est un nom de métier. *Monsieur Vilar est professeur de français dans un collège. Mon professeur de danse s'appelle Marion.*
❷ Un **professeur des écoles** est une personne qui enseigne dans une école maternelle ou élémentaire. C'est un nom de métier. *Mademoiselle Mourey est professeur des écoles.* Synonymes : instituteur, maître.

**profession** nom féminin
Une **profession** est un travail que l'on fait pour gagner sa vie. *La profession d'infirmière plaît beaucoup à Marie.* Synonyme : métier.
● Mot de la même famille : **professionnel**.

**1. professionnel, professionnelle** adjectif
❶ Une faute **professionnelle** est une faute faite dans sa profession, dans son travail.
❷ Un lycée **professionnel** est un lycée qui prépare les élèves à une profession.

**2. professionnel** nom masculin
**professionnelle** nom féminin
Un **professionnel**, une **professionnelle** sont des sportifs de profession. *Mon cousin est un professionnel du football.* Contraire : amateur.

**profil** nom masculin
Le **profil** d'une personne est son visage vu de côté. Une photo **de profil** est une photo qui montre le côté d'une personne. Contraires : de dos, de face.

Alice préfère sa photo **de profil**.

**profiter** verbe
Profiter d'une situation, c'est l'utiliser à son avantage. *Mes grands-parents profitent de leur retraite pour voyager.*

**profond, profonde** adjectif
Ce qui est **profond** a un fond éloigné de la surface. *Ce lac est profond.*
● Mots de la même famille : profondément, profondeur.

**profondément** adverbe
❶ Creuser **profondément**, c'est creuser à une grande profondeur.
❷ Respirer **profondément**, c'est respirer très fort.

Ici, la neige est **profonde**.

**profondeur** nom féminin
La **profondeur** d'une chose est sa dimension dans le sens vertical, à partir du haut. *Ce lac a une grande profondeur.*

**programme** nom masculin
❶ Un **programme** de télévision ou de radio est la liste des émissions. *Qu'y a-t-il ce soir au programme de la télévision ?*
❷ Le **programme** d'une classe, c'est l'ensemble des choses que l'on apprend. *Les additions et les soustractions sont au programme.*
❸ Le **programme** d'une personne, c'est l'ensemble des activités qu'elle a l'intention de faire. *Quel est ton programme pour aujourd'hui ?* Synonyme : **emploi du temps.**

**progrès** nom masculin
Un **progrès**, c'est un changement en mieux. *J'ai fait des progrès en français.*

🔎 Ce mot se termine par un *s*.
● Mot de la même famille : **progresser.**

**progresser** verbe
Progresser, c'est faire des progrès, réussir mieux qu'avant. *Le moniteur de ski pense que je peux progresser.* Synonyme : **s'améliorer.**

**proie** nom féminin
❶ Une **proie** est un être vivant qu'un animal a capturé pour se nourrir. *Le tigre s'est jeté sur sa proie.*
❷ Un **oiseau de proie** est un oiseau qui se nourrit d'animaux vivants. *L'aigle, le hibou et le vautour sont des oiseaux de proie.* Synonyme : **rapace.**

**projecteur** nom masculin
❶ Un **projecteur** est une grosse lampe qui envoie une lumière très forte. *Au théâtre, la scène est éclairée par des projecteurs.*
❷ Un **projecteur** est un appareil qui sert à projeter des films ou des diapositives sur un écran.

**projectile** nom masculin
Un **projectile** est un objet qu'on lance à la main ou avec une arme. *Les flèches sont des projectiles.*

🔎 « Projectile » est un nom masculin qui se termine par un *e.*

**projection** nom féminin
La **projection**, c'est l'action de projeter. *J'ai assisté à la projection d'un film.*

**projet** nom masculin
Un **projet** est une chose que l'on projette de faire, que l'on a l'intention de faire. *Ma sœur a des projets de voyage.*

**projeter** verbe
❶ Projeter, c'est jeter avec force. *Le choc m'a projeté contre le mur.*

a b c d e f g h i j k l m n o p q r s t u v w x y z

**❷ Projeter** de faire quelque chose, c'est avoir l'intention de le faire. *Mes frères projettent de partir camper.*

**❸ Projeter** des images, c'est les faire apparaître sur un écran avec un projecteur. *Demain, papi projettera ses diapositives de vacances.*
● Mots de la même famille : projecteur, projet.

### prolonger verbe
Prolonger, c'est augmenter la durée ou la longueur de quelque chose. *Nous prolongeons nos vacances d'une semaine. La rue a été prolongée jusqu'à la mer.*

### promenade nom féminin
Faire une **promenade**, c'est se promener. *Nous faisons une promenade dans le bois.*

### promener verbe
Promener une personne, c'est la sortir pour qu'elle prenne l'air, pour qu'elle se distraie. *Madame Florent promène son petit-fils. Le dimanche, nous nous promenons dans la forêt.*
● Mot de la même famille : promenade.

Ils **se promènent** en famille.

### promesse nom féminin
Une **promesse** est une chose que l'on promet. *Chloé a tenu sa promesse.*

### promettre verbe
Promettre, c'est dire qu'on va faire quelque chose. *Alexis a promis de me prêter son baladeur.* Synonyme : s'engager à.
● Mot de la même famille : promesse.
→ Cherche jurer.

### pronom nom masculin
Un **pronom** est un mot qui remplace un nom. *« Je », « moi », « se » sont des pronoms.*
🔍 Le son [ɔ̃] s'écrit *om.*

### prononcer verbe
Prononcer, c'est faire entendre en parlant. *La directrice de l'école a prononcé un discours. On prononce le « s » de « bus ».*
● Mot de la même famille : prononciation.

### prononciation nom féminin
La **prononciation** est la manière de prononcer un mot, de faire entendre les sons. *« Faim » et « fin » ont la même prononciation.*
→ Cherche phonétique.

### proposer verbe
Proposer quelque chose à quelqu'un, c'est lui présenter une idée et lui laisser le choix. *Tes parents m'ont proposé de rester dîner.*
● Mot de la même famille : proposition.

### proposition nom féminin
Une **proposition**, c'est ce qu'on propose. *J'accepte ta proposition avec plaisir.*

### propre adjectif
Une personne, une chose **propre** a été lavée, nettoyée. *Mes cheveux*

*sont* **propres**. Synonyme : **net**.
Contraires : **dégoûtant, sale**.
● Mots de la même famille :
**proprement, propreté**.

Julien a les mains **propres**.

**proprement** adverbe
**Proprement** signifie : d'une façon
propre. *Ma petite sœur mange
proprement*. Contraire : **salement**.

**propreté** nom féminin
La **propreté**, c'est l'état d'une
personne ou d'une chose propre. *Notre
classe est d'une grande propreté*.
Contraire : **saleté**.

**propriétaire** nom masculin et nom
féminin
Un **propriétaire**, une **propriétaire** sont
des personnes qui possèdent une chose.
*Connais-tu le propriétaire de ce studio ?*
➔ Cherche **locataire**.

**propriété** nom féminin
❶ La **propriété**, c'est le fait d'appartenir
à quelqu'un. *La voiture des pompiers
est la propriété de la ville*.
❷ Une **propriété** est une grande
maison avec un terrain que l'on
possède. *Mes grands-parents ont une
propriété à la campagne*.
● Mot de la même famille :
**propriétaire**.

**prospectus** nom masculin
Un **prospectus** est une feuille imprimée
qui est distribuée gratuitement pour
faire de la publicité.
🔍 Ce mot se termine par un *s* qu'on
prononce.

**protection** nom féminin
❶ La **protection**, c'est l'action de
protéger. *Des associations s'occupent
de la protection de l'environnement*.
❷ Une **protection**, c'est ce qui protège.
*Un anorak est une bonne protection
contre le froid*.

**protège-cahier** nom masculin
Un **protège-cahier** est une couverture
qui sert à protéger un cahier.
🔍 Ce mot s'écrit avec un trait d'union.
Au pluriel, on écrit *des protège-cahiers*.

**protéger** verbe
❶ **Protéger** quelqu'un, un animal,
c'est le défendre contre une attaque,
un danger. *Le garde du corps protège
le président de la République*.
❷ **Protéger** quelqu'un, c'est le mettre
à l'abri d'un risque. *Ton imperméable
te protégera de la pluie*.
● Mots de la même famille : **protection,
protège-cahier**.

Le parapluie **protège** de la pluie.

a b c d e f g h i j k l m n o r q r s t u v w x y z

A
B
C
D
E
F
G
H
I
J
K
L
M
N
O
P
Q
R
S
T
U
V
W
X
Y
Z

**protéine** nom féminin
Les **protéines** sont des matières contenues dans la viande, le poisson et les œufs. Elles aident le corps à conserver son énergie.
→ Cherche **glucide** et **lipide**.

**1. protestant, protestante** adjectif
La religion **protestante** est la religion des chrétiens qui n'acceptent pas l'autorité du pape. *Nicolas est* **protestant***, il va au temple le dimanche.*

**2. protestant** nom masculin
**protestante** nom féminin
Les **protestants** sont des personnes qui croient en Dieu. Ils sont baptisés, vont au temple où ils participent au culte.
→ Cherche **bouddhiste**, **catholique**, **israélite** et **musulman**.

**protester** verbe
Protester, c'est dire avec force que l'on n'est pas d'accord. *Julie* **a protesté** *quand on lui a dit d'aller se coucher.*
→ Cherche **rouspéter**.

**prouver** verbe
Prouver quelque chose, c'est montrer que c'est vrai. *L'avocat* **a prouvé** *que l'accusé était innocent.*
● Mot de la même famille : **preuve**.

**provenir** verbe
Provenir, c'est venir d'un lieu, d'une matière. *La crème* **provient** *du lait.*

**proverbe** nom masculin
Un **proverbe** est une phrase qui dit une vérité ou qui donne un conseil. « *Vouloir, c'est pouvoir* » *est un* **proverbe***.*

**province** nom féminin
❶ Une **province** est une partie d'un pays. *L'Alsace et la Normandie sont des* **provinces** *de France.*

❷ La **province**, c'est l'ensemble de la France, en dehors de Paris et de sa banlieue. *Mon oncle habite en province.*

**provision** nom féminin
❶ Une **provision** de choses, c'est une quantité de choses que l'on garde en réserve. *Dans le placard de la cuisine, il y a une* **provision** *de biscuits.*
❷ Les **provisions** sont les achats pour la vie de tous les jours. *Mamie a fait ses* **provisions** *pour la semaine.*

**provoquer** verbe
Provoquer quelque chose, c'est en être la cause. *Une cigarette mal éteinte* **a provoqué** *un incendie.*
Synonyme : **causer**.

**prudence** nom féminin
La **prudence** est la qualité d'une personne qui sait éviter les dangers. *Un bon conducteur roule avec* **prudence***.*
Contraire : **imprudence**.

**prudent, prudente** adjectif
Être **prudent**, c'est agir de manière à éviter les dangers. *Marie est* **prudente** *quand elle fait de l'escalade.*
Contraire : **imprudent**.
● Mot de la même famille : **prudence**.

**prune** nom féminin
Une **prune** est un fruit jaune, vert ou violet, rond ou ovale et qui a un noyau.
▶ Les **prunes** poussent sur un arbre, le **prunier**.
● Mot de la même famille : **pruneau**.

**pruneau** nom masculin
Un **pruneau** est une prune séchée de couleur noire.
🔎 Au pluriel, on écrit *des pruneaux*.

Loan est **prudente**, elle attache
son casque.

**prunelle** nom féminin
La **prunelle** est le petit trou noir
qui se trouve au centre de l'œil.
Synonyme : pupille.
→ Cherche iris.

**pu** → pouvoir

**1. public, publique** adjectif
❶ Un lieu **public** est un lieu qui
est ouvert à tout le monde. *Près de
la maison, il y a un jardin public.*
Contraire : privé.
❷ Une école **publique** est une école qui
appartient à l'État. Contraire : privé.
● Mots de la même famille : le public,
publicité.

**2. public** nom masculin
❶ Le **public**, c'est l'ensemble de la
population. *Ce chantier est interdit
au public.*
❷ Le **public**, c'est l'ensemble des
spectateurs. *Le public applaudit.*

**publicité** nom féminin
❶ La **publicité** est le moyen de faire
connaître un produit et de donner

envie de l'acheter. *Cette marque de
voitures fait beaucoup de publicité
à la télévision.*
❷ Une **publicité** est un petit film, une
affiche ou un texte qui fait connaître
un produit pour le vendre. *Certaines
publicités sont amusantes.*

Ils regardent une **publicité**.

**puce** nom féminin
Une **puce** est un petit insecte brun qui
saute et qui pique la peau pour sucer
le sang. *Mon chien a des puces, il
n'arrête pas de se gratter.*
● Mot de la même famille : puceron.

**puceron** nom masculin
Un **puceron** est un petit insecte qui vit
sur les plantes et qui s'en nourrit.

**puer** verbe
**Puer**, c'est avoir une odeur très
désagréable. *Mes vêtements puent
le tabac.*

**puis** adverbe
**Puis** (ou **et puis**) signifie : après (et
après). *Nous irons nous promener puis
nous goûterons.* Synonyme : ensuite.

**puisque** conjonction

Puisque indique la cause de quelque chose. *Puisque tu sors, achète du pain.* Synonyme : comme.

🔍 *Puisque* s'écrit *puisqu'* devant certains mots qui commencent par une voyelle : *puisqu'il fait beau.*

**puissance** nom féminin

Avoir de la **puissance**, c'est fournir beaucoup d'énergie. *Ce moteur a de la puissance, il permet de rouler vite.*

**puissant, puissante** adjectif

Un moteur, un éclairage **puissant** peut fournir beaucoup d'énergie. Contraire : faible.

● Mot de la même famille : **puissance**.

**puits** nom masculin

Un **puits** est un trou profond qui est creusé dans le sol pour tirer de l'eau ou du pétrole.

🔍 Ce mot se termine par un *s*.

**pull** nom masculin

Un **pull** est un tricot que l'on enfile par la tête. Synonyme : chandail.

🔍 « Pull » est l'abréviation de « pull-over ».

**punaise** nom féminin

❶ Une **punaise** est un insecte plat qui sent très mauvais.

❷ Une **punaise** est une sorte de clou à tête plate.

**punir** verbe

Punir une personne, c'est lui donner une punition, une peine pour une faute qu'elle a commise. *La maîtresse a puni les élèves qui chahutaient.* Contraire : récompenser.

● Mot de la même famille : **punition**.

Léo **est puni,** il doit rester dans sa chambre.

**punition** nom féminin

Une **punition**, c'est ce que l'on doit faire quand on est puni. *Mon frère a encore eu une punition parce qu'il bavardait.* Contraire : récompense.

**pupille** nom féminin

La **pupille** est le petit trou noir qui se trouve au centre de l'œil. *La nuit, la pupille des chats s'agrandit.* Synonyme : prunelle.

➔ Cherche **iris**.

**pur, pure** adjectif

❶ Une eau **pure** est une eau qui ne contient pas de produits toxiques. *Certaines eaux de source sont pures.* Contraire : pollué.

❷ Une matière **pure** est sans mélange. *Mon écharpe est en pure laine.*

● Mot de la même famille : **pureté**.

**purée** nom féminin

La **purée** est un plat fait de légumes cuits et écrasés. *Nous avons mangé de la purée de carottes.*

**pureté** nom féminin

La **pureté** est la qualité de ce qui est pur. *Certaines eaux de source sont recherchées pour leur pureté.*

**pus** nom masculin

Le **pus** est un liquide un peu jaune qui contient des microbes. Il se forme aux endroits du corps qui ont une infection.

🔎 Ce mot se termine par un *s*.

**puzzle** nom masculin

Un **puzzle** est un jeu de patience fait de petits morceaux que l'on doit assembler pour former une image.

🔎 Il y a deux *z*.

**pyjama** nom masculin

Un **pyjama** est un vêtement de nuit qui est fait d'un pantalon et d'une veste.

🔎 Ce mot s'écrit avec un *y*.

**pylône** nom masculin

Un **pylône** est un grand poteau en métal ou en ciment. Il sert de support. *Les ponts sont soutenus par des pylônes.*

🔎 Ce mot s'écrit avec un *y* et le *o* prend un accent circonflexe.

☞ Va voir la planche illustrée ❹

**pyramide** nom féminin

Une **pyramide** est un grand monument construit il y a des milliers d'années par les anciens Égyptiens. *Les pyramides servaient de tombeaux aux rois.*

🔎 Il y a un *y* au début du mot.

Ils admirent les **pyramides**.

**python** nom masculin

Un **python** est un grand serpent d'Asie et d'Afrique.

▶ Les pythons ne sont pas venimeux. Ils se nourrissent de mammifères qu'ils étouffent avant de les avaler.

🔎 Ce mot s'écrit avec un *y* et *th*.

☞ Va voir « les reptiles », page 587.

a b c d e f g h i j k l m n o p q r s t u v w x y z

**quadrilatère** nom masculin

Un **quadrilatère** est une forme géométrique qui a quatre côtés. *Un carré, un rectangle, un losange sont des quadrilatères.*

🔎 *Qua se prononce* [kwa] *ou* [ka].

**quadrillage** nom masculin

Un **quadrillage**, c'est un ensemble de lignes qui se croisent en faisant des carrés. *La grille des mots croisés est un quadrillage.*

**quadrillé, quadrillée** adjectif

Du papier **quadrillé** est du papier imprimé avec des petits carrés.

**quai** nom masculin

Un **quai** est un trottoir qui se trouve le long d'une voie ferrée ou le long de la mer, dans un port. *Les voyageurs attendent le train sur le quai. Les passagers débarquent sur le quai.*

**qualité** nom féminin

❶ La **qualité** d'une chose, c'est ce qui fait qu'elle est bonne ou mauvaise. *Mes chaussures sont de bonne qualité.*
❷ Une **qualité**, c'est ce qui est bien dans le caractère d'une personne. *La* franchise est la principale *qualité* de *Marie.* Contraire : défaut.

**quand** conjonction

**Quand** indique le moment où quelque chose se passe. *Je suis arrivée quand il partait.* Synonyme : lorsque.

**quand même** adverbe

**Quand même** signifie : malgré cela. *J'avais mal à la tête, mais je suis quand même allé à l'école.* Synonymes : pourtant, tout de même.

**quantité** nom féminin

❶ La **quantité** est le nombre, le poids, le volume qui peut être mesuré ou compté. *Quelle quantité de sucre faut-il mettre dans ce gâteau ?*
❷ Une **quantité** de choses, c'est un grand nombre de choses. *Les deux amies ont une quantité d'histoires à se raconter.* Synonyme : tas.

**quart** nom masculin

❶ Un **quart** est une partie d'une chose divisée en quatre parts égales. *J'ai mangé un quart de camembert.*
❷ Un **quart** d'heure est une durée de quinze minutes. *Je t'ai attendu un*

*quart* d'heure. *Il est quatre heures et* **quart**.

Il est quatre heures et **quart,** le train va bientôt partir.

### quartier nom masculin

❶ Un **quartier** est une partie d'une ville. *Anaïs et Léo habitent le même quartier.*

❷ Un **quartier** d'orange, de clémentine est un morceau, une tranche.

### quatre-quatre nom masculin

Un **quatre-quatre** est un véhicule qui peut rouler sur tous les terrains. Ses quatre roues transmettent le mouvement.

🔍 Ce mot ne change pas au pluriel : *des quatre-quatre.*

### que pronom

**Que** remplace un nom. *J'ai acheté un livre* **que** *tu aimes. Merci pour le cadeau* **que** *tu m'as offert.*

🔍 *Que s'écrit* qu' *devant un mot commençant par une voyelle :* qu'est-il arrivé ?

### quel, quelle adjectif

**Quel** et **quelle** servent à interroger. *Quel est ton film préféré ?*

### quelconque adjectif

**Quelconque** signifie : n'importe lequel. *Préviens-moi si tu ne viens pas pour une raison* **quelconque.**

### quelque adjectif

❶ **Quelques** personnes, **quelques** objets, c'est un petit nombre. *J'ai* **quelques** *cassettes vidéo.* Synonyme : **plusieurs.**

❷ **Quelque** temps, c'est un certain temps. *Sarah a l'air fatiguée depuis* **quelque** *temps.*

● Mots de la même famille : **quelque chose, quelquefois, quelqu'un, quelques-uns.**

### quelque chose pronom

**Quelque chose,** c'est une chose que l'on ne peut pas préciser. *J'ai vu* **quelque chose** *de bizarre dans la cave.* Contraire : **rien.**

un **quatre-quatre** dans le désert

A
B
C
D
E
F
G
H
I
J
K
L
M
N
O
P
Q
R
S
T
U
V
W
X
Y
Z

**quelquefois** adverbe

Quelquefois signifie : de temps en temps. *Je vais quelquefois au cirque.* Synonyme : parfois.

**quelque part** adverbe

Quelque part signifie : à un endroit quelconque. *Je vous ai déjà vu quelque part*. Contraire : nulle part.

**quelqu'un** pronom masculin

Quelqu'un, c'est une personne que l'on ne peut pas nommer. *Quelqu'un a téléphoné.*

**quelques-uns, quelques-unes** pronom pluriel

Quelques-uns, quelques-unes, ce sont quelques personnes, quelques objets. *Tu as beaucoup de livres : tu peux bien m'en prêter quelques-uns.* Synonyme : certains, certaines.

**quenouille** nom féminin

Une **quenouille** est une tige en bois. On tournait la quenouille pour tordre la laine et faire un fil. *La Belle au bois dormant monta en haut du donjon et trouva une vieille femme occupée avec sa quenouille.*

**question** nom féminin

Une **question**, c'est ce que l'on demande à quelqu'un pour avoir une réponse. *La maîtresse nous pose des questions.*
● Mots de la même famille : questionnaire, questionner.

**questionnaire** nom masculin

Un **questionnaire** est une série de questions. *Pour s'inscrire au judo, il faut remplir un questionnaire.*

🔍 Il y a deux *n*.

**questionner** verbe

Questionner quelqu'un, c'est lui poser une série de questions. *La police l'a questionné sur son emploi du temps.* Synonyme : interroger.

**quetzal** nom masculin.

Le **quetzal** est un oiseau au plumage vert et à la longue queue. Il vit dans les forêts du Mexique.
☛ Va voir l'illustration page 556.

**queue** nom féminin

❶ La **queue** d'un animal est la partie du corps qui se trouve dans le bas du dos. *Les chiens remuent la queue quand ils sont contents.*

❷ La **queue** d'un fruit, c'est sa tige. *On cueille les cerises par la queue.*

❸ Faire la **queue**, c'est se mettre en file, les uns derrière les autres, pour attendre son tour. *Nous avons fait la queue au cinéma.*

**qui** pronom

Qui remplace un nom de personne. *Je ne sais pas qui a téléphoné.*

**quille** nom féminin

Une **quille** est un morceau de bois ou de plastique que l'on fait tomber avec une boule.

Les **quilles** sont toutes tombées.

**quitter** verbe

❶ **Quitter** une personne, c'est s'éloigner d'elle. *Je suis pressée, je vous quitte !* Synonyme : **laisser.**

❷ Quand deux personnes **se quittent,** elles ne vivent plus ensemble. Synonyme : **se séparer.**

❸ **Quitter** un lieu, c'est partir de ce lieu. *Mon oncle a quitté la France pour la Belgique.*

❹ **Ne quittez pas !** signifie : ne raccrochez pas le téléphone.

**quoi** pronom

**Quoi** remplace un nom de chose ou une phrase. *Je ne sais pas quoi répondre.*

**quoique** conjonction

**Quoique** signifie : bien que. *Il est venu en classe quoiqu'il soit très fatigué.*

**quotidien, quotidienne** adjectif

Une activité **quotidienne** est une activité que l'on fait chaque jour. *Papi fait sa promenade quotidienne.*

a
b
c
d
e
f
g
h
i
j
k
l
m
n
o
p
q
r
s
t
u
v
w
x
y
z

**rabattre** verbe
Rabattre une chose, c'est la replier sur elle-même. *Pour fermer le coffre, il faut rabattre le couvercle.* Synonyme : baisser.

**rabbin** nom masculin
Dans la religion israélite, un **rabbin** est un homme qui dirige les cérémonies religieuses.
🔍 Il y a deux *b.*
→ Cherche **imam, pasteur** et **prêtre.**

**raccommoder** verbe
Raccommoder un tissu, c'est le réparer avec du fil et une aiguille.
→ Cherche **recoudre.**

**raccompagner** verbe
Raccompagner une personne, c'est l'accompagner quand elle s'en va. *Franck nous a raccompagnés à la maison en voiture.* Synonyme : ramener.
🔍 Le son [ɔ̃] s'écrit *om* devant un *p.*

**raccourci** nom masculin
Un **raccourci** est un chemin plus court. *Nous avons pris un raccourci pour arriver plus vite.*

**raccourcir** verbe
❶ Raccourcir un vêtement, c'est le rendre plus court. *Ta jupe est trop longue, je vais la raccourcir.* Contraires : allonger, rallonger.
❷ Raccourcir, c'est devenir plus court. *En été, les jours commencent à raccourcir.* Synonyme : diminuer. Contraire : rallonger.
● Mot de la même famille : raccourci.

**raccrocher** verbe
Raccrocher le téléphone, c'est poser la partie qui permet de parler et d'écouter, et couper la communication. Contraire : décrocher.

**race** nom féminin
Une **race** de chiens est un groupe de chiens qui se ressemblent. *La race des caniches est de taille plus petite que la race des dalmatiens.*
▶ On parle parfois de race pour les êtres humains, mais ce mot n'est pas admis par les scientifiques qui préfèrent dire « peuple » ou « population ».
● Mot de la même famille : raciste.

**racine** nom féminin
❶ La **racine** d'une plante est la partie qui est enfoncée dans la terre. Elle permet à la plante de se nourrir. *On mange les racines des carottes.*
❷ La **racine** d'une dent est la partie qui est dans la gencive.

**raciste** adjectif
Une personne **raciste** pense que les êtres humains sont divisés en races, et que certaines sont supérieures aux autres.

**raconter** verbe
❶ Raconter, c'est faire un récit. *Mamie nous a raconté une histoire.*
❷ Raconter, c'est dire ce qui s'est passé. *Raconte-nous ta journée !*

Qu'est-ce qu'elles lui **racontent** ?

**radar** nom masculin
Un **radar** est un appareil qui signale les obstacles et qui permet de se diriger. *Quand il y a du brouillard, les bateaux se dirigent au radar.*

**radeau** nom masculin
Un **radeau** est un assemblage de troncs d'arbres ou de planches de bois. Il permet de flotter sur l'eau et de naviguer.
🔎 Au pluriel, on écrit *des radeaux.*

Ils ont construit leur **radeau**.

**radiateur** nom masculin
Un **radiateur** est un appareil qui sert à chauffer une habitation.

**radio** nom féminin
❶ Une **radio** est un appareil qui transmet des sons à distance. *J'écoute une chanson à la radio.*
❷ Une **radio** est une photographie de l'intérieur du corps. *On m'a fait une radio des poumons.*
🔎 Au sens 1, « radio » est l'abréviation de « radiodiffusion ». Au sens 2, « radio » est l'abréviation de « radiographie ».

**radis** nom masculin
Un **radis** est une plante qui a une racine blanche recouverte d'une peau rose. On mange la racine crue.
🔎 Ce mot se termine par un *s*.

**rafale** nom féminin
Une **rafale** est un coup de vent très fort. *Des rafales de vent secouent les arbres.*

**raffut** nom masculin

Faire du **raffut**, c'est faire beaucoup de bruit. Synonymes : **tapage, vacarme.**

🔍 Il y a deux *f*. C'est un mot familier.

**rafraîchir** verbe

❶ **Rafraîchir**, c'est rendre plus frais ou donner une sensation de fraîcheur. *L'orage a rafraîchi l'air. Ce grand verre d'eau m'a rafraîchi.* Contraire : **réchauffer.**

❷ **Se rafraîchir**, c'est devenir plus frais. *Le temps s'est rafraîchi.* Synonyme : **se refroidir.** Contraire : **se réchauffer.**

🔍 Le premier *i* prend un accent circonflexe.

**rage** nom féminin

❶ La **rage** est une maladie mortelle que peuvent transmettre certains animaux comme les chiens et les renards. *Les chiens doivent être vaccinés contre la rage.*

❷ Une **rage de dents** est un mal de dents très fort.

❸ La **rage** est une très grande colère. *Quand mon petit frère est puni, il hurle de rage.*

**raide** adjectif

❶ Ce qui est **raide** est difficile à plier. *Mamie a les jambes raides.* Contraire : **souple.**

une **raie**

❷ Des cheveux **raides** sont des cheveux plats et lisses. Contraires : **bouclé, frisé.**

❸ Un chemin **raide** a une forte pente. *Le chemin qui mène au lac est raide.* Contraire : **plat.**

**1. raie** nom féminin

❶ Une **raie** est une ligne ou une bande étroite. *Paul porte un pull blanc à raies bleues.* Synonyme : **rayure.**

❷ Une **raie** est une ligne qui sépare les cheveux. *Laura a une raie sur le côté.*

**2. raie** nom féminin

Une **raie** est un poisson plat qui vit dans la mer.

**rail** nom masculin

Les **rails** sont les deux barres parallèles d'une voie ferrée. *Les trains roulent sur les rails.*

**raisin** nom masculin

Le **raisin** est le fruit de la vigne. Il pousse en grappes. *On fait du vin avec le raisin.*

**raison** nom féminin

❶ La **raison**, c'est ce qui permet de réfléchir et de faire ce qui est logique et sage. *À sept ans, un enfant a l'âge de raison.*

❷ **Avoir raison**, c'est ne pas se tromper, ne pas faire d'erreur. Contraire : **avoir tort.**

❸ **Perdre la raison**, c'est devenir fou.

❹ La **raison** d'une action, c'est ce qui l'explique. *Quelle est la raison de ton départ ?* Synonymes : **cause, motif.**

● Mot de la même famille : **raisonnable.**

**raisonnable** adjectif

Une personne **raisonnable** agit avec sagesse et bon sens. *Ce n'est pas raisonnable de sortir sans manteau par ce froid.*

🔍 Il y a deux *n*.

**rajeunir** verbe

❶ Rajeunir, c'est paraître plus jeune qu'on est réellement. *Depuis qu'il fait du sport, grand-père a rajeuni.* Contraire : vieillir.

❷ Rajeunir quelqu'un, c'est le faire paraître plus jeune. *Sa nouvelle coiffure la rajeunit.* Contraire : vieillir.

**rajouter** verbe

Rajouter, c'est ajouter de nouveau. *J'ai rajouté du sucre dans mon yaourt.* Synonyme : remettre.

**ralentir** verbe

Ralentir, c'est rouler moins vite. *Le conducteur a ralenti dans la descente.* Contraire : accélérer.

**râler** verbe

Râler, c'est exprimer sa mauvaise humeur, dire qu'on n'est pas content. *Mon frère n'arrête pas de râler.* Synonymes : grogner, protester.

🔍 Le a prend un accent circonflexe. C'est un mot familier.

**rallonger** verbe

❶ Rallonger un vêtement, c'est le rendre plus long. *Mon pantalon était trop court, on l'a rallongé.* Synonyme : allonger. Contraire : raccourcir.

❷ Rallonger, c'est devenir plus long. *Au printemps, les jours rallongent.* Contraires : diminuer, raccourcir.

**ramadan** nom masculin

Dans la religion musulmane, le ramadan est le mois où les musulmans ne doivent rien manger ni boire entre le lever et le coucher du soleil.

**ramassage** nom masculin

❶ Le ramassage, c'est l'action de ramasser. *Le ramassage des ordures se fait tous les jours.*

❷ Le ramassage scolaire est le transport des enfants qui habitent loin de l'école. *Le car de ramassage scolaire s'arrête devant chez nous.*

**ramasser** verbe

Ramasser, c'est prendre par terre. *Nous ramassons des coquillages sur la plage.*

● Mot de la même famille : ramassage.

Les enfants **ramassent** des coquillages.

**rame** nom féminin

Une **rame** est une longue barre de bois aplatie à une extrémité. Elle sert à faire avancer une barque. Synonyme : aviron.

● Mot de la même famille : ramer.

→ Cherche pagaie.

**ramener** verbe

Ramener une personne, c'est l'amener à l'endroit d'où elle vient. *Le père de Sébastien m'a ramené chez moi.* Synonyme : raccompagner.

**ramer** verbe

Ramer, c'est faire avancer un bateau avec des rames.

se **ramollir** verbe

Se ramollir, c'est devenir mou. *La terre s'est ramollie avec la pluie.* Contraire : durcir.

🔍 Il y a deux *l*.

**ramoneur** nom masculin

Un **ramoneur** est une personne qui nettoie l'intérieur des cheminées.

**rampe** nom féminin

Une **rampe** est une barre fixée le long d'un escalier. Elle sert à se tenir.

🔍 Le son [ɑ̃] s'écrit *am* devant un *p*.

**ramper** verbe

Ramper, c'est avancer en glissant sur le ventre. *Les serpents , les escargots rampent.*

🔍 Le son [ɑ̃] s'écrit *am* devant un *p*.

**ranch** nom masculin

Un **ranch** est une grande ferme d'élevage, en Amérique. *Les cow-boys conduisent le troupeau de vaches au ranch.*

🔍 Ce mot vient de l'anglais : on prononce [rɑ̃tʃ].

**rançon** nom féminin

Une **rançon** est une somme d'argent que des ravisseurs demandent pour libérer la personne qu'ils ont enlevée. *Les bandits ont exigé une rançon en euros en échange de l'otage.*

🔍 Le c prend une cédille.

L'escargot **rampe**

**rancune** nom féminin

Avoir de la **rancune** contre une personne, c'est être incapable d'oublier qu'elle nous a fait du mal et lui en vouloir.

● Mot de la même famille : rancunier.

**rancunier, rancunière** adjectif

Une personne **rancunière** ne pardonne pas facilement quand on lui a fait du mal.

**randonnée** nom féminin

Une **randonnée** est une longue promenade. *Nous avons fait une randonnée à vélo.*

🔍 Il y a deux *n* à la fin du mot.

**rang** nom masculin

Un **rang** est une suite de personnes ou de choses placées les unes à côté des autres. *Lucas est assis au premier rang de la classe. Mon collier a deux rangs de perles.* Synonyme : rangée.

🔍 Ce mot se termine par un *g*.

● Mot de la même famille : rangée.

**rangée** nom féminin

Une **rangée** est une suite de choses ou de personnes qui se trouvent les unes à côté des autres sur une même ligne. *Une rangée d'arbres cache la maison.* Synonyme : rang.

**rangement** nom masculin

Le **rangement**, c'est l'action de ranger. *Marion fait du rangement dans sa chambre.*

**ranger** verbe

❶ Ranger, c'est mettre de l'ordre dans un lieu. *Les enfants ont rangé leur chambre. Julien a rangé ses affaires de classe.* Contraire : déranger.

❷ **Ranger**, c'est placer dans un certain ordre. *Les livres de la classe sont rangés par ordre alphabétique.* Synonyme : classer.

❸ **Se ranger**, c'est se mettre en rang. *Les élèves se sont rangés par deux pour monter sur la scène.*

● Mot de la même famille : rangement.

**rapace** nom masculin

Un **rapace** est un oiseau qui a un bec crochu, une vue perçante et de grandes griffes, appelées des *serres*. *L'aigle, la chouette et le faucon sont des rapaces.* Synonyme : oiseau de proie.

▶ Certains rapaces, comme les vautours, se nourrissent de cadavres d'animaux.

**râpé, râpée** adjectif

Un aliment **râpé** a été coupé en petits morceaux très fins. *Nous mangeons des carottes râpées.*

🔎 Le a prend un accent circonflexe.

**rapetisser** verbe

Rapetisser, c'est devenir plus petit. *Dans « Alice au pays des merveilles »,* Alice avale une boisson qui la fait rapetisser. Contraire : grandir.

**rapide** adjectif

Une personne, un animal, un véhicule **rapides** se déplacent vite. *Le guépard et la gazelle sont des animaux rapides.* Contraire : lent.

● Mots de la même famille : rapidement, rapidité.

Le lièvre est plus **rapide** que la tortue.

**rapidement** adverbe

Rapidement signifie : avec rapidité, en peu de temps. *Nous avons déjeuné rapidement.* Synonyme : vite. Contraire : lentement.

**rapidité** nom féminin

Quand on fait quelque chose avec **rapidité**, on le fait vite. *Marie travaille avec rapidité.* Contraire : lenteur.

→ Cherche **vitesse**.

**rappeler** verbe

❶ **Rappeler** une personne, c'est l'appeler pour la faire revenir. *On a rappelé le médecin.*

❷ **Rappeler** une personne, c'est l'appeler de nouveau au téléphone. *Je raccroche et je te rappellerai demain.*

❸ **Se rappeler** quelque chose, c'est le garder dans sa mémoire. *Je me rappelle ce que tu m'as dit.* Synonyme : se souvenir de. Contraire : oublier.

🔎 Il y a deux *p* et un seul *l*.

**rapport** nom masculin

❶ Le **rapport** entre des choses, c'est ce qu'elles ont en commun. *Je ne vois pas le rapport entre ces deux histoires.* Synonyme : relation.

❷ **Par rapport à** signifie : en comparaison de. *Zoé est petite par rapport à sa sœur.*

🔎 Il y a deux *p*.

a b c d e f g h i j k l m n o p q r s t u v w x y z

**565**

## rapporter verbe

❶ **Rapporter** un objet, c'est le prendre avec soi pour le rendre. *N'oublie pas de me rapporter ce livre !*

❷ **Rapporter** un objet, c'est l'apporter avec soi en revenant d'un lieu. *Mon oncle m'a rapporté un cadeau du Canada.*

❸ **Rapporter**, c'est répéter quelque chose par indiscrétion ou pour dénoncer quelqu'un. *La maîtresse n'aime pas que les élèves rapportent.*

❹ **Se rapporter** à quelque chose, c'est avoir un rapport avec cette chose. *Papi s'intéresse à tout ce qui se rapporte aux avions.*

🔍 Il y a deux *p*.
● Mot de la même famille : **rapport**.

## rapprocher verbe

❶ **Rapprocher** un objet, c'est le placer plus près. *J'ai rapproché ma chaise pour mieux voir l'écran.* Synonymes : **approcher**, **avancer**. Contraire : **éloigner**. *Essaie de rapprocher tes mots.* Contraires : **écarter**, **séparer**.

❷ **Se rapprocher**, c'est se mettre plus près. *Si tu n'entends pas, rapproche-toi du guide !* Synonyme : **s'approcher**. Contraires : **s'écarter**, **s'éloigner**.

🔍 Il y a deux *p*.

## raquette nom féminin

❶ Une **raquette** est un objet ovale qui est fixé au bout d'un manche. Elle sert à lancer une balle de tennis et de ping-pong.

❷ Des **raquettes** sont des sortes de semelles très larges que l'on attache à des chaussures pour marcher dans la neige sans s'enfoncer.

Ils ont mis des **raquettes**.

## rare adjectif

❶ Un événement **rare** ne se produit pas souvent. *C'est rare de voir Zoé pleurer.* Contraire : **fréquent**.

❷ Une chose **rare** est une chose que l'on n'a pas l'habitude de voir, d'entendre ou de faire. *Mon oncle a des timbres rares.* Contraires : **banal**, **courant**, **ordinaire**.

❸ De **rares** personnes, de **rares** choses, ce sont peu de personnes, peu de choses. *Les maisons sont rares par ici.* Contraire : **nombreux**.

● Mot de la même famille : **rarement**.

## rarement adverbe

**Rarement** signifie : presque jamais. *Notre maîtresse se met rarement en colère.* Contraire : **souvent**.

## ras, rase adjectif

❶ Des cheveux, des poils **ras** sont coupés très courts.

❷ À **ras bord** signifie : jusqu'au bord. *Mon verre est rempli à ras bord.*

## raser verbe

❶ **Raser** des poils, c'est les couper très près de la peau. *Mon père a rasé sa moustache. Papi se rase tous les matins.*

**❷ Raser** une maison, c'est la mettre à ras de terre. **Synonyme** : **démolir**.
**❸ Raser** une chose, c'est passer très près. *L'avion a rasé la cime des arbres.* **Synonyme** : **frôler**.
● Mots de la même famille : **ras, rasoir**.

**rasoir** nom masculin
Un **rasoir** est un instrument qui sert à raser les poils.

**rassembler** verbe
**Rassembler** des objets, des personnes, c'est les mettre ensemble. *Léo a rassemblé ses affaires.* **Contraires** : **disperser, éparpiller**. *Pour Noël, toute la famille s'est rassemblée.* **Synonyme** : **se réunir**. **Contraires** : **se disperser, s'éparpiller**.

**rassis** adjectif masculin
Du pain **rassis** est du pain qui a durci. **Synonyme** : **dur**. **Contraire** : **frais**.

**rassurer** verbe
**Rassurer** quelqu'un, c'est lui parler pour faire disparaître son inquiétude. *Téléphone-nous dès ton arrivée pour nous rassurer.*

un **raton laveur**

**rat** nom masculin
Un **rat** est un petit rongeur de couleur foncée. Il a un museau pointu et une longue queue. Il vit dans les champs ou dans les égouts et les caves des villes.

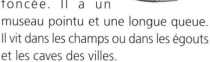

▶ Un rat est plus gros qu'une souris. La femelle est la **rate**, le petit est le **raton**.

**râteau** nom masculin
Un **râteau** est un outil à dents fixé à un long manche. Il sert à rassembler les feuilles et à étaler la terre.

🔍 Le premier *a* prend un accent circonflexe. Au pluriel, on écrit *des râteaux*.

**rater** verbe
**❶ Rater**, c'est ne pas réussir, ne pas avoir. *Mon plan a raté.* **Synonyme** : **échouer**. *J'ai raté mon examen de piano.* **Contraire** : **obtenir**.
**❷ Rater** quelque chose, c'est arriver trop tard. *Mamie a raté le début du film.* **Synonyme** : **manquer**.

**raton laveur** nom masculin
Un **raton laveur** est un mammifère d'Amérique du Nord qui a une fourrure gris-brun, une queue épaisse et les yeux entourés d'un cercle de fourrure noire. *Les ratons laveurs se nourrissent de poissons et de mollusques et trempent leurs aliments dans l'eau avant de les manger.*

**rattraper** verbe
**❶ Rattraper**, c'est empêcher un objet, une personne de tomber. *Simon a rattrapé le ballon.*
**❷ Rattraper**, c'est rejoindre quelqu'un, un véhicule qui est devant. *Sébastien est parti avant nous, mais nous l'avons rattrapé.*

A
B
C
D
E
F
G
H
I
J
K
L
M
N
O
P
Q
R
S
T
U
V
W
X
Y
Z

❸ **Se rattraper**, c'est attraper quelque chose ou quelqu'un pour ne pas tomber. *J'ai glissé mais je me suis rattrapé à la rampe.* Synonyme : se retenir.

🔍 Il y a deux *t* et un seul *p*.

**rature** nom féminin
Une **rature** est un trait que l'on fait pour barrer un mot ou une lettre. *Ton exercice est plein de ratures.*

**ravages** nom masculin pluriel
Des **ravages** sont des dégâts importants. *Le cyclone a fait des ravages dans l'île.*

**ravalement** nom masculin
Le **ravalement** est le nettoyage et la réparation des murs d'un bâtiment.

**ravi, ravie** adjectif
Être **ravi**, c'est être très heureux, très content. *Marion est ravie d'aller à la mer.* Synonyme : enchanté. Contraire : désolé.
● Mots de la même famille : ravissant, ravissement.

**ravin** nom masculin
Un **ravin** est une vallée étroite et très profonde qui descend à pic. *Le torrent coule au fond du ravin.* Synonyme : précipice.

**ravissant, ravissante** adjectif
Une chose ou une personne **ravissante** est très jolie. *La mariée était ravissante.* Contraires : affreux, laid.

**ravissement** nom masculin
Le **ravissement** est un très grand plaisir, une très grande joie. *Quand la chèvre blanche de M. Seguin arriva dans la montagne, ce fut un ravissement général.*

**ravisseur** nom masculin
**ravisseuse** nom féminin
Un **ravisseur**, une **ravisseuse** sont des personnes qui enlèvent quelqu'un pour obtenir une rançon.

**rayé, rayée** adjectif
Un objet **rayé** a des rayures. *Les murs de ma chambre sont couverts de papier rayé. La portière de la voiture est toute rayée.*

un tissu **rayé** bleu et blanc.

**rayer** verbe
❶ **Rayer** une surface, c'est l'abîmer en faisant des rayures. *Quelqu'un a rayé la carrosserie de la voiture avec une clé.*
❷ **Rayer** un mot, c'est faire un trait dessus pour le supprimer. *J'ai rayé un mot dans ma lettre.* Synonyme : barrer.
● Mots de la même famille : rayé, rayure.

**rayon** nom masculin
❶ Un **rayon** de soleil est une mince zone de lumière faite par le soleil.
❷ Un **rayon** de bicyclette est une tige d'acier qui va du centre de la roue jusqu'au bord.

❸ Le **rayon** d'un magasin est la partie où sont présentés des articles du même genre. *Romain regarde le rayon des jouets.*

❹ Les **rayons** d'une ruche sont les petites cases de cire où les abeilles déposent le miel.

## rayure nom féminin

❶ Une **rayure** est une ligne ou une bande de couleur. *Le zèbre a des rayures sur son pelage.* Synonyme : raie.

❷ Une **rayure** est une trace laissée par un objet pointu. *Les branches de l'arbre ont fait des rayures sur la carrosserie de la voiture.*

## raz de marée nom masculin

Un **raz de marée** est une énorme vague qui arrive brusquement. *Les tremblements de terre provoquent souvent des raz de marée.*

🔎 Ce mot ne change pas au pluriel : *des raz de marée.*

## réaction nom féminin

Une **réaction** est une manière de réagir. *Quand Léo a vu son ami, il a eu une réaction de joie.*

## réagir verbe

**Réagir**, c'est avoir un certain comportement quand il se passe quelque chose. *Je suis curieux de voir comment mon père va réagir à ma farce.*
● Mot de la même famille : réaction.

## réaliser verbe

❶ **Réaliser** une chose, c'est la faire. *C'est Simon qui a réalisé ce collage.* Synonyme : effectuer.

❷ **Réaliser** un rêve, un idéal, un exploit, c'est le rendre réel. *Lucas rêvait d'aller en Australie et il a réalisé son rêve.*

## réalité nom féminin

❶ La **réalité** est ce qui existe, ce qui est réel. *Les licornes n'existent pas dans la réalité.*

❷ En **réalité** signifie : en fait. *Il a l'air calme, mais il ne l'est pas en réalité.*

## rebondir verbe

**Rebondir**, c'est faire un ou plusieurs bonds. *La balle a rebondi sur le sol.*

Raphaël fait **rebondir** son ballon.

## rebord

Le **rebord** d'une chose est la partie qui dépasse, qui forme le bord. *Le chat est assis sur le rebord de la fenêtre.*

## rebrousser verbe

**Rebrousser** chemin, c'est retourner en arrière, revenir sur ses pas. *Il s'est mis à neiger et nous avons rebroussé chemin.*

a b c d e f g h i j k l m n o p q r s t u v w x y z

A
B
C
D
E
F
G
H
I
J
K
L
M
N
O
P
Q
**R**
S
T
U
V
W
X
Y
Z

**rébus** nom masculin

Un **rébus** est une devinette faite d'une suite de lettres, de chiffres ou de dessins qui représentent un mot ou une phrase.

🔍 Ce mot se termine par un *s* que l'on prononce.

La solution de ce **rébus** est :
il a un chapeau.

**récemment** adverbe

**Récemment** signifie : il y a peu de temps. *J'ai vu Solène récemment.*

🔍 On écrit *emment* mais on prononce [amã].

**récent, récente** adjectif

Ce qui est **récent** existe depuis peu de temps. *La construction de notre maison est récente.* Synonyme : **nouveau**. Contraire : **ancien**.
● Mot de la même famille : **récemment**.

**recette** nom féminin

❶ Une **recette** de cuisine est l'ensemble des explications nécessaires pour préparer un plat. *Donne-moi ta recette de gâteau au chocolat.*
❷ La **recette** d'un commerçant est la somme d'argent totale qu'il a reçue. *La boulangère compte la recette de la journée.*

**recevoir** verbe

❶ **Recevoir**, c'est prendre ce qui est donné ou envoyé. *Pour son anniversaire, Aurélie reçoit un beau cadeau. J'ai reçu une lettre de mamie.*
❷ **Recevoir** quelqu'un, c'est l'accueillir chez soi. *Ce soir, nous recevons des amis.* Synonyme : **inviter**.
❸ **Être reçu** à un examen, à un concours, c'est le réussir. *Jérémy a été reçu à son examen d'anglais.* Synonyme : **admettre**.

**rechange** nom masculin

Un vêtement **de rechange**, c'est un vêtement que l'on prend pour se changer. *J'ai pris un pantalon de rechange.*

**réchauffer** verbe

❶ **Réchauffer**, c'est rendre plus chaud ou donner une sensation de chaleur. *Je vais réchauffer le potage.* Contraire : **refroidir**. *Ce bon chocolat m'a réchauffé.* Contraire : **rafraîchir**.
❷ **Se réchauffer**, c'est devenir plus chaud. *Au printemps, le temps se réchauffe.* Contraires : **se rafraîchir, se refroidir**.

**recherche** nom féminin

La **recherche** (ou les **recherches**), c'est l'action de rechercher, de faire des efforts pour trouver. *Le marin a été retrouvé grâce aux recherches des sauveteurs. La recherche en médecine a permis de vaincre de nombreuses maladies.*

**rechercher** verbe

**Rechercher**, c'est chercher en faisant des efforts. *Julien recherche une pièce pour sa collection.*
● Mot de la même famille : **recherche**.

## récipient nom masculin

Un **récipient** est un objet creux qui sert à mettre des choses ou des liquides. *Un panier, un bol, un seau sont des récipients.*

## récit nom masculin

Un **récit** est une histoire que l'on raconte. *J'aime les récits d'aventures.*

Le feu de cheminée les **réchauffe**.

## récitation nom féminin

Une **récitation** est un texte que l'on apprend par cœur pour pouvoir le réciter.

## réciter verbe

**Réciter**, c'est dire à haute voix un texte que l'on a appris par cœur. *Léa récite un poème de Jacques Prévert.*

● Mots de la même famille : **récit**, **récitation**.

## réclamer verbe

**Réclamer**, c'est demander en insistant. *Mathis réclame une glace.*

## récolte nom féminin

La **récolte**, c'est l'action de récolter. *Les agriculteurs font la récolte des pommes de terre.*

➜ Cherche **moisson** et **vendange**.

## récolter verbe

**Récolter** les produits de la terre, c'est les cueillir ou les ramasser. *En été, on récolte les pêches.*

● Mot de la même famille : **récolte**.

## recommander verbe

**Recommander** quelque chose, c'est le conseiller vivement. *Le médecin lui a recommandé de prendre du repos.*

## recommencer verbe

**Recommencer**, c'est commencer de nouveau. *Mon dessin n'est pas réussi, je vais le recommencer.* Synonyme : **refaire**. *Ton chien recommence à aboyer.*

## récompense nom féminin

Une **récompense**, c'est ce que l'on donne à quelqu'un pour le remercier ou le féliciter. *La voisine m'a donné une récompense pour avoir retrouvé son chat.* Contraire : **punition**.

Clara **récite** une poésie.

A
B
C
D
E
F
G
H
I
J
K
L
M
N
O
P
Q
R
S
T
U
V
W
X
Y
Z

🔍 Le son [ɔ̃] s'écrit *om* devant un *p*.

**récompenser** verbe

**Récompenser** une personne, c'est lui donner une récompense. *La maîtresse récompense les élèves qui s'appliquent.* Contraire : **punir**.

🔍 Le son [ɔ̃] s'écrit *om* devant un *p*.
● Mot de la même famille : récompense.

**se réconcilier** verbe

Quand deux personnes **se réconcilient**, elles se parlent de nouveau et elles ne sont plus fâchées. *Romain et Clara se sont réconciliés.* Contraire : **se brouiller**.

**reconnaître** verbe

❶ **Reconnaître**, c'est se rappeler une personne, une chose que l'on voit. *Ma grand-mère a reconnu sa maison natale.*
❷ **Reconnaître** quelque chose, c'est l'accepter. *Romain reconnaît qu'il n'aurait pas dû dire ça.* Synonyme : **avouer**. Contraire : **nier**.

🔍 Le *i* prend un accent circonflexe devant un *t*.

On **reconnaît** bien Chloé sur cette photo.

**reconstituer** verbe

**Reconstituer** une chose, c'est la refaire comme elle était avant. *On a reconstitué un village de l'ancienne Rome.*

**recopier** verbe

**Recopier**, c'est copier sur une autre feuille. *J'ai écrit une lettre au brouillon et je l'ai recopiée.*

**record** nom masculin

Un **record** est un exploit qui n'avait jamais été réalisé avant. *La cycliste a battu le record du monde de vitesse.*

**recoudre** verbe

**Recoudre**, c'est coudre de nouveau. *Maman a recousu la poche de mon pantalon.*
→ Cherche **raccommoder**.

**recourbé, recourbée** adjectif

Ce qui est **recourbé** a la forme d'une courbe ou d'un crochet. *Les aigles ont le bec recourbé vers le bas.* Synonyme : **crochu**.

**recouvrir** verbe

❶ **Recouvrir** une surface, c'est la couvrir entièrement. *Les feuilles mortes recouvrent la pelouse.*
❷ **Recouvrir** un objet, c'est lui mettre une couverture, une protection. *Les ouvriers ont recouvert le toit avec une toile.* Synonyme : **couvrir**.

La neige **a recouvert** les voitures.

**récréation** nom féminin

La **récréation** est le moment libre où les élèves peuvent jouer et se détendre.

*Pendant la récréation, nous jouons aux billes.*

**récrire** verbe

Récrire un mot ou une phrase, c'est l'écrire de nouveau. *Mon exercice était plein de ratures, je l'ai récrit.*

🔍 On dit aussi « réécrire ».

**rectangle** nom masculin

Un **rectangle** est une forme géométrique qui a quatre angles droits et quatre côtés, deux petits et deux grands.
● Mot de la même famille : rectangulaire.
→ Cherche **carré**.

☛ Va voir « les couleurs et les formes », page 171.

**rectangulaire** adjectif

Un objet **rectangulaire** a la forme d'un rectangle. *La piscine est rectangulaire.*

**reçu** → **recevoir**

**recueillir** verbe

❶ **Recueillir** des informations, des témoignages, c'est les réunir.
❷ **Recueillir** une personne, un animal, c'est les accueillir alors qu'ils étaient abandonnés ou souffrants. *Nous avons recueilli un chien blessé.*

🔍 Il y a un *u* après le c.

**reculer** verbe

Reculer, c'est aller vers l'arrière ou déplacer une chose vers l'arrière. *Pour se garer, le conducteur a reculé.*
Contraire : avancer.
● Mot de la même famille : à reculons.

**à reculons** adverbe

À reculons signifie : en reculant. *Les écrevisses se déplacent à reculons.*

**récupérer** verbe

❶ Récupérer, c'est reprendre ce qu'on avait laissé ou prêté. *J'ai récupéré les CD que j'avais prêtés à Léo.*
❷ Récupérer, c'est ramasser des objets, des matériaux, des pièces qui peuvent encore servir. *Le garagiste récupère les vieux moteurs.*

**recycler** verbe

Recycler une matière, c'est fabriquer une matière neuve à partir d'une matière usée. *On recycle le papier, le verre, le plastique.*

🔍 Ce mot s'écrit avec un *y*.

On **recycle** les bouteilles en plastique.

**rédaction** nom féminin

Une **rédaction** est un texte que l'on écrit, que l'on rédige. *Ma sœur a raconté ses vacances dans une rédaction.*

**rédiger** verbe

Rédiger, c'est écrire un texte. *Nous rédigeons un article pour le journal de l'école.*
● Mot de la même famille : rédaction.

a b c d e f g h i j k l m n o p q r s t u v w x y z

**redire** verbe
Redire, c'est dire de nouveau. *Je vous redis de ne pas crier.* Synonyme : répéter.

**redoubler** verbe
Redoubler une classe, c'est faire une deuxième année dans la même classe.

**redresser** verbe
❶ Redresser un objet, c'est le remettre droit. *Papi a redressé un barreau de la grille.*
❷ Se redresser, c'est se tenir droit. *Ne baisse pas les épaules, redresse-toi !*

**réduction** nom féminin
Une réduction est une diminution d'un prix. *Le vendeur de rollers nous a fait une réduction.*

**réduire** verbe
❶ Réduire, c'est rendre plus petit, moins important. *Nous avons réduit nos dépenses.* Synonyme : diminuer. Contraire : augmenter.
❷ Réduire une matière, un aliment, c'est les transformer en poudre ou en petits morceaux. *Le moulin à café réduit les grains en poudre.*
● Mots de la même famille : réduction, réduit.

**réduit, réduite** adjectif
❶ Un modèle réduit est un objet reproduit dans de petites dimensions. *Simon a des modèles réduits d'avions.* Synonyme : maquette.
❷ Un tarif, un prix réduit est inférieur au prix normal. *Les familles nombreuses voyagent à tarif réduit.*

**réel, réelle** adjectif
Ce qui est réel existe vraiment. *Je n'invente rien : cette histoire est réelle.* Synonyme : vrai. Contraire : imaginaire.
● Mots de la même famille : réaliser, réalité, réellement.

**réellement** adverbe
Réellement signifie : dans la réalité. *Ce héros a réellement existé.* Synonyme : vraiment.

**refaire** verbe
❶ Refaire, c'est faire une nouvelle fois. *Il y avait une erreur dans mon opération, je l'ai refaite.* Synonyme : recommencer.
❷ Refaire, c'est remettre en bon état. *Nous refaisons le toit de la maison.* Synonyme : réparer.

**réfectoire** nom masculin
Un réfectoire est une grande salle où mangent des personnes qui vivent ou qui travaillent en groupe. *Le réfectoire des instituteurs est au premier étage.* Synonyme : cantine.
🔎 « Réfectoire » est un nom masculin qui se termine par un e.

**refermer** verbe
Refermer, c'est fermer ce qui a été ouvert. *J'ai refermé la porte du réfrigérateur.*

**réfléchir** verbe
Réfléchir, c'est penser avec attention à quelque chose. *Réfléchis avant de me répondre.*
● Mot de la même famille : réflexion.

**reflet** nom masculin
Un reflet est l'image d'une chose ou d'une personne qui est renvoyée sur une surface. *Je regarde le reflet des arbres dans l'eau.*
● Mot de la même famille : refléter.

## refléter verbe

❶ **Refléter**, c'est renvoyer une image. *Le lac reflète les nuages.*

❷ **Se refléter**, c'est apparaître à la surface. *La maison se reflète dans l'eau de la rivière.*

## réflexe nom masculin

Un **réflexe** est un mouvement automatique d'une partie du corps. *Coralie a eu le réflexe de rattraper son verre qui tombait.*

## réflexion nom féminin

❶ La **réflexion**, c'est l'action de réfléchir. *J'ai besoin d'un moment de réflexion.*

❷ Une **réflexion** est une critique que l'on fait à quelqu'un. *Le maître nous a fait des réflexions sur notre conduite.* Synonymes : **remarque, reproche.**

## refrain nom masculin

Le **refrain**, c'est la partie d'une chanson que l'on répète après chaque couplet. → Cherche **couplet.**

## réfrigérateur nom masculin

Un **réfrigérateur** est un appareil ménager qui produit du froid et qui sert à conserver les aliments. *J'ai remis le beurre au réfrigérateur.* Synonyme : **Frigidaire.**

Le **reflet** du soleil et des arbres dans l'eau de la rivière.

## refroidir verbe

**Refroidir**, c'est rendre plus froid ou devenir plus froid. *Mon lait a refroidi. En automne, le temps se refroidit.* Synonyme : **se rafraîchir.** Contraire : se réchauffer.

## refuge nom masculin

❶ Un **refuge** est un endroit où l'on se sent à l'abri. *La cabane au fond du jardin est notre refuge.*

❷ Un **refuge** est une maison qui sert d'abri en montagne. *Les alpinistes ont couché dans un refuge.*

● Mot de la même famille : **se réfugier.**

un **refuge** en montagne

## se réfugier verbe

**Se réfugier**, c'est se mettre à l'abri quelque part. *Pendant l'orage, nous nous sommes réfugiés dans une grange.* Synonyme : **s'abriter.**

## refus nom masculin

Le **refus**, c'est l'action de refuser. *Julien n'a pas donné les raisons de son refus.*

🔎 Ce mot se termine par un *s*.

a b c d e f g h i j k l m n o p q r s t u v w x y z

A
B
C
D
E
F
G
H
I
J
K
L
M
N
O
P
Q
**R**
S
T
U
V
W
X
Y
Z

**refuser** verbe

Refuser, c'est ne pas vouloir faire quelque chose. *Léo refuse de me prêter ses rollers.* Contraire : accepter.

● Mot de la même famille : **refus**.

**régal** nom masculin

Un **régal** est une chose très bonne à manger ou à boire. *Cette tarte est un régal.* Synonyme : délice.

● Mot de la même famille : **se régaler**.

se **régaler** verbe

Se régaler, c'est prendre un grand plaisir à manger quelque chose. *Quel bon dessert, je me suis régalée !*

**regard** nom masculin

Un **regard**, c'est l'action ou la manière de regarder. *Ma grand-mère a un regard doux.*

**regarder** verbe

❶ Regarder, c'est diriger ses yeux vers quelque chose ou vers quelqu'un. *Je regarde les étoiles. Nous avons regardé un match à la télévision.*

❷ Cela ne te regarde pas signifie : tu ne dois pas t'en occuper, t'en mêler. *Leur dispute ne te regarde pas.*

● Mot de la même famille : **regard**.

➜ Cherche **contempler, observer**.

Qu'est-ce qu'elle **regarde** ?

**régime** nom masculin

Faire un **régime**, c'est suivre des règles d'alimentation en ne mangeant que certains aliments.

**région** nom féminin

Une **région** est un territoire d'une grande étendue. *Notre maison se trouve dans une région de lacs. Le Midi est une région de France.*

● Mot de la même famille : **régional**.

➜ Cherche **province**.

**régional, régionale** adjectif

Un plat **régional**, une coutume **régionale** se rapportent à une région. *La choucroute est un plat régional.*

🔎 Au pluriel, on écrit *régionaux, régionales.*

**règle** nom féminin

❶ Une **règle** est un instrument qui sert à tracer des lignes droites et à mesurer des longueurs.

❷ Une **règle** indique ce qu'il faut faire dans un cas précis. *Nous avons appris une nouvelle règle de grammaire. Observer les règles de la politesse.* Synonyme : principe.

❸ La **règle d'un jeu**, c'est l'ensemble des explications qu'il faut connaître pour jouer.

**règlement** nom masculin

Un **règlement** est un ensemble de règles que les membres d'un groupe doivent respecter. *Le règlement de l'école a été remis aux parents.*

**régler** verbe

❶ Régler un appareil, une machine, c'est faire ce qu'il faut pour qu'ils fonctionnent parfaitement. *Le garagiste a réglé les phares de la voiture.*

**2** **Régler** quelque chose, c'est trouver une solution pour le résoudre. *Papi doit régler un problème d'argent.*

**règne** nom masculin
Le **règne** d'un roi est la période pendant laquelle il a gouverné un pays.
● Mot de la même famille : **régner**.

**régner** verbe
**Régner**, c'est être le roi ou l'empereur d'un pays. *Louis XIV a régné pendant 72 ans.*

**regonfler** verbe
**Regonfler**, c'est gonfler ce qui est dégonflé. *J'ai regonflé mon matelas pneumatique.*

**regret** nom masculin
**1** Le **regret** est la tristesse que l'on ressent quand on pense à une chose perdue ou passée. *Julie pense à ses vacances avec regret.*
**2** Le **regret** est le sentiment que l'on éprouve quand on se rend compte qu'on n'a pas fait ce qu'il fallait faire. *J'ai du regret de ne pas avoir répondu à ta lettre.*
● Mot de la même famille : **regretter**.

**regretter** verbe
**1** **Regretter**, c'est être triste de ne plus avoir quelque chose ou d'être séparé de quelqu'un. *Raphaël regrette son ancien appartement.*
**2** **Regretter**, c'est se reprocher de ne pas avoir fait ce qu'il fallait faire. *Je regrette de ne pas être venu plus tôt.*
Contraire : **se réjouir**.
🔎 Il y a deux *t*.

**régulier, régulière** adjectif
**1** Un rythme **régulier**, une vitesse **régulière** ne changent pas. *Le train roule à une vitesse régulière.*
Contraires : **inégal**, **irrégulier**.

**2** En grammaire, ce qui est **régulier** suit la règle générale. *Le mot « voiture » a un pluriel régulier.* Contraire : **irrégulier**.
● Mot de la même famille : **régulièrement**.

**régulièrement** adverbe
**Régulièrement** signifie : de façon régulière. *Élodie arrose ses plantes régulièrement.*

**rein** nom masculin
Les **reins** sont les deux organes qui se trouvent dans le bas du dos, à l'intérieur du corps. Ils servent à éliminer les déchets de l'organisme et produisent l'urine.

**reine** nom féminin
Une **reine** est une femme qui dirige un royaume ou l'épouse d'un roi.
➜ Cherche **roi**.

La **reine** est assise sur son trône.

**reinette** nom féminin
Une **reinette** est une pomme à la chair très parfumée.

# A

**rejeter** verbe
Rejeter, c'est renvoyer en lançant. *Le poisson était trop petit, le pêcheur l'a rejeté.*

**rejoindre** verbe
❶ Rejoindre, c'est aller retrouver quelqu'un. *Je vous rejoindrai devant le cinéma.*
❷ Rejoindre, c'est rattraper quelqu'un, un véhicule qui est devant. *J'ai couru pour rejoindre mon frère.*
❸ Se rejoindre, c'est arriver au même endroit. *Ici, les deux routes se rejoignent.* Synonyme : se rencontrer.

Lucas court pour **rejoindre** sa sœur.

**se réjouir** verbe
Se réjouir, c'est éprouver de la joie. *Je me réjouis de te revoir.*

**relâcher** verbe
Relâcher un prisonnier, c'est le remettre en liberté. Synonyme : libérer. Contraires : emprisonner, enfermer.
🔍 Le a prend un accent circonflexe.

**relation** nom féminin
La relation entre des choses ou entre des personnes, c'est ce qu'elles ont en commun. *On sait qu'il y a une relation entre l'état du véhicule et l'accident.* Synonyme : rapport.

**relever** verbe
❶ Relever, c'est remettre debout. *J'ai relevé mon petit frère qui était tombé.*
❷ Relever, c'est diriger vers le haut. *Je relève le store.* Synonymes : lever, remonter. Contraire : baisser.
❸ Relever, c'est observer et noter. *L'institutrice a relevé trois erreurs dans mon exercice.*

**relief** nom masculin
❶ Le relief, c'est la forme de la surface terrestre, avec ses plaines et ses montagnes. *Sur une carte, le relief est en couleurs.*
❷ Le relief d'une pièce de monnaie, d'une médaille, c'est la partie qui dépasse de la surface.

**relier** verbe
❶ Relier des personnes ou des choses, c'est les attacher ensemble. *Une corde relie les deux alpinistes.*
❷ Relier un livre, c'est assembler les feuilles et mettre une couverture.
● Mot de la même famille : **reliure.**

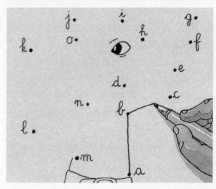

Il faut **relier** les points en suivant l'ordre alphabétique.

**1. religieux, religieuse** adjectif
Un chant **religieux**, une cérémonie **religieuse** se rapportent à une religion.

*Le baptême est une cérémonie religieuse chrétienne.*

## 2. religieux nom masculin
### religieuse nom féminin

Un **religieux**, une **religieuse** sont des personnes qui se sont engagées à passer leur vie à prier et à servir Dieu.

## religion nom féminin

Une **religion** est un ensemble de règles de vie, de prières et de cérémonies unissant des personnes qui croient en Dieu.
- Mot de la même famille : religieux.
→ Cherche **bouddhiste, catholique, israélite, musulman** et **protestant**.

## relire verbe

Relire, c'est lire une nouvelle fois. *Sarah relit son conte préféré.*

## reliure nom féminin

La **reliure** d'un livre est sa couverture rigide. *Mon livre a une reliure en carton.*

## remarquable adjectif

Une chose, une personne **remarquable** fait l'admiration de tous. *Raphaël a fait un travail remarquable.* Synonymes : exceptionnel, extraordinaire.

## remarque nom féminin

Une **remarque** est ce que l'on dit pour faire remarquer quelque chose de bon ou de mauvais. *La maîtresse a fait des remarques sur notre tenue.* Synonymes : critique, réflexion, reproche.

## remarquer verbe

❶ Remarquer, c'est faire attention à quelque chose. *J'ai remarqué que Léo avait grandi.* Synonymes : s'apercevoir, constater.

❷ **Se faire remarquer**, c'est attirer l'attention sur soi. *Il fait des grimaces pour se faire remarquer.*
- Mots de la même famille : remarquable, remarque.

## rembourrer verbe

Rembourrer un siège, c'est le remplir d'une matière souple. *On a fait rembourrer un fauteuil.*

🔍 Le son [ã] s'écrit *em* devant un *b.*

## remboursement nom masculin

Un **remboursement**, c'est l'action de rembourser. *Vous pouvez faire le remboursement en trois fois.*

## rembourser verbe

Rembourser, c'est rendre l'argent que l'on doit. *J'ai prêté deux euros à Marie, elle me les remboursera demain.*
- Mot de la même famille : remboursement.

🔍 Le son [ã] s'écrit *em* devant un *b.*

## remède nom masculin

Un **remède**, c'est ce qui sert à soigner une maladie. *Connais-tu un remède efficace contre la toux ?* Synonyme : médicament.

## remerciement nom masculin

Un **remerciement**, c'est l'action de remercier. *J'ai écrit une lettre de remerciement à papi.*

🔍 Il y a un e après le *i.*

## remercier verbe

Remercier, c'est dire merci. *J'ai remercié Arthur pour son aide.*
- Mot de la même famille : remerciement.

## remettre verbe

❶ Remettre, c'est mettre quelque chose à l'endroit où il était avant. *Je remets les fruits dans le réfrigérateur. Remets ton bonnet sur ta tête.*

**❷ Remettre** en place, en ordre, en marche, c'est mettre quelque chose dans l'état où il était avant. *Nous **avons remis** l'appartement en ordre.*

**❸ Remettre**, c'est mettre en plus. *Léa **remet** du sel dans sa soupe.* **Synonyme :** rajouter.

**❹ Remettre**, c'est mettre entre les mains de quelqu'un. *La gardienne m'**a remis** un paquet.*

**❺ Il se remet à** signifie : il recommence à. *Il **se remet** à pleuvoir.*

**❻ Se remettre** d'une maladie, d'une opération, c'est retrouver la santé, récupérer ses forces. **Synonyme :** se rétablir.

**remonte-pente nom masculin**
Un **remonte-pente** est un appareil fait d'un câble et de perches. Il sert à tirer des skieurs en haut d'une pente. **Synonyme :** téléski.

🔍 Ce mot s'écrit avec un trait d'union. Au pluriel, il n'y a pas de s à « remonte » : on écrit *des remonte-pentes*.

→ Cherche **téléphérique** et **télésiège**.

Coralie prend le **remonte-pente**.

Des **remparts** entourent la ville.

**remonter verbe**
**❶ Remonter**, c'est monter de nouveau. *Je **remonte** dans ma chambre.*

**❷ Remonter**, c'est relever. *Papa **remonte** la col de sa veste.* **Contraire :** baisser.

**❸ Remonter**, c'est remettre en place. *Le garagiste **remonte** le moteur.* **Contraire :** démonter.

**❹ Remonter** une montre ou un réveil, c'est tendre les ressorts des appareils pour les remettre en marche.

● Mot de la même famille : remonte-pente.

**remords nom masculin**
Le **remords** est le sentiment qu'on éprouve quand on se rend compte qu'on a mal agi. *J'ai des **remords** d'avoir laissé ma petite sœur toute seule.*

🔍 Ce mot se termine par un *s*.

**remorque nom féminin**
Une **remorque** est un véhicule sans moteur tiré par un camion, une voiture ou un tracteur.

**remorquer verbe**
**Remorquer** un véhicule, c'est le tirer derrière soi. *Le bateau de pêche **a remorqué** un voilier.*

● Mot de la même famille : remorque.

**rempart nom masculin**
Un **rempart** est un mur épais qui entoure un château fort ou une ville.

🔍 Le son [ɑ̃] s'écrit *em* devant un *p*.

## remplaçant nom masculin
## remplaçante nom féminin

Un **remplaçant**, une **remplaçante**, c'est une personne qui en remplace une autre. *Quand le maître a été malade, nous avons eu un remplaçant.*

🔍 Le son [ɑ̃] s'écrit *em* devant un *p*. Le c prend une cédille.

## remplacer verbe

❶ **Remplacer** une chose, c'est en mettre une autre à la place. *On a remplacé un carreau cassé.*

❷ **Remplacer** une personne, c'est faire son travail à sa place. *Un nouveau dentiste remplace le docteur Tellier.*

🔍 Le son [ɑ̃] s'écrit *em* devant un *p*.
● Mot de la même famille : **remplaçant**.

## remplir verbe

❶ **Remplir**, c'est rendre plein. *J'ai rempli la carafe d'eau.* Contraire : vider. *La salle s'est remplie très vite.*

❷ **Remplir** un questionnaire, c'est écrire dans les espaces prévus pour cela.

🔍 Le son [ɑ̃] s'écrit *em* devant un *p*.

Julie **remplit** son seau.

## remporter verbe

❶ **Remporter** un objet, c'est emporter l'objet qu'on avait apporté. *Raphaël a remporté son jeu vidéo.* Contraire : laisser.

❷ **Remporter** une victoire, un prix, c'est les obtenir, les gagner. *Notre équipe a remporté le premier prix.*

🔍 Le son [ɑ̃] s'écrit *em* devant un *p*.

## remuer verbe

❶ **Remuer**, c'est faire des mouvements. *Je ne peux pas te coiffer si tu remues.* Synonymes : s'agiter, bouger.

❷ **Remuer**, c'est agiter pour mélanger. *Je remue le lait pour faire fondre le sucre.*

## renard nom masculin

Un **renard** est un mammifère sauvage carnivore. Il a une fourrure rousse, un museau pointu et une queue épaisse. *Les renards creusent des terriers pour s'abriter.*

▶ La femelle est la **renarde**, le petit est le **renardeau**. Quand le renard crie, on dit qu'il **glapit**.

un **renard**

**rencontre** nom féminin

Une **rencontre**, c'est le fait de rencontrer. Ce matin, j'ai fait une drôle de **rencontre**. Maman est venue à ma **rencontre**.

**rencontrer** verbe

❶ **Rencontrer** quelqu'un, c'est se trouver en sa présence. J'ai rencontré Léo à la piscine.

❷ **Rencontrer** quelqu'un, c'est faire sa connaissance. Mes parents **se sont rencontrés** sur une plage.

❸ Quand deux choses **se rencontrent**, elles arrivent au même endroit. Deux droites parallèles ne **se rencontrent** jamais. Synonyme : se rejoindre.

● Mot de la même famille : rencontre.

**rendez-vous** nom masculin

Un **rendez-vous** est une rencontre décidée à l'avance. Nous avons **rendez-vous** à onze heures au square.

🔍 Ce mot s'écrit avec un trait d'union. Il ne change pas au pluriel : des rendez-vous.

un **renne**

**se rendormir** verbe

**Se rendormir**, c'est s'endormir de nouveau. Le bébé a pleuré puis il **s'est rendormi**.

**rendre** verbe

❶ **Rendre** un objet, c'est le remettre à son propriétaire. Léo m'**a rendu** mon jeu. Synonyme : rapporter.

❷ **Rendre**, c'est faire devenir. La lumière **rend** les choses visibles. Ton départ me **rend** triste.

❸ **Se rendre** quelque part, c'est y aller. Chaque matin, maman **se rend** au bureau.

❹ **Se rendre**, c'est abandonner le combat. Les soldats **se sont rendus**.

**rêne** nom féminin

Une **rêne** est une courroie de cuir qui sert à diriger un cheval ou un poney. Raphaël tire sur les **rênes** pour faire ralentir son cheval.

🔍 Le premier e prend un accent circonflexe. Ne confonds pas « une rêne » avec « le renne », l'animal.

**renifler** verbe

**Renifler**, c'est respirer fort par le nez en faisant du bruit. Mouche-toi au lieu de **renifler** !

**renne** nom masculin

Un **renne** est un grand mammifère qui vit dans les pays froids. Il a de grandes cornes qu'on appelle des « bois ».

▶ C'est un ruminant. Il appartient à la même famille que le cerf.

🔍 Ne confonds pas « un renne » avec « une rêne », une courroie.

**renoncer** verbe

**Renoncer** à quelque chose, c'est abandonner l'idée de le faire. À cause de l'orage, nous **renonçons** à la randonnée.

**renseignement** nom masculin

Un **renseignement**, c'est ce qui fait connaître, qui renseigne, informe. *Nous avons demandé des renseignements sur les cours de dessin.* Synonymes : indication, information.

**renseigner** verbe

❶ **Renseigner** une personne, c'est lui donner le renseignement, l'information qu'elle demande. *J'ai renseigné une dame dans la rue.*

❷ **Se renseigner**, c'est demander un renseignement. *Les clients se renseignent à l'accueil du magasin.*
● Mot de la même famille : renseignement.

**rentrée** nom féminin

La **rentrée** des classes est le moment où les élèves retournent à l'école, après les grandes vacances.

**rentrer** verbe

❶ **Rentrer**, c'est entrer dans un endroit d'où l'on est sorti. *Après la récréation, nous rentrons en classe.* Synonyme : retourner.

❷ **Rentrer** quelque chose, c'est le mettre à l'intérieur. *Léo a rentré son vélo dans le garage.* Contraire : sortir.

❸ **Rentrer** dans quelque chose, c'est s'y enfoncer. *La vis rentre dans le mur.*
● Mot de la même famille : rentrée.

**renverser** verbe

❶ **Renverser**, c'est faire tomber. *Raphaël a renversé toutes les quilles.* Synonyme : abattre. *L'automobiliste a renversé un piéton.*

❷ **Se renverser**, c'est basculer et se retourner. *La barque s'est renversée.* Synonyme : chavirer.

**renvoi** nom masculin

Le **renvoi**, c'est le fait de renvoyer, de mettre à la porte. *Cet élève risque le renvoi de l'école.*

**renvoyer** verbe

❶ **Renvoyer** un objet, c'est l'envoyer en sens contraire. *J'ai renvoyé le ballon à Anaïs.* **Renvoyer** une lettre, un colis, c'est les envoyer à l'expéditeur.

❷ **Renvoyer** une personne, c'est la mettre à la porte d'un établissement. *Le directeur a renvoyé un élève de l'école.* Synonyme : exclure. *Plusieurs employés ont été renvoyés.* Synonyme : licencier. Contraires : embaucher, engager.
● Mot de la même famille : renvoi.

**repaire** nom masculin

Un **repaire** est un endroit où se cachent des personnes qui préparent une mauvaise action. *La police a découvert le repaire des bandits.*

🔍 « Repaire » est un nom masculin qui se termine par un e. Ne confonds pas avec « un point de repère ».

**répandre** verbe

❶ **Répandre** un liquide, des matériaux, c'est les verser sur une surface. *On a répandu des graviers dans l'allée.*

❷ **Répandre** une odeur, de la chaleur, de la lumière, c'est la produire et l'envoyer dans toutes les directions. *Le soleil répand de la lumière.*

**réparation** nom féminin

La **réparation**, c'est l'action de réparer. *Le menuisier a terminé la réparation de la porte.*

a
b
c
d
e
f
g
h
i
j
k
l
m
n
o
p
q
r
s
t
u
v
w
x
y
z

A
B
C
D
E
F
G
H
I
J
K
L
M
N
O
P
Q
**R**
S
T
U
V
W
X
Y
Z

**réparer** verbe
Réparer, c'est remettre en bon état. *Le garagiste **a réparé** la voiture.*
● Mot de la même famille : réparation.

Léa **répare** son vélo.

**repartir** verbe
❶ Repartir, c'est se remettre en route. *L'orage s'est arrêté, nous pouvons **repartir**.*
❷ Repartir, c'est retourner à l'endroit d'où l'on vient. *Vous venez d'arriver et vous voulez déjà **repartir** ?*

**répartir** verbe
Répartir l'argent, le travail, c'est en donner une partie à plusieurs personnes. *Pour préparer la fête, on **a réparti** les tâches entre tous les élèves.* Synonyme : partager.
● Mot de la même famille : répartition.

**répartition** nom féminin
Une **répartition** est un partage. *On va faire la **répartition** des bonbons.*

**repas** nom masculin
Un **repas**, c'est la nourriture que l'on mange à certains moments de la journée. *Je prends mon **repas** de midi à la cantine.*
🔎 Ce mot se termine par un *s*.

**repassage** nom masculin
Le **repassage**, c'est l'action de repasser du linge.

**1. repasser** verbe
Repasser, c'est passer de nouveau. *Je **repasserai** te voir dimanche.*
Synonyme : revenir.

**2. repasser** verbe
Repasser du linge, c'est passer un fer chaud dessus pour enlever les plis.
● Mot de la même famille : repassage.

Franck **repasse** sa chemise.

**repère** nom masculin
Un **point de repère**, c'est ce qui permet de savoir où l'on est, de s'orienter. *On a pris le clocher de l'église comme **point de repère**.*
🔎 Ne confonds pas avec « un repaire » de bandits.
● Mot de la même famille : repérer.

**repérer** verbe

❶ Repérer, c'est trouver. *Nous **avons** repéré un bel endroit pour pique-niquer.* Synonyme : découvrir.

❷ Se repérer, c'est savoir où l'on est. *On a du mal à **se repérer** dans le brouillard.* Synonyme : s'orienter.

**répertoire** nom masculin

Un **répertoire** est un carnet qui permet de classer des renseignements dans l'ordre alphabétique. *J'ai écrit ton nom et ton adresse dans mon répertoire.*

🔍 « Répertoire » est un nom masculin qui se termine par un e.

**répéter** verbe

❶ Répéter, c'est dire une nouvelle fois. *Je te **répète** que tu te trompes.* Synonyme : redire.

❷ Répéter, c'est dire à une personne ce qu'une autre a dit. *C'est un secret, ne le **répète** pas !* Synonyme : rapporter.

❸ Répéter, c'est s'exercer à jouer un rôle, à chanter, à jouer d'un instrument avant une représentation. *Les acteurs **répètent** sur la scène.*

● Mot de la même famille : répétition.

**répétition** nom féminin

❶ Une **répétition** est une chose que l'on dit ou que l'on écrit plusieurs fois. *Ta lettre contient trop de **répétitions**.*

❷ Une **répétition** est une réunion de travail où des acteurs, des musiciens s'exercent avant de jouer devant un public. *Avant la première représentation, les comédiens ont fait de nombreuses **répétitions**.*

**replier** verbe

Replier, c'est plier ce qui a été déplié. *Aide-moi à **replier** le drap !*

**répondeur** nom masculin

Un **répondeur** est un appareil qui enregistre les messages téléphoniques quand personne ne répond.

**répondre** verbe

❶ Répondre, c'est donner une réponse. *La maîtresse **a répondu** à ma question. Je **répondrai** à ta lettre.*

❷ Répondre, c'est parler au téléphone quand il y a un appel. *Le téléphone sonne, va **répondre** !*

● Mots de la même famille : répondeur, réponse.

**réponse** nom féminin

Une **réponse**, c'est ce que l'on dit ou ce que l'on écrit à une personne qui demande quelque chose. *Je vous ai posé une question et j'attends votre **réponse**.*

**reportage** nom masculin

Un **reportage** est un article ou une émission faits par un journaliste qui raconte ce qu'il a vu et entendu. *J'ai vu un reportage sur une éruption de volcan.*

**1. reporter** verbe

❶ Reporter une réunion, un voyage, c'est les mettre à une autre date. Synonyme : retarder.

❷ Reporter, c'est inscrire à un autre endroit. *J'ai reporté le total en bas de la page.*

**2. reporter** nom masculin

Un **reporter** est un journaliste qui recueille des informations là où un événement s'est produit. *La télévision a envoyé des **reporters** en Afrique.*

🔍 Ce mot vient de l'anglais : on écrit *ter* mais on prononce [tɛr], comme « terre ».

● Mot de la même famille : reportage.

**repos** nom masculin

Le **repos**, c'est le fait de se reposer. *Tu as beaucoup travaillé, prends un peu de **repos**.*

🔍 Ce mot se termine par un s.

*a b c d e f g h i j k l m n o p q r s t u v w x y z*

**1. reposer** verbe

Reposer, c'est être posé sur quelque chose. *Le toit du hangar repose sur quatre piliers.*

**2. se reposer** verbe

Se reposer, c'est faire disparaître la fatigue. *La randonnée était fatigante, j'ai besoin de m'asseoir pour me reposer.*
● Mot de la même famille : repos.

Simon **se repose** un peu.

**repousser** verbe

❶ Repousser, c'est écarter des choses ou faire reculer des personnes. *La police a repoussé les passants.* Synonyme : éloigner.

❷ Repousser, c'est pousser de nouveau. *Les fleurs repoussent au printemps.*

**reprendre** verbe

❶ Reprendre, c'est prendre ce qu'on avait laissé ou prêté. *Léo a repris ses B.D.*

❷ Reprendre, c'est prendre une nouvelle fois. *Marie reprend des légumes.*

❸ Reprendre, c'est recommencer quelque chose après un arrêt. *Maman a repris le travail après son opération.*

**représentation** nom féminin

Une **représentation** est un spectacle qui est joué devant un public. *Ce soir,* c'est la première **représentation** de la pièce « le Petit Prince ».

**représenter** verbe

❶ Représenter, c'est reproduire quelqu'un, un animal, quelque chose par le dessin, la peinture. *J'ai représenté un panda. Cette photo me représente à trois ans.*

❷ Représenter, c'est être l'image de quelque chose. *Les notes de musique représentent des sons. La colombe représente l'idée de la paix.*

❸ Représenter une pièce, c'est la jouer sur une scène. *« Le Petit Prince » a été représenté l'année dernière.*
● Mot de la même famille : représentation.

**reproche** nom masculin

Un **reproche** est une remarque désagréable que l'on fait à quelqu'un quand on n'est pas content de lui. *La maîtresse nous a fait des reproches sur notre conduite.* Synonymes : critique, observation. Contraire : compliment.
● Mot de la même famille : reprocher.

**reprocher** verbe

Reprocher quelque chose à quelqu'un, c'est lui dire qu'on n'est pas content de lui, lui faire des reproches. *La maîtresse m'a reproché d'être trop bavard.*

**reproduire** verbe

❶ Reproduire, c'est faire une chose en suivant un modèle. *J'ai reproduit un dessin.* Synonyme : copier.

❷ Reproduire, c'est fabriquer en plusieurs exemplaires. *Un pochoir permet de reproduire un dessin.*

❸ Se reproduire, c'est donner naissance à d'autres êtres vivants de son espèce. *Certains mammifères, comme le bœuf et le mulet, ne peuvent pas se reproduire.*

A B C D E F G H I J K L M N O P Q R S T U V W X Y Z

**❹ Se reproduire**, c'est se produire de nouveau. *Cet incident ne doit plus se reproduire.*

**reptile** nom masculin
Un **reptile** est un animal qui a le corps couvert d'écailles ou d'une carapace. *Les crocodiles, les serpents et les tortues sont des reptiles.*
▶ Les reptiles rampent ou marchent sur de courtes pattes. Les femelles pondent des œufs.

**république** nom féminin
Une **république** est un État dirigé par un président et gouverné par des personnes élues par les citoyens.

**requin** nom masculin
Un **requin** est un grand poisson qui vit dans les mers chaudes et tièdes.
▶ Le **requin blanc** et le **requin bleu** sont carnivores et dangereux. Les

un **requin**

requins géants, comme le **requin-baleine**, sont inoffensifs.

**rescapé** nom masculin
**rescapée** nom féminin
Un **rescapé**, une **rescapée** sont des personnes sorties vivantes d'un accident ou d'une catastrophe. Synonyme : survivant.

**réserve** nom féminin
Une **réserve** est une quantité de choses que l'on garde pour s'en servir plus tard. *J'ai des réserves de gâteaux.* Synonyme : provision.

b c d e f g h i j k l m n o p q r s t u v w x y z

## Les reptiles

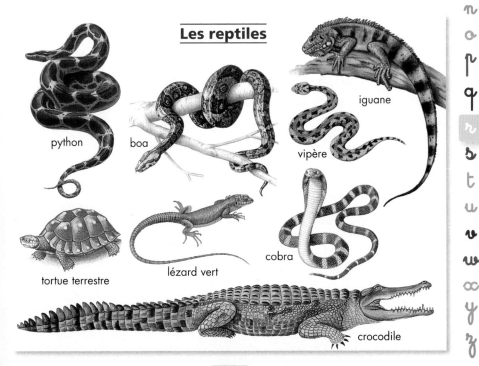

python
boa
iguane
vipère
tortue terrestre
lézard vert
cobra
crocodile

A
B
C
D
E
F
G
H
I
J
K
L
M
N
O
P
Q
R
S
T
U
V
W
X
Y
Z

**réserver** verbe

❶ **Réserver** une place, une chambre, c'est les faire garder en payant à l'avance. *Maman a réservé une place de train.*

❷ Quand une chose **est réservée** à quelqu'un, à un groupe, elle est faite uniquement pour eux. *Ce club de sports est réservé aux enfants.*

● Mots de la même famille : réserve, réservoir.

**réservoir** nom masculin

Un **réservoir** est un récipient qui contient une réserve de liquide. *Le réservoir d'essence de la voiture est plein.*

**résine** nom féminin

La **résine** est un liquide épais qui coule de l'écorce des pins et d'autres conifères.

**résistant, résistante** adjectif

❶ Un objet **résistant** ne se casse pas facilement. *Mon sac à dos est résistant.* Synonymes : robuste, solide. Contraire : fragile.

❷ Un être **résistant** résiste à la fatigue, à la maladie. *Le chameau est un animal résistant.* Synonyme : robuste. Contraire : faible.

**résister** verbe

❶ **Résister**, c'est ne pas s'abîmer, ne pas se casser. *Ce pull résiste au lavage.*

❷ **Résister**, c'est lutter de toutes ses forces contre un adversaire. *Quand on m'attaque, je résiste.*

● Mot de la même famille : résistant.

**résolution** nom féminin

Prendre une **résolution**, c'est décider de faire quelque chose jusqu'au bout même si c'est difficile. *Ma mère a pris*

*la résolution d'aller nager à la piscine deux fois par semaine.*

**résonner** verbe

**Résonner**, c'est faire entendre un son qui se prolonge. *On entend des voix résonner dans la salle.*

🔍 Il y a deux *n*.

**résoudre** verbe

**Résoudre** un problème, c'est trouver sa solution.

**respect** nom masculin

Le **respect** est le comportement poli que l'on a avec une personne parce qu'on reconnaît ses qualités et son expérience. *Les élèves parlent avec respect à leur institutrice.*

🔍 Ce mot se termine par *ct*.

● Mot de la même famille : respecter.

**respecter** verbe

❶ **Respecter** une personne, c'est avoir du respect pour elle. *Nous respectons les personnes âgées.*

❷ **Respecter** un règlement, une règle, c'est les suivre. *Quand nous jouons aux cartes, nous respectons la règle du jeu.*

Le tabouret ne **résistera** pas !

## respiration nom féminin

La **respiration** est l'action de respirer. *Le médecin écoute la **respiration** du malade.*

## respirer verbe

**Respirer**, c'est aspirer l'oxygène qui est dans l'air et rejeter un autre gaz, appelé *gaz carbonique. Quand on court, on respire par le nez et par la bouche.*
● Mot de la même famille : respiration.

## responsable nom masculin et nom féminin

Le **responsable**, la **responsable** d'un acte sont les personnes qui l'ont commis. *On a retrouvé le **responsable** de l'accident.* Synonyme : auteur.

## ressemblance nom féminin

Une **ressemblance**, c'est ce qui fait que des choses ou des personnes se ressemblent. *Vois-tu une **ressemblance** entre ces voitures ?* Contraire : différence.

## ressemblant, ressemblante adjectif

Un portrait **ressemblant** ressemble beaucoup à son modèle. *Ce portrait de ta sœur est très **ressemblant**.*

## ressembler verbe

**Ressembler** à quelque chose, à quelqu'un, c'est avoir la même forme ou des traits du visage semblables. *Julien **ressemble** à son frère. Nos montres se **ressemblent**.*
● Mots de la même famille : ressemblance, ressemblant.
☞ Va voir « les mots qui se ressemblent », page 591.

## ressentir verbe

**Ressentir** quelque chose, c'est le sentir au fond de soi. *À Noël, les enfants **ressentent** une très grande joie.* Synonyme : éprouver.

Les deux frères **se ressemblent**.

## ressort nom masculin

Un **ressort** est un fil de métal qui est enroulé sur lui-même, en spirale. Il peut se tendre et reprendre ensuite sa forme. *Certains matelas ont des **ressorts**.*

## restaurant nom masculin

Un **restaurant** est un endroit où l'on sert des repas à des clients. *Mon oncle m'a emmené déjeuner au **restaurant**.*

## reste nom masculin

Un **reste**, c'est ce qui n'a pas été pris ou utilisé. *Que feras-tu avec le **reste** de l'argent ?* Les **restes**, ce sont les aliments que l'on n'a pas mangés au repas précédent.

## rester verbe

❶ **Rester** dans un endroit, c'est ne pas le quitter. *Léa **est restée** à la maison.*
❷ **Rester**, c'est continuer d'être dans le même état, dans la même position. *Le pin **reste** vert toute l'année. Léo doit **rester** allongé.*
❸ **Il reste** signifie : il y a encore. *Le feu n'est pas éteint, **il reste** des braises.*
● Mot de la même famille : reste.

a
b
c
d
e
f
g
h
i
j
k
l
m
n
o
p
q
r
s
t
u
v
w
x
y
z

A
B
C
D
E
F
G
H
I
J
K
L
M
N
O
P
Q
R
S
T
U
V
W
X
Y
Z

**résultat** nom masculin

❶ Le **résultat** d'une opération est le nombre que l'on obtient à la fin de l'opération. *Le résultat de mon addition est juste.*

❷ Le **résultat** d'un examen, d'une compétition, c'est le nombre de points, la place ou le rang que l'on a obtenu. *Quel est le résultat du match ?* Synonyme : score.

**résumé** nom masculin

Un **résumé** est un petit texte court qui dit en peu de mots ce qu'un livre ou un film raconte. *J'ai lu le résumé du film.*

**résumer** verbe

Résumer une histoire, c'est dire en peu de mots ce qu'elle raconte. *En classe, nous avons résumé un conte que nous avions lu.*
● Mot de la même famille : résumé.

se **rétablir** verbe

Se rétablir, c'est retrouver la santé après une maladie ou une opération. Synonyme : se remettre.

**retard** nom masculin

En retard, c'est après l'heure prévue. *Ton frère arrive souvent en retard.* Contraire : en avance.

**retardataire** nom masculin et nom féminin

Un **retardataire**, une **retardataire** sont des personnes qui arrivent en retard. *Les retardataires n'ont pas pu voir le début du film.*

**retarder** verbe

❶ Retarder quelqu'un, c'est le faire arriver plus tard que prévu. *Les embouteillages nous ont retardés.*

❷ Retarder une réunion, un voyage, c'est les mettre à une autre date. Synonyme : reporter.

❸ Quand une montre **retarde** de cinq minutes, elle indique cinq minutes de moins que l'heure exacte. Contraire : avancer.
● Mots de la même famille : retard, retardataire.

**retenir** verbe

❶ Retenir, c'est empêcher de tomber, de bouger ou de partir. *Je retiens Paul par le bras pour qu'il ne parte pas. Les barrages retiennent l'eau. J'ai trébuché mais je me suis retenu à la rampe.* Synonyme : se rattraper.

❷ Dans une opération, **retenir** un chiffre, c'est faire une retenue.

❸ Retenir quelque chose, c'est le garder dans sa mémoire. *J'ai retenu ton numéro de téléphone.* Contraire : oublier.

❹ Se retenir de faire quelque chose, c'est s'empêcher de le faire. *Je n'ai pas pu me retenir de rire.*
● Mot de la même famille : retenue.

Je pose 3 et je **retiens** 1.

**retentir** verbe

Retentir, c'est faire entendre un grand bruit. *Un coup de tonnerre a retenti.*

# Les mots qui se ressemblent

une **an**cre     de l'**en**cre

une ca**n**e     une ca**nn**e

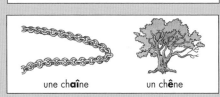

une cha**î**ne     un chê**ne**

un co**q**     une co**que**
de bateau

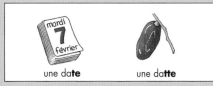

une da**te**     une da**tte**

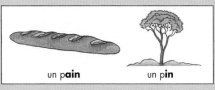

un p**ain**     un p**in**

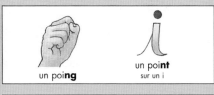

un poi**ng**     un poi**nt**
sur un i

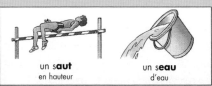

un s**aut**     un s**eau**
en hauteur     d'eau

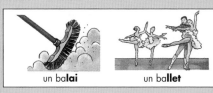

un ba**lai**     un ba**llet**

un **cerf**     une **serre**

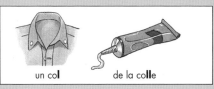

un co**l**     de la co**lle**

un co**r**     le co**rps**

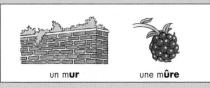

un m**ur**     une m**ûre**

une p**eau**     un p**ot**
de bête     à eau

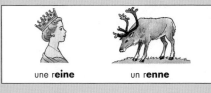

une r**eine**     un r**enne**

un ve**r**     un ve**rre**     du ve**rt**
de terre

A
B
C
D
E
F
G
H
I
J
K
L
M
N
O
P
Q
R
S
T
U
V
W
X
Y
Z

**retenue** nom féminin

Dans une opération, une **retenue**, c'est le chiffre que l'on garde pour l'ajouter aux chiffres de la colonne suivante .

**retirer** verbe

Retirer une chose, c'est l'enlever. *J'ai trop chaud, je **retire** mon pull.* Synonyme : ôter. Contraire : mettre.

**retour** nom masculin

❶ Le **retour**, c'est le fait de retourner quelque part. *Je te téléphonerai à mon retour.*
❷ Le **retour** est le trajet que l'on fait pour revenir à son point de départ. *Nous avons mis trois heures au **retour**.* Contraire : aller.

**retourner** verbe

❶ Retourner quelque part, c'est revenir à l'endroit d'où l'on est parti. *À midi, je retourne chez moi.* Synonymes : rentrer, repartir, revenir.
❷ Retourner quelque part, c'est y aller de nouveau. *J'aimerais **retourner** à la mer.*
❸ Retourner quelque chose, c'est le mettre de l'autre côté. *Maman retourne le bifteck dans la poêle.*
❹ Se retourner, c'est se tourner dans un autre sens, regarder derrière soi. *Marion s'est retournée quand Julien l'a appelée.*
● Mot de la même famille : retour.

**retraite** nom féminin

Être à la **retraite**, prendre sa **retraite**, c'est cesser de travailler lorsqu'on a atteint un nombre d'années suffisant. *Grand-père a pris sa **retraite** l'année dernière.*

**retrancher** verbe

Retrancher, c'est enlever une partie d'un tout. *Si l'on **retranche** trois de huit, il reste cinq.* Synonymes : ôter, soustraire. Contraires : additionner, ajouter.

**rétrécir** verbe

Rétrécir, c'est devenir plus étroit. *Mon pull **a rétréci** au lavage. La route **se** rétrécit.* Contraire : s'élargir.

**retrousser** verbe

Retrousser ses manches, c'est les replier vers le haut. *Pour me laver les mains, j'ai **retroussé** mes manches.* Synonyme : relever.

**retrouver** verbe

❶ Retrouver, c'est trouver une chose ou une personne qu'on avait perdue. *J'ai retrouvé mon stylo.* Contraire : perdre.
❷ Retrouver, c'est rejoindre quelqu'un quelque part. *Je te **retrouverai** à la piscine.*
❸ Se retrouver, c'est se trouver de nouveau ensemble. *Nous **nous** retrouverons après les vacances.*

Pierre **a retrouvé** sa chaussette.

**rétroviseur** nom masculin

Un **rétroviseur** est un petit miroir qui permet à un conducteur de voir la route derrière lui. *Mamie regarde dans le rétroviseur avant de doubler.*

## réunion nom féminin

Une **réunion**, c'est l'action de réunir, de rassembler des personnes. *La directrice a organisé une réunion de parents d'élèves.*

## réunir verbe

❶ **Réunir** des personnes, des objets, c'est les mettre ensemble. *La police a réuni de nombreux témoignages.* Synonymes : **rassembler, recueillir.**
❷ **Se réunir,** c'est se retrouver ensemble au même endroit. *Nous nous sommes réunis pour l'anniversaire de grand-père.* Synonyme : **se rassembler.**
● Mot de la même famille : **réunion.**

## réussir verbe

**Réussir** quelque chose, c'est arriver à le faire. *Tu as bien réussi ton plongeon.* Contraire : **rater.** *Notre plan a réussi.* Contraire : **échouer.**
● Mot de la même famille : **réussite.**

## réussite nom féminin

Une **réussite,** c'est le fait de réussir, d'obtenir un bon résultat. *On a félicité mon frère pour sa réussite à l'examen.* Synonyme : **succès.** Contraire : **échec.**

## revanche nom féminin

La **revanche** est la deuxième partie d'un jeu, qui donne au perdant une chance de gagner à son tour. *Nous allons jouer la revanche.*

## rêve nom masculin

❶ Un **rêve** est une suite d'images qui se forment dans l'esprit quand on dort. *J'ai fait un rêve bizarre.*
❷ Un **rêve** est une idée que l'on désire vivement voir réaliser. *Le rêve de Marion est de devenir astronaute.*

🔍 Le premier e prend un accent circonflexe.

→ Cherche **cauchemar.**

Dans mon **rêve,** ma mère était une fée.

## réveil nom masculin

❶ Le **réveil** est le moment où l'on se réveille. *Ma sœur n'est pas de bonne humeur au réveil.*
❷ Un **réveil** est une petite pendule à sonnerie. *Le réveil a sonné à sept heures.*

## réveiller verbe

**Réveiller** quelqu'un, c'est le faire sortir du sommeil. *Un bruit de moteur m'a réveillé.* Contraire : **endormir.** Se réveiller, c'est cesser de dormir. *Ce matin, je me suis réveillée tôt.* Contraire : **s'endormir.**
● Mots de la même famille : **réveil, réveillon.**

## réveillon nom masculin

Un **réveillon** est un repas de fête que l'on fait au milieu de la nuit. *Notre famille s'est réunie pour le réveillon de Noël.*

## revenant nom masculin

Dans les histoires, un **revenant** est un mort qui revient sur terre. Synonyme : **fantôme.**

**revendre** verbe
Revendre, c'est vendre ce que l'on a acheté. *Nos voisins ont revendu leur voiture.*

**revenir** verbe
❶ Revenir, c'est être de retour. *Après avoir passé un mois chez Paul, je suis revenu chez moi.* Synonymes : rentrer, retourner.
❷ Revenir, c'est venir de nouveau. *Je reviendrai la semaine prochaine.* Synonyme : repasser.
● Mot de la même famille : **revenant**.

**rêver** verbe
❶ Rêver, c'est faire un rêve. *J'ai rêvé que j'avais des ailes.*
❷ Rêver, c'est souhaiter vivement qu'une chose se réalise. *Mon oncle rêve de s'acheter un bateau.*
❸ Rêver, c'est laisser aller son imagination. *Mon frère rêve pendant que la maîtresse parle.*
🔍 Le premier e prend un accent circonflexe.
● Mots de la même famille : **rêve**, **rêveur**.

**réverbère** nom masculin
Un **réverbère** est un lampadaire qui éclaire les rues.

**révérence** nom féminin
Une **révérence** est une manière de saluer en inclinant le haut du corps ou en pliant les genoux. *Le Chat botté fut reçu par le roi et lui fit de nombreuses révérences.*

**rêveur** nom masculin
**rêveuse** nom féminin
Un **rêveur**, une **rêveuse** sont des personnes qui rêvent, qui laissent aller leur pensée. *Ma sœur est une rêveuse.*
🔍 Le premier e prend un accent circonflexe.

Le Chat botté fait la **révérence**.

**réviser** verbe
❶ Réviser une leçon, c'est l'étudier de nouveau.
❷ Réviser une voiture, un appareil, c'est vérifier son fonctionnement.
● Mot de la même famille : **révision**.

**révision** nom féminin
Une **révision**, c'est l'action de réviser. *Ma sœur a fini ses révisions d'anglais. Le garagiste a fait la révision de la voiture.*

**revoir** verbe
Revoir, c'est voir une nouvelle fois. *J'aimerais revoir ce film.*
● Mot de la même famille : **au revoir**.

**au revoir** nom masculin
Au revoir est une formule que l'on emploie par politesse quand on quitte une personne. *Lucas dit au revoir à ses amis.*
→ Cherche **adieu**.

**revolver** nom masculin
Un **revolver** est une arme à feu que l'on tient d'une main.

**rez-de-chaussée** nom masculin
Le rez-de-chaussée est la partie d'une maison qui se trouve au niveau de la terre, du sol. *Le gardien de l'immeuble habite au rez-de-chaussée.*
🔍 Ce mot s'écrit avec deux traits d'union.

**se rhabiller** verbe
Se rhabiller, c'est remettre ses vêtements. *Après son bain, Léo s'est rhabillé.*

**rhinocéros** nom masculin
Un rhinocéros est un gros mammifère herbivore d'Afrique et d'Asie. Il a une peau grise très épaisse.
▶ Les rhinocéros d'Afrique ont deux cornes sur le nez, les rhinocéros d'Asie n'en ont qu'une. Quand le rhinocéros crie, on dit qu'il **barète**.
🔍 Ce mot se termine par un *s* qu'on prononce.

**rhumatisme** nom masculin
Un rhumatisme est une douleur dans une partie du corps où des os s'emboîtent. *Grand-père a des rhumatismes dans les genoux.*

**rhume** nom masculin
Un rhume est une petite maladie du nez et de la gorge. *On éternue et on a le nez qui coule quand on a un rhume.*

**riche** adjectif
❶ Une personne **riche** a beaucoup d'argent. Contraire : pauvre.
❷ Une **riche** demeure est une très grande et belle maison.
● Mot de la même famille : richesse.

**richesse** nom féminin
La richesse est l'état d'une personne riche, qui a beaucoup d'argent, de la fortune. *Les rois et les princes vivaient* dans la *richesse*. Synonyme : luxe.
Contraires : misère, pauvreté.

**ricochet** nom masculin
Faire des ricochets, c'est lancer des pierres plates à la surface de l'eau pour qu'elles rebondissent.

**ride** nom féminin
Une ride est un petit creux qui se forme sur la peau quand on vieillit. *Grand-mère a quelques rides sur le front.*

**rideau** nom masculin
Un rideau est un tissu que l'on suspend devant une fenêtre. *Le soir, on ferme les rideaux.*
🔍 Au pluriel, on écrit *des rideaux*.

**ridicule** adjectif
Une personne ou une chose ridicule donne envie de rire, de se moquer. *Tu es ridicule avec ce déguisement.*

**rien** pronom
Rien, c'est aucune chose. *Allume la lumière, on ne voit rien.* Contraire : tout.

**rigide** adjectif
Un objet rigide ne se plie pas. *La couverture de mon livre est rigide.* Contraire : souple.

un **rhinocéros** d'Afrique

a
b
c
d
e
f
g
h
i
j
k
l
m
n
o
p
q
r
s
t

A
B
C
D
E
F
G
H
I
J
K
L
M
N
O
P
Q
R
S
T
U
V
W
X
Y
Z

## rigoler verbe

Rigoler, c'est rire. *Le film était très drôle : on a bien rigolé.*

🔍 C'est un mot familier.

● Mot de la même famille : rigolo.

Nous **rigolons** bien quand papi fait le clown.

## rigolo, rigolote adjectif

Une personne, un animal ou une chose **rigolote** sont drôles. *Les singes sont rigolos.* Synonyme : amusant.

🔍 C'est un mot familier.

## rillettes nom féminin pluriel

Les **rillettes** sont des petits morceaux de porc ou d'oie cuits dans leur graisse. *Le charcutier fabrique et vend des rillettes.*

## rime nom féminin

Dans un poème, une **rime** est la répétition du même son à la fin des vers. *Les comptines ont des rimes.*
● Mot de la même famille : rimer.

## rimer verbe

Quand des mots **riment**, ils se terminent par le même son. « *Été* » *rime* avec « *chanter* ».

## rincer verbe

Rincer, c'est passer un objet, une partie du corps sous l'eau pour enlever le savon. *Nous rinçons nos mains avant de les essuyer.*

## 1. rire verbe

Rire, c'est montrer sa gaieté par des mouvements de la bouche et de petits cris. *Simon nous fait bien rire avec ses plaisanteries.* Contraire : pleurer.

→ Cherche **sourire**.

## 2. rire nom masculin

Le **rire**, c'est l'action de rire. *J'entends des éclats de rire.*

→ Cherche **sourire**.

## risque nom masculin

❶ Un **risque** est la possibilité qu'une chose dangereuse se produise. *Attention, il y a des risques d'avalanche.*

❷ Prendre des **risques**, c'est se mettre dans une situation dangereuse. *Les explorateurs prennent souvent des risques.*

● Mot de la même famille : risquer.

## risquer verbe

❶ **Risquer** quelque chose, c'est se mettre dans une situation où il y a un danger. *Si vous roulez trop vite, vous risquez un accident.*

❷ **Risquer** sa vie, c'est mettre sa vie en danger. *Les pompiers ont risqué leur vie pour éteindre l'incendie.*

## rivage nom masculin

Le **rivage** est le bord de la mer. *Un voilier s'éloigne du rivage.*
Synonyme : côte.

## rive nom féminin

La **rive** est le bord d'un cours d'eau, d'un lac ou d'un étang. *Je vois des*

*pêcheurs sur l'autre rive du fleuve.*
**Synonyme :** berge.
● Mots de la même famille : rivage, rivière.

### rivière nom féminin
Une **rivière** est un cours d'eau qui se jette dans un autre cours d'eau. *L'Allier et la Marne sont des rivières de France.*
→ Cherche fleuve.

Le bateau navigue sur la **rivière**.

### riz nom masculin
Le **riz** est une céréale des régions chaudes que l'on cultive sur des terrains humides. On mange ses grains cuits.
▶ Les champs de riz sont appelés des **rizières**.
🔍 Ce mot se termine par un *z*.
→ Cherche céréale.

On plante le **riz** dans l'eau.

### robe nom féminin
❶ Une **robe** est un vêtement féminin qui est fait d'un corsage et d'une jupe cousus ensemble.
❷ Une **robe de chambre** est un vêtement long et chaud que l'on porte chez soi.

### robinet nom masculin
Un **robinet** est un appareil qui est placé sur un tuyau. On l'ouvre pour faire couler l'eau et on le ferme pour l'empêcher de couler.

### robot nom masculin
Un **robot** est une machine automatique qui peut faire certains travaux à la place d'une personne. *Dans les usines, les robots sont commandés par des ordinateurs.*

Antoine joue avec son **robot**.

### robuste adjectif
❶ Une personne **robuste** est forte et résistante. *Les déménageurs sont des hommes robustes.* **Contraires :** faible, fragile.
❷ Un objet **robuste** ne se casse pas facilement, ne s'use pas vite. *J'ai des vêtements de ski robustes.*
**Synonymes :** résistant, solide.

*a b c d e f g h i j k l m n o p q r s t u v w x y z*

**roche** nom féminin

Une **roche** est une matière plus ou moins dure que l'on trouve dans le sol et à la surface du sol. *Le marbre est une roche très dure.* Synonyme : **pierre**.

● Mot de la même famille : **rocher**.

**rocher** nom masculin

Un **rocher** est un gros bloc de pierre. *Sébastien aime beaucoup escalader les rochers.*

**rodéo** nom masculin

Aux États-Unis, le **rodéo** est un jeu sportif où des cavaliers doivent tenir sur un cheval sauvage ou sur un taureau le plus longtemps possible.

**rôder** verbe

Rôder, c'est traîner dehors, parfois avec de mauvaises intentions. *Le témoin a vu quelqu'un rôder autour de la maison cambriolée.*

🔎 Le o prend un accent circonflexe.

**roi** nom masculin

Un **roi** est le chef d'un royaume. *Henri IV a été l'un des rois de la France.*

→ Cherche **reine**.

**rôle** nom masculin

❶ Le **rôle** d'un acteur, c'est ce qu'il doit dire et faire. *Les acteurs répètent leur rôle.*

❷ Le **rôle** d'une personne, c'est ce qu'elle doit faire. *Le rôle d'un médecin est de soigner les malades.*

🔎 Le o prend un accent circonflexe.

**roller** nom masculin

Des **rollers** sont des patins qui ont des roulettes alignées.

**roman** nom masculin

Un **roman** est un long récit écrit qui raconte une histoire imaginée. *« L'Île mystérieuse » est un roman de Jules Verne.*

**ronces** nom féminin pluriel

Les **ronces** sont des arbustes couverts d'épines et qui produisent les mûres.

**ronchonner** verbe

Ronchonner, c'est montrer sa mauvaise humeur, dire que l'on n'est pas content. Synonymes : **bougonner, grogner**.

🔎 C'est un mot familier.

**1. rond, ronde** adjectif

Un objet **rond** a la forme d'un cercle, d'un disque ou d'une boule. *Un ballon de football est rond.*

● Mots de la même famille : **ronde, rondelle, rond-point**.

**2. rond** nom masculin

Un **rond** est une forme ronde. *Julien fait des ronds sur son cahier d'écriture.* Synonyme : **cercle**.

**ronde** nom féminin

Une **ronde** est une danse où plusieurs personnes se tiennent par la main et

Natacha et Arthur font du **roller**.

tournent en rond. *Nous faisons une ronde dans la cour.*

### rondelle nom féminin

Une **rondelle** est une tranche ronde. *Rémi coupe le citron en **rondelles**.*

### rond-point nom masculin

Un **rond-point** est une place ronde où plusieurs routes arrivent.

🔎 Ce mot s'écrit avec un trait d'union. Au pluriel, on écrit *des ronds-points*.

### ronfler verbe

**Ronfler**, c'est faire du bruit en respirant quand on dort. *Mon chat **ronfle**.*

### ronger verbe

**Ronger** une chose, un aliment, c'est le couper peu à peu avec ses dents. *Le chien **ronge** son os.*

● Mot de la même famille : **rongeur**.

→ Cherche **grignoter**.

### rongeur nom masculin

Un **rongeur** est un petit mammifère qui a les dents de devant longues et tranchantes et qui ronge ses aliments. *Les lapins, les écureuils, les hamsters, les castors sont des **rongeurs**.*

### ronronner verbe

Pour un chat, **ronronner**, c'est faire un petit bruit qui semble venir du fond de sa gorge. *Quand un chat est content, il **ronronne**.*

### roquefort nom masculin

Le **roquefort** est un fromage fait avec du lait de brebis et qui contient des petits morceaux bleus et verts, appelés des *moisissures*.

### rosace nom féminin

Une **rosace** est un ornement en forme de fleur.

Paul dessine une **rosace** avec son compas.

### rosbif nom masculin

Un **rosbif** est un rôti de bœuf.

### 1. rose nom féminin

Une **rose** est une fleur qui a des couleurs variées et une tige couverte d'épines. *Certaines **roses** sont très parfumées.*

▶ Les roses poussent sur un arbuste, le **rosier**.

☞ Va voir « les fleurs », page 285.

### 2. rose adjectif

La couleur **rose** est une couleur entre le rouge et le blanc. *J'ai des feutres **roses**.*

Le chien **ronge** son os.

a b c d e f g h i j k l m n o p q r s t u v

A
B
C
D
E
F
G
H
I
J
K
L
M
N
O
P
Q
R
S
T
U
V
W
X
Y
Z

### 3. rose nom masculin

Le **rose** est la couleur rose. *J'ai peint les joues des personnages en rose.*

☛ Va voir « les couleurs et les formes », page 171.

### roseau nom masculin

Un **roseau** est une plante qui a une tige droite et creuse. *Les roseaux poussent au bord des étangs.*

🔍 Au pluriel, on écrit *des roseaux.*

### rosée nom féminin

La **rosée** est un ensemble de gouttelettes d'eau qui se déposent sur les plantes le matin et le soir. *À l'aube, les jardins sont couverts de rosée.*

### rossignol nom masculin

Un **rossignol** est un petit oiseau au plumage brun clair qui a un chant très mélodieux. *Le rossignol chante au crépuscule.*

### rot nom masculin

Faire un **rot**, c'est laisser échapper un gaz de l'estomac par la bouche. *Le bébé a fait un rot.*

### rôti nom masculin

Un **rôti** est un morceau de viande que l'on a fait cuire au four. *Le boucher a ficelé le rôti de veau.*

🔍 Le *o* prend un accent circonflexe.
→ Cherche **rosbif**.

### rotin nom masculin

Le **rotin** est la tige souple d'un palmier. Il sert à fabriquer des sièges, des lits et des petits meubles.

### roucouler verbe

Pour un pigeon, une tourterelle, **roucouler**, c'est faire entendre son cri.

### roue nom féminin

❶ Une **roue** est un objet en forme de cercle qui tourne autour de son axe. Elle permet à un véhicule de rouler ou à un mécanisme de fonctionner. *Papa a dévissé la roue avant de son vélo. Une roue de l'horloge est cassée.*

❷ La **grande roue** est une attraction de fête foraine.

❸ Pour un paon ou un dindon, **faire la roue**, c'est étaler sa queue en éventail.

Le paon **fait la roue**.

### 1. rouge adjectif

La couleur **rouge** est la couleur des coquelicots et du sang. *Le bœuf est une viande rouge.*

● Mots de la même famille : **rougeole, rougeur, rougir.**

### 2. rouge nom masculin

❶ Le **rouge** est la couleur rouge. *J'ai peint les pétales des tulipes en rouge foncé.*

❷ Un **rouge à lèvres** est un produit de maquillage qui colore les lèvres.

☛ Va voir « les couleurs et les formes », page 171.

### rougeole nom féminin

La **rougeole** est une maladie contagieuse qui donne de nombreuses petites taches rouges sur la peau.

🔍 Il y a un *e* après le *g*.

**rougeur** nom féminin
Une **rougeur** est une tache rouge sur la peau.

**rougir** verbe
**Rougir**, c'est avoir le visage qui devient rouge. *Les personnes timides rougissent facilement.*

**rouille** nom féminin
La **rouille** est une croûte d'un brun roux qui se forme sur le fer à cause de l'humidité. *Des taches de rouille sont apparues sur mon vélo.*
● Mot de la même famille : rouiller.

**rouiller** verbe
**Rouiller**, c'est se couvrir de rouille. *La grille du parc a rouillé.*

**roulade** nom féminin
Une **roulade** est une galipette.

**roulant, roulante** adjectif
❶ Un fauteuil **roulant**, une table **roulante** peuvent être déplacés grâce à des roues ou à des roulettes.
❷ Un escalier **roulant** est un escalier mobile qui permet de se déplacer sans effort.

**rouleau** nom masculin
❶ Un **rouleau** est un objet qui a la forme d'un cylindre. *On étale la pâte avec un rouleau à pâtisserie.*
❷ Un **rouleau** de papier est une feuille de papier que l'on a enroulée.
🔍 Au pluriel, on écrit *des rouleaux.*

**rouler** verbe
❶ **Rouler**, c'est avancer en tournant sur soi-même. *Le ballon roule sur le sol.*
❷ **Rouler**, c'est avancer grâce à des roues. *Les voitures de course roulent vite.*

❸ **Rouler** quelque chose, c'est le mettre en rouleau. *L'architecte roule ses plans.*
● Mots de la même famille : roulade, roulant, rouleau, roulette, roulotte.

**roulette** nom féminin
❶ Une **roulette** est une petite roue. *Laura a des patins à roulettes.*
❷ La **roulette** est un instrument qui tourne très vite. Le dentiste l'utilise pour ôter la partie abîmée d'une dent.

**roulotte** nom féminin
Une **roulotte** est un petite maison sur roues, tirée par des chevaux ou par une voiture.
→ Cherche **caravane**.

**rouspéter** verbe
**Rouspéter**, c'est exprimer sa mauvaise humeur, dire que l'on n'est pas d'accord.
Synonyme : protester.
🔍 C'est un mot familier.
→ Cherche **râler**.

Zoé et Olivier peignent avec des **rouleaux**.

a b c d e f g h i j k l m n o p q r s t u v w x y z

A
B
C
D
E
F
G
H
I
J
K
L
M
N
O
P
Q
**R**
S
T
U
V
W
X
Y
Z

**rousseur** nom féminin

Une **tache de rousseur** est une petite tache rousse sur la peau.

Romain a des **taches de rousseur**.

**route** nom féminin

❶ Une **route** est une voie de communication qui permet de circuler.

❷ La **route** est la direction à suivre. *On nous a indiqué la route pour aller au stade.* Synonymes : chemin, itinéraire.

● Mot de la même famille : routier.

➜ Cherche **autoroute**.

☞ Va voir la planche illustrée ❺

**routier** nom masculin

Un **routier** est un conducteur de camion. C'est un nom de métier. Synonyme : camionneur.

**rouvrir** verbe

Rouvrir, c'est ouvrir de nouveau. *La piscine rouvre à 14 heures.*

**roux, rousse** adjectif

Des cheveux **roux** sont d'une couleur entre le jaune et le rouge, avec des reflets dorés.

● Mot de la même famille : rousseur.

➜ Cherche **blond, brun** et **châtain**.

**royal, royale** adjectif

Le palais **royal** est le palais d'un roi ou d'une reine.

🔎 Au pluriel, on écrit *royaux, royales*.

● Mot de la même famille : royaume.

**royaume** nom masculin

Un **royaume** est un pays gouverné par un roi ou par une reine. *La Belgique est un royaume.*

**ruban** nom masculin

Un **ruban** est une bande de tissu qui sert d'ornement. *Clara a mis un ruban dans ses cheveux.*

**ruche** nom féminin

Une **ruche** est un petit abri en bois que l'on a construit pour élever un essaim d'abeilles. *L'apiculteur récolte le miel de la ruche.*

**rude** adjectif

Ce qui est **rude** est difficile à supporter. *L'hiver a été rude. La montée au sommet de la montagne est rude.* Synonyme : pénible.

**rue** nom féminin

Une **rue** est une voie de communication dans une ville ou un village.

● Mot de la même famille : ruelle.

➜ Cherche **avenue** et **boulevard**.

**ruelle** nom féminin

Une **ruelle** est une rue très étroite.

**ruer** verbe

❶ Pour un cheval ou un âne, **ruer**, c'est lancer ses pattes de derrière en l'air brusquement et avec force.

❷ **Se ruer**, c'est se lancer sur quelqu'un ou se précipiter vers un endroit. *Les spectateurs se sont rués vers la sortie.*

Le cheval **rue**.

**rugby** nom masculin

Le **rugby** est un sport d'équipe qui se joue avec les mains et les pieds. Les quinze joueurs d'une équipe doivent déposer ou envoyer un ballon ovale dans les buts de l'autre équipe.

▶ Un joueur de rugby est aussi appelé un **rugbyman**.

🔎 Ce mot s'écrit avec un *y*.

**rugir** verbe

Pour un lion, **rugir**, c'est pousser son cri.

**rugueux, rugueuse** adjectif

Une chose **rugueuse** est désagréable au toucher. *L'écorce du chêne est rugueuse.* Contraires : doux, lisse.

**ruine** nom féminin

❶ Des **ruines** sont des restes de bâtiments détruits. *Après l'incendie, il ne restait plus que des ruines.*

❷ Tomber **en ruine**, c'est s'écrouler peu à peu. *Le vieux château tombe en ruine.*

❸ La **ruine**, c'est le fait de perdre sa fortune. *Ce commerçant est au bord de la ruine.*

● Mot de la même famille : **ruiné**.

un temple **en ruine**.

**ruiné, ruinée** adjectif

Une personne **ruinée** est une personne qui a perdu sa fortune.

**ruisseau** nom masculin

Un **ruisseau** est un petit cours d'eau. *On entend couler un petit ruisseau.*

🔎 Au pluriel, on écrit *des ruisseaux*.

Théo joue dans le **ruisseau**.

a
b
c
d
e
f
g
h
i
j
k
l
m
n
o
p
q
r
s
t
u
v
w
x
y
z

A
B
C
D
E
F
G
H
I
J
K
L
M
N
O
P
Q
R
S
T
U
V
W
X
Y
Z

## ruminant nom masculin

Un **ruminant** est un mammifère herbivore qui rumine. *Les bœufs, les moutons, les chameaux, les girafes sont des **ruminants**.*

## ruminer verbe

Pour certains animaux, **ruminer**, c'est mâcher l'herbe avalée qui est remontée de leur estomac dans leur bouche. *Les boucs, les cerfs, les gazelles, les girafes **ruminent**.*

● Mot de la même famille : **ruminant**.

## ruse nom féminin

Une **ruse** est un moyen habile que l'on utilise pour tromper. *Dans la fable « le Corbeau et le Renard », le renard a employé la **ruse** pour obtenir le fromage du corbeau.*

Synonyme : **stratagème**.

● Mot de la même famille : **rusé**.

## rusé, rusée adjectif

Être **rusé**, c'est agir avec ruse. *Ce garçon est **rusé** comme un renard.*

## rythme nom masculin

❶ Le **rythme** est le mouvement d'une musique ou d'une poésie. *Pour danser, il suffit de suivre le **rythme**.*

❷ Le **rythme** est la vitesse d'une action. *À ce **rythme**, les travaux seront finis avant l'été.*

🔎 Ce mot s'écrit avec un *y* et *th*.

● Mot de la même famille : **rythmer**.

## rythmer verbe

**Rythmer**, c'est marquer le rythme. *Paul tape dans ses mains pour **rythmer** la chanson.*

🔎 Ce mot s'écrit avec un *y* et *th*.

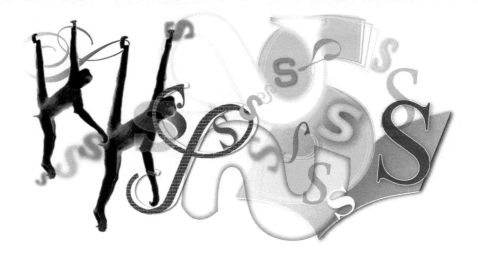

**sa → son**

**sable** nom masculin

Le **sable** est un ensemble de grains très fins qui proviennent de roches et de coquillages usés par les mouvements de l'eau. *Au bord de la mer, les plages sont faites de sable.*

**sabot** nom masculin

❶ Un **sabot** est une sorte de chaussure qui est faite dans un morceau de bois. *Autrefois, à la campagne, on portait des sabots.*

❷ Le **sabot** est la matière très dure que certains animaux ont au bout des pattes. *Les bœufs, les chevaux ont des sabots.*

**sac** nom masculin

Un **sac** est un objet qui s'ouvre par le haut et qui sert à transporter différentes choses. *Chloé a mis ses clés dans son sac à main. Julien range ses affaires dans son sac à dos.*

● Mots de la même famille : sachet, sacoche.

**saccager** verbe

**Saccager** un endroit, c'est le mettre en désordre et casser ce qui se trouve dedans. *Les cambrioleurs ont saccagé l'appartement.*

🔎 Il y a deux c.

**sachet** nom masculin

Un **sachet** est un petit sac. *Marie a mis des sachets de lavande dans l'armoire.*

**sacoche** nom féminin

Une **sacoche** est un sac rigide. *J'ai deux sacoches à l'arrière de mon vélo.*

**sacrifice** nom masculin

Faire un **sacrifice** (ou des **sacrifices**), c'est se priver d'une chose agréable pour une autre plus utile. *Ils font de gros sacrifices pour envoyer leurs enfants en vacances.*

● Mot de la même famille : sacrifier.

**sacrifier** verbe

**Sacrifier** une chose, c'est accepter de la perdre pour obtenir une chose plus utile. *Nos voisins ont sacrifié leurs vacances pour payer les travaux de leur maison.*

A B C D E F G H I J K L M N O P Q R S T U V W X Y Z

## 1. sage adjectif

❶ Un enfant **sage** est calme et obéissant. Contraires : **infernal**, **insupportable**, **odieux**.

❷ Ce qui est **sage** est raisonnable et prudent. *Avec cette pluie, il serait plus sage d'annuler la randonnée.*

● Mots de la même famille : **sagement**, **sagesse**.

## 2. sage nom masculin

Un **sage** est un homme qui, par sa façon de se conduire, est un modèle pour les autres personnes. *Dans la religion bouddhiste, Bouddha est un sage.*

## sagement adverbe

**Sagement** signifie : avec calme et sagesse. *Nous écoutons sagement notre maître.* Synonymes : **calmement**, **tranquillement**.

## sagesse nom féminin

❶ La **sagesse** est le comportement d'un enfant calme et obéissant.

❷ La **sagesse** est la qualité d'une personne qui réfléchit et qui agit avec bon sens et prudence. *Léo a eu la sagesse d'attendre la fin de l'orage pour sortir.*

## saigner verbe

**Saigner**, c'est perdre du sang. *Paul saigne du nez.*

## sain, saine adjectif

❶ Des dents **saines** sont des dents en bon état, qui n'ont pas de carie. *Je ne mange pas trop de bonbons pour garder les dents saines.*

❷ Un air, un climat **sain** est bon pour la santé. *L'air de la montagne est sain.*

❸ Être **sain et sauf**, c'est être vivant et sans blessure. *Les passagers sont sortis sains et saufs de l'accident.* Synonyme : **indemne**.

## saisir verbe

**Saisir**, c'est attraper d'un geste ferme. *Pour me retenir, j'ai saisi la rampe.* Contraire : **lâcher**.

## saison nom féminin

Une **saison** est une période de l'année qui dure trois mois. *Le printemps, l'été, l'automne, l'hiver sont les quatre saisons.*

☞ Va voir « les saisons », page 607.

## salade nom féminin

❶ La **salade** est une plante. On mange ses feuilles crues. *La laitue et le cresson sont des salades.*

❷ Une **salade** est un mélange d'aliments assaisonnés à la vinaigrette. *Nous avons mangé une salade de tomates.*

❸ Une **salade de fruits** est un mélange de fruits en morceaux.

● Mot de la même famille : **saladier**.

## saladier nom masculin

Un **saladier** est un récipient creux que l'on utilise pour servir la salade.

Clara a un doigt qui **saigne**.

# Les saisons

**Le printemps**

des hirondelles
un cerisier
des violettes
des jonquilles
des graines de gazon
un pommier en fleur

**L'été**

des cerises
une piscine gonflable
des pommes

**L'automne**

des corneilles
des feuilles mortes
des champignons
des pommes mûres

**L'hiver**

de la fumée
une chouette
des corbeaux
des bûches
un fagot
de la neige

A

**salaire** nom masculin

B

Le **salaire** est la somme d'argent que l'on reçoit pour son travail.
Synonyme : **paye**.

C

D

🔎 « Salaire » est un nom masculin qui se termine par un e.

E

● Mot de la même famille : **salarié**.

F

**salarié** nom masculin
**salariée** nom féminin

G

Un **salarié**, une **salariée** sont des personnes qui reçoivent un salaire.

H

**sale** adjectif

I

Une personne, une chose **sale** est couverte de taches, de poussière. *J'ai les mains* **sales**. Synonyme : **dégoûtant**.
Contraires : **net**, **propre**.

J

K

● Mots de la même famille : **salement**, **saleté**, **salir**, **salissant**.

L

**salé**, **salée** adjectif

M

Ce qui est **salé** contient du sel, a un goût de sel. *L'eau de mer est* **salée**.
Contraire : **doux**. *La purée est* **salée**.

N

O

→ Cherche **acide**, **amer** et **sucré**.

P

**salement** adverbe

Q

**Salement** signifie : d'une manière sale. *Mon petit frère mange* **salement**.
Contraire : **proprement**.

R

**saler** verbe

S

**Saler** un aliment, c'est l'assaisonner avec du sel.

T

U

**saleté** nom féminin

V

❶ La **saleté**, c'est l'état d'une personne ou d'une chose sale. *Tes chaussures sont d'une* **saleté** *incroyable*.
Contraire : **propreté**.

W

X

❷ Une **saleté** est une chose sale. *La rue est pleine de* **saletés**.

Y

Z

Ne **sale** pas trop tes frites !

**salir** verbe

**Salir** une chose, c'est la rendre sale. *J'ai sali mon short en jouant au football*.
**Se salir**, c'est devenir sale. *Je* **me suis sali** *en faisant de la peinture*.

Pierre **s'est sali** en jouant au football.

**salissant**, **salissante** adjectif

❶ Une chose **salissante** se salit facilement. *Le linge blanc est* **salissant**.

❷ Un travail **salissant** rend sale. *Les travaux de peinture sont* **salissants**.

### salive nom féminin

La **salive** est le liquide que l'on a dans la bouche. *La salive aide à digérer les aliments.*

### salle nom féminin

❶ Une **salle** est une pièce qui a un usage particulier. *Nous mangeons dans la salle à manger.*

❷ Une **salle** est un grand local pour recevoir le public. *La salle de cinéma était pleine.*

● Mot de la même famille : **salon**.

### salon nom masculin

❶ Un **salon** est une petite salle, dans une maison, un appartement.

❷ Un **salon de coiffure** est un établissement où travaille le coiffeur.

### salopette nom féminin

Une **salopette** est un vêtement fait d'un pantalon et d'une partie qui couvre la poitrine. Elle tient sur les épaules par des bretelles.

### saluer verbe

❶ **Saluer** une personne, c'est faire un geste de la main pour lui dire bonjour. *Le père de Léo a salué ma mère dans la rue.*

❷ **Saluer**, c'est s'incliner devant le public. *À la fin de la pièce, les acteurs ont salué.*

● Mot de la même famille : **salut**.

### 1. salut nom masculin

Un **salut** est un geste que l'on fait pour dire bonjour ou au revoir. *Anaïs m'a fait un salut de la main en partant.*

### 2. salut ! interjection

**Salut** s'emploie pour dire bonjour ou au revoir. *Salut tout le monde !*

Aziz **salue** Clara.

### samedi nom masculin

Le **samedi** est le sixième jour de la semaine. Il vient après le vendredi et avant le dimanche. *Nous irons au cinéma samedi après-midi.*

☛ Va voir « le calendrier », page 111.

### sandale nom féminin

Une **sandale** est une chaussure légère retenue par des lanières.

### sandwich nom masculin

Un **sandwich** est fait de deux tranches de pain. On met de la charcuterie, du fromage ou d'autres aliments entre les deux tranches.

### sang nom masculin

Le **sang** est le liquide rouge qui circule dans le corps. *Le sang coule lorsqu'on se coupe.*

🔍 Ce mot se termine par un *g*.

● Mot de la même famille : **sang-froid**.

### sang-froid nom masculin

Le **sang-froid** est l'état d'une personne qui reste calme, qui ne s'affole pas quand il y a du danger. *Les pompiers gardent toujours leur sang-froid.*

Synonyme : **calme**.

🔍 Ce mot s'écrit avec un trait d'union.

a b c d e f g h i j k l m n o p q r s t u v w x y z

A
B
C
D
E
F
G
H
I
J
K
L
M
N
O
P
Q
R
S
T
U

### sanglier nom masculin

Un **sanglier** est un porc sauvage qui a une grosse tête avec deux défenses et un corps couvert de poils durs, noirs ou bruns. *Les sangliers vivent dans les forêts.*

▶ La femelle est la **laie**, le petit est le **marcassin**. Quand le sanglier crie, on dit qu'il **grogne** ou qu'il **grommelle**.

### sanglot nom masculin

Éclater en **sanglots**, c'est se mettre à pleurer très fort.

● Mot de la même famille : **sangloter**.

### sangloter verbe

Sangloter, c'est pleurer très fort, avec des sanglots. *Je console mon petit frère qui sanglote.*

### sans préposition

Sans quelqu'un, **sans** quelque chose signifie : en n'étant pas accompagné de quelqu'un, en ne prenant pas quelque chose. **Contraire : avec.**

### sans-abri nom masculin et nom féminin

Les **sans-abri** sont des personnes qui n'ont pas de logement.

🔍 Ce mot s'écrit avec un trait d'union. Il ne change pas au pluriel.

un **sanglier**

### santé nom féminin

❶ La **santé**, c'est le bon état du corps. *Le sport est bon pour la santé.*
❷ Être en **bonne santé**, c'est bien se porter, ne pas être malade.

### santon nom masculin

Un **santon** est une figurine que l'on met dans la crèche, à Noël.

### sapin nom masculin

Un **sapin** est un arbre qui a des aiguilles et qui donne de la résine. C'est un conifère qui pousse surtout à la montagne. *À Noël, on décore les sapins.*

▶ Le sapin a des fruits en forme de cônes.

☞ Va voir « les conifères », page 158.

### sarcophage nom masculin

Un **sarcophage** est un grand cercueil en pierre. *Les sarcophages des anciens Égyptiens étaient déposés dans les pyramides.*

🔍 Ce mot s'écrit avec *ph*.

### sardine nom féminin

Une **sardine** est un petit poisson de mer.

☞ Va voir « les poissons », page 530.

### satellite nom masculin

❶ Un **satellite** est un astre qui tourne autour d'une planète. *La Lune est le satellite de la Terre.*
❷ Un **satellite** est un engin qui est lancé dans l'espace et qui tourne autour de la Terre. *Les satellites permettent d'observer la Terre et de transmettre des émissions de télévision.*

🔍 Il y a deux *l*.

☞ Va voir la planche illustrée

un **satellite** d'observation.

**satin** nom masculin
Le **satin** est une étoffe lisse et brillante. *La mariée portait une robe de satin.*
→ Cherche **soie**.

**satisfaction** nom féminin
La **satisfaction** est le plaisir que l'on éprouve quand on a ce que l'on désire ou quand on a réussi quelque chose. *Son travail lui donne des satisfactions.*

**satisfaire** verbe
Satisfaire quelqu'un, c'est le rendre content. *La maîtresse a réussi à satisfaire tous les enfants.*
● Mots de la même famille : satisfaction, satisfaisant, satisfait.

**satisfaisant, satisfaisante** adjectif
Une chose **satisfaisante** est une chose qui satisfait, qui est assez bonne. *Tes notes de ce trimestre sont très satisfaisantes.*

Synonyme : convenable.
Contraire : mauvais.
🔎 On écrit *fai* mais on prononce [fə], comme dans « feuille ».

**satisfait, satisfaite** adjectif
Être **satisfait** de quelque chose, c'est en être content. *Alexandra est satisfaite de son dessin.* Contraire : mécontent.

**sauce** nom féminin
Une **sauce** est un liquide que l'on sert avec certains plats. *La mayonnaise et la vinaigrette sont des sauces.*

**saucisse** nom féminin
Une **saucisse** est un produit de charcuterie fait le plus souvent de viande de porc hachée et assaisonnée, et qui a la forme d'un petit cylindre. On la mange cuite. *On mange souvent des saucisses avec la choucroute.*
● Mot de la même famille : saucisson.

**saucisson** nom masculin
Un **saucisson** est une grosse saucisse crue ou cuite qui se mange froide.

**sauf** préposition
Sauf signifie : à l'exception de. *Tout le monde est venu, sauf toi.*
Synonyme : à part.

**saumon** nom masculin
Un **saumon** est un gros poisson marin à chair rose. *Le saumon se mange frais ou fumé.*
▶ Les saumons vivent dans la mer mais se reproduisent dans les rivières.
☞ Va voir « les poissons », page 530.

**saut** nom masculin
Un **saut** est un mouvement que l'on fait en s'élevant au-dessus du sol. *Antoine a franchi la flaque d'un saut.*
● Mots de la même famille : saute-mouton, sauter, sauterelle, sautiller.
→ Cherche **bond**.

a b c d e f g h i j k l m n o p q r s t u v w x y z

A
B
C
D
E
F
G
H
I
J
K
L
M
N
O
P
Q
R
S
T
U
V
W
X
Y

**saute-mouton** nom masculin

Jouer à **saute-mouton**, c'est sauter, les jambes écartées, par-dessus une personne qui se tient courbée.

🔍 Ce mot s'écrit avec un trait d'union.

Ils jouent à **saute-mouton**.

**sauter** verbe

Sauter, c'est s'élever au-dessus du sol et retomber. *Les kangourous sautent pour se déplacer.*

**sauterelle** nom féminin

Une **sauterelle** est un insecte vert ou jaune qui fait des sauts en s'appuyant sur ses pattes de derrière.

▶ Le mâle fait entendre un bruit aigu en frottant ses ailes.

→ Cherche **criquet** et **grillon**.

une **sauterelle**

**sautiller** verbe

Sautiller, c'est faire de petits sauts. *Le moineau sautille sur une branche.*

**sauvage** adjectif

❶ Un animal **sauvage** est un animal qui vit en liberté dans la nature. *Je regarde souvent les reportages sur les animaux sauvages.* Contraires : domestique, familier.

❷ Une plante **sauvage** est une plante qui pousse toute seule, qui n'est pas cultivée.

❸ Un être **sauvage** ne se laisse pas approcher facilement. *Mon chat est un peu sauvage.* Synonymes : craintif, farouche.

**sauver** verbe

❶ **Sauver** quelqu'un, un animal, c'est le faire échapper à un grave danger. *Le maître nageur a sauvé un enfant qui allait se noyer.*

❷ **Se sauver**, c'est s'éloigner très vite pour échapper à quelque chose ou à quelqu'un. *Quand il m'a vu, le chat s'est sauvé.* Synonymes : s'enfuir, fuir.

● Mots de la même famille : sauvetage, sauveteur.

**sauvetage** nom masculin

❶ Un **sauvetage**, c'est l'action de sauver des personnes. *Le sauvetage de l'alpiniste a demandé plusieurs heures.*

❷ Un **gilet de sauvetage** sert à flotter si l'on tombe d'un bateau. *À l'école de voile, on met des gilets de sauvetage.*

**sauveteur** nom masculin

Un **sauveteur** est une personne qui porte secours à ceux qui sont en danger. *Les sauveteurs sont partis à la recherche des skieurs disparus.*

**savane** nom féminin

La **savane** est une grande prairie où pousse de l'herbe mais peu d'arbres. On la trouve dans les pays chauds. *Les girafes et les lions vivent dans la savane.*

→ Cherche **brousse**.

☞ Va voir la planche illustrée **⑬**

**savant** nom masculin

Un **savant** est une personne qui sait beaucoup de choses et qui fait des expériences et des découvertes pour faire avancer les connaissances. *Louis Pasteur et Marie Curie étaient de grands savants.* Synonyme : **scientifique**.

**savoir** verbe

❶ **Savoir** quelque chose, c'est en être informé. *Nous savons que tu as été malade.* Contraire : **ignorer**. *Sais-tu le nom de cette plante ?* Synonyme : **connaître**.

❷ **Savoir** quelque chose, c'est l'avoir dans sa mémoire. *Léa sait sa leçon.*

❸ **Savoir** faire quelque chose, c'est l'avoir appris et être capable de le faire. *Romain sait nager.*

● Mot de la même famille : **savant**.

Les **sauveteurs** vont sauver l'enfant.

**savon** nom masculin

Un **savon** est un produit qui mousse et qui sert à laver. *Le savon mouillé glisse des mains.*

● Mots de la même famille : **savonner**, **savonnette**.

**savonner** verbe

**Savonner**, c'est laver avec du savon. *Je savonne une tache de chocolat.*

🔎 Il y a deux *n*.

Sarah **savonne** ses mains.

**savonnette** nom féminin

Une **savonnette** est un petit savon pour la toilette.

🔎 Il y a deux *n* et deux *t*.

**scandale** nom masculin

Un **scandale** est une chose que tout le monde trouve honteuse. *C'est un scandale de voir des sans-abri dans un pays riche.*

**scaphandre** nom masculin

Un **scaphandre** est un équipement composé d'une combinaison étanche et d'un casque. Il permet de travailler sous l'eau ou de voyager dans l'espace.

🔎 Ce mot s'écrit avec *ph*.

● Mot de la même famille : **scaphandrier**.

a
b
c
d
e
f
g
h
i
j
k
l
m
n
o
p
q
r
s
t
u
v
w
x
y
z

A
B
C
D
E
F
G
H
I
J
K
L
M
N
O
P
Q
R
**S**
T
U
V
W
X
Y
Z

**scaphandrier** nom masculin

Un **scaphandrier** est un plongeur qui travaille sous l'eau avec un scaphandre.

🔍 Ce mot s'écrit avec *ph*.

**scarabée** nom masculin

Un **scarabée** est un gros insecte volant qui a des antennes et qui ressemble à un hanneton.

🔍 « Scarabée » est un nom masculin qui se termine par un e.

**scène** nom féminin

❶ La **scène** est la partie d'un théâtre où se déroule le spectacle. *La scène est éclairée par des projecteurs.*
❷ Une **scène** est une action qui se déroule sous nos yeux. *J'ai assisté à une scène très drôle dans la rue.*

🔍 Il y a un c après le *s*.

**sceptre** nom masculin

Un **sceptre** est un grand bâton décoré que les rois et les empereurs tenaient à la main et qui représentait le pouvoir.

🔍 Il y a un c après le *s*. On prononce [sɛptr].

**schéma** nom masculin

Un **schéma** est un dessin très simple fait pour expliquer quelque chose. *La maîtresse a fait le schéma d'une fusée.*

🔍 Ce mot s'écrit avec *sch*.

**scie** nom féminin

Une **scie** est un outil fait d'une lame avec de petites dents, qui est fixée à une poignée. Elle sert à couper du bois ou du métal.

🔍 Il y a un c après le *s*.

**science** nom féminin

La **science** est l'ensemble des connaissances sur la nature et sur l'être humain. *La science progresse chaque jour.*

🔍 Il y a un c après le *s*.
● Mots de la même famille : **science-fiction, scientifique.**

**science-fiction** nom féminin

Un film ou un roman de **science-fiction** raconte des histoires qui se passent dans un avenir imaginaire. *Les films de science-fiction montrent souvent des extraterrestres.*

🔍 Ce mot s'écrit avec un trait d'union.

**1. scientifique** adjectif

Une expérience **scientifique** utilise les méthodes de la science.

🔍 Il y a un c après le *s*.

Léa fait une expérience **scientifique**.

**2. scientifique** nom masculin et nom féminin

Un **scientifique**, une **scientifique** sont des personnes qui étudient les sciences, qui font des expériences. *Les scientifiques avaient prévu le dernier tremblement de terre.*
Synonyme : **savant.**

**scier** verbe
Scier, c'est couper avec une scie. *Le menuisier scie une planche.*

🔍 Il y a un c après le s.
● Mot de la même famille : scie.

**scintiller** verbe
Scintiller, c'est briller en faisant comme de petites étincelles. *Les étoiles scintillent dans le ciel.*
Synonyme : étinceler.

🔍 Il y a un c après le s.

**scolaire** adjectif
Le travail **scolaire** est le travail que l'on fait à l'école.

**score** nom masculin
Un **score** est le nombre de points ou de buts que l'on obtient dans un match. *Le score a été de trois buts à un.*

**scorpion** nom masculin
Un **scorpion** est un petit animal des pays chauds qui a une carapace, quatre paires de pattes et deux grandes pinces. Sa queue se termine par une pointe venimeuse. *La piqûre des scorpions est très douloureuse et peut être mortelle.*

un **scorpion**

**Scotch** nom masculin
Le **Scotch** est du ruban adhésif.

🔍 Ce mot s'écrit avec une majuscule parce que c'est un nom de marque.

**script** nom masculin
Le **script** est une manière d'écrire à la main, avec des lettres séparées, comme dans un texte imprimé.
→ Cherche cursive.

**sculpter** verbe
Sculpter, c'est tailler dans une matière, comme la pierre, le bois ou le métal,

pour lui donner une forme. *Le sculpteur a sculpté une tête dans un bloc de marbre.*

🔍 On ne prononce pas le *p*.
● Mots de la même famille : sculpteur, sculpture.

Marlène **sculpte** un ours en pierre.

**sculpteur** nom masculin
Un **sculpteur** est un artiste ou une artiste qui sculpte. C'est un nom de métier. *Michel-Ange est un sculpteur célèbre.*

🔍 On ne prononce pas le *p*.

**sculpture** nom féminin
❶ La **sculpture** est l'art du sculpteur. *David fait de la sculpture sur du métal.*

A
B
C
D
E
F
G
H
I
J
K
L
M
N
O
P
Q
R
S
T
U
V
W
X
Y
Z

❷ Une **sculpture** est une œuvre d'art sculptée. *Le musée du Louvre contient de très anciennes sculptures.*
Synonyme : statue.

🔍 On ne prononce pas le *p*.

## se pronom

Se représente la troisième personne du singulier et du pluriel. *David se lave. Marion et Jérémy se regardent.*

🔍 *Se s'écrit s' devant une voyelle ou un « h » muet : il s'est endormi. Elles s'habillent.* Ne confonds pas « se » et le déterminant « ce ».

## séance nom féminin

Une **séance** est la durée d'un film, d'un spectacle, d'une activité. *Dimanche, nous irons au cinéma à la séance de 16 heures.*

## seau nom masculin

Un **seau** est un récipient rigide qui a une anse. Il sert à transporter des liquides ou d'autres matières. *Raphaël remplit son seau de sable mouillé.*

🔍 Au pluriel, on écrit *des seaux*.

## sec, sèche adjectif

❶ Une chose **sèche** ne contient pas d'eau ni d'humidité. *Ton maillot de bain est sec.* Contraires : humide, mouillé.
❷ Un climat **sec**, une saison **sèche** est un climat, une saison qui reçoit peu de pluie. *Nous avons eu un automne sec.* Contraire : pluvieux.
❸ Un aliment **sec** est un aliment que l'on a fait sécher pour le conserver. *J'ai mangé du saucisson sec et des raisins secs.*
❹ Du bois **sec** est du bois qui n'a plus de sève. Synonyme : mort. Contraire : vert.

❺ Un bruit **sec** est un bruit assez fort. *Les pommes de pin font des bruits secs en brûlant.*
● Mots de la même famille : sécher, sécheresse.

## sécher verbe

Sécher, c'est rendre sec ou devenir sec. *Cette machine sèche le linge. Mon maillot de bain sèche au soleil.*

## sécheresse nom féminin

La **sécheresse** est le manque de pluie. *La sécheresse nuit aux cultures.*

## second, seconde adjectif

Le **second** étage d'un immeuble est le deuxième étage.

🔍 Le c se prononce [g].

## seconde nom féminin

La **seconde** est la principale unité de mesure du temps. *Il faut soixante secondes pour faire une minute.*

🔍 Le c se prononce [g].
☞ Va voir « les mesures », page 443.

## secouer verbe

Secouer une chose, c'est la remuer dans tous les sens. *Secoue bien ton jus d'orange avant de l'ouvrir.*
Synonyme : agiter.
● Mot de la même famille : secousse.

Lisa **secoue** sa serviette.

## secourir verbe

Secourir quelqu'un, c'est venir à son secours, lui apporter de l'aide, lui donner des soins. *Les pompiers ont secouru les blessés.* Synonyme : porter secours.
● Mot de la même famille : secours.

## secours nom masculin

❶ Le secours, c'est l'aide que l'on apporte à une personne qui est en danger. *Les médecins ont porté secours aux blessés.*

❷ Appeler au secours, c'est crier lorsqu'on est en danger. *On a entendu un nageur appeler au secours.*

❸ Une sortie de secours est une sortie que l'on utilise en cas de danger.

🔍 Ce mot se termine par un *s*.

## secousse nom féminin

Une secousse est un mouvement brusque qui secoue. *La voiture a démarré après plusieurs secousses.*

## 1. secret nom masculin

Un secret est une chose qu'il ne faut répéter à personne. *Lucas m'a confié un secret.*

## 2. secret, secrète adjectif

Un langage secret est un langage que l'on peut déchiffrer si l'on connaît le code.
● Mot de la même famille : secrétaire.

## secrétaire nom masculin et nom féminin

Un secrétaire, une secrétaire sont des personnes qui s'occupent du courrier et qui prennent les rendez-vous d'une autre personne. C'est un nom de métier.

On dirait un langage secret.

## section nom féminin

Une section est une partie d'un groupe. *À l'école maternelle, Clara est dans la section des grands.*

## sécurité nom féminin

La sécurité est une situation qui ne présente aucun danger. *Nous sommes en sécurité dans la maison.*

## segment nom masculin

Un segment est une partie d'une ligne droite. *Je mesure des segments de différentes longueurs.*

## seigle nom masculin

Le seigle est une céréale qui ressemble au blé, mais qui a un épi entouré de fines tiges. *Avec le seigle, on fait de la farine.*

## seigneur nom masculin

Au Moyen Âge, un seigneur était un homme qui possédait des terres et habitait dans un château fort. Il faisait travailler les paysans et commandait une armée.

➜ Cherche serf.

# sein nom masculin

Les **seins** sont les deux mamelles d'une femme.

→ Cherche **poitrine**.

La maman donne le **sein** à son bébé.

# séjour nom masculin

❶ Un **séjour** est un temps assez long que l'on passe en dehors de chez soi. *Notre séjour à la montagne a duré une semaine.*

❷ La **salle de séjour** est la pièce qui sert de salon et de salle à manger.

# sel nom masculin

Le **sel** est une matière blanche au goût piquant qui se trouve dans l'eau de mer. Il sert à assaisonner ou à conserver les aliments. *Mets du sel dans l'eau des pâtes !*

● Mots de la même famille : **salé, saler**.

# selle nom féminin

❶ Une **selle** est un siège en cuir que les cavaliers mettent sur le dos de leur cheval.

❷ Une **selle** est le petit siège d'une bicyclette ou d'une moto.

# selon préposition

**Selon** signifie : en fonction de telle situation. *Le bateau partira en mer ou restera au port selon le temps qu'il fera.*

# semaine nom féminin

Une **semaine** est une période de sept jours qui va du lundi au dimanche. *Nous sommes en vacances à la fin de la semaine.*

☞ Va voir « le calendrier », page 111.

# semblable adjectif

Quand deux choses sont **semblables**, elles se ressemblent beaucoup. *Nos blousons sont semblables.* Synonymes : **identique, pareil.** Contraire : **différent.**

🔎 Le son [ã] s'écrit *em* devant un *b*.

# semblant nom masculin

**Faire semblant** de faire quelque chose, c'est faire comme si on faisait cette chose. *Ma sœur fait semblant de dormir.*

🔎 Le son [ã] s'écrit *em* devant un *b*.

# sembler verbe

❶ **Sembler**, c'est avoir l'air. *La maîtresse semble ravie.* Synonyme : **paraître.**

❷ **Il me semble que** signifie : on dirait que. *Il me semble que tu te trompes.*

🔎 Le son [ã] s'écrit *em* devant un *b*.

● Mots de la même famille : **semblable, semblant.**

# semelle nom féminin

La **semelle** d'une chaussure est le dessous.

Les **semelles** de ses bottes sont usées.

**semer** verbe

**Semer** des graines, c'est les mettre en terre pour les faire pousser. *Notre voisin sème du gazon.*

➜ Cherche **germer**.

**semoule** nom féminin

La **semoule** est un aliment fait de petits grains ronds de blé ou d'autres céréales. *Pour faire du couscous on utilise de la semoule.*

**sens** nom masculin

❶ Le **sens** est la direction. *Dans quel sens allez-vous ?*

❷ Le **sens** d'un mot, c'est ce qu'il veut dire. *Dans un dictionnaire, on trouve le sens des mots.* Synonyme : **signification**.

❸ Les **sens**, c'est ce qui permet de voir, d'entendre, de sentir, de goûter et de toucher. *La vue, l'ouïe, l'odorat, le goût, le toucher sont les cinq sens.*

❹ Avoir du **bon sens**, c'est savoir ce qui est raisonnable et logique.

🔍 Ce mot se termine par un *s* que l'on prononce.

● Mots de la même famille : **sensation, sensible**.

Dans quel **sens** doit aller la souris ?

**sensation** nom féminin

Une **sensation**, c'est ce que l'on ressent par les sens. *J'ai une sensation de froid.*

**sensible** adjectif

Une personne **sensible** est facilement émue. *Mon frère est un adolescent sensible.* Synonyme : **émotif**.

**sentier** nom masculin

Un **sentier** est un chemin étroit. *Nous suivons le sentier qui s'enfonce dans la forêt.*

**sentiment** nom masculin

Un **sentiment**, c'est ce que l'on ressent au fond de soi. *L'affection, l'amitié, la pitié sont des sentiments.*

**sentinelle** nom féminin

Une **sentinelle** est un soldat qui surveille et garde une caserne ou un autre bâtiment.

**sentir** verbe

❶ Quand on **sent** une odeur, elle arrive à nos narines. *Je sens une odeur de frites.*

❷ **Sentir** bon, **sentir** mauvais, c'est avoir une bonne ou une mauvaise odeur. *Les roses sentent bon. Les boucs sentent mauvais.*

❸ **Sentir** le froid, la fatigue, c'est avoir une sensation de froid, de fatigue.

❹ **Sentir**, c'est avoir une impression. *J'ai senti que Léo était triste.*

**séparation** nom féminin

❶ La **séparation**, c'est le fait d'être séparé. *Mes parents continuent à se voir après leur séparation.*

❷ Une **séparation**, c'est ce qui sépare. *On a fait un mur de séparation dans la grande pièce.*

A
B
C
D
E
F
G
H
I
J
K
L
M
N
O
P
Q
R
**S**
T
U
V
W
X
Y
Z

## séparer verbe

❶ **Séparer** des personnes, c'est les éloigner les unes des autres. *La maîtresse a séparé les élèves turbulents.* Contraire : rapprocher. **Séparer** des choses, c'est mettre un espace entre elles. *Quand j'écris, je sépare bien les mots.* Synonyme : espacer. Contraire : rapprocher.

❷ Quand deux personnes **se séparent**, elles ne vivent plus ensemble. *Mes parents se sont séparés l'année dernière.* Synonyme : se quitter.

● Mot de la même famille : **séparation**.

## septembre nom masculin

**Septembre** est le neuvième mois de l'année. Il vient après le mois d'août et avant le mois d'octobre. *Début septembre, c'est la rentrée des classes en France.*

🔍 Le son [ã] s'écrit *em* devant un *b*.

☛ Va voir « le calendrier », page 111.

## serf nom masculin

Au Moyen Âge, un **serf** était un paysan qui travaillait pour un seigneur.

🔍 Ce mot se termine par un *f* qu'on ne prononce pas : [sɛr].

## série nom féminin

❶ Une **série** est un ensemble de choses du même genre. *Nous avons fait une série d'exercices.*

❷ Fabriquer des objets **en série**, c'est les fabriquer en grand nombre, dans une usine.

## sérieusement adverbe

**Sérieusement** signifie : de manière sérieuse. *Anaïs travaille sérieusement.*

## sérieux, sérieuse adjectif

❶ Une personne **sérieuse** fait son travail en s'appliquant. *Le maître dit que nous sommes des élèves sérieux.* Synonyme : consciencieux.

❷ Être **sérieux**, avoir un air **sérieux**, c'est ne pas plaisanter et ne pas rire. *Julien a un air sérieux ce matin.*

● Mot de la même famille : **sérieusement**.

## serin nom masculin

Un **serin** est un petit oiseau au plumage jaune. *Pierre élève un couple de serins dans une cage.* Synonyme : canari.

un **serin** dans sa cage.

## seringue nom féminin

Une **seringue** est un instrument fait d'une petite pompe et d'une aiguille creuse. On l'utilise pour faire des piqûres.

## serment nom masculin

Prêter **serment**, c'est faire une promesse et jurer de la tenir. *Au tribunal, les témoins prêtent serment.*

## serpent nom masculin

Un **serpent** est un animal sans pattes au long corps couvert d'écailles.

▶ Les serpents sont des reptiles : ils rampent et les femelles pondent des œufs.

**serpillière** nom féminin
Une **serpillière** est une grosse toile qui sert à laver le sol.

## 1. serre nom féminin
Une **serre** est un endroit fermé qui a souvent des vitres, et qui sert à cultiver les plantes qui ont besoin de chaleur.

🔍 Il y a deux *r*.

des fleurs cultivées dans une **serre**

## 2. serre nom féminin
Une **serre** est une griffe de rapace. *L'aigle a emporté un rongeur dans ses serres.*

### serrer verbe
❶ **Serrer** quelque chose ou quelqu'un, c'est le tenir fort. *Adrien serre la main de son frère.* Contraire : **lâcher**.
❷ **Serrer** un robinet, c'est le tourner à fond. Contraire : **desserrer**.
❸ Quand des chaussures **serrent** le pied, elles appuient dessus et gênent pour marcher.

❹ **Se serrer**, c'est se mettre les uns contre les autres. *Les enfants se serrent sur le banc.*

🔍 Il y a deux *r*.
● Mot de la même famille : **serre** (de rapace).

### serrure nom féminin
Une **serrure** est un mécanisme qui fonctionne avec une clé et qui permet de fermer et d'ouvrir une porte.

🔍 Il y a deux *r* au début du mot.
● Mot de la même famille : **serrurier**.
➔ Cherche **verrou**.

### serrurier nom masculin
Un **serrurier** est une personne qui pose et répare des serrures et qui fabrique des clés. C'est un nom de métier.

### serveur nom masculin
### serveuse nom féminin
Un **serveur**, une **serveuse** sont des personnes qui servent les clients dans un café ou un restaurant.

🔍 Ne confonds pas avec un **serviteur** qui était un domestique.

### serviable adjectif
Une personne **serviable** est une personne qui rend souvent service aux autres.

### service nom masculin
❶ Un **service**, c'est ce qui aide quelqu'un, lui est utile. *Ce livre m'a bien rendu service.*
❷ Faire le **service**, c'est servir des clients dans un café ou un restaurant. *Le serveur s'occupe du service.*
❸ Un **service à café**, **à thé** est un ensemble de tasses et de soucoupes pour servir le café, le thé.
❹ Un **service** est un ensemble de personnes qui ont une activité précise

dans une entreprise. *Ma mère travaille au service informatique.*

❺ Être au **service** de quelqu'un, c'est faire certains travaux pour lui. *Autrefois, les pages étaient au service des nobles.*

**serviette** nom féminin

Une **serviette** est un morceau de tissu qui sert à s'essuyer ou à se sécher. *Chacun a sa serviette de table. Les serviettes de toilette sont en tissu-éponge.*

**servir** verbe

❶ Servir à quelque chose, c'est être utilisé pour faire telle chose. *Une gomme sert à gommer.* **Servir à** quelqu'un, c'est lui être utile. *Ce livre m'a bien servi.*

❷ Se servir d'une chose, c'est l'utiliser. *Je me sers souvent de ma règle.*

❸ Servir quelqu'un, c'est remplir son assiette et son verre. *Ma sœur sert les invités.*

● Mots de la même famille : **serveur**, **serviable**, **service**.

**ses → son**

**seuil** nom masculin

Le **seuil** d'une maison est l'endroit qui se trouve juste devant la porte d'entrée.

**seul, seule** adjectif

❶ Un **seul**, c'est un et pas plus. *J'ai un seul jeu vidéo.* Synonyme : **unique**.

❷ Être **seul**, c'est être sans personne avec soi, sans compagnie. *Ma grand-mère est seule.* Synonyme : **solitaire**.

❸ Faire quelque chose **seul** (ou tout seul), c'est le faire sans l'aide de personne. *J'ai fait une maquette toute seule.*

● Mot de la même famille : **seulement**.

Le bébé mange tout **seul**.

**seulement** adverbe

❶ Seulement signifie : pas plus de. *Ce matin, à l'école, nous étions seulement dix.*

❷ Seulement signifie : dans le seul but de. *Elle a dit cela seulement pour te taquiner.* Synonyme : **uniquement**.

**sève** nom féminin

La **sève** est le liquide qui coule dans les plantes et qui les nourrit. *Au printemps, la sève monte dans les arbres.*

**sévère** adjectif

Une personne **sévère** n'admet pas que l'on se comporte mal et se fâche facilement. *Mon oncle est sévère avec ses enfants.* Synonyme : **dur**. Contraires : **compréhensif, doux, gentil, indulgent**.

● Mot de la même famille : **sévérité**.

**sévérité** nom féminin

La **sévérité**, c'est la manière d'être d'une personne sévère. *Mon oncle élève ses enfants avec sévérité.* Contraires : **gentillesse, indulgence**.

**sexe** nom masculin

❶ Une personne de **sexe** masculin est un garçon ou un homme. Une personne de **sexe** féminin est une fille ou une femme.

❷ Le **sexe** est la partie du corps qui se trouve en bas du ventre, entre les cuisses.

☛ Va voir « le corps », page 167.

## shampooing nom masculin

Le **shampooing** est le produit que l'on utilise pour se laver les cheveux. Se faire un **shampooing**, c'est se laver les cheveux.

🔍 Ce mot s'écrit avec *sh* au début et il y a deux *o*.

## shérif nom masculin

Dans les villes d'Amérique du Nord, le **shérif** est le chef de la police.

🔍 Ce mot s'écrit avec *sh*.

Le **shérif** porte une étoile.

## short nom masculin

Un **short** est un pantalon très court que l'on met pour faire du sport ou quand il fait chaud. *Les joueurs de notre équipe ont un **short** bleu.*

🔍 Ce mot s'écrit avec *sh*. On prononce le *t*.

## 1. si conjonction

❶ **Si** signifie : à condition de. *Si tu cherches bien, tu trouveras la réponse.*

❷ **Si** signifie : au cas où. *Le chien se mettrait à aboyer si quelqu'un voulait entrer.*

🔍 *Si* s'écrit *s'* devant un mot commençant par un « i » : *s'il pleut.*

## 2. si adverbe

❶ **Si** signifie : tellement. *J'ai si mal aux dents que je ne peux pas parler.*

❷ **Si** s'emploie à la place de « oui » quand on répond à une question avec « ne ». *Tu ne veux pas de dessert ? — Si, j'en veux bien.*

## siècle nom masculin

Un **siècle** est une période de cent ans. *Nous sommes au 21e siècle.*

## siège nom masculin

Un **siège** est un meuble fait pour s'asseoir. *Les chaises, les fauteuils, les bancs sont des sièges.*

## le sien pronom masculin
## la sienne pronom féminin

Le **sien**, la **sienne**, c'est une chose qui est à lui ou à elle. *J'ai pris mon vélo et Pierre le sien.*

🔍 Au pluriel, on écrit *les siens*, *les siennes*.

## sieste nom féminin

Une **sieste** est un moment de repos que l'on prend l'après-midi. *À l'école maternelle, les petits font la sieste.*

Théo fait la **sieste** avec son papa.

## sifflement nom masculin

Un **sifflement** est un bruit fait en sifflant. *On entend le **sifflement** d'un merle.*

🔍 Il y a deux *f*.

a b c d e f g h i j k l m n o p q r s t u v w x y z

A

B

C

D

E

F

G

H

I

J

K

L

M

N

O

P

Q

R

S

T

U

V

W

X

Y

Z

## siffler verbe

❶ **Siffler**, c'est faire un son aigu avec ses lèvres ou avec un instrument. *Papa siffle pour appeler le chien.*

❷ Quand un oiseau **siffle**, il chante en faisant des sons aigus. *Le merle siffle.*

❸ **Siffler**, c'est souffler dans un sifflet pour donner un signal. *L'arbitre a sifflé la fin du match.*

🔍 Il y a deux *f.*

● Mots de la même famille : **sifflement, sifflet.**

Rachid **signale** qu'il tourne à droite.

## sifflet nom masculin

Un **sifflet** est un petit instrument fait pour siffler.

🔍 Il y a deux *f.*

## signal nom masculin

Un **signal** est un bruit ou un geste qui informe, prévient ou donne un ordre. *Sur la route, il y a des signaux lumineux. Les coureurs attendent le signal du départ.*

🔍 Au pluriel, on écrit *des signaux.*

● Mots de la même famille : **signaler, signalisation.**

## signaler verbe

**Signaler**, c'est prévenir par un signal ou un signe. *Le cycliste tend son bras pour signaler qu'il va tourner.* Synonyme : **indiquer.**

## signalisation nom féminin

La **signalisation**, c'est ce qui signale quelque chose sur une route, des rails, une piste d'aéroport. *Léo apprend les panneaux de signalisation.*

☛ Va voir « les panneaux de signalisation », page 491.

## signature nom féminin

Une **signature**, c'est le nom d'une personne écrit de sa main et toujours de la même façon. *Maman met sa signature sur le chèque.*

## signe nom masculin

Un **signe**, c'est ce qui signale, indique quelque chose. *Marie m'a fait un signe pour me dire d'entrer. Pour faire une addition, on utilise le signe +. La virgule est un signe de ponctuation.*

→ Cherche **ponctuation.**

## signer verbe

**Signer**, c'est écrire son nom ou son prénom toujours de la même façon au bas d'une lettre ou d'un chèque.

● Mot de la même famille : **signature.**

## signification nom féminin

La **signification** d'un mot, c'est ce qu'il veut dire. *Je cherche dans le dictionnaire la signification du mot « tintinnabuler ».* Synonyme : **sens.**

## signifier verbe

**Signifier** quelque chose, c'est avoir cette signification, ce sens. *« Hideux »* *signifie « très laid ».*

● Mot de la même famille : signification.

## silence nom masculin

**❶** Le **silence**, c'est l'absence de bruit. *J'aime le silence de la nuit.* Contraires : bruit, vacarme.

**❷** Le **silence**, c'est le fait de se taire. *Quand la maîtresse lit une histoire, c'est le silence.*

● Mots de la même famille : silencieusement, silencieux.

## silencieusement adverbe

**Silencieusement** signifie : sans aucun bruit. *Les chats marchent silencieusement.*

Nicolas **signe** sa lettre.

## silencieux, silencieuse adjectif

**❶** Dans un endroit **silencieux**, on n'entend aucun bruit. *La nuit, à la campagne, tout est silencieux.* Synonymes : calme, tranquille. Contraire : bruyant.

**❷** Une personne **silencieuse** garde le silence, ne parle pas. *Anaïs est restée silencieuse pendant tout le repas.*

## silex nom masculin

Le **silex** est une roche très dure. *Les hommes préhistoriques faisaient des outils en silex.*

🔎 Ce mot ne change pas au pluriel : on écrit *des silex*.

## silhouette nom féminin

La **silhouette** est la forme générale d'une personne, les contours d'une chose. *Au loin, on voyait la silhouette du château.*

🔎 Il y a un *h* après le *l*.

## sillon nom masculin

Un **sillon** est une longue fente faite dans la terre par une charrue. *L'agriculteur sème des graines dans les sillons.*

## simple adjectif

Une chose **simple** est une chose facile. *Je vais te poser une question simple.* Synonyme : élémentaire. Contraires : compliqué, difficile, dur.

● Mots de la même famille : simplement, simplicité.

## simplement adverbe

**Simplement** signifie : d'une manière simple, facile à comprendre. *La maîtresse nous a expliqué la leçon simplement.*

## simplicité nom féminin

La **simplicité**, c'est la qualité de ce qui est simple. *Ce jeu vidéo est d'une grande simplicité.* Synonyme : facilité. Contraire : difficulté.

## sincère adjectif

Une personne **sincère** est une personne qui dit ce qu'elle pense vraiment. *Quand je dis que tu es intelligent, je suis sincère.* Contraire : hypocrite.

● Mot de la même famille : sincérité.

**sincérité nom féminin**

La **sincérité**, c'est le fait d'être sincère, de ne pas cacher sa pensée. *Je te parle avec sincérité.*

**singe nom masculin**

Un **singe** est un mammifère qui a des mains et des pieds terminés par des doigts. Il vit généralement dans les arbres. *Les gorilles sont les plus grands et les plus forts de tous les singes.*

▶ La femelle du singe est la **guenon**. Les singes crient ou hurlent.

**singulier nom masculin**

Un mot est au **singulier** quand il désigne un seul être ou une seule chose. *Dans la phrase « Mon chat est noir », tous les mots sont au singulier.*

**sinon conjonction**

**Sinon** signifie : dans le cas contraire. *Mets un pull, sinon tu auras froid.*

**1. sirène nom féminin**

Une **sirène** est une femme imaginaire qui a une queue de poisson à la place des jambes. *Andersen a écrit un conte qui s'intitule « la Petite Sirène ».*

**2. sirène nom féminin**

Une **sirène** est un appareil qui fait un bruit très fort pour donner un signal, prévenir d'un danger. *On entend la sirène des pompiers.*

**sirop nom masculin**

❶ Un **sirop** est un jus épais et très sucré fait avec des fruits ou des plantes. *J'ai mis du sirop de framboise dans mon eau.*

**Les singes**

capucin

gibbons

atèle
ou singe-araignée

gorille

mandrill

ouistiti

magot

macaque
rhésus

chimpanzé

babouin

**2** Un **sirop** est un médicament liquide et sucré.

🔍 Ce mot se termine par un *p* qu'on ne prononce pas.

**situation nom féminin**

**1** La **situation** d'une ville, d'un bâtiment, c'est le lieu où ils se trouvent par rapport aux autres. *La librairie a une bonne situation dans la rue.*

**2** La **situation** d'un pays, d'un groupe, d'une personne, c'est l'état dans lequel ils se trouvent. *La situation économique de ce pays est assez bonne.*

**situer verbe**

Être **situé** quelque part, c'est se trouver à cet endroit. *Notre village est situé sur une colline.*

● Mot de la même famille : situation.

**ski nom masculin**

Un **ski** est une sorte de patin long et plat qui sert à avancer sur la neige ou sur l'eau. C'est aussi un sport. *En classe de neige, nous faisons du ski. L'été, mon frère fait du ski nautique sur un lac.*

● Mots de la même famille : skier, skieur.

**skier verbe**

Skier, c'est faire du ski.

**skieur nom masculin**
**skieuse nom féminin**

Un **skieur**, une **skieuse** sont des personnes qui font du ski. *Les skieurs descendent les pistes.*

☞ Va voir la planche illustrée **4**

**slalom nom masculin**

Le **slalom** est une descente à ski comportant une série de virages à faire entre des piquets.

Qui va remporter le **slalom** ?

**slip nom masculin**

Un **slip** est une culotte qui sert de sous-vêtement ou de maillot de bain.

**société nom féminin**

**1** La **société**, c'est l'ensemble des personnes qui vivent dans le même pays et qui ont les mêmes lois. *Pour bien vivre en société, il faut respecter les autres.*

**2** Un **jeu de société** se joue à plusieurs. *Le jeu de dames, les dominos sont des jeux de société.*

**sœur nom féminin**

La **sœur** d'une personne est une fille qui a les mêmes parents que cette personne. *Sarah est la sœur de Clément.*

➜ Cherche frère.

☞ Va voir « la famille », page 273.

**soi pronom**

Soi représente la troisième personne du singulier. *« On a toujours besoin d'un plus petit que soi. »*

**soie nom féminin**

La **soie** est un tissu très léger et très doux. Elle est fabriquée avec les fils faits par le *ver à soie.*

➜ Cherche satin.

a b c d e f g h i j k l m n o p q r s t u v w x y z

A
B
C
D
E
F
G
H
I
J
K
L
M
N
O
P
Q
R
S
T
U
V
W
X
Y
Z

**soif** nom féminin
Avoir **soif**, c'est avoir besoin de boire.
→ Cherche **faim**.

**soigner** verbe
❶ **Soigner** une personne, c'est lui donner des soins pour essayer de la guérir. *Après son accident, Julien a été soigné à l'hôpital.*
❷ **Soigner** un travail, c'est le faire avec soin, en s'appliquant. **Contraire** : **bâcler**.
❸ **Soigner** une chose, c'est en prendre soin, la tenir en bon état. *Noëlle soigne ses plantes.* **Contraire** : **négliger**.

Le médecin **soigne** Lucas.

**soigneusement** adverbe
**Soigneusement** signifie : avec soin. *Lucas range ses livres soigneusement.*

**soigneux, soigneuse** adjectif
Être **soigneux**, c'est prendre soin de ses affaires.

**soin** nom masculin
❶ Donner des **soins** à quelqu'un, c'est lui faire des pansements. *L'infirmière donne des soins au blessé.*
❷ Faire quelque chose avec **soin**, c'est le faire proprement. *Lucas fait son travail avec soin.*

❸ Prendre **soin** d'une chose, c'est la garder propre et en bon état. *Noëlle prend soin du jardin.* **Contraire** : **négliger**.
● Mots de la même famille : **soigner, soigneusement, soigneux.**

**soir** nom masculin
Le **soir** est la fin de la journée, après le coucher du soleil. *Je me couche à neuf heures du soir.*
● Mot de la même famille : **soirée.**
→ Cherche **matin**.

**soirée** nom féminin
La **soirée** est la partie de la journée qui s'écoule entre le coucher du soleil et le moment où l'on se couche. *Léa a passé la soirée à lire.*
→ Cherche **matinée**.
☛ Va voir « les activités de la journée », page 37.

**soit** conjonction
**Soit** signifie : ou bien. *Tu peux soit rentrer chez toi, soit rester coucher à la maison.*

**sol** nom masculin
❶ Le **sol** est la terre, le terrain. *Les plantes sont fixées au sol par les racines.*
❷ Le **sol** est la surface de la Terre. *L'avion quitte le sol.*
❸ Le **sol** est la surface sur laquelle on marche dans une maison. *Le sol de la cuisine est recouvert de carrelage.*

**solaire** adjectif
L'énergie **solaire** est produite par le Soleil. Une crème **solaire** protège la peau des rayons du soleil.

**soldat** nom masculin
Un **soldat** est un homme qui fait partie d'une armée. **Synonyme** : **militaire**.

**soleil** nom masculin

❶ Le **Soleil** est l'astre qui envoie la lumière et la chaleur à la Terre. *La Terre et d'autres planètes tournent autour du Soleil.*

❷ Quand il fait du **soleil**, on voit la lumière et on sent la chaleur du Soleil.

❸ Des **lunettes de soleil** protègent les yeux du soleil.

🔍 Quand ce mot désigne l'astre, il s'écrit avec une majuscule.

● Mot de la même famille : solaire.

**solfège** nom masculin

Le **solfège** est la lecture et l'écriture de la musique. *Lucas prend des cours de solfège.*

**1. solide** adjectif

❶ Un objet **solide** résiste aux chocs et à l'usure. *Mon sac à dos est solide.* Synonymes : résistant, robuste. Contraire : fragile.

❷ Des aliments **solides** sont des aliments que l'on doit mâcher. *La viande est un aliment solide.* Contraire : liquide.

● Mot de la même famille : solidité.

Heureusement, la branche est **solide** !

**2. solide** nom masculin

Un **solide** est une forme géométrique qui a un volume. *Un cône, un cube, un cylindre sont des solides.*

☞ Va voir « les couleurs et les formes », page 171.

**solidité** nom féminin

La **solidité**, c'est le fait d'être solide. *Maman choisit mes chaussures pour leur solidité.*

**solitaire** adjectif

Une personne **solitaire** est une personne qui est seule. *Grand-mère est solitaire depuis que ses amis sont partis.*

● Mot de la même famille : solitude.

**solitude** nom féminin

La **solitude**, c'est le fait d'être seul. *Les personnes âgées se plaignent souvent de la solitude.*

**solution** nom féminin

❶ La **solution** d'un problème est la réponse à la question posée.

❷ Une **solution** est un moyen de résoudre une difficulté. *Mes parents ont trouvé une solution pour que je ne reste pas seul le mercredi.*

**sombre** adjectif

❶ Un endroit **sombre** ne reçoit pas beaucoup de lumière. *Notre appartement est sombre.* Synonyme : obscur. Contraires : clair, ensoleillé, lumineux.

❷ Une couleur **sombre** est une couleur foncée. *Le marron est une couleur sombre.* Contraires : clair, pâle.

🔍 Le son [ɔ̃] s'écrit om devant un b.

**sommaire** nom masculin

Le **sommaire** d'un livre est la liste de ses parties, de ses chapitres. Synonyme : table des matières.

a b c d e f g h i j k l m n o p q r s t u v w x y z

A B C D E F G H I J K L M N O P Q R S T U V W X Y

## 1. somme nom féminin

Une **somme** est le résultat d'une addition. *La somme de neuf plus trois est douze.*

## 2. somme nom masculin

Faire un **somme**, c'est dormir un petit moment.

## sommeil nom masculin

❶ Le **sommeil**, c'est l'état dans lequel on est quand on dort. *Je parle souvent pendant mon sommeil.*

❷ **Avoir sommeil**, c'est avoir envie de dormir. *Mon petit frère a sommeil, il n'arrête pas de bâiller.*

● Mot de la même famille : un somme.

## sommet nom masculin

❶ Le **sommet** d'une montagne, d'un arbre est la partie la plus haute. *Les alpinistes ont atteint le sommet du mont Blanc.* **Synonyme** : cime.

❷ Le **sommet** d'un triangle est l'endroit où deux côtés se rencontrent. *Un triangle a trois sommets.*

## sommier nom masculin

Le **sommier** d'un lit est la partie qui est sous le matelas. Il est fait de ressorts ou de planches.

Il y a peu de neige au **sommet**.

## somnambule adjectif

Une personne **somnambule** se lève pendant son sommeil.

🔍 Le son [ã] s'écrit *am* devant un *b*.

## 1. son, sa adjectif

**Son** et **sa** sont des déterminants qui indiquent qu'une chose lui appartient, qu'une personne est de la même famille que lui ou qu'elle : *son crayon, son père.*

🔍 Quand un nom féminin commence par une voyelle ou un « h » muet, on dit *son* : *son adresse, son histoire.* Au pluriel, on dit *ses*.

## 2. son nom masculin

Un **son**, c'est ce qu'on entend. *Le rossignol fait des sons mélodieux. J'aime entendre le son du violon.*

🔍 Ne confonds pas « un son » et « ils sont ».
● Mot de la même famille : **sonore**.

## sondage nom masculin

Un **sondage** est une enquête que l'on fait pour connaître l'opinion de la population. *On fait souvent des sondages avant les élections.*

## sonner verbe

❶ **Sonner**, c'est faire entendre un son, une sonnerie. *Les cloches sonnent. Le réveil a sonné.*

❷ **Sonner**, c'est appuyer sur une sonnette. *On sonne à la porte.*

🔍 Il y a deux *n*.
● Mots de la même famille : **sonnerie**, **sonnette**.

## sonnerie nom féminin

Une **sonnerie**, c'est le bruit que fait un appareil qui sonne. *J'entends la sonnerie du réveil.*

🔍 Il y a deux *n*.

### sonnette nom féminin

Une **sonnette** est un petit appareil qui produit un son quand on appuie dessus. *Mon vélo a une **sonnette**. J'appuie sur la **sonnette** de la porte.*

🔍 Il y a deux *n* et deux *t*.

### sonore adjectif

❶ Une voix **sonore** est une voix qui s'entend bien. *Le maître a une voix sonore.*

❷ Un bâtiment **sonore** est un bâtiment où les sons résonnent. *Les églises sont sonores.*

### sorcier nom masculin

Un **sorcier** est un homme qui a des pouvoirs magiques, qui jette des sorts. *En Afrique, les **sorciers** sont aussi des médecins.*

● Mot de la même famille : **sorcière**.

### sorcière nom féminin

Dans les contes de fées, une **sorcière** est une femme souvent vieille, laide et méchante qui a des pouvoirs magiques. *La vieille dame qui a recueilli Hansel et Gretel n'était qu'une horrible **sorcière**.*

### sort nom masculin

❶ Tirer au **sort**, c'est choisir au hasard. *Le gagnant a été tiré au **sort**.*

La **sorcière** vole sur son balai.

❷ Jeter un **sort**, c'est attirer le malheur. *Il croit qu'un sorcier lui a jeté un **sort**.* Synonyme : **ensorceler**.

### sorte nom féminin

❶ Une **sorte** est un groupe d'êtres ou d'objets du même genre. *Il existe de nombreuses **sortes** de fleurs.* Synonymes : **espèce, type**.

❷ Une **sorte de**, c'est une chose ou une personne qu'on ne sait pas nommer exactement. *Un cadenas est une **sorte** de serrure.* Synonymes : **une espèce de, un genre de**.

### sortie nom féminin

❶ La **sortie**, c'est l'action de sortir, le moment où l'on sort. *Maman est arrivée juste à la **sortie** des classes.*

❷ La **sortie** est l'endroit par où l'on sort. *La **sortie** du cinéma est indiquée par une flèche.* Contraire : **entrée**.

### sortir verbe

❶ **Sortir**, c'est passer de l'intérieur à l'extérieur. *Je suis sorti de la maison à huit heures.* Contraires : **entrer, rentrer**. *Monsieur Florent **sort** son chien.*

❷ **Sortir** une chose, c'est la retirer de l'endroit où elle était. *J'ai sorti mon blouson de l'armoire.* Contraire : **rentrer**.

● Mot de la même famille : **sortie**.

Le rongeur **sort** de son terrier.

A
B
C
D
E
F
G
H
I
J
K
L
M
N
O
P
Q
R
**S**
T
U
V
W
X
Y
Z

**sosie** nom masculin

Un **sosie** est une personne qui ressemble parfaitement à une autre personne.

🔍 « Sosie » est un nom masculin qui se termine par un e.

**sot, sotte** adjectif

Être **sot**, c'est n'être pas capable de réfléchir et de comprendre. Synonymes : **bête, idiot, stupide.** Contraire : **intelligent.**

● Mot de la même famille : **sottise.**

**sottise** nom féminin

❶ La **sottise** est le manque d'intelligence. *Cet homme est d'une sottise incroyable.* Synonymes : **bêtise, stupidité.** Contraire : **intelligence.**

❷ Une **sottise** est une bêtise. *Tu devrais te taire, tu dis des sottises.*

🔍 Il y a deux *t.*

**sou** nom masculin

❶ Un **sou** était une pièce de monnaie.

❷ Avoir des **sous**, c'est avoir de l'argent.

🔍 Au pluriel, on écrit *des sous.*

**souci** nom masculin

Un **souci** est une chose qui inquiète. *Adrien se fait du souci pour son petit frère qui est malade. Maman a des soucis.* Synonymes : **ennui, problème.**

**soucoupe** nom féminin

❶ Une **soucoupe** est une petite assiette que l'on met sous une tasse.

❷ Une **soucoupe volante** est un objet volant qui a une forme ovale aplatie. On imagine qu'elle vient d'une autre planète.

**soudain** adverbe

**Soudain** signifie : tout à coup. *J'étais en train de faire un cauchemar et soudain je me suis réveillé.* Synonymes : **brusquement, subitement.**

**souder** verbe

**Souder**, c'est assembler deux morceaux de métal en les chauffant. *Le plombier soude des tuyaux.*

**souffle** nom masculin

❶ Le **souffle** de l'air, c'est le mouvement de l'air. *On sent un léger souffle de vent.*

❷ Le **souffle**, c'est l'air qui sort de la bouche. *Quand on a couru, on est à bout de souffle.*

🔍 Il y a deux *f.*

**souffler** verbe

❶ Quand le vent **souffle**, il déplace l'air. *Les jours de tempête, le vent souffle fort.*

❷ **Souffler**, c'est envoyer de l'air par la bouche. *Je souffle dans le ballon.* Contraire : **aspirer.** *J'ai soufflé mes bougies d'anniversaire.*

❸ **Souffler** une réponse, c'est la dire à voix basse. *Julien m'a soufflé la bonne réponse.*

🔍 Il y a deux *f.*

● Mot de la même famille : **souffle.**

Romain **souffle** ses bougies.

**souffrance** nom féminin

La **souffrance**, c'est le fait de souffrir, d'avoir mal. *Le médecin lui a donné un médicament pour calmer sa souffrance.* Synonyme : **douleur.**

🔍 Il y a deux *f.*

**souffrant, souffrante** adjectif
Être **souffrant**, c'est souffrir un peu. *La grand-mère de Paul est souffrante.*
Synonyme : malade.
🔍 Il y a deux *f.*

**souffrir** verbe
Souffrir, c'est avoir mal. *Sa blessure le fait souffrir.*
🔍 Il y a deux *f.*
● Mots de la même famille : souffrance, souffrant.

**souhait** nom masculin
Un **souhait** est une envie très forte de voir une chose se réaliser. *Dans les contes, les fées réalisent des souhaits.*
Synonymes : désir, vœu.
🔍 Il y a un *h* au milieu du mot.

**souhaiter** verbe
❶ Souhaiter, c'est désirer que quelque chose arrive. *Je souhaite avoir un petit frère.* Synonyme : avoir envie de.
❷ Souhaiter quelque chose à quelqu'un, c'est espérer qu'il aura ce qu'il désire. *Le 1ᵉʳ janvier, on se souhaite une bonne année.*
🔍 Il y a un *h* au milieu du mot.
● Mot de la même famille : souhait.

**soûl, soûle** adjectif
Être **soûl**, c'est avoir bu trop d'alcool et avoir un comportement anormal.
Synonyme : ivre.
🔍 Il y a un accent circonflexe sur le *u.* Au masculin, on ne prononce pas le *l.* C'est un mot familier.

**soulager** verbe
❶ Soulager quelqu'un, c'est faire diminuer sa douleur. *Les médicaments m'ont soulagé.*

❷ Soulager quelqu'un, c'est lui ôter un souci. *Il est soulagé d'avoir avoué qu'il était coupable.*

**soulever** verbe
Soulever, c'est lever à une petite hauteur. *Je n'arrive pas à soulever ta valise.* Synonyme : porter.

**soulier** nom masculin
Un **soulier** est une chaussure. *Cendrillon a perdu un soulier.*

**souligner** verbe
Souligner des mots, c'est faire un trait dessous. *J'ai souligné tous les verbes du texte.*

**soupçon** nom masculin
Avoir des **soupçons**, c'est penser qu'une personne a fait quelque chose de mal mais ne pas avoir de preuves.
🔍 Le c prend une cédille.
● Mot de la même famille : soupçonner.

**soupçonner** verbe
Soupçonner une personne, c'est penser qu'elle est coupable mais ne pas en avoir la preuve. *Il y a eu un vol dans la classe et on soupçonne un élève.*
🔍 Le c prend une cédille.

**soupe** nom féminin
La **soupe** est un aliment liquide qui est souvent fait avec des légumes.
Synonyme : potage.

**soupir** nom masculin
Un **soupir** est un souffle fort. *Léo pousse des soupirs parce qu'il n'arrive pas à faire sa multiplication.*

**soupirer** verbe
Soupirer, c'est pousser des soupirs. *Léa s'ennuie, elle n'arrête pas de soupirer.*
● Mot de la même famille : soupir.

A
B
C
D
E
F
G
H
I
J
K
L
M
N
O
P
Q
R
**S**
T
U
V
W
X
Y
Z

**souple** adjectif

❶ Un objet **souple** se plie facilement et ne se casse pas. *L'osier a des branches souples.* Contraire : rigide.

❷ Une personne **souple** peut plier son corps facilement. *Marie est souple, elle peut faire le grand écart.* Contraire : raide.

● Mot de la même famille : souplesse.

Chloé est très **souple**.

**souplesse** nom féminin

La **souplesse**, c'est le fait d'être souple. *Nous admirons la souplesse des acrobates.*

**source** nom féminin

❶ Une **source** est un endroit par où l'eau sort de terre. *On a découvert une source dans une grotte.*

❷ La **source** d'un cours d'eau est l'endroit où il prend naissance.

**sourcil** nom masculin

Les **sourcils** sont les lignes de poils qui se trouvent au-dessus des yeux.

🔍 Ce mot se termine par un *l* qu'on ne prononce pas.

➜ Cherche **cil**.

**sourd** nom masculin
**sourde** nom féminin

Les **sourds** sont des personnes qui ne peuvent pas entendre.

**sourd-muet** nom masculin
**sourde-muette** nom féminin

Les **sourds-muets** sont des personnes sourdes de naissance et qui n'ont donc pas pu apprendre à parler. *Les sourds-muets communiquent par le langage des signes.*

🔍 Ce mot s'écrit avec un trait d'union.

**souriant, souriante** adjectif

Une personne **souriante** sourit souvent.

**1. sourire** verbe

Sourire, c'est montrer par un mouvement des lèvres que l'on est content. *Sur la photo, nous sourions tous.*

● Mot de la même famille : souriant.

➜ Cherche **rire**.

Léo **sourit** et Léa rit.

**2. sourire** nom masculin

Un **sourire** est un mouvement de la bouche vers le haut. *Marion m'a fait un sourire.*

➜ Cherche **rire**.

## souris nom féminin

❶ Une **souris** est un petit rongeur qui a des poils gris, blancs ou bruns, un museau pointu et une longue queue. *La souris grignote le morceau de fromage.*

❷ La **souris** d'un ordinateur est le petit appareil que l'on déplace pour écrire, dessiner ou faire un jeu.

▶ Le petit est le **souriceau**. Quand la souris crie, on dit qu'elle **chicote**.

🔎 Ce mot se termine par un *s*.

## sous préposition

**Sous** indique la position au-dessous. *Le chat est sous la table.* Contraire : **sur**.

## sous-marin nom masculin

Un **sous-marin** est un navire qui peut aller sous l'eau.

🔎 Ce mot s'écrit avec un trait d'union. Au pluriel, on écrit *des sous-marins*.

## sous-sol nom masculin

Le **sous-sol** est la partie d'une maison qui se trouve sous le rez-de-chaussée. *Le parking est au sous-sol de l'immeuble.*

🔎 Ce mot s'écrit avec un trait d'union. Au pluriel, on écrit *des sous-sols*.

→ Cherche **cave**.

une **souris**

Le **sous-marin** navigue sous la surface de l'eau.

## soustraction nom féminin

La **soustraction** est l'opération qui permet de retrancher un nombre d'un autre. *On utilise le signe moins ( — ) pour faire une soustraction.* Contraire : **addition**.

## soustraire verbe

**Soustraire** un nombre, c'est le retrancher d'un autre nombre. *Si je soustrais deux de huit, il reste six.* Synonyme : **ôter**. Contraires : **additionner**, **ajouter**.

● Mot de la même famille : soustraction.

## sous-vêtement nom masculin

Un **sous-vêtement** est un vêtement léger que l'on porte sous les autres vêtements. *Une culotte, un slip sont des sous-vêtements.*

🔎 Ce mot s'écrit avec un trait d'union. Le premier *e* prend un accent circonflexe. Au pluriel, on écrit *des sous-vêtements*.

→ Cherche **survêtement**.

## soutenir verbe

❶ **Soutenir** un objet, c'est le porter, le faire tenir. *Quatre colonnes soutiennent le bâtiment.* Synonymes : **maintenir**, **supporter**.

a b c d e f g h i j k l m n o p q r s t u v w x y z

**❷** **Soutenir** une personne, c'est la tenir pour l'empêcher de tomber. *Deux infirmières soutenaient le blessé.*

**❸** **Soutenir** quelque chose, c'est l'affirmer avec force, en être certain. *Je soutiens que j'ai raison.*
Synonymes : affirmer, maintenir.

### 1. souterrain, souterraine adjectif
Un passage **souterrain** passe sous terre. *Pour arriver au quai de la gare, on prend le passage souterrain.*

🔎 Il y a deux *r* comme dans « terre ».

### 2. souterrain nom masculin
Un **souterrain** est un passage creusé sous la terre. *Nous avons découvert l'entrée d'un souterrain dans le château.*

🔎 Il y a deux *r* comme dans « terre ».

### 1. souvenir nom masculin
**❶** Un **souvenir** est un événement qui revient à la mémoire. *Maman nous raconte souvent ses souvenirs d'enfance.*
**❷** Un **souvenir** est un objet qui rappelle un lieu, un événement ou une personne. *Cette bague est un souvenir de ma grand-mère.*

### 2. se souvenir verbe
Se **souvenir** de quelque chose, c'est le garder dans sa mémoire. *Je me souviens de cette histoire.* Synonyme : se rappeler. Contraire : oublier.
● Mot de la même famille : souvenir.

### souvent adverbe
**Souvent** signifie : de nombreuses fois. *Mon petit frère pleure souvent.*
Contraire : rarement.

### spaghetti nom masculin
Les **spaghettis** sont des pâtes longues et fines. *J'aime les spaghettis à la sauce tomate.*

🔎 Il y a un *h* après le *g* et deux *t*.

### sparadrap nom masculin
Le **sparadrap** est un ruban de tissu collant qui sert à faire tenir un pansement.

🔎 On ne prononce pas le *p* final.

### spatial, spatiale adjectif
Un vaisseau **spatial**, une navette **spatiale** sont des engins que l'on envoie dans l'espace.

🔎 On écrit *ti* mais on prononce [si]. Au pluriel, on écrit *spatiaux, spatiales.*

### spécial, spéciale adjectif
**❶** Un objet **spécial** est fait exprès pour quelque chose. *J'écris sur le tableau blanc avec un feutre spécial.*
**❷** Avoir quelque chose de **spécial**, c'est avoir quelque chose qui distingue des autres. *Cet appareil a une forme spéciale.* Synonyme : particulier.
Contraires : courant, ordinaire.

🔎 Au pluriel, on écrit *spéciaux, spéciales.*
● Mot de la même famille : spécialement.

### spécialement adverbe
**Spécialement** signifie : surtout. *J'aime les glaces et spécialement les glaces à la fraise.* Synonymes : en particulier, particulièrement.

Grand-père **se souvient** du passé.

**spectacle** nom masculin

Un **spectacle** est une pièce de théâtre, un concert, un opéra représentés en public. *Mercredi, nous avons vu un spectacle de clowns.*

● Mot de la même famille : spectateur.

→ Cherche **représentation**.

Les élèves font un **spectacle**.

**spectateur** nom masculin
**spectatrice** nom féminin

Un **spectateur**, une **spectatrice** sont des personnes qui assistent à un spectacle, à un match, à une compétition. *Une spectatrice a éclaté de rire.*

**sphère** nom féminin

Une **sphère** est une boule creuse. C'est une figure géométrique. *La Terre a la forme d'une sphère un peu aplatie aux deux pôles.*

🔍 Ce mot s'écrit avec *ph*.

☛ Va voir « les couleurs et les formes », page 171.

**spirale** nom féminin

❶ Une **spirale** est un fil de fer qui tourne sur lui-même et qui sert à assembler les feuilles d'un cahier ou d'un carnet.

❷ Un escalier **en spirale** est un escalier qui tourne sur lui-même. Synonyme : en colimaçon.

**splendide** adjectif

Une personne ou une chose **splendide** est très belle. *Du sommet de la montagne, nous voyons un paysage splendide.* Synonymes : magnifique, merveilleux, superbe. Contraires : affreux, horrible.

**sport** nom masculin

Le **sport** est une activité du corps que l'on fait régulièrement pour son plaisir ou pour la compétition. *Le football et le basket-ball sont des sports d'équipe.*

● Mot de la même famille : sportif.

**1. sportif, sportive** adjectif

Une personne **sportive** est une personne qui fait du sport régulièrement. Une compétition **sportive** est une compétition de sport.

**2. sportif** nom masculin
**sportive** nom féminin

Un **sportif**, une **sportive** sont des personnes qui font régulièrement un sport ou plusieurs sports.

**square** nom masculin

Un **square** est un petit jardin public. *En sortant de l'école, nous allons jouer au square.*

🔍 On écrit *qua* mais on prononce [kwa], comme « quoi ».

**squelette** nom masculin

Le **squelette**, c'est l'ensemble des os du corps. *Le squelette du corps humain comporte environ 200 os.*

→ Cherche **carcasse**.

**stable** adjectif

Un objet **stable** ne bouge pas, tient bien en équilibre. *Ne crains rien, l'escabeau est parfaitement stable.* Contraire : bancal.

a b c d e f g h i j k l m n o p q r s t u v w x y z

A
B
C
D
E
F
G
H
I
J
K
L
M
N
O
P
Q
R
S
T
U
V
W
X
Y
Z

**stade** nom masculin

Un **stade** est un grand terrain de sport. *Les athlètes s'entraînent au **stade**.*

Les coureurs s'entraînent au **stade**.

**stand** nom masculin

Un **stand** est un endroit réservé à des objets dans une exposition ou à des jeux dans une fête. *À la fête de l'école, il y a un **stand** de pêche à la ligne.*

🔍 Ce mot se termine par un *d* qu'on prononce.

**station** nom féminin

Une **station** est l'endroit où s'arrêtent les autobus, les métros, les autocars ou les taxis. Synonyme : **arrêt**.

● Mots de la même famille : stationnement, stationner, station-service.

**stationnement** nom masculin

Le **stationnement**, c'est le fait de stationner, d'arrêter un véhicule et d'en sortir. *Le **stationnement** est interdit devant notre école.*

🔍 Il y a deux *n* au milieu du mot.

**stationner** verbe

Stationner, c'est s'arrêter un certain temps et sortir de son véhicule. *On ne doit pas **stationner** sur la place les jours de marché.*

**station-service** nom féminin

Une **station-service** est un endroit où l'on peut faire le plein d'essence, gonfler les pneus ou faire laver sa voiture.

🔍 Ce mot s'écrit avec un trait d'union. Au pluriel, il n'y a pas de *s* à « service » : on écrit *des stations-service*.

➔ Cherche **garage**.

**statue** nom féminin

Une **statue** est une œuvre d'art en pierre, en bois ou en métal qui représente une personne, un animal ou une chose. Synonyme : **sculpture**.

**steak** nom masculin

Un **steak** est une tranche de viande de bœuf que l'on fait griller. Synonyme : **bifteck**.

🔍 Ce mot vient de l'anglais : on prononce [stɛk].

**stéthoscope** nom masculin

Un **stéthoscope** est un instrument que les médecins utilisent pour ausculter. *Le stéthoscope permet d'entendre les bruits de la respiration et du cœur.*

🔍 Ce mot s'écrit avec *th* au milieu.

**stock** nom masculin

Le **stock** d'un commerçant est la marchandise qu'il a en réserve.

🔍 Il y a un *c* devant le *k*.

**stop !** interjection

Stop s'emploie pour donner l'ordre à quelqu'un de s'arrêter.

**store** nom masculin

Un **store** est une sorte de rideau que l'on déroule. *Baisse le **store** si tu as trop de soleil.*

🔍 « Store » est un nom masculin qui se termine par un *e*.

**stratagème** nom masculin

Un **stratagème** est une ruse. *Dans le conte «Hansel et Gretel», la sorcière a imaginé un **stratagème** pour attirer ses victimes.*

**strophe** nom féminin

Une **strophe** est un groupe de vers dans un poème ou une chanson.

🔍 Ce mot s'écrit avec *ph*.

**studio** nom masculin

❶ Un **studio** est un appartement d'une pièce. *Mon grand frère habite dans un studio.*

❷ Un **studio** de cinéma ou de télévision est un endroit où l'on tourne des films, où l'on enregistre des émissions.

**stupéfait, stupéfaite** adjectif

Être **stupéfait**, c'est être très étonné. Synonyme : ébahi.

**stupide** adjectif

Une personne **stupide** ne comprend rien, manque d'intelligence. Synonymes : bête, idiot, sot. Contraire : intelligent.

● Mot de la même famille : stupidité.

**stupidité** nom féminin

La **stupidité** est le manque d'intelligence. *C'est de la **stupidité** de sortir bras nus par ce froid.* Synonymes : bêtise, sottise. Contraire : intelligence.

**style** nom masculin

Le **style** d'un écrivain est sa manière d'écrire.

🔍 Ce mot s'écrit avec un *y*.

**stylo** nom masculin

Un **stylo** est un objet qui contient un réservoir d'encre et qui sert à écrire. *Les **stylos** à bille ont une*

petite bille, les **stylos** à plume ont une plume en métal.

🔍 Ce mot s'écrit avec un *y*.

→ Cherche feutre.

**subir** verbe

**Subir** quelque chose, c'est être obligé de le supporter. *Le cambrioleur a **subi** un interrogatoire.*

**subitement** adverbe

**Subitement** signifie : tout à coup. *L'averse est tombée **subitement**.* Synonymes : brusquement, soudain.

**succéder** verbe

**Succéder** à, c'est venir après. *L'hiver **succède** à l'automne.* Synonyme : suivre. Contraire : précéder.

● Mots de la même famille : successeur, succession.

**succès** nom masculin

❶ Un **succès** est un bon résultat. *Ma grande sœur a été reçue à son examen et nous avons fêté son **succès**.* Synonyme : réussite. Contraire : échec.

❷ Avoir du **succès**, c'est plaire. *Le film « Titanic » a eu du **succès**.*

🔍 Ce mot se termine par un *s*.

**successeur** nom masculin

Le **successeur** est la personne qui succède à une autre, prend sa place. *La directrice nous a présenté son **successeur**.*

**succession** nom féminin

Une **succession** est une série de choses ou de personnes qui se suivent. *Mamie a eu une **succession** d'ennuis.* Synonyme : suite.

**sucer** verbe

❶ **Sucer** quelque chose, c'est le faire fondre dans la bouche. *Nous **suçons** des bonbons.*

**❷ Sucer** son pouce, c'est le mettre dans la bouche et le téter.
● Mot de la même famille : **sucette.**

### sucette nom féminin

Une **sucette** est une friandise fixée au bout d'un bâton et que l'on suce.

### sucre nom masculin

Le **sucre** est une matière qui donne un goût plus doux aux boissons et aux aliments. *Léo a mis deux morceaux de sucre dans son cacao.*

▶ Le sucre provient de deux plantes : la **betterave à sucre** et la **canne à sucre.**
● Mots de la même famille : **sucré, sucrer.**

David met du **sucre** sur ses crêpes.

### sucré, sucrée adjectif

Ce qui est **sucré** contient du sucre, a un goût de sucre. *Certaines pommes sont sucrées.*

→ Cherche **acide**, **amer** et **salé.**

### sucrer verbe

**Sucrer** un aliment, une boisson, c'est mettre du sucre dedans. *As-tu sucré ta tisane ?*

### sud nom masculin

Le **sud** est l'un des quatre points cardinaux qui permettent de se diriger. *Le sud est opposé au nord.*

→ Cherche **est**, **nord** et **ouest.**

### suer verbe

**Suer,** c'est avoir la peau couverte de sueur. *Quand il fait chaud, on sue beaucoup.* Synonyme : **transpirer.**
● Mot de la même famille : **sueur.**

Papi s'essuie parce qu'il **sue.**

### sueur nom féminin

❶ La **sueur** est le liquide qui sort de la peau quand on a chaud ou quand on fait un effort. *Après la course, j'étais en sueur.* Synonyme : **transpiration.**

❷ **Avoir des sueurs froides,** c'est avoir très peur.

### suffire verbe

❶ **Suffire,** c'est être en assez grande quantité. *Deux jours suffisent pour faire ce puzzle.*

❷ **Il suffit de** signifie : il faut seulement. *Pour faire marcher cet appareil, il suffit d'un geste.*

🔎 Il y a deux f.
● Mots de la même famille : **suffisamment, suffisant.**

### suffisamment adverbe

**Suffisamment** signifie : en quantité suffisante. *J'ai suffisamment de jouets.* Synonyme : **assez.**

🔎 Il y a deux f et deux m.

A B C D E F G H I J K L M N O P Q R S T U V W X Y Z

**suffisant, suffisante** adjectif

Ce qui est **suffisant** suffit, est en assez grand nombre. *Cette quantité de fruits est suffisante pour trois personnes.* Contraire : insuffisant.

🔍 Il y a deux *f*.

**se suicider** verbe

Se suicider, c'est se donner la mort.

**suite** nom féminin

❶ Une **suite** est une série de choses ou de personnes qui se suivent. *À Noël, nous avons eu une suite de visites.* Synonyme : succession.

❷ La **suite**, c'est ce qui vient après. *Je vous raconterai la suite de l'histoire demain.*

❸ À la **suite** de signifie : après. *À la suite de son accident, Léo a été absent trois mois.*

→ Cherche **tout de suite**.

**suivant, suivante** adjectif

La page **suivante**, c'est la page qui vient après. *Le mot que tu cherches est à la page suivante.* Contraire : précédent.

**suivre** verbe

❶ Suivre, c'est venir derrière ou après. *La moto suit le camion.* Contraire : précéder. *L'hiver suit l'automne.* Synonyme : succéder à. Contraire : précéder.

❷ Suivre, c'est aller dans une direction. *J'ai suivi le bord de la rivière.*

❸ Suivre un ordre, un règlement, c'est obéir à un ordre, respecter un règlement. Suivre un conseil, c'est l'écouter.

❹ Suivre un cours, c'est y assister régulièrement.

❺ Suivre une émission, c'est être attentif, s'intéresser à ce qui est présenté.

● Mots de la même famille : **suite, suivant**.

Le petit chien **suit** Pierre.

**sujet** nom masculin

❶ Le **sujet** d'une conversation, d'un récit, c'est la chose dont on parle. *Quel est le sujet du film que vous venez de voir ?*

❷ Le **sujet** d'une phrase est le nom, le groupe du nom ou le pronom qui répond à la question « qui est-ce qui ? » ou « qu'est-ce qui ? ». *Dans la phrase « Le chat miaule », « le chat » est le sujet du verbe « miauler ».*

**superbe** adjectif

Une personne ou une chose **superbe** est très belle. *Ton dessin est superbe.* Synonymes : magnifique, merveilleux, splendide. Contraires : affreux, horrible.

**superficie** nom féminin

La **superficie** d'une maison ou d'un terrain est la mesure de son étendue. Synonyme : surface.

**supérieur, supérieure** adjectif

❶ Ce qui est **supérieur** est situé plus haut. *J'habite au cinquième étage, Julien habite à l'étage supérieur.* Contraire : inférieur.

**❷** Un nombre **supérieur** à un autre est plus grand. *Neuf est supérieur à sept.* Contraire : inférieur.

**❸** Un être **supérieur** a des dons, des qualités extraordinaires.

**supermarché** nom masculin

Un **supermarché** est un magasin de grande surface où l'on se sert soi-même. *Le samedi, nous faisons les courses au supermarché.*

**superposé, superposée** adjectif

Des lits **superposés** sont des lits posés l'un au-dessus de l'autre.

Paul a des lits **superposés** dans sa chambre.

**supersonique** adjectif

Un avion **supersonique** est un avion qui peut dépasser la vitesse du son, c'est-à-dire voler à plus de 1 000 kilomètres à l'heure.

**superstitieux, superstitieuse** adjectif

Une personne **superstitieuse** croit que certaines choses portent malheur ou portent bonheur. *Les gens superstitieux croient que le nombre 13 porte malheur.*

🔎 On écrit *tieux* mais on prononce [sjø].

**supplément** nom masculin

Un **supplément**, c'est ce que l'on donne en plus. *J'ai eu un supplément de frites.*

● Mot de la même famille : supplémentaire.

**supplémentaire** adjectif

Une chose **supplémentaire** vient en supplément, en plus. *Il y a des trains supplémentaires au moment des départs en vacances.*

**supplier** verbe

Supplier, c'est demander en insistant. *Arrêtez de crier, je vous en supplie !*

**support** nom masculin

Un **support** est un objet qui est placé sous un autre objet pour le faire tenir. *La statue est vendue avec son support.*

**supporter** verbe

**❶** Supporter un objet, c'est le porter, le faire tenir. *Les poutres supportent le toit.* Synonyme : soutenir.

**❷** Supporter quelque chose, c'est le subir sans se plaindre. *Ce bruit est difficile à supporter.*

**❸** Supporter quelque chose, c'est accepter la présence ou l'attitude de quelqu'un. *Grand-père ne supporte pas que je dise des gros mots.*

● Mot de la même famille : support.

**supporteur** nom masculin
**supportrice** nom féminin

Un **supporteur**, une **supportrice** sont des personnes qui encouragent un sportif ou une équipe.

**supposer** verbe

Supposer, c'est croire quelque chose d'après certains indices. *Puisque vous ne posez pas de questions, je suppose que vous avez compris.*

## suppositoire nom masculin

Un **suppositoire** est un médicament solide que l'on introduit dans le derrière.

🔎 « Suppositoire » est un nom masculin qui se termine par un e.

## supprimer verbe

**Supprimer** une chose, c'est la faire disparaître. *Pour faire une grande chambre, on a supprimé une cloison.* Synonyme : **enlever**.

## sur préposition

**Sur** indique la position au-dessus. *Le chat est sur le lit.* Contraire : **sous**.

🔎 Ne confonds pas « sur » et « être sûr ».

Le vase est **sur** la table.

## sûr, sûre adjectif

❶ Être **sûr** de quelque chose, c'est en être persuadé, ne pas avoir de doute. *Léa est sûre de gagner.* Synonyme : **certain**.

❷ Quand une chose est **sûre**, elle ne fait pas de doute. *Une chose est sûre, mes parents ne déménageront pas.*

🔎 Le u prend un accent circonflexe. Ne confonds pas « sûr » et « sur ».

● Mots de la même famille : **sûrement**, **sûreté**.

→ Cherche **bien sûr**.

## sûrement adverbe

**Sûrement** signifie : sans aucun doute. *Il va sûrement rentrer tard.* Synonymes : **certainement**, **probablement**. Contraire : **peut-être**.

🔎 Le u prend un accent circonflexe.

## sûreté nom féminin

Être en **sûreté**, c'est être à l'abri. *Ses bijoux sont en sûreté dans un coffre.*

🔎 Le u prend un accent circonflexe.

## surf nom masculin

Le **surf** est un sport où l'on se tient en équilibre sur une planche pour glisser sur les vagues ou sur la neige. *Mon grand frère fait du surf.*

🔎 Ce mot vient de l'anglais : on prononce [sœrf].

On fait du **surf** sur les grosses vagues.

## surface nom féminin

❶ La **surface** est la partie extérieure d'un solide ou d'un liquide. *Les humains vivent sur la surface de la Terre. Le dauphin est remonté à la surface de la mer.* Contraire : **fond**.

**❷** La **surface** est la mesure d'une étendue. *Je calcule la surface de ma chambre.* Synonyme : superficie.

**❸** Une **grande surface** est un magasin de grandes dimensions. Synonyme : supermarché.

## surgelé, surgelée adjectif

Un aliment **surgelé** est un aliment qui a été conservé à une température très basse. *Maman a mis les légumes surgelés au congélateur.*

## surgir verbe

Surgir, c'est apparaître brusquement. *Un chat a surgi devant moi.*

Quelle surprise **surgit** de la boîte ?

## surnom nom masculin

Un **surnom** est un nom que l'on donne à une personne à la place de son vrai nom. *Le surnom d'Anaïs est Minouche.*

🔎 Le son [ɔ̃] s'écrit om.

## surprendre verbe

**❶** Surprendre, c'est étonner beaucoup. *Cette drôle de nouvelle me surprend.*

**❷** Surprendre une personne, c'est la voir alors qu'elle ne s'y attendait pas, la prendre sur le fait. *On a surpris un cambrioleur en train de voler.*

● Mot de la même famille : surprise.

## surprise nom féminin

Une **surprise** est une chose que l'on n'attend pas et qui fait plaisir. *À la sortie de l'école, j'ai eu la surprise de voir mon cousin.*

## sursauter verbe

Sursauter, c'est faire un petit saut, un petit bond quand on est surpris. *Un bruit m'a fait sursauter.*

## surtout adverbe

Surtout signifie : par-dessus tout. *J'aime beaucoup les animaux et surtout les chats.* Synonymes : en particulier, particulièrement, spécialement.

## surveillance nom féminin

La **surveillance**, c'est l'action de surveiller. *Nous nageons sous la surveillance du maître-nageur.*

## surveillant nom masculin
## surveillante nom féminin

Un **surveillant**, une **surveillante** sont des personnes qui surveillent. *Dans les collèges et les lycées, il y a des surveillants.*

## surveiller verbe

Surveiller, c'est regarder avec attention pour vérifier que tout se passe bien. *Dans la cour, les maîtres surveillent les élèves.*
● Mots de la même famille : surveillance, surveillant.

## survêtement nom masculin

Un **survêtement** est un vêtement de sport que l'on met sur un short et un maillot. Il est fait d'un pantalon et d'une veste.

🔎 Le premier e prend un accent circonflexe.

➔ Cherche **sous-vêtement**.

**survivant** nom masculin
**survivante** nom féminin
Un **survivant**, une **survivante** sont des personnes qui sont encore en vie après un accident ou une catastrophe. Synonyme : rescapé.

**survoler** verbe
**Survoler** un endroit, c'est voler au-dessus. *L'avion survole la mer.*

**susceptible** adjectif
Une personne **susceptible** est une personne qui se vexe facilement. *On ne peut pas plaisanter avec les gens susceptibles.*
🔍 Il y a un c après le deuxième *s*.

**suspect, suspecte** adjectif
Une chose ou une personne **suspecte** est une chose, une personne dont on doit se méfier. *Son témoignage est suspect.* Synonyme : louche.
🔍 Au masculin, on ne prononce pas le c ni le *t* : on dit [syspɛ].

**suspendre** verbe
**Suspendre**, c'est accrocher et laisser pendre. *J'ai suspendu mon anorak au portemanteau.* **Se suspendre**, c'est se laisser pendre dans le vide. *Tom se suspend à la branche.*

**suspense** nom masculin
Le **suspense**, c'est le moment d'un récit ou d'un film où l'on attend la suite avec beaucoup d'impatience. *Ce film policier est plein de suspense.*
🔍 Ce mot vient de l'anglais, on prononce [syspɛns].

**syllabe** nom féminin
Une **syllabe** est une partie d'un mot que l'on prononce en une seule fois. *Le mot «enfant» a deux syllabes : «en» et «fant».*
🔍 Ce mot s'écrit avec un *y* et deux *l*.

**symbole** nom masculin
Un **symbole** est un objet qui représente une idée. *La colombe est le symbole de la paix.*

**symétrique** adjectif
Deux choses **symétriques** sont situées l'une à côté de l'autre et elles sont semblables. *Les deux ailes d'un papillon sont symétriques.*
🔍 Il y a un *y* au début du mot.

**sympathie** nom féminin
La **sympathie** est le sentiment que l'on éprouve lorsqu'on trouve une personne agréable et gentille. *Paul a de la sympathie pour Rachid et voudrait bien devenir son ami.*
🔍 Il y a un *y* au début du mot et *th* à la fin.
● Mot de la même famille : sympathique.

Valentin **s'est suspendu** au trapèze.

a b c d e f g h i j k l m n o p q r s t u v w x y z

# sympathique

**sympathique** adjectif

Une personne **sympathique** est une personne que l'on trouve agréable et gentille et que l'on aimerait avoir pour amie. Contraires : antipathique, désagréable.

🔍 Il y a un *y* au début du mot et *th* à la fin.

**synagogue** nom féminin

Une **synagogue** est un bâtiment où les israélites se rassemblent pour prier.

🔍 Ce mot s'écrit avec un *y*.

→ Cherche **église**, **mosquée**, **pagode** et **temple**.

**synonyme** nom masculin

Un **synonyme** est un mot qui veut dire la même chose ou presque la même chose qu'un autre mot. « *Façon* » est le synonyme de « *manière* ». « *Libérer* » est le **synonyme** de « *relâcher* ». « *Buté* » est le **synonyme** de « *têtu* ». Contraire : contraire.

🔍 Ce mot s'écrit avec deux *y*.

**système** nom masculin

❶ Un **système** est un ensemble de choses organisées. *Le système nerveux est l'ensemble des nerfs. Le système solaire, c'est le Soleil et les planètes qui tournent autour.*

❷ Un **système** est un mécanisme. *Les escaliers roulants fonctionnent grâce à un système automatique.*

❸ Un **système** est un moyen astucieux de faire quelque chose. *J'ai trouvé un système pour classer mes timbres.* Synonyme : méthode.

🔍 Ce mot s'écrit avec un *y*.

**ta → ton**

### tabac nom masculin

❶ Le **tabac** est une plante. On fait sécher ses feuilles et on les prépare pour fabriquer des cigarettes et des cigares. *Fumer du tabac nuit gravement à la santé.*

❷ Un **tabac** est un magasin où l'on peut acheter du tabac.

🔎 Ce mot se termine par un c qu'on ne prononce pas.

### table nom féminin

❶ Une **table** est un meuble fait d'un plateau posé sur un ou plusieurs pieds. **Mettre la table**, c'est poser sur une table tout ce qui est nécessaire au repas. **Se mettre à table**, c'est s'installer autour de la table pour prendre son repas.

❷ Une **table de multiplication** est un tableau qui donne les multiplications des dix premiers nombres.

❸ La **table des matières** d'un livre est la liste de ses chapitres.
Synonyme : **sommaire**.

● Mots de la même famille : **tableau, tablette**.

### tableau nom masculin

❶ Un **tableau** est une œuvre réalisée par un peintre. *Au musée, nous avons vu des tableaux de Picasso.*

❷ Un **tableau** est un grand panneau qui est accroché au mur d'une classe. *J'ai fait un exercice au tableau.*

❸ Un **tableau** est une liste de mots ou de nombres mis dans un certain ordre. *Le tableau des conjugaisons donne les temps des verbes et les personnes.*

❹ Le **tableau de bord** donne des indications sur le fonctionnement d'un véhicule.

🔎 Au pluriel, on écrit *des tableaux*.

### tablette nom féminin

❶ Une **tablette** est une plaque que l'on pose ou que l'on accroche au mur. *Ma brosse à dents est sur la tablette du lavabo.*

❷ Une **tablette de chocolat** est une plaque de chocolat.

### tablier nom masculin

Un **tablier** est un vêtement que l'on porte sur ses vêtements pour les protéger. *Ma sœur met un tablier pour faire la cuisine.*

### tabouret nom masculin

Un **tabouret** est un siège sans dossier et sans bras. *Le pianiste est assis sur un tabouret.*

### tache nom féminin

❶ Une **tache** est une trace de saleté. *J'ai fait une tache de peinture sur mon short.*
❷ Une **tache** est une petite partie de couleur différente sur la peau d'une personne ou sur le pelage d'un animal. *Léa a des taches de rousseur. Les léopards ont des taches noires.*

🔎 Ne confonds pas avec « une tâche », un travail.
● Mots de la même famille : **tacher, tacheté.**

### tâche nom féminin

Une **tâche** est un travail à faire. *Pour préparer la fête, nous avons chacun une tâche.*

🔎 Le *a* prend un accent circonflexe. Ne confonds pas avec « une tache », une trace.
● Mot de la même famille : **tâcher.**

### tacher verbe

Tacher une chose, c'est faire des taches dessus. *J'ai taché la nappe.*

🔎 Ne confonds pas avec « tâcher », essayer.

### tâcher verbe

Tâcher, c'est faire son possible. *Tâchez d'arriver à l'heure !*
Synonyme : **essayer.**

🔎 Le *a* prend un accent circonflexe. Ne confonds pas avec « tacher », faire une tache.

### tacheté, tachetée adjectif

Un pelage **tacheté** est marqué de petites taches.

Le dalmatien a un pelage **tacheté**.

### tactique nom féminin

Une **tactique** est une méthode astucieuse. *J'ai une tactique pour gagner aux dames.*

### taie nom féminin

Une **taie d'oreiller** est une housse qui recouvre un oreiller.

### taille nom féminin

❶ La **taille** est la grandeur d'une personne, d'un animal ou d'une chose. *Audrey et Rémi ont la même taille.*
❷ La **taille** est la partie du corps qui se trouve au-dessus des hanches. *Mon pantalon me serre à la taille.*
☞ Va voir « le corps », page 167.

### taille-crayon nom masculin

Un **taille-crayon** est un instrument qui sert à tailler les crayons.

🔎 Ce mot s'écrit avec un trait d'union. Au pluriel, il n'y a pas de *s* à « taille » : *des taille-crayons.*

### tailler verbe

Tailler un objet, une plante ou une matière, c'est les couper pour leur donner une forme. *Léo taille son crayon. Mamie taille les rosiers.*

● Mots de la même famille : **taille-crayon, tailleur.**

Maman **taille** le pommier.

## tailleur nom masculin

❶ Un **tailleur** est un couturier qui fait des vêtements sur mesure.

❷ Un **tailleur** est un costume de femme fait d'une jupe et d'une veste assorties.

❸ Être assis **en tailleur**, c'est avoir les jambes repliées devant soi et les genoux écartés.

## se taire verbe

**Se taire**, c'est cesser de parler. *Le spectacle commence et les spectateurs se taisent.*

## talent nom masculin

Avoir du **talent**, c'est avoir des qualités, un don pour un art. *Cette actrice a beaucoup de talent.*

## talon nom masculin

❶ Le **talon** est l'arrière du pied.

❷ Le **talon** est la partie arrière d'une chaussette ou d'une chaussure.

## tambour nom masculin

Un **tambour** est un instrument de musique qui a la forme d'un grand cylindre. On frappe dessus avec deux baguettes.

🔍 Le son [ã] s'écrit *am* devant un *b*.

● Mot de la même famille : **tambourin.**

## tambourin nom masculin

Un **tambourin** est un petit tambour plat.

🔍 Le son [ã] s'écrit *am* devant un *b*.

☞ Va voir « les instruments de musique », page 355.

## tampon nom masculin

Un **tampon** est une plaque de caoutchouc ou de métal qui porte une inscription. *Le douanier donne un coup de tampon sur les passeports.*

🔍 Le son [ã] s'écrit *am* devant un *p*.

● Mots de la même famille : **tamponner, tamponneuse.**

## tamponner verbe

❶ **Tamponner** un passeport, c'est donner un coup de tampon dessus.

❷ Quand deux véhicules **se tamponnent,** ils se heurtent.

🔍 Le son [ã] s'écrit *am* devant un *p*.

Elle joue du **tambourin**.

a b c d e f g h i j k l m n o p q r s t

**tamponneuse** adjectif féminin

Les autos **tamponneuses** sont des voitures électriques qui se tamponnent sur une piste. C'est une attraction de fête foraine.

🔍 Le son [ɑ̃] s'écrit *am* devant un *p*.

Ils font un tour d'autos
**tamponneuses**.

**tam-tam** nom masculin

Un **tam-tam** est un tambour d'Afrique. On frappe dessus avec les mains.

🔍 Ce mot s'écrit avec un trait d'union. Au pluriel, on écrit *des tam-tams*.

**tandis que** conjonction

Tandis que signifie : pendant que. *Marie joue tandis que Pierre lit.*

**tanière** nom féminin

Une **tanière** est un abri pour les loups, les ours et d'autres animaux sauvages.

→ Cherche **terrier**.

**tank** nom masculin

Un **tank** est un véhicule de l'armée qui porte un canon. Synonyme : **char** d'assaut.

**tant** adverbe

❶ Tant signifie : en trop grande quantité. *Ne mange pas **tant** de bonbons !*

❷ Tant mieux s'emploie quand on est content, satisfait. *Il a réussi son examen, **tant mieux** !* Tant pis signifie : c'est dommage mais ce n'est pas grave. *Tu ne peux pas venir dimanche, **tant pis** !*

**tante** nom féminin

Une **tante** est la sœur de l'un des parents. *Ma **tante** Brigitte est la sœur de ma mère.*

→ Cherche **oncle**.

☛ Va voir « la famille », page 273.

**tant que** conjonction

Tant que signifie : aussi longtemps que. *Je viendrai te voir **tant que** tu seras malade.*

**tapage** nom masculin

Faire du **tapage**, c'est faire beaucoup de bruit. *Cette nuit, nos voisins ont fait du **tapage**.* Synonyme : **vacarme**.

**tape** nom féminin

Une **tape** est un petit coup donné avec la paume de la main. *Adrien m'a donné une **tape** dans le dos.*

**taper** verbe

❶ Taper, c'est donner des coups. *Le menuisier **tape** sur un clou avec son marteau. Ne **tape** pas ton chien !* Synonymes : **battre, frapper**.

❷ Taper un texte, c'est l'écrire en frappant les touches d'une machine à écrire ou d'un ordinateur.

● Mot de la même famille : **tape**.

**tapis** nom masculin

Un **tapis** est un tissu épais qui recouvre le sol d'une pièce.

🔍 Ce mot se termine par un *s*.

● Mot de la même famille : **tapisserie**.

→ Cherche **moquette**.

### tapisserie nom féminin

Une **tapisserie** est une sorte de tapis que l'on met sur les murs. *Dans les châteaux, il y a souvent des tapisseries.*

### taquiner verbe

**Taquiner** une personne, c'est la faire enrager pour s'amuser. *Elle n'est pas méchante, elle voulait seulement te taquiner.*

### tard adverbe

**Tard** signifie : à un moment très éloigné ou plus éloigné que le moment habituel. *Le dimanche, je me lève tard.* Contraires : de bonne heure, tôt. *Adrien est arrivé plus tard que nous.*
● Mot de la même famille : **tarder**.

### tarder verbe

**Tarder**, c'est mettre longtemps à venir ou à faire quelque chose. *Si tu tardes trop, le magasin va être fermé.*

### tarentule nom féminin

Une **tarentule** est une grosse araignée poilue qui vit en Europe. *Les tarentules sont des araignées venimeuses.*
→ Cherche **mygale**.

### tarif nom masculin

Un **tarif** est une liste de prix. *Le tarif des billets est affiché au guichet.*

### tarte nom féminin

Une **tarte** est une pâtisserie faite de fruits ou de légumes posés sur de la pâte. *Ma sœur a fait une tarte aux fraises.*

### tartine nom féminin

Une **tartine** est une tranche de pain recouverte de beurre, de confiture, de miel.
● Mot de la même famille : **tartiner**.

### tartiner verbe

**Tartiner**, c'est étaler du beurre, de la confiture, du miel, sur une tranche de pain ou une biscotte.

### tas nom masculin

❶ Un **tas** est une quantité d'objets mis les uns sur les autres. *J'ai mis le tas de journaux par terre.* Synonyme : pile.

❷ Un **tas** de choses est une quantité de choses. *Alice s'intéresse à un tas de choses.*

🔎 Ce mot se termine par un *s*.
● Mot de la même famille : **tasser**.

### tasse nom féminin

Une **tasse** est un petit récipient avec une anse que l'on utilise pour boire. *Paul range les tasses à café.*
→ Cherche **bol**.

### tasser verbe

**Tasser** des objets, c'est appuyer dessus pour les aplatir. *Julien tasse ses vêtements de sport dans son sac.*
**Se tasser**, c'est se serrer les uns contre les autres. *Les voyageurs se tassent dans le métro.*

Mamie **tasse** la terre.

**tâter** verbe

Tâter, c'est toucher en appuyant légèrement. *Le médecin tâte mon poignet.*

🔎 Le a prend un accent circonflexe.

● Mot de la même famille : à tâtons.

**à tâtons** adverbe

Marcher à tâtons, c'est marcher en tâtant les murs ou les objets pour se guider. *Julie marche à tâtons dans le noir.* Synonyme : à l'aveuglette.

**tatouage** nom masculin

Un tatouage est un dessin à l'encre fait sur la peau avec une aiguille. *Le marin avait un tatouage sur le bras.*

**taupe** nom féminin

Une taupe est un petit mammifère noir qui vit sous la terre et qui creuse des galeries. *Les taupes se nourrissent d'insectes et de vers.*

● Mot de la même famille : taupinière.

**taupinière** nom féminin

Une taupinière est un tas de terre que la taupe rejette quand elle creuse ses galeries souterraines.

**taureau** nom masculin

Un taureau est un gros mammifère à cornes qui fait partie du bétail de la ferme.

▶ Le taureau est un ruminant. C'est le mâle de la vache. Le petit est le **veau**. Quand le taureau crie, on dit qu'il **beugle** ou qu'il **meugle**.

🔎 Au pluriel, on écrit *des taureaux*.

➔ Cherche **bœuf**.

une **taupe**

**taxi** nom masculin

Un taxi est une voiture conduite par un chauffeur que l'on paye. *Le prix du trajet est indiqué sur le compteur du taxi.*

**te** pronom

Te représente la deuxième personne du masculin singulier et du féminin singulier. *Paul te parle.*

🔎 Te s'écrit t'devant une voyelle ou un « h » muet : *je t'accompagne. Tu vas t'habituer.*

**technicien** nom masculin
**technicienne** nom féminin

Un technicien, une technicienne sont des personnes qui connaissent parfaitement une technique. *Un technicien a réparé l'ordinateur.*

🔎 On écrit ch mais on prononce [k].

**technique** nom féminin

❶ La technique, c'est l'ensemble des moyens utilisés pour fabriquer quelque chose. *Franck s'intéresse à la technique de la reliure.*

❷ Une technique est une manière de faire. *J'ai trouvé une technique pour sauter plus haut.*

🔎 On écrit ch mais on prononce [k].

● Mot de la même famille : technicien.

**tee-shirt** nom masculin

Un tee-shirt est un maillot en coton. *J'ai des tee-shirts de toutes les couleurs.*

🔎 On prononce [tiʃœrt]. Au pluriel, on écrit *des tee-shirts*. On peut aussi écrire « T-shirt ».

**teindre** verbe

Teindre du tissu ou des cheveux, c'est leur donner une nouvelle couleur. *Ma mère a teint ses cheveux en châtain.*

● Mots de la même famille : teint, teinte, teinturier.

**teint** nom masculin

Le **teint** est la couleur du visage. *Zoé a le teint clair.*

**teinte** nom féminin

Une **teinte** est une couleur. *Les arbres ont des teintes rousses en automne.*

**teinturier** nom masculin
**teinturière** nom féminin

Un **teinturier**, une **teinturière** sont des personnes qui teignent et qui nettoient des vêtements. C'est un nom de métier.

**tel, telle** adjectif

Un **tel** objet, une **telle** chose, c'est un objet, une chose de cette sorte. *Je n'admets pas qu'une telle situation se reproduise.*

**télécommande** nom féminin

Une **télécommande** est un appareil qui fait fonctionner à distance un téléviseur, un magnétoscope, une chaîne hi-fi ou un jouet.
● Mot de la même famille : télécommandé.

Tom joue avec une voiture **télécommandée**.

**télécommandé,**
**télécommandée** adjectif

Un appareil ou un jouet **télécommandé** fonctionne à distance grâce à une télécommande. *Léo fait naviguer son bateau télécommandé.*
🔎 On dit aussi « téléguidé » et « radiocommandé ».

**télégramme** nom masculin

Un **télégramme** est un message qui est transmis à distance par la poste.

**téléphérique** nom masculin

Un **téléphérique** est un moyen de transport que l'on utilise en montagne. Il est fait d'une cabine suspendue à un câble.
🔎 Ce mot s'écrit avec *ph*.
→ Cherche remonte-pente et télésiège.

**téléphone** nom masculin

Le **téléphone** est un appareil qui permet de se parler à distance. *J'ai appelé Chloé au téléphone.*
🔎 Ce mot s'écrit avec *ph*.
● Mots de la même famille : téléphoner, téléphonique.

**téléphoner** verbe

**Téléphoner**, c'est parler au téléphone. *Je te téléphonerai ce soir.*
Synonyme : appeler.
🔎 Ce mot s'écrit avec *ph*.

**téléphonique** adjectif

Une conversation, un appel **téléphoniques** se font par téléphone.
🔎 Ce mot s'écrit avec *ph*.

**télescope** nom masculin

Un **télescope** est un instrument qui permet d'observer les astres. Il est fait d'un long tube et de petits miroirs.

**télésiège** nom masculin
Un **télésiège** est un moyen de transport fait de sièges suspendus à un câble.

Ils sont tous sur le **télésiège**.

**téléski** nom masculin
Un **téléski** est un appareil fait d'un câble et de perches. Il sert à tirer des skieurs en haut des pistes. Synonyme : remonte-pente.

**téléspectateur** nom masculin
**téléspectatrice** nom féminin
Un téléspectateur, une téléspectatrice sont des personnes qui regardent la télévision.

**télévisé, télévisée** adjectif
Le journal **télévisé** est transmis par la télévision.

**téléviseur** nom masculin
Un **téléviseur** est un poste de télévision.

**télévision** nom féminin
La **télévision** est une technique qui permet de transmettre des images sur l'écran d'un téléviseur. *On peut voir beaucoup de chaînes de télévision avec le câble. Notre poste de télévision est en panne.*
● Mots de la même famille : **télévisé, téléviseur.**

**tellement** adverbe
Tellement signifie : à un tel point. *Léa était tellement fatiguée qu'elle s'est endormie à table.* Synonyme : si.

**témoignage** nom masculin
Un **témoignage**, c'est ce que dit un témoin. *Le témoignage des voisins a permis de faire libérer la personne qui était accusée.*

**témoigner** verbe
Témoigner, c'est dire ce qu'on sait, ce qu'on a vu. *Mon père a témoigné dans un accident de la circulation.*

**témoin** nom masculin
Un **témoin** est une personne qui a assisté à quelque chose et qui peut dire ce qui s'est passé. *Ma mère a été témoin d'un cambriolage.*
● Mots de la même famille : témoignage, témoigner.

**tempe** nom féminin
La **tempe** est le côté de la tête, entre l'œil et l'oreille.
🔎 Le son [ɑ̃] s'écrit *em* devant un *p*.

**température** nom féminin
❶ La **température** est le degré de chaleur ou de froid qu'il fait dans un endroit. *Quelle est la température de l'eau ?*
❷ La **température** est la chaleur du corps. *Chloé a pris sa température à l'aide d'un thermomètre.*
🔎 Le son [ɑ̃] s'écrit *em* devant un *p*.
☛ Va voir « les mesures », page 443.

**tempête** nom féminin
Une **tempête** est un vent violent avec de la pluie ou de la neige. *Un bateau a fait naufrage dans la tempête.*

🔍 Le son [ã] s'écrit *em* devant un *p*. Le deuxième *e* prend un accent circonflexe.

→ Cherche **cyclone**, **ouragan** et **tornade**.

## temple nom masculin

❶ Un **temple** est un grand bâtiment à colonnes construit autrefois par les Grecs, les Romains ou les Égyptiens pour leurs dieux.

❷ Un **temple** est un bâtiment où les protestants se rassemblent pour prier.

🔍 Le son [ã] s'écrit *em* devant un *p*.

→ Cherche **église**, **mosquée**, **pagode** et **synagogue**.

un **temple** grec

## temps nom masculin

❶ Le **temps** se mesure en heures, minutes et secondes. *Le temps passe vite en vacances. J'aurais aimé vivre **au temps** des mousquetaires.* Synonyme : **à l'époque.** *Les voitures ne roulaient pas vite **dans le temps**.* Synonymes : **autrefois, jadis.**

❷ En grammaire, le **temps** est une forme de la conjugaison qui indique à quel moment une action se passe. *Le présent, le passé, le futur sont des temps.*

❸ Le **temps** qu'il fait, c'est l'aspect du ciel et la température de l'air. *La météo annonce du beau **temps**.*

🔍 Le son [ã] s'écrit *em* devant un *p*. Ce mot se termine par un *s*.

→ Cherche **tout le temps**.

☛ Va voir « les mesures », page 443.

## de temps en temps adverbe

**De temps en temps** signifie : à certains moments. *Nous allons au cirque **de temps en temps**.* Synonymes : **parfois, quelquefois.**

## tenailles nom féminin pluriel

Des **tenailles**, c'est une grosse pince qui sert à arracher des clous.

## 1. tendre verbe

❶ **Tendre** une corde, c'est tirer dessus pour la rendre droite.

❷ **Tendre** une partie du corps, c'est l'avancer ou l'allonger. *Ma petite sœur me **tend** les bras.*

❸ **Tendre** quelque chose à quelqu'un, c'est le lui donner en avançant la main.

Rachid **tend** une fleur à Clara.

a b c d e f g h i j k l m n o p q r s t u v w x y z

A
B
C
D
E
F
G
H
I
J
K
L
M
N
O
P
Q
R
S
T
U
V
W
X
Y
Z

## 2. tendre adjectif

❶ De la viande **tendre** est facile à couper et à mâcher. Contraire : **dur**.

❷ Une personne **tendre** est douce et gentille. Synonyme : **affectueux**. Contraire : **dur**.

● Mots de la même famille : tendrement, tendresse.

## tendrement adverbe

**Tendrement** signifie : avec tendresse. *J'embrasse mon petit frère tendrement*.

## tendresse nom féminin

La **tendresse**, c'est l'affection et la douceur. *Grand-mère s'occupe de ses petits-enfants avec **tendresse***.

## tenir verbe

❶ **Tenir**, c'est garder à la main ou dans ses mains. *Je **tiens** un verre. **Tiens** bien ton petit frère !* Contraire : **lâcher**.

❷ **Tenir**, c'est être attaché, fixé quelque part. *Le tableau **tient** par un crochet.*

❸ **Tenir** droit, debout, en équilibre, c'est rester dans cette position.

❹ **Tenir** dans un endroit, c'est pouvoir y entrer. *La valise **tient** dans le coffre.*

❺ **Tenir** à quelqu'un, à quelque chose, c'est y être très attaché. *Je **tiens** beaucoup à ce DVD.*

❻ **Se tenir** bien, c'est avoir une bonne position ou une bonne attitude. *Julien se **tient** bien à table.*

● Mot de la même famille : **tenue**.

## tennis nom masculin

Le **tennis** est un sport qui se joue à deux ou à quatre. Les joueurs se renvoient une balle avec une raquette par-dessus un filet.

▶ Le terrain de tennis est appelé un **court**.

🔍 Il y a deux *n*. On prononce le *s*.

## tentacule nom masculin

Un **tentacule** est une sorte de bras souple qui permet aux méduses et aux pieuvres de se déplacer et d'attraper leurs proies.

🔍 « Tentacule » est un nom masculin qui se termine par un *e*.

## tentative nom féminin

Une **tentative** est un essai que l'on tente. *Je vais faire une dernière tentative pour le convaincre.*

## tente nom féminin

Une **tente** est un abri de toile que l'on installe avec des mâts et des piquets.

## tenter verbe

❶ **Tenter** quelque chose, c'est faire des efforts pour y arriver. *On a tout **tenté** pour le sauver.* Synonyme : **essayer**.

❷ **Tenter** sa chance, c'est essayer de gagner. *Je vais **tenter** ma chance à la loterie.*

❸ **Tenter** quelqu'un, c'est lui faire envie. *Ce jeu vidéo me **tente**.*

● Mot de la même famille : **tentative**.

## tenue nom féminin

❶ La **tenue** est la façon de se tenir ou de se comporter. *La maîtresse nous a félicités pour notre bonne **tenue**.* Synonyme : **position**.

Le petit Paul **tient** bien son biberon.

**2** Une **tenue**, c'est un ensemble de vêtements. *Aziz a mis sa **tenue** de sport.*

### terminaison nom féminin

La **terminaison** d'un mot est la partie finale du mot. *La terminaison de «joueur» est «eur».*

### terminer verbe

**1** **Terminer** quelque chose, c'est le faire jusqu'à la fin. *J'ai terminé mon exercice.* Synonymes : achever, finir. Contraire : commencer.

**2** **Se terminer**, c'est prendre fin, arriver à la fin. *La fête s'est terminée tard.* Synonymes : s'achever, finir. Contraire : commencer.

● Mots de la même famille : terminaison, terminus.

### terminus nom masculin

Le **terminus** est le dernier arrêt d'un train, d'un autocar, d'un autobus ou d'un métro.

🔍 Ce mot se termine par un *s* qu'on prononce.

### terne adjectif

Une chose **terne** ne brille pas. *Cette médaille est devenue terne.* Contraires : brillant, éclatant.

### terrain nom masculin

**1** Un **terrain** est une étendue de terre. *Mes grands-parents ont acheté un terrain près d'un village.*

**2** Un **terrain** de camping, de sport sont des lieux installés en plein air pour faire du camping ou du sport.

🔍 Il y a deux *r*, comme dans «terre».

### terrasse nom féminin

**1** Une **terrasse** est une plate-forme qui se trouve devant une fenêtre, une porte ou sur le toit d'une habitation.

**2** Une **terrasse** de café ou de restaurant, c'est la partie qui se trouve à l'extérieur.

🔍 Il y a deux *r*, comme dans «terre».

### terre nom féminin

**1** La **Terre** est la planète où vivent les êtres humains. *La Terre tourne autour du Soleil.*

**2** La **terre** est le sol. *Un avion s'est posé à terre. Je suis tombé par terre.*

**3** La **terre** est la matière qui permet aux végétaux de pousser. *Les jardiniers cultivent la terre.*

🔍 Quand ce mot désigne la planète, il s'écrit avec une majuscule.

● Mots de la même famille : terrain, terrasse, terrestre, terrier, territoire.

### terrestre adjectif

Un animal **terrestre** est un animal qui vit sur la terre. *L'éléphant est le plus gros animal terrestre.*

🔍 Il y a deux *r*, comme dans «terre».

### terreur nom féminin

La **terreur** est une très grande peur. *Je me suis réveillé en hurlant de terreur.* Synonymes : effroi, frayeur.

🔍 Il y a deux *r*.

● Mot de la même famille : terrifiant.

Ils jouent au football
sur le **terrain** de sport.

a b c d e f g h i j k l m n o p q r s t u v w x y z

A
B
C
D
E
F
G
H
I
J
K
L
M
N
O
P
Q
R
S
T
U
V
W
X
Y
Z

**terrible** adjectif

❶ Une chose **terrible** est très forte, très violente et difficile à supporter. *Sur la falaise, il y avait un vent terrible. Elle a eu un choc quand elle a appris la terrible nouvelle.* Synonyme : horrible.

❷ Un enfant **terrible** est un enfant turbulent et insupportable. Synonymes : infernal, odieux.

🔍 Il y a deux *r*.

**terrier** nom masculin

Un **terrier** est un abri souterrain creusé par certains animaux sauvages. *Les lièvres, les renards et les marmottes vivent dans des terriers.*

🔍 Il y a deux *r*, comme dans « terre ».
→ Cherche **tanière**.

Les renards sont sortis de leur **terrier**.

**terrifiant, terrifiante** adjectif

Une chose **terrifiante** fait très peur. *J'ai été réveillé par un cri terrifiant.* Synonymes : effrayant, épouvantable, horrible.

**territoire** nom masculin

❶ Le **territoire** est l'étendue de terre qui appartient à un pays, à une ville, à un village. *L'Australie s'étend sur un immense territoire.*

❷ Le **territoire** d'un animal, c'est l'espace où il vit. *Les animaux défendent leur territoire.*

🔍 Il y a deux *r*, comme dans « terre ».

**tes** → **ton**

**tester** verbe

**Tester** les connaissances d'un élève, c'est les vérifier par des exercices.

**têtard** nom masculin

Le **têtard** est la larve des grenouilles et des crapauds.

🔍 Le e prend un accent circonflexe.

**tête** nom féminin

❶ La **tête** est la partie du corps qui contient le cerveau, la bouche, le nez, les yeux et les oreilles. *J'ai souvent mal à la tête.*

❷ La **tête** est le visage et l'expression du visage. *Paul a une jolie tête.* Synonyme : figure. *Mon frère fait la tête ce matin.*

❸ La **tête** est la partie avant d'une chose. *Je monte en tête du train.*

❹ La **tête** est la partie ronde d'un clou, d'une punaise, ou la partie lourde d'un marteau.

❺ La **tête** d'un groupe, ce sont les premières places. *Notre équipe est en tête du championnat.*

🔍 Le premier e prend un accent circonflexe.
● Mots de la même famille : têtard, têtu.

**téter** verbe

**Téter**, c'est sucer le lait au sein, à la mamelle ou au biberon. *Les bébés et les petits mammifères tètent.*
● Mot de la même famille : tétine.

**tétine** nom féminin

La **tétine** d'un biberon est le bout en caoutchouc qui est percé de trous et que les bébés tètent.

**têtu, têtue adjectif**

Une personne **têtue** s'entête, ne veut pas changer d'avis. Synonyme : buté.

🔍 Le e prend un accent circonflexe comme dans « tête ».

Ce buffle est **têtu,** il n'avance pas.

**texte nom masculin**

Un **texte**, c'est une suite de phrases écrites, un ensemble de paragraphes. Il raconte une histoire ou donne des informations. *Un poème, un faire-part, un menu sont des textes.*

**T. G. V. nom masculin**

Le **T. G. V.** est un train très rapide. *Les T. G. V. peuvent rouler à 300 kilomètres à l'heure.*

🔍 « T. G. V. » est l'abréviation de « train à grande vitesse ».

☞ Va voir la planche illustrée ➏

**thé nom masculin**

Le **thé** est une plante d'Asie qui sert à faire une boisson appelée aussi « thé ». *J'ai acheté du thé en sachets. Maman boit du thé le matin.*

🔍 Ce mot s'écrit avec *th.*

● Mot de la même famille : **théière.**

**théâtre nom masculin**

➊ Le **théâtre**, c'est l'art de jouer une pièce. *Mathis voudrait faire du théâtre.*

➋ Un **théâtre** est une salle où des comédiens jouent une pièce sur une scène. *J'ai vu « le Petit Prince » au théâtre.*

🔍 Ce mot s'écrit avec *th* au début. Le a prend un accent circonflexe.

➔ Cherche **comédie.**

**théière nom féminin**

Une **théière** est un récipient qui sert à faire du thé.

🔍 Ce mot s'écrit avec *th.*

**thermomètre nom masculin**

Un **thermomètre** est un instrument qui sert à mesurer la température. *Ce matin, le thermomètre indique 25 degrés.*

🔍 Ce mot s'écrit avec *th* au début.

☞ Va voir « les mesures », page 443.

**thon nom masculin**

Le **thon** est un gros poisson de mer.

🔍 Ce mot s'écrit avec *th.*

☞ Va voir « les poissons », page 530.

Léo joue une scène de **théâtre.**

a b c d e f g h i j k l m n o p

A B C D E F G H I J K L M N O P Q R S T U V W X Y Z

**thorax** nom masculin

Le **thorax** est la partie du corps qui se trouve entre le cou et le ventre. Il contient le cœur et les poumons. Synonyme : poitrine.

🔍 Ce mot s'écrit avec *th*. Il ne change pas au pluriel : on écrit *des thorax*.

**tibia** nom masculin

Le **tibia** est l'os du devant de la jambe. *Léa s'est cassé le tibia en tombant.*

**tic** nom masculin

Un **tic** est un petit mouvement nerveux que font certaines personnes sans s'en rendre compte. *Elle hausse les épaules sans arrêt, c'est un tic.*

**ticket** nom masculin

Un **ticket** est un papier qui permet de prendre un transport en commun ou qui prouve que l'on a payé une marchandise. *Nous avons acheté un carnet de tickets d'autobus.* Synonyme : billet.

🔍 Ce mot s'écrit avec *ck*.

**tiède** adjectif

De l'eau **tiède** n'est ni chaude ni froide. *L'eau de ma douche est tiède.* Contraires : brûlant, glacé.

un **tigre**

le **tien** pronom masculin
la **tienne** pronom féminin

Le tien, la tienne, c'est une chose qui est à toi. *Ce n'est pas mon stylo, c'est le tien.*

🔍 Au pluriel, on écrit *les tiens*, *les tiennes*.

**tiens !** interjection

Tiens s'emploie quand on est surpris. *Tiens ! il neige !*

**tiercé** nom masculin

Le **tiercé** est un pari que l'on fait sur les trois chevaux qui arriveront les premiers dans une course. *Notre voisin joue au tiercé.*

**tige** nom féminin

❶ La **tige** d'une plante est la partie fine qui porte les fleurs. *Les glaïeuls ont de longues tiges.*

❷ Une **tige** est une barre mince. *Ces brochettes sont des tiges de métal.*

**tigre** nom masculin

Un **tigre** est un mammifère sauvage et féroce qui a un pelage jaune à rayures noires. Il vit en Asie. *Le tigre a bondi sur un buffle.*

▶ C'est un félin. La femelle est la **tigresse**. Quand le tigre crie, on dit qu'il **feule**.

**tilleul** nom masculin

Un **tilleul** est un grand arbre aux fleurs jaunes parfumées. *Les fleurs du tilleul servent à faire de la tisane.*

**timbale** nom féminin

Une **timbale** est un gobelet en métal. *Mon petit frère boit dans une timbale.*

🔍 Le son [ɛ̃] s'écrit *im* devant un *b*.

**timbre** nom masculin

Un **timbre** est un petit papier spécial que l'on colle sur une enveloppe ou sur un colis pour payer l'envoi. *J'ai acheté un carnet de dix* **timbres**.

🔍 Le son [ɛ̃] s'écrit *im* devant un *b*.

### timide adjectif

Une personne **timide** n'ose pas parler aux autres. *Mon grand frère est très* **timide** *avec les filles*.

● Mot de la même famille : **timidité**.

➔ Cherche **intimider**.

### timidité nom féminin

La **timidité** est le caractère d'une personne timide. *Elle ne lui a pas demandé son nom par* **timidité**.

### tinter verbe

**Tinter**, c'est faire un petit son aigu. *On entend les verres* **tinter**.

### tintinnabuler verbe

**Tintinnabuler**, c'est faire entendre une série de petits sons aigus. *Les grelots* **tintinnabulent**.

🔍 Il y a deux *n* au milieu du mot.

### tir nom masculin

❶ Le **tir**, c'est l'action de tirer avec une arme à feu. *À la fête foraine, il y a un stand de* **tir**.

❷ Un **tir** est un coup de pied donné dans un ballon. *David a réussi un* **tir** *au but*.

### tire-bouchon nom masculin

Un **tire-bouchon** est un instrument en forme de vis qui sert à déboucher une bouteille.

🔍 Ce mot s'écrit avec un trait d'union. Au pluriel, il n'y a pas de *s* à « tire » : *des* **tire-bouchons**.

### tirelire nom féminin

Une **tirelire** est un objet avec une fente, où l'on met l'argent que l'on veut économiser. *Autrefois, on devait casser les* **tirelires** *pour récupérer les pièces*.

Lola a vidé sa **tirelire**.

### tirer verbe

❶ **Tirer**, c'est amener vers soi ou traîner derrière soi. *Pour entrer, il faut* **tirer** *la porte. La dépanneuse* **tire** *une voiture*. Contraire : **pousser**.

❷ **Tirer**, c'est envoyer un projectile. *Le chasseur a* **tiré** *sur un lièvre*.

❸ **Tirer**, c'est lancer un ballon ou une boule. *Le footballeur a* **tiré** *droit au but*.

❹ **Tirer** un trait, c'est faire un trait avec une règle. Synonyme : **tracer**.

❺ **Tirer** de l'eau, du pétrole, c'est les faire sortir. *On* **tire** *l'eau du puits*.

❻ **Tirer** une carte, un numéro, c'est les prendre au hasard. *Chloé a* **tiré** *le numéro gagnant*.

● Mots de la même famille : **tir, tiroir**.

### tiroir nom masculin

Le **tiroir** d'un meuble est la case que l'on peut ouvrir et fermer. *Les couverts sont dans le* **tiroir** *de la table*.

### tisane nom féminin

Une **tisane** est une boisson chaude faite avec des plantes que l'on met dans de l'eau bouillante. *Quand je suis malade, je bois de la* **tisane** *à la menthe*. Synonyme : **infusion**.

A
B
C
D
E
F
G
H
I
J
K
L
M
N
O
P
Q
R
S
T
U
V
W
X
Y
Z

## tisser verbe

**Tisser** de la laine, du coton, de la soie, c'est passer les fils les uns sur les autres pour fabriquer un tissu. Un **métier à tisser** est une machine qui sert à fabriquer un tissu.

● Mot de la même famille : tissu.

## tissu nom masculin

Un **tissu** est fait de fils que l'on a tissés. *Le coton et la laine sont des tissus.* Synonyme : étoffe. Le **tissu-éponge** est un tissu de coton qui absorbe l'eau. *Les serviettes de toilette sont en tissu-éponge.*

## titre nom masculin

❶ Un **titre** est le nom d'un livre, d'un film, d'une pièce de théâtre. « *La Belle et la Bête* » *est le **titre** d'un conte, d'un film et d'un dessin animé.*

❷ Le **titre** d'un article de journal est le mot, la phrase qui sont écrits en grosses lettres.

## toboggan nom masculin

Un **toboggan** est une sorte de piste en pente. On se laisse glisser dessus pour jouer. *Nous faisons du **toboggan** à la piscine.*

🔍 Il y a deux *g*.

Les enfants font du **toboggan**.

## toi pronom

**Toi** représente la deuxième personne du singulier. *C'est **toi** le gagnant. Cette cassette est à **toi**.*

## toile nom féminin

❶ La **toile** est un tissu solide. *Les tentes sont en **toile**.*

❷ Une **toile** d'araignée est un ensemble de fils de soie que fabrique une araignée pour capturer des insectes. *L'araignée a tissé sa **toile** dans un coin de la pièce.*

## 1. toilette nom féminin

❶ **Faire sa toilette**, c'est se laver. *Je fais ma **toilette** avant d'aller me coucher.*

❷ **Changer de toilette**, c'est changer de vêtement.

## 2. toilettes nom féminin pluriel

Les **toilettes**, ce sont les cabinets. Synonyme : waters.

## toise nom féminin

Une **toise** est une grande règle verticale qui sert à mesurer la taille d'une personne. *Tiens-toi bien droit sous la **toise** !*

## toit nom masculin

Le **toit** d'un bâtiment est la partie qui le recouvre. *Les **toits** peuvent être en tuile, en ardoise ou en tôle.*

🔍 Ne confonds pas « le toit » et « à toi ».

## tôle nom féminin

La **tôle** est une plaque de métal. *Le toit du garage est en **tôle**.*

🔍 Le o prend un accent circonflexe.

## tomate nom féminin

Une **tomate** est un fruit rouge que l'on mange cru ou cuit. *Maman a fait une salade de **tomates**.*

**tombe** nom féminin
Une **tombe** est un trou creusé dans la terre pour enterrer un mort.
🔍 Le son [ɔ̃] s'écrit *om* devant un *b*.
● Mot de la même famille : tombeau.

**tombeau** nom masculin
Un **tombeau** est un monument en pierre que l'on construit sur une tombe.
🔍 Le son [ɔ̃] s'écrit *om* devant un *b*. Au pluriel, on écrit *des tombeaux*.

**tombée** nom féminin
La **tombée** de la nuit (ou la **tombée** du jour) est le moment où il commence à faire nuit. *On voit mal quand on conduit à la **tombée** de la nuit.*
🔍 Le son [ɔ̃] s'écrit *om* devant un *b*.

**tomber** verbe
❶ **Tomber**, c'est toucher brutalement le sol avec son corps, faire une chute. *Je suis **tombé** en glissant sur le verglas.* **Tomber**, c'est être entraîné vers le sol. *Attention ! le verre va **tomber**.*
❷ **Tomber**, c'est descendre vers le sol. *La pluie **tombe**, la neige **tombe**.*
❸ **Tomber**, c'est se détacher de son support. *Les feuilles **tombent** en automne. Une dent de Léo **est tombée** ce matin.*
❹ **Tomber** malade, **tomber** amoureux, c'est devenir subitement malade, amoureux.
🔍 Le son [ɔ̃] s'écrit *om* devant un *b*.
● Mot de la même famille : tombée.

**tombola** nom féminin
Une **tombola** est une loterie où l'on gagne des objets. *J'ai pris deux billets de **tombola**.*
🔍 Le son [ɔ̃] s'écrit *om* devant un *b*.

**1. ton, ta** adjectif
**Ton** et **ta** sont des déterminants qui indiquent qu'une chose t'appartient, qu'une personne est de la même famille que toi : *ton livre, ton oncle.*

🔍 Quand un nom féminin commence par une voyelle ou un « h » muet, on dit *ton : ton assiette, ton humeur.* Au pluriel, on dit *tes*.

**2. ton** nom masculin
Le **ton** est la façon de parler. Il montre l'humeur d'une personne. *Chloé avait un ton moqueur.* Synonyme : intonation.

**tondeuse** nom féminin
Une **tondeuse** est une machine qui sert à tondre de l'herbe, des cheveux ou des poils. *Papi passe la **tondeuse** sur la pelouse.*

**tondre** verbe
**Tondre** de l'herbe, c'est la couper avec une tondeuse. **Tondre** des cheveux, des poils, c'est les couper très court. *On a tondu notre caniche.*
● Mot de la même famille : tondeuse.

**tonne** nom féminin
Une **tonne** est une unité de mesure des masses. *Il faut mille kilogrammes pour faire une **tonne**.*
🔍 Il y a deux *n*.

**tonneau** nom masculin
Un **tonneau** est un grand récipient en bois qui sert à conserver du vin, du cidre, de la bière.
🔍 Il y a deux *n*. Au pluriel, on écrit *des tonneaux*.

Paul **est tombé** de son vélo.

A
B
C
D
E
F
G
H
I
J
K
L
M
N
O
P
Q
R
S
T
U
V
W

**tonnerre nom masculin**

Le **tonnerre** est le bruit que l'on entend pendant un orage. *On a entendu un coup de* **tonnerre**.

🔍 Il y a deux *n* et deux *r*.

➜ Cherche **foudre**.

**torche nom féminin**

❶ Une **torche** est un long bâton recouvert de cire que l'on enflamme. *Autrefois, les couloirs des châteaux étaient éclairés par des* **torches**. Synonyme : **flambeau**.

❷ Une **torche** électrique est une lampe de poche de forme cylindrique.

**torchon nom masculin**

Un **torchon** est un morceau de tissu qui sert à essuyer la vaisselle.

**tordre verbe**

❶ **Tordre** une partie du corps, c'est la tourner brutalement. *Lâche-moi, tu me* **tords** *le bras*.

❷ **Tordre** du linge, c'est tourner les deux bouts en sens contraire. *Je* **tords** *mon tee-shirt pour le rincer*.

**tornade nom féminin**

Une **tornade** est un grand vent qui fait des tourbillons. *La* **tornade** *a arraché des arbres*.

➜ Cherche **cyclone**, **ouragan** et **tempête**.

**torrent nom masculin**

Un **torrent** est un cours d'eau rapide de montagne. *En été, les* **torrents** *ont peu d'eau*.

🔍 Il y a deux *r*.

une **tortue**

**torse nom masculin**

Le **torse** est la partie du corps qui va des épaules à la taille. *Léo se met* **torse** *nu pour faire de la gymnastique*. Synonyme : **buste**.

**tort nom masculin**

❶ **Avoir tort**, c'est se tromper ou faire quelque chose qui n'est pas raisonnable. *Tu* **as tort** *de te fâcher pour si peu*. Contraire : **avoir raison**.

❷ **Faire du tort** à quelqu'un, c'est lui causer des ennuis. *Ses nombreux retards lui* **font du tort**. Synonyme : **nuire**.

**torticolis nom masculin**

Le **torticolis** est une douleur dans le cou qui empêche de bouger la tête.

🔍 Ce mot se termine par un *s*.

**tortiller verbe**

**Tortiller** un objet, c'est le tordre dans tous les sens. *Marie* **tortille** *son mouchoir*.

**tortue nom féminin**

Une **tortue** est un animal qui a le corps recouvert d'une carapace, quatre pattes courtes et une petite queue.

▶ Les tortues sont des reptiles. Elles se déplacent lentement. Il existe des tortues terrestres, des tortues d'eau douce et des tortues d'eau de mer.

**tôt adverbe**

**Tôt** signifie : au bout de peu de temps ou avant l'heure. *Ce matin, je me suis levé* **tôt**. Synonyme : **de bonne heure**. Contraire : **tard**.

🔍 Le *o* prend un accent circonflexe.

**1. total, totale adjectif**

Le prix **total** d'une chose, c'est la somme de tous les prix. *Quel est le prix* **total** *de ces achats ?*

🔍 Au pluriel, on écrit *totaux, totales*.

● Mots de la même famille : totalement, totalité.

## 2. total nom masculin
Le total d'une addition est la somme de tous les nombres. *J'ai vingt billes ; si j'en achète dix, j'en aurai trente au total.*
🔍 Au pluriel, on écrit *des totaux.*

## totalement adverbe
Totalement signifie : complètement. *Depuis un an, Anaïs a totalement changé.*

## totalité nom féminin
La totalité, c'est l'ensemble, le total. *Il a dépensé la totalité de son salaire.*
Contraire : une partie.

## touche nom féminin
Les touches d'un piano, d'un accordéon, d'un téléphone ou d'un ordinateur sont les parties sur lesquelles on pose les doigts. *Un piano a des touches noires et des touches blanches.*

## 1. toucher verbe
❶ Toucher, c'est mettre la main sur un être ou un objet. *J'ai touché une ortie.*
❷ Toucher, c'est être en contact avec quelque chose ou être tout à côté. *La maison de Julien touche la nôtre.*
❸ Quand une balle touche quelqu'un, un animal, elle l'atteint. *La balle a touché la perdrix.*
❹ Toucher de l'argent, c'est le recevoir. *Quand on travaille, on touche un salaire.*
❺ Toucher une personne, c'est lui faire un grand plaisir. *Je suis touché de voir que Léa pense à moi.*
Synonyme : émouvoir.
● Mot de la même famille : touche.

## 2. toucher nom masculin
Le toucher est le sens qui permet de reconnaître ce que l'on touche.
→ Cherche goût, odorat, ouïe et vue.

## touffe nom féminin
Une touffe, c'est un ensemble de brins d'herbe ou de poils. *Mon chat a une touffe de poils blancs sur la tête.*
🔍 Il y a deux f.

## toujours adverbe
❶ Toujours signifie : sans arrêt ou sans fin. *Nous avons toujours habité ici.* Synonyme : tout le temps. Contraire : jamais.
❷ Toujours signifie : encore maintenant. *Tu es toujours fâché ?*

## toupie nom féminin
Une toupie est un jouet que l'on fait tourner très vite sur sa pointe.

## 1. tour nom féminin
❶ Une tour est une construction très haute. *Nous habitons au vingtième étage d'une tour.*
❷ La tour de contrôle est le bâtiment très haut où se fait le contrôle des décollages et des atterrissages dans un aéroport.

## 2. tour nom masculin
❶ Un tour est un parcours en rond. *J'ai fait le tour de la cour.*
❷ Faire un tour, c'est tourner sur soi-même. *Quand on fait une pirouette, on fait un tour sur soi-même.*

Loan touche la terre.

A
B
C
D
E
F
G
H
I
J
K
L
M
N
O
P
Q
R
S
T
U
V
W
X
Y
Z

❸ Faire un **tour**, c'est faire une petite promenade. *Dimanche, nous irons faire un tour à la campagne.*

❹ Un **tour** est un numéro qui demande beaucoup d'habileté. *Tom nous a fait un tour de cartes.*

❺ **Jouer un tour** à quelqu'un, c'est lui faire une farce.

❻ **C'est mon tour** signifie : c'est à moi de faire quelque chose. *C'est mon tour de distribuer les cartes.*

### tourbillon nom masculin

Un **tourbillon** de poussière, c'est de la poussière qui monte en tournant rapidement.

● Mot de la même famille : **tourbillonner**.

### tourbillonner verbe

Tourbillonner, c'est tourner rapidement en montant. *La fumée tourbillonne.*

🔎 Il y a deux *l* et deux *n*.

### touriste nom masculin et nom féminin

Un **touriste**, une **touriste** sont des personnes qui voyagent et qui visitent un pays, une région, une ville. *L'été, il y a beaucoup de touristes dans notre ville.*

### tourment nom masculin

Un **tourment** est une grande peine. *La Petite Sirène pensait au prince pour qui elle avait subi bien des tourments.*

### tournant nom masculin

Un **tournant** est un endroit où une route, un chemin tournent. *Les routes de montagne ont de nombreux tournants.* Synonyme : virage.

### tourne-disque nom masculin

Un **tourne-disque** est un appareil qui sert à écouter des disques.

▶ Aujourd'hui, on utilise des lecteurs de CD.

🔎 Ce mot s'écrit avec un trait d'union. Au pluriel, il n'y a pas de *s* à « tourne » : on écrit *des tourne-disques*.

### tournée nom féminin

Une **tournée** est une série de représentations ou de concerts que font les comédiens et les musiciens dans des villes ou des pays. *La troupe part en tournée pour un mois.*

### tourner verbe

❶ Tourner, c'est se déplacer en rond. *Le lion tourne dans sa cage.*

❷ Tourner, c'est changer de direction. *La voiture a tourné à droite. Tourne la tête vers moi.*

❸ **Tourner** les pages d'un livre, c'est les faire passer d'un côté à l'autre. Synonyme : **feuilleter**.

❹ **Tourner un film**, c'est filmer avec une caméra ou jouer dans un film.

● Mots de la même famille : **tour, tournant, tournée**.

Le manège **tourne**.

### tournesol nom masculin

Un **tournesol** est une grande fleur jaune qui se tourne vers le soleil. *On fabrique de l'huile avec les graines du tournesol.*

### tournevis nom masculin

Un **tournevis** est un outil qui sert à serrer et à desserrer une vis.

🔎 Ce mot se termine par un *s* que l'on prononce.

**tournoi** nom masculin

Au Moyen Âge, un **tournoi** était un combat entre deux chevaliers armés d'une lance.

**tourterelle** nom féminin

Une **tourterelle** est un oiseau qui ressemble à un petit pigeon. *Les tourterelles roucoulent.*

▶ Le petit est le **tourtereau**.

**tousser** verbe

Tousser, c'est chasser de l'air par la bouche en faisant du bruit. *Quand on a la grippe, on tousse.*

**1. tout, toute** adjectif

Tout, toute, c'est l'ensemble, la totalité d'une chose. *Elle a mangé tout le chocolat. Toute la famille est réunie.*

🔍 Au pluriel, on écrit *tous, toutes*.

**2. tout** pronom

Tout, c'est toutes les choses. *J'ai rangé tout ce qui traînait.*

🔍 Au pluriel, on écrit *tous*.

**3. tout** adverbe

Tout signifie : très ou complètement. *Mon frère est tout petit. Elle était tout étonnée.*

**4. tout** nom masculin

❶ En tout signifie : au total. *Nous étions six en tout.*

❷ Pas du tout signifie : absolument pas, rien du tout signifie : absolument rien. *Je n'ai rien compris du tout à ce que tu m'as dit.*

**tout à coup** adverbe

Tout à coup signifie : tout d'un coup, au moment où l'on ne s'y attendait pas. *L'orage a éclaté tout à coup.* Synonymes : brusquement, soudain, subitement.

**tout à fait** adverbe

Tout à fait signifie : complètement. *Papi est tout à fait guéri.* Contraires : à peu près, presque.

**tout de même** adverbe

Tout de même signifie : malgré cela. *J'ai raté l'autobus, mais je suis tout de même arrivé à l'heure.* Synonymes : pourtant, quand même.

**tout de suite** adverbe

Tout de suite signifie : sans attendre. *Quand j'appelle mon chien, il vient tout de suite.* Synonymes : aussitôt, immédiatement.

**tout le temps** adverbe

Tout le temps signifie : sans arrêt. *Mon frère pleurniche tout le temps.* Synonyme : toujours. Contraires : jamais, rarement.

**toux** nom féminin

La **toux** est le bruit que l'on fait quand on tousse. *J'ai pris du sirop pour la toux.*

🔍 Ce mot se termine par un *x*.

● Mot de la même famille : **tousser**.

**toxique** adjectif

Un produit **toxique** est un produit qui contient du poison. *La nicotine du tabac est un produit toxique.*

**trac** nom masculin

Le **trac** est la peur que l'on ressent quand on doit faire quelque chose devant le public. *Zoé et Paul avaient le trac avant d'entrer en scène.*

**se tracasser** verbe

Se tracasser, c'est se faire du souci. *Mes parents se tracassent pour la santé de mon petit frère. Tu te tracasses pour rien.* Synonyme : s'inquiéter.

a b c d e f g h i j k l m n o p q r s t u v w x y z

## trace nom féminin

Une **trace** est une marque laissée par quelque chose. *On voit des traces de pas sur le sable.* Synonyme : empreinte.

## tracer verbe

Tracer quelque chose, c'est le dessiner en faisant un trait. *Je trace un cercle avec mon compas.*
● Mot de la même famille : **trace**.

## tracteur nom masculin

Un **tracteur** est un gros véhicule qui sert à tirer des machines agricoles.
☞ Va voir la planche illustrée ❶

un **tracteur**

## tradition nom féminin

Une **tradition** est une manière de vivre qui existe depuis longtemps dans une région ou un pays. *En Alsace, c'est la tradition de fêter la Saint-Nicolas.* Synonyme : coutume.

## traduire verbe

Traduire, c'est expliquer dans une langue ce qui est dit dans une autre langue. *Je ne comprends pas l'anglais, peux-tu me traduire cette lettre ?*

## trafic nom masculin

❶ Le **trafic** est la circulation sur les routes.

❷ **Faire du trafic**, c'est vendre des objets ou des produits interdits.

## tragédie nom féminin

Une **tragédie** est un événement terrible. *Le tremblement de terre est une tragédie pour le pays.* Synonymes : catastrophe, drame.
● Mot de la même famille : **tragique**.

## tragique adjectif

Un événement **tragique** est très grave. *La situation de ce pays est tragique.* Synonyme : catastrophique.

## trahir verbe

Trahir quelqu'un, c'est le tromper et l'abandonner. *Le bandit a trahi ses complices.*

🔍 Il y a un *h* après le *a*.

## train nom masculin

Un **train** est une suite de wagons tirés par une locomotive. *Nous prenons le train pour aller au bord de la mer.*
☞ Va voir la planche illustrée ❻

Le **train** entre en gare.

## en train de préposition

Être **en train de** faire quelque chose, c'est être occupé à le faire. *Quand tu as téléphoné, j'étais en train de lire.*

**traîne** nom féminin

Une **traîne** est la partie d'une robe ou d'un manteau qui traîne à terre. *Nous tenons la traîne de la mariée.*

🔍 Le *i* prend un accent circonflexe.

**traîneau** nom masculin

Un **traîneau** est un petit véhicule qui glisse sur la neige. Il est souvent tiré par des chiens. *Le traîneau du père Noël est tiré par des rennes.*

🔍 Le *i* prend un accent circonflexe. Au pluriel, on écrit *des traîneaux*.

➔ Cherche **luge**.

**traîner** verbe

❶ **Traîner** un objet, c'est le tirer derrière soi. *Mon petit frère traîne son ours.*

❷ **Traîner**, c'est pendre jusqu'à terre. *Ton écharpe traîne par terre.*

❸ **Traîner**, c'est être étalé en désordre. *Dans ta chambre, il y a des affaires qui traînent.*

❹ **Traîner**, c'est faire les choses lentement et se mettre en retard. *Avancez, ne traînez pas !* Contraire : se dépêcher.

🔍 Le *i* prend un accent circonflexe.
● Mots de la même famille : **traîne**, **traîneau**.

**traire** verbe

**Traire** une vache, une chèvre ou une brebis, c'est tirer le lait de ses mamelles en pressant sur les pis.

**trait** nom masculin

❶ Un **trait** est une ligne.

❷ Un **trait d'union** est une petite ligne horizontale qui relie deux mots. *« Cerf-volant » s'écrit avec un trait d'union.*

❸ Les **traits** du visage sont les lignes qui forment le visage.

**traiter** verbe

❶ **Traiter** quelqu'un, un animal de telle manière, c'est agir de cette manière avec lui. *Mes parents me traitent sévèrement.*

❷ **Traiter** quelqu'un **de**, c'est lui donner un nom désagréable. *Qui t'a traité d'idiot ?*

➔ Cherche **maltraiter**.

**traître** nom masculin
**traîtresse** nom féminin

Un **traître**, une **traîtresse** sont des personnes qui trahissent.

🔍 Le *i* prend un accent circonflexe.

**trajet** nom masculin

Un **trajet** est un chemin à parcourir d'un lieu à un autre. *Nous avons étudié le trajet sur la carte.* Synonymes : itinéraire, parcours.

**trampoline** nom masculin

Un **trampoline** est une grande toile tendue sur des ressorts. On fait des sauts dessus pour jouer ou pour faire du sport.

🔍 Le son [ã] s'écrit *am* devant un *p*.

un grand écart sur le **trampoline**

A
B
C
D
E
F
G
H
I
J
K
L
M
N
O
P
Q
R
S
T
U
V
W
X
Y
Z

**tramway** nom masculin

Un **tramway** est un chemin de fer électrique, qui permet de se déplacer dans une ville. *Les tramways ne créent pas de pollution.*

🔍 On prononce [tramwɛ].

**tranchant, tranchante** adjectif

Un instrument **tranchant** coupe bien. *Les cutters sont tranchants.*

**tranche** nom féminin

Une **tranche** est un morceau d'aliment coupé assez mince. *J'ai pris deux tranches de jambon.*

● Mot de la même famille : tranchant.

**tranquille** adjectif

Un endroit **tranquille** est un endroit où il n'y a pas de bruit. *Nous habitons dans un village tranquille.* Une personne **tranquille** est une personne qui ne fait pas beaucoup de bruit, qui ne s'énerve pas. *Restez tranquilles en attendant le début du film !* Synonymes : calme, silencieux. Contraire : bruyant.

🔍 Il y a deux *l*.

● Mots de la même famille : tranquillement, tranquillité.

Chloé s'est installée dans un endroit **tranquille**.

**tranquillement** adverbe

**Tranquillement** signifie : avec calme, sans faire de bruit. *Nous jouons tranquillement dans le jardin.* Synonymes : calmement, sagement.

🔍 Il y a deux *l*.

**tranquillité** nom féminin

La **tranquillité**, c'est l'absence de bruit, d'agitation. *Quelle tranquillité dans ce parc !* Synonyme : calme.

🔍 Il y a deux *l*.

**transformation** nom féminin

La **transformation**, c'est l'action de transformer. *Nous avons fait des transformations dans toutes les pièces de la maison.*

**transformer** verbe

**Transformer** une chose ou un être, c'est leur donner une autre forme. *Le froid transforme l'eau en glace.* Synonyme : changer. *Le têtard se transforme en grenouille.*

● Mot de la même famille : transformation.

**transfusion** nom féminin

Faire une **transfusion** de sang, c'est introduire dans le corps d'un malade ou d'un blessé du sang donné par une autre personne.

**transistor** nom masculin

Un **transistor** est un petit poste de radio qui fonctionne avec des piles.

**transmettre** verbe

❶ **Transmettre**, c'est faire passer à une autre personne. *Le directeur a transmis un message à mes parents. La grippe se transmet facilement.*

❷ **Transmettre** des images ou des sons, c'est les faire passer d'un endroit à un autre. *L'air transmet les sons.*

Clara **transmet** une lettre de sa maîtresse.

### transparent, transparente adjectif

Un objet **transparent** laisse passer la lumière, ce qui permet de voir à travers. *Le verre est transparent.*

### transpiration nom féminin

La **transpiration** est le liquide qui sort de la peau quand on a chaud. *Quand je fais de la gymnastique, je suis mouillé par la transpiration.* Synonyme : **sueur**.

### transpirer verbe

Transpirer, c'est avoir la peau couverte de sueur. *Quand on a de la fièvre, on transpire.* Synonyme : **suer**.
● Mot de la même famille : **transpiration**.

### transport nom masculin

❶ Le **transport**, c'est l'action de transporter. *Le meuble a été cassé pendant le transport.*
❷ Les **transports en commun** sont des véhicules qui transportent un grand nombre de personnes à la fois. *Le train, le métro et l'autobus sont des transports en commun.*

### transporter verbe

Transporter, c'est emporter des choses, emmener des personnes d'un endroit à un autre. *On a transporté le malade sur une civière.*
● Mot de la même famille : **transport**.

### trapèze nom masculin

Un **trapèze** est une barre suspendue à deux cordes qui sert à faire des exercices de gymnastique.
▶ Les artistes de cirque qui font du trapèze sont des **trapézistes**.

### trappe nom féminin

Une **trappe** est une petite porte qui se trouve sur un plancher ou sur un plafond. *Pour descendre à la cave, il faut soulever une trappe.*
🔍 Il y a deux *p*.

### travail nom masculin

❶ Un **travail** est une activité qui permet de gagner sa vie. *Mon oncle était au chômage et il a retrouvé du travail.* Synonyme : **emploi**.
❷ Le **travail**, c'est ce que l'on doit faire dans une journée. *Il reste une semaine de travail avant les vacances.* Contraires : **loisirs, repos**.
❸ Faire des **travaux**, c'est construire ou réparer quelque chose. *Les ouvriers font des travaux dans la rue.*
🔍 Au pluriel, on écrit *des travaux*.
● Mots de la même famille : **travailler, travailleur**.

### travailler verbe

Travailler, c'est faire un métier. *Mon oncle travaille dans une usine.* Travailler, c'est faire un travail. *Je travaille bien en classe.*

a b c d e f g h i j k l m n o p q r s t u v w x y z

**travailleur** nom masculin
**travailleuse** nom féminin
Un **travailleur**, une **travailleuse** sont des personnes qui travaillent. *Les travailleurs de l'usine sont répartis en équipes.* Synonymes : employé, ouvrier.

**à travers** préposition
À **travers** signifie : en traversant quelque chose. *Je sens le froid à travers mes vêtements.*

Le clou est passé **à travers** la planche.

**de travers** adverbe
Ce qui est **de travers** n'est pas droit, est mal placé. *Le clou est planté de travers.*

**en travers de** préposition
En **travers de** quelque chose, c'est dans le sens de la largeur. *Le camion est arrêté en travers de la route.*

**traversée** nom féminin
La **traversée**, c'est l'action de traverser un lieu, la mer, un fleuve. *J'aimerais faire la traversée d'un désert.*

**traverser** verbe
**Traverser** un lieu, c'est passer d'un côté à l'autre. *Je regarde d'abord à gauche puis à droite quand je traverse la rue.* **Traverser** une chose, c'est passer de l'autre côté. *Le clou a traversé la planche.*
● Mots de la même famille : à travers, traversée.

Les cavaliers **traversent** la rivière.

**traversin** nom masculin
Un **traversin** est un grand oreiller qui a la forme d'un cylindre. Il se place en travers du lit.

**trébucher** verbe
**Trébucher** sur une chose, c'est perdre l'équilibre en la heurtant du pied. *Pierre a trébuché sur une pierre.* Synonyme : buter contre.

**trèfle** nom masculin
Un **trèfle** est une petite plante qui a trois feuilles.

**tréma** nom masculin
Un **tréma** est un signe formé de points (¨) qui se place sur « e » et sur « i » dans certains mots. *« Noël » et « naïf » ont un tréma.*

**tremblement** nom masculin
❶ Un **tremblement**, c'est le mouvement de ce qui tremble. *Mamie a des tremblements dans les jambes.*
❷ Un **tremblement de terre**, c'est une série de mouvements brusques de la terre. *Au Japon, il y a souvent des tremblements de terre.*

🔍 Le son [ã] s'écrit *em* devant un *b*.

## trembler verbe

Trembler, c'est avoir le corps agité de petits mouvements qu'on ne peut pas empêcher. *Le chien **tremblait** de froid.* Synonymes : frissonner, grelotter.

🔍 Le son [ɑ̃] s'écrit *em* devant un *b*.
● Mot de la même famille : tremblement.

## se trémousser verbe

Se trémousser, c'est s'agiter sans arrêt. *Les enfants **se trémoussent** sur leur chaise.* Synonyme : gigoter.

## tremper verbe

❶ Tremper, c'est plonger quelque chose dans un liquide. *Marie **trempe** sa tartine dans un bol de lait.*
❷ Être trempé, c'est être tout mouillé. *Je suis sorti sous la pluie et je **suis** trempé.*

🔍 Le son [ɑ̃] s'écrit *em* devant un *p*.

Alice **est** toute **trempée**.

## tremplin nom masculin

Un **tremplin** est une planche qui sert à sauter. *J'ai pris mon élan sur le tremplin.*

🔍 Le son [ɑ̃] s'écrit *em* devant un *p*.

## très adverbe

❶ Très signifie : beaucoup plus que les autres. *Ma sœur est **très** grande.*

❷ Très signifie : tout à fait. *Je suis très content.* Synonymes : bien, parfaitement, vraiment. Contraire : pas du tout.

## trésor nom masculin

Un **trésor**, c'est un ensemble d'objets précieux qui ont été cachés. *Ali Baba a trouvé un **trésor**.*

Le **trésor** est caché dans la caverne.

## tresse nom féminin

Une **tresse** est une coiffure faite avec trois mèches de cheveux que l'on croise. Synonyme : natte.

## tréteau nom masculin

Un **tréteau** est un objet en bois ou en métal qui remplace les pieds d'une table. *On a posé une planche sur deux **tréteaux** pour faire une table de ping-pong.*

🔍 Au pluriel, on écrit *des tréteaux*.

## tri nom masculin

Le **tri**, c'est l'action de trier. *Ma sœur a fait un **tri** dans ses photos.*

## triangle nom masculin

Un **triangle** est une figure géométrique qui a trois côtés et trois angles.

☞ Va voir « les couleurs et les formes », page 171.

**tribord** nom masculin

À **tribord**, dans un bateau, c'est du côté droit quand on regarde vers l'avant. *On a vu un dauphin à tribord !* Contraire : à bâbord.

**tribu** nom féminin

Une **tribu** est un groupe de familles qui ont le même chef. *Le chef indien a réuni les membres de sa tribu.*

**tribunal** nom masculin

Le **tribunal** est l'endroit où sont jugées des personnes qui ont été accusées. *Le juge rend la justice dans un tribunal.*

🔎 Au pluriel, on écrit *des tribunaux*.

→ Cherche **avocat** et **procès**.

**tricher** verbe

Tricher, c'est ne pas respecter la règle du jeu pour gagner. *Personne ne jouera avec toi si tu triches.*

● Mot de la même famille : tricheur.

**tricheur** nom masculin
**tricheuse** nom féminin

Un **tricheur**, une **tricheuse** sont des personnes qui trichent. *Je n'aime pas jouer avec des tricheurs.*

**tricolore** adjectif

Un objet **tricolore** a trois couleurs. Le drapeau **tricolore** est le drapeau bleu, blanc et rouge de la France.

→ Cherche **multicolore**.

**tricot** nom masculin

❶ Un **tricot** est un vêtement de laine ou de coton qui couvre le haut du corps.
❷ Un **tricot** est un vêtement que l'on est en train de tricoter.

**tricoter** verbe

Tricoter, c'est faire un vêtement, une couverture avec de longues aiguilles et de la laine ou du coton.

● Mot de la même famille : tricot.

**tricycle** nom masculin

Un **tricycle** est un petit vélo à trois roues. *Quand j'étais petite, je faisais du tricycle.*

🔎 Le deuxième son [i] s'écrit *y*.

**trier** verbe

Trier, c'est mettre d'un côté certaines choses et d'un autre côté les autres choses. *Maman trie mes vêtements et garde ceux qui ne sont pas usés.*

● Mot de la même famille : tri.

**trimestre** nom masculin

Un **trimestre** est une période de trois mois. *Dans une année, il y a quatre trimestres.*

**tringle** nom féminin

Une **tringle** est une longue tige qui sert à accrocher des rideaux.

**triomphe** nom masculin

Un **triomphe** est un grand succès ou une grande victoire. *Le film a fait un triomphe.*

🔎 Le son [ɔ̃] s'écrit *om* devant un *p*. Ce mot s'écrit avec *ph*.

**triple** nom masculin

Le **triple** d'un nombre, c'est trois fois ce nombre. *Le triple de dix, c'est trente.*

→ Cherche **double**.

**triste** adjectif

❶ Être **triste**, c'est avoir de la peine, du chagrin. *Je suis triste à l'idée de quitter mes amis.* Synonyme : désolé. Contraires : content, enchanté, ravi.

❷ Une musique, une histoire **triste** donne envie de pleurer. *La fin du film était triste.* Contraire : gai.

● Mots de la même famille : tristement, tristesse.

Léo est **triste** et Léa est gaie.

### tristement adverbe

**Tristement** signifie : avec tristesse. *Mamie nous regarde partir **tristement**.* Contraires : gaiement, joyeusement.

### tristesse nom féminin

La **tristesse** est l'émotion que l'on ressent quand on est triste. *On voyait de la **tristesse** sur son visage.* Synonyme : peine. Contraire : joie.

### trognon nom masculin

Le **trognon** d'un fruit ou d'un légume, c'est la partie qui reste et qui ne se mange pas. *Il ne reste plus que le **trognon** de la pomme.*

### trombone nom masculin

Un **trombone** est une sorte d'agrafe en métal ou en matière plastique qui sert à attacher des feuilles de papier.

🔍 Le son [ɔ̃] s'écrit *om* devant un *b*.

### trompe nom féminin

❶ La **trompe** d'un éléphant est la partie très longue de son nez. *Les éléphants se servent de leur **trompe** pour boire, pour s'asperger et pour attraper des objets.*

❷ La **trompe** d'un insecte est la partie de la bouche, en forme de petit tube, qui lui sert à aspirer sa nourriture. *Les mouches et les papillons ont une **trompe**.*

🔍 Le son [ɔ̃] s'écrit *om* devant un *p*.
● Mot de la même famille : trompette.

### tromper verbe

❶ **Tromper** quelqu'un, c'est lui faire croire des choses qui ne sont pas vraies. *Le vendeur nous **a trompés** en nous faisant croire que ce vélo était neuf.*

❷ **Se tromper**, c'est faire une erreur ou confondre des choses. *Je **me suis trompé** dans mon opération. Tu **t'es trompé** de jour pour ton rendez-vous : c'est demain et non pas aujourd'hui.*

🔍 Le son [ɔ̃] s'écrit *om* devant un *p*.

Lucas **s'est trompé** de veste.

### trompette nom féminin

Une **trompette** est un instrument de musique en cuivre. Elle a la forme d'un tube qui s'élargit au bout. *On souffle dans une **trompette**.*

▶ Un joueur, une joueuse de trompette sont des **trompettistes**.

🔍 Le son [ɔ̃] s'écrit *om* devant un *p*.
☞ Va voir « les instruments de musique », page 355.

A
B
C
D
E
F
G
H
I
J
K
L
M
N
O
P
Q
R
S
**T**
U
V
W
X
Y
Z

**tronc** nom masculin

❶ Le **tronc** d'un arbre est la partie qui va des racines aux branches. *Les troncs sont recouverts d'écorce.*

❷ Le **tronc** du corps humain est la partie qui va du cou à la taille. *Ma poupée n'a plus ni tête, ni bras, ni jambes, il ne reste que le tronc.* Synonyme : buste.

🔍 Ce mot se termine par un c qu'on ne prononce pas.

**trône** nom masculin

Le **trône** est le grand fauteuil d'un roi ou d'une reine.

🔍 Le o prend un accent circonflexe.

**trop** adverbe

Trop signifie : plus qu'il ne faut. *J'ai trop mangé. Il y a 50 grammes en trop.*

🔍 Ce mot se termine par un p qu'on ne prononce pas.

**trot** nom masculin

Le **trot** est une vitesse moins grande que le galop. *Le cheval s'est mis au trot.*

**trotter** verbe

❶ Pour un cheval, **trotter**, c'est aller au trot.

❷ **Trotter**, c'est faire des petits pas rapides. *Le petit garçon trottait derrière son père.*

🔍 Il y a deux t au milieu du mot.
● Mots de la même famille : trot, trottinette, trottoir.

**trottinette** nom féminin

Une **trottinette** est un jouet fait d'une planche montée sur deux roues et d'un guidon. On la fait avancer en poussant avec un pied.

🔍 Il y a deux t au milieu du mot et deux t à la fin. On dit aussi « patinette ».

**trottoir** nom masculin

Le **trottoir** est la partie qui se trouve de chaque côté d'une rue et où marchent les piétons.

🔍 Il y a deux t au milieu du mot.

**trou** nom masculin

❶ Un **trou** est un endroit creux dans le sol. *Le chemin est plein de trous.*

❷ Un **trou** est une petite ouverture dans un objet. *Mon frère regarde par le trou de la serrure.*

❸ Un **trou** est une partie déchirée dans du tissu, du papier. *Ta chaussette a un trou.* Synonyme : déchirure.

🔍 Au pluriel, on écrit *des trous.*
● Mots de la même famille : troué, trouer.

Tu **as troué** ta chaussette !

**troubadour** nom masculin

Au Moyen Âge, un **troubadour** était un poète musicien.

**trouble** adjectif

Une eau **trouble** n'est pas parfaitement transparente. *L'eau de l'étang est trouble.* Contraires : clair, limpide.

**troubler** verbe

❶ Troubler l'eau ou l'air, c'est les rendre troubles. *La fumée trouble l'air.*

**2** **Troubler** une personne, c'est l'embarrasser, la mettre mal à l'aise. *Les questions de la maîtresse m'ont troublé.*
● Mot de la même famille : **trouble**.

### troué, trouée adjectif
Un tissu, un vêtement **troué** a un trou. *Tu ne vas pas mettre ce short troué !*

### trouer verbe
**Trouer** un tissu, un vêtement, c'est y faire un trou.

### troupe nom féminin
**1** Une **troupe** est un groupe de comédiens qui jouent ensemble. *La troupe a joué sa pièce dans plusieurs villes d'Europe.*
**2** Une **troupe** est un groupe de militaires.
● Mot de la même famille : **troupeau**.

### troupeau nom masculin
Un **troupeau** est un groupe d'animaux domestiques ou sauvages qui vivent ensemble. *Le troupeau de vaches rentre à l'étable.*
🔍 Au pluriel, on écrit *des troupeaux*.

### trousse nom féminin
Une **trousse** est un petit sac ou un étui qui sert à ranger certains objets. *J'emporte une trousse de toilette en colonie de vacances.*

### trouver verbe
**1** **Trouver**, c'est découvrir par hasard. *J'ai trouvé une pièce par terre.*
Contraires : **égarer**, **perdre**.
**2** **Trouver** une solution, c'est la découvrir en cherchant, en réfléchissant. *As-tu trouvé la solution du problème ?*
**3** **Trouver**, c'est avoir tel avis, tel sentiment. *Mamie trouve que mon dessin est beau.*

**4** **Se trouver**, c'est être situé à tel endroit. *Montréal se trouve au Canada.*

### truc nom masculin
**1** Un **truc** est un objet qu'on ne sait pas nommer. *J'ai perdu un truc.*
Synonyme : **chose**.
**2** Un **truc** est un moyen habile. *Les prestidigitateurs ne donnent pas leurs trucs.*
🔍 Au sens 1, c'est un mot familier.

### truie nom féminin
La **truie** est la femelle du porc.
▶ Le petit est le **porcelet**. Quand la truie crie, on dit qu'elle **grogne**.
🔍 Ne confonds pas avec « la truite », le poisson.

### truite nom féminin
Une **truite** est un poisson qui vit dans les rivières et les torrents. Elle ressemble un peu au saumon.
🔍 Ne confonds pas avec « la truie », la femelle du porc.
☞ Va voir « les poissons », page 530.

### tu pronom
**Tu** représente la deuxième personne du singulier. *Tu chantes bien.*
● Mot de la même famille : **tutoyer**.

### tube nom masculin
**1** Un **tube** est un objet qui a la forme d'un cylindre. *Maman achète un tube de rouge à lèvres.*

une **truie** et ses petits

677

A
B
C
D
E
F
G
H
I
J
K
L
M
N
O
P
Q
R
S
T
U
V
W
X
Y
Z

❷ Un **tube** est un objet qui ressemble à un cylindre et qui contient une matière molle. *J'appuie sur le tube de dentifrice.*

**tubercule** nom masculin

Un **tubercule** est une grosse racine qui contient les réserves d'une plante. *Les pommes de terre sont des tubercules.*

**tuer** verbe

Tuer, c'est faire mourir. *Le chasseur a tué un lièvre.*

**tuile** nom féminin

Une **tuile** est une plaque en terre cuite qui sert à couvrir un toit.

**tulipe** nom féminin

Une **tulipe** est une fleur en forme de vase et qui a des couleurs variées. *Papi arrose la plate-bande de tulipes.*

☛ Va voir « les fleurs », page 285.

**tunnel** nom masculin

Un **tunnel** est un chemin souterrain où passe une route ou une voie ferrée. *Le train va entrer dans le tunnel.*

🔎 Il y a deux *n*.

Les voitures passent dans le **tunnel**.

**turbulent, turbulente** adjectif

Une personne **turbulente** est très agitée et bruyante. *Les enfants sont souvent turbulents.* Contraires : calme, sage.

**tutoyer** verbe

Tutoyer quelqu'un, c'est lui dire « tu » quand on lui parle. *On tutoie les personnes que l'on connaît bien.* Contraire : vouvoyer.

**tutu** nom masculin

Un **tutu** est une jupe très légère que portent les danseuses de ballet.

**tuyau** nom masculin

Un **tuyau** est un long tube qui sert à faire passer un liquide, de la fumée ou du gaz. *On a changé le tuyau de la cuisinière.*

🔎 Au pluriel, on écrit *des tuyaux.*

**tympan** nom masculin

Le **tympan** est une sorte de peau qui se trouve au fond de l'oreille. Il transmet les sons. *Le médecin m'a fait un petit trou dans le tympan pour soigner mon otite.*

🔎 Ce mot s'écrit avec un *y.*

**type** nom masculin

Un **type** est une sorte de choses, de personnes. *Il existe plusieurs types de bicyclettes.* Synonyme : genre.

🔎 Ce mot s'écrit avec un *y.*

**tyran** nom masculin

Un **tyran** est un homme cruel qui gouverne par la force.

🔎 Ce mot s'écrit avec un *y.*

**tyrannosaure** nom masculin

Un **tyrannosaure** est un animal préhistorique qui vivait sur la Terre il y a plusieurs millions d'années, bien avant les premiers hommes. C'est un reptile géant qui avait de grandes dents très pointues.

▶ Les tyrannosaures appartiennent à la famille des dinosaures.

🔎 Ce mot s'écrit avec un *y* et deux *n.*

→ Cherche **dinosaure** et **diplodocus.**

**un, une** article

Un, une sont des déterminants : *un homme, une maison.*

🔎 Au pluriel, on dit *des.*

**unau** nom masculin

Un **unau** est un petit mammifère d'Amérique du Sud qui vit dans les arbres. *Les unaus ont des mouvements très lents.*

☛ Va voir l'illustration ci-dessus.

**uni, unie** adjectif

❶ Un tissu, un vêtement **uni** est d'une seule couleur. *Léa a un tee-shirt uni.*
Contraires : **bariolé, multicolore.**

❷ Un couple **uni**, une famille **unie** est un couple, une famille qui s'entend bien.

**uniforme** nom masculin

Un **uniforme** est un costume que portent des personnes qui font partie d'un groupe. *Les agents de police, les pompiers, les hôtesses de l'air ont un uniforme.*

**union** nom féminin

L'**union**, c'est le fait de s'unir. *Un proverbe dit que l'union fait la force.*

**unique** adjectif

❶ Une personne ou une chose **unique** est seule de son espèce. *Adrien est fils unique, il n'a pas de frère ni de sœur. C'est mon unique DVD.*

❷ Une rue à **sens unique** est une rue où les véhicules roulent dans un seul sens. Contraire : **double sens.**

● Mot de la même famille : **uniquement.**

**uniquement** adverbe

**Uniquement** signifie : seulement. *Ma sœur crie uniquement pour m'énerver.*

**unir** verbe

Unir, c'est mettre ensemble. *Si nous unissons nos forces, nous réussirons.*

● Mots de la même famille : **uni, union.**

**unité** nom féminin

❶ Dans un nombre, l'**unité** est le plus petit élément. *Dans 28, le chiffre des unités est 8.*

❷ Une **unité** de mesure permet de mesurer des choses d'une même catégorie. *Le mètre est une unité de mesure des longueurs ; la seconde est une unité de mesure du temps.*

→ Cherche **centaine** et **dizaine.**

A B C D E F G H I J K L M N O P Q R S T U V W X Y Z

**univers** nom masculin

❶ L'**Univers**, c'est l'ensemble des étoiles et des planètes. *Autrefois, on croyait que la Terre était au centre de l'Univers.*

❷ L'**univers**, c'est le monde entier et l'ensemble des êtres humains. *Les reporters parcourent l'univers.*

🔍 Ce mot se termine par un *s*.

**urgence** nom féminin

❶ Appeler quelqu'un **d'urgence**, c'est l'appeler le plus vite possible. *Quand une personne est évanouie, il faut appeler un médecin d'urgence.*

❷ Les **urgences** (ou le service des urgences) d'un hôpital, c'est l'endroit où vont les malades ou les blessés qui doivent être soignés rapidement.

**urgent, urgente** adjectif

Une chose **urgente** ne peut pas attendre. *Maman a une course urgente à faire.*

● Mot de la même famille : **urgence**.

**urine** nom féminin

L'**urine** est le liquide jaune qui est produit par les reins.

🔍 Le mot familier et courant pour « urine » est « pipi ».

● Mot de la même famille : **uriner**.

**uriner** verbe

Uriner, c'est rejeter l'urine hors du corps.

🔍 On dit aussi « faire pipi ».

**urne** nom féminin

Une **urne** est une boîte avec une fente sur le dessus. Elle sert à rassembler les bulletins de vote des électeurs.

**usage** nom masculin

L'**usage** d'une chose, c'est son utilisation. *L'usage des ordinateurs est courant dans beaucoup d'écoles.*

**usé, usée** adjectif

Une chose **usée** est abîmée parce qu'elle a beaucoup servi. *Ma housse de couette est usée.* .

**user** verbe

User une chose, c'est l'abîmer quand on l'a trop utilisée. *Les coups de freins ont usé les pneus.*

● Mots de la même famille : **usé**, usure.

**usine** nom féminin

Une **usine** est un grand établissement où l'on fabrique des objets, des véhicules, des aliments en se servant de machines. *Mon oncle travaille dans une usine de jouets.*

**ustensile** nom masculin

Un **ustensile** est un objet qui sert dans la vie courante. *Une casserole est un ustensile de cuisine ; une aiguille est un ustensile de couture.*

🔍 « Ustensile » est un nom masculin qui se termine par un *e*.

Pour voter, papa glisse son bulletin dans l'**urne**.

Les chaussures de Julie sont **usées**

**usure** nom féminin

L'**usure**, c'est le fait d'être usé. *J'ai constaté l'usure des pneus de mon vélo.*

**utile** adjectif

Une chose **utile** rend service, sert à quelqu'un. *Les modes d'emploi sont très utiles.* Contraire : inutile.

● Mot de la même famille : utilité.

**utilisation** nom féminin

L'**utilisation** d'une chose, c'est la manière de l'utiliser. *Le pétrole a différentes utilisations.* Synonyme : usage.

**utiliser** verbe

**Utiliser** une chose, c'est s'en servir. *Paul utilise souvent sa calculette. Tu ne devrais pas utiliser ce mot, car il n'est pas français.* Synonyme : employer.

● Mot de la même famille : utilisation.

**utilité** nom féminin

L'**utilité**, c'est le fait d'être utile, de servir à quelque chose. *Ton sac à dos m'a été d'une grande utilité.*

a
b
c
d
e
f
g
h
i
j
k
l
m
n
o
p
q
r
s
t
u
v
w
x
y
z

**vacances** nom féminin pluriel

Les **vacances** sont les jours de repos. *Mes parents ont une semaine de vacances à Noël.* Synonyme : congé.

**vacarme** nom masculin

Le **vacarme** est un bruit très fort. *Quel vacarme dans la rue !* Synonymes : charivari, tapage.

**vaccin** nom masculin

Un **vaccin** est un produit que l'on introduit dans le corps à l'aide d'une seringue ou que l'on boit. Il permet d'éviter certaines maladies. *Le vaccin contre la grippe est recommandé aux personnes âgées.*
● Mot de la même famille : vacciner.

**vacciner** verbe

**Vacciner** une personne, un animal, c'est leur faire un vaccin pour les protéger contre une maladie. *Le médecin nous a vaccinés contre la rougeole.*

**vache** nom féminin

La **vache** est un gros mammifère qui fait partie du bétail de la ferme. *On élève les vaches pour leur lait et pour leur viande.*

▶ La **vache** est un ruminant. C'est la femelle du taureau. Le petit est le veau. Quand la vache crie, on dit qu'elle beugle ou qu'elle meugle.
→ Cherche **bœuf**.

**1. vague** nom féminin

Une **vague** est une masse d'eau de mer qui se soulève et qui s'abaisse.

**2. vague** adjectif

Un renseignement, une explication **vagues** ne sont pas très clairs et ne donnent pas de détails. *Tu m'as donné des renseignements trop vagues sur le cours de théâtre.* Contraire : précis.

**vaincre** verbe

**Vaincre** un adversaire, c'est remporter une victoire sur lui. *Nous avons vaincu l'autre équipe.* Synonyme : battre.
● Mot de la même famille : vainqueur.

**vainqueur** nom masculin

Le **vainqueur** est la personne qui a remporté une victoire. *Les vainqueurs ont eu la coupe.* Synonyme : gagnant. Contraire : perdant.

**vaisseau** nom masculin

❶ Autrefois, un **vaisseau** était un grand bateau ou un navire de guerre.

❷ Un **vaisseau spatial** est un engin qui va dans l'espace.

🔍 Au pluriel, on écrit *des vaisseaux*.

**vaisselle** nom féminin

❶ La **vaisselle**, c'est l'ensemble des assiettes et des récipients que l'on utilise pour servir un repas et pour manger. *Maman a sorti la vaisselle en porcelaine.*

❷ **Faire la vaisselle**, c'est la laver après le repas.

Franck va **faire la vaisselle**.

**valable** adjectif

Une carte, un billet **valables** peuvent être utilisés. *Votre passeport est encore valable.* Une raison **valable** est une bonne raison.

**valet** nom masculin

Autrefois, un **valet** était un domestique, un employé de maison. *Dans « la Belle au bois dormant », les cuisiniers, les pages et les valets s'endormirent en même temps que la princesse.*

**valeur** nom féminin

❶ La **valeur** d'une chose, c'est son prix. *La princesse a des bijoux d'une grande valeur.*

❷ La **valeur** d'un travail ou d'une personne, c'est l'ensemble de ses qualités. *On juge la valeur de quelqu'un à ses actes.*

**valise** nom féminin

Une **valise** est un bagage qui se ferme par un couvercle. On le tient par une poignée. **Faire sa valise**, c'est préparer ses bagages.

**vallée** nom féminin

Une **vallée** est un vaste terrain creusé par un cours d'eau ou un glacier. *La rivière coule au fond d'une vallée.*

**valoir** verbe

❶ **Valoir** tel prix, c'est avoir ce prix. *Ce vélo vaut cent cinquante euros.*
Synonyme : **coûter**.

❷ Il **vaut mieux** signifie : c'est mieux. *Il vaut mieux que tu dises la vérité.*
● Mots de la même famille : **valable**, **valeur**.

**valse** nom féminin

Une **valse** est une danse que l'on danse à deux en tournant.

**vampire** nom masculin

Dans les histoires, un **vampire** est un mort qui sort la nuit de son tombeau pour sucer le sang des vivants.

🔍 Le son [ɑ̃] s'écrit *am* devant un *p*.

**vanille** nom féminin

La **vanille** est le fruit d'une plante des pays chauds. On l'utilise pour parfumer des glaces, des pâtisseries ou des confiseries.

se **vanter** verbe

**Se vanter**, c'est raconter ses exploits en exagérant souvent et en se donnant beaucoup d'importance. *Mon frère se vante d'avoir traversé le lac à la nage.*

a b c d e f g h i j k l m n o p q r s t u v w x y z

**683**

### vapeur nom féminin
La **vapeur d'eau** est le gaz qui se forme quand l'eau bout. *La vapeur d'eau s'échappe de la casserole.*

### varicelle nom féminin
La **varicelle** est une maladie contagieuse qui donne des boutons sur tout le corps. *Il existe aujourd'hui un vaccin contre la varicelle.*

### varié, variée adjectif
Un paysage **varié** est un paysage qui change d'aspect, qui n'est pas toujours le même. *Le paysage des régions françaises est très varié.* Contraire : **monotone.** Des choses **variées** sont des choses différentes. *Les tulipes ont des couleurs variées.*

### varier verbe
Quand une chose **varie**, elle n'est pas toujours pareille. *À la cantine, la cuisinière varie souvent les menus.* Synonyme : **changer.**
● Mot de la même famille : **varié.**

un **vautour**

### 1. vase nom masculin
Un **vase** est un récipient que l'on remplit d'eau pour mettre des fleurs.

### 2. vase nom féminin
La **vase** est de la boue qui se trouve au fond des étangs, des rivières et parfois sur les plages.

Nous avons acheté des aliments **variés.**

### vaste adjectif
Ce qui est **vaste** a une grande surface. *La salle des fêtes de la mairie est vaste.* Synonyme : **immense.** Contraire : **minuscule.**

### vautour nom masculin
Un **vautour** est un grand oiseau de proie qui est actif le jour. Il n'a pas de plumes sur la tête ni sur le cou. *Les vautours se nourrissent de cadavres d'animaux.*
▶ C'est un **rapace.**

### veau nom masculin
Le **veau** est le petit de la vache et du taureau.
🔎 Au pluriel, on écrit *des veaux.*
→ Cherche **génisse.**

**vedette** nom féminin

Une **vedette** est un acteur ou une actrice, un chanteur ou une chanteuse très célèbres. *On voit souvent des vedettes à la télévision.*

**végétal** nom masculin

Un **végétal** est un être vivant qui pousse dans la terre ou dans l'eau. *Les arbres, les algues sont des végétaux.*

🔍 Au pluriel, on écrit *des végétaux.*
● Mots de la même famille : végétarien, végétation.

**végétarien, végétarienne** adjectif

❶ Une personne **végétarienne** se nourrit de fruits, de céréales et de légumes, mais ne mange pas de viande.
❷ Un animal **végétarien** se nourrit de végétaux. *Les écureuils, les loirs, les marmottes sont végétariens.*

➔ Cherche **herbivore**.

**végétation** nom féminin

La **végétation**, c'est l'ensemble des végétaux, des plantes. *Les hannetons causent des dégâts à la végétation.*

**véhicule** nom masculin

Un **véhicule** est un moyen de transport. *Un vélo, une moto, une voiture, un camion, un avion sont des véhicules.*

**veille** nom féminin

La **veille**, c'est le jour d'avant. *Nous avons décoré le sapin la veille de Noël.*

➔ Cherche **lendemain**.

**veillée** nom féminin

La **veillée**, c'est la partie de la soirée qui s'écoule entre le dîner et le moment où l'on se couche. *En colonie de vacances, nous chantons et nous jouons pendant les veillées.*

**veilleuse** nom féminin

Une **veilleuse** est une petite lampe qui n'éclaire pas très fort. *Dans le train, on peut allumer la veilleuse près de la couchette.*

**veine** nom féminin

Les **veines** se trouvent sous la peau. Elles permettent au sang de circuler. *Pour faire une prise de sang, l'infirmière pique une veine.*

**vélo** nom masculin

Un **vélo** est un véhicule qui a deux roues, un guidon et des pédales.
Synonyme : bicyclette.

➔ Cherche V. T. T.

**velours** nom masculin

Le **velours** est un tissu qui a des poils courts et très doux. *Papi met souvent son pantalon de velours.*

🔍 Ce mot se termine par un *s.*

**vendange** nom féminin

La **vendange** est la récolte du raisin. *Les vignerons font les vendanges en automne.*

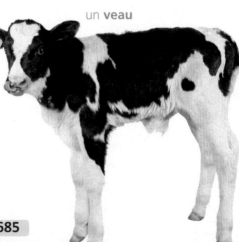

un **veau**

685

A
B
C
D
E
F
G
H
I
J
K
L
M
N
O
P
Q
R
S
T
U
V
W
X
Y
Z

**vendeur** nom masculin
**vendeuse** nom féminin

Un **vendeur**, une **vendeuse** sont des personnes qui vendent des produits, des marchandises. *La vendeuse nous a fait un paquet cadeau.*

→ Cherche **commerçant** et **marchand**.

**vendre** verbe

**Vendre** quelque chose, c'est l'échanger contre de l'argent. *Le libraire vend des livres, le pharmacien vend des médicaments.* **Contraire** : acheter.

● Mots de la même famille : **vendeur**, **vente**.

Le poissonnier **vend** du poisson.

**vendredi** nom masculin

Le **vendredi** est le cinquième jour de la semaine. Il vient après le jeudi et avant le samedi. *Tom va au club de judo tous les vendredis soir.*

☛ Va voir « le calendrier », page 111.

**vénéneux, vénéneuse** adjectif

Un champignon **vénéneux** est un champignon qui contient un poison. **Contraire** : comestible.

🔎 Ne confonds pas avec « un serpent venimeux ».

**vengeance** nom féminin

La **vengeance**, c'est l'action de se venger, de rendre le mal qu'une personne nous a fait.

**se venger** verbe

**Se venger**, c'est rendre à quelqu'un le mal qu'il nous a fait. *Le père de la victime refuse de se venger.*

● Mot de la même famille : **vengeance**.

**venimeux, venimeuse** adjectif

Un serpent **venimeux** est un serpent qui a du venin. *La vipère et le cobra sont venimeux.*

🔎 Ne confonds pas avec « un champignon vénéneux ».

**venin** nom masculin

Le **venin** est le poison que produisent les abeilles, les guêpes, les scorpions, certains serpents et certaines araignées. *Le venin des guêpes est contenu dans leur dard.*

● Mot de la même famille : **venimeux**.

**venir** verbe

❶ **Venir** quelque part, c'est se déplacer pour s'y rendre. *Demain, je viendrai te voir.*

❷ **Venir** d'un endroit, c'est arriver de cet endroit. *Le train vient de Marseille.*

❸ **Venir de** faire quelque chose, c'est l'avoir fait il y a quelques instants. *Je viens de voir Paul.*

**vent** nom masculin

Le **vent** est le mouvement de l'air. *La girouette indique la direction du vent.*

● Mot de la même famille : **ventilateur**.

→ Cherche **bise** et **brise**.

**vente** nom féminin

La **vente** est l'échange d'une chose contre de l'argent. *Les ventes de jeux vidéo ont augmenté. Mes grands-parents ont mis leur maison en vente.*

### ventilateur nom masculin

Un **ventilateur** est un appareil électrique qui fait du vent avec une hélice qui tourne vite.

### ventre nom masculin

Le **ventre** est la partie du corps qui se trouve au-dessous de la taille et qui contient l'intestin. *Lucas dort sur le ventre.*

### ver nom masculin

Un **ver** est un petit animal sans pattes, au corps mou et long. *J'ai trouvé des vers de terre dans la plate-bande.*

🔍 Ne confonds pas avec « un verre » pour boire ou « le vers » d'un poème.

➜ Cherche **asticot**, **luisant** et **soie**.

### verbe nom masculin

Un **verbe** est un mot qui indique une action ou qui décrit un être ou une chose. C'est le mot principal de la phrase. *« Jouer », « finir », « prendre » sont des verbes.*

➜ Cherche **sujet** et **temps**.

### verdure nom féminin

La **verdure**, c'est l'ensemble des plantes et du feuillage qui pousse dans un lieu. *La maison est cachée dans la verdure.*

Le **vent** souffle.

### verger nom masculin

Un **verger** est une partie de jardin où l'on a planté des arbres fruitiers. *Nos voisins ont des pommiers et des pruniers dans leur verger.*

➜ Cherche **potager**.

Elle lit dans le **verger,** à l'ombre du pommier.

### verglas nom masculin

Le **verglas** est la couche de glace qui recouvre les routes mouillées quand il gèle. *J'ai glissé sur une plaque de verglas.*

🔍 Ce mot se termine par un *s*.

### vérification nom féminin

La **vérification**, c'est l'action de vérifier. *J'ai fait la vérification de ma multiplication sur la calculette.* Synonyme : **contrôle**.

### vérifier verbe

Vérifier, c'est regarder si l'on n'a pas fait d'erreur. *Maman vérifie ses comptes.* Synonyme : **contrôler**.

● Mot de la même famille : **vérification**.

a b c d e f g h i j k l m n o p q r s t u v w x y z

A
B
C
D
E
F
G
H
I
J
K
L
M
N
O
P
Q
R
S
T
U
V
W
X
Y
Z

## véritable adjectif

Ce qui est **véritable** est réel, n'est pas inventé. *Ma sœur m'a raconté la* **véritable** *histoire de Pocahontas.* Synonyme : vrai.

## vérité nom féminin

La **vérité**, c'est ce qui est vrai. *Le témoin a juré de dire la* **vérité**. Contraire : mensonge.

● Mot de la même famille : **véritable**.

## vernis nom masculin

Le **vernis** est un produit brillant, transparent ou coloré, qui sert à protéger ou à décorer. *Léa a passé une couche de* **vernis** *sur ses poteries. Maman se met du* **vernis** *à ongles rouge.*

🔎 Ce mot se termine par un *s*.

## verre nom masculin

❶ Le **verre** est une matière dure et transparente qui se casse facilement. *J'ai cassé une vitre, il y a du* **verre** *par terre.*

❷ Un **verre** est un petit récipient en verre que l'on utilise pour boire.

❸ Un **verre de lunettes** est un petit disque de verre ou de matière plastique qui permet de voir mieux. *Mes* **verres** *de lunettes sont incassables.*

🔎 Ne confonds pas avec « un ver de terre » ou « le vers d'un poème ».

## verrou nom masculin

Un **verrou** est un mécanisme que l'on pousse pour fermer une porte. *La porte d'entrée a deux* **verrous**.

🔎 Il y a deux *r*. Au pluriel, on écrit *des verrous*.

→ Cherche **serrure**.

## 1. vers préposition

❶ **Vers** signifie : dans la direction de. *J'ai vu Tom qui allait* **vers** *la gare.*

❷ **Vers** telle heure signifie : à peu près à cette heure. *Papi arrivera* **vers** *11 heures.*

Il dirige sa balle de golf **vers** le trou.

## 2. vers nom masculin

Un **vers** est une ligne d'un poème. « *La mer brille Comme une coquille* » *sont deux* **vers**.

🔎 Ce mot se termine par un *s*. Ne confonds pas avec « un ver de terre » ou un « verre » pour boire.

→ Cherche **rime**.

## versant nom masculin

Un **versant** est la pente d'une montagne. *Une montagne a deux* **versants**, *l'un à l'ombre et l'autre au soleil.*

## à verse adverbe

Quand il pleut **à verse**, il pleut très fort.

## verser verbe

❶ **Verser** un liquide, c'est le faire couler dans un récipient. *Je* **verse** *du lait dans mon bol.*

❷ **Verser** des larmes, c'est avoir des larmes qui coulent. Synonyme : pleurer.

## 1. vert, verte adjectif

❶ La couleur **verte** est la couleur de l'herbe.

❷ Du bois **vert** est du bois qui a encore de la sève. Contraires : mort, sec.

● Mot de la même famille : verdure.

## 2. vert nom masculin

Le **vert** est la couleur verte. *Je peins les feuilles des arbres en vert.*

☞ Va voir « les couleurs et les formes », page 171.

## vertèbre nom féminin

Une **vertèbre** est un os court de la colonne vertébrale.

→ Cherche colonne.

## vertical, verticale adjectif

Ce qui est **vertical** suit une ligne droite qui va de bas en haut. *Les murs sont verticaux.* Contraire : horizontal.

🔎 Au pluriel, on écrit *verticaux, verticales.*

## verticale nom féminin

La **verticale** est une ligne droite verticale. *Les hélicoptères décollent à la verticale.* Contraire : horizontale.

## vertige nom masculin

Avoir le **vertige**, c'est avoir l'impression désagréable que l'on va tomber quand on est au-dessus du vide.

## veste nom féminin

Une **veste** est un vêtement qui couvre le haut du corps et qui s'attache devant.

## vestiaire nom masculin

Un **vestiaire** est un endroit où l'on dépose ses vêtements dans un lieu public. *Au stade, les joueurs se déshabillent dans les vestiaires.*

## vêtement nom masculin

Un **vêtement**, c'est ce que l'on met pour couvrir et protéger son corps. *Un pantalon, un blouson, une chemise sont des vêtements.* Synonyme : habit.

🔎 Le premier e prend un accent circonflexe.

## vétérinaire nom masculin et nom féminin

Un **vétérinaire**, une **vétérinaire** sont des médecins qui soignent les animaux. C'est un nom de métier. *Le vétérinaire a vacciné notre chat.*

Le **vétérinaire** soigne la patte du chien.

## vêtir verbe

**Vêtir** quelqu'un, c'est l'habiller. *Au mariage du prince, la Petite Sirène était vêtue de soie et d'or.*

## veuf nom masculin
## veuve nom féminin

Un **veuf** est une personne qui a perdu sa femme, une **veuve** est une personne qui a perdu son mari. *Il arrive que les veufs et les veuves se marient de nouveau.*

## vexer verbe

**Vexer** quelqu'un, c'est le rendre honteux et lui faire de la peine. *Ne le traite pas de bébé, tu vas vraiment le vexer.*

A
B
C
D
E
F
G
H
I
J
K
L
M
N
O
P
Q
R
S
T
U
V
W
X
Y
Z

## viaduc nom masculin

Un **viaduc** est un pont très long et très haut qui permet aux voitures ou aux trains de franchir une vallée.

La rivière passe sous le **viaduc**.

## viande nom féminin

La **viande** est la chair des mammifères et de la volaille. *Nous avons mangé de la viande hachée à la cantine.*

## victime nom féminin

❶ Une **victime** est une personne blessée ou tuée. *L'accident n'a pas fait de victime.*
❷ Une **victime** est une personne qui subit quelque chose de désagréable. *Le bijoutier a été victime d'un cambriolage.*

## victoire nom féminin

Une **victoire** est une bataille, une guerre ou une compétition que l'on a gagnée. *La joueuse de tennis a remporté sa troisième victoire.* **Contraire :** défaite.

## 1. vide adjectif

Quand une chose, un véhicule sont **vides**, il n'y a rien, personne dedans. *Ma valise est vide.* **Contraire :** plein. *Le train est vide.* **Contraires :** complet, plein.
● Mot de la même famille : **vider**.

## 2. vide nom masculin

❶ Le **vide**, c'est un grand espace qui ne contient rien. *Sur la falaise, j'avais peur du vide.*

❷ Le **vide** est un espace où l'air a été enlevé. *Le café moulu est vendu sous vide.*

## vidéo adjectif

Une cassette **vidéo** est une cassette où sont enregistrés des images et des sons. Un jeu **vidéo** est un jeu électronique que l'on fait fonctionner sur un écran. *Tom a plusieurs jeux vidéo.*

➜ Cherche **Caméscope** et **magnétoscope**.

## vider verbe

**Vider**, c'est rendre vide. *J'ai vidé le lavabo.* **Contraire :** remplir. *Le stade s'est vidé très vite.* **Contraire :** se remplir.

Les ouvriers **vident** le camion.

## vie nom féminin

❶ La **vie** d'une personne, c'est le temps qui s'est écoulé entre sa naissance et sa mort. *Grand-père a passé toute sa vie à Paris.* **Synonyme :** existence.

❷ La **vie**, c'est le fait de vivre, de respirer, d'avoir un cœur qui bat. *Heureusement, le blessé est encore en vie.* **Contraire :** mort.

❸ La **vie**, c'est la manière de vivre à une époque. *J'ai lu un livre sur la vie au Moyen Âge.*

❹ **Gagner sa vie**, c'est recevoir de l'argent pour son travail.

**vieillard** nom masculin

Un **vieillard** est une personne très vieille, très âgée.

**vieille** → **vieux**

**vieillesse** nom féminin

La **vieillesse** est la période de la vie où l'on est vieux.

→ Cherche **enfance** et **jeunesse**.

**vieillir** verbe

❶ **Vieillir**, c'est devenir vieux. *Papi a des cheveux blancs et sa vue est moins bonne : il vieillit.* Contraire : rajeunir.

❷ **Vieillir** quelqu'un, c'est le faire paraître plus vieux. *Cette nouvelle couleur de cheveux la vieillit.* Contraire : rajeunir.

Tu **as vieilli** depuis qu'on a pris cette photographie !

**vieux, vieille** adjectif

❶ Être **vieux**, c'est avoir un grand âge. *Mon professeur de piano est vieux.* Synonyme : âgé. Contraire : jeune.

❷ Une **vieille** chose est une chose qui existe depuis longtemps. *Lucas aime bien les vieilles motos.* Synonyme : ancien. Contraire : moderne. *Elle adore son vieil ours en peluche.* Contraire : nouveau.

🔎 On dit « un *vieil* arbre », « un *vieil* homme » parce que ces noms commencent par une voyelle ou un « h » muet.

● Mots de la même famille : vieillard, vieillesse, vieillir.

**vif** adjectif masculin
**vive** adjectif féminin

❶ Être **vif**, avoir l'esprit **vif**, c'est agir et comprendre vite. *Zoé est une petite fille très vive.* Contraire : lent.

❷ Un mouvement **vif** est un mouvement rapide, parfois violent. *Les écureuils ont des mouvements vifs.*

❸ Une lumière, une couleur **vive** est très lumineuse. *Le flash a un éclair vif. J'ai un pull rouge vif.* Contraire : pâle.

● Mot de la même famille : vivement.

**vigne** nom féminin

La **vigne** est la plante qui donne du raisin. *En automne, on fait les vendanges dans les vignes.*

▶ Les agriculteurs qui cultivent la vigne sont des **vignerons**.

**vignette** nom féminin

❶ Une **vignette** est une étiquette avec une inscription ou un dessin. *J'ai décoré mon cahier avec des vignettes autocollantes.*

❷ Une **vignette** est une illustration dans une bande dessinée.

**vilain, vilaine** adjectif

❶ Une personne **vilaine** est désobéissante ou méchante.

❷ Ce qui est **vilain** n'est pas agréable à regarder. *Cette fille a de vilaines dents.* Synonyme : laid. Contraires : beau, joli. Ce qui est **vilain** n'est pas bien. *« La gourmandise est un vilain défaut ».*

*a b c d e f g h i j k l m n o p q r s t u v w x y z*

**villa** nom féminin

Une **villa** est une maison assez grande entourée d'un jardin.

→ Cherche **pavillon**.

**village** nom masculin

Un **village** est un groupe de maisons à la campagne.

Le **village** est perché sur la colline.

**ville** nom féminin

Une **ville**, c'est un groupe important de maisons, de magasins et d'entreprises, où vivent de nombreux habitants. *Mes parents ont toujours habité dans une ville*. Contraire : campagne.

● Mot de la même famille : **village**.

☞ Va voir la planche illustrée ❾

**vin** nom masculin

Le **vin** est une boisson qui est faite avec du jus de raisin. Il contient de l'alcool.

**vinaigre** nom masculin

Le **vinaigre** est un liquide au goût acide qui sert à assaisonner ou à conserver certains aliments. *Le vinaigre est* fabriqué avec du vin, du cidre ou de l'alcool.

● Mot de la même famille : **vinaigrette**.

**vinaigrette** nom féminin

La **vinaigrette** est une sauce faite avec de l'huile et du vinaigre. *On assaisonne la salade avec une vinaigrette*.

**violemment** adverbe

Violemment signifie : d'une manière violente. *Le boxeur a frappé violemment son adversaire*. Contraire : doucement.

🔎 On écrit *emment* mais on prononce [amã].

**violence** nom féminin

❶ La **violence**, c'est la force brutale d'une personne. *Je n'aime pas les scènes de violence dans les films*.

❷ La **violence** de la nature, c'est sa force terrible. *Les dégâts sont dus à la violence de la tempête*.

Julien ne supporte pas la **violence**.

**violent, violente** adjectif

❶ Une personne **violente** donne des coups et crie très fort. Synonyme : brutal. Contraires : calme, doux.

❷ Un vent **violent** souffle très fort. Un coup **violent** est donné avec une grande

force. *Le vent était si **violent** qu'il a arraché un arbre.* Contraire : léger.
● Mots de la même famille : **violemment, violence**.

### 1. violet, violette adjectif

La couleur **violette** est une couleur faite avec du rouge et du bleu.

### 2. violet nom masculin

Le **violet** est la couleur violette. *J'ai peint les pétales des fleurs en **violet**.*

☛ Va voir « les couleurs et les formes », page 171.

### violette nom féminin

Une **violette** est une petite fleur violette et parfumée qui pousse dans les bois.
☛ Va voir « les fleurs », page 285.

### violon nom masculin

Un **violon** est un instrument de musique qui a quatre cordes. *On frotte les cordes du **violon** avec un archet.*

▶ Un joueur, une joueuse de violon sont des **violonistes**.
☛ Va voir « les instruments de musique », page 355.

Marie joue du **violon**.

### violoncelle nom masculin

Un **violoncelle** est un instrument de musique qui ressemble à un gros violon. *On joue du **violoncelle** assis et on le tient entre ses jambes.*

▶ Un joueur, une joueuse de violoncelle sont des **violoncellistes**.

☛ Va voir « les instruments de musique », page 355.

### vipère nom féminin

Une **vipère** est un serpent venimeux qui a une tête en forme de triangle et des crochets pour mordre. *Les **vipères** se trouvent souvent sur les pierres et au soleil.*

▶ Le petit est le **vipéreau**.

→ Cherche **couleuvre**.

### virage nom masculin

Un **virage** est un endroit où une route tourne. *On ralentit avant un **virage**.* Synonyme : tournant.

La voiture roule lentement dans le **virage**.

### virgule nom féminin

Une **virgule** est un signe de ponctuation (,) qui sert à séparer des mots ou des groupes de mots dans une phrase.

☛ Va voir « les signes de ponctuation », page 533.

a b c d e f g h i j k l m n o p q r s t u v w x y z

**virus** nom masculin

Un **virus** est une sorte de microbe qui peut causer des maladies. *La grippe est due à un virus.*

🔍 Ce mot se termine par un *s* qu'on prononce.

**vis** nom féminin

Une **vis** est une petite tige pointue en forme de spirale que l'on enfonce ou que l'on retire avec un tournevis. *Julien a dévissé les quatre vis de la caisse.*

🔍 Ce mot se termine par un *s* qu'on prononce.

● Mot de la même famille : **visser**.

**visage** nom masculin

Le **visage** est le devant de la tête. *Le nez est au milieu du visage.* Synonymes : **face, figure**.

**viser** verbe

Viser, c'est diriger un objet, une arme vers un but. *Le chasseur a visé la perdrix.*

Rachid **vise** bien le centre de la cible.

**visible** adjectif

Un être, une chose **visibles** sont un être, une chose que l'on peut voir. *Les étoiles sont bien visibles à la campagne.* Contraire : **invisible**.

● Mot de la même famille : **visiblement**.

**visiblement** adverbe

Visiblement signifie : de façon visible. *Ta fièvre a visiblement baissé.*

**visière** nom féminin

La **visière** est la partie d'une casquette ou d'un képi qui protège les yeux.

**vision** nom féminin

❶ La **vision**, c'est le fait de voir ou la manière de voir. *Les lunettes servent à améliorer la vision.* Synonyme : **vue**.
❷ **Avoir des visions**, c'est voir des choses qui n'existent pas.

**visite** nom féminin

❶ Une **visite**, c'est l'action de visiter un lieu. *La visite du château est gratuite pour les enfants.*
❷ **Rendre visite** à quelqu'un, c'est aller le voir chez lui.

**visiter** verbe

Visiter, c'est parcourir un lieu pour le connaître, pour voir des choses intéressantes. *L'été dernier, nous avons visité la Grèce.*

● Mots de la même famille : **visite, visiteur**.

**visiteur** nom masculin
**visiteuse** nom féminin

Un **visiteur**, une **visiteuse** sont des personnes qui visitent un endroit ou qui rendent visite à quelqu'un. *Le château est ouvert aux visiteurs.*

**visser** verbe

❶ Visser, c'est fixer avec une vis. *Mon frère a vissé un crochet dans le mur.* Contraire : **dévisser**.

**②** **Visser**, c'est fermer quelque chose en tournant. *Marie visse le bouchon du tube de dentifrice.* Contraire : **dévisser**.

Maman **visse** un verrou.

### vitamine nom féminin

Les **vitamines** sont des matières contenues dans les aliments. Elles sont indispensables au bon fonctionnement de l'organisme. *Les fruits et les légumes contiennent beaucoup de vitamines.*

### vite adverbe

**Vite** signifie : en peu de temps, avec rapidité. *Chloé comprend vite.* Synonyme : **rapidement**. Contraire : **lentement**.

● Mot de la même famille : **vitesse**.

### vitesse nom féminin

**①** La **vitesse**, c'est le temps que l'on met pour se déplacer d'un endroit à un autre ou pour faire quelque chose. *À quelle vitesse roulait la moto ?*

**②** La **vitesse**, c'est le fait d'aller vite. *Paul est parti à toute vitesse.* Synonyme : **allure**.

➜ Cherche **rapidité**.

### vitrail nom masculin

Un **vitrail** est une grande vitre faite de plaques de verre coloré. *Les églises sont souvent ornées de vitraux.*

🔎 Au pluriel, on écrit *des vitraux*.

### vitre nom féminin

Une **vitre** est une plaque de verre sur une fenêtre ou sur une porte. *Je regarde le jardin à travers la vitre.* Synonyme : **carreau**.

● Mots de la même famille : **vitrail**, **vitrine**.

### vitrine nom féminin

La **vitrine** d'un magasin est la partie qui est juste derrière la vitre. Elle sert à exposer les marchandises à vendre.

Léa regarde les jouets dans la **vitrine**.

### vivant, vivante adjectif

**①** Être **vivant**, c'est être en vie. *Son cœur bat, il est toujours vivant.* Contraire : **mort**.

**②** Les êtres **vivants** sont les humains, les animaux et les plantes.

### 1. vive ➜ vif

### 2. vive ! interjection

**Vive** s'emploie pour exprimer sa joie, son enthousiasme. *Vive les vacances !*

A
B
C
D
E
F
G
H
I
J
K
L
M
N
O
P
Q
R
S
T
U
V
W
X
Y
Z

## vivement adverbe

Vivement signifie : beaucoup, énormément. *Je souhaite vivement te revoir.*

## vivre verbe

❶ Vivre, c'est respirer, avoir le cœur qui bat, être en vie. *Le malade vit encore. Mon oncle a vécu quatre-vingts ans.*

❷ Vivre quelque part, c'est y habiter. *Nous vivons à la campagne.*

● Mots de la même famille : **vivant, vive !**

## vizir nom masculin

Autrefois, chez les musulmans, un vizir était un ministre. *Le grand vizir conduisit la mère d'Aladin auprès du sultan.*

## vocabulaire nom masculin

Le vocabulaire, c'est l'ensemble des mots d'une langue.

## vœu nom masculin

❶ Un vœu est une envie très forte que quelque chose se réalise. *Dans les contes, les fées exaucent les vœux.*
Synonymes : **désir, souhait.**

❷ Un vœu est un souhait de bonheur. *Le 1er janvier, on présente ses vœux à sa famille et à ses amis.*

🔍 Au pluriel, on écrit *des vœux.*

## voici préposition

Voici sert à montrer une chose, à présenter une personne qui est tout près. *Voici ma maison.*

→ Cherche **voilà.**

## voie nom féminin

❶ Une voie est une route, une rue ou un chemin. *Notre rue est une voie à sens unique.*

❷ La voie ferrée est formée par les rails. *Les trains roulent sur la voie ferrée.*

🔍 Ne confonds pas « voie » et la « voix » qui sort de la bouche.

## voilà préposition

Voilà sert à montrer une chose, à présenter une personne qui n'est pas loin. *Voilà mon frère.*

🔍 Le a prend un accent grave.

→ Cherche **voici.**

## 1. voile nom féminin

Une voile est un grand morceau de toile fixé au mât d'un bateau. Elle permet à un bateau d'avancer lorsqu'il y a du vent.

● Mot de la même famille : **voilier.**

☛ Va voir la planche illustrée ❸

## 2. voile nom masculin

Un voile est un tissu très léger et souvent transparent. *La mariée portait un voile blanc.*

## voilier nom masculin

Un voilier est un bateau à voiles. *Dans le port, on regarde les voiliers qui partent faire le tour du monde.*

☛ Va voir la planche illustrée ❸

Le vent fait avancer le **voilier.**

## voir verbe

❶ Quand on **voit** quelque chose ou quelqu'un, il se présente à notre regard, à nos yeux. *J'ai vu une biche. Nous avons déjà vu ce dessin animé. Lucas m'a fait voir son nouveau jeu.*
Synonyme : montrer.

❷ Aller **voir** quelqu'un, c'est lui rendre visite. *Je vais voir mamie tous les mercredis.*

Tom **voit** bien avec ses lunettes.

## voisin nom masculin
## voisine nom féminin

Un **voisin**, une **voisine** sont des personnes qui habitent l'une près de l'autre. *Pierre et moi, nous sommes voisins.*

## voiture nom féminin

❶ Une **voiture** est un véhicule qui a quatre roues et un moteur. Elle sert à transporter des personnes. *Mon grand-père a une voiture neuve.*
Synonymes : auto, automobile.

❷ Une **voiture** est un véhicule à roues qui sert à transporter des personnes ou des choses. *Un landau, une poussette sont des voitures d'enfant. Une diligence, une charrette sont des voitures tirées par des chevaux.*

❸ Dans un train, une **voiture** est un wagon réservé aux voyageurs. *Nous sommes montés dans la voiture numéro 10.*

## voix nom féminin

❶ La **voix**, c'est l'ensemble des sons qui sortent de la bouche d'une personne. *Clara a une voix douce.*

❷ Dans une élection, une **voix**, c'est le choix fait par un électeur. *On a compté le nombre de voix de chaque candidat.*

🔍 Ce mot se termine par un *x*. Ne confonds pas « voix » et « une voie », une route.

## 1. vol nom masculin

❶ Le **vol** d'un oiseau ou d'un insecte, c'est le fait de se déplacer dans l'air. *Au printemps, nous observons le vol des hirondelles.*

❷ Un **vol** est un trajet en avion. *Le vol entre Paris et Montréal dure environ six heures.*
● Mots de la même famille : **volant, volière.**

## 2. vol nom masculin

Le **vol**, c'est l'action de voler ce qui appartient à quelqu'un. *Un homme a été condamné pour le vol d'une voiture.*
● Mots de la même famille : **voler, voleur.**

## volaille nom féminin

La **volaille**, c'est l'ensemble des oiseaux que l'on élève dans une basse-cour. *Les dindons, les canards, les poules, les oies font partie de la volaille.*

## 1. volant, volante adjectif

Un insecte **volant** est un insecte qui vole. *Les moustiques, les coccinelles sont des insectes volants.*

## 2. volant nom masculin

Un **volant** est un objet rond qui sert à diriger un véhicule. *L'automobiliste tourne le volant pour prendre un virage.*

a b c d e f g h i j k l m n o p q r s t u v w x y z

**volcan** nom masculin

Un **volcan** est une montagne qui a un cratère au sommet. *De la lave, des pierres, des gaz, de la cendre peuvent sortir d'un volcan en éruption.*

● Mot de la même famille : volcanologue.

un **volcan** en éruption

**volcanologue** nom masculin et nom féminin

Un **volcanologue**, une **volcanologue** sont des personnes qui étudient les volcans. C'est un nom de métier. *Les volcanologues peuvent prévoir les éruptions des volcans.*

**1. voler** verbe

Voler, c'est se déplacer dans l'air. *Les oiseaux et certains insectes volent. Les avions et les deltaplanes volent.*

**2. voler** verbe

Voler, c'est prendre ce qui appartient à une autre personne. *Quelqu'un a volé mon vélo.*

**volet** nom masculin

Un **volet** est un panneau qui se rabat devant une fenêtre. *Le soir, on ferme les volets.*

**voleur** nom masculin
**voleuse** nom féminin

Un **voleur**, une **voleuse** sont des personnes qui volent, qui prennent ce qui ne leur appartient pas. *On a arrêté un voleur au supermarché.*

→ Cherche **cambrioleur**.

**volière** nom féminin

Une **volière** est une grande cage où les oiseaux peuvent voler.

Les perroquets sont dans une **volière**.

**volley-ball** nom masculin

Le **volley-ball** est un sport d'équipe. Deux équipes de six joueurs se renvoient le ballon avec les mains par-dessus un filet.

▶ Un joueur de volley-ball est un **volleyeur**, une joueuse est une **volleyeuse**.

🔎 Ce mot vient de l'anglais : on écrit *ball* et on prononce [bol]. L'abréviation courante de « volley-ball » est « volley ».

**volontaire** adjectif

Être **volontaire** pour faire quelque chose, c'est bien vouloir le faire. *Qui est volontaire pour accompagner Marie à l'infirmerie ?*

**volontairement** adverbe

Quand on fait quelque chose **volontairement**, on veut vraiment le faire, on le fait exprès. *Mon frère a volontairement manqué l'autobus.*

## volonté nom féminin

Avoir de la **volonté**, c'est savoir ce que l'on veut et être capable de faire de gros efforts pour y arriver. *Sarah a beaucoup de volonté, elle fait ses exercices de piano tous les jours.*
● Mots de la même famille : **volontaire, volontairement.**

## volume nom masculin

Un **volume** est la place que prend un objet, un liquide ou une matière. *Cette armoire occupe un grand volume dans ma chambre.*

## vomir verbe

**Vomir**, c'est rejeter par la bouche ce qu'on a dans l'estomac.

## vorace adjectif

Être **vorace**, c'est manger beaucoup et vite. *Mon chien est très vorace, il avale sa pâtée en deux minutes.*
→ Cherche **glouton** et **goinfre.**

## vos → votre

## vote nom masculin

Le droit de **vote**, c'est le droit de participer à une élection.
● Mot de la même famille : **voter.**

## voter verbe

**Voter**, c'est participer à une élection, choisir un candidat. *En France, on peut voter dès l'âge de dix-huit ans.*

## votre adjectif

**Votre** est un déterminant qui indique qu'une chose vous appartient, qu'une personne est de la même famille que vous : *votre classe, votre oncle.*
🔎 Au pluriel, on dit *vos.*

● Mot de la même famille : le **vôtre.**

## le **vôtre** pronom masculin
## la **vôtre** pronom féminin

**Le vôtre, la vôtre**, c'est une chose qui vous appartient. *Nous prenons nos affaires, prenez les vôtres !*

🔎 Le o prend un accent circonflexe. Au pluriel, on écrit *les vôtres.*

## vouloir verbe

❶ **Vouloir**, c'est avoir la volonté de faire quelque chose. *Kien veut aller au cirque.* **Vouloir**, c'est avoir un désir. *Je voudrais un gâteau.*
Synonyme : **désirer.**

❷ **Vouloir**, c'est demander quelque chose avec force. *Maman veut que nous nous couchions de bonne heure.*
Contraire : **refuser.**

❸ **En vouloir** à quelqu'un, c'est ne pas lui avoir pardonné ce qu'il a fait ou ce qu'il a dit. *Depuis notre dispute, Hugo m'en veut.*

Je **voudrais** une glace, s'il te plaît.

## vous pronom pluriel

❶ **Vous** représente la deuxième personne du pluriel. *J'ai apporté des cadeaux pour vous tous.*

❷ **Vous** remplace « tu » quand on vouvoie quelqu'un. *Vous pouvez entrer, monsieur Arlot.*

● Mot de la même famille : **vouvoyer**.

**vouvoyer** verbe

**Vouvoyer** quelqu'un, c'est lui dire « vous » quand on lui parle. *Les élèves vouvoient leur professeur.* Contraire : tutoyer.

**voyage** nom masculin

Faire un **voyage**, c'est se déplacer loin pendant un certain temps. *Grand-père a fait un voyage au Canada.*

● Mots de la même famille : **voyager**, **voyageur**.

**voyager** verbe

**Voyager**, c'est faire un voyage. *Les chanteurs voyagent souvent. Mamie voyage en train.*

**voyageur** nom masculin
**voyageuse** nom féminin

Un **voyageur**, une **voyageuse** sont des personnes qui voyagent. *Les voyageurs attendent le train sur le quai.*

**voyelle** nom féminin

Les **voyelles** sont les lettres « a », « e », « i », « o », « u », « y ».

➔ Cherche **consonne**.

**voyou** nom masculin

Un **voyou** est un garçon malhonnête.

🔎 Au pluriel, on écrit *des voyous*.

**vrai, vraie** adjectif

❶ Ce qui est **vrai** s'est réellement passé. *Ma mère a tourné dans un film, c'est vrai !* Contraire : faux. *Je n'invente rien, cette histoire est vraie.* Synonyme : réel.

❷ Un **vrai** bijou n'est pas une imitation. *Mamie a un vrai diamant.* Synonyme : véritable. Contraire : faux.

● Mot de la même famille : **vraiment**.

**vraiment** adverbe

❶ **Vraiment** signifie : réellement. *Je t'assure que tout cela est vraiment arrivé.*

❷ **Vraiment** signifie : très, tout à fait. *Tom est vraiment gentil.*

**V. T. T.** nom masculin

Un **V. T. T.** est un vélo avec des pneus épais. On l'utilise pour rouler sur des terrains pleins de creux et de bosses. *Hugo et Julie font du V. T. T. dans le bois.*

🔎 « V. T. T. » est l'abréviation de « vélo tout-terrain ».

**vu** ➔ **voir**

**vue** nom féminin

La **vue** est le sens qui permet de voir. *Léo a une bonne vue.* Synonyme : vision.

➔ Cherche **goût, odorat, ouïe** et **toucher**.

# W

**wagon** nom masculin

Un **wagon** est la voiture d'un train dans laquelle on transporte du bétail, des marchandises ou du courrier. *Les **wagons** sont tirés par une locomotive.*

**wallaby** nom masculin

Un **wallaby** est un mammifère d'Australie qui ressemble à un kangourou.

🔍 On prononce [walabi].

☞ Va voir l'illustration ci-dessus.

**wapiti** nom masculin

Le **wapiti** est un grand cerf d'Amérique du Nord.

🔍 On prononce [wapiti].

**waters** nom masculin pluriel

Les **waters**, c'est la petite pièce où l'on fait ses besoins. Synonymes : cabinets, toilettes, W.-C.

🔍 Ce mot vient de l'anglais : on prononce [watɛr].

**W.-C.** nom masculin pluriel

Les **W.-C.** sont les waters.

**week-end** nom masculin

Le **week-end**, c'est le samedi et le dimanche. *Nous avons passé le **week-end** à la campagne.*

🔍 Ce mot vient de l'anglais : on prononce [wikɛnd]. Il s'écrit avec un trait d'union. Au pluriel, on écrit *des week-ends.*

**western** nom masculin

Un **western** est un film d'aventures qui se passe en Amérique du Nord et qui raconte des histoires de cow-boys. *Papi regarde tous les **westerns** qui passent à la télévision.*

🔍 Ce mot vient de l'anglais : on prononce [wɛstɛrn].

# X

**xylophone** nom masculin

Un **xylophone** est un instrument de musique que l'on frappe avec deux baguettes.

🔍 Ce mot s'écrit avec un *y* et avec *ph*.

☞ Va voir « les instruments de musique », page 355.

a b c d e f g h i j k l m n o p q r s t u v w x y z

# Y

**y** adverbe

Y est un petit mot qui indique le lieu où l'on est, le lieu où l'on va. *Mets-toi là et restes-y.*

**yaourt** nom masculin

Un **yaourt** est un laitage qui est vendu en petit pot. *Tom mange un yaourt aux cerises.*

🔍 On dit aussi « yogourt ».

**yeux** nom masculin pluriel

Les **yeux** permettent de voir. Ils se trouvent sous le front, de chaque côté du nez.

🔍 « Yeux » est le pluriel de « œil ».

**Yo-Yo** nom masculin

Un **Yo-Yo** est un jouet que l'on fait descendre et monter le long d'un fil. *Nous jouons au Yo-Yo dans la cour.*

🔍 Ce mot s'écrit avec deux majuscules parce que c'est un nom de marque. Il a un trait d'union. Il ne change pas au pluriel : on écrit *des Yo-Yo.*

# Z

**zapper** verbe

Zapper, c'est changer de chaîne de télévision avec une télécommande. *Je voudrais bien regarder le film, arrête de zapper sans arrêt.*

🔍 Il y a deux *p.*

**zèbre** nom masculin

Un **zèbre** est un mammifère d'Afrique. Il ressemble à un petit cheval et il a un pelage rayé noir et blanc.

▶ Quand le zèbre crie, on dit qu'il hennit.

**zeste** nom masculin

Un **zeste** de citron (ou d'orange) est un morceau de peau. *Julie a mis un zeste d'orange dans le gâteau pour le parfumer.*

**zigzag** nom masculin

Un **zigzag** est une ligne brisée, faite d'une suite de traits qui forment des Z. *En montagne, les routes font des zigzags.*

● Mot de la même famille : **zigzaguer.**

## zigzaguer verbe

Zigzaguer, c'est faire des zigzags. *Les voitures zigzaguaient sur le verglas.*

La route **zigzague**.

## zone nom féminin

Une **zone** industrielle est une partie d'une ville qui est réservée aux industries, aux usines.

## zoo nom masculin

Un **zoo** est un parc où l'on peut observer les animaux sauvages de tous les pays dans des cages. *Un petit éléphant est né au zoo.*

🔎 On prononce [zo] ou [zoo]. « Zoo » est l'abréviation de « jardin zoologique ».

## zoologie nom féminin

La **zoologie** est la science qui étudie les animaux.
● Mots de la même famille : **zoo**, **zoologique**.

## zoologique adjectif

❶ Un jardin **zoologique** est un zoo.

❷ Un parc **zoologique** est un parc où l'on peut voir des animaux sauvages en liberté.

## zut ! interjection

**Zut** s'emploie quand on est mécontent ou déçu. *Zut ! J'ai perdu mon stylo !*

a b c d e f g h i j k l m n o p q r s t u v w x y z

**Afrique**
*paysage de savane
(Kenya)*

**Amérique**
*Monument Valley
(États-Unis)*

**Asie**
*yourtes en Mongolie*

**Europe**
*la ville de Stockholm
(Suède)*

**Océanie**
*une route
en Nouvelle-Zélande*

# Atlas des pays du monde

Dans cette partie du dictionnaire se trouvent les cartes qui te permettent de situer les **pays**, les **capitales** (ou les grandes villes) et les **fleuves**.

Chaque carte est illustrée de dessins. Ce sont surtout des dessins d'animaux. Tu découvres ainsi où vivent, par exemple, les pandas et les éléphants que tu peux voir dans les parcs zoologiques.

Les pays sont classés par **continent** :
l'**Afrique**, l'**Amérique**, l'**Asie**, l'**Europe et l'Océanie**.
Ils sont présentés avec leur drapeau.

Pour chaque pays, on a indiqué le nom de la **capitale** et le nom des **habitants**.

Si tu ne sais pas sur quel continent se trouve un pays, tu peux chercher son nom dans la liste alphabétique pages 708-709.

## Comment lire une carte

Pour comprendre les informations données sur les cartes, il faut connaître certains codes. L'ensemble de ces codes s'appelle **une légende**.

– – –  Frontières entre les pays

───  Fleuves

●  Capitales

●  Villes importantes

◯  DOM-TOM (départements et territoires français situés au-delà des mers)

**Les reliefs** sont représentés par des couleurs différentes.

plaines    plateaux    montagnes

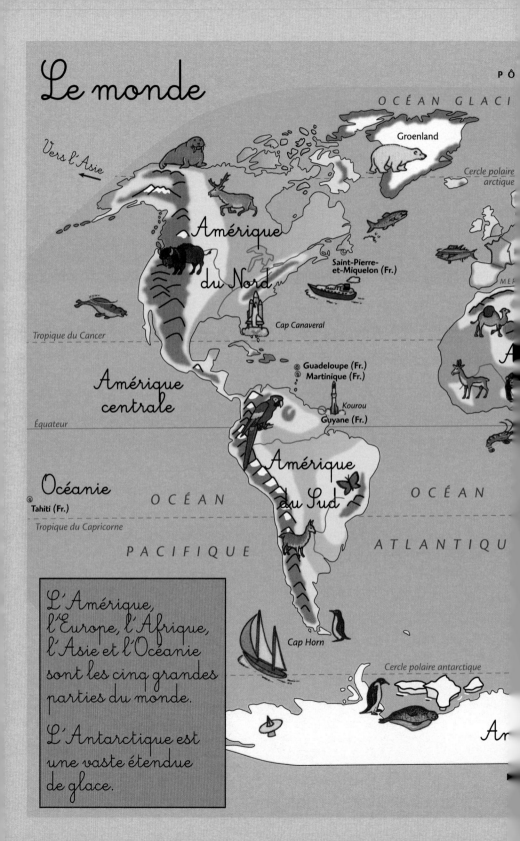

# Le monde

OCÉAN GLACI

Groenland

*Cercle polaire arctique*

*Vers l'Asie*

Amérique
du Nord

Saint-Pierre-
et-Miquelon (Fr.)

MER

*Cap Canaveral*

*Tropique du Cancer*

A

Guadeloupe (Fr.)
Martinique (Fr.)

Amérique
centrale

Kourou
Guyane (Fr.)

*Équateur*

Amérique
du Sud

Océanie
**Tahiti (Fr.)**

OCÉAN

OCÉAN

*Tropique du Capricorne*

PACIFIQUE

ATLANTIQU

Cap Horn

*Cercle polaire antarctique*

Ar

L'Amérique,
l'Europe, l'Afrique,
l'Asie et l'Océanie
sont les cinq grandes
parties du monde.

L'Antarctique est
une vaste étendue
de glace.

RD

Vers l'Amérique

Europe

Baïkonour

RANÉE

Asie

OCÉAN

PACIFIQUE

Mayotte (Fr.)

OCÉAN

La Réunion (Fr.)

INDIEN

Wallis-et-
Futuna (Fr.)

Nouvelle-
Calédonie (Fr.)

Océanie

de Bonne-Espérance

Îles Kerguelen (Fr.)

ue

D

Sur le globe,
on voit bien que
l'Amérique et l'Asie
se touchent presque.

PÔLE NORD

ASIE

OCÉAN

AMÉRIQUE
DU NORD

OCÉAN
ATLANTIQUE

PACIFIQUE

Équateur

AMÉRIQUE
DU SUD

# Les pays du monde

# Les pays d'Afrique

## Afrique du Sud

- Ce pays a deux capitales : **Pretoria** et **Le Cap**.
- Les habitants s'appellent les **Sud-Africains**.

## Burundi

- La capitale est **Bujumbura**.
- Les habitants s'appellent les **Burundais**.

## Algérie

- La capitale est **Alger**.
- Les habitants s'appellent les **Algériens**.

## Cameroun

- La capitale est **Yaoundé**.
- Les habitants s'appellent les **Camerounais**.

## Angola

- La capitale est **Luanda**.
- Les habitants s'appellent les **Angolais**.

## Cap-Vert

- La capitale est **Praia**.
- Les habitants s'appellent les **Cap-Verdiens**.

## Bénin

- La capitale est **Porto-Novo**.
- Les habitants s'appellent les **Béninois**.

## Centrafrique

- La capitale est **Bangui**.
- Les habitants s'appellent les **Centrafricains**.

## Botswana

- La capitale est **Gaborone**.
- Les habitants s'appellent les **Botswanais**.

## Comores

- La capitale est **Moroni**.
- Les habitants s'appellent les **Comoriens**.

## Burkina

- La capitale est **Ouagadougou**.
- Les habitants s'appellent les **Burkinabés** ou **Burkinais**.

## Congo

- La capitale est **Brazzaville**.
- Les habitants s'appellent les **Congolais**.

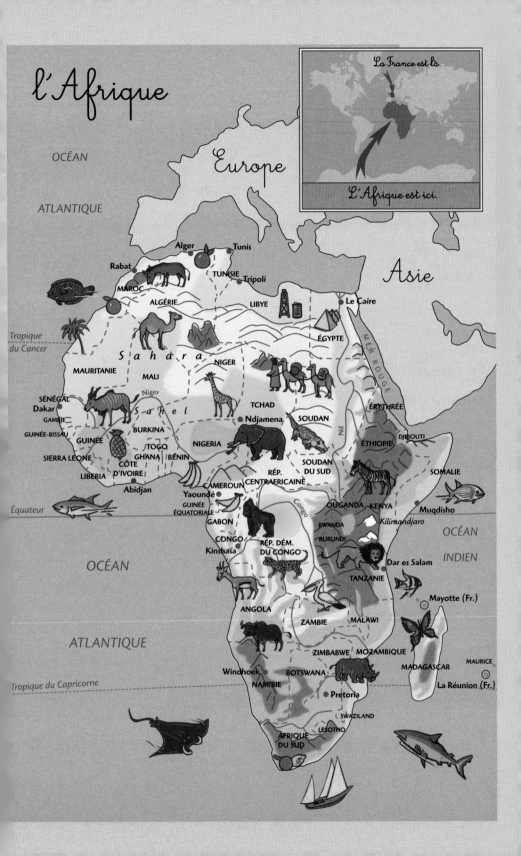

# l'Afrique

OCÉAN
ATLANTIQUE

Europe

Asie

La France est là.

L'Afrique est ici.

Alger
Tunis
Rabat
TUNISIE
Tripoli
MAROC
ALGÉRIE
LIBYE
Le Caire
ÉGYPTE

MER ROUGE

Tropique
du Cancer

S a h a r a

NIGER

MAURITANIE
MALI

Niger

ÉRYTHRÉE

TCHAD

SÉNÉGAL
Dakar
S a h e l
SOUDAN
DJIBOUTI
GAMBIE
Ndjamena
ÉTHIOPIE
GUINÉE-BISSAU
BURKINA
GUINÉE
TOGO
NIGERIA
SIERRA LEONE
GHANA BÉNIN
CÔTE
LIBERIA
D'IVOIRE
SOUDAN
DU SUD
SOMALIE
Abidjan
RÉP.
CENTRAFRICAINE
CAMEROUN
Équateur
Yaoundé
OUGANDA
KENYA
Muqdisho
GUINÉE
ÉQUATORIALE
Kilimandjaro
GABON
RWANDA
OCÉAN
CONGO
BURUNDI
INDIEN
Kinshasa
RÉP. DÉM.
DU CONGO
Congo
Dar es Salam
TANZANIE
Mayotte (Fr.)
ANGOLA
ZAMBIE
MALAWI
MOZAMBIQUE
MAURICE
ZIMBABWE
MADAGASCAR
Windhoek
BOTSWANA
La Réunion (Fr.)
NAMIBIE
Pretoria
SWAZILAND
LESOTHO
AFRIQUE
DU SUD

ATLANTIQUE

Tropique du Capricorne

Nil

# Les pays d'Afrique

## Congo (République démocratique du)
- La capitale est **Kinshasa**.
- Les habitants s'appellent les **Congolais**.

## Gabon
- La capitale est **Libreville**.
- Les habitants s'appellent les **Gabonais**.

## Côte d'Ivoire
- La capitale est **Yamoussoukro**.
- Les habitants s'appellent les **Ivoiriens**.

## Gambie
- La capitale est **Banjul**.
- Les habitants s'appellent les **Gambiens**.

## Djibouti
- La capitale est **Djibouti**.
- Les habitants s'appellent les **Djiboutiens**.

## Ghana
- La capitale est **Accra**.
- Les habitants s'appellent les **Ghanéens**.

## Égypte
- La capitale est **Le Caire**.
- Les habitants s'appellent les **Égyptiens**.

## Guinée
- La capitale est **Conakry**.
- Les habitants s'appellent les **Guinéens**.

## Érythrée
- La capitale est **Asmara**.
- Les habitants s'appellent les **Érythréens**.

## Guinée-Bissau
- La capitale est **Bissau**.
- Les habitants s'appellent les **Bissau-Guinéens**.

## Éthiopie
- La capitale est **Addis-Abeba**.
- Les habitants s'appellent les **Éthiopiens**.

## Guinée équatoriale
- La capitale est **Malabo**.
- Les habitants s'appellent les **Équato-Guinéens**.

# Les pays d'Afrique

## Kenya
- La capitale est **Nairobi**.
- Les habitants s'appellent les **Kényans**.

## Mali
- La capitale est **Bamako**.
- Les habitants s'appellent les **Maliens**.

## Lesotho
- La capitale est **Maseru**.
- Les habitants s'appellent les **Lesothiens** ou **Lesothans**.

## Maroc
- La capitale est **Rabat**.
- Les habitants s'appellent les **Marocains**.

## Liberia
- La capitale est **Monrovia**.
- Les habitants s'appellent les **Libériens**.

## Maurice
- La capitale est **Port-Louis**.
- Les habitants s'appellent les **Mauriciens**.

## Libye
- La capitale est **Tripoli**.
- Les habitants s'appellent les **Libyiens**.

## Mauritanie
- La capitale est **Nouakchott**.
- Les habitants s'appellent les **Mauritaniens**.

## Madagascar
- La capitale est **Antananarivo**.
- Les habitants s'appellent les **Malgaches**.

## Mozambique
- La capitale est **Maputo**.
- Les habitants s'appellent les **Mozambicains**.

## Malawi
- La capitale est **Lilongwe**.
- Les habitants s'appellent les **Malawites** ou **Malawiens**.

## Namibie
- La capitale est **Windhoek**.
- Les habitants s'appellent les **Namibiens**.

# Les pays d'Afrique

## Niger
- La capitale est **Niamey**.
- Les habitants s'appellent les **Nigériens**.

## Seychelles
- La capitale est **Victoria**.
- Les habitants s'appellent les **Seychellois**.

## Nigeria
- La capitale est **Abuja**.
- Les habitants s'appellent les **Nigérians**.

## Sierra Leone
- La capitale est **Freetown**.
- Les habitants s'appellent les **Sierra-Léonais**.

## Ouganda
- La capitale est **Kampala**.
- Les habitants s'appellent les **Ougandais**.

## Somalie
- La capitale est **Muqdisho (Mogadiscio)**.
- Les habitants s'appellent les **Somaliens**.

## Rwanda
- La capitale est **Kigali**.
- Les habitants s'appellent les **Rwandais**.

## Soudan
- La capitale est **Khartoum**.
- Les habitants s'appellent les **Soudanais**.

## São Tomé-et-Príncipe
- La capitale est **São Tomé**.
- Les habitants s'appellent les **Santoméens**.

## Soudan du Sud
- La capitale est **Djouba (Juba)**.
- Les habitants s'appellent les **Soudanais du Sud** ou **Sud-Soudanais**.

## Sénégal
- La capitale est **Dakar**.
- Les habitants s'appellent les **Sénégalais**.

## Swaziland
- La capitale est **Mbabane**.
- Les habitants s'appellent les **Swazis**.

# Les pays d'Afrique

## Tanzanie

- Ce pays a deux capitales : **Dar es Salam** et **Dodoma**.
- Les habitants s'appellent les **Tanzaniens**.

## Tunisie

- La capitale est **Tunis**.
- Les habitants s'appellent les **Tunisiens**.

## Tchad

- La capitale est **Ndjamena**.
- Les habitants s'appellent les **Tchadiens**.

## Zambie

- La capitale est **Lusaka**.
- Les habitants s'appellent les **Zambiens**.

## Togo

- La capitale est **Lomé**.
- Les habitants s'appellent les **Togolais**.

## Zimbabwe

- La capitale est **Harare**.
- Les habitants s'appellent les **Zimbabwéens**.

*la grande mosquée de Djenné (Mali)*

*des dunes de sable (Sud du Maroc)*

*des baobabs (Sénégal)*

# Les pays d'Amérique

## Antigua-et-Barbuda

- La capitale est **Saint John's**.
- Les habitants s'appellent les **Antiguayens**.

## Brésil

- La capitale est **Brasilia**.
- Les habitants s'appellent les **Brésiliens**.

## Argentine

- La capitale est **Buenos Aires**.
- Les habitants s'appellent les **Argentins**.

## Canada

- La capitale est **Ottawa**.
- Les habitants s'appellent les **Canadiens**.

## Bahamas

- La capitale est **Nassau**.
- Les habitants s'appellent les **Bahaméens** ou **Bahamiens**.

## Chili

- La capitale est **Santiago**.
- Les habitants s'appellent les **Chiliens**.

## Barbade

- La capitale est **Bridgetown**.
- Les habitants s'appellent les **Barbadiens**.

## Colombie

- La capitale est **Bogota**.
- Les habitants s'appellent les **Colombiens**.

## Belize

- La capitale est **Belmopan**.
- Les habitants s'appellent les **Béliziens**.

## Costa Rica

- La capitale est **San José**.
- Les habitants s'appellent les **Costaricains** ou **Costariciens**.

## Bolivie

- Ce pays a deux capitales : **Sucre** et **La Paz**.
- Les habitants s'appellent les **Boliviens**.

## Cuba

- La capitale est **La Havane**.
- Les habitants s'appellent les **Cubains**.

Asie

ÉTATS-UNIS
(Alaska)

Groenland
(Danemark)

Cercle polaire arctique

OCÉAN

CANADA

Baie
d'Hudson

Vancouver

PACIFIQUE

Québec

Chicago  Montréal

ÉTATS-UNIS

Ottawa

San Francisco

New York

Saint-Pierre-et-Miquelon
(Fr.)

Los Angeles

Washington

L'Amérique
du Nord

Cap Canaveral

Miami

MEXIQUE

Mexico

Tropique du Cancer

CUBA

JAMAÏQUE

RÉP. DOMINICAINE

Porto Rico (É.-U.)

BELIZE

HAÏTI

GUATEMALA

HONDURAS

Guadeloupe (Fr.)

Antilles

Martinique (Fr.)

OCÉAN

SALVADOR

NICARAGUA

L'Amérique
centrale

COSTA RICA

VENEZUELA

PANAMA

COLOMBIE

GUYANA

SURINAME

Kourou

ATLANTIQUE

Guyane (Fr.)

Équateur

ÉQUATEUR

Amazonie

Amazone

OCÉAN

BRÉSIL

PÉROU

Lima

PACIFIQUE

BOLIVIE

Brasilia

Rio de Janeiro

Tropique du Capricorne

PARAGUAY

L'Amérique
du Sud

Santiago

URUGUAY

Buenos Aires

CHILI

ARGENTINE

Cap Horn

Terre de Feu

Îles Falkland
(G.-B.)

La France est là.

L'Amérique est ici.

Montagnes Rocheuses

Appalaches

Mississippi

Cordillère des Andes

# Les pays d'Amérique

## dominicaine (République)

- La capitale est **Saint-Domingue**.
- Les habitants s'appellent les **Dominicains**.

## Guyana

- La capitale est **Georgetown**.
- Les habitants s'appellent les **Guyaniens**.

## Dominique

- La capitale est **Roseau**.
- Les habitants s'appellent les **Dominiquais**.

## Haïti

- La capitale est **Port-au-Prince**.
- Les habitants s'appellent les **Haïtiens**.

## Équateur

- La capitale est **Quito**.
- Les habitants s'appellent les **Équatoriens**.

## Honduras

- La capitale est **Tegucigalpa**.
- Les habitants s'appellent les **Honduriens**.

## États-Unis

- La capitale est **Washington**.
- Les habitants s'appellent les **Américains** ou **États-Uniens**.

## Jamaïque

- La capitale est **Kingston**.
- Les habitants s'appellent les **Jamaïquains** ou **Jamaïcains**.

## Grenade

- La capitale est **Saint George's**.
- Les habitants s'appellent les **Grenadiens**.

## Mexique

- La capitale est **Mexico**.
- Les habitants s'appellent les **Mexicains**.

## Guatemala

- La capitale est **Guatemala**.
- Les habitants s'appellent les **Guatémaltèques**.

## Nicaragua

- La capitale est **Managua**.
- Les habitants s'appellent les **Nicaraguayens**.

# Les pays d'Amérique

## Panama

- La capitale est **Panama**.
- Les habitants s'appellent les **Panaméens**.

## Salvador

- La capitale est **San Salvador**.
- Les habitants s'appellent les **Salvadoriens**.

## Paraguay

- La capitale est **Asunción**.
- Les habitants s'appellent les **Paraguayens**.

## Suriname

- La capitale est **Paramaribo**.
- Les habitants s'appellent les **Surinamiens** ou **Surinamais**.

## Pérou

- La capitale est **Lima**.
- Les habitants s'appellent les **Péruviens**.

## Trinité-et-Tobago

- La capitale est **Port of Spain**.
- Les habitants s'appellent les **Trinidadiens**.

## Sainte-Lucie

- La capitale est **Castries**.
- Les habitants s'appellent les **Saint-Luciens** ou **Luciens**.

## Uruguay

- La capitale est **Montevideo**.
- Les habitants s'appellent les **Uruguayens**.

## Saint-Kitts-et-Nevis

- La capitale est **Basseterre**.
- Les habitants s'appellent les **Kittitiens** ou **Néviciens**.

## Venezuela

- La capitale est **Caracas**.
- Les habitants s'appellent les **Vénézuéliens**.

## Saint-Vincent-et-les-Grenadines

- La capitale est **Kingstown**.
- Les habitants s'appellent les **Saint-Vincentais-et-Grenadins** ou **Vincentais**.

*les chutes du Niagara (États-Unis)*

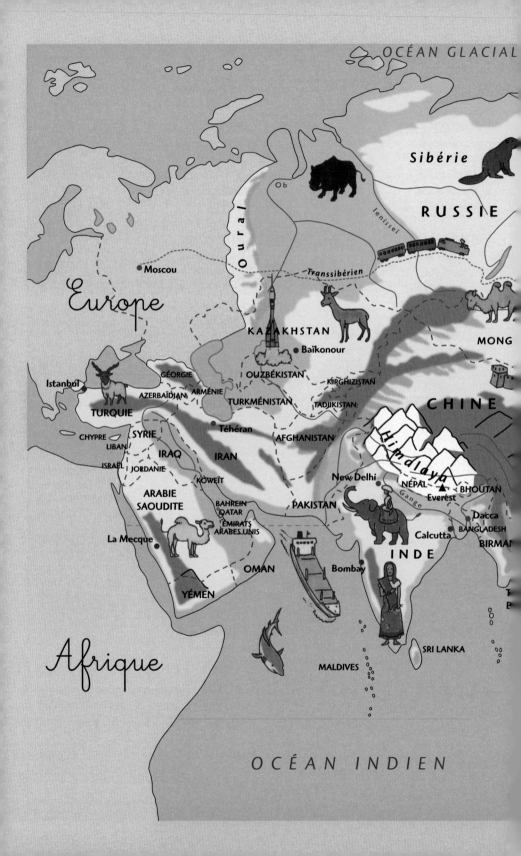

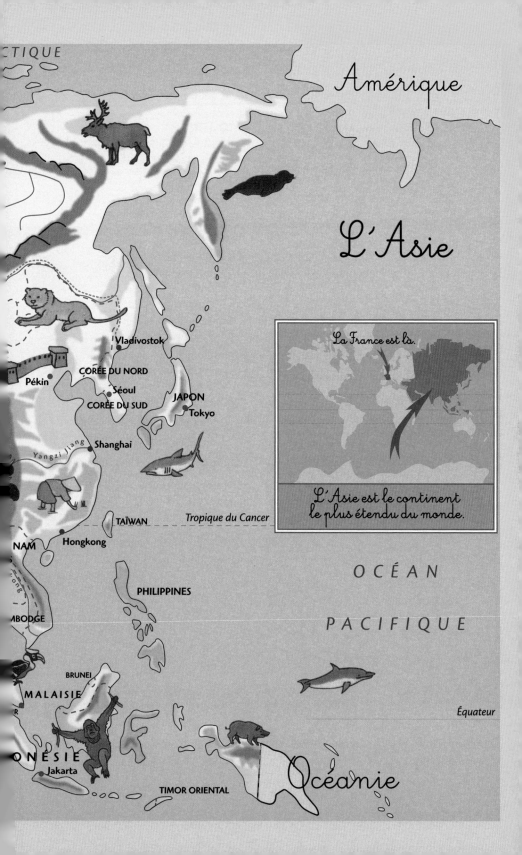

CTIQUE

Amérique

L'Asie

Vladivostok

CORÉE DU NORD

Pékin

Séoul

CORÉE DU SUD

JAPON

Tokyo

Shanghai

Yangzi Jiang

TAÏWAN                Tropique du Cancer

NAM          Hongkong

PHILIPPINES

MBODGE

BRUNEI

MALAISIE

ONÉSIE

Jakarta

TIMOR ORIENTAL

La France est là.

L'Asie est le continent
le plus étendu du monde.

OCÉAN

PACIFIQUE

Équateur

Océanie

# Les pays d'Asie

## Afghanistan
- La capitale est **Kaboul**.
- Les habitants s'appellent les **Afghans**.

## Bhoutan
- La capitale est **Thimbu**.
- Les habitants s'appellent les **Bhoutanais**.

## Arabie saoudite
- La capitale est **Riyad**.
- Les habitants s'appellent les **Saoudiens**.

## Birmanie (Myanmar)
- La capitale est **Nay Pyi Taw**.
- Les habitants s'appellent les **Birmans**.

## Arménie
- La capitale est **Erevan**.
- Les habitants s'appellent les **Arméniens**.

## Brunei
- La capitale est **Bandar Seri Begawan**.
- Les habitants s'appellent les **Brunéiens**.

## Azerbaïdjan
- La capitale est **Bakou**.
- Les habitants s'appellent les **Azerbaïdjanais** ou **Azéris**.

## Cambodge
- La capitale est **Phnom Penh**.
- Les habitants s'appellent les **Cambodgiens**.

## Bahreïn
- La capitale est **Manama**.
- Les habitants s'appellent les **Bahreïniens**.

## Chine (République populaire de)
- La capitale est **Pékin**.
- Les habitants s'appellent les **Chinois**.

## Bangladesh
- La capitale est **Dacca**.
- Les habitants s'appellent les **Bangladais** ou **Bangladeshis**.

## Corée du Nord
- La capitale est **Pyongyang**.
- Les habitants s'appellent les **Nord-Coréens**.

# Les pays d'Asie

## Corée du Sud
- La capitale est **Séoul**.
- Les habitants s'appellent les **Sud-Coréens**.

## Iraq
- La capitale est **Bagdad**.
- Les habitants s'appellent les **Irakiens** ou **Iraquiens**.

## Émirats arabes unis
- La capitale est **Abu Dhabi**.
- Les habitants s'appellent les **Émiriens** ou **Émiratis**.

## Israël
- La capitale est **Jérusalem**.
- Les habitants s'appellent les **Israéliens**.

## Géorgie
- La capitale est **Tbilissi**.
- Les habitants s'appellent les **Géorgiens**.

## Japon
- La capitale est **Tokyo**.
- Les habitants s'appellent les **Japonais**.

## Inde
- La capitale est **New Delhi**.
- Les habitants s'appellent les **Indiens**.

## Jordanie
- La capitale est **Amman**.
- Les habitants s'appellent les **Jordaniens**.

## Indonésie
- La capitale est **Jakarta**.
- Les habitants s'appellent les **Indonésiens**.

## Kazakhstan
- La capitale est **Astana**.
- Les habitants s'appellent les **Kazakhs** ou **Kazakhstanais**.

## Iran
- La capitale est **Téhéran**.
- Les habitants s'appellent les **Iraniens**.

## Kirghizistan
- La capitale est **Bichkek**.
- Les habitants s'appellent les **Kirghiz** ou **Kirghizes**.

# Les pays d'Asie

## Koweït

- La capitale est **Koweït**.
- Les habitants s'appellent les **Koweïtiens**.

## Népal

- La capitale est **Katmandou**.
- Les habitants s'appellent les **Népalais**.

## Laos

- La capitale est **Vientiane**.
- Les habitants s'appellent les **Laotiens**.

## Oman

- La capitale est **Mascate**.
- Les habitants s'appellent les **Omanais**.

## Liban

- La capitale est **Beyrouth**.
- Les habitants s'appellent les **Libanais**.

## Ouzbékistan
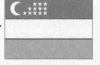
- La capitale est **Tachkent**.
- Les habitants s'appellent les **Ouzbeks**.

## Malaisie

- Ce pays a deux capitales : **Kuala Lumpur** et **Putrajaya**.
- Les habitants s'appellent les **Malaisiens**.

## Pakistan

- La capitale est **Islamabad**.
- Les habitants s'appellent les **Pakistanais**.

## Maldives (îles)

- La capitale est **Malé**.
- Les habitants s'appellent les **Maldiviens**.

## Philippines

- La capitale est **Manille**.
- Les habitants s'appellent les **Philippins**.

## Mongolie

- La capitale est **Oulan-Bator**.
- Les habitants s'appellent les **Mongols**.

## Qatar

- La capitale est **Doha**.
- Les habitants s'appellent les **Qatariens** ou **Qataris**.

# Les pays d'Asie

## Singapour
- La capitale est **Singapour**.
- Les habitants s'appellent les **Singapouriens**.

## Timor oriental
- La capitale est **Dili**.
- Les habitants s'appellent les **Est-Timorais** ou **Timorais**.

## Sri Lanka
- Ce pays a deux capitales : **Colombo** et **Sri Jayawardenepura Kotte**.
- Les habitants s'appellent les **Sri Lankais**.

## Turkménistan
- La capitale est **Achgabat**.
- Les habitants s'appellent les **Turkmènes**.

## Syrie
- La capitale est **Damas**.
- Les habitants s'appellent les **Syriens**.

## Turquie
- La capitale est **Ankara**.
- Les habitants s'appellent les **Turcs**.

## Tadjikistan
- La capitale est **Douchanbe**.
- Les habitants s'appellent les **Tadjiks**.

## Viêt Nam
- La capitale est **Hanoï**.
- Les habitants s'appellent les **Vietnamiens**.

## Taïwan
- La capitale est **Taipei**.
- Les habitants s'appellent les **Taïwanais**.

## Yémen
- La capitale est **Sanaa**.
- Les habitants s'appellent les **Yéménites**.

## Thaïlande
- La capitale est **Bangkok**.
- Les habitants s'appellent les **Thaïlandais**.

*des plantations de thé (Japon)*

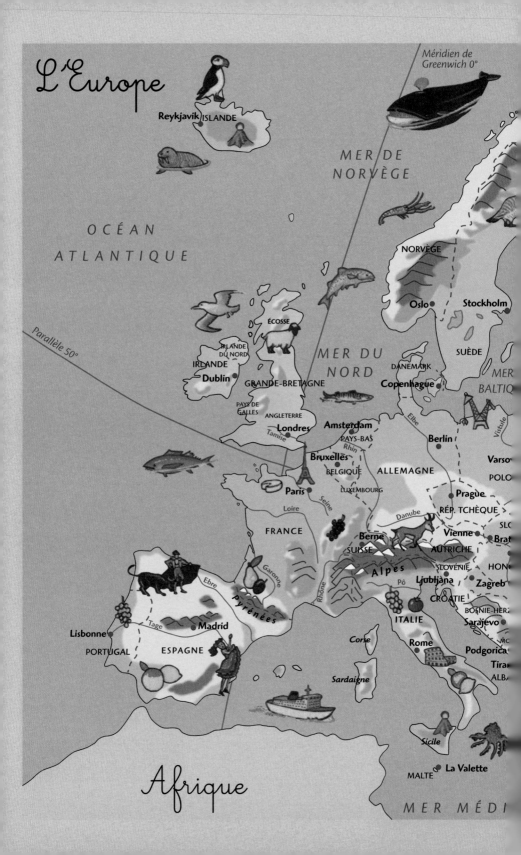

# L'Europe

Méridien de Greenwich 0°

**Reykjavik** ISLANDE

MER DE NORVÈGE

OCÉAN ATLANTIQUE

NORVÈGE

Parallèle 50°

Oslo ● **Stockholm**

ÉCOSSE

MER DU NORD

SUÈDE

IRLANDE DU NORD

DANEMARK

MER BALTIQ

IRLANDE **Dublin** ●

**Copenhague**

GRANDE-BRETAGNE

Elbe

**Berlin**

PAYS DE GALLES

ANGLETERRE

Vistule

**Londres** ●
Tamise

**Amsterdam**
PAYS-BAS

**Varso**

Rhin

POLO

**Bruxelles** ●
BELGIQUE

**Prague** ●

**Paris** ●
Seine

LUXEMBOURG

ALLEMAGNE

Danube

RÉP. TCHÈQUE

SLO

FRANCE

Loire

**Berne** ●

**Vienne** ●

**Bra**

SUISSE

AUTRICHE

HON

Garonne

Alpes

SLOVÉNIE

Ebre

Pyrénées

Rhône

Pô

**Ljubljana** ●

**Zagreb** ●

CROATIE

BOSNIE-HERZ

Tage

**Madrid** ●

ITALIE

**Sarajevo** ●

**Lisbonne** ●

Corse

**Rome** ●

MO

**Podgorica**

PORTUGAL

ESPAGNE

**Tira**

ALB

Sardaigne

Sicile

**La Valette**

MALTE

# Afrique

MER MÉDI

FINLANDE

RUSSIE

Helsinki

Tallinn
ESTONIE

Riga
LETTONIE

JANIE
nius

Minsk

BIÉLORUSSIE

Kiev

UKRAINE

Chişinău

MOLDAVIE

UMANIE
Carpates
de
Bucarest

Danube

Sofia

BULGARIE

opje
OINE

Athènes

CE

Crète

RANÉE

Volga

Moscou

O u r a l

Transsibérien

Don

Dniepr

Volga

MER
CASPIENNE

Caucase

MER NOIRE

Asie

L'Europe est ici.

# Les pays d'Europe

## Albanie
- La capitale est **Tirana**.
- Les habitants s'appellent les **Albanais**.

## Bosnie-Herzégovine
- La capitale est **Sarajevo**.
- Les habitants s'appellent les **Bosniens**.

## Allemagne
- La capitale est **Berlin**.
- Les habitants s'appellent les **Allemands**.

## Bulgarie
- La capitale est **Sofia**.
- Les habitants s'appellent les **Bulgares**.

## Andorre
- La capitale est **Andorre-la-Vieille**.
- Les habitants s'appellent les **Andorrans**.

## Chypre (Europe /Asie)
- La capitale est **Nicosie**.
- Les habitants s'appellent les **Chypriotes** ou **Cypriotes**.

## Autriche
- La capitale est **Vienne**.
- Les habitants s'appellent les **Autrichiens**.

## Croatie
- La capitale est **Zagreb**.
- Les habitants s'appellent les **Croates**.

## Belgique
- La capitale est **Bruxelles**.
- Les habitants s'appellent les **Belges**.

## Danemark
- La capitale est **Copenhague**.
- Les habitants s'appellent les **Danois**.

## Biélorussie (Bélarus)
- La capitale est **Minsk**.
- Les habitants s'appellent les **Biélorusses**, les **Bélarusses** ou les **Bélarussiens**.

## Espagne
- La capitale est **Madrid**.
- Les habitants s'appellent les **Espagnols**.

# Les pays d'Europe

## Estonie
- La capitale est **Tallinn**.
- Les habitants s'appellent les **Estoniens**.

## Irlande
- La capitale est **Dublin**.
- Les habitants s'appellent les **Irlandais**.

## Finlande
- La capitale est **Helsinki**.
- Les habitants s'appellent les **Finlandais**.

## Islande
- La capitale est **Reykjavik**.
- Les habitants s'appellent les **Islandais**.

## France
- La capitale est **Paris**.
- Les habitants s'appellent les **Français**.

## Italie
- La capitale est **Rome**.
- Les habitants s'appellent les **Italiens**.

## Grande-Bretagne et d'Irlande du Nord (Royaume-uni de)
- La capitale est **Londres**.
- Les habitants s'appellent les **Britanniques**.

## Kosovo
- La capitale est **Pristina**.
- Les habitants s'appellent les **Kosovars** ou **Kosoviens**.

## Grèce
- La capitale est **Athènes**.
- Les habitants s'appellent les **Grecs**.

## Lettonie
- La capitale est **Riga**.
- Les habitants s'appellent les **Lettons**.

## Hongrie
- La capitale est **Budapest**.
- Les habitants s'appellent les **Hongrois**.

## Liechtenstein
- La capitale est **Vaduz**.
- Les habitants s'appellent les **Liechtensteinois**.

# Les pays d'Europe

## Lituanie
- La capitale est **Vilnius**.
- Les habitants s'appellent les **Lituaniens**.

## Luxembourg
- La capitale est **Luxembourg**.
- Les habitants s'appellent les **Luxembourgeois**.

## Macédoine
- La capitale est **Skopje**.
- Les habitants s'appellent les **Macédoniens**.

## Malte
- La capitale est **La Valette**.
- Les habitants s'appellent les **Maltais**.

## Moldavie
- La capitale est **Chişinău**.
- Les habitants s'appellent les **Moldaves**.

## Monaco
- La capitale est **Monaco**.
- Les habitants s'appellent les **Monégasques**.

## Monténégro
- La capitale est **Podgorica**.
- Les habitants s'appellent les **Monténégrins**.

## Norvège
- La capitale est **Oslo**.
- Les habitants s'appellent les **Norvégiens**.

## Pays-Bas
- La capitale est **Amsterdam**.
- Les habitants s'appellent les **Néerlandais**.

## Pologne
- La capitale est **Varsovie**.
- Les habitants s'appellent les **Polonais**.

## Portugal
- La capitale est **Lisbonne**.
- Les habitants s'appellent les **Portugais**.

## Roumanie
- La capitale est **Bucarest**.
- Les habitants s'appellent les **Roumains**.

# Les pays d'Europe

## Russie
## (Europe et Asie)

- La capitale est **Moscou**.
- Les habitants s'appellent les **Russes**.

## Suède

- La capitale est **Stockholm**.
- Les habitants s'appellent les **Suédois**.

## Saint-Marin

- La capitale est **Saint-Marin**.
- Les habitants s'appellent les **Saint-Marinais**.

## Suisse

- La capitale est **Berne**.
- Les habitants s'appellent les **Suisses**.

## Serbie

- La capitale est **Belgrade**.
- Les habitants s'appellent les **Serbes**.

## tchèque
## (République)

- La capitale est **Prague**.
- Les habitants s'appellent les **Tchèques**.

## Slovaquie

- La capitale est **Bratislava**.
- Les habitants s'appellent les **Slovaques**.

## Ukraine

- La capitale est **Kiev**.
- Les habitants s'appellent les **Ukrainiens**.

## Slovénie

- La capitale est **Ljubljana**.
- Les habitants s'appellent les **Slovènes**.

## Vatican

Situé à Rome, c'est le plus petit État du monde. Il est dirigé par le pape.

*les ponts de Prague (République tchèque)*

*le château de l'île de Donan en Écosse (Grande-Bretagne)*

# L'Océanie

Asie

O C É A N

P A C I F I Q

Mariannes du Nord (É.-U.)

ÎLES MARSHALL

PALAOS

ÉTATS FÉDÉRÉS DE MICRONÉSIE

KIRIBAT

NAURU

PAPOUASIE-NOUVELLE-GUINÉE

ÎLES SALOMON

VANUATU

Wallis-et-Futuna (Fr.)

FIDJI

Nouvelle-Calédonie (Fr.)

Nouméa

AUSTRALIE

Perth

Sydney

Canberra

Melbourne

Auckland

NOUVELLE-ZÉLANDE

Welling

Tasmanie (Austr.)

O C É A N
I N D I E N

Amérique

La France est là.

L'Océanie est ici.

Tropique du Cancer

Hawaii (É.-U.)

KIRIBATI

...moa (É.-U.)

...NGA

OCÉAN

PACIFIQUE

Équateur

Îles Marquises

Polynésie française

Papeete Tahiti

Tropique du Capricorne

L'Océanie est constituée
d'un immense pays, l'Australie,
et de très nombreuses îles
de l'océan Pacifique.

# Les pays d'Océanie

## Australie

• La capitale est **Canberra**.
• Les habitants s'appellent les **Australiens**.

## Palaos

• La capitale est **Melekeok**.
• Les habitants s'appellent les **Palaois** ou **Palaosiens**.

## Fidji (îles)

• La capitale est **Suva**.
• Les habitants s'appellent les **Fidjiens**.

## Papouasie-Nouvelle-Guinée
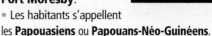
• La capitale est **Port Moresby**.
• Les habitants s'appellent les **Papouasiens** ou **Papouans-Néo-Guinéens**.

## Kiribati

• La capitale est **Tarawa**.
• Les habitants s'appellent les **Kiribatiens**.

## Salomon (îles)

• La capitale est **Honiara**.
• Les habitants s'appellent les **Salomonais** ou **Salomoniens**.

## Marshall (îles)

• La capitale est **Majuro**.
• Les habitants s'appellent les **Marshallais**.

## Samoa

• La capitale est **Apia**.
• Les habitants s'appellent les **Samoans** ou **Samoens**.

## Micronésie (États fédérés de)

• La capitale est **Palikir**.
• Les habitants s'appellent les **Micronésiens**.

## Tonga

• La capitale est **Nuku'alofa**.
• Les habitants s'appellent les **Tongiens** ou **Tonguiens**.

## Nauru

• La capitale est **Yaren**.
• Les habitants s'appellent les **Nauruans**.

## Tuvalu

• La capitale est **Funafuti**.
• Les habitants s'appellent les **Tuvalais** ou **Tuvaluans**.

## Nouvelle-Zélande

• La capitale est **Wellington**.
• Les habitants s'appellent les **Néo-Zélandais**.

## Vanuatu

• La capitale est **Port-Vila**.
• Les habitants s'appellent les **Vanuatais** ou **Vanouatais**.

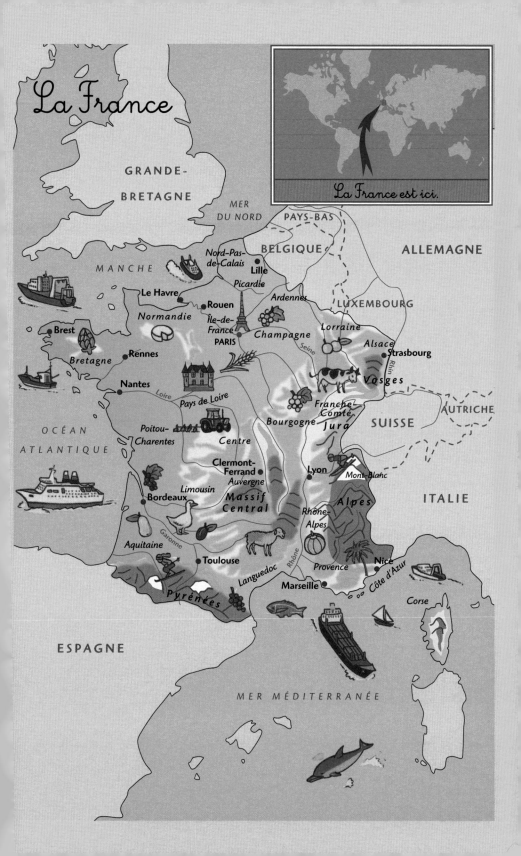

# La France d'outre-mer

## Guadeloupe

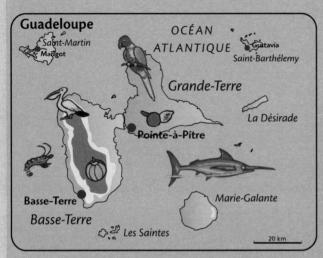

OCÉAN ATLANTIQUE

Saint-Martin
Marigot

Gustavia
Saint-Barthélemy

Grande-Terre

La Désirade

Pointe-à-Pitre

Basse-Terre

Basse-Terre

Les Saintes

Marie-Galante

20 km

## Martinique

Fort-de-France

OCÉAN ATLANTIQUE

20 km

## La Réunion

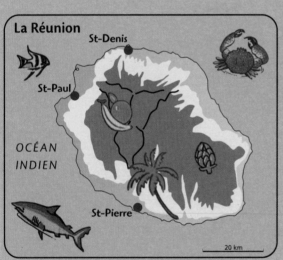

St-Denis

St-Paul

OCÉAN INDIEN

St-Pierre

20 km

## Guyane

OCÉAN ATLANTIQUE

Cayenne

SURINAME

BRÉSIL

100 km

## Nouvelle-Amsterdam

OCÉAN INDIEN

5 km

## Kerguelen

OCÉAN INDIEN

5 km

## St-Paul

OCÉAN INDIEN

Golfe des Baleiniers

50 km

## Îles Crozet

OCÉAN INDIEN

50 km

## Nouvelle-Calédonie

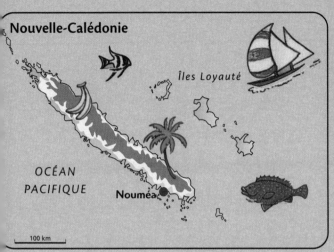

Îles Loyauté

OCÉAN
PACIFIQUE

Nouméa

100 km

## Mayotte

OCÉAN
INDIEN

Mamoudzou

10 km

## Polynésie française

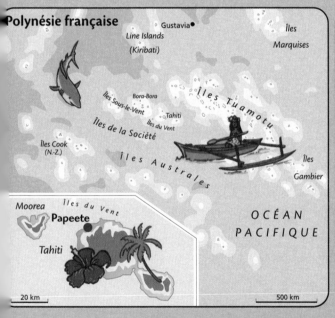

Gustavia

Line Islands
(Kiribati)

Îles
Marquises

Bora-Bora

Îles Tuamotu

Îles Sous-le-Vent

Tahiti

Îles du Vent

Îles de la Société

Îles Cook
(N.-Z.)

Îles Australes

Îles
Gambier

OCÉAN
PACIFIQUE

Moorea

Îles du Vent

Papeete

Tahiti

20 km

500 km

## Saint-Pierre-et-Miquelon

Grande
Miquelon

Miquelon

Langlade
(Pte Miquelon)

Saint-Pierre

Saint-Pierre

OCÉAN
ATLANTIQUE

10 km

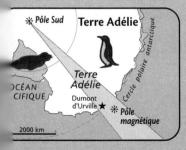

Pôle Sud

**Terre Adélie**

Terre
Adélie

OCÉAN
PACIFIQUE

Dumont
d'Urville

Pôle
magnétique

Cercle polaire antarctique

2000 km

## Wallis

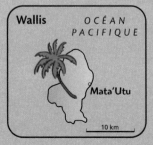

OCÉAN
PACIFIQUE

Mata'Utu

10 km

## Futuna

OCÉAN
PACIFIQUE

Îles de Hoorn

10 km

# Frise historique

Dans les pages qui suivent se trouve une **frise historique illustrée**. Elle présente les événements importants de l'histoire de France et du Monde dans l'ordre dans lequel ils se sont déroulés.

La **flèche du temps** est découpée en six périodes, de durée très inégale.

*apparition
de l'homme*

*l'empereur romain
Auguste*

*le baptême de Clovis,
premier roi des Francs*

La **Préhistoire**
s'étend sur
plusieurs millions
d'années.

L'**Antiquité**
s'étend sur
environ
4000 ans.

Le **Moyen Âge**
est une période
qui dure plus
de mille ans.

# Frise historique

On compte les années à partir de l'an 1 (considéré comme l'année de la naissance de Jésus-Christ). Pour dater les événements survenus avant l'an 1, on met le signe moins devant l'année ou la date. Par exemple, la bataille d'Alésia a eu lieu en – 52. (On peut dire aussi en 52 avant Jésus-Christ.)

*Louis XIV,*
*le Roi Soleil*

*l'empereur*
*Napoléon Ier*

*le premier homme*
*sur la Lune*

Les **Temps modernes** s'étendent sur environ trois siècles, soit trois cents ans.

Les **18e et 19e siècles** représentent deux cents ans.

Les **20e et 21e siècles** : c'est l'époque la plus proche de nous.

*La flèche du temps*

| PRÉHISTOIRE | ANTIQUITÉ | MOYEN ÂGE |
|---|---|---|
| -7 millions d'années | -3 500 ans | 476 |

# Préhistoire — De l'apparition de l'homme...

## -7 millions d'années

**Toumaï.**
Le plus ancien crâne trouvé en Afrique.

## -3,7 millions d'années

**Lucy.**
Le plus célèbre squelette **d'australopithèque** découvert en Afrique.

## -2,5 millions d'années

*Homo habilis* (homme habile).
L'homme habile utilise les premiers outils.

## -1,8 million d'années

*Homo erectus* (homme debout).
L'homme marche sur deux pieds.

# Antiquité — De l'invention de l'écriture...

## -3 500 ans

Développement des premières grandes civilisations en **Mésopotamie** et en **Égypte**.

*Invention de l'écriture en Mésopotamie et en Égypte.*

## -2 550 ans

Construction de la **pyramide** de Khéops.

## -753

Fondation légendaire de **Rome**.

## -750

Les **Celtes** s'installent en **Gaule**.

## -508

Début de la démocratie à **Athènes**.

## ...à l'invention de l'écriture

| -1,5 million d'années | -450 000 ans | -180 000 ans | -30 000 ans | -10 000 ans |
|---|---|---|---|---|

Premiers bifaces.

L'homme utilise le **feu**.

*Homo sapiens* **(homme qui pense)** L'homme qui pense est le premier à parler.

L'homme **peint** l'intérieur de certaines grottes.

L'homme fait de **l'agriculture** et de **l'élevage**.

-3500 naissance de l'écriture

## ...à la fin de l'Empire romain

| de -58 à -51 | -27 | 406 |
|---|---|---|

Conquête de la **Gaule** par les **Romains**, menés par **Jules César**.

**-52** Vercingétorix est battu par Jules César à **Alésia**.

Fondation de **l'Empire romain** par Auguste.

*vers -6 à 30* *Vie de **Jésus**.*

Début des **invasions barbares** en Gaule.

476 fin de l'Empire romain

741

*La flèche du temps*

| PRÉHISTOIRE | ANTIQUITÉ | MOYEN ÂGE |
|---|---|---|
| -7 millions d'années | -3 500 ans | 476 |

# Moyen âge
### De la fin de l'Empire romain d'Occident.

**476**

**L'Empire romain d'Occident**, affaibli par les invasions barbares, **s'effondre**.

**481-511**

Règne de **Clovis**, premier **roi des Francs**.

**496**
**baptême** de Clovis.

**570-632**

Vie de **Mahomet**, le fondateur de l'**islam**.

**622**
Début du calendrier musulman (*hégire*).

**714**

Arrivée des **Arabes** dans le royaume franc.

**732**
**Charles Martel** arrête les armées arabes à **Poitiers**.

# Temps modernes
### De la découverte de l'Amérique.

**1492**

**Christophe Colomb** débarque sur une terre inconnue : l'**Amérique**.

**vers 1503 -1507**

**Léonard de Vinci** peint *La Joconde*.

**1515-1547**

Règne de **François Ier**.

**1515**

**François Ier** remporte la bataille de **Marignan** (Italie).

**1519-1521**

Le navigateur **Magellan** fait le premier **tour du monde**.

**1543**

L'astronome Nicolas **Copernic** affirme que la Terre tourne autour du Soleil.

## ...à la découverte de l'Amérique

### 768-814

Règne de **Charlemagne**.

**800**
**Charlemagne** est sacré empereur à Rome.

### 1096-1270

Les **croisades**

**1270**
Mort du roi **Saint Louis**.

### 1337-1453

**Guerre de Cent Ans** entre les Anglais et les Français.

**1429**
**Jeanne d'Arc** libère **Orléans**.

### vers 1440

**Gutenberg** invente **l'imprimerie**. Le premier livre imprimé est la **Bible**.

### 1453

Les Turcs s'emparent de **Constantinople**, la capitale de l'Empire romain d'Orient.

**Fin de l'Empire romain d'Orient**.

**1492**
**découverte de l'Amérique**

## ...à la Révolution française

### 1562-1598

**Guerres de Religion** entre catholiques et protestants.

**août 1572**
Massacre de **la Saint-Barthélemy**.

**1589-1610**
Règne d'**Henri IV**.

### 1643-1715

Règne de **Louis XIV**, le Roi-Soleil.

### 1765

Le Britannique James **Watt** perfectionne la **machine à vapeur**.

### 1774-1792

Règne de **Louis XVI**.

**1776**
Les **États-Unis** déclarent leur **indépendance**.

**14 juillet 1789**
**prise de la Bastille**

743

| PRÉHISTOIRE | ANTIQUITÉ | MOYEN ÂGE |
|---|---|---|
| -7 millions d'années | -3 500 ans | 476 |

# 18ᵉ-19ᵉ siècles     De la Révolution française...

**14 juillet 1789**

Prise de la Bastille : c'est le début de la **Révolution française**.

**26 août 1789**

**Déclaration des droits de l'homme et du citoyen.**

**1792**

Proclamation de la **Première République**.

**1800**

L'Italien Alessandro **Volta** invente la **pile électrique**.

**1804-1814**

**Premier Empire : Napoléon Iᵉʳ** est empereur.

**1814-1830**

Restauration de la royauté.

**Révolution de 1830**

**Louis-Philippe** devient roi.

# 20ᵉ-21ᵉ siècles     De la Première Guerre mondiale...

**1914-1918**

**Première Guerre mondiale.**

**1917**

**Révolution russe.**

**1929**

Le monde connaît une grave **crise économique**.

**1933**

**Adolf Hitler**, chef du parti nazi, arrive au pouvoir en Allemagne.

**1939-1945**

**Seconde Guerre mondiale.**

**6 juin 1944**

**Débarquement** des troupes alliées en Normandie.

**1945**

**Création de l'ONU** (Organisation des nations unies).

En France, **les femmes votent** pour la première fois.

## ...à la Première Guerre mondiale

### 1848-1852

**Deuxième République.**

**Révolution de 1848**

Les **hommes** obtiennent le **droit de vote**. L'**esclavage** est aboli.

### 1852-1870

**Second Empire : Napoléon III** est empereur.

**1870**

**Guerre** entre la **France** et la **Prusse**.

### 1870

Proclamation de la **Troisième République**.

**1882**

**Jules Ferry** crée l'école gratuite, laïque et obligatoire.

### 1885

Louis **Pasteur** réalise le **vaccin contre la rage**.

**1890**

Premier vol en **avion** de Clément Ader.

**1895**

Les frères **Lumière** inventent le **cinéma**.

1914. début de la Première Guerre mondiale

## ...à nos jours

### 1957

Débuts de **l'union économique européenne**.

### 1958

Début de la **Cinquième République. Charles de Gaulle** devient président.

### 1969

L'Américain Neil **Armstrong** est le premier homme à marcher sur la **Lune**.

### 1989

**Chute du mur de Berlin.**

**1990**

**Réunification** de l'Allemagne.

### 2002

L'**euro** est adopté comme **monnaie unique** par plusieurs des pays de l'**Union européenne**.

Aujourd'hui, la Terre compte 7 milliards d'habitants

# Mes mots d'anglais

## Animals
Les animaux

## My house
Ma maison

## My bedroom
Ma chambre

## In the kitchen
Dans la cuisine

## Meals
Les repas

# Mes mots d'anglais

## At school
À l'école

## Numbers
Les chiffres

## The time
L'heure

## My day
Ma journée

## Colours
Les couleurs

# Animals

## Les animaux

a ladybird
une coccinelle

a crocodile
un crocodile

a bear
un ours

a rhino
un rhinocéros

a hippo
un hippopotame

an elephant
un éléphant

a parrot
un perroquet

a rat
un rat

a pig
un cochon

a wolf
un loup

a crab
un crabe

a fish
un poisson

a turkey
une dinde

a zebra
un zèbre

a lion
un lion

a dolphin
un dauphin

a tiger
un tigre

a penguin
un manchot

a giraffe
une girafe

a hamster
un hamster

a tortoise
une tortue

a butterfly
un papillon

a snail
un escargot

a fly
une mouche

a bee
une abeille

a kangaroo
un kangourou

a frog
une grenouille

an ant
une fourmi

a koala bear
un koala

a squirrel
un écureuil

a sheep
un mouton

# My house

## Ma maison

**a goldfish**
un poisson
rouge

**the stairs**
l'escalier

**an armchair**
un fauteuil

**the bedroom**
la chambre

**the attic**
le grenier

**a washing machine**
une machine
à laver

**the garage**
le garage

**a dog**
un chien

**the shower**
la douche

**a room**
une pièce

**a neighbour**
un voisin

**a chair**
une chaise

a guinea pig
un cochon
d'Inde

the living
room
le salon

a cat
un chat

the bathroom
la salle de bain

a bin
une
poubelle

a window
une fenêtre

the kitchen
la cuisine

a cupboard
un placard

the roof
le toit

a table
une table

a wall
un mur

the
garden
le jardin

the toilet
les toilettes

a door
une porte

the dining room
la salle à manger

a sofa
un sofa

# My bedroom

## Ma chambre

roller
blades
des rollers

a teddy bear
un nounours

a camera
un appareil
photo

an alarm
clock
un réveil

a wardrobe
une armoire

a pillow
un oreiller

a bed
un lit

a book
un livre

a toy
un jouet

an MP3
player
un lecteur MP3

a chair
une chaise

a chest of drawers
une commode

a laptop
un ordinateur portable

a jigsaw puzzle
un puzzle

a doll's house
une maison
de poupée

a puppet
une
marionnette

a lamp
une lampe

a skipping
rope
une corde
à sauter

a doll
une poupée

a shelf
une étagère

a cuddly toy
une peluche

a bedside
table
une table
de chevet

a poster
un poster

a board game
un jeu
de société

a duvet
une couette

# In the kitchen

## Dans la cuisine

fruit
des fruits

a cooker
une cuisinière

a saucepan
une casserole

a fridge
un frigo

an apple
une pomme

a banana
une banane

a cherry
une cerise

grapes
du raisin

a lemon
un citron

an orange
une orange

a pear
une poire

a strawberry
une fraise

a fork
une fourchette

a knife
un couteau

a glass
un verre

a plate
une assiette

a spoon
une cuillère

a tomato
une tomate

salad
de la salade

a potato
une pomme
de terre

peas
des petits
pois

an onion
un oignon

vegetables
des légumes

broccoli
les brocolis

a carrot
une carotte

a mushroom
un champignon

# Meals
## Les repas

tea
du thé

coffee
du café

cereal
des céréales

butter
du beurre

milk
du lait

## breakfast
le petit déjeuner

## lunch
le déjeuner

an egg
un œuf

fruit juice
du jus
de fruits

toast
du pain grillé

jam
de la confiture

honey
du miel

cheese
du fromage

pasta
des pâtes

**a cake**
un gâteau

**chicken**
du poulet

**ham**
du jambon

**bread**
du pain

**rice**
du riz

**salad**
de la salade

**water**
de l'eau

**salt**
du sel

# dinner
## le dîner

**pepper**
du poivre

**pizza**
de la pizza

**a drink**
une
boisson

**a yoghurt**
un yaourt

**a pie**
une tarte

**fish and chips**
du poisson et des frites

**a sandwich**
un sandwich

**a packet of crisps**
un paquet de chips

# At school

## À l'école

a felt-tip pen
un feutre

English
l'anglais

the classroom
la salle de classe

the board
le tableau

a desk
un bureau

science
la science

a rubber
une gomme

maths
les maths

a pencil
un crayon

scissors
des ciseaux

ICT
l'informatique

**a pencil sharpener**
un taille-crayon

**the playground**
la cour de récréation

**a pencil case**
une trousse

**a school bag**
un cartable

**an exercise book**
un cahier

**a teacher**
une professeure

**technology**
la technologie

**gym**
la gym

**paper**
du papier

**music**
la musique

**a ruler**
une règle

**a pen**
un stylo

**history**
l'histoire

**glue**
de la colle

**geography**
la géographie

**a pupil**
une élève, un élève

759

# Numbers

### Les chiffres

zero    one    two    three    four    five

six    seven    eight    nine    ten

eleven    thirteen    fifteen    seventeen    nineteen

twelve    fourteen    sixteen    eighteen    twenty

twenty-two

twenty-one

thirty

forty

fifty

sixty

seventy

eighty

ninety

one hundred

one hundred and one

one hundred and two

two hundred

two hundred and twenty

one thousand

# The time

## L'heure

It's eight o'clock.
Il est huit heures.

It's five past eight.
Il est huit heures cinq.

It's ten past eight.
Il est huit heures dix.

It's quarter past eight.
Il est huit heures et quart.

It's half past eight.
Il est huit heures et demie.

It's twenty to nine.
Il est neuf heures moins vingt.

It's quarter to nine.
Il est neuf heures moins le quart.

It's noon.
Il est midi.

It's midnight.
Il est minuit.

a day
un jour

a month
un mois

a year
un an

a week
une semaine

an hour
une heure

a second
une seconde

a minute
une minute

in the morning
le matin

in the afternoon
l'après-midi

in the evening
le soir

at night
la nuit

# My day

## Ma journée

I get washed.
Je me lave.

I have breakfast.
Je prends mon petit
déjeuner.

I get up.
Je me lève.

I wake up.
Je me réveille.

I get
dressed.
Je m'habille.

I WAKE UP. I GET UP. I HAVE BREAKFAS

I DO MY HOMEWORK I HAVE MY DINNER. I BR MY T

I go
to school.
Je vais
à l'école.

I HELP MY PARENTS. I PLAY WITH MY SISTER.

I WATCH TV. I PLAY THE PIANO.

I have lunch.
Je déjeune.

I play tennis.
Je joue
au tennis.

I go home.
Je rentre
à la maison.

I have
a snack.
Je prends
mon goûter.

I go to sleep.
Je vais me coucher.

I read a book.
Je lis un livre.

I brush my teeth.
Je me brosse les dents.

I have dinner.
Je dîne.

I do my homework.
Je fais mes devoirs.

I help my parents.
J'aide mes parents.

I play with my sister.
Je joue avec ma sœur.

I watch TV.
Je regarde la télé.

I feed the dog.
Je donne à manger au chien.

I play the piano.
Je joue du piano.

# Colours

## Les couleurs

white
blanc

yellow
jaune

brown
brun

red
rouge

black
noir

blue
bleu

grey
gris

green
vert

pink
rose

purple
violet

orange
orange

## Crédits photographiques

## Avec LAROUSSE, apprendre l'anglais est un jeu d'enfant !

### Mon premier dictionnaire d'anglais

- 1000 mots et expressions pour pouvoir s'exprimer en anglais au quotidien
- Des explications adaptées aux 7-11 ans
- Des exemples amusants pour situer chaque mot dans son contexte
- Des planches de dessins pour mémoriser plus facilement le vocabulaire
- Des petits encadrés ludiques sur quelques spécificités culturelles du Royaume-Uni et des États-Unis

### Mon premier dictionnaire d'anglais à coller

- 30 thèmes illustrés (la maison, les animaux, les saisons…)
- 50 jeux et 300 autocollants pour mémoriser 1000 mots d'anglais tout en s'amusant.

LAROUSSE s'engage pour l'environnement en réduisant l'empreinte carbone de ses livres. Celle de cet exemplaire est de 1,5 kg éq. CO₂
Rendez-vous sur www.larousse-durable.fr
PAPIER À BASE DE FIBRES CERTIFIÉES

Achevé d'imprimer en chez Pollina - Luçon (France) - L11927
Dépôt légal : avril 2016 – 317847/02
N° de projet : 11035256 – avril 2017

# LAROUSSE vous accompagne tout au long de l'école primaire

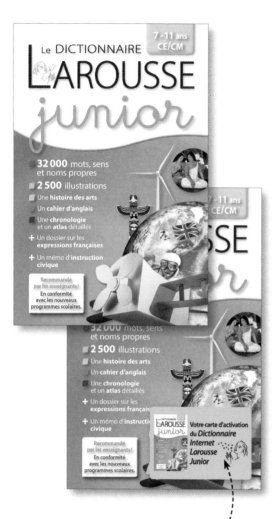

Une gamme idéale
pour maîtriser
la langue française
et enrichir
sa culture générale !

NOUVEAU

- Le *Dictionnaire Larousse Junior* POCHE

- Le *Dictionnaire Larousse Junior* POCHE +

- Le *Dictionnaire Larousse Junior*

- Le *Dictionnaire Larousse Junior* version Plus : 2 dictionnaires en 1 avec l'accès au Dictionnaire Internet Larousse Junior

LAROUSSE

Aa Aa Bb Bb

Cc Cc Dd Dd

Ee Ee Ff Ff

Gg Gg Hh Hh

Ii Ii Jj Jj

Kk Kk Ll Ll

Mm Mm